American Academy of Pediatrics

DEDICATED TO THE HEALTH OF ALL CHILDREN™

PEPP
PEDIATRIC EDUCATION FOR PREHOSPITAL PROFESSIONALS

소아전문응급처치학

Pediatric Education FOURTH
FOR PREHOSPITAL PROFESSIONALS EDITION

전국응급구조과교수협의회

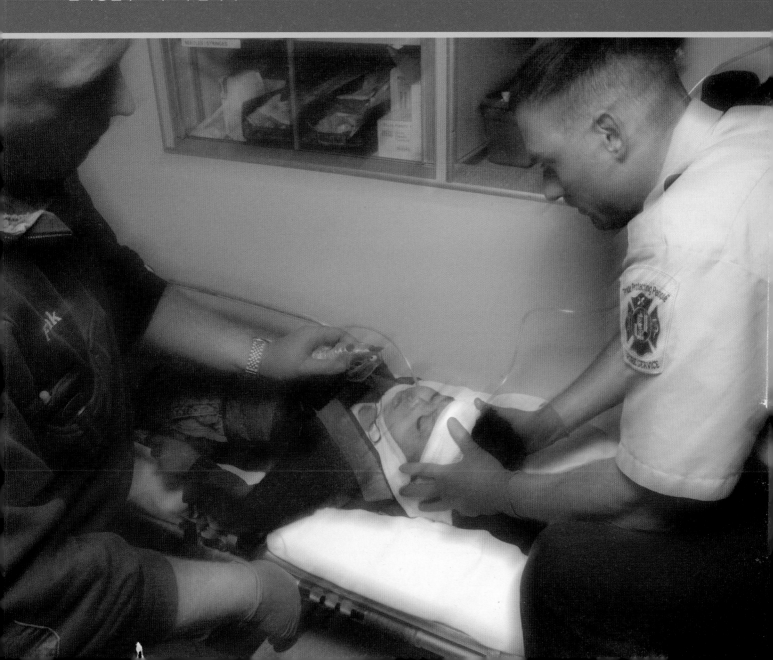

소아전문응급처치학 4판

넷째판 1쇄 인쇄 | 2021년 3월 11일
넷째판 1쇄 발행 | 2021년 3월 19일
넷째판 2쇄 발행 | 2023년 9월 20일

지 은 이 American Academy of Pediarics
옮 긴 이 전국응급구조과교수협의회
발 행 인 장주연
출 판 기 획 최준호
책 임 편 집 권혜지
편집디자인 조원배
표지디자인 김재욱
발 행 처 군자출판사(주)
　　　　　등록 제4-139호(1991. 6. 24)
　　　　　본사 (10881) **파주출판단지** 경기도 파주시 회동길 338(서패동 474-1)
　　　　　전화 (031) 943-1888　　　팩스 (031) 955-9545
　　　　　홈페이지 | www.koonja.co.kr

ORIGINAL ENGLISH LANGUAGE EDITION PUBLISHED BY
Jones & Bartlett Learning, LLC
5 Wall Street
Burlington, MA 01803 USA

PEDIATRIC EDUCATION FOR PREHOSPITAL PROFESSIONALS, 4TH EDITION,
AMERICAN ACADEMY OF PEDIATRICS @ 2020 JONES & BARTLETT LEARNING,
LLC. ALL RIGHTS RESERVED.

ISBN 979-11-5955-678-4

정가 40,000원

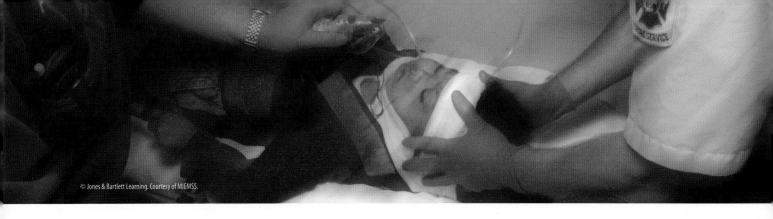

편찬위원회

편찬위원 (가나다 순)

곽은주	대원과학대학교	문준동	공주대학교
권혜란	광주보건대학교	이영아	제주한라대학교
김순심	선린대학교	이정은	동남보건대학교
김지희	강원대학교		

집필진 (가나다 순)

곽은주	대원과학대학교	박정제	포항대학교
권혜란	광주보건대학교	박진홍	충청대학교
기은영	서정대학교	유경규	서정대학교
김경완	청암대학교	이귀자	경동대학교
김미숙	춘해보건대학교	이정은	동남보건대학교
김보균	가천대학교	이효철	호남대학교
김순심	선린대학교	장문순	충북보건과학대학교
김재익	전주기전대학교	전소연	대전보건대학교
김정선	건양대학교	주정미	김해대학교
김지희	강원대학교	피혜영	대원과학대학교
문준동	공주대학교	홍석환	을지대학교
박영석	선문대학교	홍성기	동남보건대학교
박유진	경일대학교	홍희정	마산대학교

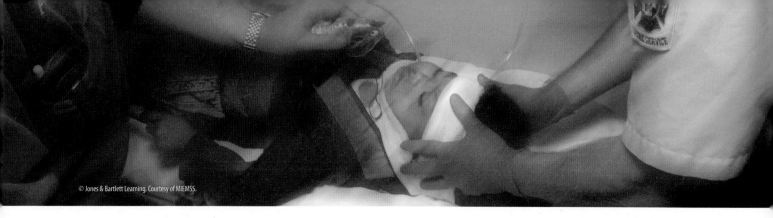

역자서문

이번에 개정된 소아전문응급처치학은 풍부한 임상 경험과 전문 지식을 갖춘 응급구조사와 의사 팀에 의해 쓰여졌으며 사례연구를 포함한 현장 맞춤형의 소아 응급처치 안내서라고 볼 수 있다. 소아응급처치에 대한 전반적인 이해와 더불어 현장에서 활용될 수 있는 필수 술기가 잘 정리된 교재이다.

소아 전문응급처치학 개정판은 전판과 다르게 행동응급(Behavioral Emergencies)이 새로운 장으로 추가되어 주의력 부족 행동과 다장애(ADHD), 행동장애, 불안장애, 우울증과 그에 따른 처치를 다루고 있다. 또한 비강내 약물투여와 성문위 기도기, EZ-IO를 포함한 골내투여 등 최신 술기 부분이 추가 및 보완되었으며 여러 술기 사진이 수정되었다. 전편과 마찬가지로 이 책의 가장 큰 장점은 술기에 대한 절차가 있다는 것이며 이는 자칫 재교육 현장에서 소홀하기 쉬운 소아응급처치 술기를 상기시키고 재교육하는데 유용한 부분이라고 볼 수 있다. 개정판에서는 이러한 절차 부분의 사진이 업데이트되어 이 책으로 공부하는 학생들에게 실제 교육받는 듯한 생생함을 줄 수 있다. 또한 장마다 제시된 3개 이상의 사례로 강조되어야 할 부분을 복습하고 다양한 사례를 적용함으로써 창의적이고 비판적인 사고력 증진과 더불어 학습 효과를 높일 수 있다. 다만 이 개정판은 번역판이라는 한계로 새로운 CPR 가이드라인을 담지 못하였으므로 현장에서 소아전문응급처치 교육 시 새로운 심폐소생술 가이드라인을 추가하여 교육하기를 바란다.

끝으로 이 책 출간을 위해 번역과 교정 등에 열과 성의를 다해 전력해주신 곽은주, 권혜란, 김순심, 김지희, 문준동, 이영아 교수님과 번역진, 그리고 개정판 제작을 위해 물심양면 도움을 주신 군자출판사의 장주연 사장님을 비롯한 편집부 여러분의 노고와 손길에 감사를 드린다.

2021년 2월

대표 역자 이 정 은

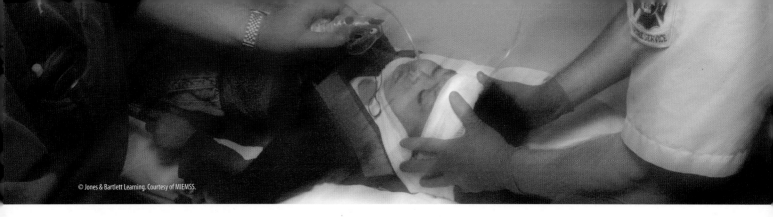

© Jones & Bartlett Learning. Courtesy of MIEMSS.

목차

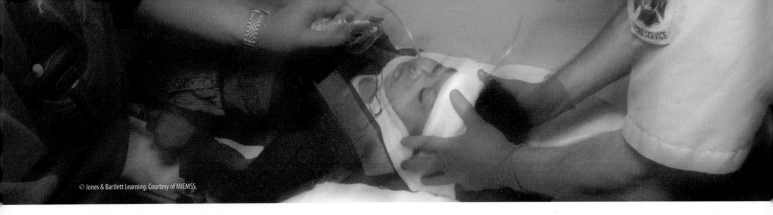

세부 목차

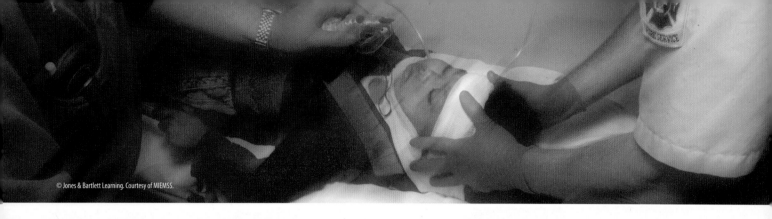

PEPP Steering Committee

Jennifer F. Anders, MD, FAAP

Chair, PEPP Steering Committee

Representative – AAP Section on Emergency
 Medicine

Assistant Professor of Pediatrics

Johns Hopkins University School of Medicine

Associate State Medical Director for Pediatrics

Maryland Institute of EMS Systems

Baltimore, Maryland

S. Heath Ackley, MD, MPH, FAAP

Representative – AAP Section on Emergency
 Medicine

Clinical Associate Professor

Pediatric Emergency Medicine

Seattle Children's Hospital

Seattle, Washington

Thomas Breyer, FF/NRP, MSHS

Representative – International Association
 of Fire Fighters

Director of Fire & EMS Operations

Washington, DC

Kathleen M. Brown, MD, FACEP, FAAP

Representative – American College of Emergency
 Physicians

Professor of Pediatrics and Emergency Medicine

The George Washington University School of
 Medicine

Associate Division Chief, Medical Director
 of Quality

Division of Emergency Medicine

Children's National Medical Center

Washington, DC

Ann Dietrich, MD, FACEP, FAAP

Representative – National Association of Emergency
 Medical Technicians

Associate Professor of Pediatrics and Emergency
 Medicine

Ohio University Heritage College of Medicine

Pediatric Medical Advisor, Medflight of Ohio

Medical Director, The Franklin County Firefighters
 Grant Medical Center EMS Education Program

Columbus, Ohio

J. Joelle Donofrio-Odmann, DO, FAAP, FACEP, FAEMS

Representative – National Association of EMS
 Physicians

EMS Medical Director, Rady Children's Hospital
 of San Diego

Associate Medical Director, San Diego Fire-Rescue

Assistant Professor, Departments of Pediatrics and
 Emergency Medicine

UCSD School of Medicine

San Diego, California

**Joyce Foresman-Capuzzi, MSN, APRN, CCNS, CEN, CPEN,
 CTRN, TCRN, CPN, EMT-P, FAEN**

Representative – Emergency Nurses Association

Clinical Nurse Educator

Lankeanu Medical Center

Prospect Park, Pennsylvania

Susan Fuchs, MD, FAAP, FACEP

Co-Editor, *PEPP, Fourth Edition*

Representative – American Heart Association

Professor of Pediatrics, Northwestern University
 Feinberg School of Medicine

Attending Physician, Division of Emergency Medicine

Ann & Robert H. Lurie Children's Hospital of Chicago

Chicago, Illinois

Brandon Kelley, NRP
Representative – National Association of State
  EMS Officials
EMS Supervisor
Wyoming Department of Health, Emergency
  Medical Services
Cheyenne, Wyoming

Corolla Lauck, NRP
Representative – National Association of State
  EMS Officials
Program Director
South Dakota Emergency Medical Services for
  Children Program
Sioux Falls, South Dakota

Rich Martin
Representative – International Association
  of Fire Chiefs
Deputy Chief of Operations
Castle Rock Fire and Rescue Department
Castle Rock, Colorado

Mike McEvoy, PhD, NRP, RN, CCRN
Co-Editor, *PEPP, Fourth Edition*
EMS Coordinator, Saratoga County, New York
Executive Editor, *Journal of Emergency Medical
  Services (JEMS)*
EMS Editor, *Fire Engineering Magazine*
Nurse Clinician, Adult & Pediatric Cardiac Surgical
  ICUs, Albany Medical Center
Chief Medical Officer, West Crescent Fire
  Department
Chair, EMS Section Board – International
  Association of Fire Chiefs
Waterford, New York

Toni M. Petrillo, MD, FAAP
Representative – AAP Section on Critical
  Care/Transport Medicine
Pediatric Critical Care Fellowship Director
Medical Director of Transport
Professor of Pediatrics
Division of Pediatric Critical Care
Emory University and Children's Healthcare
  of Atlanta
Atlanta, Georgia

Michael J. Stoner, MD, FAAP
Representative – AAP Section on Emergency
  Medicine/Transport Medicine
Assistant Professor of Pediatrics
The Ohio State University College of Medicine
Section Chief of Emergency Medicine
Nationwide Children's Hospital
Columbus, Ohio

Michael H. Stroud, MD, FAAP
Representative – AAP Section on Critical
  Care/Transport Medicine
Associate Professor
Pediatric Critical Care
University of Arkansas for Medical Sciences
Associate Medical Director
Angel One Transport
Little Rock, Arkansas

Keith Widmeier, BA, NRP, FP-C
Representative – National Association
  of EMS Educators
Simulation Educator
Children's Hospital of Philadelphia
Center for Simulation, Advanced Education, &
  Innovation
Philadelphia, Pennsylvania

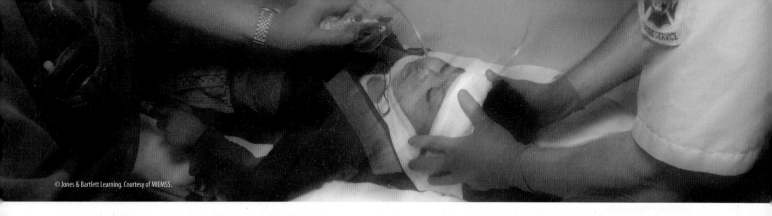

Acknowledgments

Editors

Susan Fuchs, MD, FAAP, FACEP

Mike McEvoy, PhD, NRP, RN, CCRN

Authors

The American Academy of Pediatrics and editors acknowledge with appreciation the contributions of the following individuals in the development of this resource.

Michael R. Aguilar, AA, EMT-P
EMS Adjunct Faculty
Kirkwood Community College
Regional Center for EMS Education
Cedar Rapids, Iowa

Jennifer F. Anders, MD, FAAP
Chair, PEPP Steering Committee
Representative – AAP Section on Emergency
   Medicine
Assistant Professor of Pediatrics
Johns Hopkins University School of Medicine
Associate State Medical Director for Pediatrics
Maryland Institute of EMS Systems
Baltimore, Maryland

S. Heath Ackley, MD, MPH, FAAP
Representative – AAP Section on Emergency
   Medicine
Clinical Associate Professor
Pediatric Emergency Medicine
Seattle Children's Hospital
Seattle, Washington

Victoria Barnes, RN, BSN, EMT
Program Coordinator
Connecticut Emergency Medical Services
   for Children
New Haven, Connecticut

Andrew Bartkus, RN, MSN, JD, CEN, CCRN, CFRN, NREMT-P, FP-C
Emergency Department Director
Sandoval Regional Medical Center
Rio Rancho, New Mexico

Kathleen M. Brown, MD, FACEP, FAAP
Representative – American College of Emergency
   Physicians
Professor of Pediatrics and Emergency Medicine
The George Washington University School of
   Medicine
Associate Division Chief, Medical Director of Quality
Division of Emergency Medicine
Children's National Medical Center
Washington, DC

Tabitha Cheng, MD
UCSD EMS Fellow
Emergency Department Physician
San Diego, California

Sharon Chiumento, BS, BSN, EMT-P
EMS Representative – NYS EMSC Committee
Adjunct Faculty – Monroe Community College
Rochester, New York

Ann Dietrich, MD, FACEP, FAAP
Representative – National Association of Emergency
  Medical Technicians
Associate Professor of Pediatrics and Emergency
  Medicine
Ohio University Heritage College of Medicine
Pediatric Medical Advisor, Medflight of Ohio
Medical Director, The Franklin County Firefighters
  Grant Medical Center EMS Education Program
Columbus, Ohio

J. Joelle Donofrio-Odmann, DO, FAAP, FACEP, FAEMS
Representative – National Association of EMS
  Physicians
EMS Medical Director, Rady Children's Hospital
  of San Diego
Associate Medical Director, San Diego Fire-Rescue
Assistant Professor, Departments of Pediatrics and
  Emergency Medicine
UCSD School of Medicine
San Diego, California

Wm. Travis Engel, DO, MSc
Paramedic, FP-C, CCP-C
Advocate Children's Hospital
Park Ridge, Illinois

John A. Erbayri, MS, NRP, CHSE
Emergency Care Program Manager
Children's Hospital of Philadelphia
Paramedic/Field Training Officer
Marple Township Ambulance Corps
Ridley Park, Pennsylvania

Joyce Foresman-Capuzzi, MSN, APRN, CCNS, CEN, CPEN, CTRN, TCRN, CPN, EMT-P, FAEN
Representative – Emergency Nurses Association
Clinical Nurse Educator
Lankeanu Medical Center
Prospect Park, Pennsylvania

Susan Fuchs, MD, FAAP, FACEP
Co-Editor, *PEPP, Fourth Edition*
Representative – American Heart Association
Professor of Pediatrics, Northwestern University
  Feinberg School of Medicine
Attending Physician, Division of Emergency
  Medicine
Ann & Robert H. Lurie Children's Hospital
  of Chicago
Chicago, Illinois

J. Hudson Garrett Jr., PhD, MSN, MPH, MBA, FNP-BC, PLNC, IP-BC, AS-BC, NREMT, VA-BC, FACDONA, FAAPM, FNAP
Adjunct Assistant Professor of Medicine
Division of Infectious Diseases
University of Louisville School of Medicine
Medical Reserve Corp
Pro Care Emergency Medical Services
Atlanta, Georgia

Thomas Herron, Jr. AAS, NRP
EMS Faculty/Clinical Coordinator
Roane State Community College
Knoxville, Tennessee

Will Krost, MD, MBA, NRP
Emergency Medicine & Flight Physician
Bon Secours Mercy Health, St. Vincent
Department of Emergency Medicine
Toledo, Ohio

David LaCovey, BS, EMT-P
EMS Specialist
Benedum Pediatric Trauma Program
UPMC Children's Hospital of Pittsburgh
Pittsburgh, Pennsylvania

Corolla Lauck, NRP
Representative – National Association of State
  EMS Officials
Program Director
South Dakota Emergency Medical Services for
  Children Program
Sioux Falls, South Dakota

Rich Martin
Representative – International Association
  of Fire Chiefs
Deputy Chief of Operations
Castle Rock Fire and Rescue Department
Castle Rock, Colorado

Mike McEvoy, PhD, NRP, RN, CCRN
Co-Editor, *PEPP, Fourth Edition*
EMS Coordinator, Saratoga County, New York
Executive Editor, *Journal of Emergency Medical
  Services (JEMS)*
EMS Editor, *Fire Engineering Magazine*
Nurse Clinician, Adult & Pediatric Cardiac Surgical
  ICUs, Albany Medical Center
Chief Medical Officer, West Crescent Fire
  Department
Chair, EMS Section Board – International
  Association of Fire Chiefs
Waterford, New York

Mary Otting, RN, BSN, CEN
EMS Coordinator
Ann & Robert H. Lurie Children's Hospital
   of Chicago
Chicago, Illinois

Sylvia Owusu-Ansah, MD, MPH, FAAP
Assistant Professor of Pediatrics
EMS/Prehospital Medical Director
UPMC Children's Hospital of Pittsburgh
Pediatric Liaison – Division of EMS
Department of Emergency Medicine, University
   of Pittsburgh
National Registry of EMTs Physician Board Member
Pittsburgh, Pennsylvania

Ali Paplaskas, Pharm. D., BCCCP
Emergency Medicine Pharmacy Specialist
Mercy Health St. Vincent Medical Center
Toledo, Ohio

Toni M. Petrillo, MD, FAAP
Representative – AAP Section on Critical
   Care/Transport Medicine
Pediatric Critical Care Fellowship Director
Medical Director of Transport
Professor of Pediatrics
Division of Pediatric Critical Care
Emory University and Children's Healthcare of
   Atlanta
Atlanta, Georgia

Claudia L. Phillips, MSN-Ed, RN, CEN, CPEN
Emergency Department Registered Nurse
Sandoval Regional Medical Center
Rio Rancho, New Mexico

Michael S. Riley, NRP, EMSI
Senior Emergency Care Educator
Children's Hospital of Philadelphia
Emergency Care Programs
Philadelphia, Pennsylvania

Saranya Srinivasan, MD, FAAP
Medical Director
Los Angeles County Paramedic Training Institute
Santa Fe Springs, California

Jennifer L. Stafford, BSN, CEN, CFRN
Unit Based Educator: Emergency Department
UNM Sandoval Regional Medical Center
Rio Rancho, New Mexico

Michael J. Stoner, MD, FAAP
Representative – AAP Section on Emergency
   Medicine/Transport Medicine
Assistant Professor of Pediatrics
The Ohio State University College of Medicine
Section Chief of Emergency Medicine
Nationwide Children's Hospital
Columbus, Ohio

Matthew R. Streger, Esq, MPA, NRP
Partner
Keavney & Streger, LLC
Princeton, New Jersey

Michael H. Stroud, MD, FAAP
Representative – AAP Section on Critical
   Care/Transport Medicine
Associate Professor
Pediatric Critical Care
University of Arkansas for Medical Sciences
Associate Medical Director
Angel One Transport
Little Rock, Arkansas

Sam Vance, MHA, LP
Lead Project Manager
Prehospital Domain Lead
State Partnership Co-Domain Lead
National EMS for Children Innovation
   and Improvement Center
Houston, Texas

Keith Widmeier, BA, NRP, FP-C
Representative – National Association of EMS
   Educators
Simulation Educator
Children's Hospital of Philadelphia
Center for Simulation, Advanced Education, &
   Innovation
Philadelphia, Pennsylvania

Board Reviewer

The editors would like to acknowledge the work of the American Academy of Pediatrics Board-appointed reviewer.

Wendy S. Davis, MD, FAAP
American Academy of Pediatrics
District I Chairperson
Larner College of Medicine at the University
   of Vermont
Burlington, Vermont

EMS Reviewers

David Anderson
North Gilliam County Health District
Arlington, Oregon

Ryan K. Batenhorst, MEd, NRP, EMSI
Southeast Community College
Lincoln, Nebraska

James Blivin
Training 911
Chambersburg, Pennsylvania

Rob Bozicevich, NRP
MetroAtlanta EMS Academy
Marietta, Georgia

Jason Brooks
University of South Alabama Department
   of EMS Education
Mobile, Alabama

Joshua Chan, BA, FP-C, CCP-C
Glacial Ridge Health System
Glenwood, Minnesota

Ted Chialtas, BA, EMT-P
San Diego Fire-Rescue Department EMS
   Training Facility
San Diego, California

Kent Courtney, NRP
EMS/Fire/Rescue Educator
Essential Safety Training and Consulting
Rimrock, Arizona

Lyndal M. Curry, MS, NRP
Southern Union State Community College
Auburn, Alabama

Kevin Curry, AS, NRP, CCEMT-P
Augusta Fire Rescue
Augusta, Maine

William Faust, MPA, NRP
Western Carolina University
Cullowhee, North Carolina

Lori Gallian, BS, EMT-P
Summit Sciences
Citrus Heights, California

Fidel O. Garcia, EMT-P
Professional EMS Education
Grand Junction, Colorado

Rodney Geilenfeldt II, BS, EMT-P
EMSTA College
Santee, California

Jeffery D. Gilliard, FPM/CCEMTP/NRP
EMETSEEI Institute, Inc.
Rockledge, Florida

Keith B. Hermiz, NREMT-A, I/C
Grafton Rescue Squad, Inc.
Grafton, Vermont

Michele M. Hoffman, MSEd, RN, NREMT
James City County Fire Department
Williamsburg, Virginia

Michael Hudson, NR-P, NJ MICP
Sea Bright Ocean Rescue
Edison, New Jersey

Sandra Hultz, NRP
Holmes Community College
Ridgeland, Mississippi

Joseph Hurlburt, BS, NRP
North Flight EMS Wexford County
Manton, Michigan

Timothy M. Kimble, BA, AAS, CEM, NRP
Craig Co Emergency Services
New Castle, Virginia

Mark King
MEEMS Paramedic
Kennebec Valley Community
Winthrop, Maine

Christopher Maeder, BA, EMT-P
Chief
Fairview Fire District
Poughkeepsie, New York

Gregory S. Neiman, MS, NRP, NCEE
Center for Trauma and Critical Care Education
Virginia Commonwealth University
Richmond, Virginia

Sean Newton
Mesa Community College
Mesa, Arizona

Laurie Oelslager, EdD, NRP, CP
South Central College
North Mankato, Minnesota

Keito Oritz, Paramedic, NAEMSE II
Jamaica Hospital Medical Center
Jamaica, New York

Scott A. Smith, MSN, APRN-CNP, ACNP-BC, NRP, I/C
Atlantic Partners EMS, Inc.
Lisbon, Maine

Mark A. Spangenberg, CCP, ECG-BC, I/C
Milwaukee Area Technical College
Milwaukee, Wisconsin

Michael E. Tanner, FP-C, NRP, MCCP
WV Public Service Training, Waverly Vol. Fire Co.,
    Air Evac Lifeteam
Waverly, West Virginia

Jennifer TeWinkel Shea, BA, AEMT
Regions Hospital Emergency Medical Services
Oakdale, Minnesota

Antoinette Tharrett, MSN, RN-BC, CCEMT-P, NRP
Lake Cumberland Regional Hospital
Russell Springs, Kentucky

A. Elizabeth Trujillo, NRP, B.S.
Fielding Fire Department
Fielding, Utah

Scott Vanderkooi, MEd, NRP
Blue Ridge Community College
Weyers Cave, Virginia

Tom Watson, AS, AAS, Paramedic
Chesapeake, Virginia

Rekeisha A. Watson-Love, AAS, NRP
Henderson, Nevada

Raymond C. Whatley, Jr., MBA, NRP, TP-C
George Washington University
Washington, DC

Keri Wydner Krause
Lakeshore Technical College
Cleveland, Wisconsin

Andy Yeoh, NRP, EFOP, BS
Pima Community College
Vail, Arizona

Video Shoot Acknowledgments

We would like to thank the following institutions for their collaboration on the video and photo shoot for this project. Their assistance is greatly appreciated.

Lifespan Medical Simulation Center
Providence, Rhode Island

East Kingston Fire Department
East Kingston, Rhode Island

East Providence Fire Department
Providence, Rhode Island

Warwick Fire Department
Warwick, Rhode Island

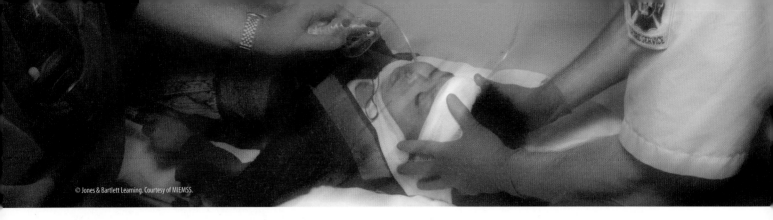

Foreword

PEPP, Fourth Edition . . . Written by EMS for EMS

In celebration of the 20th Anniversary of the PEPP program, we are thrilled to bring you the *PEPP, Fourth Edition*, providing prehospital professionals with education that has become known as the gold standard in pediatric emergency care. As has always been our primary focus, content within this manual has been authored by a team of EMS professionals and physicians with expertise in prehospital care.

The Provider Manual serves as the core of the PEPP course and has been completely updated and revised to include many exciting new additions and enhancements.

All NEW Content

- **New chapter on behavioral emergencies**
- **New procedures on tourniquet application and intranasal medication administration**
- Enhanced section on supraglottic airways, to include i-gel
- Enhanced section on intraosseous infusion, to include EZ-IO

- Information on active threat/hostile threat and human trafficking
- Updated images

Enhanced Course Features

- An **Enhanced Hybrid course format**, featuring all new small-group, case-based discussions
- **Nine new procedural skills video clips** including Narcan, epinephrine, and albuterol administration; tourniquet application; intranasal medication administration; intraosseous needle insertion; supraglottic airways; spinal motion restriction; and length-based resuscitation tape
- **New case-based scenario lectures**
- **Interactive course activities**
- Optional materials you can use to customize and supplement your courses

We hope you find all the enhancements and improvements to the *Fourth Edition* to be dynamic, innovative, and flexible to better meet your continuing education needs.

Susan Fuchs, MD, FAAP, FACEP
Mike McEvoy, PhD, NRP, RN, CCRN

© Eddie M. Sperling.

CHAPTER 1
소아환자 평가

Ann Dietrich, MD, FACEP, FAAP

Keith Widmeier, BA, NRP, FP-C

학습목표

1. 국가표준지침에 따른 병원 전 전문 소아응급처치교육(PEPP)의 내용을 설명할 수 있다.

2. 병원 전 소아응급환자평가의 특수한 상황을 논의할 수 있다.

3. 현장 도착 전 준비와 현장 조사 및 평가의 중요한 특징을 인지할 수 있다.

4. 최초응급환자평가에서 소아평가삼각구도(Pediatric Assessment Triangle, PAT)의 3요소를 구분할 수 있다.

5. 1차 평가에서 각 단계별 다루어야 할 ABC 과정에서 중요하게 고려할 내용을 설명할 수 있다.

6. 통증평가와 관리가 필요한 소아응급환자의 임상상황을 인지할 수 있다.

7. 질병이나 손상으로 아픈 소아를 현장에서 머무르면서 치료할 것인지, 적절한 이송방법 결정과 함께 언제 즉시 이송해야하는 지에 대한 지침을 논의할 수 있다.

8. 소아환자에게 시행하는 병력청취나 2차평가, 감시장치와 이송 중 평가를 포함한 추가평가에서 특별히 고려할 내용을 설명할 수 있다.

사례연구 1

헬멧을 착용하지 않고 자전거를 타고 집 앞으로 나오던 9세 소년이 지나가는 자동차에 치었다. 목격자에 의하면 자동차는 약 40 km/h 의 속도였으며, 자전거를 타던 소년은 부딪혀서 4-5 m 정도 튕겨 나갔다고 한다. 소년은 약 1분 동안 의식이 소실된 상태였다. 응급구 조사가 현장에 도착했을 때 소년은 불안해 보였고 울고 있었으나, 묻는 질문에는 적절한 대답을 하였다. 그리고 소년은 배가 아프다고 하였다. 비정상적인 호흡음이나 그렁거림, 확장된 콧구멍, 퇴축은 발견되지 않았고, 피부는 약간 창백한 편이다. 호흡수는 분당 30회이 며, 양쪽의 호흡음도 같다. 맥박산소측정치는 98%, 심박동수는 분당 140회, 혈압은 80/40 mmHg, 모세혈관 재충혈 시간은 4초였다.

1. 위의 사례연구에서 소년의 손상정도를 파악하고 즉각적인 응급처치가 필요한 생리적 현상은 무엇인가?
2. 위의 사례연구에서 소년의 통증에 대한 중재가 필요한가?

개요

병원전 단계에서 극심한 부상이나 질병을 호소하는 소아환자를 다루는 일은 경험 있는 응급구조사에게도 가장 스트레스를 많이 받는 의무 중 하나이다. 왜냐하면 소아환자는 자신의 문제를 표현하기 어려운 어린 나이이기 때문에 주요한 병력은 신뢰가 떨어지거나 놓칠 때가 종종 있으며, 사건을 정확하게 표현 할 수도 없고 때로는 사건표현을 두려워하기 하기 때문이다. 돌봄제공자 역시 슬픔에 젖어있거나, 두려움, 불안감을 가질 수 있다. 소아환자는 신체가 작으므로 신체검진이 어려울 때가 많으며, 정확한 활력징후를 얻기도 어렵고, 연령에 따른 결과를 해석하기도 쉽지 않은 경우가 많다. 병원전 응급구조사의 직무는 소아환자나, 돌봄제공자 또는 가속을 사고현상과 같은 대혼란 속에서 안정을 되찾을 수 있도록 돕고, 현장 상황이 정리될 수 있도록 해야 한다. 그리고 응급구조사는 정확한 상황판단을 하고 아동에게 효과적인 응급처치를 시행해야 한다.

병원전 전문소아응급처치교육과정(PEPP)은 미국소아과학회(APP)에서 개발되었으며, 병원전 응급처치 시 아프거나 부상당한 소아를 종합 평가하고 관리하는데 필요한 핵심 지식과 기술을 응급구조사에게 제공한다. 전문소아응급처치교육과정(PEPP)의 자료는 국가도로교통안전협회(NHTSA)의 응급의료체계(EMS) 지침에도 부합하는 것이다. 그러므로, 이전 전문소아응급처치교육과정(PEPP)에서 사용되었던 일부 용어는 국가 EMS의 핵심 내용과 아동응급처치의 정의와 평가방법을 반영하기 위해 일부 변경되었다.

효과적인 응급처치가 되기 위해서는 병원 안팎에서 전문인들이 관여해야 한다. 종합적이고 높은 수준의 병원전 소아응급처치를 위한 두 가지 가장 중요한 개념은 팀 접근법과 예방이다. 팀 접근법은 전문인들이 협력하여, 종합적 임상진료 시행, 전문적 교육 그리고 특히 소아에게 적합한 행정적 관리를 필요로 한다. 응급구조 코디네이터는 응급치료기관과 병원 환경 사이에서 소통 역할을 수행할 수 있다. 응급치료기관의 응급구조 코디네이터들은 프로토콜 작성, 소아과 사례 검토, 기관의 소아과 진료 능력 검증/향상(QA/QI), 적절한 소아과 진료를 위한 소모품 등이 준비되어 있는지 확인할 수 있고, 부상 방지 조치에 협조할 수 있으며, 가족 중심의 케어가 가능하도록 할 수 있으며, 지역의 소아과 진료 흐름을 파악할 수 있으며, 응급의학과와 협력할 수 있다. 또한 예방 부분에서 전문인들은 질병이나 상해를 입은 소아에게 응급의료서비스는 한계를 가지고 있음을 인지하고 이러한 사고가 일어나기 전에 잠재적으로 위험한 상황을 바꾸는 예방에 많은 노력을 가져야 한다. 소아의 전반적인 건강과 복지를 위한 모든 지역 사회활동 중 질병과 사고 예방활동은 현재까지 가장 비용 효율이 높다. 제17장에서 보면 응급구조사의 사고예방을 위한 여러 가지 새로운 역할들에 대해 소개하고 있다.

심각한 부상을 입었거나, 병을 앓고 있는 소아를 정확하게 평가하기 위해서는 보다 전문적인 지식과 기술을 필요로 한다. 모든 소아 연령대의 평가를 위해서는 다음과 같은 네 단계의 평가과정을 거치도록 한다. 네 단계에는 (1) 현장평가 (2) 소아평가삼각구도(PAT) 평가 (3) ABCDEs 평가, 활력징후, 맥박산소측정을 이용한 1차 평가 (4) 집중적 병력조사, 집중적 신체검진, 장비를 활용한 모니터링, 신체 상태에 대한 지속적인 재평가, 치료에 따른 반응을 포함한 2차 평가이다. 1차나 2차 평가는 잘 정립이 되어 있으며 성인과 동일한 기준으로 평가해도 된다. 그러나 소아환자에게 맞춘 네 단계 평가는 매우 중요하다. 그리고 검사실 진단 및 영상의학과 진단을 포함하는 3차 평가는 현장에서도 가능하지만, 대부분 응급실에 와서 진행된다.

소아환자의 평가과정 요약표

다음에 소개하는 소아환자의 평가과정 요약표는 응급구조사 교육 과정의 지침과 동일하며, 각 요소들은 상호관계가 있다. 생명을 위협하는 상황을 해결하기 위해 응급구조사는 1차 평가 단계만 시행 한 후 처치와 함께 즉시 이송할 수도 있다. 예를 들면 중증의 심각한 손상을 입은 아동의 경우 2차 평가는 소생술과 환자 안정화를 위한 처치 후로 연기해야만 한다. 그러나 이송 중에 처치와 관련된 환자 반응에 대한 재평가는 지속적으로 실시되어야 한다. 모니터링 장치인 맥박산소측정기나 호기말이산화탄소측정 또는 혈당검사 결과 수치는 병원전 단계에서 치료를 확신하는데 귀중한 부가적인 자료로 활용될 수 있다.

현장평가(Scene Size-Up)

↓

소아평가삼각구도를 이용한 평가(PAT)

↓

1차 평가

ABCDEs 응급처치

활력징후

맥박산소측정

이송 결정: 현장치료 또는 이송

↓

2차 평가

병력조사

신체검사

감시장치 적용

지속적인 재평가

그림 1-1 환경평가

Courtesy of Rhonda J. Hunt.

현장평가

현장 도착 전, 응급구조사는 영아나 소아환자 및 그 환자의 가족을 어떻게 응대하고 처치할지에 대한 정신적 준비를 하여야 한다. 즉 영아나 소아환자의 현장평가, 소아용 응급의료장비, 약물, 연령대에 맞는 신체검진에 대한 준비를 말한다. 모든 소아진료 장비 및 약품은, 상대적으로 사용 빈도가 낮고 간과하기 쉬우므로 주기적으로 점검해야 한다. 따라서 응급의료지원센터로부터의 정보 즉, 환자의 연령, 성별, 장소, 주호소증상이나 손상기전은 현장에 도착 전 준비의 기반이 된다.

현장에 도착하면 어린이, 보호자, 주변사람들, 그리고 응급구조사 자신들의 안전이 확보 될 수 있는지 신속히 현장조사를 진행한다. 예를 들면 중독물질이 엎질러져 있는지, 뚜껑 열린 알콜병이나 화기, 총기 혹은 마약관련도구 등이 있는지 주변을 살핀다. 또는 소아 환자가 감염성 질병(수두 또는 수막알균혈증(meaningococcemia))을 앓고 있는 지 등에

대해 확인한다.

환경 평가에는 물리적 환경 검사와 가족-소아 또는 돌봄제공자-소아의 상호작용 관찰이 포함된다(**그림 1-1**). 예를 들면 위험한 현장 상황이나, 부적절한 돌봄제공자의 진술 등의 평가 내용은 소아가 후에 가해진 손상이나 방임의 희생자로 결정되었을 때 아동보호서비스를 받을 수 있는 중요한 단서가 되기도 한다. 현장조사는 되도록 많은 유용한 정보를 찾도록 해야 하고, 동시에 소아와 동료 응급구조사들의 안전을 지키는 노력이 필요한 단계이다.

소아평가삼각구도(PAT)

현장평가 후에는 소아의 발달단계에 맞는 평가를 실시한다. 이러한 평가는 환아에 대한 시각적, 청각적 전반적 평가를 이용한 표준방법인 소아평가삼각구도를 이용한다.

현장처치를 할 것인지, 신속한 이송이 필요한지에 대한 빠른 평가가 필수적이다. "이 아이가 아픈것인가? 안 아픈 것인가?"를 자신에게 물어보아야 한다. 손상기전을 알고 있는 외상환자인 경우나 해부학적으로 명확한 부위의 통증을 호소하고 있는 환자의 경우는 평가가 그리 복잡하지 않다. 하지만 이러한 질병관련정보가 확실한 때일지라도 잠재적 위험성의 파악을 위해 면밀한 평가를 잊지 말아야 한다. 질병이 있는 소아의 평가는 좀더 복잡할 수 있는데 이때에는 발병 및 지속시간, 심한정도, 증상의 진행상황에 대한 자세한 정보를 캐내야 한다. 이러한 경우에는 주호소가 애매모호하고 해부학적 부위 역시 부정확할 수 있다. 외상이든 질병이

든 소아평가삼각구도를 통해 생리적인 불안정요소 및 처치 우선순위, 적절한 이송시점 등을 판단할 수 있다.

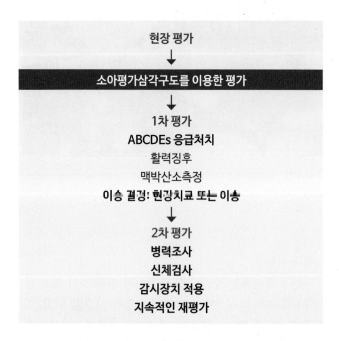

전반적 첫인상 평가: 소아평가삼각구도

소아평가삼각구도는 모든 소아에게 신속한 평가 도구로서 활용될 수 있다(**그림 1-2**). 이 도구는 시각과 청각적인 단서를 통해 전반적인 첫인상 평가를 내리는데 도움이 된다. 또한 이 도구를 사용함으로써 응급구조사는 환자의 중증도와 소생술 처치의 의사결정과 함께 어떤 생리적 문제가 있는지 파악할 수 있다. 지속적으로 삼각구도에 따른 소아평가를 이용하면 처치에 따른 반응을 살피고, 이송 시점을 결정하는데 도움이 된다. 또한 환아의 생리학적 상태에 대한 의료진과의 의사소통과 통신을 통한 보고를 할 때 가치 있게 활용 된다.

소아평가삼각구도에서는 소아의 3가지 생리학적 자료인 (1) 외관(appearance), (2) 호흡노력(work of breathing), (3) 피부순환(circulation to the skin)을 활용한다. 소아평가삼각구도는 듣고, 보는 방법에 기초하며 청진기나 혈압계, 맥박산소측정기, 심전도 감시 장치 등은 필요하지 않다. 소아평가삼각구도 평가법은 30초 이내에 실시하며, 경험많은 소아 의료 제공자가 본능적으로 시행하는 직관적인 평가과정이다.

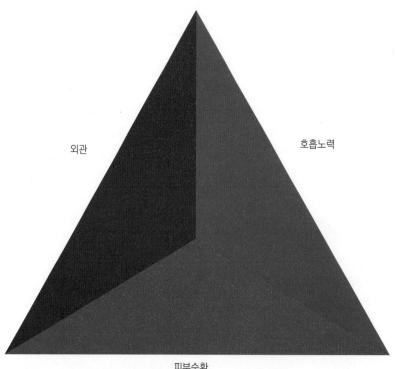

외관

호흡노력

피부순환

그림 1-2 소아평가삼각구도(PAT).

소아평가삼각구도(pediatric assessment triangle, PAT)

소아평가삼각구도를 통해 파악된 신체적 특징은 환아의 심폐기능과 의식수준을 파악할 수 있는 초석이 된다. 그러나 소아평가삼각구도가 진단을 이끌어 주는 것은 아니며 단지 이송 결정을 위한 위급성 파악과 생리적 문제들의 개괄적 부분을 파악해 주는 정도이다. 이것은 1차평가의 일부인 활력징후나 ABCs의 자료를 대신 해 주는 것도 아니다.

소아평가삼각구도는 병원전 전문소아응급처치교육과정(PEPP)에서 유래하지 않았다. 경험 많은 소아 의료 제공자가 아프거나 외상이 있는 환아에 대한 빠른 정보 수집으로 직관적인 평가 기술을 발전시켰다. 소아평가삼각구도의 독특한 점은 이러한 관찰을 만들고 통합하고 전달하는 체계적이니 접근방식입니다. 이러한 소아평가삼각구도(PAT)는 병원전 전문소아응급처치 교육과정(PEPP)의 기초가 되었다. 시간이 흐르면서 이 도구를 모든 연령의 소아에게 적용해보면 소아의 아픔의 여부를 평가하는데 없어서는 안될 빠르고 일차적인 평가도구가 될 것이다.

외관(Appearance)

외관의 특징. 소아환자에게서의 전반적인 외관을 평가하는 것은 질병이나 부상의 심각성, 치료의 필요성, 치료에 따른 반응을 평가하는 데 중요한 요소이다. 이러한 전반적인 외관상태는 환기, 산소공급 상태, 뇌관류 상태, 신체 항상성, 중추신경계의 기능을 반영해 주는 자료이기도 하다. **표 1-1**에서는 전반적인 외관을 보다 쉽게 기억하며 평가할 수 있는 단어와 내용 즉 TICLS, 근육강도(Tone), 상호작용(Interactiveness), 보는 상태(Look/Gaze), 언어상태/우는 상태(Speech/Cry)가 소개되어 있다.

이것은 비정상적인 외관을 평가하는데 자주 사용되는 AVPU나 GCS보다 소아환자의 행동이상을 관찰하는데 더 좋은 방법이다. 경증이나 중간정도의 질병이나 손상을 입은 대부분의 아동의 AVPU 평가는 A이며, 소아용-GCS 점수도 15점이다. 비정상적인 외관의 환아는 잠재적으로 위중한 근본적인 문제를 가졌다고 가정해야 한다. 그러므로 환아의 외관을 평가하는 것은 모든 소아환자를 평가하는데 가장 유용한 첫 번째 평가방법이다.

주의

경증(mild)이나 중간정도(moderate) 손상에서 의식수준 평가 시 점수(척도)에 의한 평가법은 유용하지 않다. 이러한 전통적인 신경학적 평가법은 중증(severe)의 질환과 손상을 입은 환자에서 심각한 뇌기능장애가 있는 소아의 변화를 모니터할 때 가장 유용하게 쓰인다.

조언

피부가 창백한 영아나 소아를 절대 간과해서는 안된다. 또한 자극에 적절한 반응을 보이지 않는 소아나 영아에 대한 평가 역시 무시해서는 안된다.

외관 평가방법. 현장에서 도착하면, 출입구에서부터 눈으로 소아의 모습을 살펴야 한다. 이것이 소아평가삼각구도의 1단계이다. 의식이 있는 소아의 평가에는 거리를 두고 관찰하

표 1-1 외관의 특징 : "Tickles(TICLS)"

약어	특징적으로 살펴보아야 할 내용
▪ T(근육강도):Tone	검진 시 아기의 움직임은 어떠했는가? 근육의 힘은 좋았는가? 아이가 늘어져 있지는 않는가?
▪ I(상호작용):Interactiveness	아기의 의식상태는? 움직이는 사람, 물체, 소리에 주의를 기울이는지? 펜라이트같은 검진기구를 잡으려고 하거나 장난감으로 놀려고 하는지? 보호자와의 상호작용에 별 관심을 보이지 않는지?
▪ C(달램, 위로): Consolability	돌봄제공자에 의해 잘 달래지는지? 편히 안겨있는지? 울음이나 불안이 다독임에 의해 잘 달래지는지?
▪ L(보는 상태): Look/Gaze	얼굴에 시선을 고정하는지? 집에 아무도 없는 듯 유리 눈으로 바라보고만 있는지?
▪ S(언어상태/우는상태): Speech/Cry	말하거나 우는 정도가 강하고 자발적인지? 너무 약한지? 숨막히고 목쉰소리인지?

Adapted from Dieckmann RA, Brownstein D, Gausche-Hill M. The Pediatric Assessment Triangle: a novel approach to pediatric assessment. *Pediatr Emerg Care*. 2010:26;312–315.

는 것부터 시작하고, 돌봄제공자의 무릎이나 팔에 있는 채로 그대로 진행한다. 주의를 끄는 도구, 예를 들면 손전등이나 장난감 등으로 반응하는지 살피고, 응급구조사는 신체를 낮추고 소아와 눈높이를 맞추어야 한다. 현장 도착 후 바로 소아를 만지거나 잡고 검진을 하려고 하면 이것은 오히려 소아를 불안하게 하고 울음을 터트리게 하여 평가가 어려워질 수 있다. 소아가 심각한 질병상태이거나, 의식을 잃은 상태가 아니라면 활력징후나 신체적 접촉보다도 먼저 시진으로 관찰하며 평가한다.

정상적인 외관을 가진 소아의 한 예는 엄마의 팔에 몸을 똑바로 세우고 눈을 잘 맞추고 피부색도 좋을 것입니다(그림 1-3). 그러나 외관상으로도 좀 걱정스러운 영아인 경우라면 응급의료진과 눈도 잘 맞추려 하지 않으려 하고, 창백

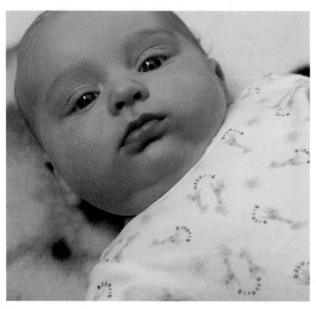

그림 1-3 눈 맞춤을 잘하는 소아는 정상이고 좋은 외관의 징후이다.
© Photos.com.

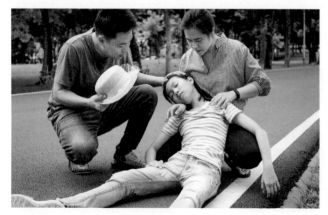

그림 1-4 축 처져 있거나 창백한 소아는 대부분 눈 맞춤 하기가 어렵다. 또한 소아의 행동이 위축되었다면 심한 부상이나 손상을 입었을 가능성이 높다.
© CGN089/Shutterstock.

하고 축쳐져 있을 것이다(그림 1-4).

비정상적인 외관을 가진 경우의 원인은 다양할 수 있다. 부적절한 산소공급과 환기 및 뇌관류; 중독, 감염, 저혈당 등 전신이상; 급성 또는 만성적인 뇌손상 등이 원인이 된다. 원인이 무엇인지와는 무관하게 비정상적인 외관을 가진 경우는 심각하게 아프거나 다친 경우이므로 산소공급, 환기, 관류를 증가시킬 수 있는 즉각적인 소생술이 필요하다.

의식이 명료하고 상호작용이 좋았던 소아는 대부분 심각한 상태가 아니나 몇몇 경우에는 생명을 위협하는 상황이 있는데 독극물을 섭취한 경우나 외상에 관련된 상황들이 그 예들이다.

1. 아세트아미노펜, 철분, 삼환계 항우울제를 과용한 소아는 약물 복용 직후에 아무런 증상이 나타나지 않을 수 있다. 따라서 이러한 경우 소아는 정상적인 외관을 보일지라도 몇 분 또는 몇 시간 후 아주 치명적인 상태로 빠지게 된다는 것을 잊지 말아야 한다.
2. 무딘 손상이나 장기손상을 입은 아이의 경우 심한 장기 내출혈이 되고 있을지라도 중심관류는 정상으로 유지하여 1차 평가에서는 정상으로 평가될 수 있다. 이러한 현상은 심박출량을 증가시키거나 말초혈관의 저항감을 증가시켜 내출혈을 보완하려는 신체반응에서 비롯된 것이다. 그러나 이러한 소아들도 보상기전이 실패하게 되면 순식간에 비보상성 쇼크에 빠지게 된다. 소아평가 삼각구도를 통해서는 창백한 외관만을 발견할 수 있을 것이다.

정상적인 외관을 가진 소아라도 이송을 거절해서는 안 된다. 그러나 정상적인 외관을 가진 아이라면 구급차의 경적을 울리며 이송할 필요는 없다.

연령이 다르면 정신운동이나 사회적 기술상의 발달에도 차이가 있다. 정상적인 외관과 행동은 연령그룹에 따라

다양한데 이것은 제 2장에서 언급될 것이다. 소아들은 주로 주변 환경에 관심이 많다. 이를 신생아는 빠는 힘과 우는 것으로 표현한다. 몇 개월이 된 영아라면 빛의 움직임에 따라 눈을 움직이거나 웃는 것이 특징적으로 나타난다는 것을 알고 있어야 한다. 여러 신체적 움직임이 활발한 유아시기를 비롯하여 언어적 활동이 활발한 청소년시기까지 각 연령별로 특성을 가지고 있다. 각 연령별 발달에 대한 지식은 소아평가의 주요한 지침이 될 뿐 아니라 정확한 치료와 이송결정의 근거가 된다. 외관은 손상의 심각성을 판단할 수 있는 근거이기는 하지만 직접적으로 원인을 알려주는 것은 아니다. 외관은 PAT에서 상태를 전반적으로 확인 해보는 단계이다. 남은 2가지 항목(호흡 노력, 피부 순환)은 중등도에 대한 추가적인 단서와 함께 어떤 생리적 교란상태인지에 대한 좀 더 정확한 정보를 제공한다.

호흡노력(Work of breathing)

호흡노력의 특징. 소아에서는 호흡노력이 산소공급이나 환기상태를 나타내 주며 이는 성인에서 호흡의 효율성을 측정하는데 표준이라고 할 수 있는 호흡수나 청진을 통한 호흡음보다 더 정확한 지표이다. 소아의 호흡노력은 산소공급이나 환기상태의 비정상을 보완하려는 시도이므로 가스교환의 효과를 평가하는 지표가 된다. 소아평가삼각구도에서는 비정상적인 호흡음을 주의 깊게 들으면서 호흡과 관련된 노력을 평가한다. 이것은 청진기나 맥박산소측정기가 필요하지 않은 또 하나의 접촉이 없는 평가방법이다. **표 1-2**는 호흡노력의 중요한 특징을 요약하였다.

비정상적인 호흡음. 청진기를 사용하지 않고 들을 수 있는 비정상적인 호흡음으로는 코골이(snoring), 목이 메거나(muffled) 쉰목소리(hoarse speech), 그렁거림(stridor), 쌕쌕

거림(wheezing), 그르렁 소리(grunting) 등이 있다. 이러한 비정상적인 호흡음은 호흡과 관련된 문제의 생리학적이나 해부학인 정보를 제공한다.

코골이, 숨막히고 쉰 목소리, 그렁거림은 상기도가 부분폐쇄되어 나는 소리이다. 코골이(snoring or gurgling) 소리는 입인두가 혀나 연부조직에 의해 부분폐쇄되어 나는 소리이다. 목이 메이거나 쉰 목소리는 성문(glottis)이나 성문위쪽의 염증을 나타내며 그렁거림(stridor)은 들숨이나 들숨과 날숨 시 들을 수 있는 고음의 소리를 말하는데 성문이나 성문아래쪽의 기관(trachea)에서 폐쇄가 일어났음을 의미한다. 이러한 모든 호흡음은 부분적으로 막힌 상기도를 통한 비정상적인 기류를 반영하는데 이러한 상기도폐쇄는 크룹이나 이물질 흡인, 박테리아로 인한 상기도감염이나 출혈 혹은 부종의 결과로 일어난다.

쌕쌕거림(wheezing)이나 그르렁 소리(grunting)를 듣게 된다면 이것은 하부기도의 문제이다. 호흡 시 그르렁 소리가 나는 것은 날숨 끝에 성문이 부분적으로 막힐 때 나오는 소리로 최대의 가스교환을 하고자 하부기도인 허파꽈리를 확장시키려는 일종의 자가 양압환기법이라 할 수 있다. 그르렁 소리는 부분적으로 닫힌 성문에 대해 숨을 내쉴 때 나오는 것으로 이런 짧고 저음의 소리는 날숨의 끝 무렵에 가장 많이 들을 수 있고 훌쩍거림(whimpering)으로 오인받을 수 있다.

호흡 시 그르렁 소리를 내는 소아의 경우, 대부분이 중간정도에서 중증의 저산소증을 동반하고 있으며, 가스교환 상태가 좋지 않은 상태로 하부기도나 폐포가 막혀있다. 저산소증과 호흡 시 그르렁 소리를 내는 경우는 폐렴, 폐좌상, 폐부종 등이 그 원인이 된다.

쌕쌕거림은 주로 작은 기도의 부분 폐쇄로 인해 발생한다. 처음에는 보통 날숨에서 발생하는데, 청진기를 사용해서만 확인이 가능하다. 기도 폐쇄의 정도가 심해지면, 노력성 호흡이 되고 들숨과 날숨에서 모두 관찰이 되며, 정도가 더

표 1-2 호흡노력의 특징	
특징	**특징적으로 살펴보아야 할 내용**
비정상적인 호흡음	코골이, 목이 메거나 쉰 소리, 그렁거림, 쌕쌕거림, 그르렁거리는 소리
비정상적인 체위	재채기 자세, 삼각자세, 똑바로 누우려 하지 않는 경우
퇴축	빗장뼈 위, 갈비뼈사이, 흉골의 아래가 움푹 들어간 경우, 머리를 앞 뒤로 하면서 호흡을 하는 경우
비익확장	흡기 시 코를 많이 벌려 들이마시는 경우

조언

호흡 시 그르렁 소리(grunting)은 문제가 발생한 곳이 아닌 즉 하부 폐조직에 장애가 있는 환자에서 나는 상부 기도 소리라고 유일하게 알려져 있다.

조언

비정상적인 호흡음은 호흡노력, 호흡문제의 유형, 호흡문제가 발생한 위치, 저산소증의 정도에 관한 정보를 제공하는데 중요한 단서이다.

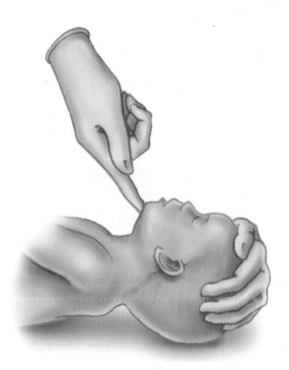

그림 1-5 재채기 또는 냄새 맡는 자세(sniffing position)는 기도를 개방하도록 도와준다.

심해지면 청진기 없이도 확인이 가능하다. 호흡부전이 일어나면 호흡 노력이 희미해지고 쌕쌕거림조차 들리지 않을 수 있다. 소아기에 쌕쌕거림이 나타나는 가장 흔한 경우는 주로 천식을 앓고 있을 경우이며, 간혹 세기관지염(bronchiolitis)이 원인인 경우나, 하부기도에 이물질로 인한 기도폐쇄가 원인인 경우도 있다.

호흡노력이 증가된 경우 나타나는 활력징후. 호흡노력이 증가된 상태는 활력징후로 나타날 수 있는데, 활력징후의 변화는 산소공급이나 환기를 증가시키기 위해 나타나는 것이다. 신체적 특징으로는 비정상적인 자세, 퇴축, 비익확장이 있는데 이것은 모두 전체적인 질병이나 외상의 중등도를 반영한다. 비정상적인 자세는 보통은 환아를 보는 즉시 판단이 가능한데, 되도록 많은 산소를 조직에 공급하기 위한 노력으로 여러 형태의 비정상적인 자세를 취한다. 재채기자세를 통해 기도의 개방성을 유지하고 기류를 증가하려고 한다(**그림 1-5**). 이러한 재채기자세는 흔히 심한 상기도 폐쇄가 원인이 되어 나타난다. 똑바로 누워있기를 거부하는 소아나, 몸을 기대면서 팔을 옆에 두고자 하는 삼각자세를 취하는 소아의 경우, 호흡 시 보조근육을 최대한 사용하려는 노력에서 비롯된 자세이다(**그림 1-6**). 재채기 자세나 삼각자세는 모두 비정상적인 것으로, 기도가 폐쇄되어, 호흡노력이 많이 증가된 상태로서 심각한 호흡부전을 겪고 있다는 것을 말한다.

퇴축은 호흡하는데 많은 노력이 필요하다는 것을 의미하는 신체적 증상이다. 퇴축은 폐질환이나 폐손상이 있는 상

그림 1-6 비정상적인 삼각 자세를 취하는 것은 호흡을 위해 최대한 보조근육을 사용하려는 시도를 하고 있음을 의미한다.

태에서 공기를 폐로 이동시키는데 더 많은 근력이 필요하기 때문에 호흡보조근육을 사용하고 있다는 것을 의미한다. 퇴축 현상을 파악하려면 소아의 흉부를 노출시키고 평가하여야 한다. 퇴축은 성인보다 소아에서 호흡노력을 판단하는데 더 유용하다. 그 이유는 소아의 흉곽 벽이 성인에 비해 근육이 적고 갈비뼈 사이의 피부 및 연조직이 보다 안쪽으로 발달해 있기 때문이다. 퇴축은 빗장뼈 위 부위, 갈비뼈 사이, 흉골 하부에서 관찰 될 수 있다(**그림 1-7**). 또 다른 경우는 신생아의 경우 특징적으로 머리를 앞뒤로 젖히면서 숨을 쉬는 모습을 관찰할 수 있다. 이는 심각한 저산소증을 겪고 있는 신생아가 호흡 시 목의 근육을 사용하기 때문에 나타나는 증상이다. 신생아는 숨을 들이쉴 때 목을 뒤로 젖히고, 숨을 내쉴 때 목을 앞으로 숙인다.

콧구멍을 벌렁거리는 증상(비익확장)은 증가된 호흡노

조언

머리를 앞뒤로 젖히는 것(head hobbing)은 신생아에서 호흡시 보조근육을 사용하는 하나의 형태로 증가된 호흡노력을 나타낸다.

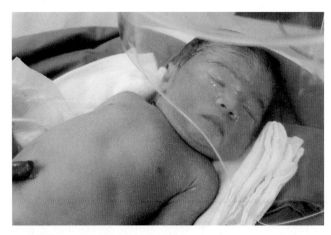

그림 1-7 퇴축은 호흡노력이 증가되었다는 징후이며, 빗장뼈 위, 갈비뼈 사이, 복장뼈 하부에서 관찰된다.

© AePatt Journey/Shutterstock.

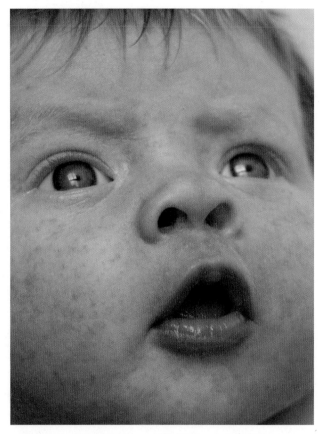

그림 1-8 비익확장은 호흡노력이 증가되었으며 중등도에서 중증의 저산소증이 있음을 암시한다.

© Hemera/Thinkstock.

력의 또 다른 증상이다(**그림 1-8**). 콧구멍을 벌렁거리는 증상은 흡기 시 콧구멍을 최대한 크게 하려는 것으로 중증의 저산소증의 지표가 된다. 크룹, 폐렴, 천식, 기관지염, 폐좌상 등의 소아에게서 많이 관찰된다.

호흡노력을 판단하는 평가방법. 소아평가삼각구도의 두 번째 단계는 호흡의 노력을 평가하는 것이다. 우선적으로 비정

상적인 호흡음이 나타나는지 조금 떨어지는 곳에서 주의 깊게 듣는다. 그런 다음 특징적인 신체적 징후가 나타나는지 확인한다. 또한 소아가 재채기자세와 삼각자세 같은 비정상적인 자세가 나타나는지 파악한다. 다음으로 환아의 흉부를 직접 관찰하기 위해 흉부를 노출시킨다. 흉부노출은 돌봄제공자를 통해서 하거나, 돌봄제공자 무릎에 앉혀서 시행하도록 한다. 빗장뼈 위, 갈비뼈 사이, 복장뼈 아래 퇴축이 있는지 주의 깊게 살핀다. 또한 호흡 시 머리를 앞뒤로 움직이는 영아의 호흡 곤란증 현상이 나타나는지 관찰한다. 퇴축되는 근육이 있는지 확인 후 코 주위를 살펴 비익확장이 나타나는지 평가한다. 이러한 단계별 평가는 필요한 정보를 정확하게 얻도록 도와준다. 신생아나 소아가 한번 울기시작하면 호흡상태를 파악하기 어려운 상태가 되므로 울지 않도록 하는 것이 중요하다.

소아는 상기도, 하기도, 폐포, 흉막, 흉벽의 비정상으로 인하여 호흡노력이 증가될 수 있다. 비정상 호흡음은 질병이나 손상의 해부학적 위치에 대한 중요한 단서를 제공하고 호흡노력이 증가할 때 나타나는 신체징후의 유형과 횟수는 생리적 스트레스의 정도를 파악하는데 도움을 준다.

전반적인 외관과 호흡노력 평가를 함께 한 자료는 소아의 외상이나 질병의 심각성을 평가하는 데 도움을 준다. 전반적인 외관은 정상이지만 호흡 시 힘들어 한다면 호흡곤란(respiratory distress)으로 볼 수 있다. 외관도 비정상적이면서 호흡노력이 증가되었다면 호흡부전을 암시한다. 비정상적인 외관과 함께 호흡노력이 감소된 상태라면 호흡정지를 의심하여야 한다.

피부 순환(Circulation to skin)

피부 순환의 특징. 신속한 순환평가의 목표는 심박출량과 중심관류상태 그리고 주요장기의 관류의 적절성을 평가하는 것이다. 소아의 경우 전반적인 외관은 뇌관류 상태를 평가할 수 있는 지표가 되지만 저산소증, 저혈당, 뇌손상, 중독 등과 같이 순환과 관련 없는 또 다른 상태에 의한 것 일 수 있다. 이러한 이유들 때문에 소아의 경우는 좀 더 정확한 순환상태를 파악 할 수 있는 또 다른 징후들을 살펴야 한다.

중심 관류상태를 평가 할 수 있는 중요한 징후는 피부순환을 평가하는 것이다. 심박출량이 부적절할 경우 뇌, 심장, 콩팥 등의 주요 장기로 혈류를 보다 더 보내려는 보상작용으로 인하여 피부나 점막등과 같은 곳으로 혈류공급은 상대적으로 적게 된다. 그러므로 피부순환으로 중심순환의 상태를 평가할 수 있다. 피부가 창백하고 얼룩덜룩하거나 청색증을 띄는 경우 피부나 점막의 순환상태는 감소된 것으로 판단할 수 있다. **표 1-3**은 이러한 특징들을 요약하여 보여주고

표 1-3 피부순환의 특징	
특징	**특징적으로 살펴보아야 할 내용**
창백함	부적절한 혈액순환으로 창백하거나 백색에 가까운 피부나 점막
피부변색	혈관수축/ 혈관이완으로인한 피부변색
청색증	파란색의 피부나 점막

있다.

　피부가 창백한 것은 피부와 점막의 관류상태가 나쁘다는 것을 보여주는 첫 징후가 된다. 창백함은 보상성 쇼크 상태인 소아에게 유일하게 시각적 판단을 할 수 있는 경우가 될 수 있으며 신체의 주요기관으로 혈액공급을 위해 말초혈관이 수축되어 나타난다. 또한 창백함은 빈혈이나 저산소증의 징후이다. 얼룩덜룩한 피부변색 또한 부적절한 피부 관류상태 즉 비정상적인 혈관 탄력상태를 보여주는 징후이다. 피부가 얼룩덜룩하게 변색된 경우는 혈관 확대와 혈관수축이 겹쳐있는 상태로 보여 진다. 그러나 소아의 경우 피부변색은 추운 환경에서 오랫동안 노출된 경우 정상적으로 나타날 수 있는 피부상태이기도 하다.

　청색증은 피부와 점막이 파란색을 띄게 되는 상태를 말한다. 청색의 피부는 관류상태와 산소공급이 매우 나쁜 상태를 보여주는 징후로서 시각적 지표이다. 그러나 신생아나 생후 2개월 미만의 영아의 경우 손톱과 발톱이 청색으로 변하는 말단 청색증과 혼동하여서는 안 된다. 말단청색증은 신생아나 영아가 추위에 노출되었을 때 정상적으로 관찰될 수 있는데 저산소증이나 쇼크에 대한 징후라기보다 추위에 대한 혈관반응으로 보아야 한다. 청색증은 호흡부전이나 쇼크가 진행되어 매우 늦게 나타나는 소견으로 저산소증을 겪는 소아는 청색증이 나타나기 전에 불안해보이는 비정상적인 외관이나 늘어짐, 호흡노력의 증가 같은 다른 징후가 먼저 관찰될 수 있다. 쇼크 상태의 소아는 창백해지거나 혈관수축이나 이완으로 인한 피부 변색이 나타난다. 청색증이 보일 때까지 지체하지 말고 산소공급을 시작해야 한다. 청색증은 매우 치명적인 징후이므로 즉각적인 처치가 필요하다는 것을 명심하도록 한다.

　비정상적인 피부순환과 더불어 비정상적인 전신외관을 보일 때 쇼크를 의심해 보아야 한다. 그러나 쇼크의 초기 때에는 외관의 변화가 경미하며 종종 의식이 명료하기도 하여 판단이 어렵다. 관류상태가 나빠지고, 보상기전 또한 실패하게 되면 뇌로 가는 당이나 산소공급이 부적절하게 공급되어 전신 외관은 비정상적으로 나타난다. 쇼크의 또 다른

증상은 효과 없는 빈호흡이나 증가된 호흡노력 징후없이 빈호흡만 나타나기도 한다. 효과없는 빈호흡은 말초관류상태가 좋지 않아 생기는 대사성 산증(젖산증)을 보상하기 위해 이산화탄소를 제거하기 위한 반사기전이다. 혈중 내 이산화탄소 농도가 떨어져서 나타나는 저탄산증으로 호흡성 알칼리증 상태가 되는데 이는 정상 산도를 유지하는 데 도움이 된다. 효과 없는 빈호흡은 폐나 기도와 관련된 질병이나 손상으로 인한 빠르고 힘든 호흡과는 구별해야 한다.

피부 순환을 판단하는 평가술.　소아평가삼각구도의 3번째 단계는 피부 순환을 평가하는 것이다. 소아의 피부 순환 평가 시에는 충분한 시간동안 실시해야 하지만 소아의 체온이 떨어질 만큼 오래 해선 안된다. 소아가 체온이 떨어지기 시작하면 중심관류는 정상일 수 있지만 피부 순환상태는 비정상일수 있기 때문이다. 따라서 실온에서도 오랜 시간 옷을 벗겨 놓고 평가할 경우 소아의 피부가 청색으로 변하여 잘못된 순환평가를 할 수 있다.

　피부와 점막이 창백한지, 변색이 있는지, 청색증이 있는지를 시진한다. 청색증을 평가 할 때는 얼굴, 가슴, 복부 그리고 사지를 평가한 후 입술의 상태를 평가 하도록 한다. 특히 피부가 검은 편인 소아라면 청색증을 평가하기가 어려울 수 있는데, 소아의 입술이나, 점막, 그리고 손톱 밑을 살펴보게 되면 보다 쉽게 청색증을 평가할 수 있을 것이다(그림 1-9). 외관은 정상이지만 피부순환상태가 안 좋은 아이는 아마 추워서 일 것이다. 하지만 외관과 피부순환상태가 모두 비정상적이라면 환아가 쇼크 상태에 있음을 암시한다.

소아평가삼각구도를 활용한 질병과 손상의 중증도 판정하기.　소아평가삼각구도는 소아환자의 전반적인 평가를 제공한다. 이 도구는 소아의 생리적 상태에 대한 즉각적인 결과와 전반적인 평가를 하는데 표준화된 접근을 제공하고 있다. 소아평가삼각구도를 활용하면 응급구조사들에게 1) 소아의 질병상태나 손상정도가 얼마나 중증인가? 2) 가장 비정상적인 생리적 지표는 무엇인가? 3) 응급처치의 우선순위는 무엇인가?에 대한 답을 얻게 될 것이다. 따라서 '응급구조사가 어떻게 빨리 처치하는 것이 효과적인가', '특히 중요하게 해야 하는 처치는 무엇인가', '이송시간을 어떻게 잡아야 하는가'에 대해 가장 중요한 행동이 무엇인지를 알 수 있도록 해줄 것이다.

　소아평가삼각구도의 세요소를 이용한 평가는 소아환자를 신속히 평가하는 데 도움을 줄 것이다. 예를 들어 소아환자가 피부 혈색이나 상호작용이 좋은데 경증의 갈비뼈 퇴축증상이 있다면 연령에 맞는 발달 상태를 평가하면서 1차 평가를 차분히 실시하여도 좋을 것이다. 반면 소아가 늘어져

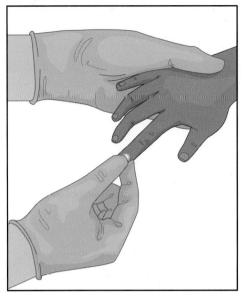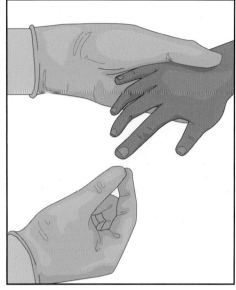

그림 1-9 검은색의 피부를 가진 소아라면 청색증을 평가하기가 어려울 수 있는데, 입술이나 점막 그리고 손톱 밑에서 쉽게 청색증 상태를 평가할 수 있다.

있으면서 빠른 호흡을 하고, 창백하고, 피부변색이 있다면 쇼크의 가능성이 많고 이 경우에는 빠른 1차 평가와 함께 소생술을 준비해야 한다. 비정상적인 외관을 보이지만 정상호흡과 정상순환상태를 보인다면 뇌기능의 이상이나 발작 후 상태, 경질막 밑 출혈, 뇌진탕, 중독, 저혈당, 패혈증과 같은 대사이상이나 전신이상으로 볼 수 있다.

소아평가삼각구도는 두 가지 중요한 이점이 있는데 첫째는 소아를 접촉하기 전 생리적 상태에 관해 중요한 정보를 빠르게 얻을 수 있고, 둘째는 1차 평가의 우선순위를 정하는 데 도움을 준다. 이 도구는 몇 초안에 시행할 수 있고 소생술 처치의 필요성을 파악하게 해주며 다음단계(신체검진)으로 넘어가는 과정을 도와준다.

ABCDEs와는 달리 소아평가삼각구도의 세 요소(외관, 호흡노력, 피부순환)는 평가 순서와는 관계없다.

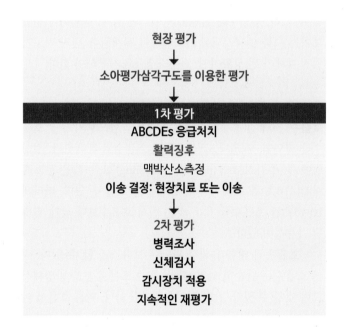

조언

소아평가삼각구도의 세 요소를 이용하여, 응급구조사는 세 가지 중요한 질문에 답을 할 수 있어야 한다. 1) 소아의 질병상태나 손상정도가 얼마나 중증인가? 2) 가장 비정상적인 생리적 지표는 무엇인가? 3) 응급처치의 우선순위는 무엇인가?

1차평가

ABCDEs

1차 평가는 ABCDEs를 이용하여 생명이 위협되는 상황을

식별해내는 과정으로 치명적인 생리학적 이상을 역전시키기 위해 어떤 소생술 중재를 먼저 할 것인지 우선순위를 제공한다. 생명을 위협하는 문제를 치료할 때는 특징적인 순서가 있는데 이러한 단계는 성인과 같으나 소아에서는 해부학적, 생리학적 그리고 곤란(distress)의 징후가 다르다. ABCDEs 평가는 아래와 같다 :

1. 기도유지(Airway)
2. 호흡(Breathing)
3. 순환(Circulation)
4. 신경학적 상태(Disability)
5. 노출(Exposure)

기도유지(Airway)

소아평가삼각구도는 비정상적 호흡음의 존재를 기반으로 하여 기도폐쇄 여부를 확인할 수도 있다. 그러나 그렁거림이나 쌕쌕거림의 크기가 기도폐쇄의 정도와 반드시 관련되어지는 것은 아니다. 예를 들어, 심한 고통 상태의 천식 소아는 천명음이 거의 없거나 전혀 없을 수도 있다. 유사하게, 성대 아래 이물에 의한 상기도 폐쇄 소아는 경미한 협착음을 나타낼 수도 있다. 비정상적 자세와 퇴축은 호흡의 평가 중 청진 상 확인되는 공기 유입상태와 함께 기도폐쇄의 정도에 관한 더 많은 정보를 제공할 것이다.

만약 기도가 개방되어 있다면, 호흡 시 흉부가 상승되는 것을 확인한다. 만약 환아가 자발적으로 기도를 개방하기 위한 자세를 취하고 있으면 그 자세를 유지할 수 있도록 해야 한다. 그르렁 소리(gurgling)가 있다면 입이나 기도에 점액, 혈액 혹은 이물질이 있을 수 있다. 점액, 혈액 혹은 가시적 이물질은 입인두 흡인(oropharyngeal suction)을 통해 개방될 수 있다. 입인두를 흡인하면 이러한 점액, 혈액이나 눈에 보이는 이물이 제거되어 기도개방이 재개된다. 만약 기도가 완전 폐쇄가 된 상황이면, 전문소생술을 시행해야 한다.

호흡(Breathing)

호흡수. 30초간 흉부상승 횟수에 2를 곱함으로써 분당 호흡수를 확인할 수 있다. 조심스럽게 호흡수를 해석한다. 정상 영아가 "주기적 호흡(periodic breathing)"또는 짧은 무호흡 시간(<10초)과 함께 다양한 호흡수를 보일 수 있다. 따라서 10-15초간 호흡수를 세는 것은 실제 호흡수보다 낮게 평가될 가능성이 있다.

호흡수에 대한 유의성 판단은 보다 복잡할 수 있다. 빠른 호흡수는 단순히 고열, 불안, 통증 또는 흥분을 반영해서 그런 것일 수 있다. 반면 정상호흡이긴 하나, 빠른 호흡이 이어지다 지쳐 정상 호흡이 된 상태일 수도 있다. 또한 호흡수에 대한 해석은 나이에 따른 정상 수치의 지식을 기초로 해야 한다(**표 1-4**).

호흡수가 극히 높거나, 낮은 경우 세심한 주의를 기울인

> ### 조언
>
> 위험 신호(red flags) 호흡수는 6세 이하 소아들은 분당 20회 미만이며, 6-18세 사이 어린이는 분당 12회 이하이다. 호흡수를 지속적으로 평가하는 것은 유용하고 한순간에 평가한 것보다 더욱 정확하게 환아의 상태를 반영할 수 있다. 지속적으로 호흡수가 증가하거나 감소하는 것은 유의미하다.

다. 특히 비정상적인 외관 및 현저한 퇴축과 함께 매우 빠른 호흡수(모든 연령에서 분당 60회 초과)를 보이면 호흡곤란

표 1-4 연령별 정상 호흡수	
연령	호흡수(회/분)
영아	30 – 60
유아	24 – 40
학령전기 아동	22 – 34
학령기 아동	18 – 30
청소년	12 – 16

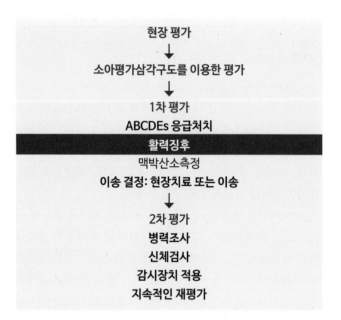

이나 호흡부전을 의심한다. 비정상적으로 느린 호흡은 호흡부전으로 갈 수 있기 때문에 주의깊게 관찰하여야 한다. 위험신호들로 6세 이하의 아동들에 있어 호흡수가 분당 20회 미만이며 6-18세 사이의 아동들에게는 분당 12회 미만인 경우이다. 정상 호흡수 하나만으로는 결코 적절한 산소화와 환기를 보장하지 않는다. 호흡수는 호흡의 양상, 호흡노력, 그리고 공기 운동에 따라 해석되어야 한다.

맥박산소측정기(PULSE OXIMETRY)

맥박산소측정기는 소아의 산소화 정도를 측정하는데 아주 적합한 도구이다. **그림 1-10**은 어린 소아에게 측정기를 어떻게 적용하는지를 보여준다. 영아나 어린소아의 경우 탐색자(probe)를 발가락이나 발에 놓고 담요나 양말 혹은 수건으로 그 주위를 덮어주면 검사하는 동안 더 오래 가만히 있을 수 있다. 실내에서 94%의 맥박산소포화도가 나오면 적절한 산소화를 의미한다. 맥박산소포화도가 94%이상을 보여도

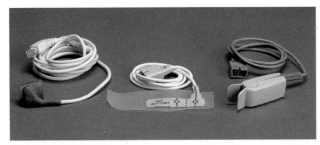

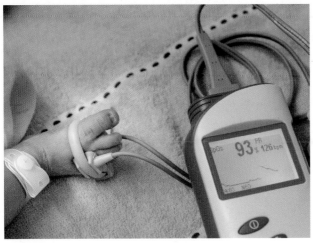

그림 1-10 A. 손가락이나 귓불에 적용하는 다양한 맥박산소측정기 탐색자(probe). **B.** 맥박산소측정기는 산소공급의 효율성을 평가하는 우수한 도구이다.

B: tnkorn yangaun/Shutterstock.

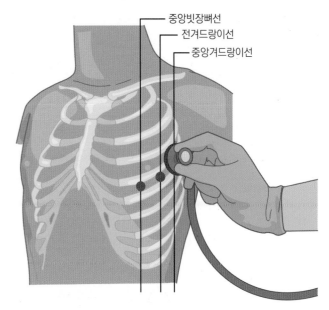

그림 1-11 중앙겨드랑이선 위에서 공기의 움직임을 듣는다.

아이가 호흡 곤란이 있을지도 모른다는 사실을 간과하면 안 된다. 간혹 환아가 저산소증을 호흡노력과 호흡수를 증가시킴으로써 저산소증을 보상하고 있을 수 있는데 맥박산소측정기가 이러한 호흡기문제의 중증도나 긴급성을 모두 반영하지 못할 수도 있다. 다른 도구와 마찬가지로 맥박산소측정기를 해석할 때는 호흡노력, 외관, 순환의 전반적인 맥락 안에서 판단하도록 한다,

맥박산소측정기는 소아가 호흡 곤란을 겪는 것을 진단할 때도 상당히 도움이 되지만, 호흡 부전을 겪을 때도 도움이 된다. 비재호흡마스크로 100% 산소를 줌에도 맥박산소측정이 90% 아래로 나온다면 이는 호흡부전을 의미하며 즉각적인 호흡보조가 필요하다. 그러나 극심한 호흡곤란이나 (respiratory distress) 또는 호흡부전 초기의 상태에서 호흡노력이나 호흡수를 증가시켜 정상의 맥박산소포화도를 보일 수 있다. 이 환아는 맥박산소포화도 수치만으로 판단한다면 위중해보이지 않을 수 있다. 그러므로 맥박산소포화도 수치를 해석할 때는 호흡부진이나 호흡부전을 정확하게 판단하기 위해서 반드시 다른 항목들을 함께 확인하여 종합적으로 판단해야 한다.

청진. 거품소리와 쌕쌕거림과 같은 비정상적 폐음을 듣기 위해서는 중앙빗장뼈선이나 중앙겨드랑이선 위에서 청진기를 통해 들숨과 날숨동안 듣는다**(그림 1-11)**. 흡기 시 거품소리는 폐포낭(air sacs) 그 자체 내에서의 질환을 가리킨다. 종종 거품소리는 폐렴과 같은 병리 상태에 있을 때라도 청진을 통해 들리지 않는다. 소아가 어릴수록, 청진을 통해 비정상음을 감지하기가 더 어렵다. 날숨 시 쌕쌕거림은 하기도 폐쇄를 가리킨다. 청진은 또한 공기 운동의 양과 호흡 상태의 효과성을 평가하는 데 도움을 준다. 증가된 호흡 상태와 불충분한 공기 운동을 가진 소아는 호흡부전이 임박한 상태일 수 있다.

표 1-5는 비정상호흡음과 그 원인 및 관련 질환을 제시한 것이다.

순환(Circulation)

소아평가삼각구도는 피부순환에 대한 중요한 시각적 단서들을 제공한다: 심박동수, 맥박의 질, 피부온도, 모세혈관 재충혈 시간 그리고 혈압의 평가로부터의 관찰사항들은 관류의 적절성에 대한 정보를 줄 것이다.

심박동수. 성인의 순환상태를 평가하기 위해 사용되는 심박수와 혈압은 아동의 상태를 해석하는데 몇 가지 한계점이 있다. 첫째, **표 1-6**과 같이, 정상 심박동수는 연령에 따라 다르다. 둘째, 빠른 맥은 저산소증이나 불충분한 관류의 초기 징후가 될 수 있으나 발열, 불안, 통증 그리고 흥분 등을 반영하는 것일 수 있다. 그러므로 호흡수와 같이 맥박수는 병력, 소아평가삼각구도, 1차 평가와 함께 전체적인 맥락 안에서

표 1-5 비정상 호흡음의 해석

소리	원인	예
그렁거림(stridor)	상기도 폐쇄	크룹, 이물질 흡인, 인두뒤 고름집
쌕쌕거림(wheezing)	하기도 폐쇄	천식, 이물질, 기관지염
날숨시 그렁거림(expiratory grunting)	부적절한 산소화	폐좌상, 폐렴, 익수
들숨시 거품소리(inspiratory crackles)	기도내의 액체, 점액 또는 혈액	폐렴, 폐좌상
증가된 호흡 노력에도 불구하고 호흡음의 부재	완전 기도폐쇄(상기도 또는 하기도)	호흡음 전달의 물리적 방해, 이물질, 중증의 천식, 혈흉, 공기가슴증, 흉막액, 폐렴

표 1-6 연령별 정상 심박동수

연령	심박동수(회/분)
영아	100 – 160
유아	95 – 150
학령전기 아동	80 – 140
학령기 아동	70 – 120
청소년	60 – 100

조언

처음에 빠른 호흡수는 해부생리적 문제가 아닌 단순한 고열, 불안, 통증이나 흥분상태를 반영하는 것일 수 있다. 비정상적인 호흡수의 특성과 추세를 파악하는 것이 병리를 이해하는데 보다 유용하다.

해석되어야 한다. 심박동수의 증가나 감소양상은 매우 유용할 수 있으며 악화되는 저산소증이나 쇼크 또는 치료 후 개선되는 과정임을 암시할 수 있다. 저산소증이나 쇼크가 위급해지면 심박동수가 떨어지면서 명백한 느린맥으로 진행된다. 느린맥은 심각한 저산소증이나 허혈을 의미한다. 분당 180회 이상의 빠른 맥에서는 명확하게 심박동수를 측정하기 위해 심전도 감시가 필요하다.

맥박의 질(Pulse Quality).   맥박의 질을 느껴보기 위해 촉진한다. 정상적으로, 위팔동맥은 팔오금(antecubital fossa)의 안쪽 팔에서 촉진가능하다(**그림 1-12**). 맥박이 약한지 강한지 맥박의 질에 주목한다. 만일 위팔동맥의 맥박이 강하다면, 그 아동은 분명 저혈압은 아니다. 만약 말초 맥박을 느낄 수 없다면 중심 맥박 찾기를 시도한다. 영아와 어린 유아에서는 넙다리맥(대퇴 맥박), 그보다 큰 아동이나 청소년에서는 목동맥(경동맥 맥박)을 측정한다. 맥박이 없거나 분당 60회 미만이고 순환장애로 인해 증상이 나타나기 시작하면 심폐소생술을 시행한다.

사례연구 2

세 살된 남아가 집안에 있는 수영장에 엎어진 상태로 빠져있는 것이 발견되었다. 그 아이는 물에 빠진지 1분도 되지 않았지만 엄마가 심폐소생술을 즉각 시행한 후에야 다시 호흡이 돌아왔다. 응급구조사가 도착했을 때 아이의 의식은 명료했고, 핑크빛이었으며 아이는 엄마에게서 떨어지려하지 않는다.

호흡은 규칙적이며 자연스러워 보인다. 응급구조사가 아이에 대한 검진을 시도하였을 때, 아이는 날카로운 비명을 지르며 도망가려 하였다. 호흡수는 분당 26회였다. 하지만 혈압, 심박수 그리고 폐음을 평가할 수는 없었다. 엄마는 겁에 질려 있으며 흐느껴 울고 있다.

1. 치료를 위한 질병의 심각성이나 긴급함을 평가하는데 있어 소아평가삼각구도는 얼마나 유용한가?
2. 1차 평가에서 소아평가삼각구도는 ABCDEs와 어떤 점에서 다른가?

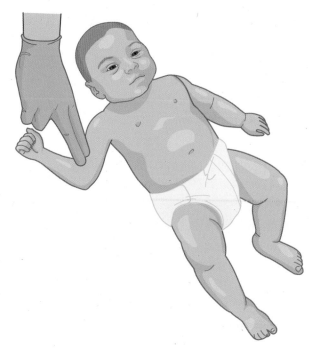

그림 1-12 위팔 맥박의 해부학적 위치는 팔오금(antecubital fossa)의 안쪽면이다.

피부 온도와 모세혈관 재충혈 시간. 다음으로, 피부에 대한 순환의 평가를 한다. 정상 순환상태의 아동에서 손과 발이 차가울 수 있지만, 손목과 발목 위 부분은 따뜻해야 한다. 관류가 저하됨에 따라 사지는 점차 몸 쪽으로 차가워지게 된다. 손가락 끝, 발가락, 발뒷꿈치나 손가락 끝 넓은 면에서 모세혈관 재충혈 시간을 측정한다. 정상 모세혈관 재충혈 시간은 2-3초 이내이다. 모세혈관 재충혈 시간 측정의 유용성은 몇 가지 이유에서 논란이 있다. 말초 관류 상태는 소아마다 다르게 나타날 수 있다. 추운 실내온도와 같은 환경적 요소들은 그 해석을 복잡하게 할 수 있으며, 응급구조사들에게 있어서는 위급한 상황 하에서 시간을 정확하게 측정하기가 어려울 수 있다. 모세혈관 재충혈 시간은 단지 순환상태 평가의 한 요소이다. 모세혈관 재충혈 시간검사는 소아평가삼각구도와 심박동수, 맥박의 질 그리고 혈압과 같은 관류 특징들과 연관지어 평가되어야만 한다.

피부에 대한 순환의 징후들(피부 온도, 모세혈관재충혈 시간, 그리고 맥박의 질)은 아동의 순환상태를 평가하기 위한 도구들이다. 특히 추운 환경에 있지 않은 아동에 대해 연속적으로 수행되었을 때 그러하다.

혈압(Blood Pressure). 소아의 혈압을 측정하고 해석하는 것은 소아의 비협조적인면이나, 해당 아동에게 맞는 혈압 측정 커프를 고르는 것의 어려움 그리고 연령에 따라 각기 다른 기준 수치를 기억해야 하는 부분 때문에 어려울 수 있다. **그림 1-13A**는 다양한 혈압 커프를 보여주고 있고, **그림 1-13B**는 팔이나 허벅지에서 올바르게 측정하는 법을 보여주고 있다. 적정 사이즈의 혈압 측정 커프는 윗팔 혹은 허벅지 길이의 2/3 너비가 적합하다. 3세 미만 영유아는 측정 자체가 어렵다보니, 혈압평가 의미의 중요도가 떨어진다. 이 연령대의 아이에게 병력이나 기전, 소아평가삼각구도에 기반하여 쇼크가 의심될 경우, 현장에서 혈압측정을 시도는 해보되, 처치나 이송이 지체되지 않도록 한다. 만약 아이가 즉각적인 보조호흡이 필요하거나 노동맥이나 넙다리동맥에 맥이 만져지지 않는 등 명백하게 위험한 상태이면 즉시 소생술을 시작하고 혈압 측정은 소아 상태가 안정된 후에 진행한다. 3세 이상의 안정적인 상태의 아동의 경우, 현장에서 혈압 측정을 진행하고 다음 평가 단계로 넘어간다.

1세 이상의 영유아의 최저 혈압 수치 기준을 계산하는 간단한 공식이 있다. 측정되는 수축기압이 70+(2 × 나이)를 초과해야 한다. 예를 들면, 2세 영아가 수축기압이 65 mmHg라면 저혈압이다. **표 1-7**은 연령에 따라 적합한 최저 수축기압을 보여준다. 고혈압은 현장에 있는 아이들에게 있어 문제가 되는 경우는 없다. 만약 소아가 불안해

A

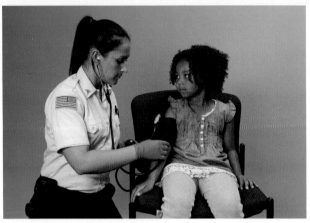

B

그림 1-13 A. 혈압 측정 커프는 신생아용, 영아용 유아용 성인용 등 다양한 사이즈가 있다. **B.** 정확한 혈압 측정을 위해, 소아 윗팔 길이의 2/3을 덮는 너비의 커프를 사용한다.

B. © Jones & Bartlett Learning. Courtesy of Glen Ellman.

맞지만, 쇼크가 보상되고 있는 상태에서는 정상 혈압을 가지고 있는 경우도 종종 있다.

맥압(수축기혈압과 확장기혈압의 차이)이 큰 것은 두 개내압이 증가한 경우나 초기 패혈성 쇼크 때문에 나타날 수 있다는 것을 기억하자. 맥압이 작은 것은 저혈량성 쇼크 초기에서 나타날 수 있다.

신경학적 상태(Disability)

조언

3세 미만의 환자에게는 현장에서 혈압 측정하는 것이 워낙 어렵다보니, 그 중요도가 떨어질 수 있다. 불안정한 기도개방상태, 빠른 맥박, 순환 장애, 노동맥이나 넙다리동맥에 맥박이 만져지지 않으면 즉각적인 소생술에 집중하고 혈압 측정은 나중으로 미루어야 한다.

주의

쇼크를 진단하는데 혈압 측정 수치에만 의존해서는 안된다. 보상작용이 있는 쇼크 상태에서도 정상 혈압이 나타나는 경우가 종종 있다.

하고 울고 있으며 피부는 핑크빛이고 말초맥박이 잘 촉지된다면 혈압은 정상일 것이다. 이러한 임상적 소견이 있는 소아는 혈압을 측정하기 위해 이송을 지연시켜서는 안된다. 정상적인 혈압이라 할지라도, 현재 정상 상태가 아닐 수도 있다. 낮은 혈압이 곧 저혈압 쇼크를 의미하는 것은

신경학적 상태의 평가는 중추신경계 두 주요 부분들인 대뇌피질과 뇌간의 빠른 평가를 포함한다. 먼저 소아평가삼각구도에서 외관을 살펴보고 AVPU 척도를 이용한 의식수준을 살펴보아서 대뇌피질에 의해 통제되는 신경학적 상태를 평가할 수 있다(**표 1-8**). 뇌간의 상태는 빛에 대한 각각의 동공반응을 검사하여 평가한다. 정상동공은 빛에 자극을 받으면 수축한다. 동공반응은 약물, 발작, 저산소증 또는 임박한 뇌간이탈(impending brain stem herniation)에서 비정상일 수 있다. 그리고 운동 활동도를 평가한다. 사지의 대칭운동, 발작(경련), 자세(posturing) 또는 무기력 등에 대해 관찰해야 한다.

주의

매우 불안해하고 초조한 행동을 보인다면 AVPU 척도나 GCS 척도를 측정은 어려울 것이다.

표 1-7 연령에 따른 최소 수축기압	
연령	최소 수축기압 (mmHg)
영아(12개월 미만)	>60
유아(만 1-3세)	>70
학령전기 아동	>75
학령기 아동	>80
청소년	>90

표 1-8 AVPU 척도

분류	자극	반응형태	반응
Alert(명료)	정상 환경	적절	연령에 따른 정상 상호작용
Verbal(언어반응)	단순한 지시나 음성자극	적절/부적절	이름에 반응/비 특이적 또는 혼동
Painful(통증반응)	통증	적절/부적절/병리적	통증으로부터 회피/목적 없는 소리나 움직임/통증의 국소화(통증위치파악)/자세 반응
Unresponsive(무반응)			어떠한 자극에도 지각반응 없음

AVPU 척도. AVPU 척도는 모든 환자들의 의식 수준을 평가하는 표준화된 방법이다. 이것은 자극들에 대한 단순 반응들에 기초로 한 운동 반응을 범주화한다. 환자는 의식이 명료하거나, 언어자극에 반응하거나, 통증자극에 반응하거나, 또는 무반응 상태 중 하나이다.

비정상적 외관 그리고 AVPU 척도. 소아평가삼각구도에 의한 외관 평가는 AVPU 척도와는 다른 정보를 제공한다. AVPU 척도에서 의식변화를 가진 아동은 대개 심각하고 위급한 상태에 있을 것이기 때문에 소아평가삼각구도에서 항상 비정상적 외관을 보일 것이다. 그럼에도 경하거나 중간정도의 질병이나 손상을 가진 아동은 AVPU 척도에서는 명료하나 소아평가삼각구도에서는 비정상적 외관을 보일 수 있다. 소아평가삼각구도를 이용한 외관평가는 심각한 질병이나 손상 여부에 따른 초기 징후를 보일 수도 있다.

　AVPU 척도의 정확성에는 논란이 있으며 중대한 제한이 있다. 아동들에게는 신경학적 손상 정도를 예측하기 위해 적용하기가 어렵고 안정적이지 않거나 계속 보채는 상태에 있는 아동들을 평가할 때는 한계가 있다. 또한 이 척도는 현재 병원 전 장애평가에서 공통적으로 다루는 의식수준만을 평가하므로 제한적이다. 하지만 AVPU 척도는 기억해야 할 수치가 없어 회상하기 쉽고 간편하게 사용될 수 있다. 보다 복잡한 소아 Glasgow Coma Scale(GCS)은 기억과 수치계산을 필요로 하다보니, 이는 위급한 상황에서 기억하고 적용하기 어려울 수 있다**(표 1-9)**. 최근 자료는 GCS의 운동 구성요소는 단독으로 신경학적 결과의 가장 좋은 예측자임을 시사한다. 수행하기에 훨씬 더 단순한 GCS의 운동 구성요소는 현장에서의 정신상태 평가에 적당할 수 있다. GCS의 운동 분류들은 (1) 무반응(no response) (2) 신전자세(extensor posturing) (3) 굴곡자세(flexor posturing) (4) 회피(withdrawing) (5) 국한-부위 인지(localizing) (6) 연령에 맞는 지시에 따름(obeying instructions (as age-appropriate))이다. AVPU 척도와 같이, GCS도 불안정하고 심하게 보채거나 공격적인 아동에 있어 신경학적 장애 정도를 반영하지 않는 척도이다.

노출(Exposure)

아동의 적당한 노출은 초기 신체평가를 완전히 수행하기 위하여 필요하다. 소아평가삼각구도는 아동의 얼굴, 흉곽과 피부의 면밀한 관찰을 할 수 있도록 보호자에게 아동의 의복의 일부를 제거해주도록 부탁한다. 초기에 ABCDEs의 구성요소들을 완전히 평가하기 위해서는 생리적 기능, 해부학적 이상 그리고 미처 발견하지 못한 손상들을 평가할 수 있도록 노출이 더 필요할 수도 있다. 하지만 사춘기이전의 어린아이일지라도 가능한 최대로 사생활을 보호한다.

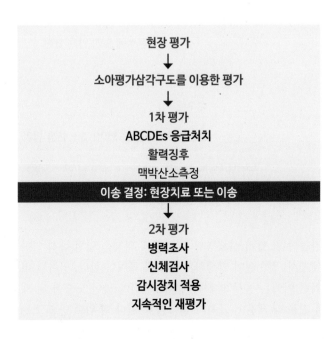

표 1-9 소아 Glasgow Coma Scale (소아 GCS)		
점수	소아	영아
눈뜨기		
4	스스로 눈을 뜰 수 있다	스스로 눈을 뜰 수 있다
3	말 걸면 눈을 뜬다	말 걸면 눈을 뜬다
2	고통을 느낄 때 눈을 뜬다	고통을 느낄 때 눈을 뜬다
1	무반응	무반응
_____ = 점수(눈뜨기)		
운동 (Motor)		
6	지시에 따른다	자발적으로 움직일 수 있다
5	국소 부위 인지	만지는 것 회피
4	회피	통증 회피
3	굴곡	굴곡(제피질 자세)
2	신전	신전(제뇌 자세)
1	무반응	무반응
_____ = 점수(운동)		
언어(Verbal)		
5	적절함(지남력이 있음)	옹알이를 함
4	혼란스러워함	불안한 울음소리
3	부적합한 어휘사용	통증에 울음
2	문맥에 맞지 않은 표현	통증에 신음소리
1	무반응	무반응
_____ = 점수(언어)		
_____ = 총점(눈뜨기, 운동, 언어). 3 ~ 15점 범위		

James HE, Anas NG, Perkin RM. *Brain Insults in Infants and Children*. Orlando, FL: Grune & Stratton; 1985. Reprinted with permission.

가능한 한 빨리 신체평가 후 아동의 의복을 입혀 특히 영아에게서, 열손실이 발생하지 않도록 하여야 한다. 영아나 더 어린 아이는 몸무게에 비해 체표면적이 넓어 노출이 된 채 두었을 때 체온이 급격히 떨어질 수 있다. 추위로 인한 스트레스는 치명적으로 아픈 아이에게 신진대사요구를 증가시킬 수도 있고 저산소증이나 저혈당증이 더 나쁘게 나타날 수도 있으며 소생술에 부정적인 반응을 보이게 할 수 있다.

1차평가: 이송 결정: 지연 또는 출발

소아평가삼각구도, 현장에서 1차 평가 완료 그리고 필요시 ABCDEs 그리고 소생술을 시작한 후에 응급구조사들은 중대한 결정을 해야만 한다. 소아를 즉시 응급실로 이송해야 할 것인가 아니면 현장에서 추가 평가와 치료를 계속할 것인가? 직접 이송할 것인가 아니면 더 좋은 방법이 있는가? 이 결정 과정은 각각의 아동이나 응급의료서비스체계에 따라 다를 것이다.

> ### 조언
>
> 응급실로 바로 이송(load & go) 할 것인지, 현장에 머물러 치료(지연: stay) 할 것인지의 결정은 환아 상황에 따라 각 의료 지침에 따라 달라질 수 있다.

> ### 조언
>
> 환아가 생리학적으로 불안정하다면 환아 병력과 신체 검진을 미루거나 생략할 수 있다.

치료에서 기대되는 이득

심각한 외상 환아는 병원에서 치료받는 시간 결정이 환아 예후에 영향을 준다. 따라서 초기 목고정, 기도와 호흡 유지 후 빠른 이송은 매우 중요하다. 내과질환을 가진 아동도 병원에 도착하여 치료를 받을 때까지 걸린 시간이 예후에 영향을 미친다. 예를 들어 심장성 쇼크 상태의 소아는 명확한 치료를 위한 빠른 이송이 가장 큰 이득을 줄 것이다. 병원은 이런 드물고 복잡한 상태에 있는 환자의 소생 치료를 위한 최상의 장소가 되기 때문이다.

한편, 위급한 질환을 가진 어떤 아동들은 현장에서의 기본소생술과 전문소생술 치료로 질병의 예후가 좋을 것이다. 예를 들어 발작을 하고 있는 아동에게서 벤조디아제핀을 이용한 초기 치료는 즉각적인 조절로 발작을 멈추게 하는 것이 추가적인 항경련제와 전문적인 기도유지를 피하기 위한 최선의 현장처치이다. 과민성 반응을 보이는 소아의 경우, 자동투여 근육 내 에피네프린을 투약하거나 BLS 또는 ALS 응급구조사에 의한 투약이 필요하다. 유사하게, 응급구조사가 혈당검사를 통해 저혈당을 발견하고 현장에서 포도당을 투여한다면 저혈당으로 인한 뇌손상을 예방할 수 있다.

지역 응급의료서비스 정책

치료와 이송에 관한 지연 또는 출발 결정은 종종 응급의료체계의 규정들에 의해 결정된다. 예를 들어 어떤 지역 응급의료체계에서는 응급구조사에게 전문소생술 중재들과 더불어 심정지 아동에 대해 소생술이 성공하거나 죽음이 선고되어지기까지 치료를 허가한다. 다른 체계들은 초기 소생술수행 후 나머지 결정은 응급실 의료진에 의해 이루어질 수 있도록 바로 이송한다.

안위수준(Comfort Level)

응급구조사들이 질병이나 손상이 더 높은 수준의 처치를 필요로 한다고 생각할 때마다 항상 신속한 이송을 시행하는 것이 가장 좋은 방법이다. 더구나 응급구조사가 위급한 중재를 시행하기에 어렵다면 현장보다는 응급실로 이송 중에 응급 중재를 시도하는 것이 최선의 방법일 수 있다. 예를 들어 저혈압(비보상성) 쇼크가 있는 소아는 보통 현장에서 정맥로를 확보한 후 응급실로 가는 도중 수액을 주입할 수 있다. 현장에서 복잡한 정맥로 확보 시간을 보낸 것보다 쇼크의 근원적인 원인이 다루어 질 수 있는 곳에서 명확한 치료가 이루어질 수 있도록 소아를 이송하는 데 그 시간이 사용된 것이 더 나을 수도 있다.

이송시간

가장 가까운 응급실까지의 시간이 또 다른 주요 인자이다. 현장에서 병원으로의 이송시간이 짧다면 병원으로 이송하여 치료를 받도록 하는 것이 더 현명할 수 있다. 예를 들어 아동이 잠재적으로 치명적인 독물을 섭취했을 경우 응급실이 가까이 있다면 확실한 처치 지연과 관련된 합병증때문에 즉각적으로 이송하는 것이 현명할 수도 있다. 그러나 이송시간이 길다면 병원 이송 전 현장에서 치료를 고려해야 한다. 응급구조사들이 고려할 또 하나의 변수는 소아의 상태와 가까운 병원에서 그에 따른 소아과 치료도 가능한지 여부이다. 소아전문병원에서 치료 받는 것이 가장 좋지만, 위급한 상태의 소아의 경우, 일반병원 응급실에서 먼저 조치하고, 안정된 후 소아과 전문 병원으로 이송할 수도 있다.

1차 평가 요약

소아 1차 평가의 구성요소는 소아평가삼각구도와 ABCDEs, 필요시 즉각적인 소생술, 이송결정이 포함된다. 소아평가삼각구도는 전신 평가를 위한 기초이다. 소아평가삼각구도는 외관의 특징, 호흡상태와 피부순환을 포함하며 보고, 들은 것으로 부터 얻은 자료를 통해 평가한다. 1차 평가는 심장과 폐 문제 또는 신경학적 이상들의 소아 특이적 지표들의 ABCDEs 평가를 포함한다. 활력징후들이 초기 평가에서 유용할 수 있으나, 그것들은 또한 오해를 일으킬 수 있다. 활력징후들은 연령 그리고 전체적 초기 평가를 포함하여 종합적인 자료 분석을 통해 평가가 이루어져야 한다. 중재들은 ABCDEs 실시 순차에서의 어떤 단계에서든 필요할 수 있다. ABCDEs 후에 또 다른 중대한 결정은 현장에 머물러 치료를 시작할 것인가 아니면 즉시 이송할 것인가이다. 임상 문제의 형태, 빠른 이송으로부터 기대되는 이득, 지역 응급의료서비스 정책, 응급구조사의 안위수준, 그리고 이송시간이 이송 결정에서의 주요 요소들이다.

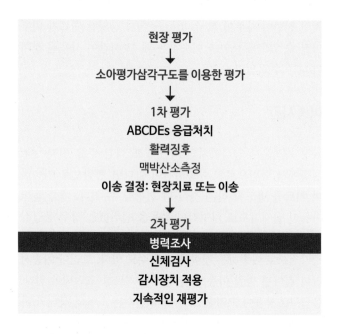

현장 평가
↓
소아평가삼각구도를 이용한 평가
↓
1차 평가
ABCDEs 응급처치
활력징후
맥박산소측정
이송 결정: 현장치료 또는 이송
↓
2차 평가
병력조사
신체검사
감시장치 적용
지속적인 재평가

2차 평가: 병력청취와 신체평가에 중점

환자력과 신체검진에 중점을 두는 것은 2가지 목적 때문이며 내·외과적 손상을 입은 환자들에게 적용한다 :

1. 환자가 호소하는 주된 증상 및 징후를 빠짐없이 기술하고 얻기 위함
2. 손상기전이나 발병상황이 무엇인지 결정하기 위함

1차 평가 시 소아가 생리적으로 불안정함을 보인다면,

응급구조사는 환자의 병력청취와 신체평가를 보류하고 병원으로 즉각 이송을 하도록 한다. 소아가 생리적으로 안정되어 있고 사건발생 현장이 안전하다면, 병원으로 이송하기 전에 환자의 병력 청취와 자세한 신체평가에 중점을 두고 현장에서 외상을 입은 환자를 평가해야 한다. 급박하게 생명을 위협할 수 있는 생리적 문제에 집중하는 1차 평가와는 대조적으로, 2차 평가는 환자에게 발생한 해부학적인 비정상 부분에 중점을 두고 시행하는데, 생명에 지장이 있는 경우는 드물다.

환자의 병력청취에 중점을 두고 자료를 수집하기 위해서는 돌봄제공자에게서 내용을 듣거나, 나이가 된다면, 소아 혹은 청소년기 환자로부터 직접 듣는다. 몇몇 경우에는, 돌봄제공자가 없는 상태에서 소아에게 직접 듣는 것이 필요할 때가 있다. 예를 들면, 약물 복용 혹은 성적 접촉 관련된 것(현재 질병과 관련이 있는)을 돌봄제공자가 있을 때 감추는 경향이 있다. SAMPLE 병력은 다음의 정보를 얻기위해 사용될 수 있다: 징후와 증상, 알러지, 투약, 과거력, 마지막 섭취한 음식 또는 음료, 질병이나 손상을 유발한 사건(**표 1-10**).

특별한 건강관리를 필요로 하는 소아의 경우, 추가적으

표 1-10 소아 SAMPLE 구성요소	
구성요소	설명
징후/증상(Sings/Symptoms)	통증이나 열 증상 및 발병 연령에 따른 장애증상
알러지(Allergies)	환자가 알고 있는 약물반응이나 다른 알러지 투여하고 있는 약물의 정확한 이름과 용량
투약(Medications)	최근 복용약물의 시간과 양 진통제/해열제 복용시간과 양 이전의 질병력 또는 손상력
과거력(Past medical problems)	면역력(예방주사) 임신력, 출산력, 분만력(유아 및 아동)
마지막으로 먹은 음식 또는 음료(Last food or liquid)	우유병이나 모유수유를 포함해서 마지막으로 먹은 음식이나 음료의 시간
손상이나 질병을 유발한 사건(Events leading to the injury or illness)	현재 발생한 열의 기전을 밝히는 사건의 열쇠

로 과거병력 청취가 필요하지만, 어떤 과거병력이 필요한지는 예상되는 병명이나 상태에 따라 달라진다. 응급정보양식(EIF, Emergency Information Form)을 사용하면 이러한 소아의 중요한 정보를 파악하기에 매우 유용하다. 이러한 특별한 건강관리를 필요로 하는 소아에 대해서는 10장에서 더 자세히 다룬다.

만약 소아가 외관상 심각하지 않은, 예를 들면 미열, 수유하기 어려움, 불안정, 경미한 외상 등이 있는 상태라도 심각한 손상의 초기증상일 수 있으므로 신중하게 자료를 수집해야 한다. 음식물 섭취, 대사성 문제, 전신감염은 생후 2년까지의 유아에게서는 특별한 증상이 없을 수도 있다. 신체평가 결과상, 구급차를 부른 이유와 논리적으로 연관성이 없거나 손상을 입은 소아의 병력이 의료진으로서 납득하기 어렵다면 아동 학대도 염두에 둔다.

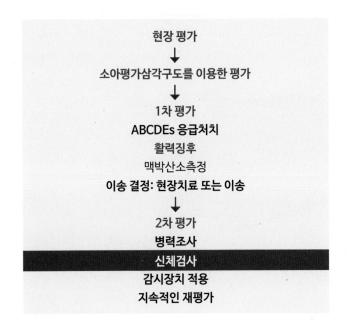

현장 평가
↓
소아평가삼각구도를 이용한 평가
↓
1차 평가
ABCDEs 응급처치
활력징후
맥박산소측정
이송 결정: 현장치료 또는 이송
↓
2차 평가
병력조사
신체검사
감시장치 적용
지속적인 재평가

신체검사

대부분 이송과 치료가 우선시되기 때문에 이 단계의 환자 평가가 일부 가능하지 않을 수도 있다. 때때로, 환자가 초기 평가에서 충분히 평가되었거나 환자병력이나 주호소가 심각하지 않거나 외상부위가 국소적인 경우에는 상세한 신체평가가 필요하지 않을 수 있다(예: 신체 한 곳의 열상, 발목이 뒤틀린 경우).

만약 외상을 입은 소아가 현장에서 안정을 찾았고, 1차 평가 이후 소생술을 필요로 하지 않으며, 병원으로 이송 중이나 추가적인 치료가 필요하지 않은 경우, 집중 2차 평가를 진행한다. 이러한 신체평가는 영향을 받은 모든 해부학적 영역이 포함되어야 하며 일차평가 및 병력청취 결과에 근거하여 한다.

영아, 유아, 학령전기 아동의 2차평가를 위해 머리부터 발끝까지 차례대로 상세하게 신체평가를 시행한다. 이렇게 아동에게 접근을 하는 것은 응급구조사로 하여금 소아의 신뢰와 협조를 얻을 수 있게 하며, 아이들의 신체평가 결과의 정확도를 높일 수 있다. 평가 시 돌봄제공자의 도움을 요청한다. 신체검사 수행 시 아동의 연령별에 따라 나타나는 특정 해부학적 특징에 주목하면서 진행한다.

전반적인 관찰

유독물질을 암시할 수 있는 이상한 냄새나 얼룩이 묻있는지 의복을 잘 살펴본다. 만약에 중독이 의심되면 더럽혀진 옷을 탈의하도록 돕고 옷을 챙겨두고 아동의 피부를 비누와 물로 깨끗이 씻어낸다.

피부

피부에 발진과 타박상 유형이 있는지 주의 깊게 관찰하며 이러한 것은 11장에서 논의된 바와 같이 학대를 암시할 수 있다. 물린 자국, 새끼줄이나 가죽혁대 자국, 꼬집힌 자국, 손이나 허리띠, 혁대 장식 자국과 같은 타박상이 피부에 나 있는지 관찰한다. 규칙이 있거나 모양이 기하학적인 상처 등은 학대를 의미할 수 있다. 병원으로 환아를 이송하는 동안, 점상 출혈이나, 자반부위 등 (극심한 염증을 의미할 수 있다)도 세밀히 조사하고, 이송 중 새로이 발생한 모든 부위의 병변을 추적 관찰한다.

머리

영아나 소아가 어릴수록 신체부위에서 차지하는 머리 부분의 비율은 신체의 나머지 부분에 비례하여(**그림 1-14**) 이러한 비율 때문에 속도를 감속시키는 단계에서 발생하는 충돌로 인한 머리손상의 위험은 더욱 커진다(특히 자동차 사고). 그러므로 타박상, 부종, 혈종이 있는지 잘 관찰한다. 손상으로 인한 출혈 시 혈액은 두개골과 두피사이로 들어가게 된다. 생후 9-18개월 보다 어린 아동이 손상을 입은 경우 앞숫구멍(대천문)을 평가함으로 손상과 관련된 정보를 얻을 수 있다(**그림 1-15**). 아이가 울지 않고 가능하다면 이는 앉은 자세에서 평가하는 것이 좋다. 숫구멍이 팽창되거나 촉진이 안되는 것은 뇌막염, 뇌염, 두개내 출혈 등으로 두개내뇌압이 증가되었음을 암시한다. 움푹 들어간 숫구멍은 탈수를 암시한다.

눈

영아에게서 동공크기, 불빛에 대한 반응, 외안근운동의 균형을 평가하는 것은 어려운 일이다. 아이를 똑바로 세운 상태에서 천천히 영아를 흔들면 영아의 눈을 뜨게 할 수 있을

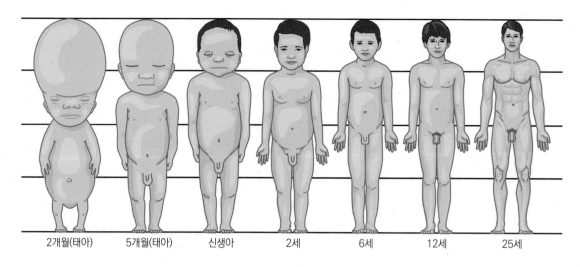

2개월(태아)　　5개월(태아)　　신생아　　2세　　6세　　12세　　25세

그림 1-14 발달단계별 머리 및 신체변화

Modified from McKinney ES et al: *Maternal child nursing*, ed 3, St. Louis, 2009, Saunders.

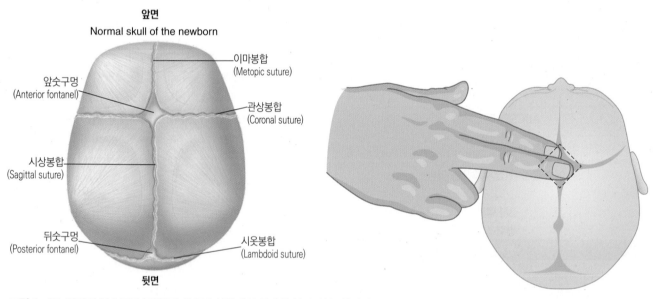

앞면
Normal skull of the newborn

앞숫구멍
(Anterior fontanel)

이마봉합
(Metopic suture)

관상봉합
(Coronal suture)

시상봉합
(Sagittal suture)

뒤숫구멍
(Posterior fontanel)

시옷봉합
(Lambdoid suture)

뒷면

그림 1-15 영아의 앞숫구멍(대천문)은 중추신경계의 문제를 알 수 있는 창이다.

것이다. 영아의 눈을 뜨게 한 후, 색깔이 있는 물체로 영아의 눈길을 끌어 영아가 물체를 쳐다보게 함으로 눈의 운동을 확인할 수 있다.

코

어린 영아는 입보다는 코를 통해 호흡을 하기 때문에 점액으로 인한 코막힘은 현저한 호흡장애의 원인이 된다. 이 때는, 부드러운 벌브 또는 카테터로 콧구멍을 흡인하면 호흡장애를 완화시킬 수 있다(**그림 1-16**). 혈액의 누출(뇌척수액(CSF), 비루)은 두개골 바닥 골절을 암시한다.

귀

귀에서 누출되는 액체(귓물)가 있는 지를 관찰한다. 보행이

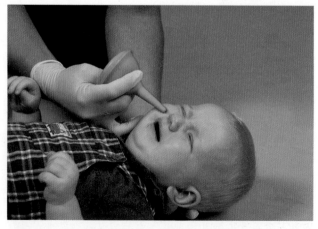

그림 1-16 벌브를 이용하여 부드럽게 흡인함으로 유아의 호흡장애를 완화시킬 수 있다.

불가능한 상태의 소아에게 귓바퀴 근처에 멍이 있다면 고통스러운 외상일 수 있다. 혈액의 누출이나 CSF는 두개골바닥 골절을 암시한다. 귀 뒤 쪽에 타박상이 있는지, 또는 배틀징후가 있는지 확인하는 한편, 두개골 기저부 골절 징후가 있는지 확인한다. 귀에서 농이 배액 된다면, 이는 귀의 감염 또는 고막의 천공을 의미한다.

입

외상 환아에게서 이가 흔들리거나 과도한 출혈이 있는지 잘 관찰한다. 보행이 불가한 상태의 소아의 경우, 입에 외상은 고통스러운 외상을 의미할 수 있다. 호흡 시 나는 냄새가 있는지 주의를 기울인다. 어떤 경우 입 냄새는 탄화수소와 같은 음식물 섭취와 관련이 있을 수 있다. 당뇨병케톤산증은 환자의 호흡 시 달콤한 냄새 혹은 과일향을 풍길 수 있다.

목

환자가 부종이나 타박상이 있으면 기관을 검진하고, 신체의 중앙선에서 청진기를 이용하여 기관의 소리를 듣는다(**그림 1-17**). 청진기를 이용하여 기관의 소리를 듣는 것은 근위부 기도폐색인지(통상 코의 점액 때문에 발생), 천식으로 숨을 헐떡거리는 소리, 또는 쌕쌕거림인지를 구분하는 빠르고 쉬운 방법이다. 또한 목을 평가해서 기관 이동 혹은 목정맥 확장을 파악해야 한다. 이는 전형적인 긴장성 공기가슴증 증상이고, 통상 생리적 증상으로 후기에 나타난다. 목정맥 확장

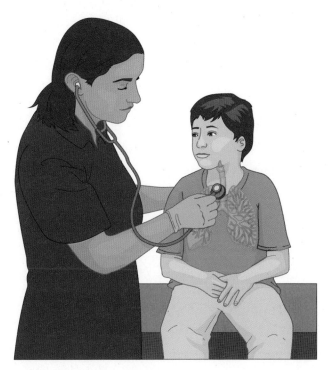

그림 1-17 비정상 기도음을 구분하기 위해 기관에서 청진한다.

은 저혈량증을 초래한 다른 부상이 있을 경우 없을 수도 있다. 목의 압통도 평가해본다.

국가 EMS 임원협회(National Association of State EMS Officials) 는 목 통증, 목운동 장애, 국소 신경학적 결손, 의식 수준 변화, 고위험 손상기전(고속 자동차 충돌, 다이빙), 몸통 외상, 또는 취약한 조건이 있는 소아에게 척추운동제한을 권고하고 있다.

흉부

환자에게 총상, 열상, 타박상 또는 발진이 있으면 흉부를 재평가한다. 소아가 가슴손상을 입었을 경우 빗장뼈를 만져보고 압통이나 기형이 있는지 모든 갈비뼈를 만져본다.

등

열상, 총상, 타박상 또는 발진이 있는지 환자의 등을 시진한다.

복부

환자의 복부가 팽만이 있는지, 타박상, 변형, 발진이 있는지 여부를 시진한다. 가슴이나 복부에 여러 타박상이나, 회복 단계가 서로 다른 여러 타박상은 극심한 외상을 의미할 수 있다. 외상 환자의 경우, 홍조나 타박상이 보호띠 아래(안전벨트가 있던) 부위에 선명하게 생겼을 수 있다. 사고 시 자전거 손잡이와 부딪혔다면, 손잡이 모양 자국도 있을 수 있다. 이는 둘 다 심각한 내부 장기 손상을 의미할 수 있다. 복부에 팽만이 있는지도 확인한다. 복부를 부드럽게 만지면서 복부 근육의 긴장이나, 보호 자세를 취하는지 살핀다. 그러한 경우, 감염, 폐쇄, 혹은 복부 내 손상을 의미할 수 있다. 압통이나 덩어리가 있는지 확인한다. 만약 영유아가 꽤 긴 시간 동안 울고 있었거나, 호흡 노력이 백-밸브 마스크에 의해 유지되고 있었다면 복부로 밀어 넣은 공기 때문에 복부가 팽만한 상태일 수도 있다.

사지

사지는 좌·우를 대칭적으로 평가한다. 즉, 색깔, 온감 정도, 관절 크기, 압통이 있는지 유무를 양쪽 다리를 비교하며 시행한다. 각 관절은 최대한의 관절가동범주 내에 속하는지 환아를 평가하는 한편, 통증이 있는지 확인하기 위해 환아의 눈을 주시한다. 당연히, 명백한 사지기형이 있다면 골절을 의심할 수 있으니, 관절가동범주 시행을 하면 안되고, 부목을 적용한다. 골절이 의심되면, 맥을 촉진하고, 모세혈관 재충전이 얼마나 걸리는지, 운동성을 얼마나 띄고 있는지, 감각이 부상 부위로부터 어디까지 있는지를 확인한다. 보행이

불가한 아동에게 나타나는 골절은 외상이 의심된다.

추가적인 활력징후

1차 평가 시 맥박과 호흡을 평가했었더라도 소생술이나 이송도중에 평가했거나 기록하지 않았을 수 있다. 변화하는 환아의 상태를 적극적으로 평가하기 위하여 활력징후를 얻는 것은 매우 중요하다. 소생술이 필요할 때 맥박과 호흡은 매우 빈번히 확인해야 하지만 추가적인 활력징후는 소아가 안정되거나 이송을 마무리 지을 때까지 연기해도 된다.

통증의 평가-새로운 활력 징후

응급구조사는 영아나 어린 아동들에서의 통증의 징후와 증상을 무시하거나 과소평가 또는 오해하기가 쉽다. 아동들은 성인에 비해 효과적인 통증 완화 약물들을 투여 받을 가능성이 훨씬 적다. 많은 연구들에서 모든 수준의 응급구조사들이 통증이나 불안을 조절하기 위해 아동들에게 약물을 투여하는 것에 대해 망설임을 보였다. 아동이 어릴수록, 효과적인 진통제나 항불안제를 투여 받을 가능성은 더 적다. 그러나 병원 전 단계에서 성인과 소아 모두에게서 호흡억제나 신체평가를 할 때 방해 받지 않고 사용할 수 있는 진통제가 있다.

　통증은 거의 모든 형태의 손상이나 많은 질병들에서 존재한다. 통증의 부적절한 치료는 아동과 가족에게 많은 부작용을 초래한다. 통증 그 자체가 아동에게 위급한 병적상태와 고통의 원인이 되며, 응급구조사들의 생리적 이상들에 대한 정확한 평가를 방해한다. 통증이 있음에도 불구하고 적절하게 진통제 투여를 받지 못한 아동은 평소의 통증반응보다 더 심각하게 표현할 수 있다. 통증이 있는 신생아조차도 적절하게 진통제를 사용하지 않는다면 만성적인 통증지각을 나타내는 것으로 알려져 있다. 외상 후 스트레스 또한 급성 질병이나 손상으로 통증을 경험하고, 약물학적 경감 요법을 받지 못한 소아들 사이에서 보다 흔하다. 따라서 성인들에서와 마찬가지로, 모든 아동들에서 신중한 통증 평가와 적절할 때

고통으로부터 경감시켜줄 수 있는 효과적인 방법들에 대해 고려하는 것은 필수적이다.

　지역 응급의료서비스 지침들은 이제 응급구조사들이 2차 평가의 한 부분으로 통증을 평가하고 관리하는 것을 요구하고 있다. 그뿐 아니라 통증평가는 아동들을 포함하여 모든 연령에서 새로운 활력 징후에 포함되어야 한다는 주장이 많이 제기되고 있다. 적절한 통증관리는 아동과 가족들의 고통을 경감시키고, 의사전달, 신체평가 그리고 용이한 이송을 촉진시킬 것이다.

　통증평가는 환아의 발달연령을 고려하여 실시해야 한다. 통증에 대한 인지력은 아동의 연령이 증가할수록 증가할 것이다. 예를 들어, 치료제공자에 의해 안겨있는 전 언어단계 영아가 울고 보채는 것은 배고픔이나 저산소증, 혹은 통증에 기인하는 것일 수 있다. 영아에서, 추가 평가는 진통제 투여 전에 통증의 원인을 확인하기 위해 필수적이다. 반면에 3세 이상의 언어단계 아동들(verbal children)은 통증에 대하여 말로 표현한다. 그런 까닭에 나이가 있는 아동들에서, 얼굴 표정의 그림들(Wong-Baker FACES Scale)이나 시각적 아날로그 점수(visual analogue scores)를 사용하여 통증의 정도를 측정하는 것은 통증경감을 위해 약이 필요한지 여부를 결정하는데 도움이 된다. **그림 1-18**는 Wong-Baker FACES 척도를 나타낸 것이다. 이러한 "자가 보고" 척도는 아직 병원 전 환경에서 광범위하게 채택되어지지 않고 있지만, 통증 강도의 즉각적 평가를 제공하고 치료에 대한 반응을 감시하기 위한 다른 환경에서는 그 효과를 인정받고 있다.

　공포와 불안의 관리와 영아들과 어린 아동들의 통증 관리 사이에는 크게 중복되는 부분이 있다. 많은 비 약리학적 그리고 약리학적 중재 방법들은 **표 1-11**과 같이 불안을 경감시키고 통증의 지각을 감소시킬 것이다. 침착함을 유지하고 부모와 아동 모두에게 신뢰를 제공하는 것이 첫 번째 중요한 단계이다. 침착한 응급구조사는 아이들을 침착하게하고 보다 편한 마음을 갖게 하는데 도움을 줄 것이다. 관심전환법(distraction techniques)은 통증을 감소시키는 데 매

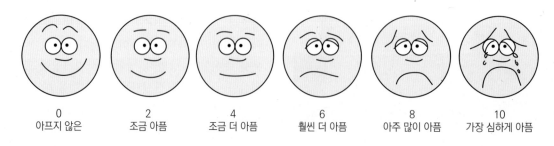

0	2	4	6	8	10
아프지 않은	조금 아픔	조금 더 아픔	훨씬 더 아픔	아주 많이 아픔	가장 심하게 아픔

그림 1-18 통증 자가평가용 Wong-Baker 통증 등급 척도

Wong-Baker FACES Foundation (2019). Wong-Baker FACES® Pain Rating Scale. Retrieved with permission from http://www.WongBakerFACES.org.

표 1-11 병원 전 진통과 불안완화 방법들
비 약리학적 방법
침착한 태도
침착성이나 안아줌을 통한 치료 제공자의 도움
장난감들이 들어있는 "도구상자"를 통한 관심 전환법
얼음
시각적 심상
달래는 물건(고무젖꼭지)
음악
골절에 부목
약리학적 방법
모르핀
펜타닐
미다졸람
케타민
아산화질소
벤조디아제핀
신생아를 위한 12-25% 수크로스
아세트아미노펜
이부프로펜 (6개월 미만 영아에겐 투약금지)

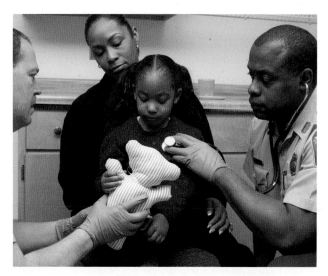

그림 1-19 아동의 통증 감소에 도움을 주는 관심전환법

조언

통증은 종종 추가적 활력징후로 고려된다. 통증 관리는 소아, 가족, 그리고 의사소통이나 신체검진 등을 할 때 곤란한 것들을 완화 시켜줄 수 있으며, 중재를 준비할 때 적절한 도움을 주거나 이송을 쉽게 할 수 있다.

논쟁

비록 통증 측정 "자가 보고"가 아직은 소아환자나 병원 전 환경에서 범용적으로 사용되는 것은 아니지만 어느 정도 임상에서는 가치가 있다고 보고 있다. 통증의 정도를 즉석에서 평가하여 정보를 제공할 뿐만 아니라 치료반응에 모니터링 내용으로 이용될 수 있다.

우 도움을 줄 수 있다. 많은 응급구조사들은 장난감들의 사용, "마술", 또는 기분 전환을 제공하기 위해 매력적인 마음을 끄는 이야기를 시도한다. 어떤 응급의료체계에서는 통증 경감을 촉진하기 위해 오락 기구들이 담긴 "도구상자 (toolbox)"를 이용한다**(그림 1-19)**. 치료제공자가 아동과 놀아주고 가끔 안아주는 것 또한 유용한 전략들이다.

소아가 좀 큰 경우에는 시각적 심상요법들이 종종 도움이 될 수 있다. 이를 위해 아동에게 현재 가장 즐겁게 하고 싶은 것에 대해 물어본다. 그리고 아동이 눈을 감은 상태에서 좀 더 평온하거나 즐거운 환경을 마음속에 그리는 것을 도와준다. 음악 또한 매우 효과적인 통증전환 요법 중 하나이다.

약물을 통한 통증경감도 흔히 사용되는 것들 중 하나이다. 통증경감용 진정제(아편제), 벤조디아제핀, 케타민, 아산화질소는 많은 응급의료체계 내에서 응급구조사들에게 유용하다. 근육주사제들은 아동들이 바늘을 무서워하고, 주사부위 통증이 몇 일간 지속될 수 있으므로 크게 효과적이지 않을 수 있다. 임상적 경험이 부족 하지만 흡입이나 점막(설하, 항문 혹은 직장) 또는 피부로 진통제나 항불안제를 투여하는 것이 더 쉽게 효과가 나타날 수 있다. 흡입 아산화질소와 항문(직장)용 디아제팜(rectal diazepam)과 같은 몇 가지 기술들이 병원 전 소아 치료에서 우수한 결과를 이끌어왔다.

진통제와 항불안제의 투여를 위한 가장 빠른 방법은 정맥주사를 통한 것이다. 정맥주사는 가장 효과적으로 약효를 나타낼 수 있는 방법이지만 이 자체도 통증을 유발한다. 또한 통증과 항불안제 투여에 대한 아동들의 반응은 종종 예측 불가능하며, 부작용들에 대해 주의 깊게 관찰해야 한다. 또한 통증을 감소시키기 위한 어떤 약물은 진정효과로 인해 호흡억제, 느린맥, 저산소혈증, 저혈압 및 보호적 기도반사 소실까지 초래할 수 있다. 때로 항불안제는 보채는 것을 역으로 악화시키는 원인이 되기도 한다.

조언

지통제나 항불안제는 흡입이나 점막(허민, 곤찬가)이나 피부를 통해 쉽게 투여할 수 있다. 흡입질소나 코로 투여하는 펜타닐과 미다졸람, 들이마셔 투여하는 날록손, 항문을 통해 투여하는 디아제팜과 같은 여러 가지 기술은 병원 전 소아치료에 있어서 대단히 우수한 방법이다.

통증의 평가는 "활력 징후"가 되고 있으며 소아의 통증과 불안 관리는 모든 응급의료체계들에서 현장 처치의 기본(routine part)이 되어야만 한다. 이는 유용한 비 약리학적 기술들, 약물, 잠재적인 약물 금기증과 합병증 그리고 그들 합병증 관리에 대한 완전한 이해를 필요로 한다.

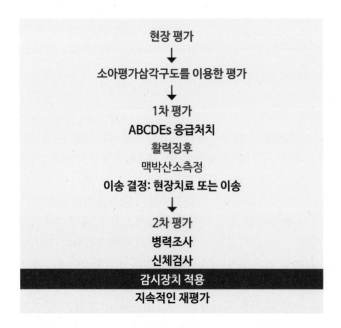

추가적인 모니터 장비

응급구조사는 현장에서 몇 가지 테스트를 해볼 수 있다. 예를 들면 젖산염 현장진단, 빠른 혈당체크, 12유도 심전도 모니터링(12 lead electrocardiogram monitoring), 파형 호기말 이산화탄소분압측정 그리고 지역 매뉴얼에 따른 그 외 특수 장비 등을 사용할 수 있다.

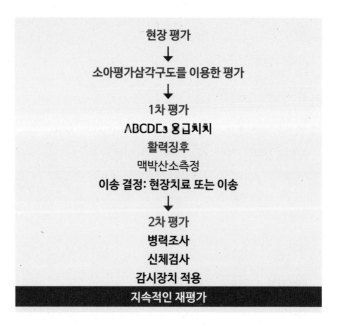

지속적인 재평가

치료에 대한 반응을 관찰하고 확인된 생리학적, 해부학적 문제를 지속적으로 추적하기 위해서는 모든 환아를 지속적으로 평가한다. 또한, 재평가를 통해 새로운 문제가 발견될 수 있다. 재평가를 통해 얻은 자료는 지속적으로 환자를 치료해야 할지 여부에 대한 길잡이 역할을 한다.

재평가에 사용하는 요소들은:

1. 소아평가삼각구도 확인
2. 반복적인 활력징후 측정과 더불어 시행하는 ABCDEs 확인
3. 해부학적 문제에 대한 양성(+) 결과 판정
4. 치료의 안전성과 효과성 재검토

　재평가 요소들은 적절한 환자의 이송행선지를 결정하고, 환아의 평가에 대한 정확도를 높이며, 소아의 특정한 문제를 찾아내는데, 그리고 의학 자문을 얻거나 또는 응급실과 무선이나 전화로 의사소통을 하는데 있어 근거자료가 된다.

사례연구 3

아기를 돌보는 돌봄제공자로부터 1달 된 유아가 호흡이 멈추고 새파래졌다며 집으로 와달라는 요청을 받았는데 아기는 하루 종일 열이 있었다고 한다. 영아는 똑바로 누워 있었고 피부는 창백하고 얼룩덜룩한 반점이 있었다. 환아를 만졌을 때, 환아는 매우 불안정하고 높은 음의 날카로운 울음을 울었다. 아기는 혼자 남겨졌을 때, 기면상태의 빈약한 반응을 보였다. 비정상적인 자세, 비정상적인 기도소리, 천명음, 꿍꿍거리는 양상은 없었고, 호흡수 60회/분, 심박동수 200회/분이었다. 맥박은 약하고 양팔과 다리는 차갑고, 모세혈관 재충혈 시간은 거의 5초였다.

1. 위 경우 유아의 외관이 암시하는 심각한 문제는 무엇인가?
2. 이 유아는 쇼크에 빠져있다고 볼 수 있는가?

무선 보고

무선기구를 이용하여 환자상태를 정확하게 보고하는 것은 병원 외부에서 병원 내 응급실로 환자를 무리 없이 이송하고, 능률적이고 효과적으로 환자를 관리할 수 있도록 임상의의 능력을 최대화시키는 것이다. 완전하고 간결하게 환자의 활력징후 자료를 전송하고, 소아가 가진 특정 문제에 대한 관련 정보를 무선보고 하는 것은 환아가 병원에 도착하기 전 병원의 의료인에게 환아의 상태를 이해하도록 할 뿐 아니라 빠른 처치를 할 수 있도록 준비시킬 수 있다. 가능하다면, 보호자에게 확인해서 응급실에 환아의 몸무게를 알린다. 이 과정에 대한 단계별 설명은 절차 1을 참조한다.

요약

환자의 1차 평가가 끝나고 소생을 시작하기 전, 응급구조사는 환자의 질병이나 손상의 심각성 정도, 환자 이송 시점을 결정해야 한다. 추가 평가가 이루어지기 적절하면, 환자병력과 2차 평가를 현장이나 응급실로 오는 중 어느 곳에서든 시행한다. 2차 평가는 생명을 위협하는 심각한 상황이나 사지가 위험한 상황에 처한 환자는 시행하지 않는다. 2차 평가는 환자의 생리학적 문제 보다는 해부학적 문제를 훨씬 잘 판별할 수 있게 한다. 환아에게 시행한 중재의 효과를 확인하고 치료, 이송, 부상자 분류에서의 변화를 가이드하기 위해서는 환자를 지속적으로 항상 평가하도록 한다. 환자를 검사실과 방사선과로 의뢰하여 진단적 검사를 시행하여 환자의 발병원인을 밝혀내며, 주된 검사는 응급실에 도착한 후와 입원 시 시행한다.

사례연구 답안

사례연구 1

응급구조사는 얼굴이 창백한 아이를 만나면 주의를 기울여야 한다. 사건 현장에서 심각한 외상을 입고 피부가 창백해 보이는 소아는 심각한 출혈로 혈액이 유실된 것이라고 확실하게 증명되기까지 어떠한 소아라도 주의 깊게 접근하고 대응해야 한다. 이 경우, 어린이는 혈액유실에 대한 체내 보상작용으로 빈맥과 말초혈관 수축을 일으키는 카테콜아민을 급박하게 방출한다. 환자의 혈액유실과 저혈량에 대응하여 카테콜아민을 방출하는 반사작용은 말초혈관을 수축시키고, 피부로 가는 혈액순환을 막아 환자의 피부를 창백하게 한다. 비록, 심각한 두부손상을 입었더라도 환아의 의식수준은 비교적 정상적으로 나타나게 되고, 그래서 환자가 가진 문제가 출혈성 쇼크이므로 응급구조사는 초기의 응급처치로 출혈성 쇼크에 대한 대처를 하게 된다. 간과 비장에 둔상을 입은 복부손상 환자의 경우, 외관상 볼 수 있는 손상의 징후가 없이 심각한 내부출혈이 발생될 수 있다. 내부출혈이 발생한 어린이들 대부분이 복부 압통을 호소하지 않는다. 따라서, 간과 비장에 둔상을 입은 복부손상 환아의 경우, 소아과 환자를 치료할 수 있는 역량 있는 외상센터로 환자를 빠르게 이송하는 것이 중요하다. 응급처치에 필요한 가장 중요한 환자의 생리적인 문제는 출혈성 쇼크에 대한 대처이다. 출혈성 쇼크가 의심되는 표식 징후는 경증의 빈맥, 약한 맥박, 지연된 모세혈관 재충혈 시간, 경계성 저혈압(80 mmHg)이다. 이때는 병원으로 빠른 이송이 요구되며, 병원으로 가는 도중까지 환자에게 적극적인 처치대응을 하는 것을 미룬다.

또한, 소아는 분명히 통증을 호소하고 있다. 그러나, 이송을 지연하고 눈에 띄는 문제에 대한 평가가 필요한지, 혈액순환의 허탈 상태가 될 잠재적인 가능성 여부를 따지는 것과는 별개로, 통증을 완화시키기 위해 약물치료를 시행했을 때의 이점에 대해서는 숙고할 필요가 있다. 출혈성 쇼크에 대한 생리학적 보상작용이 일어나고 있는 환자의 경우에는 모르핀과 같은 마약성 진통제는 혈관확장이 될 수 있어 사용하지 않는다.

사례연구 2

소아평가삼각구도는 질병의 심각도와 생명을 구하기 위해 처치가 제공되어야 하는 절박한 상황인지 여부를 평가하는 정확한 도구이다. 또한, 현장에 도착해서 아동이 기민한지, 피부는 핑크색인지, 호흡을 하는데 애쓰지는 않는지 여부가 확인되니 조금 안심할 수 있다. 환자의 상태는 아이가 격하게 반응하고 있어서 일반적인 ABCDEs 평가를 어렵게 만들 수도 있다. 명백하게, 심각한 심폐 문제가 없다면, 환아는 정신적으로 기민하고 각성되어 있을 것이고, 환자가 검사를 거부하고 반항하면, 병력 기록과 2차 평가를 진행한다. 그러나 모든 물에 빠졌던 환아는 반드시 이후 증세 관찰을 위해 병원으로 이송되어야 한다. 그러나 소아평가삼각구도를 통해 확인한 것을 토대로 보아 환아는 위독한 상황이 아니기에 병원으로 이송 시 사이렌을 울리고 구급차의 불빛을 번쩍여 다른 차들의 양보를 받을 필요는 없고 긴급 소생술이 필요하지 않다.

응급구조사는 소아가 물에 빠진 상황이 정확한 목격자가 없어서 상황 파악이 정확히 안된 사건을 접할 수 있는데, 이 때는 외상에 준해 다루도록 한다. 응급구조 시 유아가 1 m(3feet) 보다 낮은 풀장에 빠진 경우가 대부분이다. 이러한 경우, 두부 혹은 척추 손상이 있었을 확률은 적다. 게다가, 환아가 엄마의 팔 안에서는 불편하게 보이지 않고 목을 자유롭게 움직였으나, 응급구조사가 환아를 평가하려고 할 때, 환아가 강경하게 저항하며 소리치면서 머리를 들이 박는다면 척추문제가 없는 것으로 판단되어 척추고정을 하지 않아도 될 것 같이 생각된다(척추 고정으로 인한 문제가 더 많을 것이다). 이러한 경우, 지역별 지침이 응급구조사가 결정을 내리는데 도움을 준다. 이 시나리오 환자의 경우, 치료 및 이송이 긴급한 것은 아니나, 병원으로 이송하는 동안 환아가 물속에 빠졌던 것으로 인해 일차적으로는 저산소증, 폐 합병증 발병 등, 지연되어 나타날 수 있는 문제에 대한 지속적인 평가가 필요하다.

사례연구 3

응급구조사는 현장에 도착했을 당시 환아의 외견 상태와 관계없이 생명을 위협하는 사건을 경험한 영아, 호흡이 멈추고 피부색이 새파래졌던 유아는 매우 위급한 환자상황을 치료하기 위해 응급의료서비스 기관으로 이송한다. 이 경우, 환아는 소아평가삼각구도, 외관증상에서 변화가 나타나며, 쇼크를 의미하는 증상 및 징후가 발생한다. 뇌의 부족한 관류상태(예: 감염, 외상, 독소, 저산소증)보다는 다른 원인에 의해 발생된 문제를 환아가 가지고 있다고 결론이 나는 동안, 환아는 빠르게 빈호흡을 하며 피부상태가 얼룩덜룩하게 나타나는 것만으로도 쇼크 상태에 빠졌다고 진단내릴 수 있다. 여기서 환아가 기면상태와 불안정한 상태로 급변한다면, 뇌의 관류상태가 아주 나빠져서 무반응 단계로 진행하는 것으로 본다.

현장 검진을 통해 쇼크에 대한 의심을 확인 할 수 있다. 이 경우, 환자는 심박동수가 200 회/분으로 매우 빠르고, 말초맥박이 약하고 사지는 차며, 지연된 말초혈관 재충혈 속도를 나타낸다. 심지어, 환자의 비정상적인 외관상 소견 및 피부상 나타나는 결과는 환자가 체내 압력이 너무 낮아 혈압이 거의 없는 상태이고, 이에 대한 체내 보상작용이 상실되어 있으므로 쇼크 상태 치료를 시행해야 한다는 것을 의미한다. 비록, 쇼크의 원인이 확인이 안됐지만, 체내 보상작용이 상실된 어떠한 유형의 쇼크라도 혈관을 통해 정질액(20 mL/kg)을 주입해 치료한다. 현장에서 환자에게 정맥주입을 시도한 다음, 환자 치료를 확실히 해 줄 응급의료기관으로 빠르게 이송한다. 이송 중에는 환자의 반응을 자주 재평가한다.

추천 자료

Textbooks

Aehlert B. *Mosby's Comprehensive Pediatric Emergency Care.* Sudbury, MA: Elsevier; 2006.

American Academy of Orthopaedic Surgeons. *Emergency Care and Transportation of the Sick and Injured.* 11th ed. Burlington, MA: Jones & Bartlett Learning; 2016.

American Academy of Pediatrics and the American College of Emergency Physicians. *APLS: The Pediatric Emergency Medicine Resource.* 5th ed. Burlington, MA: Jones & Bartlett Learning; 2012.

Anne M, Agur A, Dalley A. *Grant's Atlas of Anatomy.* 11th ed. Philadelphia, PA: Lippincott Williams & Wilkins; 2004.

Bledsoe B, Porter R, Cherry R. *Paramedic Care: Principles & Practice.* 5th ed. London, UK: Pearson, 2017.

Chameides L, Samson RA, Schexnayder SM, Hazinski MF. *PALS Provider Manual.* American Heart Association; 2011.

Zitelli and Davis' Atlas of Pediatric Physical Diagnosis, 7th ed. Zitelli B, McIntire S, Nowalk AJ, ed. Philadelphia: Elsevier Saunders 2017.

Articles

American Academy of Pediatrics. Emergency information forms and emergency preparedness for children with special health care needs (policy statement). *Pediatrics.* 2010;125:829–837.

Fernandez A, Ares MI, Gasrcia S, Martinez-Indart L. The validity of the pediatric assessment triangle as the first step in the triage process in a pediatric emergency department. *Pediatr Emerg Care.* 2017;33(4):234–238.

Fernandez A, Benito J, Minegi S. Is this child sick? Usefulness of the Pediatric Assessment Triangle in emergency settings. *J Pediatr.* 2017;93(Suppl 1): 60–67.

Fleming S, Gill PJ, Van den Bruel A, Thompson M. Capillary refill time in sick children: a clinical guide for general practice. *Br J Gen Pract.* 2016;66(652):587.

Fuchs S, Terry M, Adelgais K, et al. Definitions and assessment approaches for emergency medical services for children. *Pediatrics.* 2016:138(6);e20161073.

Gausche M. Out-of-hospital care of pediatric patients. *Pediatr Clin North Am.* 1999;46(6):1305–1327.

Hoffmann F, Schmalhofer M, Jehner M, Zimatschek S, Grote V, Reiter K. Comparison of the AVPU scale and the Pediatric GCS in prehospital setting. *Prehosp Emerg Care.* 2016;20(4):493–498.

Proehl JA. Initial assessment and resuscitation. In: Hoyt KS, Selfridge-Thomas J, eds. *Emergency Nursing Core Curriculum.* 6th ed. St. Louis, MO: Saunders Elsevier; 2007:125.

Thompson DO, Hurtado TR, Liao MM, Byyny RL, Gravitz C, Haukoos JS. Validation of the Simplified Motor Score in the out-of-hospital setting for the prediction of outcomes after traumatic brain injury. *Ann Emerg Med.* 2011;58:417–425.

Warren J. Guidelines for the inter- and intrahospital transport of critically ill patients. *Crit Care Med.* 2004;32(1):256–262.

Other Resources

United States Department of Transportation, National Highway Traffic Safety Administration. National EMS Education Standards (2009). https://www.ems.gov/pdf/811077a.pdf. Accessed October 13, 2019.

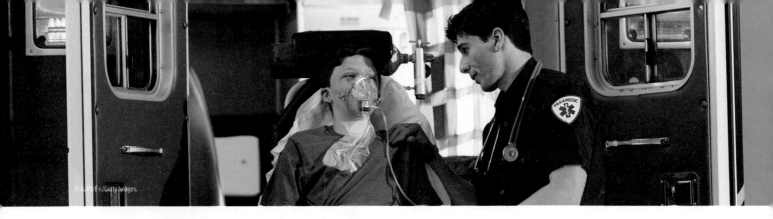

CHAPTER 2
아동의 발달 단계별 접근법

David LaCovey, BS, EMT-P

Sylvia Owusu-Ansah, MD, MPH, FAAP

학습목표

1. 질병이나 손상을 입은 아동의 가족이 느낄 수 있는 정서적 반응을 다루는 의사소통 기술을 논의할 수 있다.
2. 아동의 연령증가에 따라 예견되는 활력증후의 변화에 대한 목록을 작성할 수 있다.
3. 각 연령집단별(영아, 유아, 학령전기 아동, 학령기 아동, 청소년, 특별한 건강관리가 요구되는 아동)로 중요한 성장과 발달적 특징을 기술할 수 있다.
4. 각 연령집단별 아동을 평가 시 고려해야 되는 중요하고 특이한 해부학적, 생리학적 특징을 설명할 수 있다.

개요

영아와 소아는 응급의료체계(EMS)에서 낮은 비율을 차지한다. 낮은 비율일지라도 전문소생술(ALS)이 요구된다. 응급구조사는 특수한 환자와의 성공적인 상호작용을 위해 소아와 관련된 정보에 익숙해져야 한다. 소아의 독특한 해부생리학적, 발달적 차이 때문에 응급구조사는 영아와 소아의

사례연구 1

응급구조사는 보채는 영아에 관한 전화를 받았다. 응급구조사가 도착했을 때, 문에서 생후 2주된 딸을 안고 있는 울고 있는 어머니와 만났다. 영아는 울고 있었다. 퇴축은 없고 몸통과 양쪽 사지피부가 얼룩덜룩했다. 팔과 다리는 차가웠다. 아기는 하루 종일 보챘으며, 수유 시 구토를 했고 어머니는 아기의 위장이 팽창한 것 같다고 생각했다.

1. 이 영아에 대한 평가와 처치 단계는 무엇이며, 어머니의 문제를 어떻게 표현할 것인가?
2. 이 영아에서 걱정되는 결과는 무엇인가?

정상 발달 변화에 익숙해져야 한다. 소아환자평가를 성공적으로 수행하기 위해 제공자는 상황과 관련된 소아 성장과 정신심리발달이 어떤가에 대한 이해를 수용할 수 있어야 한다.

또한 병원 전 전문가는 연령별 성장과 발달적 특성에 대한 지식 뿐 아니라, 특별한 건강관리가 요구되는 아동(Child with special health care needs, CSHCN)을 평가할 때, 다른 이상한 사항이 있는지 살펴야 한다. 때때로, 특별한 건강관리가 요구되는 아동(CSHCN)의 연령대와 발달 단계가 부합하지 않고, 환아의 신체적 성장만큼 정서적인 성숙이 따르지 못할 수 있다.

소아를 처치하는 것에는 가족을 보살피는 것도 포함된다. 부모뿐 아니라, 돌봄제공자, 친구 및 형제 자매가 함께 있을 수 있다. 각각의 사람은 질병이나 손상을 입은 소아에게 다른 반응을 보일 수 있으므로, 응급구조사는 친구 및 친척을 포함한 '확장된' 가족을 보살필 준비가 되어 있어야 한다. 의사소통 기술은 환자의 신뢰를 이끌어내고 안정된 분위기를 조성함으로 평가와 치료 기술만큼이나 중요하다. 안정된 분위기를 조성하기 위해서 응급구조사는 소아관리에 대해 자신감과 전문가적 태도를 가져야 하며 소아의 연령에 적합한 기술을 사용해야 한다. 의사소통 기술은 특히, 대량 재해나 자연재해 발생 시 중요하게 사용된다(14장 참조).

이 장은 영아기부터 청소년기까지 생리학적으로 안정된 아동과 특별한 건강관리가 요구되는 아동(CSHCN)에 대한 연령별 성장 특성과 평가 기술을 제시한다. 1장은 갑작스런 질병이나 손상을 입은 소아에 대한 전반적인 평가 기술을 제시했고, 10장에서는 특별한 건강관리가 요구되는 아동(CSHCN)에 대한 논의를 다룬다.

가족과 제공자의 소아 응급에 대한 반응

모든 가족은 소아의 질병이나 손상에 대해 다르게 반응한다 (**그림 2-1**). 아픈 소아는 가족에게 막대한 압박감을 갖게 한다. 흔한 반응이 **표 2-1**에 요약되어 있다. 일부 돌봄제공자들의 반응이 너무 감정적이거나 비논리적인 것으로 비쳐질 수 있으나, 돌봄제공자의 염려를 주의 깊게 들어야 한다. 응급구조사의 소아 환자에 대한 최선의 접근은 적절한 처치를

그림 2-1 모든 가족은 소아의 질병이나 손상에 대해 다르게 반응한다.

© Jones & Bartlett Learning. Courtesy of Glen Ellman.

표 2-1 소아의 급성 질병이나 손상에 대한 돌봄제공자의 흔한 반응

반응	설명
불신	돌봄제공자는 아이의 질병이나 손상에 대해 고군분투 할 수 있다. 보호자가 너무 차분하거나 무관심해 보일 수도 있다.
죄책감	돌봄제공자는 심각한 소아 상태를 인지하지 못했거나 손상을 예방 할 수없었다는 사실에 겁을 먹을 수 있다. 소아들이 현재 직면한 응급상황보다는 자신이 응급상황을 막기 위해 했었어야 했던 행동들에 대한 생각에 대해 집중할 수 있다.
분노	돌봄제공자는 화를 내는 것으로 자신의 당황함을 나타낼 수 있고, 직접적으로 응급구조사에게 화를 낼 수 있다. 돌봄제공자는 응급구조사가 소아를 안정시키려고 노력하는 것도 호의적으로 보이지 않을 수 있다. 또한, 돌봄제공자는 소아의 이송에 대해 받아들이지 않을 수 있다.
신체적 증상	돌봄제공자는 빠른맥, 매스꺼움, 두통, 가슴통증, 땀에 젖은 손바닥, 건조한 구강 또는 과환기가 있을 수 있다.

해주는 사람으로 보이게 하는 것이다. 돌봄제공자는 보통 환자에 대해 잘 알며 EMS 상호작용을 성공적으로 이끄는 중요한 정보를 제공한다. 소아와 영아도 성인들의 감정을 빠르게 눈치챈다.

가족 구성원과 유사한 응급구조사는 소아 환자에게 감

정적으로 반응할 수 있다. 응급구조사가 경험할 수 있는 정서적 반응이 **표 2-1**에 나타나 있다. 차분하게 행동하는 전문가적인 태도는 가족이나 돌봄제공자로부터 신뢰를 얻고 응급구조사의 잠재적인 감정적 대치 상황을 통제하는데 도움이 된다. 이러한 접근은 가족이나 돌봄제공자로부터 가능한 많은 민감한 정보를 얻기 위한 제공자로 가능하게 하며, 궁극적으로 적절한 응급실로 가기 위해 환자를 분류하거나 환자평가의 일부로서 가장 정확한 감별 진단을 포함할 수 있다.

환자 상호작용과 관련된 제공자의 스트레스를 감소시키기 위한 최선의 방법은 최신 소아 평가와 처치 지침을 아는 것이다. 가지고 있는 소아 장비 및 약물과 현재 그 위치에 익숙해지면 아픈 소아와의 상호작용동안 스트레스를 감소시켜줄 것이다. 소아응급요청이 많지 않기 때문에 EMS에서 소아 장비에 익숙해지는 것에 대한 중요성이 증가되고 있다.

종종 응급구조사는 아픈 영아나 소아와의 상호작용 후에 죄책감을 느끼곤 한다. 모든 요청 후에도 소아 상황에 관한 생각이 흔히 나타난다. 상황에 따라 다르나 한명의 환자와의 상호작용은 며칠, 몇주, 몇 달 동안 나타날 수 있다.

> **조언**
>
> 어떤 응급구조사든 심각한 소아 요청 후에 정서적 어려움을 경험할 수 있다. 응급구조사는 이러한 상호작용으로 인한 스트레스가 해결되지 않을 경우 면허가 있는 정신건강 전문가의 도움이 필요하다.

소아와 가족 혹은 돌봄제공자와의 의사소통 기술

영아와 소아에게 효과적으로 접근하기 위해서 응급구조사는 환자 평가와 관련된 발달적 정보에 익숙해져야 한다. 성인과 마찬가지로, 각 소아 환자는 뚜렷한 개성을 가졌으며, 적절한 평가 정보를 얻기 위한 응급구조사 능력에 영향을 미친다. 119 요청이 환자와 가족에게는 스트레스 상황이다. 환자의 눈높이로 접근하고 소아와 의사소통을 시작하는 것이 중요하다. 불신은 상황에 대한 중요한 정보를 효과적으로 얻는 것을 방해하므로 가장 좋은 것은 소아에게 정직해야 한다는 것이다. 환자의 행동을 관찰하는 것은 연령에 맞는 특수한 행동에 대한 단서를 제공할 수 있다. 접근하는 과정에서 제공자는 비언어적 단서를 알아차릴 수 있다.

또한 소아 환자와의 의사소통, 돌봄제공자 혹은 가족과의 의사소통은 중요하다. 소아는 부모로부터 안전에 대한 단서를 찾는다. 영아와 소아는 단일 환자의 EMS 출동이 아니다. 가족과 보호자는 상황을 적절하게 조절할 수 있는 필요한 정보를 제공할 수 있으므로 상황에서 치료적 협력자로 간주되어야 한다. 가능하다면 소아환자와 가족, 돌봄제공자가 같이 있게 한다. 성공적인 소아 환자 상호작용은 가족과 일차적인 돌봄제공자로부터의 자료수집이 포함된다. 효과적인 의사소통은 효과적인 병원 전 처치의 기초이다.

> **조언**
>
> 의사소통 기술은 종종 환자를 평가하고 치료하는 기술만큼이나 중요하다.

연령별 활력징후

영아와 소아를 평가하는데 있어 공통적인 과제는 환자의 연령에 기초한 정상적인 활력징후를 결정하는 것이다. 호흡수, 심박동수, 혈압, 체온이 연령에 따라 다르다. 열의 존재유무, 불안 또는 통증, 아이의 활동 수준 역시 활력징후에 영향을 미친다. 질병이나 손상을 입은 소아의 경우, 응급구조사는 소아의 상태가 병리적 과정에 의해 발생한 변화인지, 활력징후에 영향을 미치는 일반적인 요소들에 의한 변화인지 그 차이를 구분해야 한다. 1장에 응급구조사에게 도움이 될 수 있도록, 병에 걸린 소아와 병에 걸리지 않은 소아를 구분해서 이들의 주된 신체적 특징과 평가하는 기술을 서술하였다.

호흡수

연령에 따른 활력징후의 정상 수치는 다르고, 따라서 신체변화의 생리적 또는 해부학적 기준 또한 변화한다. 폐포수의 증가, 신체적 성장에 따른 폐의 용량과 용적의 증가로 호흡수는 연령이 증가하면서 감소한다. **표 2-2**에 연령별 정상적인 호흡수를 목록화 하였다.

때때로, 호흡수를 정확하게 측정하기 어려운 경우가 있는데, 특히 15초 이내 호흡수를 잴 경우가 이에 해당한다. 영아의 경우, 정확한 호흡수를 재기 위해서 30초 동안 복부의 운동을 관찰해서 호흡수를 측정한다. 소아가 성장할수록 호흡은 점차 복근과 가로막에 의존하는 것이 줄어들고 가슴근육에 의해 좌우된다. 나이가 들수록 15-30초 동안 가슴벽 운동을 관찰함으로 환자의 정확한 호흡수를 잴 수 있다. 갈비

표 2-2 연령별 정상 호흡수	
연령	호흡수 (회/분)
영아(출생-12개월)	30 – 60
유아(1–3세)	24 – 40
학령전기(3–5세)	22 – 34
학령기(6–12세)	18 – 30
청소년기(13–18세)	12 – 16

표 2-3 연령별 정상 심장박동수	
연령	심장박동수 (회/분)
영아(출생-12개월)	100 – 160
유아(1–3세)	90 – 150
학령전기(3–5세)	80 – 140
학령기(6–12세)	70 – 120
청소년기(13–18세)	60 – 100

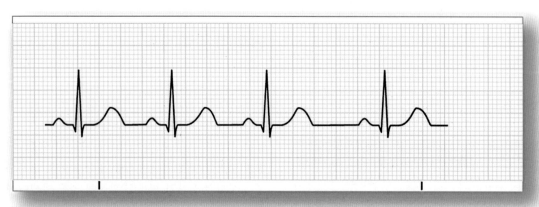

그림 2-2 동성부정맥의 심전도

Arrhythmia Recognition: The Art of Interpretation, courtesy of Tomas B. Garcia, MD.

조언

영아의 경우 정확한 호흡수를 재기 위해서는 30-60초 간의 호흡수를 측정하고 복부의 운동을 관찰한다.

사이근육이나 갈비밑근육과 같은 보조 근육을 사용하여 비정상적 호흡은 절대 간과해선 안된다.

심장 박동수

미주신경에 의한 심장박동수를 조절이 증가함에 따라 영아와 소아의 심장박동수는 연령에 따라 낮아진다. 미주신경은 심장박동수를 낮추는 콜린성 흥분을 전도한다. **표 2-3**에 연령별 정상적인 심장박동수에 대해 나와 있다. 또한, 2세경 심장박동에 생체리듬(circadian rhythm)이 나타나는데, 소아가 잠잘 때 심박수가 10-20회/분 정도 하강하는 것을 알 수 있다. 서로 다른 수면-각성 주기 또는 호흡 동안 소아의

심장박동수를 평가하는데 있어 한 가지 혼란을 주는 요인은 소아의 리듬이 성인보다 더 불규칙하다는 것이다. 동성 부정맥은 유아나 학령기 소아에서 더 현저하게 나타나는데, 이는 미숙한 미주신경의 조절로 인해 발생한다(**그림 2-2**).

혈압

소아의 혈압은 나이에 따라 증가한다(**표 2-4**. 연령별 최소 수축기혈압). 수축기혈압을 계산하는 가장 간단한 공식은 70+(2×나이)가 된다. 혈압은 혈압을 측정하는 도구의 커프 크기에 영향을 받는다. 커프가 너무 작으면 수치가 잘못 상승하는 반면, 커프가 너무 크면 낮은 수치를 나타낸다. 만약 이완기 혈압을 청진할 수 없는 경우, 맥박촉진법에 의해 수축기 혈압을 측정한다. 맥박촉진법은 커프의 바람이 빠지면서 촉진에 의한 초기 박동을 인식 시 상대적 무감각 때문에 청진 압력보다 대략 10 mmHg 정도 낮게 측정된다.

표 2-4 연령별 정상 혈압	
연령	최소 수축기혈압 (mmHg)
신생아(출생-1개월)	>60
영아(1-12개월)	>65
유아(1-3세)	>70
학령전기(3-5세)	>75
학령기(6-12세)	>80
청소년기(13-18세)	>90

체온

체온 또한 연령과 측정 부위에 따라 다르다. 신생아의 체온은 소아보다 종종 높게 측정되는데, 생후 6개월 동안 평균 체온은 37.5℃(99.5℉)이다. 3세 이후 소아의 체온은 37.2℃ (99℉)로 떨어지며 11세가 되면 36.7℃(98℉)로 하강한다. 또한 체온에 대한 하루 주기리듬은 5세에 발달한다. 생체리듬의 발달로 체온이 밤에는 낮아지고, 낮에는 상승하게 된다. 영아의 경우, 기록된 체온은 환자 평가에 있어 중요한 단서이며, 소아가 안정되면 영아의 돌봄제공자에게 직장체온을 측정하게 한다. 직장 체온은 소아 평가에 있어 중요한 표준이다. 고막 체온은 어느 정도 나이가 있는 아동에게(>1세) 사용이 가능하지만, 돌봄제공자의 측정기술에 따라 정확하지 않을 수 있다. 관자동맥(측두동맥)온도계로 체온을 측정할 수 있다. 이러한 장치는 적외선 기술을 사용하여 표피상의 관자동맥의 온도를 측정한다. 이 측정 방법의 경우, 매우 정확하다. 겨드랑이 체온은 직장 체온보다 대략 1℃(2℉) 정도 낮게 측정된다. 정상체온은 신체의 중심 순환에서 멀어질수록 낮아진다.

성장률

영아와 소아의 신체 성장에는 신체(체구) 성장과 기관계 성장을 포함한다. 골격 및 근육은 2번의 폭발적인 성장을 하는데, 첫 번째는 출생 후부터 4세까지이고, 2번째는 청소년기(여자는 9-14세, 남자는 10-16세)이다. 뇌, 척수 및 신경의 성장이 최고조인 때는 생후 첫 몇 년간이고, 10세가 되면 성인의 크기에 도달한다.

주요 이차 성징의 발현 유무, 특히 음모는 소아에게 있어 중요한 생리적인 전환을 의미한다.여자는 8세경, 남자는 9세 경에 생식기가 성장하기 시작하는데, 이는 소아에게 중요한 변화이다. 소아에게서 음모가 보이면 성인의 생리적 구조를 갖추게 되는 것이다.

해부학적 변화

목/기도

영아의 목은 짧지만 유년기 동안 척추가 성장함에 따라 길게 늘어난다. 또한 형태, 크기와 위치의 해부학적 경계표식이 변화한다. 후두개는 U 자형태에서 더 길어지고 얇아지면서 성인의 구조를 갖춘다(그림 2-3). 또한, 소아의 키가 증가함에 따라 C1 척추에서 C3 척추로 위치가 이동한다. 출생 시 후두는 성인 크기의 1/3이다. 3세까지 점차 넓어지고 길어지며, 사춘기동안 또 다른 급성장을 경험한다. 출생 시 기관은 성인의 1/3 크기이며 직경은 사춘기에 300%까지 증가한다.

흉부와 폐

출생 시 흉벽은 둥글다(전후방 또는 AP, 직경은 측면 직경과 동일). 영아가 성장함에 따라 편평해진다(측면 성장이 전후방 성장을 초과함). 영아의 흉벽은 얇기 때문에, 심장과 폐음은 흉부 전체에 전달된다. 호흡음 역시 날숨과 들숨에 들을 수 있다(기관지폐포음). 또한, 호흡기계의 어느 곳에라도 분비물이 있으면 종종 흉부전체에서 들을 수 있다. 영아의 경우 호흡기전에서 가로막의 역할이 크기 때문에 주로 복식호흡을 한다, 6세가 되면 흉벽 근육 발달로 흉식호흡을 할 수 있다.

폐조직 자체 또한 연령에 따라 변한다. 출생 시 영아는 성인 폐포 수의 8%만을 가지고 있다. 폐포 수는 8세까지 증가하며, 이 후에는 수적증가가 아니라 크기가 증가한다.

심장

출생 시 우심실은 좌심실의 크기와 같으며, 태아순환의 기능을 한다. 영아의 심전도(ECGs)상 오른쪽 편위의 축을 보인다. 그러나 나이와 함께 좌심실 크기와 근육양이 빠르게 성장하여 우심실보다 커지게 된다. 좌심실은 1세경에 성인수준의 2:1에 도달한다.

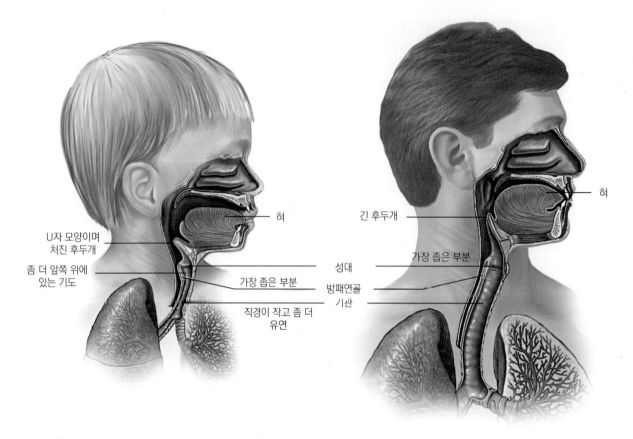

그림 2-3 소아와 성인의 기도 차이

복부

신생아의 복부는 많은 이유로 돌출되어 있다. 간은 상대적으로 크며, 위는 좀 더 수평적이며, 폐는 가로막의 운동으로 아래쪽으로 확장한다. 그리고 복부 고형장기(간과 지라)를 덮는 복근 발달이 아직 미성숙하다. 위장의 용적은 출생 시 30-90 mL, 1세에 210-360 mL, 2세에 500 mL로 증가한다. 소아기에 수직적 위치로 되어감에 따라 성인용적인 750-900 mL에 달한다. 유아기 때 척추의 정상적인 척추전만증(굴곡) 때문에 복부가 돌출된 것처럼 보인다. 복부는 학령기 때 배 모양(편평)이 된다.

근골격계

영아와 어린 소아의 경우, 긴 뼈의 끝, 척추체 및 두개골(성장판)의 2차 뼈형성을 통해 새로운 긴뼈 성장이 발생한다. 이러한 연골성장판은 상대적으로 약하며, 소아기의 특정 골절에 취약하다. 뼈성장은 성장연골과 뼈끝과 뼈몸통의 융합

부위에서의 골화로 끝난다. 소아에서 성장은 하지, 특히 원위부 사지(예, 발)는 사춘기 이전까지 성장하고 사춘기에는 몸통성장으로 비대칭적이다.

근육성장은 근육세포의 크기 증가를 포함한다. 2세에 근육세포의 수가 급속하게 증가하며 사춘기에는 최대로 증가한다. 체중 당 근육량의 비율은 출생 시 1:5에서 청소년기에 1:3으로 소아기동안 변한다.

신경계

신경계 성장은 영아기 동안에 급속하게 진행된다. 출생 시 성인의 25%에 달하며, 1세까지 50%, 3세까지 80%, 7세에 90%에 달한다. 이것은 신경교세포, 가지돌기(dendrites), 시냅스 연결의 성장을 포함한다. 이러한 성장은 영유아의 미세운동, 대운동, 언어능력에서 빠른 증가와 관련 있다. 이러한 변화는 다른 연령과는 구분되는 소아를 평가하기 위한 적절한 평가술기 유형에 영향을 미친다.

소아기의 활력징후와 해부학적 변화 요약

활력징후는 평가에 유용하나 때로는 측정하여 결과를 얻기 어렵고 해석하기가 어렵다. 활력징후는 연령에 따라 변할 뿐만 아니라, 호흡과 심박동수는 공포, 통증, 불안, 추위 또는 높은 활동 수준으로 분비되는 아드레날린에 특히 민감하다. 기도, 흉부, 심장, 복부, 근골격계, 신경계에서의 해부학적 변화는 소아기 동안 발생하며 평가기술의 적용이 요구된다.

영아(Infants)

발달적 특성

신생아는 출생부터 28일까지이다. 그들은 상호작용하는 행동을 하지 않으며, 대부분 우는 것으로 표현하지만 어머니의 목소리는 구별해낼 수 있다. 신생아들은 생리학적으로 면역력이 약하다. 영아는 1개월-12개월 사이로, 개월 수에 따라 극적으로 발달하게 된다. 영아는 취약하며 제한된 행동을 보인다(**그림 2-4**). 2개월 미만의 영아는 대부분의 시간을 자고 먹는데 보낸다. 부모와 다른 돌봄제공자 또는 낯선 사람을 구분할 수 없다. 영아는 따뜻하고, 건조하게 유지하며 양육이 필요하다. 그들은 자신의 신체를 통해 세상을 경험한다. 영아를 들어주거나, 껴안아주거나 또는 흔들어 달래주는 움직임에 편안함을 느낀다. 청력은 출생 시에도 잘 발달되어 있으며, 차분하고 안심이 되는 말을 건네주는 것이 도움이 된다.

2-6개월 사이의 영아는 좀 더 활동적이며 평가하기가 좀 더 쉽다. 많은 시간 깨어있으며, 눈맞춤을 하기 시작하며 돌봄제공자를 알아볼 수 있다. 이 연령의 건강한 영아는 강하게 빨고, 활발한 사지 움직임과 강한 울음소리를 나타낼 것이다. 밝은 빛이나 장난감 쪽으로 눈을 따라가며 높은 소리나 돌봄제공자의 목소리가 나는 쪽으로 머리를 돌린다.

6-12개월 사이의, 대부분의 영아는 말 또는 옹알이를 하고, 보조 없이 앉는 것, 장난감을 잡는 것, 한손에서 다른 손으로 장난감을 옮기는 것, 입으로 물건을 가져가는 것을 배운다. 약 1세경에 대부분의 영아는 빨리 움직이거나 기기 시작하고 서서 밀고, 가구를 "탐색" 하고 걷기 시작한다.

7-8개월의 영아는 부모나 돌봄제공자를 명백하게 좋아하는 것이 나타나고, 9-10개월경에 낯선 것에 대한 불안을 보여, 평가나 이송 목적으로 보호자와 영아를 분리하는 것이 특히나 어렵다. 이들 영아는 부모나 친숙한 어른에 의해 쉽게 안정이 된다. **표 2-5**는 영아의 평가와 처치에 중요한 해부/생리적인 차이가 요약되어 있다.

환경과 상호작용하는 영아의 능력은 제한적이며, 질병에 대한 증상과 징후는 파악하기가 항상 쉬운 것만은 아니다. 이러한 요인 때문에 "뭔가 잘못되었다" 는 돌봄제공자의

그림 2-4 영아는 제한된 행동으로 취약하다.
© Ascent/PKS Media Inc./Stockbyte/Getty Images.

표 2-5 영아의 해부/생리적인 특징

- 영아는 처음 몇 개월 동안 비강호흡을 한다. 분비물, 혈액, 부종으로 인한 폐쇄는 호흡곤란을 야기할 수 있다.

- 영아의 흉벽 근육은 아직 발달이 안되었으며, 복근이 호흡을 위해 사용하는 주요 근육이다. "복식호흡(belly breathing)"은 영아에서 정상이며 호흡이 좀 더 빨라지기 시작하면 더 격해진다.

- 퇴축(retraction)은 호흡곤란이 있는 영아에서 쉽게 발견된다.

- 빠른 대사율은 산소와 영양요구를 증가시킨다.

- 미숙한 체온조절기전과 체중 당 높은 신체 표면적 비율로 인해, 영아는 옷을 입히지 않았을 경우 열손실과 저체온증의 위험이 있다.

- 머리는 신체에서 차지하는 비율이 크며(**그림 2-5**), 상당한 열 손실의 잠재적 가능성이 있다.

조언

3개월 미만 영아가 평상시보다 까다롭고 수유가 적거나, 잠을 많이 자거나, 체온이 38℃ 이상이면 의사의 진찰을 받아야 한다.

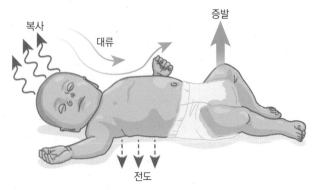

그림 2-5 영아의 머리는 나이가 많은 소아 및 성인에 비해 불균형적으로 크다, 머리는 상당한 열 손실의 원인이 될 수 있다.

인식을 신중하게 들어야 한다. *3개월 된 영아가 평상시보다 까다롭고 수유가 적거나, 잠을 많이 자거나, 체온이 38℃ 이상이면 의사의 진찰을 받아야 한다.* 최근에 외상의 병력이 있었는지, 사건 이전에 영아가 무슨 활동을 어떻게 했는지, 영아가 출생 이 후 건강했는지를 확인 하는 것이 중요하다. 영아기 만나으고 흡'생했는지 그리고 임신, 분만, 분만 중 또는 출산 직후 문제가 있었는지 찾는다.

　　처음 몇 개월 동안 과도한 불안정이나 수면, 발열, 수유량 부족은 패혈증이나 선천성 심질환과 같은 매우 심각한 질병의 징후일 수 있다. 무호흡은 영아의 흔한 주호소이다. 무호흡은 감염, 심장질환, 발작, 머리손상, 저혈당 같은 대사문제의 증상일 수 있다. 영아가 성장함에 따라 행동 목록은 확대되며, "아픈 것" 대 "아프지 않은 것"으로 결정하는 것이 더 쉽다.

영아의 흔한 상태

- 바이러스 증후군(구토와 설사)
- 호흡계 문제
- 발열
- 귀감염
- 영아돌연사증후군(SIDS)
- 아동 학대

영아에 대한 평가

다음 원칙을 이용하여 영아에 대한 평가를 수행한다:

- 영아의 이름을 묻고 환아와 상호작용하는 동안 이름을 부른다.
- 환아의 정상적인 상태를 확인하고 현재의 행동과 비교한다. 어떠한 급성 변화라도 이송 중 처치동안 기록되고 보고되어야 한다. 영아와의 의사소통은 자신감을 가지고 하며 영아를 보는 얼굴에는 미소를 띤다.

- 응급구조사가 평가를 완료하는 동안 돌봄제공자에게 아기를 안고 있도록 한다. 영아가 소생술이 요구되지 않는 이상 영아는 친숙한 누군가에 안겨서 평가받는 것이 좋다.
- 관찰, 청진, 촉진 순서로 영아에게 스트레스를 최소한으로 하여 최대한의 정보를 얻는다(**그림 2-6**).
- 큰소리와 빠른 움직임은 영아에게 두려움을 줄 수 있으므로 천천히 조용하게 접근한다.
- "영아의 눈높이에 맞추어" 쪼그려 앉는다.
- 영아와 보호자와의 상호작용을 관찰한다. 7-8개월이 되면 영아는 낯선 것에 대한 불안을 보일 수 있다.
- 편안한 환경이 중요하다. 보호자의 팔에 행복하게 안겨진 영아를 돌봄제공자의 팔에서 풀고 차가운 시트 위에 놓으면 까다로워지고 울게 될 것이다.

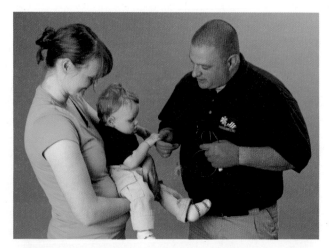

그림 2-6 영아에 접근: 촉진이나 청진 전에 돌봄제공자 팔에 안긴 영아를 관찰한다.

- 만약 영아가 운다면 고무젖꼭지, 담요, 좋아하는 장난감은 영아를 안정시키는데 도움이 된다. 심각하게 아프거나 손상당한 영아는 수유를 피한다.
- 영아의 활동 수준에 근거하여 평가를 수행한다. 예를 들면 영아가 조용하며 평가를 시작할 때 호흡수를 재고 폐음을 청진한다.
- 사지를 만져 따뜻함을 평가 및 모세혈관 재충혈 평가와 같이 위협적이지 않은 신체 접촉을 먼저 한다. 가장 불편한 부분은 마지막에 실시한다.
- 따뜻한 청진기와 따뜻한 손을 사용하고 영아를 조심스럽게 다룬다. 잠재적으로 통증이 있거나 불편감이 있는 것은 평가가 완전히 끝날 때까지 피한다. 영아가 울면 심장과 폐음이나 복부 촉진이 어렵다.
- 기분 전환용으로 장난감을 영아에게 주는 것을 고려한다.
- 낯선 것에 대한 불안이 있는 좀 더 큰 영아의 경우 돌봄제공자에게 아기의 옷을 벗기도록 한다. 열손실과 저체온증을 방지하기 위해 가능하다면 한 번에 하나씩만 벗기고 다시 입힌다.

주의

좀 더 큰 영아는 분리를 무서워하며 낯선 것에 대한 불안을 느끼게 된다. 돌봄제공자가 영아를 안고 있는 동안 천천히 접근하고 평가한다.

유아(Toddlers)

발달적 특성

유아(1-3세)는 성장과 발달에서 빠른 변화를 경험한다. 이는 두뇌 개발과 행동 학습에 매우 중요한 시기이다. 약 18개월이 되며 유아는 뛸 수 있으며, 스스로 먹고, 장난감을 가지고 놀며, 다른 사람과 의사소통한다. 유아는 스스로 의사결정을 하며 독립을 주장하기 시작한다. "미운 2살" 단계는 실제로 약 1세에 시작하며 3세까지 간다. 유아는 마음이 쉽게 변하고, 고집이 있고, 낯선 사람을 무서워한다, 그들은 비논리적이며 호기심이 강하나 위험에 대한 감각이 취약하다. 유아는 추상적으로 추론할 수 없기 때문에 문제해결이 집중되어 있다. 결과를 예측하는 능력의 부족으로 시행착오를 통해 학습을 하게 된다. 유아는 장난스럽고 마술적 사고를 하며 자기중심적이다. 그들은 소유권을 이해하고 물건(예, 장난감 등)을 "내 것"으로 표시한다.

언어능력은 매우 다양하다. 일부 유아는 한 단어로 말하는 반면, 다른 유아는 짧은 문장으로 말한다. 그들은 단어로 대답하지 못하더라도 종종 말의 내용을 이해한다. 나이가 많은 유아는 예방접종이나 봉합과 같은, 진료 때 의사나 간호사를 만난 경험을 기억하고 검사받는 것을 두려워 할 수 있다.

유아의 해부/생리는 영아와 비슷하며, 명백히 큰 머리와 호흡 시 복근을 이용한다. 체온조절은 나아지며 사지근육이 더 발달한다.

유아기의 흔한 질병
- 바이러스성 증후군(구토와 설사)
- 호흡계 문제
- 열성경련
- 귀감염
- 아동 학대
- 비의도적인 섭취
- 개방성 창상

주의

나이 든 영아나 유아는 돌봄제공자와 격리시켜서는 안된다.

사례연구 2

호흡의 문제를 가지고 있는 2살 된 아이가 있으니 와 달라는 요청을 받았다. 현장에 도착 시, 응급구조사는 아이의 방에서 짖는 기침소리를 듣는다. 응급구조사가 방문을 여니 아이는 침대에 일어나 앉아 울기 시작하고 어머니 뒤에 숨으려고 한다. 울 때, 환자의 호흡은 점점 시끄러워지고 있었으며, 정서적으로 매우 불안해지고 있었다. 잠옷을 입은 환아에게서 응급구조사는 흉골위 퇴축이 되는 것을 보았다. 환아의 피부는 핑크색이다. 환아의 어머니는 환자가 오늘 상태는 좋았는데, 갑자기 밤 동안에 헐떡거리기에 깨웠다고 하였다.

1. 응급구조사가 아이에게 취해야 하는 적절한 행동은 무엇인가?
2. 아이가 더 이상 악화되지 않게 평가하려면 어떻게 해야 하는가?

유아에 대한 평가

다음 원칙을 이용하여 유아에 대한 평가를 수행한다:

- 영아의 이름을 묻고 환아와 상호작용하는 동안 이름을 부른다.
- 환아의 정상적인 상태를 확인하고 현재의 행동과 비교한다. 어떠한 급성 변화라도 이송 중 처치동안 기록되고 보고되어야 한다.
- 천천히 접근하며, 응급구조사가 유아와 친숙해질 때까지 최소한의 신체 접촉을 유지한다. 접근 시 유아의 활동 수준과 행동을 관찰한다.
- 확신이 있고 친근한 목소리로 유아와 의사소통을 한다.
- 앉거나 쪼그리고 앉아 조용하고 달래는 목소리로 말한다. 유아가 보호자의 무릎에 앉아있도록 한다.
- 펜라이트나 곰인형과 같은 놀이 및 기분전환용 도구를 이용하여 평가한다(**그림 2-7**). 평가도구를 천천히 소개하고 아이가 잡아보도록 격려한다.
- 가급적 유아에 대해 이야기를 한다. 유아의 옷에 감탄하거나, 애완동물이나 최근 사건에 대해 묻는다. 유아는 세상의 중심에 있다.
- 유아에게 "소리를 들어야 하는데 배를 먼저 들을까 심장을 먼저 들을까?"와 같은 선택할 기회를 제공하는 것도 좋다. 이것은 유아에게 통제감을 제공한다.
- "아니요"라고 답할 수 있는 질문은 피한다.
- 단순하고 구체적인 단어를 사용한다. 안심되는 말과 칭찬을 많이 제공한다.
- 평가는 가장 중요한 부분은 먼저 수행하고, 발에서 머리의 순서로 하며 머리와 목은 나중에 한다.
- 돌봄제공자에게 평가 시 보조를 하도록 요청한다. 보호자가 유아의 옷을 벗기거나 산소를 공급하면 유아는 덜 당황하게 될 것이다.
- 필요 시 돌봄제공자에게 유아의 사지를 조심스럽게 촉진하도록 요청하여 통증 검사를 한다.
- 유아가 가만히 앉아 협조하기를 기대하지 않는다. 융통성 있게 하되 철저해야 한다.
- 특정 상황에서는 유아는 검사하기가 매우 어려울 수 있다. 아이가 깨어있으나 검사하는 것에 저항한다면 병력을 근거해서 이송할 지를 결정한다. 이송 동안 경광등과 사이렌을 사용하면 유아의 공포수준을 증가시킬 것이다.

학령전기(Preschoolers)

발달적 특성

학령전기(3-5세)는 창의적, 비논리적이고 문자를 그대로 생각한다(**그림 2-8**). 소아는 항상 환상과 현실를 구별할 수 없으며, 질병, 손상, 신체적 기능에 대한 많은 오해를 가지고 있다. 예를 들면 학령전기 소아는 벤 상처를 "내가 새는 것"으로 생각할 수 있다. 응급구조사가 학령전기 아동의 맥박 측정을 위해 맥박을 측정해도 될지에 대해 "그것을 측정해서 어디로 가져 가려고요, 그리고 다시 나한테 되돌려 주나요?"라고 물을 수도 있다. 이 연령대의 흔한 공포는 신체절단, 통제 상실, 죽음, 어둠, 혼자 남는 것을 포함한다. 집중시간이 짧다. 통증을 유발하는 절차에 대하여 정직하게 말해야 한다. 과정에 대한 정보을 제공할 때 잘못된 의사소통으로 불안이 가중되지 않도록 한다. 학령전기 환아들은 돌봄제공자나 친절한 응급구조사에 의해 주의가 산만해질 수 있다. 환아에게 긍정적인 보상을 해주는 것이 응급의료서비스와의 좋은 기억을 가질 수 있도록 해준다.

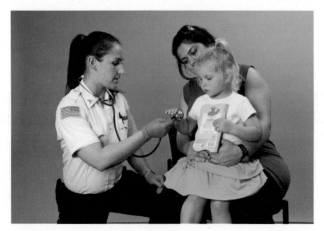

그림 2-7 유아에 접근: 평가에 도움이 되는 장난감이나 오락용 도구를 제공한다.

그림 2-8 학령전기 아동은 창의적이고 비논리적인 사고를 한다.

학령전기의 흔한 질병

- 비의도적인 섭취
- 호흡계 문제
- 열성경련
- 바이러스성 증후군(구토와 설사)
- 개방성 창상
- 아동 학대

학령전기 소아에 대한 평가

다음 원칙을 이용하여 학령전기 소아에 대한 평가를 수행한다:

- 환아의 이름을 알고, 환아와 상호작용을 하는 동안 이름을 부른다.
- 환아의 정상적인 상태를 확인하고 현재의 행동과 비교한다. 어떠한 급성 변화라도 이송 중 처치동안 기록되고 보고되어야 한다.
- 단순한 용어를 사용하여 절차를 설명한다.
- 용어를 신중하게 선택하고 연령에 맞는 적절한 용어를 사용하여 두려움을 최소화한다.
- 잘못된 개념을 갖지 않도록 명백하게 해 준다.
- 가능하다면 인형이나 모형을 이용하여 처치하고자 하는 것을 설명해준다.
- 아동이 장비를 조작해보도록 한다(**그림 2-9**). 아동에

게 도움을 요청한다.
- 해서는 안되는 행위를 설정한다. 예를 들면 "울거나 소리쳐도 되지만 물거나 발로 차면 안된다".
- 좋은 행동은 칭찬한다.
- 게임이나 기분전환용 도구를 이용한다.
- 드레싱이나 붕대를 자유롭게 이용한다.
- 한 번에 하나씩만 집중하여 수행한다.

학령기 아동(School-aged Children)

발달적 특성

학령기 소아는 말이 많고 분석적이며 인과관계의 개념을 이해할 수 있다(**그림 2-10**). 소아는 새로운 기술을 습득할 때 성취감을 느낀다. 신체가 어떻게 작동하는 지에 대한 지식은 대략적으로 그려질 수 있으며, 특정 질병이나 손상에 대한 심각성을 측정하는 능력이 제한적일 수 있다. 신체에 대한 간단한 설명을 이해하고, 자신의 처치에 참여하는 것을 좋아한다.

흔한 공포는 부모와 친구로부터의 분리, 통제력 상실, 통증, 신체장애를 포함한다. 종종 자신의 감정에 대해 말하는 것을 두려워하며 자신의 감정을 말로 표현하지 못할 수 있다. 좀 더 이동적이고 독립적이 되면서, 더 많은 위험에 처하기 시작 한다. 이 시기의 소아는 현재의 상황만 생각한다. 소속감과 동료집단의 지지가 중요하다.

약 8세 된 아동의 해부/생리는 성인과 유사하다.

학령기 아동의 흔한 질병

- 중독/섭취
- 호흡계 문제

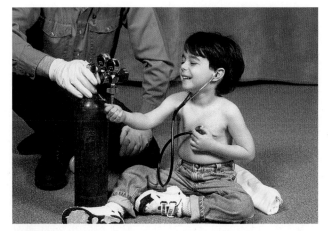

그림 2-9 학령전기 아동에게 접근할 때 직접 기구를 만져 보도록 허용한다.

그림 2-10 학령기 아동은 말이 많고 분석적이며 인과관계의 개념을 이해할 수 있다.

- 골절(스포츠 손상 등)
- 개방성 창상
- 바이러스성 증후군(구토와 설사)

학령기 아동에 대한 평가

다음 원칙을 이용하여 학령기 아동에 대한 평가를 수행한다:

- 환아의 이름을 알고, 환아와 상호작용을 하는 동안 이름을 부른다.
- 환아의 정상적인 상태를 확인하고 현재의 행동과 비교한다. 어떠한 급성 변화라도 이송 중 처치동안 기록되고 보고되어야 한다.
- 소아에게 직접 말하고 돌봄제공기에게 말한다. 너무 많은 정보를 제공하지 않도록 한다.
- 소아의 질문과 공포를 예측하고 즉시 이야기를 나눈다.
- 무엇이 잘못되었는지 그리고 어떻게 영향이 미치는지를 간단한 용어로 설명한다. 예를 들면, 5세 아동에게 설명할 때 "너의 팔뼈가 부러졌지만, 의사 선생님이 새 것처럼 되도록 치료해줄거야. 우리는 너의 팔이 더 아프지 말라고 약을 줄거야."
- 절차를 수행하기 전에 즉시 설명한다. 소아에게 결코 거짓말을 해서는 안 되고, 아프지 않다고 하거나 사실이 아닌데 거의 끝났다라고 말하지 않는다. 소아는 실제로 두려워도 질문을 하지 않을 수도 있다는 것을 기억한다.
- 학령기 후반인 소아의 경우, 돌봄제공자가 함께 있는 것이 좋은 지 묻는다.
- 사생활을 보장해 준다. 이 연령대의 소아는 정숙하다. 소아의 신체 평가 시 필요한 부분만 노출시키고 나머지 부분은 덮어 준다.
- 수행 절차 시 소아나 주변의 안전성을 보장하기 위해 신체적 억제가 필요하다면 소아에게 무엇을 어떻게 하려는지에 대해 설명해주고 시행한다.
- 소아에게 반드시 시행해야 하는 행위는 소아와 상의하지 않는다. 예를 들면 정맥주사를 오른손 또는 왼손 중 원하는 선택부위를 묻는 것은 괜찮으나, 반드시 실시해야 하는 정맥주사의 시행 여부를 묻지 않는다.
- 소아를 처치에 포함시킨다. 이 연령대의 소아는 통제 불능 상태를 두려워한다(**그림 2-11**).
- 질병이나 손상이 처벌이 아님을 재차 안심시킨다.
- 협조 시 소아를 칭찬해 준다. 만약 소아가 협조하지 않아도 화내지 않도록 조심한다.
- 신체적 평가는 머리에서 발끝으로 실시한다.

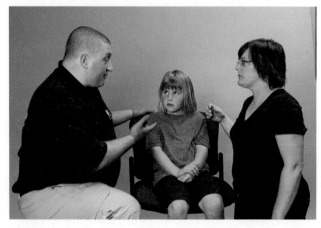

그림 2-11 학령기 아동의 접근 : 소아를 자신의 처치에 참여시킨다.

그림 2-12 청소년기는 실험적이고 위험 행동을 하는 시기이다.
© yanik88/Shutterstock.

청소년기(Adolescents)

성장과 발달적 특성

청소년기의 어떤 특성은 유아와 동일한 부분도 있다: 매우 기동성이 있으나 일반적인 상식이 부족하다. 그러나 실제로 청소년은 합리적이며 인과관계를 이해하며 말로 자신을 표현할 수 있다. 청소년은 실험적이고 위험 행동(risk taking behaviors)을 하는 시기이다(**그림 2-12**). 청소년은 종종 자신을 "불멸(파괴할 수 없는)"로 위험으로부터 자유롭다고 생각한다. 청소년은 심리적 지지와 사회적 발달을 위해 가족에게 의지하던 것이 또래집단이나 친구에게 의지하는 것으로 점차 이동한다.

- 청소년은 독립, 통제력 상실, 신체 이미지, 성적 관심, 또래 집단의 압력 등과 고군분투한다. 또래들과 다른

점은 무엇이든지 불안의 원인이 된다. 이 연령대에서는 심리적 불만이 흔하다. 기분 변화나 우울증이 나타날 수 있으며 질병이나 손상 시 어린 아이처럼 행동한다.

- 존중은 청소년기 환자와의 관계 형성과 소통에 있어서 매우 중요하다. 그래야 환자 처치에 필요한 중요한 정보를 짧은 시간 안에 얻어낼 수 있다. 그 예시로 약물 중독 상황의 경우, 어떤 약물을 사용했는지 알아내야 한다. 약물 확인하는 시약은 가장 흔한 몇 가지의 약물만 검출해낼 수 있고, 합성 마리화나와 같은 약물은 확인이 어렵다. 청소년은 적절한 신뢰 관계 형성이 되면, 짧은 시간 안에 적절한 처치가 되도록 할 수 있다.

그림 2-13 청소년에게 접근 시 우회하지 않고 직접 말한다.

조언

청소년은 독립, 통제력 상실, 신체상, 성적 관심, 또래 집단의 압력 등과 고군분투한다. 구체적인 정보를 제공하고 사생활을 존중하며 그들에게 직접적으로 말한다.

청소년기에 흔한 질병

- 중독/ 약물섭취
- 호흡계 문제
- 골절(스포츠 손상 등)
- 개방성 창상

청소년기에 대한 평가

다음 원칙을 이용하여 청소년기에 대한 평가를 수행한다:

- 환자의 이름을 알고, 환자와 상호작용을 하는 동안 이름을 부른다.
- 환자의 정상적인 상태를 확인하고 현재의 행동과 비교한다. 어떠한 급성 변화라도 이송 중 처치동안 기록되고 보고되어야 한다.
- 질병이나 손상, 정상적 신체 기능과 중재에 관한 정확한 정보를 제공하고 응급구조사가 하려는 일과 그 이유를 설명해 준다.
- 환자가 질문을 하도록 하고 자신의 처치에 참여 하도록 한다.
- 존중하는 태도를 보인다. 청소년에게 직접 말한다. 초기 정보를 돌봄제공자에게 묻지 않는다**(그림 2-13)**.
- 청소년이 위험에 처해있지 않을 경우, 청소년의 존엄성, 사생활, 비밀을 존중해 준다.
- 정직하며 비판단적인 태도를 취한다.
- 청소년의 체격에 의해 편견을 갖지 않으며 사건에 대한 이해 시 미리 가정하지 않는다. 청소년은 상황에 대한 심각성을 잘못 이해할 수 있다. 청소년은 영구적인 손상, 외관 손상, 질병이나 손상의 결과로 "다른 사람이 되는 것"에 관한 많은 두려움을 갖고 있다. 청소년에게 정확한 정보를 주고 그들의 질문이나 두려움 예상한다.
- 청소년이 말을 하지 않거나 비협조적이라도 좌절하거나 화를 내지 않는다.
- 청소년이 저항 시 평가나 처치에 대한 협조를 위해 환자를 설득하도록 동료친구에게 협조를 요청한다.
- 청소년의 정숙함을 건드리지 않도록 주의한다.

특별한 건강관리가 요구되는 아동(Children with Special Health Care Needs)

성장과 발달적 특성

특별한 건강관리가 필요한 아동을 처치할 때(Children with Special Health Care Needs, 이하 CSHCN 환자), 소아의 실제 나이보다는 발달적 나이를 고려하는 것이 중요하다. 환아에 대한 정보는 돌봄제공자로부터 얻어질 것이다. 만약 응급구조사가 소아의 의학적, 정신적 병력이 완전히 이해되지 않을 경우, *이해하는 척 하며 환아의 위험에 처하게 하는 것보다 정직하게 대하는 것이 더 낫다.* CSHCN 환자는 건강과 정상적인 성장과 발달에 영향을 주는 만성적인 문제를 가지고 있는 상태 일 수 있다. 이것은 신체적 장애, 발달 또는 학습장애, 장비나 기구에 의존해야 하는 만성질환을 포함할 수도 있다. 발달 또는 학습장애는 정신 장애, 의사소통의 어려움, 감각 장애 또는 신체 활동의 제한을 포함할 수도 있다. 장비와 기구에 의존해야 하는 아동은 가정용 인공호흡기, 기관절개술, 위장관 튜브 또는 IV장치가 있을 수 있다. 환아의 특정 범주와 평가 및 처치 방법은 10장에 논의 된다.

사회에서 특별한 도움을 필요로 하는 소아의 수가 증가하고 있다. 병원 전 전문가들은 CSHCN 환자들을 평가하고 처치하는데 사용되는 상태와 기술 유형에 대해 친숙해져야 한다. 이러한 아동은 질병 악화 또는 연관되지 않은 질병이나 손상으로부터의 이송 및 처치가 필요하다.

CSHCN 환자와 연관된 독특한 양상이 있다.

- 활력징후의 기준치는 적정연령의 범위와 다를 수 있다
- 몸무게는 예상보다 상당히 무겁거나 가벼울 수도 있다.
- 표준 병원 전 지침들은 적절하지 않을 수도 있다.
- 소아는 호흡부전 또는 쇼크를 견디는데 제한된 능력을 갖는다.
- 라텍스 알러지를 주의한다.

주의

신체장애 아동이 인지적 장애도 있다고 가정하면 안 된다. 항상 아동의 기능과 상호작용 수준을 명확히 하기 위해 돌봄제공자에게 묻는다.

조언

장애 아동이 이야기 또는 상호작용을 할 수 없는 경우에도, 자신을 소개하고, 무엇을 하고 있는지 설명하며 언어적 안심을 제공함으로 존중을 표한다.

특별한 건강관리가 요구되는 아동에 대한 평가

다음 원칙을 이용하여 특별한 건강관리가 요구되는 아동에 대한 평가를 수행한다:

- 환아의 이름을 알고, 환아와 상호작용을 하는 동안 이름을 부른다.
- 환아의 정상적인 상태를 확인하고 현재의 행동과 비교한다. 어떠한 급성 변화라도 이송 중 처치동안 기록되고 보고되어야 한다. 기록지에 돌봄제공자가 관찰한 의견을 포함하여 기록한다. 돌봄제공자에게 소

아의 상태, 활동과 행동에 대해 어떻게 생각하는지를 묻는다. 만약 돌봄제공자에게 소아가 "올바르게 행동하지 않는다"라고 느끼는지 확인한다.

- 돌봄제공자로부터 조심스럽게 병력을 얻는다. 돌봄제공자는 소아의 의학적 병력, 투약 약물, 최근 주호소에 관한 자세한 정보를 제공할 수 있다. 돌봄제공자는 소아에게 접근하는 방법과 전형적인 반응과 행동을 알고 있다.
- 발달 장애가 있는 아동에게 조심스럽게 접근하고, 아동의 생활연령이 아닌 발달 수준에 맞는 적절한 기술을 적용한다. 의사소통을 위해 아동의 인지 수준에 맞는 언어와 기술을 이용한다.
- 신체적 장애가 있는 아동이 정신적 장애가 있다고 단정짓지 않는다(**그림 2-14**). 아동의 다른 사람과의 의사소통과 기능 수준에 관해 돌봄제공자에게 묻는다. "아이가 기분이 좋다면 지금 무엇을 할까요?"라고 질문함으로써 기본 기능 수준을 얻을 수 있다.
- 공손하고 전문적인 행동을 이용하며, 돌봄제공자의 견해를 인정하고 그들의 우려에 관심을 갖는다. 만성질환의 아동 가족은 보통 의료 시스템에 관한 다양한 경험을 가지고 있다. 그들의 경험의 대부분이 좋았다면 응급구조사를 파트너로 쉽게 인식할 것이다. 그러나 그들이 나쁜 경험을 가졌다면, 자신의 아동을 보호하기 위해 매우 경계할 것이며 까다롭게 하거나 통제하려고 할 것이다.
- 특별한 건강관리가 요구되는 아동의 돌봄제공자는 많은 스트레스가 존재함을 명심한다. 이것은 제공된 처치에 관한 스트레스를 인지하는 것이 종종 도움이 된다.

그림 2-14 특별한 건강관리가 요구되는 아동에게 접근할 때: 완전한 병력을 얻고 아동을 위한 발달적으로 적절한 접근을 확인한다.

응급의료서비스 제공자를 위한 조언(Tips for the EMS Provider)

영아(0-12개월)

- 저체온증에 빠지지 않게 영아를 따뜻하고 건조하게 해야한다.
- 이 시기 동안에는 부모는 아이의 식사, 수면, 울음 주기에 대한 적응으로 스트레스가 크다. 때때로 이 시기는 산후 우울증으로, 아동 학대의 위험 요인이다.
- 지속적인 울음, 짜증, 수유 거부는 심각한 질병의 증상일 수 있다.
- 영아는 잠을 많이 잘 수 있지만, 쉽게 깬다. 만약에 영아가 쉽게 깨지 않는다면 응급상황이다.
- 머리를 가누는 것은 6개월까지이므로 영아의 머리를 잘 지지해줘야 한다.
- 6개월 된 영아는 눈맞춤을 한다. 아픈 영아에게 눈맞춤이 없으면 심각한 질환, 정신상태 저하이거나 발달이 지연된 경우이다.
- 6-12개월까지 영아는 주변 환경을 탐색(기어다니기, 손 사용 등)하고 입에 물건을 넣어 이물질을 흡인 및 중독의 위험성을 갖는다.
- 평가하는 동안 영아와 부모를 함께 있게 하고 치료에 부모를 참여시켜 분리불안을 줄여준다.
- 기어다니거나 걷기 시작하면 신체적 위험과 부상에 대한 노출이 증가된다.

유아(12-36개월)

- 지속적인 울음과 보챔은 심각한 질병의 징후일 수 있다.
- 소아들은 어금니가 없어 삼키기 전 음식을 분쇄할 수 없기 때문에 질식의 위험이 커진다.
- 활동성이 커지는 나이이므로 신체적 위험과 부상에 대한 노출이 커진다.
- 손전등이나 장난감으로 아이의 주위를 분산시키는 것은 신체검사에 도움이 될 수 있다.
- 소아가 중요하게 여기는 물건(예, 담요)은 가지고 있도록 한다.
- 가능한 상호작용은 긍정적으로 만들려고 해야하고, 통증을 유발하는 절차는 마지막에 수행해야 한다.

학령전기 소아(3-5세)

- 급속도로 언어가 발달하여 단순한 용어가 사용되는 경우, 소아들은 그것을 이해한다.
- 환자를 존중하고 겸손하게 대하며 신체검진 시 불필요한 노출은 삼간다.
- 이물질에 의한 기도 폐쇄의 위험이 높다.
- 만약 적절하다면 환아에게 선택을 하도록 한다 (예, 앞에서 들을까 아님 뒤에서 들을까?).
- 소아를 논리적으로 설득하려고 시간을 낭비하지 마라. 환아는 구체적인 생각을 한다. 놀라거나 오해의 소지가 있는 의견은 피한다.
- 그들에게 마법적인 생각을 하게끔 한다면 많은 일을 쉽게 할 수 있다(예, "이 마법의 안개[흡입기]는 네가 숨 쉬는 것을 도울꺼야").
- 가능하다면 진행되는 처치에 대해서 설명 한다.
- 존중해 주고 겸손하게 대한다.

학령기 소아(6-12세)

- 질병과 처치에 대해 설명을 한다.
- 통증이 동반되는 술기에 대해 정직하게 말한다
- 가능하다면, 선택의 기회를 주어 환아가 통제하는 느낌을 제공한다.
- 존중해 주고 겸손하게 대해준다.
- 학교/스포츠/활동이나 관심사에 대해 물으면서 소통하면 환자와 빨리 친해진다.

청소년기(13-18세)

- 어른처럼 분명하고 솔직하게 일에 대해서 설명한다.
- 적절하다면 선택의 기회를 제공한다.
- 존중해 주고 겸손하게 대해준다.
- 환자를 존중한다.
- 불편함을 유발하는 술기에 대해 정직하게 말한다.
- 손상의 지속성에 대한 우려, 두려움에 대한 문제에 대해 이야기 한다.
- 청소년기는 호르몬 변화, 감정, 또래 집단의 압력이 존재하며 약물 남용, 자해, 임신, 안전하지 못한 성행위가 증가한다.

요약

각 연령대에 맞는 성장과 발달적 특성에 대한 이해는 병원 전 환경에서 정확한 평가와 처치를 위해 필수적이다. 적절한 현장 처치를 하기 위해서는 아동 및 가족과의 좋은 의사소통이 요구된다. 가족은 많은 수의 사람을 포함하며 모두 "환자"가 된다. 특별한 건강관리가 요구되는 아동은 평가에서 추가적인 도전이나 그들의 돌봄제공자는 현장 평가에 있어 좋은 안내자가 될 것이다.

사례연구 3

응급구조사는 15세 소년이 스케이트보드로 묘기를 부리다 부상이 발생한 현장에 출동하였다. 소년은 헬멧을 착용하지 않았으며, 의식소실이 잠깐 있었다. 현재 손목 부상을 호소하지만 친구들과 남아있고 싶어한다. 친구가 응급구조사를 부른 것이다. 소년은 검사받기를 거부하고, 병원에 가는 것을 원하지 않았으며, 응급구조사가 접근하자 현장을 떠나려고 하였다.

1. 십대의 반응은 정상적인가?
2. 그의 손상을 적절하게 평가할 수 있는 기술은 무엇인가?

모든 출동 경험은 배울 수 있는 좋은 경험이 된다. 소아 환자의 경우 성인보다 기회가 많다. 출동 후 자기 평가와 비판은 다음 소아 환자와의 상호작용 시 개선된 방법으로 적용할 수 있는 기회를 제공한다.

사례연구 답안

사례연구 1

어머니가 울고있더라도 추가적 병력을 얻는 것은 중요하다: 영아가 만삭아인가? 분만이나 출생후 문제는 없었는가? 과거에 수유 문제가 있거나 구토를 했는가? 설사와 열은 없었는가?

생후 첫 몇 개월의 영아는 제한된 운동범위를 가지며, 영아의 수유, 수면이나 기본적인 활동 수준에서 비정상적인 것은 심각한 질병이나 손상과 관련이 있다.

어머니를 안심시키는 것이 중요하나, 영아의 상태가 심각하면 빠른 평가와 이송이 요구된다. 영아의 사지는 추위로 얼룩덜룩한 상태일 수 있지만, 몸통의 청색증은 부적절한 관류 상태를 나타내는 것으로 매우 심각한 징후이다. 저혈량성 쇼크의 가능성은 영아의 차가운 사지와 구토 병력에 의해 뒷받침된다. 게다가 영아가 울음과 공기를 삼킴으로 복부팽만이 발생할 수 있지만, 구토와 쇼크 증상(복부 모양과 비정상적 피부 순환)은 장폐색과 같은 심각한 병리적 상태를 암시한다.

영아를 구급차로 신속하게 옮기고 응급구조사가 무엇을 하려고 하는지, 왜 하는지를 어머니에게 설명한다. 지역사회 지침에 따라 어머니를 구급차에 태워 병원까지 간다. 들 것에 영아를 이송할 시 반드시 안전하게 고정시킨다. 이송 중에는 부모나 돌봄제공자가 영아를 안고 있도록 허락하면 안된다. 영아의 처치는 안면마스크를 통한 산소투여, 응급실로의 신속한 이송이 포함된다. 저체온증은 영아에게 위험이 되기 때문에 담요와 모자를 제공함으로써 아기의 열소실을 예방하는 것이 중요하다. 이송 도중에 정맥로 확보를 고려하며, 정질액 20 mL/kg를 일시 주입한다.

사례연구 2

유아는 낯선 사람을 두려워하기 때문에 환자 평가를 좀 더 쉽게 할 수 있도록 부모나 돌봄제공자의 도움을 받도록 한다. 부모 곁에 유아가 있도록 한다. 침대에 앉거나 유아의 눈높이로 몸을 구부리고 부드러운 목소리로 대한다. 소아의 집중을 얻기 위해 펜라이트와 같은 것으로 기분전환을 위해 사용하거나, 침대에 있는 동물 모양에 대해 물을 수도 있다. 소아의 잠옷을 제거해 달라고 부모에게 요청하고 흉골위, 늑골 밑 및 늑골간 퇴축과 호흡수를 포함한 호흡상태를 관찰한다. 응급구조사의 주요 관심이 소아의 호흡 상태이지만 가슴을 검사하기 전에 발가락을 만지거나 간지럽게 하여 실제 검사와 다른 부분을 수행할 수 있다. 호흡음을 들을 때 미리 청진기를 따뜻하게 하고 무엇을 할 것인지 설명한다. 소아가 거부하면, 응급구조사는 처음에 인형 배에 청진기를 대고 듣는 모습을 보여주고 청진기 소리를 들어보게 하여 안심시켜주고 그 다음에 소아를 같은 방법으로 하여 다시 검사한다.

평가에서 소아의 호흡수가 32회/분, 심박동수가 128회/분이었다. 산소를 제공하려 했으나 소아 어머니가 도와줌에도 불구하고 소아는 산소마스크 쓰는 것을 거부했다. 응급구조사는 심각하게 아프지 않은 소아의 전형적인 반응임을 인식했다. 병원으로 이송하기 위해 들것에 소아를 고정하고 아이 어머니가 구급차에 동승하도록 하였으며, 불어주기 방법(blow-by)으로 산소를 공급하였다.

사례연구 **3**

십대는 자신의 독립성을 주장하나 돌봄제공자로부터 해방된 것이 아닌 경우, 동의나 처치 거부를 합법적으로 할 수 없다. 그는 발생한 손상의 위험성을 깨닫지 못할 수 있다. 환자를 존중해 주고 정직하며 선입견을 갖지 않고 직접 말한다. 잠재적인 심각한 손상 파악을 위해 검진이 왜 중요한지를 설명해 주고, 구급차 내에서 검진을 수행함으로 사생활을 보호해주겠다고 제안한다. 여전히 처치를 계속 거절하면 부모나 돌봄제공자에게 연락을 시도하거나 경찰의 도움을 받도록 한다.

추천 자료

Textbooks

American Academy of Pediatrics, American College of Emergency Physicians. *APLS: The Pediatric Emergency Medicine Resource*. 5th ed. Burlington, MA: Jones & Bartlett Learning; 2012.

Kliegman R, St Geme J. *Nelson Textbook of Pediatrics*. 21st ed. Philadelphia, PA: Elsevier; 2020.

Chameides L, Samson RA, Schexnayder SM, Hazinski MF. *PALS Provider Manual*. Dallas, TX: American Heart Association; 2011.

Marx JA, Hockberger RS, Walls RM. *Rosen's Emergency Medicine Concepts and Clinical Practice*. 7th ed. Philadelphia, PA: Mosby; 2009.

Tittinalli J. *Emergency Medicine: A Comprehensive Study Guide*. 7th ed. Columbus, OH: McGraw Hill; 2011.

Zitelli B, Davis H, McIntire S, Nowalk AJ. *Zitelli and Davis' Atlas of Pediatric Physical Diagnosis*. 6th ed. Philadelphia, PA: Elsevier; 2012.

Other Resources

Code Green Campaign (first responder mental health advocacy and education): www.codegreencampaign.org

Fire/EMS Helpline: 1-888-731-FIRE (3473)

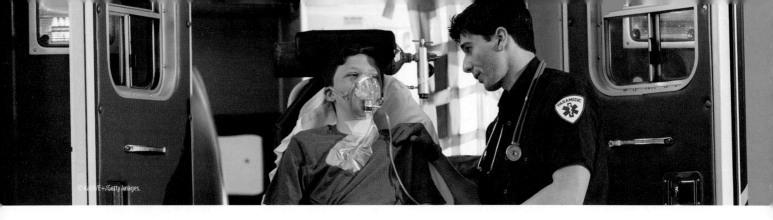

CHAPTER 3
호흡기계 응급

Ann Dietrich, MD, FACEP, FAAP

Joyce Foresman-Capuzzi, MSN, APRN, CCNS, CEN, CPEN, CTRN, TCRN, CPN, EMT-P, FAEN

학습목표

1. 소아평가삼각구도와 ABCDEs로부터 해석된 정보를 포함한 기도와 호흡을 평가하는 방법을 이해할 수 있다.

2. 소아의 병력, 신체검진, 생리적인 감시를 기초로 호흡곤란, 호흡부전, 호흡정지의 차이점을 설명할 수 있다.

3. 맥박산소측정검사와 이산화탄소분압측정 검사 결과로 소아의 생리학적인 상태를 인지하고, 비정상적인 결과에 대한 적절한 처치방법을 이해할 수 있다.

4. 호흡기계 질환을 가진 소아를 위한 경미한 처치방법과 침습적 처치방법에 대한 일반적인 치료 전략을 이해할 수 있다.

5. 상부기도폐쇄와 하부기도폐쇄의 징후, 증상, 치료를 구분하여 비교할 수 있다.

6. 환기와 관련된 합병증을 열거하고, 합병증을 구분하고 중재하는 방법을 적용할 수 있다.

개요

응급 출동의 가장 흔한 주된 호소는 외상(28%), 전반적인 질병 10% 그리고 호흡곤란(9%) 이다. 호흡곤란이 있는 소아 중 천식이 가장 흔한 비감염성 원인이다. 그러나 또한 호흡곤란은 바이러스성 질병, 폐렴, 이물질, 외상 등 많은 다른 상태와도 관련이 있다. 소아의 호흡기계 문제에 대한 정확한 평가와 초기 처치는 심각한 질환과 사망을 예방하고 응급실에서의 치료 기간을 단축시킬 수 있다.

응급구조사가 소아의 신체적 징후와 증상에 집중하는 것은 기도와 폐포의 가스교환 효율성을 신속하게 평가하기

위해서이다. 소아평가삼각구도의 사용은 질병의 중증도를 결정하고, 생리적인 문제를 파악하며, 처치를 시작하는 중요한 첫 번째 단계이다. 소아평가삼각구도의 평가의 3가지 항목 중 외관과 호흡 노력 부분이 소아 호흡 평가에 중요한 부분을 차지한다. 소아의 외관은 세포의 산소화와 환기상태를 반영한다. 호흡 노력의 증가는 기도폐쇄를 나타내거나 폐포 단계의 가스교환에서의 문제를 나타낸다. 이러한 증상은 초기 저산소증이거나 과이산화탄소증의 징후를 보인다. 호흡상태가 점차적으로 약해지는 것은 심각한 저산소증과 과이산화탄소증의 징후이다. 점막과 피부의 청색증은 심한 저산소증을 의미하며, 이 부분은 소아평가삼각구도에서의

세 번째 항목인 피부 순환 상태이다.

　　소아평가삼각구도를 통해 전반적인 점검을 하고, 1차 평가를 통해 좀 더 자세한 평가와 호흡노력평가(보호자에게 소아가 두려워하지 않도록 상체를 노출 시켜달라고 요청한다), 호흡수 측정, 가슴 청진, 심박수 측정, 말초 동맥 산소포화도를 측정한다. 이 평가는 호흡기계 기능의 상태뿐 아니라, 일반적이고 특수한 응급처치의 우선순위를 정하고, 이송의 시기와 중재를 결정하게 한다.

호흡곤란과 호흡부전

호흡곤란, 호흡부전 그리고 호흡정지는 저산소성 스트레스 반응 중 연속선상에 있는 3가지 다른 생리적 반응이나. 소아평가삼각구도로 보면, 호흡 곤란은 호흡 노력의 증가와 정상적 외관의 특징이 있다. 호흡 노력 증가와 비정상적 외관까지 나타나면 호흡 부전 혹은 호흡 정지 상태라고 볼 수 있다. 청색증까지 나타날 수 있다. 저산소성 스트레스반응의 원인은 다양한데 이는 천식이나 기관지염, 크룹, 폐렴 그리고 가슴우리(흉곽)손상 등에 의해 나타날 수 있다. 호흡곤란, 호흡부전, 호흡정지는 각기 다른 임상적 특성을 나타내지만 스펙트럼같이 연속선상에 있다.

　　호흡곤란은 비정상적인 생리적 상태이며, 호흡노력이 증가되는 것이 특징이다. 증가된 호흡수; 빗장뼈 위나 가슴뼈, 갈비뼈 사이나 갈비뼈 아래의 퇴축(retraction); 목의 부속근 사용; 콧방울 벌렁거림(비익확장)등의 징후로 나타나고, 단독 혹은 함께 나타나며, 증가된 호흡 노력을 의미한다. 이런 신체적인 증상들은 환자의 허파나 기도의 가스 교환 감소를 보상하고자 하는 환자의 노력과 세포의 산소화와 환기를 유지하고자 하는 노력을 의미한다. 아직 산소 공급이 어느 정도 되고 있는 단계라서, 소아의 외관은 비교적 정상적으로 보일 수 있다.

　　호흡 부전은 영아나 소아가 에너지를 소진하거나 산소화와 환기를 더 이상 유지시킬 수 없을 때 발생한다. 호흡부전은 장기간의 호흡노력의 증가 후에 가슴우리 근육이 지침으로써 나타나거나(예를 들면, 심한 천식이 있는 소아가 여러 시간 동안 호흡이 힘들었을 경우), 심각한 진행적인 손상(전격폐렴), 중추호흡조절의 실패(심한 폐쇄성 머리 손상이 있는 소아)로 야기된다. 비정상적인 외관(심한 흥분상태 또는 수유 부족) 또는 호흡상태가 증가된 소아의 청색증은 호흡부전을 나타낸다. 비정상적으로 느린 호흡과 대부분 느린 맥과 동반된 호흡 노력 감소 또한 호흡부전을 나타낸다. 호흡부전은 산소화와 환기를 회복하고 호흡정지를 예방하기 위해 즉시 치료해야 한다.

　　호흡부전의 징후는 의식수준이 저하되고, 천천히 심정지 호흡, 그렁거림, 말초산소포화도 저하, 느린맥이나 심박동수가 부적절하게 감소된다.

　　호흡정지는 효과적인 호흡이 없는 상태를 의미한다. 산소가 제공되지 못하면 호흡정지는 신속히 진행하여 심폐정지로 급격히 진행하게 된다. 소아 환자 대부분의 심정지는 호흡 정지로 시작된다. 이때 응급처치는 대개 심정지를 예방할 수 있다.

　　호흡곤란이 있는 소아의 초기 처치는 호흡부전과 호흡정지로 진행하는 것을 방지한다. 만약 소아가 호흡부전이 있다면, 적극적인 중재는 생존 가능성이 매우 낮은 심정지 처치보다 신경학적으로 완전한 생존자로 될 더 많은 기회를 제공할 것이다.

사례연구 1

호흡이 힘든 32개월 된 남아의 집에 출동하였다. 이틀 전부터 경미한 열과 "쌕쌕"거리는 숨소리가 들렸고, 특히 울거나 많이 움직일 때 심해진다고 아이 어머니가 말했다. 밤중에 갑자기 깨어나서 숨쉬기 힘들어 하고 숨을 들이마실 때 마다 크고 시끄러운 소리가 들렸다고 한다.

　　호흡관련 기저 질환은 없으며, 쌕쌕거리는 숨소리 관련해서도 과거력이 없었다. 아이는 엄마의 무릎위에 앉아있지만 불안해보이고 누군가 가까이 가면 눈동자를 마주보며 울었다. 또 들숨 시 거칠고 큰소리가 나며, 피부색은 분홍색이고 복장뼈와 빗장뼈 위쪽에 퇴축이 보이고 콧망울이 벌렁거리고 있었다. 호흡수 38회/분, 심박동수 160회/분이지만 혈압은 측정하지 않았다. 피부상태는 따뜻하고 강한 맥박이며 모세혈관재충혈 시간은 정상이다. 아이는 매 들숨 시 큰소리와 거친 소리를 냈고 원활한 공기 순환이 되고 있었다.

　　1. 소아가 어떻게 아픈가?
　　2. 소아의 증상이 상부기도 폐쇄 또는 하부기도 폐쇄인가? 병원 전 단계에서 어떻게 처치를 할 것인가?

현장 도착 전 준비

현장으로 이동하는 동안 현장에서 받은 정보를 바탕으로 적절한 평가 방법과 소아의 연령에 맞는 처치를 선택하고 환자를 재확인하여 호흡부전 치료를 머릿속으로 준비해야 한다. 이는 1장에서 다루었던 필요한 장비 사용이나 처치와 이송 선택법 등 연령별 환자 평가법을 포함한다. 현장에서 치료를 해야 하는지 아니면 기도를 유지하고 신속히 응급실로 이송해야 하는지 등을 예상하고 결정해야 한다.

현장평가

현장이 안전하고, 명백한 질환이나 손상 위협이 없는지 확인한다. 흡인할 가능성이 있는 이물질이 있는지, 약물, 유해한 가스나 연기, 화학물, 매연 등이 없는지 환경을 평가한다. 이런 환경적 요인이 호흡기 문제를 야기 시켰을 것으로 예상된다면 현장 상황을 기술한다. 개인보호장비(PPE)를 착용하고, 집이나 그 시설에 몇 명의 환자들이 있는지를 질문하고, 추가로 자원이 필요한지 결정하고, 손상기전(mechanism of injury, MOI)과 질병의 특성(nature of illness, NOI)과 척추 보호와 고정이 필요한지를 고려한다.

전반적인 평가: PAT

현재 호소에 대한 평가

표 3-1에서 제안하는 여러 가지 직접적인 질문 문항들을 이용하여 현재 가지고 있는 호소들을 알아낸다. 1차 평가 이후에 경증의 호흡곤란이 있는 소아 일 경우에는 집중 병력의 한 부분으로서 현장에서 SAMPLE 병력을 완성할 수 있는 시간이 있다. 만약 호흡부전이 있는 소아라면 응급실로 이송 중에 실시하도록 한다.

호흡 상태 평가

소아평가삼각구도 이용

소아평가삼각구도를 이용하여 평가를 시작한다. 그리고 조심스럽게 외관과 호흡 노력과 피부 순환상태를 평가한다. 소아평가삼각구도는 소아가 어떻게 아픈지 그리고 소아의 전반적인 인상은 어떤지, 응급 중재가 필요한지 등을 이해하는데 도움을 줄 것이다. 1장의 **표 1-2**의 소아의 신체적 모습을 나타내는 목록들은 빠른 관찰과 청진으로 임상적 상태를 구별 할 수 있도록 도와준다.

표 3-1 현재 주호소에 대한 질문 1	
질문	가능성 있는 의학적 문제
아이가 예전에도 이 문제가 있었습니까?	천식, 만성폐질환
아이가 호흡하기 힘든 것이 이번이 처음입니까?	천식, 이물질 흡인, 세기관지염
아이가 먹고 있는 약은 무엇입니까?	천식, 만성폐질환, 선천성 신질환
아이가 열이 있습니까?	폐렴, 기관지염, 크룹
아이가 갑자기 기침하고 무엇이 목에 걸리거나 막힌 것 같습니까?	이물질 흡인 또는 섭취
아이가 가슴에 외상을 입었습니까?	폐좌상, 기흉

외관

외관을 통해 호흡에 어려움이 있는 소아의 산소화와 환기의 적절성을 평가할 수 있다. 만약 호흡기 손상 소아가 적절한 보상호흡을 한다면 외관은 비교적 정상으로 나타나 보일 것이며, TICLS 목록은(1장의 **표 1-1** 참조) 정상적인 피부색과 탄력성, 발성음을 나타내며, 시선의 초점이 명확한 아동을 나타낸다. 만약 소아가 보상 호흡을 원만히 이루지 못하고 있는 경우라면 외관은 비정상적이며 TICLS 목록은 소아의 뇌는 저산소증과 고탄산혈증으로 손상을 입었음을 나타낸다. 비정상적인 외관은 임상적에서 순차적으로 변화하는 상태를 나타내므로 호흡부전의 심각정도는 아동의 외관이 얼마나 비정상적인지가 결정한다. 또한 외관은 긴박하게 기본소생술(BLS)을 적용할 것인지 전문소생술(ALS) 치료를 할 것인지 결정하는데 기준이 될 것이다. 전문소생술(ALS)이 필요하다 할지라도 기본소생술(BLS)로 시작하고, 지역 기준에 따라 전문소생술(ALS)을 시행할 수 있도록 준비한다.

예제 1 : 쌕쌕거림과 퇴축이 있지만 방 주위를 뛰어다니고 정상적인 외관을 가진 3세 된 소아의 경우는 일반적으로 비침습적 치료와 이송이 요구된다. 소아의 호흡 상태는 효과적으로 보상하고 있으며 단지 경한 호흡곤란만 있다고 볼 수 있다.

예제 2 : 쌕쌕거림과 호흡 노력이 증가되어 외관이 불안해하며 조용한 8세 아동은 비정상적인 외관을 보이며 저산소증 상태이다. 소아는 호흡보상이 되지 않고 있으며 초기 호흡 부전 상태에 있다. 일반적인 비침습적 치료와 현장에서의 기관지 확장제 사용 등 즉각적인 특별한 전문소생술 치료와 신속한 이송이 필요하다.

예제 3 : 몇 시간 동안 숨쉬기가 힘들었고, 졸린듯하기도 하며 자극에 대한 반응이 떨어지며 심하게 비정상적인 외관을 보이는 3세 소아이다. 소아의 의식수준 변화는 심한 저산소증 또는 고탄산혈증의 결과로 호흡부전을 나타내며 호흡 정지의 위험이 있다. 이러한 소아는 입인두기도기나 비인두기도기와 같은 장비로 기도유지와 백-마스크 장비를 이용한 즉각적인 환기보조가 필요하며, 가능하다면 전문적인 기도유지술이 필요하다. 이는 기관내삽관, 성문외기도기 혹은 후두 튜브(예로 이중내강기도)가 포함된다.

호흡 노력

호흡이 적절한지 평가하기 위해, 간혹 환아를 적절하게 노출시켜야 하는 상황이 있을 수 있다. 소아의 체온을 따듯하게 유지시켜주면서 겁먹지 않도록 가슴을 노출할 수 있게 시도한다. 호흡 노력이 증가되었다는 증상이 보이는지 다음을 살펴본다.

1. 비정상적인 자세(삼각 자세, 재채기 자세)
2. 비정상적인 호흡음(코고는 소리, 그렁거림, 쌕쌕거림)
3. 호흡근육 퇴축(복장위, 빗장위, 갈비사이, 갈비 밑)
4. 영아의 경우 머리 앞뒤로 움직임
5. 콧망울 확장

이러한 증상의 중요성은 1장에서 다루었다. 이와 같은 호흡 노력들은 문제가 되는 해부학적 위치(상부기도, 하부기도 또는 폐포)나, 생리적 부전의 심각성(호흡곤란, 호흡부전 또는 호흡정지), 그리고 치료의 우선순위(즉각적인 소생술, 현장에서의 일반적인 처치 및 이동 시 특수 처치, 현장에서의 일반적인 처치 및 특별한 처치)를 확인하는데 도움을 줄 것이다. 비정상적인 호흡음(그렁거림(stridor), 쌕

쌕거림(wheezing), 그렁거림(grunting))에 호흡근육들의 퇴축, 부속근의 사용이 동반된다면 이는 기도의 문제로 호흡문제의 위치를 국한시키는데 도움을 줄 것이다. 목이나 가슴뼈 상부의 부속근의 사용과 빗장뼈위의 퇴축이 나타난다면 이는 상부기도 폐쇄를 의미한다. 갈비뼈와 갈비뼈 사이근의 현저한 퇴축과 복부 부속근의 사용은 하부기도의 폐의 폐쇄 진행을 의미한다. 이는 소아가 의복을 착용하고 있을 때는 평가하기가 어려우므로, 필요시 적절하게 탈의시켜 다른 증상도 확인해야 한다.

피부순환

마지막으로 피부색을 평가한다. 청색증은 순환상태가 좋지 않은 것을 의미하며, 오래 지속된 저산소증으로, 보조적 환기가 필요함을 말한다. 소아의 명백한 피부 색깔의 변화 없이 심한 저산소증일 수 있다. 맥박산소측정기가 도움이 된다; 호흡곤란이나 호흡부전이 있는 소아에게는 반드시 맥박산소측정기를 사용한다.

1차 평가 : ABCDEs

소아평가삼각구도를 이용한 평가 후 1차 평가 ABCDEs의 두번째 항목을 수행한다. "B" 혹은 호흡 상태를 3가지로 평가한다:

1. 호흡수
2. 청진: 공기 움직임과 비정상적인 호흡음 청진
3. 맥박산소측정기

호흡수

중증 환아가 아닐 경우에는 보호자의 무릎에 앉혀놓고 가슴을 노출 시켜 호흡수를 평가한다. 30초 동안 복부의 오르고 내림을 세고 이에 2배수 한다. 소아의 정상 호흡수는 연령에 따라 다양하다(1장 **표 1-4** 참조). 항상 PAT와 전반적인 임상 평가의 맥락에서 호흡수를 생각해야 한다. 호흡수는 활동이나 발열, 불안, 대사상태 등에 많은 영향을 받는다.

어떤 연령대 소아이든 호흡수가 60회/분 이상이면 비정상적이며 호흡과 순환의 문제에 대한 다른 증상이 있는지 신중하게 평가해야만 한다. 호흡수가 매우 낮은 것은 이보다 더 위험하다. 6세보다 어린 아픈 소아에서 호흡수가 20회/분 미만이거나, 6세에서 15세 사이의 아픈 소아의 호흡수가 12회/분 미만이라며 이것은 호흡부전의 징후이며, 즉각적인 중재가 필요한 상태이다.

청진: 공기 움직임과 비정상적인 호흡음

청진기로 폐포 속 공기의 움직임을 청진하고 호흡음을 듣는다(**그림 3-1**). 공기 움직임이 부족하다는 것은 **표 3-2**의 여러 가지 이유로 호흡기계 문제를 나타낸다.

공기의 움직임이나 호흡 시 교환되는 공기의 양을 평가하는 것은 일회호흡량을 임상적으로 가늠하게 한다. 일회호흡량은 분당환기량(분당 교환되는 공기의 양)을 결정하는 두 가지 요인 중 하나이다.

$$분당환기량 = 일회호흡량 \times 호흡수$$

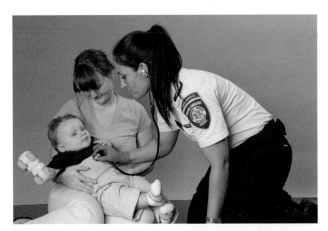

그림 3-1 청진기로 폐포 속 공기의 움직임을 청진하고 호흡음을 듣는다(도구를 작은 것을 사용하고 가까운 부위를 이어서 듣는다). 영아의 경우, 가슴이 너무 시끄럽다면, 코에 흡입기를 사용해본 후 다시 청진해본다.

© Jones & Bartlett Learning. Courtesy of Glen Ellman.

표 3-2 소아 기도 내의 부적절한 공기 흐름의 원인

기능적 문제	가능한 원인
기도폐쇄	천식, 기관지염, 크룹, 이물질
흉벽운동 제한	흉벽 손상, 심한 척추후굴증 및 측만증
흉벽근육 피로	장시간 증가된 호흡노력, 근육 퇴행위축
감소된 호흡요구	머리손상, 중독
흉부손상	갈비뼈 골절, 폐좌상, 공기가슴증

이 공식은 일회호흡량과 호흡수 사이의 상관관계를 보여준다. 소아가 만약 일회호흡량이 낮다면 호흡수가 정상이거나 빠름에도 불구하고 충분한 가스 교환을 이루지 못한다. 정상 또는 증가된 일회호흡량도 호흡수가 만약 매우 낮다면 충분한 가스 교환이 이루어 지지 않는 것이다.

공기의 흐름을 듣는 동안, 비정상적인 호흡음을 듣는다. 1장의 **표 1-5**에는 다양한 형태의 비정상적인 호흡음의 유형과 원인에 대해 요약해 놓았다. 그렁거림(stridor)은 보통 들숨시에 들리며상부기도폐쇄를 암시하는 반면 거품소리와 쌕쌕거림은 하부 기도와 관련된다.

맥박산소측정기

맥박산소측정기는 저산소증의 측정 및 감지에 유용한 도구이다. **그림 3-2**에서 맥박산소측정기의 감지기를 사용하는 위치를 보여준다. 이 과정에 대한 단계별 설명은 절차 9를 참조한다. 이 기계는 두 가지 다른 파장의 붉은 빛을 방출한다. 포화 및 불포화 헤모글로빈은 빛을 각각 다르게 흡수한다. 맥박 산소 측정기의 감지기는 붉은 빛의 두 가지 파장의 전달을 측정하고 산소를 가진 포화 헤모글로빈의 비율을 측정한다. 측정값이 95% 이상일 경우 정상적인 혈중 산소포화도를 의미한다. 보통 대기 환경에서 94% 또는 그 이하일 경우 이는 비정상적이므로 산소 공급이 필요하다는 신호로 볼 수 있다. 100% 산소를 제공 받고 있는 환자가 90% 이하를 나타낼 경우는 만성호흡기 문제가 있는 환자를 제외하고 대부분 호흡부전을 의미한다.

교정되지 않은 청색심장병이 있는 소아 혹은 만성호흡기 문제가 있는 소아(예를 들면, 낭성섬유증)는 기준선에서 산소포화도가 낮게 시작한다. 이러한 경우 환아의 돌봄제공자에게 맥박 산소 측정시 평소 수치에 관한 정보를 물어보고 필요한 맥박 산소 측정기 수치를 정하고 소아에게 적절한 산소를 제공한다. 만약 필요한 것보다 더 많은 산소를 제공하게 되면 이 소아는 호흡의 저산소성 요구(hypoxic drive)가 감소되어 호흡이 억제된다. 정상 소아는 고탄산혈증이나 증가된 이산화탄소 압력이 호흡중추를 자극하여 호흡을 유발하지만, 만성호흡기 질환 환아는 고탄산혈증이 항상 지속되는 상태이다. 그런 경우에서는 저산소증이 호흡중추를 자극하게 된다. 맥박산소포화도를 94-99% 사이로 유지한다.

낮은 맥박 산소 측정에 대해서는 과도하게 대처하지 않도록 조심해야 한다. 맥박산소측정기는 신체 평가의 보조기일뿐이다. 맥박산소측정기는 실제와 달리 낮은 포화도를 보이는 경우도 많다. 아이가 움직이거나 말초부위가 차갑거나 온도가 차갑거나 빛이 방해를 받는 등 여러 가지 원

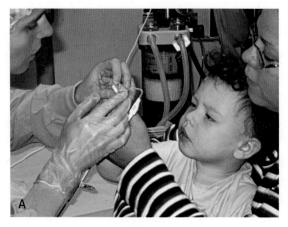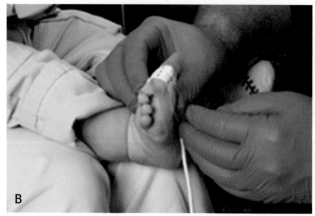

그림 3-2 맥박산소측정기의 측정하는 위치

인에 의해 부정확한 수치를 보이게 된다. 치료를 시작하기 전에 감지기의 위치나 결과의 정확도, 소아의 임상적 상태를 먼저 확인한다. 쇼크 환아의 경우와 같이 혈액 관류가 저조한 경우에는 부정확한 결과를 보이거나 측정이 되지 않을 수도 있다. 이런 환아는 맥박산소측정기 결과에 상관치 말고 호흡곤란이 없는 소아라고 할지라도 산소를 주어야 한다. 정상적인 맥박산소측정기 결과에 대해서도 과소평가를 하지 말아야한다. 가끔 심한 호흡 곤란을 가진 환아가 호흡노력이 증가되고 보상하여 94% 이상의 명백히 정상적인 결과를 보일수도 있다. 항상 호흡의 적절성과 정확한 판단을 위해 환자의 신체 평가와 함께 맥박산소 측정기를 사용해야 한다.

일반적 비침습적 처치

호흡곤란이 있는 대부분 소아에게 일반적으로 비침습적인

조언

맥박산소측정기가 환기의 적절성을 말하고 있는 것이 아니라는 점을 명심한다. 산소를 제공받고 있는 환자의 경우 정상적인 결과를 보일 수 있지만 이는 적절한 환기가 이루어지고 있는 것이 아니다. 호기말 이산화탄소분압 측정기는 날숨 시 이산화탄소의 양, 환기의 적절성, 환기형태를 시시각각 그림을 제공한다.

주의

낮거나 정상 산소포화도 측정치에 대해 과도하게 판단하지 말고 항상 신체 증상과 함께 생각하도록 주의해야 한다.

서서히 시작한다. 대부분 승승환아가 아닌 경우에는 비침습적 처치는 같다. 자세는 앉아숨쉬기로 최대한 편안하게 자세를 취하도록 하고 산소를 공급한다**(그림 3-3)**. 이것은 단지 상부와 하부기도 폐쇄가 없는 호흡곤란 환자들을 위한 치료이다. 소아가 호흡부전이나 호흡정지가 되면 즉시 기도기를 적용하고 환기 보조를 하며 지역의료지침에 따라 전문기도 유지를 고려한다.

자세

호흡곤란 소아는 최적의 가스 교환이 이뤄지는 자세로 스스로 움직이고 이를 편안한 자세라고 보면 된다. 예를 들면 심각한 상기도 폐색을 동반한 소아는 "재채기 자세"로 만들어 기도가 일자로 되게하여 공기가 통과되도록 개방을 확보한다**(그림 3-4)**. 심각한 하부기도폐쇄가 있는 소아는 보조 근육을 돕기 위해 삼각자세(바로 앉아서 팔을 펴서 다리에 대고 몸을 앞으로 숙인다)를 취한다**(그림 3-5)**. 영아 혹은 유아는 돌봄제공자의 팔이나 무릎 위에서 가장 편안할 것이다. 소아가 편안히 여기는 자세를 변경시켜선 안되며, 이와 같은 행위는 호흡곤란을 악화시킬 수 있다. 이송 시 구급차 안에서는 인공호흡기 사용이나 반드시 누운 자세로 치료해야 하는 특별 문제가 없다면 호흡곤란을 가진 아이는 안전하게 앉은 자세로 있게 한다.

산소

처치에 쓰이는 산소는 대부분 안전하다. 만일 소아가 만성호흡기 질환을 가지고 있다면 너무 많은 양의 산소를 주지 않도록 조심해야 할 것이다. 응급구조사는 소아를 자극하고 호흡곤란을 악화시킬 위험과 비교하여 산소를 공급하여 써얻을 수 있는 이점을 측정해야 한다. 이것은 불안정한 기도

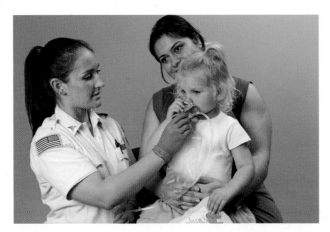

그림 3-3 호흡곤란이 있는 아이는 항상 아이에게 편안한 체위를 취해준다.
© Jones & Bartlett Learning. Courtesy of Glen Ellman.

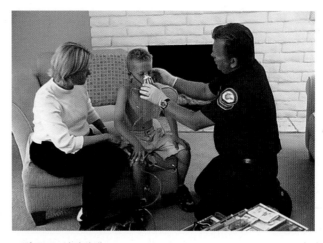

그림 3-5 삼각자세

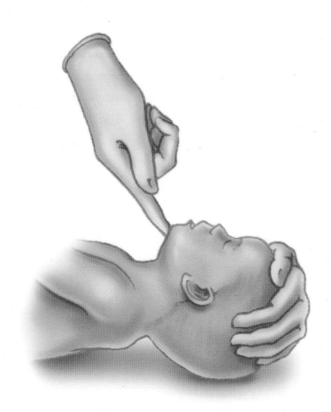

그림 3-4 재채기 자세

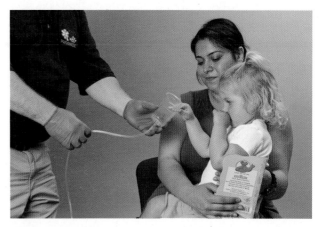

그림 3-6 아이가 마스크와 코삽입관을 거부하면 컵 같은 비치료적 물질로 산소를 공급한다.
© Jones & Bartlett Learning. Courtesy of Glen Ellman.

주의

소아가 편안해 하는 자세를 못하게 해서는 안된다.

를 보유한 소아들에게 있어 특히 중요하다. 호흡곤란, 청색증 혹은 다른 호흡기 질환을 가진 소아에게는 100% 산소 공급을 진행한다.

　신생아 산소 중독은 병원 전 상황에서 문제가 될 수 있으므로, 12장에 설명된 바와 같이 저산소증의 징후가 없는 신생아에게는 100% 산소를 주지 않는다. 미숙아로 태어난 신생아가 호흡곤란이 있으면 산소 21%에서 시작해서 산소

포화도가 94% 이상 나올 때까지 조정하며 공급한다.

　대개 소아들은 산소 치료를 받을 수 있고 응급구조사가 창의적으로 접근하여 산소를 제공할 수 있다. 이때 돌봄제공자 도움이 필요한 경우가 많다. 소아가 산소마스크나 코삽입관을 거부하면 컵 같은 친근감을 주는 물건의 끝에 산소 연결줄을 연결하여 산소를 제공하는 방법을 사용하기도 한다 **(그림 3-6)**.

산소 제공

산소는 심폐질환, 심폐부전, 비정상적인 가스교환에 대한 임상적 징후를 가진 소아에게 투여한다. 투여방법은 소아의 상태, 협조 정도, 환기 효과, 나이에 따라 적절한 산소를 제공할 수 있다. 이 과정에 대한 단계별 설명은 절차 3을 참조한다.

호흡기 1차 평가와 비침습적 처치에 관한 요약

소아평가삼각구도는 가스교환의 효과를 외관과 호흡 노력을 관찰하여 판단할 수 있는 좋은 도구이다. 만약 소아평가삼각구도에서 호흡곤란 소아가 있다면 편안한 자세와 비침습적방법으로 산소를 제공하도록 한다. 소아평가삼각구도를 통해 즉각 환기 도움을 필요로 하는 호흡부전 소아를 알 수 있다. 호흡수를 측정하고 공기의 움직임을 듣고 맥박산소측정 결과 등을 함께 이용 할 수 있다. 1차 평가 자료를 근거로 치료의 우선순위를 정하고, 상부기도 폐쇄와 하부기도 폐쇄에 대한 처치를 해야 하는지에 대한 기준을 설정하도록 한다.

호흡곤란에 관한 특수 처치

1차 평가를 끝마친 후에 특수 처치를 고려해봐야 한다. 소아평가삼각구도와 ABCDEs 평가는 상부기도 폐쇄, 하부기도의 폐쇄가 있는지, 폐 관련 질병, 호흡조절의 혼란(뇌, 또는 신경 상해, 독약, 패혈증과 같은 상태)이 있는지 대한 결정에 도움을 준다. 코골이 또는 그렁거림은 상부기도 장애로 구분된다; 천명음(색쌕거리는 소리)은 하부기도 장애로 구분된다. 호흡음으로 상부기도 소음과 정확한 쌕쌕거림을 구분하기는 어렵다. 양측 중앙 겨드랑이선에 2~3번 째 늑간강의 사이 호흡음을 들어보면 알 수 있다(그림 3-7). 어깨뼈 사이 등 부분과 척추 양쪽과 콩팥 바로 위 하엽을 청진한다. 이 위치는 하부기도 폐쇄와 상부기도 부종을 구분하기 쉬운 위치이기 때문이다. 만약 비정상적 호흡음이 폐보다 코 근처에서 더 크게 난다면, 코울혈/폐쇄가 원인일 수 있다.

　비정상적인 호흡음이 있는 소아가 저산소증이 나타나고 호흡 노력이 증가된 경우에는 폐렴과 같은 폐질환을 의심할 수 있다. 마지막으로 저산소증이 나타났으나 호흡 노력마저 감소한 경우에는 기도 폐쇄, 폐질환, 대뇌의 손상 또는 대사 장애로 인한 호흡조절장애로 인한 호흡부전이다.

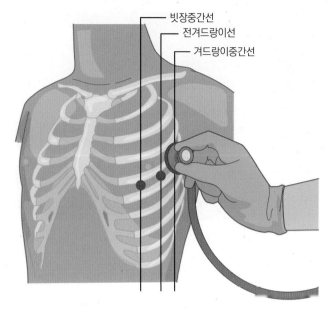

그림 3-7 호흡음 청진

상기도 폐쇄

근위부 기도 폐쇄

신경학적 손상이 있는 환자는 인두근의 힘이 소실되어 상기도 폐쇄와 그렁거림 원인이 되며 혀와 하악이 뒤로 젖혀져 인두를 부분적으로 폐쇄했기 때문이다. 이것은 간질 발작 중, 혹은 발작 후의 소아에게 흔한 문제이다. 머리 젖힘/턱들어올리기(그림 3-8) 또는 턱밀어올리기법(그림 3-9)이 근위부 기도 폐쇄를 완화시켜준다. 때로는 턱밀어올리기를 보조하기 위하여 2인의 응급구조사가 있는 것이 도움이 된다. 의식수준에 따른 기도유지기의 사용은 특히 큰 소아, 발작하는 소아, 양압환기를 받는 소아의 기도를 개방상태로 유지하는 데 도움이 될 수도 있다(그림 3-10).

　분비물, 혈액, 이물질들은 근위부 상부기도 폐쇄원인이 되기도 한다. 이것은 비개방성 뇌손상, 발작 소아에게 중요한 사항이다. 흡인은 입, 인두, 코를 막고 있는 액체 또는 물체를 제거하여 상기도를 열어준다.

　적절한 기도를 유지하기 위해서는 입인두기도기, 코인두기도기, 기관내삽관 또는 다른 전문기도유지술이 필요하다. 병원전 환경에서 소아의 기관 내 삽관의 역할에 대해 실패율, 유도 저산소증, 기도 손상 및 기관 내 튜브 이탈을 보여주는 데이터에 의해 문제가 제기되었다. *백-밸브 마스크*

환기는 응급구조사가 생명을 살리는 필수적인 기술이고 대다수의 소아환자의 기도 관리를 적절하게 할 수 있는 방법이므로 모든 응급구조사가 능숙하게 다룰 수 있어야 한다.

대체할 수 있는 성문외기도기 혹은 후두튜브와 같은 기도유지술은 소아의 호흡부전이나 호흡정지에 초기치료에 고려될 수 있다. 어떤 종류의 장비를 어떤 제조사에게서 받아 사용하는지는 지역 의료지침에 따라 결정한다.

가슴우리 입구 위의 기도폐쇄

근위부 상기도 폐쇄의 원인은 매우 다양하다. 상부기도 폐쇄가 있는 소아에게 적절한 처치를 제공하기 위해 정확한 진단이 반드시 필요한 것은 아니다. 대부분의 경우, 간단하게 소아의 자세를 편안하게 유지하고 가능하다면 최소한 위협적인 방법이나 최소한의 침습적 방법을 이용하여 산소를 공급한다. 환아가 흥분하거나 버둥거리는 것은 증상을 더욱 심화시킬 수 있으며, 호흡부전이나 호흡정지로 악화 될 수 있는 완전한 폐색의 발생을 유발할 수 있다.

깨어 있고 의식이 명료한 소아의 상기도 폐색이나 그렁거림은 대개 크룹이나 바이러스성 질환으로 인한 염증, 부종, 후두 및 기관지 협착 등으로 발생한다. 크룹은 주로 신생아나 유아에게 영향을 미친다. 크룹이 있는 대부분의 소아는 감기 증상이 며칠 동안 있었다. 이 감기 증상은 기침소리가 점점 심해지거나 막힌 듯 한 기침(물개 기침), 그렁거림, 다양한 호흡곤란이 나타나는 것으로 악화된다. 주로 미열이 있으며 증상들은 밤에 심해진다. 증상의 심한 정도는 환자들 사이에 매우 다양하게 나타나지만 대개 몇 시간보다는 며칠에 거쳐 진행된다.

처치. 병원 전 처치에서 가습화된 산소 또는 분무된 생리식염수 등에는 저온가습을 사용하는 것이 아이들에게 편안함을 제공한다. 돌봄제공자가 도구를 직접 들어주면서 도와주는 것이 도움이 될 수 있다. 만약 아이가 치료에 협조적이지 않는다면 편안한 자세로 이송한다(**그림 3-11**).

세균성 상부기도 감염

세균성 감염은 소아에 있어 상부기도 폐쇄의 원인이 된다. 바이러스성 크룹과 다르게 몇 시간 내 발전하며 심각한 호흡기 부작용을 동반하고 급속하게 진행하는 경향이 있다. 세균성 상기도 감염이 있는 소아들은 대개 12개월 이상이며 아프거나 중독된 것처럼 보이고 삼킬 때 통증이 있으며 자주 침을 흘린다. 그렁거림이 동반되지만 크룹에서 흔하게 볼 수 있는 개 짖는 듯 한 기침은 나타나지 않는다.

세균성 상부기도 감염에는 여러 가지 원인이 있을 수 있다. 후두개의 염증인 후두덮개염(epiglottitis)은

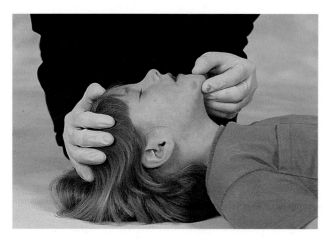

그림 3-8 기도를 중립자세에 놓기 위하여 머리 젖힘-턱들어올리기법을 사용한다.

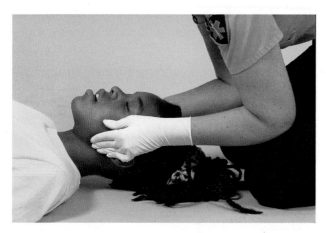

그림 3-9 척추손상이 의심되는 소아에게 턱밀어올리기법을 사용한다.

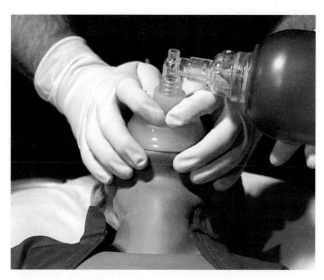

그림 3-10 턱밀어올리기법과 양압환기법을 위해서는 2인 구조자가 필요하다.

그림 3-11 산소 또는 분무된 생리식염수를 사용할 때 보호자의 도움을 받는다.

전문소생술(Advanced Life Support)

크룹의 약물적 치료 에피네프린의 분무는 크룹과 연관된 상기도 염증에 대한 특별한 치료법이다. 에피네프린은 유력한 α, β체의 작용제이며 이는 혈관수축을 통해 부분 폐쇄의 원인이 되는 상부기도 부종을 감소시켜주는 역할을 한다. 만약 지역의료지침이 허용한다면 그렁거림이 있고 호흡노력이 증가되어 있으며 청진 시 폐 속의 공기 움직임이 미약하고 말초동맥혈 산소포화도가 94% 이하이거나 외관상에 변화가 있는 소아라면 에피네프린 분무치료를 고려해 보아야 한다. 에피네프린 분무는 라세믹(racemic)의 에피네프린, L-에피네프린 두 가지 형태가 있는데 모두 다 사용 가능하다.

　에피네프린 분무의 부작용으로 빈맥, 진전, 구토 등이 나타날 수 있다. 약물투여 중단 후에 그렁거림이 다시 있을 수 있으므로 응급실에서 일정기간 관찰이 필요하다. 크룹이 있는 극소수 환아들에 있어서는 병원 전 환기 보조가 필요한 경우도 있다. 크룹과 호흡부전이 동반된 아주 드문 경우에는 환기보조가 필요하며 환아 상태를 반복해서 평가하고 관찰해야 한다. 이때 2인 백-밸브 마스크 환기 기술이 필요할 것이다.

크룹 환아를 위한 침습적 기도 유지. 백-밸브 마스크 환기로 반응하지 않는 호흡부전 환아의 경우에만 기관 내 삽관을 시행해야한다. 나이나 길이에 비해 정상보다 1 또는 2정도 작은 크기의 삽관 튜브와 기관 내 삽관에 필요한 물품들을 준비한다. 성문 아래 기관에 생긴 염증은 정상 크기의 삽관 튜브의 삽입을 어렵게 한다. 약물보조삽관(DAI; 이전에는 빠른연속삽관이라고 함)에 대한 의사결정은 지역의료지침에 다른다. 다른 전문기도유지 역시 지역의료지침에 따른다.

Haemophilus influenzae type B에 대한 영아들의 예방접종이 널리 시행되면서 발생이 극히 드물어졌다. 인두후농양(retropharyngeal abscess)은 척추와 식도 사이에 위치한 인두 뒤 림프절의 부종을 나타낸다. 보통 4세 미만에서 주로 발생하며 후두덮개염 증상과 유사하다. 이 소아들은 사경과 목 림프절 부종이 있다. 편도주위고름집(peritonsillar abscess)은 편도 주위에 고름이 축적된 것이다. 이것은 청소년기에 흔히 발생하고 A형 연쇄상 구균에 의해 종종 발생한다(따라서 그 소아는 항생제를 먹고 있을 수도 있다). 소아는 말하기 힘들고, 입을 다 벌릴 수 없고 침을 흘릴 수 있다. 기관염(tracheitis)은 두 가지 형태로 발생한다. 기관절제술을 하지 않은 아이에서는 후두덮개염과 비슷한 증상으로 나타나고, 기관절제술을 한 소아에서는 증가된 점액질의 기도분비물이 나타난다.

처치. 세균성 상부기도 감염이 의심되면 편안한 자세에서 고유량 산소를 일반적인 비침습적인 방법으로 제공한다. 주사나 다른 처치를 하기 위해 환아를 흥분시키거나 하는 것을 피해야 하며, 즉시 이송 하도록 한다. 만약 호흡부전이 있다면 백-밸브 마스크 환기를 시작하고 기관내삽관을 고려해야 한다.

이물질 흡인

이물질의 흡인은 인두에서 기관지까지의 기도의 어떤 부위에서나 기계적 폐쇄의 원인이 될 수 있다. 식도에 남아있는 이물질 또한 영아 또는 어린 소아의 호흡부전을 야기할 수 있다. 이는 소아의 기관이 유연하고 인접한 확장된 식도에 의해 압박이 가해지기 때문이다. 이물질을 삼킨 환아의 전형적인 사건은 갑작스럽게 발생하는 기침이나 숨막힘, 꽥꽥거림, 상부기도 감염의 다른 증상이나 발열을 동반하지 않은 상태에서 나타나는 짧은 호흡 등을 포함한다. 조금 더 나이가 든 영아 및 유아는 자신의 입으로 세상을 탐색하므로 고위험 군이라 할 수 있다.

처치. 만약 소아가 기침하고 울거나 말할 수 있다면 기도는 부분적으로만 폐쇄가 된 상태이다. 그렁거림이 전형적인 징후이다. 불완전한 상부기도 폐쇄상태의 소아는 즉각적인 이송이 필요하다. 일반적인 비침습적 치료를 사용하여 아동이

흥분하지 않도록 유의하며 편안한 자세를 유지할 수 있도록 한다.

만약 심한 호흡부전을 보이고 이송 중에 상태가 더 심해질 위험이 있는 소아라면 **그림 3-12**와 **그림 3-13**에 따라 이물질로 인한 완전 기도 폐쇄 처치 술기를 시행한다. 만약 환아가 기침하지 않고 울지 않거나 말하지 않는다면 이물질로 인한 완전기도 폐쇄 처치 술기를 고려한다. 환자가 부분적 폐쇄를 보인다면(기침하고 울고 말할 수 있는) 절대 이 술기를 실행하지 않는다.

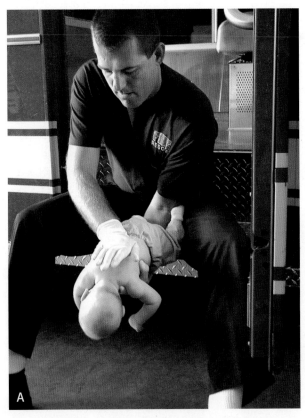
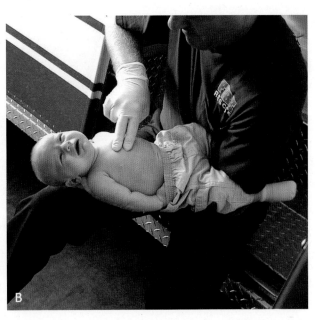

그림 3-12 의식이 있는 아이에게 제공하는 이물질에 의한 기도폐쇄 처치술 (심각한 기도폐쇄가 있는 경우). **A.** 5번 등치기를 한 후, **B.** 5번 가슴압박을 시행한다.

사례연구 2

어린이집에서 호흡곤란을 겪고 있는 환자가 발생했다. 도착해 보니 18개월 여자 아이가 청색증이 있고 목을 붙잡고 있다. 어린이집 교사가 그 아이가 포도를 먹다가 목에 걸린 것 같다고 한다. 아이는 아무소리도 내지 못하고 심각해 보인다.

1. 현재 응급구조사가 해야 하는 가장 중요한 처치는 무엇인가?
2. 첫 시도가 실패하면 그 다음엔 무엇을 할 것인가? 다음 처치는 무엇인가?

그림 3-13 의식이 있는 아이에게 제공하는 이물질 기도폐쇄 치치술. 서있고 의식이 있는 아이의 심각한 기도 폐쇄를 치료할 경우 복부밀쳐올리기를 시행한다.

표 3-3 이물질 기도폐쇄 처치술(Foreign Body Airway Obstruction)

연령	기술
영아(12개월 미만)	5번 등치기 후 5번 의식이 없어질 때까지, 의식이 없어지면 심폐소생술 실시
소아(1세 초과)	복부 밀쳐올리기 의식이 없어질 때까지, 의식이 없어지면 심폐소생술 실시

CPR, cardiopulmonary resuscitation.

기도폐쇄와 이물질 제거

완전 기도폐쇄라면, 응급구조사가 환아의 삶과 죽음을 정할 수 있다. 이물질을 기도에서 즉시 제거하기 위하여 아직 의식이 있는 아이에게도 기본 소생술을 할 수도 있다. 때로는 기본적인 방법으로도 소생이 안 되는 경우도 있다. 이런 경우는 마질 겸자와 직접적으로 후두경을 사용하는 것을 고려한다. 이 과정에 대한 단계별 설명은 절차 6을 참조한다.

이물질 기도 폐쇄 처치술법: 심각한 기도폐쇄와 기본 소생술.

소아가 심각한 기도폐쇄와 기본소생술로 이물질을 제거하는데 실패했고 환아가 의식을 잃었다면 가슴압박과 함께 심폐소생술(CPR)을 시작하고 그 후에 기도를 개방한다. 만약 이물질이 보이거나 후두 위쪽에 있다면 응급구조사는 소아

용 마질겸자를 이용하여 이물질을 제거한다. 응급구조사가 아니라면 심폐소생술을 지속하며 기도폐쇄 위치를 확인한다. 이물질이 보일 때만 손가락 훑기로 이물질 기도폐쇄처치술을 시행한다. 만약 심각한 기도폐쇄와 이물질기도폐쇄술기나 직접 후두경으로 기도를 열지 못하면 2인 백-밸브 마스크 환기를 가능한 시행한다(**그림 3-14**). 만약에 백-밸브 마스크 환기 법으로 가슴 상승이 이루어지지 않았다면 기관내 삽관을 시행한다. 무의식 환자에게 기도유지술을 시행할 때는 흡인을 할 수 있도록 항상 준비되어야 한다.

지역 의료지침에 따라 이물질이 제거되지 않을 때 외과적 반지방패막절개술을 시행할 수 있다.

상부기도 폐쇄 시 특별처치

경중의 상기도 폐쇄가 의심되는 소아를 이송할 경우는 즉시 사용할 수 있는 기도 개방 장비를 준비한다. 이송시 돌봄제공자 동승이 소아가 진정하도록 도와줄 수 있다. 산소 제공 시 보호자가 소아에게 산소를 제공하도록 도와줄 수도 있다.

하부기도폐쇄

기관지염과 천식은 소아의 하부기도폐쇄의 가장 흔한 질환들이다. 이물질 흡인은 좀 덜 흔하지만 아장아장 걷는 유아기에서 흔히 생기며, 이물질 흡인이 되었을 때는 갑자기 질식, 기침 또는 쌕쌕거림이 시작된다. *W쌕쌕거림은 어떤 이유에서든 하부기도의 대표적인 임상 증상 및 징후이다*

> **주의**
>
> 소아가 심각하지 않은 기도폐쇄 상황이며 기침을 하고 울고 말할 수 있다면 기도폐쇄처치술을 시행하지 않는다.

그림 3-14 2인 백-밸브 마스크 환기법

© Jones & Bartlett Learning. Courtesy of Glen Ellman.

(clinical hallmark). 폐렴은 또한 하부기도 질환의 한 원인인데 보통 폐쇄는 없다. 현장에서 하부기도폐쇄의 특수진단은 필요하지 않다. 임상적으로 가장 많은 3대 요인을 말하는데, (1) 기관지염(bronchiolitis), (2) 천식(asthma), (3) 이물질 흡인(foreign body aspiration)이다.

조언

소아의 기본소생술의 시도는 이물질에 의한 흡인의 경우와 아주 위급한 기도폐쇄인 경우에 시행한다.

천식

천식은 미국 내에 500백만 인구에 이르는 소아에게 이환되는 가장 흔한 만성질환이다. 5세 이하의 소아가 천식으로 인해 응급실에 입원하는 비율은 다른 모든 연령평균에 비해 두 배 이상이다. 천식으로 인한 사망률이 계속 올라가고 있다. 모든 소아 천식에 의한 사망자 중 절반이 병원 전에서 일어난다. 많은 소아의 경우 천식 발작이 발생하는 시간은 1시간 내이며, 사망까지 가는 어린이의 절반은 2시간 이내이다. 천식 발작의 흔한 원인으로 호흡기 감염, 운동으로 본다. 찬 공기에 노출, 감정적 스트레스, 그리고 간접흡연이 원인이 되어 발작이 올 수 있다.

천식은 작은 기도 염증 질환인데, 감염으로 인해서 기관지 수축, 점막부종, 많은 분비물을 가져온다. 이 세 가지 요인이 결합해서 공기흐름을 막아서 기도폐쇄와 호흡(환기)-관류의 불균형(ventilation perfusion mismatch)을 야기한다. 임상적으로 천식 으로 발작을 하는 소아는 정도 차이는 있지만 빈호흡, 빈맥, 호흡 노력이 증가하고, 날숨 시에 쌕쌕거림이 있다; 그러나 들숨 시에도 쌕쌕거림이 있을 수 있다. 맥박 산소측정기로는 정상이거나 또는 낮을 수도 있다.

청진기로 조심스럽게 공기의 움직임을 앞면과 뒷면에서 평가한다; 이것은 소리뿐만 아니라 일 회 호흡량도 구분하도록 돕는다. 청진 상 쌕쌕거림이 없이, 숨이 가쁜 천식성 호소를 할 때 너무 폐쇄가 되어 쌕쌕거림이 안 들릴 수도 있다. 적극적인 기관지확장제 치료를 하면 공기 흐름이 호전되어 쌕쌕거림이 잘 들릴 수 있다. 최초의 환자 평가에서 다음과 같은 특징을 조심스럽게 확인하여야 한다. 이는 심각한 기관지경련과 호흡부전을 나타내는 것이다:

- 외관상의 변화
- 탈진(exhaustion)
- 기댈 힘도 없음
- 한 두 마디만 간신히 하는 호흡곤란

- 심각한 퇴축(retraction)
- 공기의 움직임이 감소

주요 병력 검사에서 심각한 다양한 요인들이 있으며, 잠재적으로 치명적인 발작이 올 수 있는 것들은 다음과 같다:

- 예전에 중환자실에 입원경험이 있다거나 기관내삽관한 경험이 있는 경우
- 일 년에 응급실 외래 진찰이 3번 이상이 있는 경우
- 지난해에 응급실 입원이 2번이상이 있는 경우
- 지난달에 측정 용량 단위로 흡입 치료할 수 있는 정량식 흡입기(MDI)를 한 통 이상 사용한 경우
- 매 4시간 보다 더 자주 기관지확장제를 사용한 경우
- 적극적인 가정 치료에도 불구하고 증상이 악화되는 경우

가정에서 천식치료를 하는 것은 여러 가지 목적이 있다: 천식의 증상을 예방하고 조절하며, 발작의 수와 중증도를 줄이며, 호흡 시 공기의 흐름이 폐쇄되는 것을 완화시키는 것이다. 몇몇의 어린이는 즉 심각한 병력을 가지거나 빈번한 천식발작이 있는 경우에는 매일 투약을 해야 하지만, 대부분의 어린이의 경우는 심각한 발작이 있을 때만 치료를 한다. **표 3-4**는 가정에서 빈번하게 사용되며, 천식치료를 통해 신속하게 증상 완화하기 위한 약물 목록이다. 간혹 환자가 빠른 증상 완화를 기대하고 다른 약을 복용하다 증상도 완화되지 않고 신속한 치료를 놓치는 경우도 있다.

하부기도폐쇄의 치료

하부기도폐쇄가 있는 모든 어린이의 경우에, 현장에서는 먼저 일반적인 비침습적 치료를 한다.

전문소생술(Advanced Life Support)

천식 치료

쌕쌕거림의 특수 현장 처치는 흡입용 기관지 확장제 또는 에피네피린 근육주사(IM)이다. 천식 환자의 경우, 응급실에서 코르티코스테로이드 투여가 입원 치료의 필요성을 낮춰주고, 증상이 좀 더 빠르게 완화되도록 한다. 이로 인해 지역의료지침에 병원 전 처치 시 천식 환아에게 코르티코스테로이드를 투여할 수 있도록 허용한다. 그러나 병원 전 환경에서 코르티코스테로이드를 투여했을 시 이후 결과에 대해선 아직 알려진 바가 없다. **그림 3-15, 3-16** 그리고 **그림 3-17**은 흡입용 기관지 확장제 투여를 보여주는 그림이다.

표 3-4 천식 : 급성 천식발작을 위한 일반적인 가정 치료제 약물(Quick-Relief Medication)

약물의 종류	약물	작용 기전
베타2(β2) 작용제	흡입용 기관지 확장제(albuterol[salbutamol]), 레발부테롤(levalbuterol)	세기관지 평활근 이완; 기관지경련 예방; 신속작용
항콜린성 약제	흡입용 항콜린제 (ipatropium)	세기관지 평활근 이완; 분비물 감소; 신속작용
항염증 약제	구강용 스테로이드 (prednisone)	알러지 반응 차단, 기도과민반응 감소; 기관확장제 반응에 개선; 지연작용(2~12시간)

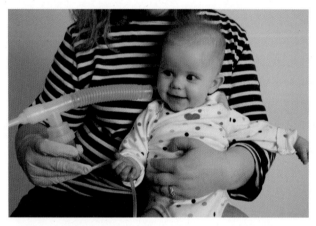

그림 3-15 분무용 기관지 확장투여 장비는 또한 마스크 없이 불기-들이쉬기 방법을 이용하여 기관지확장제를 분무 형태로 공급한다.

그림 3-17 기관지확장제를 공급하는 장치로서 산소와 함께 공급하는 분무기를 사용하는 방법도 있다.

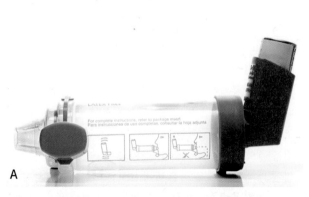

그림 3-16 A. 정량식 흡입기(MDI)와 계량자(spacer)는 마스크 없이 사용 가능하다. **B.** 계량자(spacer)와 마스크가 있는 정량식 흡입기(MDI)는 6개월 정도의 어린이에게 사용할 수 있다.

기관지 확장제. 현장에서 또는 응급실에 오는 도중에 초기 기관지 확장제 처치는 즉시 기도를 개방한다거나 호흡곤란을 완화해주고, 산소공급을 개선해준다. 불안정하거나 치명적인 상태의 환아의 경우, 베타2 치료제를 흡입하는 처치가 더 낫지만, 호흡하는 방식의 처치가 협조가 불가한 경우, 극심한 호흡 곤란을 겪는 경우, 아나필락시스와 증상 또는 징후가 일치하는 경우에는 에피네프린 근육 주사로 대체가능하다. 이 과정에 대한 단계별 설명은 절차 7(기관지확장제 요법), 절차 14(근육주사)를 참조한다. 좀 더 나이 있는 환아의 경우 기관지 확장제 연장선에서 지속적 양압환기를 제공하는 것이 지역의료지침에 근거하여 사용될 수 있다.

쌕쌕거림(천명음)의 약물치료. 알부테롤(살부타몰 salbutamol)은 가장 사용되는 흡입용 기관지확장제이다. 이 약제는 세기관지 평활근육(민무늬근육)에 선택적으로 작용하고, 상당히 안정적 이며, 심박동수에 미치는 영향이 최소한이다. 쌕쌕거림이 있는 위급한 소아는 최대 용량으로 지속적인 치료를 하게 된다. 알부테롤의 단위 용량 바이알은 생리식염수에 미리 혼합되어있는데 대부분 병원 전 단계에서 사용된다. 이 한 바이얼 용량은 총 3ml로 알부테롤 2.5mg이 들어 있다. 한 바이얼은 수용할 수 있는 최초의 용량으로 거의 모든 소아나 사춘기 청소년에게 가능하다. 위급한 환자를 위해서 분무기는 지속적으로 재충전(refill)해서 사용할 수 있으며, 두 바이얼이 기본으로 분무기에 채워져 있는 경우에는 즉시 이어서 투여할 수 있다. 레발부테롤(levalbuterol)은 알부테롤의 이성질체(isomer)이며 병원 전 현장에서는 연구 적용된 적이 없는 약물인데 분무용 기관지확장제로서 우수하다는 근거가 증명된 적은 없다.

지역의료지침에 따라서, 알부테롤과 함께 이프라트로피움(ipratropium)을 준다. 이프라트로피움은 베타 작용제이며, 추가적인 기관지 확장제로 작용하는 항콜린성 약제이다. 주의할 점은 이프라트로피움 또는 아트로핀의 영향에 대한 민감도가 포함된다. 부작용으로 입이 건조함, 두통, 기침, 쉰 목소리, 눈이 침침함(흐린 시력), 빈맥, 그리고 간혹 홍조가 있을 수 있다. 재워져있는(단위 용량 바이얼) 알부테롤 분무기를 통해 함께 투여한다. 복합적인 용량으로 이프라트로피움을 추가하여 투여하면 천식의 악화 상태에서 부가적인 도움이 될 것이다.

소아가 분무기 약물 치료에 견디지 못한다면, 또는 불거나 들이쉬지 못해서 공기의 움직임이 없고, 아나필락시스의 가능성이 있다면, 에피네프린 근육주사를 준다. 반복된 분무기 치료나 에피네프린 근육주사를 수행했다면, 이송 중에 심박동 모니터를 적용해야 한다. **표 3-5**는 현장에서 기관지 확장제 치료의 약물과 투여용량을 요약한 것이다.

표 3-5 쌕쌕거림에 대한 관리: 기관지확장제 처치

기관지 확장제	용량

알부테롤
(salbutamol)
	분무액(Nebulized solution)
	    (1.25mg/3ml, 2.5mg/3ml, 5mg/ml)
	최소용량: 20분 간격으로 2.5~5mg 씩 3
	    회 투약가능.
	필요시 1~4시간 간격으로 반복 투여.
	    2~3ml의 생리식염수와 섞어서
	    사용가능.
	극심한 천식증상에 지속적인 투여 가능

이프라트로피움	분무액(Nebulized solution)
	    (0.5mg/2.5ml)
	12세 미만: 0.25mg 씩 20분 간격으로 3
	    회 투여
	12세 초과: 0.5mg 씩, 20분 간격으로 3
	    회 투여

알부테롤 정량식 흡입기(MDI)	1회 흡인 시 90 mcg 투여 15~20분 간격으로 4~8번 흡인을 3회

잘 알려진 천식의 대부분의 경우에, 기관지 확장제를 이송 전에 현장에서 투여할 수 있고 지역의료지침에 따라 추가적인 용량을 줄 수 있다.

알부테롤 2.5mg을 식염수와 섞어서 3mL를 만들어서 모든 연령 소아 혹은 청소년에게 투여한다. 치명적인 상태인 경우, 이송 중에 계속해서 투여가 가능하다.

조언

소아가 지속된 환기 보조에도 반응이 없고, 상태가 호전되지 않으면, 재빨리 장비를 점검한다. 산소 탱크부터 환아에 이르기까지 장비에 기술적 문제가 있는 것이 아닌지를 확인한다.

근육 및 피하 주사. 근육주사는 느리지만 점진적으로 약물이 흡수된다. 근육주사는 현장에서 고통스러울 수 있다(**그림 3-18 참조**). 이 과정에 대한 단계별 설명은 절차 14(근육주사)에 나와 있다.

환기 보조(assisted ventilation). 기관지 경련을 동반한 심각한 공기 포획(폐의 과팽창 air trapping)이 있기 때문에, 보조적 환기를 함으로 많은 합병증과 사망에 연관될 수 있다.

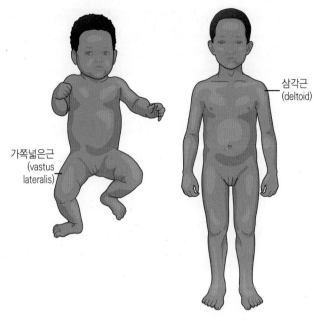

삼각근
(deltoid)

가쪽넓은근
(vastus
lateralis)

그림 3-18 근육 주사를 투여하는 주요 부위

양압 환기는 매우 높은 흡기 압력을 수반하기 때문에 공기가 승증 또는 세로칸기종을 초래할 수 도 있다. 호흡부전이 있는 소아가 쌕쌕거림이 있고 최고의 산소 공급과 최대의 기관지 확장제를 투여했는데도 반응이 없는 경우에만 백-밸브 마스크 환기 또는 기관내삽관을 하도록 고려한다. 하부기도 폐쇄로 인한 보조 인공호흡(환기)을 할 경우에는 내쉬는 호흡의 비율(나이든 어린이 또는 사춘기 청소년의 경우는 12~15회/분당, 영아에서는 최대비율 20~30회/분당)로 맞추어 주면, 압력손상과 합병증을 최소화하는데 도움이 된다.

세기관지염(Bronchiolitis)

세기관지염은 바이러스에 의한 하부 호흡기 감염으로 보통 영아나 2세 미만의 유아에게 이환된다. 종종 호흡기세포융합바이러스(respiratory syncytial virus; RSV)에 의한 질환인데 겨울철에 유행한다. 감염이 일단 되면 세기관지 내층이 헐거나 파괴가 일어나고, 많은 분비물이 나오고 기도수축이 동반된다. 특히 영아는 기도가 작기 때문에 심각한 질환이 될 가능성이 크고, 공기 흐름에 저항이 매우 커지고, 그래서 호흡이 깨끗하지 못하게 된다. 기도의 부종과 세포나 점막에서 탈피한 조직파편이 기관지경련이나 평활근수축보다도 병리학적으로 더 중요하다.

상부기도 감염 증상을 포함하는 세기관지염의 주호소는 발열, 기침, 구토, 식욕부진, 수면부족, 그리고 다양한 단계별 형태의 호흡문제로 악화된다. 여기서 환자 평가를 하면 호흡노력의 증가, 빈호흡, 확산된 쌕쌕거림, 흡기 시 거품소리,

빈맥을 보인다.

의심되는 세기관지염이 이환된 영아에서 호흡부전을 예상할 수 있는 위험한 병력의 요인으로는 2달 미만인 연령, 미숙아 병력, 주요한 폐질환, 선천성 심장 질환, 그리고 면역 결핍증이다. 표 3-6은 소아에게 있어서 의심이 가는 세기관지의 중요한 임상적 호흡부전의 예측인자이다. 기본소생술(BLS) 치료에서 구형 흡인기를 이용한 코인두 흡인을 할 수 있다(절차 4(흡인) 참조).

과거에는 세기관지염의 치료는 기도 확장제 사용을 의미했으나, 연구에 의하면 이는 세기관지염에 효과가 없음이 나타났다. 가장 중요한 것은 구형 흡인기를 사용해서 영아의 코에 흡인을 하는 것이다. 산소포화도가 94% 미만이면, 코 삽관 혹은 안면 마스크를 사용한다.

이물질 흡인

이물질 흡인에 의한 하부기도 폐쇄가 있는 어린이는 보통 경미하게 아픈 걸로 여기는 경우가 있다. 상부기도에 이물질이 있는 경우와 다르게, 하부기도에 이물질이 있는 경우는 호흡부전이나 또는 심한 호흡기도 폐쇄 증세로 발전하는 일은 드물다. 이물질 흡인의 가장 흔한 호발 연령은 늦은 영아기이며, 유아이다(그림 3-19). 흔하게도, 비교적 증상이 거의 없다가도 갑작스런 기침과 질식이 발현되기도 한다. 빠른 호흡, 호흡노력의 증가, 쌕쌕거림 또는 이물질 흡인이 아니면서 보통 양쪽 폐의 호흡음의 감소 증상 등은 급작스럽게 또는 수 시간이나 며칠에 걸쳐 악화 진행될 수도 있다. 소아의 연령에 따른 천식이나 상부기도의 감염 증상이 없는 경우에는 우선 이물질 흡인을 의심해 봐야 한다. 일반적인 비침습적 처치는 소아에게 편안한 자세를 취해주고, 적절한 산소를 공급해주어야 한다. 만일 진단이 불명확하다면 일단 지체 없이 이송하면서 분무용 기관지 확장제 투여 한다. 추가적인 진단 및 검사는 응급실에서 한다.

표 3-6 의심되는 세기관염으로 호흡부전이 올 수 있는 예측인자
호흡노력이 증가되며 호흡수가 60회/분 초과
심맥박수가 분당 200회 초과 또는 100회/분미만
외관상의 결핍(소아평가삼각구도)
혈중산소포화도 산소를 공급하는 데에도 혈중산소포화도가 90% 미만

그림 3-19 기도를 폐쇄할 수 있는 이물질의 예
© Jones & Bartlett Learning. Photographed by Kimberly Potvin.

폐질환

소아의 경우에 대부분의 폐질환은 폐렴이다. 폐렴은 소아에게 하부기도 질환 증상을 보이고, 또한 호흡곤란 또는 호흡부전을 일으키는 원인이다. 폐렴을 앓고 있는 거의 모든 소아는 발열이 있거나 폐렴을 앓고 있는 기간에 발열의 병력이 있다. 소아 폐렴의 대부분은 바이러스에 의한 것이다. 일반적으로 바이러스에 의한 폐렴은 박테리아에 의한 것보다는 증상이 심하지 않으며, 증상이 점진적으로 악화되며 진행된다.

세균성 폐렴은 혈행성 식종(hematogenous seeding)이 수반되거나 세균이 폐로 흡인되어 발병한다. 급성 염증 반응이 수반되어 폐의 공간에 액체의 축적이 일어난다. 이 때 늑막성 삼출액이 발전적으로 진행되어 폐실질 외부의 늑막 공간에 수액이 고이게 된다. 세균성 폐렴에 이환된 소아는 보통 발열을 포함해서, 진전, 오한, 빈호흡, 그리고 종종 기면과 불안정, 식욕 부진 등의 비특이성 호소가 있고, 가끔은 가슴통증 증상이 있다. 기침은 다른 비특이성 증상이 있는 기간이 될 때 까지는 발전하지 않는다.

신체적 검진소견으로는 발열, 빈호흡 또는 호흡노력의 증가, 수포음(rales) 또는 호흡음 감소를 들 수 있다. 그렁거리는 호흡은 일종의 폐질환에 이환된 아동에게 흔히 보인다. 바이러스에 의한 감염인 경우 특히, 쌕쌕거림은 들을 수 있지만 수포음이나 호흡음 감소는 일반적으로 없다. 경미한 호흡곤란은 종종 있을 수 있지만, 큰 질환이나 장애가 없고 또는 너무 어린 연령이 아니면 폐렴으로 인한 호흡부전은 흔하지 않고 호흡곤란이 흔하다.

폐렴으로 의심이 되는 어린이는 하부기도 질환의 증상을 가진 경우와 비슷하게 관리하면 된다. 진단만큼이나 중요한 것이 적절한 처치이다. 일반적으로 모든 환자에게 비침습적 치료를 제공하고, 만약에 환자가 쌕쌕거림이 있다면 기관지 확장제 투여를 시도한다. 호흡부전 징후를 보이는 환자는 아마도 보조적 환기가 필요할 것이다. 일반적으로 폐질환으로 호흡부전이 있는 경우는 영아, 심각한 신경학적 또는 폐질환이 있는 소아, 그리고 장기간 질환을 앓고 있는 소아들에게서 볼 수 있다. 폐렴으로 병원 전에 소아에게 해줄 특별한 치료는 없다.

호흡 조절 장애

가끔은 저산소증이나 호흡부전은 호흡조절 시 문제로 발생한다. 호흡 조절 문제의 범주에는 뇌손상, 척수손상, 중독, 신진대사장애(예로, 보툴리즘, Guillian-Barre 증후군) 또는 발작후 상태, 패혈증이 있다. 호흡조절장애의 대표적인 것으로 호기량 부족 그리고 느린 호흡률로 인한 불충분한 분당 호흡량이다. 이는 저환기, 고탄산혈증, 저산소혈증으로 이어질 수 있다. 처치는 기도 확보, 산소공급, 백-밸브 마스크 환기 그리고 경우에 따라서 기관내삽관 혹은 다른 전문기도유지를 해주는 것이다.

호흡곤란의 특수 처치 요약

호흡곤란 또는 호흡부전을 확인하고 일반적인 처치 방법을 해준 후에는 소아평가삼각구도와 ABCDEs를 이용하여, 해부학적 수준에서 상부기도 호흡문제 또는 하부기도의 호흡문제 인가를 평가한다. 그렁거림(stridor)은 대표적인 상부기도 폐쇄를 의미하고, 쌕쌕거림(wheezing)은 하부기도의 대표적인 징후이고, 그르렁거리는 소리(grunting)는 폐질환의 대표적인 징후이고, 불충분한 분당 호흡량과 호흡상태의 감소는 호흡조절이 부적절하다는 임상의 전형적인 징후이다.

상부기도 폐쇄의 가장 흔한 원인이 되는 질환은 크룹이다. 크룹의 전문 치료는 분무기를 이용하여 에피네프린을 투여하는 것이다. 드물게 이물질이 성대나 성대위에 걸리는 것이 영아나 유아의 그렁거림의 원인이다. 영아의 질환 중 하부기도 폐쇄의 빈번한 질환이 천식과 세기관지염이다. 천식은 모든 영아부터 어른에게까지도 쌕쌕거림의 가장 흔한 원인이 된다. 필요하다면, 지속적으로 투여해야 하는 분무용 기관지 확장제는 모든 원인의 천명음의 전문 치료제이다. 알부테롤(살부타몰)과 에피네프린은 기관지확장제로서 비슷한 효과를 가지며, 항콜린성 이프라트로피움은 추가적으로 천식환자에게 효과가 있다. 천식환자에게는 현장에서 처치를 시작한다.

한 보모가 119에 전화를 했다. 4개월 된 여아가 3일째 기침을 하고 있고, 콧물이 흐르고, 열이 약간 있다고 했다. 그 보모는 아기가 점점 숨쉬기 힘들어하고 젖 먹는데 힘들어하는 것을 호소했다. 우리가 도착했을 땐 아기가 보모의 무릎위에 앉아 있었다. 아기는 자고 있는 것처럼 보였고, 눈 맞춤을 하지 못했으며 어떤 검사에도 반응을 보이지 않았다. 딱 봤을 때 목과 복부에 근육이 수축되어 있다. 아기는 쌕쌕거림이 있었고, 심한 복장뼈밑과 늑간퇴축이 관찰되었다. 비익 확장 증세가 있었다. 피부는 얼룩덜룩했고 땀에 젖어 있었다. 호흡수 70회/분, 심박동수 170회/분, 아기의 호흡음은 공기가 적당히 지나갈 정도였지만, 고음을 가진 쌕쌕거림이 들숨과 날숨에서 전반적으로 들렸다. 맥박산소포화도측정치는 78%였고, 검진을 통한 환자의 맥박수와 일치하였다.

1. 위 어린이는 호흡곤란 또는 호흡부전이 있는 것일까? 그리고 기도폐쇄 수준이 어느 정도 일까?
2. 위 어린이 치료를 위해서 첫 번째 단계에서 해야 할 것이 무엇인가?

이물질 흡인 및 폐렴은 낮은 기도 문제로 나타날 수 있지만, 병원전 환경에서 호흡기 질환에 대한 일반적인 비침습적 조치 이외에는 이러한 상태에 대한 특별한 처치는 없다. 호흡조절장애는 많은 원인이 있으며 종종 호흡 보조를 필요로 한다.

급성 호흡 곤란 관리 : CPAP

어린 소아의 극심한 호흡 곤란 관리는 쉽지 않다. 확대된 처치는 기관 내 삽관 같은 침습적 처치의 필요성을 완화시키거나 지연시킬 수 있다. CPAP와 비침습적 환기는 극심한 호흡 곤란에 빠져있는 소아를 처치하고 기도를 확보할 수 있도록 한다. CPAP는 폐의 주변 기도를 열려고 시도한다(그림 3-20). 증가된 기도압은 날숨 동안 주변 작은 기도를 지지해준다. 비록 문헌이 강력하지는 않지만, CPAP이 다양한 호흡기 질환, 특히 기관지염과 천식을 가진 소아의 호흡을 개선할 수 있다는 증거가 있다. CPAP를 사용하면 기도 확보 및 잠재적으로 소아의 상태를 개선할 수 있다.

그림 3-20 일회용 CPAP 장비
Mercury Medical.

호흡부전의 관리

호흡부전의 관리 원인에 관계없이 최초 처치는 일반적인 비침습적 방법으로 호흡부전에 있는 모든 협조적인 소아에게 처치하는 것이다. 만약 상부나 하부기도 폐쇄가 발생하면, 특수 처치를 시도한다. 반면에 소아의 외관에 변화가 있거나 의식의 변화, 또는 호흡 노력의 증가 또는 감소가 있는 징후(예, 비익확장, 그렁거림, 가쁜 호흡, 무호흡, 또는 청색증)에 100% 비재호흡 산소 마스크를 적용하고, 그럼에도 혈중 산소 포화도가 90%미만이면 소아는 호흡부전이나 호흡정지로 여긴다. 이러한 소아는 비침습적 치료보다는 보조적인 환기를 즉시 시작해야 한다.

첫째로, 환자를 기도개방을 유지하면서 흡인한다. 흡인은 기도개방 유지의 기본기술이다. 소아는 작은 기도 때문에 쉽게 분비물, 구토물, 농, 혈액 또는 이물질에 의해서 기도폐쇄가 일어난다. 이 과정에 대한 단계별 설명은 절차 4(흡인)를 참조한다.

환자가 반응이 없다면 기도 보조 장치를 적용한다. 보조장치의 적용은 즉시 아동의 자발적인 환기를 개선한다. 또한 효과적인 백-밸브 마스크 환기를 제공하고, 위팽만을 줄일 수 있다. 이 과정에 대한 단계별 설명은 절차 5(기도유지 장비)를 참조한다.

　그 다음에 보조적 환기 또는 양압 환기(PPV)를 백-밸브 마스크로 적용한다. 백-밸브 마스크는 가장 좋은 방법으로서 이송하는 동안 산소제공과 안정화를 꾀할 수 있다. 영아의 경우는 30회/분 정도의 적절한 비율을 제공하고 좀 더 연령이 있는 소아는 20회/분 정도로 제공한다. 너무 빠르게 환기를 하지 않도록 속도를 맞추기 위하여, "짜고-풀고-풀고(squeeze, release, release)"구령을 한다. 가슴 상승이 확실히 되도록 한다. 정확한 백-밸브 마스크 술기를 수행하면 위 팽만의 위험이 적으며, 합병증으로 가로막 상승, 폐의 순응도 감소, 위 내용물의 구토와 흡인(aspiration) 위험의 증가 등이다. 하부기도 폐쇄가 심해지면 호흡률이 감소하고, 호기 시간이 길어진다. NG(코위관) 튜브를 삽입하는 것도 고려해야한다.

조언

호흡 노력이 증가된 호흡부전이 있는 좀 더 나이를 먹은 소아에게 분당 20회로 환기해 주면 소아의 호흡 노력을 지지해 줄 수 있다.

백-밸브 마스크 환기

백-밸브 마스크 환기(BVM)는 소아 응급의료의 전반에 걸쳐 병원 전에 응급구조사의 가장 유용한 술기의 하나이다. 기관내삽관을 하는 것만큼 정확하고 궁극적인 기도관리가 되는 것은 아니지만, 대부분의 경우 백-밸브 마스크 환기는 소생술 및 이송 도중에 산소를 공급해주는 상황에서 가장 좋은 방법의 기술이다. 이 절차에 대한 단계별 설명은 절차 8(백-밸브마스크 환기)을 참조한다.

주의

적절한 방법으로 백-밸브 마스크 환기를 할 때 위 팽만을 최소화 한다.

조언

소아가 백-밸브 마스크 환기에도 반응이 없거나, 또는 위급한 질환이나 또는 기도유지가 불안정한 손상 소아인 경우에 장시간 이송을 해야 한다면 기관내삽관을 고려한다.

전문소생술(Advanced Life Support)

기관내삽관 관리

병원 전 응급의료에서 소아에게 기관내삽관을 하는 것은 득과 실을 잘 구분해서 결정해야 한다. 확실하게 기도유지를 해주며, 흡인의 위험을 줄이고, 그리고 환기를 쉽게 해준다는 것으로서 기관내삽관의 잠재적인 장점을 들 수 있으나, 기관내삽관을 하다가 시간이 길어지면 잠정적인 저산소증이나 고탄산혈증으로 빠진다거나, 인지 못한 튜브의 삽입 위치 오류, 두개내압의 상승, 위 내용물의 흡인, 그리고 치아, 입, 혀, 구개, 후두, 인두의 연조직, 목의 손상 등이 잠재적인 합병증이다.

　환자가 움직여서 혹은 이송하면서 삽관위치가 틀어지는 것은 흔하며, 이로 인해 비극적 파국을 초래할 수도 있다. 기관내삽관을 한 환자가 피부색, 산소포화도, 심박동수, 외관 등 호전되는 반응이 없다면, DOPE 연상적 환자 평가는 잠재하는 기술적 문제를 밝히는데 도움이 된다 (**표 3-7**). 대부분의 응급의료체계에서 지속적인 적정 기도내삽관의 감시(monitoring)를 요구하고 있다. 또한 비침습적 환기방법과 기관내삽관을 통한 환기방법 중 어떤 것이 더 적절한지는 연구 중이다; 지역 의료지침 또는 절차를 참조한다.

논쟁

코나 입으로 관을 삽입하는 것은 복부 팽만으로 호흡 장애가 왔고, 안면 외상이 없는 상황이 아니라면 피한다.

코안/입안 튜브 삽입

양압환기를 하는 동안에 일반적으로 폐뿐만 아니라 위를 부풀게 한다. 위 팽만은 가로막을 아래로 향하는 움직임을 감소시켜서 일회 호흡량을 감소시키며, 환기하기가 어려워지며, 더 높은 흡기압력을 요구하게 된다. 게다가 공기에 의한 위팽만은 환자의 구토나 흡입으로 인한 위험이 증가한다. 코 또는 입을 통한 위 삽관술(NG or OG)은 위에 있는 공기를 제거시키고 양압환기를 도와준다. 그러나 단지 환기가 어려운 경우에만 이러한 기술을 적용한다. 삽입하는 것이 소아와 가족에게 통증을 줄 수 있고, 무섭거나 두려움을 줄 수도 있다. 이 과정에 대한 단계별 설명은 입안 또는 코안 흡인튜브삽입 절차 10을 참조한다.

표 3-7 기관 내 삽관 시 나타날 수 있는 문제점 : DOPE

	문제	평가(사정)	중재
삽관오류 Dislodgement	식도삽관	• 호기말 이산화탄소 감시/탐색함에 있어서 판독이 안 되거나 수치가 떨어지거나 형태를 구분할 수 없다거나 색깔변화를 알 수 없음 • 산소포화도가 〈90% • 느린맥 • 환기 시 가슴상승 결여 • 위 청진시 보글보글 소리	• 발관 • 백–밸브 마스크 환기 • 재삽관
	주기관지로 기관삽관	• 비대칭 가슴 상승 • 비대칭 폐음	• 대칭적으로 폐음이 들리거나 대칭적으로 가슴 상승이 되도록 잡아 빼줌
	우발적 발관	• 호기말 이산화탄소 감시/탐색함에 있어서 판독이 안 되거나 수치가 떨어지거나 형태를 구분할 수 없다거나 색깔변화를 알 수 없음 • 산소포화도가 〈90% • 느린맥 • 환기 시 가슴 상승 결여 • 청진 시 공기의 흐름이 약하거나 없음	• 백–밸브 마스크 환기 • 재삽관
폐쇄 Obstruction	혈액, 분비물에 의해 막히거나 꼬여서 폐쇄	• 가슴상승 감소 • 양쪽 호흡음 감소 • 산소포화도가 〈90% • 호기말이산화탄소 감시 비정상 형태 • 환기 시 저항력 증가	• 흡인해주고, 좋아지지 않으면 발관 • 백–밸브 마스크 환기 • 재삽관
기흉 Pneumothorax	긴장성 기흉, 자발적 또는 우발 적으로 공기교환이 불충 분하고 심박출량의 감소	• 비대칭 가슴 상승 • 비대칭 폐음 • 쇼크 • 산소포화도 〈90% • 목정맥 팽대* • 기관 편위*	바늘 흉강천자술
장비 Equipment	• 튜브주위의 큰 공기누출 • 소생기의 팝업밸브의 활성화 • 산소튜브 연결 끊김 • 산소탱크비어있음	• 산소포화도 〈90%	'환자에서부터 탱크까지의 연결 상태' 및 장비 확인

* 어린 소아에 있어서 평가하기가 쉽지 않다.

기관내삽관

성공적인 기관내삽관은 최적의 산소공급과 환기를 제공해주며, 튜브를 통한 약물투여를 할 수 있고, 그리고 흡인의 위험과 기도 통제의 소실을 줄일 수 있다. 적절한 위치로 기관 내 튜브가 잘 유지되고 있다면, 위험하고 위급한 환자의 관리를 잘 할 수 있지만, 기관내삽관술 절차를 하기 위해서 시간이 길어질 수 있어서 종종 심각한 합병증을 초래할 수 있다. 전문기도관리 시에는 지속적으로 기관내삽관 위치가 정확한지 확인하고 점검을 해야 한다. 이는 호기 시 이산화탄소에 의한 색상변화 또는 전자식 수치에 의한 변화로 확인 및 점검하고 있다. 이러한 절차의 단계적 설명은 기관내삽관 절차 11을 참조한다.

대체 기도기 술기 및 기관내삽관 기술

드물지만 표준 백-밸브 마스크 환기가 실패할 수도 있고, 또한 기관내삽관도 어렵거나 불가능 할 수도 있다. 예를 들면 심한 머리손상, 기도부종, 또는 입안 또는 상부기도의 혈종, 환기가 불가능한 심각한 선천성 혹은 출생 후 생긴 기도 기형이 있는 영아 등이다. 이러한 긴박한 상황에서 응급구조사는 전문기도술기를 적용해야 한다. 이러한 전문술기에는 성문위기도기, 후두튜브 삽입 또는 이중 기도 유지가 있다. 기관내삽관의 추가적 보조기기로는 탄력부지, 약물 보조 삽관이 있다. 필요에 따라 바늘 반지방패막 절개술(needle cricothyrotomy)도 또 다른 방법이 될 수 있다. 소아에 대한 이러한 술기의 가치를 병원 밖 현장에서는 제대로 연구된 부분은 아직 없다.

표 3-8은 이러한 대체기술의 장단점을 요약한 것이다. 후두마스크 기도기(LMA, i-gel), 탄력부지, 후두튜브의 절차에 대한 단계별 설명은 전문기도관리 절차 13, 절차 23을 한다

기관 내 삽관 튜브 위치 확인법

현재 기관내삽관의 위치를 확인하는 유용하고 다양한 제품이 나와 있다. 여기에는 양적 호기말 이산화탄소를 측정기 또는 이산화탄소분압측정기는 혈중에 이산화탄소의 분압을 측정하는 장치와(그림 3-21) 정성 판독이 가능한 비색 이산화탄소분압측정기가 포함된다.

표 3-8 전문기도유지술의 장·단점

기술	장점	단점
성문외 기도기 (LMA, SALT, King LAD, i-gel)	• 간단히 삽입 • 좋은 기도 확보 • 백마스크 장비의 적용 가능	• 흡인 예방할 수 없음
탄력부지	기관내관 삽관의 용이	• 영아나 어린이의 장비는 정보자료가 없음 • 시간을 지체하면 저산소증이 악화될 수 있음
이중 강 기도기 (콤비튜브), 인두기관강 기도기	• 기도기의 효과적 격리 • 흡인 위험성을 줄임 • BVM 보다 효율적인 환기 • 성문의 시각적 요구가 안됨	• 만약에 식도-기관튜브의 위치가 부정확하게 자리 잡으면 치명적 부작용이 있을 수 있음 • 잠재적인 식도손상
후두기도기/상부위 후두 기도기(예, 킹에어)	• 기도기의 효과적 격리 • 흡인 위험성을 줄임 • BVM 보다 효율적인 환기 • 성문의 시각적 요구가 안됨 • 식도-기관튜브보다 삽입 시 부작용 적음	• 어린이에게 후두 튜브의 사용에 대한 공식적 연구가 부족 • 잠재적인 식도손상
약물보조삽관(DAI)	• 환아를 마취 시키고 근육으로 인한 저항을 최소화 • 약간의 과다호흡 가능	• 약물로 자가 호흡이 줄어듦 • 약물로 혈압 혹은 호흡률이 떨어질 수 있음 • 석시닐콜린이 고칼륨의 원인이 됨
반지방패막절개술	• 산소를 공급하고 환기를 위한 작은 구멍을 통해 기도개방 • 폐쇄에 대한 우회적 기도개방	• 기술적으로 어려운 술기임 • 출혈 • 목의 기타 구조를 손상이 있을 수 있음

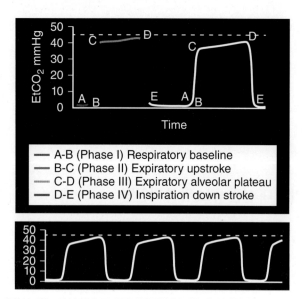

그림 3-21 정상적인 호기말 이산화탄소 파형을 보여주는 호기말이산화탄소측정기

병원 전 상황에서 적절한 삽관 위치 확인 방법은 이산화탄소분압측정기의 파형이다. 소아의 기도는 매우 짧아서 튜브가 조금만 움직여도 기관외로 빠질 수 있거나 주기관지에 삽관될 수 있다. 이산화탄소분압측정기에 혈중 이산화탄소가 나타나지 않고, 색깔로 구분하는 검색장치에 환기에 의한 색깔변화가 없다면, 또는 식도 구형흡인기로도 흡인되는 공기가 없다면, 이것은 기관내삽관 튜브가 기관으로 삽입되지 않은 징후이다. 이러한 경우에는 발관을 하고 백-밸브 마스크 환기를 하는데 1-2분간 산소공급과 환기를 한 후에 재삽관을 한다.

이러한 절차를 수행하지 않는다면, 환자는 완전히 폐순환이 너무 늦어서 이산화탄소를 검측할 수 없는 정도인 즉 심폐정지로 빠질 수가 있다. 이러한 경우에는 호기말이산화탄소 검색장치에도 나타나지 않고, 또는 색깔로 구분하는 검색장치에 노란색으로 나타나면(이산화탄소 없음), 가슴 확장을 관찰하고, 공기의 움직임을 양방향 모두 청진하여 직접 후두경으로 확인한다. 만약 기관 내 튜브

가 적당한 위치에 있다면 튜브를 제 위치에 둔다.

이 과정에 대한 단계별 설명은 기관내삽관 위치 확인 절차 12를 참조한다.

호흡부전의 관리의 요약

호흡부전 또는 호흡정지는 많고 다양한 기도, 호흡기계, 또는 가스교환계의 손상 때문에 발생할 수 있다. 감염, 손상, 그리고 기관지 경련은 소아 질환의 원인이 된다. 1차 평가를 할 때 의미가 있게 호흡 노력이 증가하거나 감소하는 상황이 외관상 변화를 초래하는 징후가 나타나면 호흡부전을 생각한다. 느린맥, 공기 움직임의 결핍, 그리고 낮은 산소포화도는 중요한 판단 징후이다. 호흡부전이나 호흡정지가 있는 소아는 즉시 백 밸브 마스크그고 인공호흡을 연령에 맞는 비율로 해주어야 한다. 위 팽만이 안 되도록 한다. 만약에 필요하다면, 분무용 기관지확장제 같은 기도폐쇄를 위한 특수 처치를 한다. 주의 깊고 조심스럽게 기관내삽관을 하는데, 종종 기관내삽관을 하고나서 갑자기 나빠져서 반응이 없는 "DOPE" 합병증이 있는지 경각심을 가지고 살핀다. 항상 호기말이산화탄소측정기, 색깔로 구별할 수 있는 이산화탄소 검색장치, 또는 식도 구형흡인기와 주사기를 이용하여 기관내 튜브가 정확한 위치에 있는지 확인한다. 그리고 몇몇 응급의료체계내에서는 백-밸브 마스크 인공호흡(환기)이나 기관내삽관으로 인공호흡을 못하는 소아에게 전문적 혹은 대안 기도유지법을 적용하기도 한다.

1차 평가: 이송 결정-지연(stay) 또는 바로 이송(go)

소아가 호흡곤란이 있을 때 일반적인 비침습적 치료(산소공급과 안락한 자세유지)를 하며, 현장에서의 전특수처치에 대해 결정한다. 호흡부전이 있는 소아를 결코 인공호흡(보조적 환기)없이 이송하면 안 된다. 또한 결코 기도폐쇄가 되어있는데 이물질 제거를 위한 응급처치를 수행하지 않고서 이송하면 안 된다. 긴급히 현장에서 호흡을 위한 치료적 절차를 수행하는 것은 많은 소아들의 호흡 응급상황을 개선하고 좋은 결과를 가져올 것이다. 필요할 때 기도개방과 인공호흡을 해주고 간단하게 종합적인 처치를 해주면서 응급구조사는 현장에서 좀 더 응급처치 및 전문적인 치료를 하면서 머물러야하는지(stay), 아니면 바로 응급의료센터로 가야(go)하는지 결정을 해야 한다.

소아평가삼각구도 그리고 ABCDEs 평가로 정상이거나 평상 시 심각한 호흡장애가 없는 소아의 경우는 보통 긴급한

응급처치나 응급이송이 거의 필요하지 않다. 현장에서 집중적인 병력 및 신체검진을 통해서 알아내도록 하고, 할 수만 있다면 외상환자를 포함한 상세한 신체검진을 수행한다.

만약 소아가 호흡 곤란이 있고, 상기도 폐쇄의 증상이 보이면, 진빈직인 비침습적 치료 후 이송이 필요하다. 크룹이 예상되면, 가능하면 응급실로 이송 중에 에피네피린 분무를 시행한다. 만약 소아가 천식이 있고, 쌕쌕거림과 하기도 폐쇄 증상이 보이면, 즉시 가까운 의료 기관으로 이송하며 기도 확장제를 투여하여 전문 치료를 시행한다. 사전에 응급실로 연락해서 소아 상태를 알린다.

극심한 상태의 소아의 경우, 호흡 부전이 악화되고 백-밸브 마스크가 효과가 없고, 기도 유지가 어려울 시, 기관내삽관을 시도하거나, 다른 전문적인 방법을 통해 기도 확보를 시도한다. 그러나 기관내삽관은 현장에서 시간이 오래 걸리고, 응급실에서의 조치가 늦어질 수밖에 없다. 특히 소아의 경우, 병원 전 상황에서의 삽관으로 인한 합병증이 보고된 바가 있다. 또한 삽관 술기도 자주 시행하지 않다보니 감이 떨어질 수밖에 없다. 대부분의 경우, 백-밸브 마스크로 인한 환기가 더 좋은 방법이다.

추가 평가

소아가 경미한 호흡곤란이 있다면, 응급구조사는 즉각적으로 이러한 위험에 관심을 가지기 보다는, 현장에서 문진 즉 과거력과 신체평가 및 자세한 외상환자 신체검진을 수행하여야 한다. SAMPLE 이용한 호흡병력을 평가한다. **표 3-9**는 호흡 문제를 가진 아이의 과거의 건강상태를 평가한 사례이다.

조언

아이의 임상상태와 더불어 환기보조가 실패할 때 산소탱크부터 환자까지 기계적인 적용 장애요인이 있는지 빠르게 평가한다.

호흡곤란이나 호흡부전이 있는 소아의 지속적인 평가를 응급실에 도착하는 동안 지속적으로 실시한다. 소아평가삼각구도를 사용하여 효과적인 가스교환의 명확한 척도를 보고 호흡수, 심박동수와 맥박산소측정기를 관찰한다. 소아가 더욱 악화되거나 호흡부전이 나타나면 호흡보조의 수준을 증가시키거나 처치의 합병증을 교정할 수 있도록 준비한다.

표 3-9 호흡곤란이 있는 소아에서의 SAMPLE 요소

구성요소	설명
S 징후와 증상 (Signs and symptoms)	호흡의 헐떡거림의 발생시간과 특성 쉰 목소리, 그렁거림이나 쌕쌕거림의 유무 기침, 흉통의 유무와 질
A 알레르기 (Allergies)	알려진 알레르기원; 음식, 약물, 환경 흡연 노출
M 약물투여 (Medications)	투약 흡입제를 포함하여 지속적으로 투여되는 정확한 약물의 이름과 양, 흡입제 및 비처방 약제 최근 스테로이드 사용 마지막 용량의 시간과 양 진통제/해열제의 시간과 양
P 과거병력 (Past medical problems)	과거력 천식, 만성 폐질환, 또는 심장 문제나 미숙아 이력 호흡문제로 이전 입원경험 호흡문제로 이전 기관내삽관경험 예방접종
L 마지막 음식물 (Last food or liquid)	마지막으로 먹은 음식물의 시간: 아이의 수유를 포함
E 주요 손상/ 질환의 사건 (Events leading to the injury or illness)	호흡 노력 증가 상황 발열의 과거력

사례연구 답안

사례연구 **1**

소아의 외관이 전반적으로 양호하다. 겁에 질려 보이지만 눈 맞춤이 가능하고, 다가가면 운다. 호흡 노력은 증가했고, 복장뼈와 빗장뼈 위쪽에 퇴축이 보이고 콧구멍이 벌렁거리고 있었다. 피부가 핑크빛이다. 순환에는 문제가 없다.

호흡곤란이 있지만 호흡부전으로 진행되는 것 같지는 않다. 많은 상기도폐쇄의 징후와 증상이 있다. 폐음을 들어보면 거칠고, 흡기시 그렁거림이 지속적으로 들린다. 빗장뼈 상부 및 복장뼈 상부의 퇴축이 있고, 폐음으로는 상부기도 폐쇄가 명확하다. 호흡 노력이 증가했지만 저산소증이나 고이산화탄소혈증은 보이지 않는다. 상기도감염의 수일 후에 소아에게 나타나는 상기도폐쇄와 그렁거림은 바이러스 감염이 원인인 성대이하의 기관에 부종이 있어 발생하는 크룹이 대부분이다. 다른 문제로는 이물이나 세균 감염(예를 들면 후두염이나 후인두 농양)을 포함한 상기도폐쇄의 다른 원인이 있을 수 있고 알레르기의 원인으로 기도부종일 수도 있다.

원인에 관계없이 이러한 증상의 상기도 폐쇄 아이의 관리는 징후의 심각성에 기초하여 응급처치 한다. 편안한 자세를 유지하며, 산소를 공급하고, 산소포화도 검사에서 94%가 넘도록 한다. 전문치료를 위해 응급실로 이송하여야 한다.

분무약(예를 들어 에피네프린이나 라세믹 에피네프린)은 혈관수축제와 기도부종을 줄이는 약이다. 이는 응급실에 갈 때까지 도움이 될 수 있다. 아이가 상기도폐쇄가 진행되거나 호흡부전으로 발전하는지를 세밀하게 진준적으로 감시해야 한다.

사례연구 **2**

이 환자는 우선 먼저 첫째로 기본인명구조술이 필요했던 이물질에 의한 기도폐쇄(질식)인데, 기본소생술에 실패하면, 소아용 마질겸자를 이용하여 이물질을 제거하려는 전문소생술의 절차를 수행하여야 한다. 이 수행 절차는 환자가 의식이 없어질 때까지 하면 안 된다. 응급구조사가 전문소생술을 교육받지 않았다면, 전문소생술 팀의 치료를 위하여 심폐소생술과 환기를 수행하면서 신속하게 응급실로 이송해야 한다.

사례연구 **3**

소아평가삼각구도를 사용하면 이 아이는 호흡 노력 증가와 비정상적인 외관과 부적절한 피부순환을 알 수 있다. 그래서 호흡부전임을 알 수 있다. 쌕쌕거림과 늑골하와 늑간 퇴축 증상은 폐쇄성으로 기도에서 하부기도까지의 지엽적이다. 상부기도 곤란 증상, 발열, 그리고 진행성 하부기도폐쇄는 아이가 기관지염일 가능성이 있다. 아이의 기도개방을 해주며, 코를 흡인하고 고압산소 및 환기를 해준다. 아이가 쉽게 호전되지 않을 것이므로 신속히 이송한다. 이는 이송 전에 현장에서 기관지확장제 투여로 호전될 수도 있는 천식 아동과 다르다.

추천 자료

Textbooks

American Heart Association. *Textbook of Pediatric Advanced Life Support*. Dallas, TX: American Heart Association; 2011.

Gausche M. *Pediatric Airway Management for the Prehospital Professional*. Burlington, MA: Jones and Bartlett Learning; 2004.

Articles

Anders J, Brown K, Simpson J, Gausche-Hill M. Evidence and controversies in pediatric prehospital airway management. *Clin Pediatr Emerg Med*. 2014;15(1):28–37.

Bhende MS, Thompson AE, Orr RA. Evaluation of an end-tidal CO_2 detector during pediatric cardiopulmonary resuscitation. *Pediatrics*. 1995; 96(5 Pt 1):983.

Brownstein D, Shugerman R, Cummings P. Prehospital endotracheal intubation of children by paramedics. *Ann Emerg Med*. 1996;28:34–39.

Gausche M, Lewis R, Stratton S, et al. Effect of out-of-emergency department pediatric tracheal intubation on survival and neurologic outcome: controlled clinical trial. *JAMA.* 2000;283:783–790.

Jat KR, Mathew JL. Continuous positive airway pressure (CPAP) for acute bronchiolitis in children. *Cochrane Database Syst Rev.* 2019;1:CD010473. doi: 10.1002/14651858.CD010473.pub3.

Kellner JD, Ohlsson A, Gadomski AM, et al. Efficacy of bronchodilator therapy in bronchiolitis—a meta-analysis. *Arch Pediatr Adolesc Med.* 1999;153(4):430.

Lerner EB, Dayan PS, Brown K, et al. Characteristics of the pediatric patients treated by the Pediatric Emergency Care Applied Research Network's affiliated EMS agencies. *Prehosp Emerg Care.* 2014; 18(1):52–59. doi: 10.3109/10903127.2013.836262.

Menon K, Sutcliffe T, Klassen T. A randomized trial comparing the efficacy of epinephrine with salbutamol in the treatment of acute bronchiolitis. *J Pediatr.* 1995;126:1004–1007.

Qureshi F, Pestian J, Davis P, et al. Effect of nebulized ipratropium on hospitalization rates of children with asthma. *N Engl J Med.* 1998;339:1030–1035.

Sharieff GQ, Rodarte A, Wilton N, et al. The self-inflating bulb as an airway adjunct: is it reliable in children weighing less than 20 kilograms? *Acad Emerg Med.* 2003;10:303–308.

Vitaliti G, Vitaliti MC, Finocchiaro MC, et al. Randomized comparison of helmet CPAP versus high-flow nasal cannula oxygen in pediatric respiratory distress. *Respir Care.* 2017;62(8):1036–1042. doi: 10.4187/respcare.05384.

Zar HJ, Ferkol TW. The global burden of respiratory disease-impact in children. *Pediatr Pulmonol.* 2014; 49(5):430–434. DOI: 10.1002/ppul.23030.

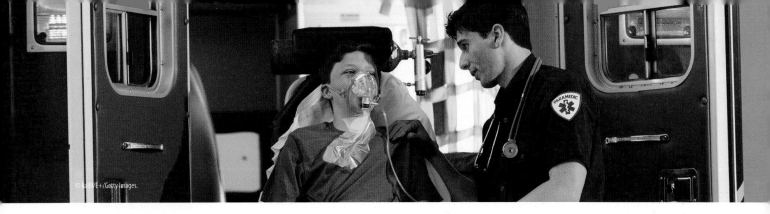
© Kali9/E+/Getty Images.

CHAPTER 4

쇼크

Kathleen M. Brown, MD, FACEP, FAAP

Michael S. Riley, NRP, EMS-I

학습목표

1. 소아평가삼각구도(PAT), ABCDEs, 추가 평가를 이용하여 순환을 평가하는 방법을 설명할 수 있다.
2. 쇼크와 혈압의 관계를 설명할 수 있다.
3. 초기(보상성) 및 후기(비보상성) 저혈량성 쇼크의 차이를 설명하고 적절한 관리방법을 이해할 수 있다.
4. 쇼크 유형(저혈량증, 분포성, 심장성, 폐쇄성)을 구분하고 치료방법을 비교할 수 있다.
5. 패혈성쇼크에 대해 배우고 빠르게 인지하며 처치의 필요성에 대해 이해할 수 있다.

개요

쇼크 또는 불충분한 관류를 수반하는 응급상황은 저혈량증(hypovolemia), 혈관 투과성(vascular permeability) 증가, 심장기능상실(cardiac failure), 출력장애(output obstruction), 또는 이러한 원인 중 일부나 전부의 결합으로 인해 발생할 수 있다. 저혈량증(hypovolemia)은 소아에게서 불충분한 관류가 발생하는 가장 흔한 원인이며, 바이러스성 질병으로 인해 위장을 통한 급성손실이 발생하여 촉발되는 경우가 가장 흔하다. 외상성 출혈이 소아의 심각한 저혈량증을 유발하는 병인(etiology)이 되는 빈도는 적다. 저관류(hypoperfusion)를 수반하는 응급상황이 어떤 종류든, 조기에 인지하고 적절한 시기에 관리하면 심각한 이환율이나 사망률의 가능성을 줄일 수 있다.

사례연구 1

아버지가 119에 전화하여 아들(6개월)이 6시간 동안 열이 있다고 한다. 응급구조사가 도착했을 때 아이는 생기가 없는 상태다. 다른 사람과 상호작용을 하지 않고 안아주면 진정시킬 수 없을 정도로 운다. 기도에서 비정상적인 소리는 나지 않는다. 퇴축(retraction)이나 비익 확장(flaring)은 없지만 호흡이 빠르다. 얼굴, 몸통, 다리에 자줏빛 발진이 있다. 위팔동맥은 희미하고 피부를 만져보니 따뜻하며 모세혈관 재충혈시간(capillary refill time, CRT)은 4초 가량이다. 호흡수는 60회/분이며, 촉진한 혈압이 50 mmHg이다. 심장모니터에서 심박수(HR)는 190회/분이다.

1. 어떤 종류의 쇼크가 나타났는가?
2. 이 사례가 단순한 저혈량성 쇼크라면 심장성 쇼크와 어떤 차이가 있는가?

소아에게서 발생하는 관류문제는 대부분 혈관내액 (intravascular fluid)의 손실로 인해 발생한다. 소아의 어리고 건강한 심혈관계는 심박수를 증가시키고 말초혈관 수축 (peripheral vasoconstriction) 즉 "억제(clamping down)"의 기전을 통해 비핵심적인 해부학적 부위로 가는 순환을 감소시킴으로써 체액 손실을 보충한다. 혈관수축은 피부 등 비핵심적인 말초부위로의 순환을 제한하고 두뇌, 심장, 폐, 콩팥 등 "핵심"기관으로 가는 순환을 보존한다. 피부와 점막 등과 같은 부위로 가는 순환을 제한하는 생리적 과정은 저관류 (hypoperfusion)의 중요한 신체적 징후다. 소아는 이러한 반응 등을 통해 저혈량증에 대처해서 혈압을 유지하는 탁월한 능력을 가졌다. 그러나 빠르게 처치해주지 않으면, 이는 빠르게 비보상될 수 있으며, 저혈량증에 대한 소생술도 효과가 떨어질 것이다. 그러므로 조기 발견해서 치료하는 것이 관건이다.

분포성 쇼크(distributive shock)는 소아에게서 드물게 나타나며 보통 패혈증(sepsis)에 의해 발생한다. 이런 유형의 쇼크는 주로 혈관 긴장도(vascular tone)의 소실을 수반한다. 더불어 분포성 쇼크는 아나필락시스(anaphylaxis), 척수손상 (spinal cord injury), 그리고 독성노출(toxin exposure)에 의해서 발생할 수도 있다.

심인성 쇼크는 소아과 환자에게서는 일반적으로 나타나지 않으나, 선천성 심장질환(congenital heart disease)이나 후천성 바이러스성 심근염(viral myocarditis)이 있는 소아는 예외이다. 심장성 쇼크는 심박수가 너무 빠르거나 느려서 관류를 지탱할 수 없는 경우나 1차 울혈성 심부전이 있는 경우에 발생한다. 기저의 원인과 무관하게, 심박출량(cardiac output)은 관류량을 충족시키기에 불충분하다.

폐쇄성 쇼크(obstructive shock)는 소아에게서 가장 드물게 나타나는 쇼크 유형이다. 이 쇼크는 흉부 손상에 따른 심장 눌림증(pericardial tamponade)이나 긴장성 공기가슴증(tension pneumothorax)으로 인해 발생한다. 세 번째 원인인 폐색전 (pulmonary emboli)은 소아에게서 매우 드물게 나타난다.

쇼크의 유형을 파악하는 것은 어려운 일이며 특히 병태생리적요인(pathophysiology)이 혼합되어 있을 경우는 더욱 그렇다. 예를 들어 세균독소나 섭취한 독소는 혈관 긴장도(vascular tone)와 심근기능(myocardial function)에 해로운 영향을 미칠 수 있다. 패혈증은 제3공간(third spacing)으로의 체액량 소실(혈관의 누출로 인한 혈관공간으로부터의 혈장 손실)과 혈관 긴장도 손실 및 심근억제(myocardial depression)를 수반할 수 있다. 신중한 병력 조사와 신체검사를 통해 보통 쇼크의 원인을 파악할 수 있으며 적절한 관리의 기반이 될 수 있다. 어떤 원인의 쇼크든 인지를 하지 못하거나 처치가 불충분하면 심정지로 진행할 수 있다. 심정지가 발생한 후에는 소생술이 성공할 가능성이 희박하다.

도착 전 준비

구급차 출동 정보를 기반으로, 현장으로 가는 길에 순환문제가 있는 소아에 대한 평가와 관리에 대해 마음속으로 준비한다. 적절한 평가기법, 활력징후의 역할, 소아에게 필요할 수 있는 장비, 약물, 필요한 수액양 등을 생각한다. 현장에서 머물러 처치할 상황과 즉각 이송해야 할 상황 고려한다.

현장 평가

현장 안전을 확보한다. 현장을 평가하고 중요한 특징을 평가하뇌 특히 아동 학대 문제에 신성을 쓴다.

전반적 평가: 소아평가삼각구도

현재 호소에 대한 평가

도착 즉시 소아의 주 호소를 판단한다. 핵심 질문으로는 질병 발생 시기, 열의 유무, 폐혈증 위험 유무, 체액 손실 (구토 및 설사)의 빈도와 양, 소아가 마지막으로 식음료를 섭취한 시기, 선천적 질환이나 심혈관계 질환 등의 이전 병력 여부 등이 있다. 소아가 부상을 당했는지 물어본다. 경증 순환장애가 있으나 쇼크 상태가 아닌 소아의 경우에는 추가 평가 시 좀 더 복잡한 SAMPLE 병력(**표 4-1**)을 확인한다.

순환에 대한 평가

소아평가삼각구도 이용
1장에서 설명한 소아평가삼각구도(Pediatric Assessment Triangle, PAT)는 관류평가의 첫 번째 단계다. PAT는 3가지 특징 즉, (1) 외관, (2) 호흡 노력, (3) 피부순환 등을 평가한다. 이러한 특징을 알면 소아가 아픈지에 대한 여부, 생리적 비정상의 유형, 치료의 긴급성 여부를 판단하는데 도움이 된다. 순환 문제는 파악 가능한 패턴으로 이러한 특징 각각에 영향을 미친다.

외관(appearance)
먼저, 소아의 외관을 평가한다. 쇼크의 유형과 상관없이 중심 순환(core circulation)이 감소한 소아는 뇌 혈류가 불량한 징후를 보일 수 있다. 소아의 외관에서 나타난 비정상적인 특징은 관류 문제의 유형, 순환 불충분의 정도, 열 또는 머리 외상이나 중독 등과 같이 연관된 문제의 존재 여부에 따라 달라진다. 중심 순환이 감소한 소아의 외관에서 나타나는 비정상적인 특징은 다음을 포함한다.

- 기면(lethargy) 또는 무기력(listlessness)
- 운동 활동 감소
- 돌봄제공자 또는 응급구조사와 환경과의 상호작용 감소**(그림 4-1)**
- 진정되지 않음
- 눈 맞춤 빈약
- 약한 울음

때로 쇼크 상태의 소아는 가만히 있지 못하고 진정시킬 수가 없다. 하지만 외관만으로는 관류 불충분의 정확한 징후가 될 수 없다. 비정상적인 외관은 산소공급 및 환기 불량, 머리 외상, 저체온증, 약물 또는 열 등과 같은 다양한 문제로 인해 발생할 수 있다. 외관을 평가하는 것은 소아가 아픈지를 확인할 수 있는 좋은 방법이지만 생리적 원인을 파악하기에 좋은 방법은 아니다. 소아평가삼각구도 외의 다른 평가도구 즉 직접 ABCDEs 평가 등은 생리적 문제의 유형과 비정상 관류의 존재여부를 구분하는데 도움이 된다.

호흡 노력(work of breathing)

다음은 호흡 노력을 평가한다. 중요기관으로의 순환이 감소하면 소아의 호흡속도가 증가한다. "조용한 빠른 호흡(silent tachypnea)"라고도하는 "힘들지 않은 빠른 호흡(effortless tachypnea)"은 호흡 노력의 증가 없이 빠른 호흡속도를 말한다. 힘들지 않은 빠른 호흡은 보편적으로 나타나지만 쇼크의 비특이적 징후는 아니다. 이 호흡은

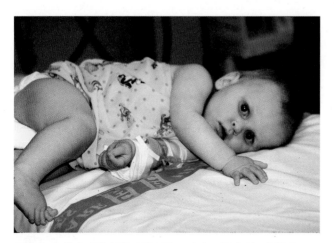

그림 4-1 주요기관 순환이 감소하고 머리로 들어가는 순환과 산소가 지나치게 적은 소아의 외관은 비정상적이다. 탈수상태인 소아는 생기가 없고 운동 활동이 빈약하며 상호작용이 감소하였다.

Courtesy of Ronald A. Dieckmann.

소아가 이산화탄소를 분출하고, 세포로의 관류 감소로 인해 유발되는 대사성 산증(metabolic acidosis)을 감소시키려 하는 시도를 반영한다. 비정상적 자세, 퇴축, 비익 확장 또는 비정상적인 기도음(그렁거림, 천명음 또는 쌕쌕거림) 등은 일반적으로 이에 해당하는 호흡기계 질환이 없는 소아에게서는 일반적으로 나타나지 않는다. 이러한 징후는 주로 일차적 폐질환으로 인한 불량한 가스 교환 및 저산소증(hypoxia)을 반영한다. 호흡량 증가는 주로 호흡기계 질환으로 인한 현상이지만, 울혈성 심부전(congestive heart failure)으로 인해 심장성 쇼크가 발생하여 저산소증과 폐부종(pulmonary edema)이 나타날 경우, 또는 호흡계가 표적장기인 아나필락시스의 경우에도 발생할 수 있다.

피부순환(circulation to skin)

외관과 호흡노력을 평가한 뒤에는 피부색을 관찰하여 순환을 평가한다. 환경온도가 낮으면 열을 보전하려는 반사작용인 혈관수축(vasoconstriction)으로 인해 특히 영아의 경우 피부소견에 잘못된 변화를 가져오기 때문에 피부색 관찰로 인한 순환 평가가 어려워진다. 소아의 옷을 벗기고 중요한 핵심순환을 유지하기 위한 말초혈관수축이나 비핵심적인 피부 관류의 억제를 반영하는 반점, 창백함, 청색증 등이 있는지 살펴본다. 주변 환경이 따뜻한데 소아의 외관에 이상이 있거나 비정상적인 피부 징후가 있다면 소아는 쇼크 상태일 수 있다.

1차 평가: ABCDEs

PAT 후에 직접 ABCDEs 평가를 실시한다. 앞의 장에서 설명한 대로 기도와 호흡을 평가한 후에 순환을 평가한다. 순환 평가는 4가지 부분이 있다. (1) 심박동수 (2) 맥박 질 (3) 피부온도와 모세혈관재충혈시간 (4) 혈압이다.

심장 박동수(Heart rate, HR)

먼저 30초 동안 맥박을 촉진하여 심박수를 측정한 후에 그 수에 2를 곱한다. **표 2-3**에서 보여주는 바와 같이 정상적인 심박수는 아동의 연령에 따라 60-160회/분이다. 요골 또는 위팔 부위는 영아나 소아의 맥박수를 측정할 수 있는 바람직한 부위다. 더 나이가 많은 소아와 청소년의 경우에는 목동맥압도 적절하지만, 영아의 경우에는 그 위치를 찾기가 어렵다. 맥박을 촉지하기 어렵다면 소아의 왼쪽 유두 내측에 청진기를 대고 심음을 직접 들어 심박수를 판단한다. 하지만 청진법을 통해 "정상적인"심박수를 확인했다고 해서 충분한

심박출량과 관류를 반영하는 것은 아니다.

　1장에서 설명한 바와 같이 심박수 해석은 어려울 수 있다. 정상적인 심박수의 범위는 연령 증가와 반비례하여 변화한다. 또한 심각한 생리적 문제부터 치명적인 경우가 드문 독성자극에 이르기까지 여러 조건이 심박수의 변화를 초래한다. 빠른맥(tachycardia)을 초래할 수 있는 자극으로는 통증, 열, 공포, 감기, 분노 등이 있다. 전반적인 관류의 징후, 연령, 독성자극물의 존재 여부, 관찰된 추이 등을 바탕으로 심박수를 해석한다. 생리적 교란의 정도를 판단하는데 있어서 심박수의 단일측정치는 그 가치가 제한적이지만, 맥박의 상승 추이, 정상 하한치 아래로 떨어지는 심박수는 심각한 생리적 문제를 암시한다. 더불어 지속적인 빠른맥은 심각한 징후다. 마지막으로, 소아가 느린맥(bradycardia)일 경우에는 저산소증이나 진행된 관류저하 상태를 의미할 수 있기 때문에 극도로 조심해야 한다.

맥박 질(Pulse quality)

강력한 중심맥박(영아의 경우 목동맥, 넙다리 또는 위팔)과 강력한 말초 맥박(소아의 경우 위팔, 노동맥 또는 발등)이 나타난다면 적정한 혈압을 암시하는 것이다. 강력한 중심맥박과 약한 말초맥박은 보상성 쇼크를 의미한다. 위팔동맥이 촉진되지 않는다면 저혈압이나 비보상성쇼크를 의미한다.

피부 온도와 모세혈관 재충혈시간(CRT)

심혈관계 평가의 다음 단계는 피부 징후를 평가하는 것이다. 손, 발, 넙다리 또는 아래팔의 온기의 정도로 피부체온을 평가한다. 손과 발이 차가운 것은 정상일 수 있지만, 사지 근위부가 차갑다면 불량한 관류와 중심으로의 혈류가 차단된 것을 반영한다. 피부를 세게 눌러서 모세혈관재충혈시간을 판단한다. 정상체온인 소아라면 모세혈관재충혈시간이 2-3초여야 한다(그림 4-2). 여기서도 불충분한 중심관류는 말초혈관수축을 초래하며, 이는 차가운 피부와 지연된 모세혈관재충혈시간이 나타난다. 비록 모세혈관재충혈시간이 소아의 순환을 검사하는 좋은 방법이지만, 전반적인 관류의 징후를 감안하여 해석해야 한다. 응급구조사는 소아를 대상으로 실습을 하면서 이 기법과 중요한 피부소견에 대한 해석에 익숙해질 수 있다.

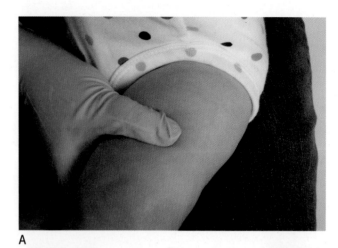

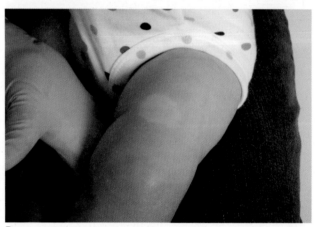

그림 4-2 모세혈관재충혈시간을 판단하기 위해서 먼저 피부를 눌러 보고(**A**). 그런 다음 피부색이 되돌아 올 때까지 몇 초가 걸리는지 세어 본다(**B**). 정상 체온의 소아라면 모세혈관 재충혈시간이 2-3초 내여야 한다.

혈압

마지막으로 혈압 측정을 고려한다. 소아에게 고혈압 병력, 알려진 콩팥질환 또는 급성 머리손상이 있지 않는 한 현장에서 높은 혈압수치는 임상적으로 의미가 없다. 하지만 혈압이 낮아지는 다른 질환이 없으면서 혈압수치가 낮을 경우(low blood pressure value)는 의미가 있으며 후기 또는 비보상성 쇼크를 의미한다. 정상혈압이라 할지라도 쇼크 상태를 배제하지 않는다. 유의미한 쇼크 상태에 있는 소아는 비보상상태(decompensate)가 될 때까지 정상혈압일 수 있다. 병원 전 환경에서 접하게 되는 어려움은 혈압 측정할 시점을 알고, 혈압을 정확하게 측정하고, 측정한 수치를 정확하게 해석하는 것이다.

　수축기혈압은 급성 혈액량 손실이 소아의 정상 순환 혈액량의 25-35%를 초과할 때까지는 혈관내 유효혈액량(intravascular volume)을 정확하게 반영하지 않는다. 그 이유는 혈관수축과 심박수 증가 등 소아 신체 내 보상작용이 효율적이기 때문이다. 따라서 정상혈압은 소아가 정상 혈액량이나 정상 관류라는 것을 의미하지 않는다. 1세가 넘는 소아의 정상적인 최소 수축기혈압은 70+(2×나이)이다. 영아나 유아의 혈압을 정확하게 얻기 위해서는 적절한 장비, 기법, 인내심이 필요하다. 이것은 시간이 많이 소요되는 과정일 수 있으며 특히 어린아이들의 경우 관류 임상 평가에 크게 기여하지 않을 수 있기 때문에 혈압 측정을 시도보다 다른 관류 징후를 평가하는 데 더 많은 시간을 할애해야 한다. 불충분한 관류는 앞서 설명한 관류의 다른 징후(피부색, 심박수, 맥박 질, 모세혈관재충혈(CRT), 피부온도)에서 더 잘 반영된다. 3세가 넘는 소아의 경우에는 매 환자마다 1회 이상 혈압을 측정한다. 너비가 상완 길이의 2/3인 커프(cuff)를 사용한다. 지나치게 넓은 커프를 사용하면 혈압 측정치를 잘못 감소시키게 되며, 지나치게 작은 커프는 측정치를 잘못 증가시킨다.

주의

정상적인 혈압은 쇼크를 배제하지 않는다.

조언

소아의 경우 정상적인 혈압에도 불구하고 맥박 저하, 심박수 저하, CRT 지연, 의식 상태 저하 등을 복합적으로 사용하여 쇼크를 진단할 수 있다.

추가 평가

소아가 일차 평가 후에 안정되고 즉각적인 처치를 필요로 하지 않는다면, 그리고 소아나 응급구조사에 대해 즉각적인 안전 문제가 없다면, 병력검사 및 신체검사와 상세한 신체검사(외상환자)를 현장에서 실시한다. SAMPLE 연상법 **(표 4-1)**을 이용하여 관류가 불충분한 소아의 중요한 병력 특징을 상기한다. 소아 연령에 적절한 방법을 사용하여 소아의 신뢰를 얻고 소아에게 직접적으로 말한다. 돌봄제공자에게 소아의 병력에 대한 추가사항을 요청한다. 소아가 너무 어려 말을 못하거나 협조하기가 힘들다면 돌봄제공자에게 병력을 알아본다.

병력을 알고 난 후에는 심장, 말초순환, 복부를 집중적으로 검사한다. 그런 다음 1장에서 설명한 대로 몸 전체에 대해 해부학적인 검사를 실시한다. 소아에게 외상성 손상이 있으면, 상세한 신체검사를 실시하여 다른 손상이 있는지 확인한다.

표 4-1 저관류 문제가 있는 소아의 SAMPLE 구성요소

구성요소	설명
징후/증상 Signs/ Symptoms	• 구토 또는 설사의 발생 • 구토 또는 설사 횟수 • 혈액 또는 담즙 구토 • 외출혈 • 열의 존재 또는 부재 • 발진 • 호흡장애 또는 호흡곤란(예. 울혈성심부전으로 인한 심인성 쇼크)
알레르기 Allergies	• 알려진 알레르기 • 아나필락시스 병력
약물복용 Medications	• 지속적으로 복용하는 약품의 정확한 명칭과 용량 • 완하제 또는 지사제 사용 • 만성적 이뇨요법 • 다른 약 또는 약물에의 잠재적 노출 • 진통제/해열제 투여시기 및 용량
과거의 질병 Past medical problems	• 심장병력 • 조숙증 병력 • 심혈관계 질환으로 인한 이전 입원 • 암 병력, 장기이식, 아드레날린 문제, 면역억제 치료이력
마지막 섭취한 음식이나 수분 Last food or liquid	• 분유 수유 또는 모유 수유를 포함하여 소아의 마지막 식음료 섭취 시기
부상 또는 질병으로 이어진 사건 Events leading to the injury or illness	• 여행 • 외상 • 열 병력 • 가족구성원의 증상 • 잠재적인 독성 노출

응급의료센터(ED)로 가는 동안 관류 문제가 있는 모든 소아를 대상으로 지속적인 평가를 실시한다. 소아의 상태는 이송 도중에 변할 수 있으므로 모든 생리적 추이를 관찰하고 기록한다. PAT를 사용하여 관류가 효과적인지를 관찰하고 호흡속도, 맥박수, 혈압, 맥박산소포화도측정을 관찰한다. 쇼크 상태인 소아는 심장모니터로 계속 관찰한다. 소아의 상태가 악화되거나 처치에 반응하지 않을 경우를 위해 호흡수준과 심혈관계 기능 촉진을 시행할 수 있도록 준비한다.

심혈관계 평가 요약

소아평가삼각구도(PAT)는 관류에 대한 훌륭한 일차 평가수단이다. 즉 비정상적 외관, 정상적인 호흡 노력, 피부로의 순환 불량은 관류 문제를 암시한다. 창백, 반점, 청색증은 모두 불량한 말초 관류를 나타낸다. 직접 실시하는 ABCDEs의 순환관련 부분은 맥박수, 맥박 질, 피부온도, 모세혈관재충혈 시간, 혈압 등에 대한 평가로 구성된다. 이러한 신체적 특징은 PAT를 보완하고 순환계 문제의 유형과 중증도를 파악하는데 도움이 된다. 활력징후는 때로 오해를 나을 수 있어 연령을 감안하여 정확하게 입수하고 해석해야 한다. 활력징후의 추이나 비정상적인 활력징후(빠른맥 등)는 1차 평가에서 나타난 경미한 활력징후 이상보다 실제 생리적 문제에 대해 더 정확한 지표이다.

평가를 사용하여 쇼크 파악하기

쇼크는 정상적인 세포기능을 유지하기에 불충분한 산소전달과 함께 조직 차원에서 관류가 불충분한 상태다. 산소공급과 환기, 맥박수, 혈관 내 혈액량, 심근 기능, 혈관 안정성은 모두 효과적인 전신 심혈관기능을 결정하는 요소들이다. 이 중 어느 한 요소가 질병이나 부상으로 인해 손상을 입으면, 인체는 다른 생리적 구성요소를 수정하여 관류를 보상하고 정상화하려는 시도를 하게 된다.

소아의 경우에도 성인과 동일한 생리적 구성요소가 작용한다. 하지만 차이점이 있다. 소아의 경우 혈관수축과 빠른맥 등 생리적 보완기전이 매우 효율적이다. 혈관수축이 너무나 효율적이어서 모세혈관망으로의 순환이 정체될 경우 때로는 사지에 경계구분선이 나타날 수 있고 반점이 뚜렷하게 나타날 수가 있다. 보상에 대한 반응으로서의 발한은 성인에게서는 보편적으로 나타나지만 어린 소아에게서 늘 발생하는 것은 아니다. 따라서 쇼크 상태의 소아는 대부분은 어른들처럼 창백하고 차고 땀이 나는 피부 상태와 대조적으로 차갑고 건조한 피부 상태다. 청소년이 되면 쇼크 보상에 대한 반응으로 발한이 일관적으로 나타난다. 마지막 차이는 소아의 에너지 보유와 관련이 있다. 소아는 성인만큼의 에너지를 보유하고 있지 않다. 연령이 어린 소아일수록 에너지 보유 능력이 떨어진다. 특히 영아는 에너지 저장이 적어 포도당 요구량이 많다. 결과적으로 보상기전이 효율적이기는 하지만 성인처럼 지속적일 수가 없다. 쇼크 상태로 의심되는 소아의 혈당수치를 점검하는 것은 매우 중요하다.

이러한 차이 때문에, 관류 감소의 임상적 징후로 의식상태 변화, 보상기전으로 인한 꾸준한 빠른맥, 혈관수축으로 인한 피부색과 체온의 변화 등이 나타난다. 소아의 호흡노력양이 증가하고 체온이 축적될 때까지는 발한을 보이지는 않는다. 혈관수축, 맥박수 증가, 심근수축 증가가 소아의 에너지 보유량에 의해 지탱이 되는 한, 수축기혈압은 유지되며 소아는 보상작용을 한다. 인체의 에너지 보유량이 떨어지거나 고갈되기 시작할 때, 두뇌 등과 같은 중요장기로의 관류가 저해된다. 혈압은 떨어지고 의식상태의 변화가 오며 장기가 제 기능을 하지 못한다.

쇼크에는 크게 4가지 유형(혈량저하, 분포성, 심장성, 폐쇄성)이 있으며**(표 4-2)**, 이는 순환의 3가지 중요 기능적 구성요소를 반영한다. (1) 혈액량(혈량저하), (2) 혈관계(분포성), (3) 심장(심장성 및 폐쇄성). 저혈량증(가장 보편적인 소아 쇼크유형)에 대한 연구를 통해 연구자들은 보상된 상태(충분한 수축기 혈압)에서 보상되지 않는 상태(저혈압)으로의 쇼크 진행의 특징을 나타내는 임상적 징후를 설명할 수 있게 되었다. 하지만 분포성, 심장성, 또는 폐쇄성 쇼크의 진행을 규정하는 임상적 징후는 제대로 규정되지 않았다. 이는 이러한 다른 형태의 쇼크가 복잡한 생리적 요인을 갖고 있음을 반영한다.

사례연구 2

6살 여아가 기면상태라고 119에 전화가 왔다. 당신이 도착하자 아이는 침대에 누워있었고 당신이 들어오는 것을 거의 알아차리지 못했다. 호흡노력양은 증가하지 않았지만 당신은 환아의 호흡이 빠르다는 것을 알아차렸다. 환아의 피부색은 창백했다. 활력징후는 다음과 같다, HR 160회/분, RR 40회/분, BP 70/40 mmHg, 실온의 SpO2 99%, 환아의 모세혈관 재충전시간은 4초다, 환아의 엄마는 아이가 3일 동안 구토 및 설사를 했고 아무것도 먹지 못했다고 말한다.

1. 이 환자는 쇼크 상태인가?
2. 그렇다면 어떤 종류의 쇼크인가?
3. 병원 전에는 어떤 처치를 해야 하는가?

표 4-2 다양한 쇼크 유형 요약

쇼크 유형	생리적 손상	보편적 원인	처치
혈량저하	혈액량	출혈 위장염(구토, 설사) 화상 장기적 수분섭취 부족	신속한 이송 산소 공급 정맥 내 수액 주입
분포성	혈관 긴장도 감소	패혈증 아나팔락시스 약물과량투여 척수손상(신경성 쇼크)	신속한 이송 산소 공급 수액 투여 아나팔락시스를 위한 에피네프린 패혈성 쇼크를 위한 에피네프린 혹은 노르에피네프린
심장성	심장부전	선천성 심장질환 심근증 부정맥 약물과량투여	신속한 이송 산소 공급 신중한 정질액 투여(10 mL/kg) 혈관수축제 고려(도파민, 도부타민, 에피네프린 또는 노르에피네프린) 약물 과다 복용의 경우, 해독제 투여 고려할 것
폐쇄성	혈류폐쇄	심장눌림증 공기가슴증	신속한 이송 산소 공급 흉관 삽관술 수액 투여

저혈량성 쇼크(Hypovolemic shock)

저혈량증(체액 손실)은 병원 전 환경에서 소아에게 발생하는 쇼크의 가장 흔한 원인이다. 위장염(gastroenteritis)으로 인한 구토와 설사는 저혈량성 쇼크의 가장 흔한 원인이다. 길을 걷거나 자전거를 타고 있거나 차량에 탑승한 상태에서 소아가 낙상하거나 차량충돌로 인해 둔상을 입어 출혈이 발생하는 경우가 출혈성 저혈량성 쇼크의 가장 흔한 원인이다.

저혈량성 쇼크의 징후와 증상은 체액손실의 양, 지속기간, 시기에 따라 다르다. 지속적인 체액 손실(과다 설사나 지속적인 출혈)로 인해 혈관내 혈액량이 추가로 감소되면, 소아는 보상성에서 비보상성 쇼크로 진행할 수 있다.

초기(보상성) 저혈량성 쇼크

경미한 혈액 손실이나 위장염으로 인한 경미한 탈수로 인해 체액 손실이 발생한 소아의 경우는 순환에 임상적으로 의미 있는 영향을 입지 않는다. 하지만 체액손실이 체중의 5% 정도가 넘으면, 인체는 심혈관계의 생리적 요소의 예상 가능한 조절을 통해 감소된 순환을 보상하게 된다. 교감신경자극은 혈관수축과 맥박수의 증가 또는 빠른 맥을 초

래하게 된다. 이러한 과정이 중요 기관으로 가는 심장박출량을 유지하는 한 관류는 유지된다. 이것이 보상성 쇼크(compensated shock)다.

혈관수축은 다음과 같은 피부로의 비정상적인 순환 징후를 유발할 수 있다. 지연된 모세혈관재충혈시간, 맥박 강도 감소, 불량한 피부색(창백 또는 반점), 건조하고 서늘하거나 차가운 피부온도 등이다. 추운 환경이나 저체온증 역시 체온을 유지하려는 반사작용으로 혈관수축을 유발할 수 있으며, 이는 불량한 관류처럼 보일 수 있다. 보상성 쇼크의 경우 수축기혈압은 정상이다.

저혈량성 쇼크가 보상성 상태인 경우에는, 외관이 정상이거나 소아가 다소 차분하지 않거나 상호작용을 덜 하는 것으로 보일 수 있다. 위장염이 있는 소아의 경우에는 열 때문에 외관이 비정상적일 수 있는데 열은 순환상태와 무관하게 외관에 변화를 가져올 수 있기 때문이다.

저혈압성(비보상성)/저혈량성 쇼크

저혈압성 쇼크(hypotensive shock)에서 관류는 심각하게 영향을 받는데, 보상 기전(맥박수 증가와 말초 혈관축소)이 중요기관으로 충분한 순환을 유지하지 못했기 때문이다. 임상적 징후는 장기부전(organ failure) 징후다. 저혈압성 쇼크

상태의 소아는 여전히 AVPU 평가에서 의식이 명료한 상태 (alert)로 판정할 수 있지만, 뇌 혈류가 불충분하기 때문에 외관은 비정상으로 평가된다. 소아는 침착하지 못하고 보채거나, 반응이 없을 수 있다. 혈관 내 양(혈액량)이 25% 정도 손실되면 저혈압, 즉 연령에 비해 낮은 혈압이 발생한다. 다른 후기 징후로는 힘들지 않는 또는 조용한 빈호흡, 극단적인 빠른맥, 극단적인 창백이나 반점 출현, 차가운 피부온도 등이 있다. 상태가 역전되지 않으면 비보상성 쇼크는 느린맥과 호흡부전과 함께 심부전으로 이어지고 그 다음에는 심정지가 된다.

비록 그 과정은 예측 가능성이 적지만, 분포성, 심장성, 또는 폐쇄성 쇼크 상태의 소아에게서 관류가 감소하면 외관, 피부 징후, 호흡 노력에서 점진적인 변화를 초래할 수 있다. 예를 들어 심장성 쇼크 상태의 소아는 빠른맥과 발초 관류 감소만 나타났다가 심박출량이 악화되고 울혈성 심부전이 발생하면서 호흡곤란(respiratory distress)과 기면(lethargy)으로 진행할 수 있다. 모든 쇼크유형에서 저혈압은 불길한 징후이다. 앞서 설명한 바와 같이 동일한 환자에게서 두 가지 이상 유형의 쇼크가 동시에 나타날 수 있다.

분포성 쇼크(Distributive shock)

분포성 쇼크 상태의 소아의 경우 혈관근육 긴장도가 감소하거나(말초혈관 확장) 혈관완전성이 손상되거나 또는 순환혈액량이 정상인 상태에서 두 가지 모두 나타날 수 있다. 이로 인해 상대적인 저혈량증이 발생하고, "덜 찬"탱크를 가지고 운영되는 상태로 생각할 수 있다. 혈관계의 능력과 상대적 저혈량증에서 이런 변화는 혈관완전성의 손실로 인해 중요 기관으로의 저관류를 초래하게 된다. 분포성 쇼크 상태인 환자는 또한 저혈량증의 요소를 갖고 있을 수 있다. 혈관긴장도 손실 외에도 박테리아 독소의 영향으로 인한"모세혈관 누출"이 나타난 환자나, 폐 또는 표적 조직에서 모세혈관 누출이 발생할 수 있는 아나필락시스 환자의 경우가 그 예다. 이러한 상황에서 저혈량증은 혈관으로부터 주변 조직으로의 체액의 "제 3의 공간화(third spacing)"로 인한 결과다.

분포성 쇼크의 가장 보편적인 원인은 패혈증이다. 이것을 조기에 발견하는 것은 쉽지 않다. 소아는 특히나 이것이 늦게 나타나기 때문이다. 그래서 응급구조사들은 이를 반드시에 염두에 두고 열, 빈맥, 저관류 증상을 살펴야 한다. 암, 만성적 면역결핍, 겸상(鎌狀) 적혈구 빈혈증 환아에게 이 위험성이 더 높게 나타나지만, 패혈증은 건강한 아이들에게도 종종 나타날 수 있다. 최대한 조기에 발견하는 것이 완치에 도움이 된다.

분포성 쇼크의 다른 원인은 아나필락시스(anaphylaxis)

외에도 혈관 긴장도를 감소시키는 약물(β-차단제, 바르비투르산염 등)로 인한 화학적 중독과 말초동맥의 근육벽으로의 척추 교감신경 차단을 동반한 척수 손상(T6 위)은 분포성 쇼크의 원인이 될 수 있다.

분포성 쇼크 평가의 특별한 특징

분포성 쇼크의 징후는 낮은 말초혈관 저항(따뜻한 피부, 과도한 맥박, 폭넓은 맥압, 맥박수의 변화, 저혈압)과 기관 관류 감소(비정상적 외모와 행동)를 반영한다. 세 가지 주요 유형의 분포성 쇼크를 설명하면서 말한 바와 같이 이러한 징후는 구체적인 원인에 따라 달라진다. 분포성 쇼크에서 신체적 징후의 진행이 저혈량성 쇼크의 경우처럼 예측 가능한 것은 아니지만, 이후 소견은 다른 원인으로 인한 비보상성 쇼크의 소견(뇌혈류 불량으로 인한 비정상적인 외모와 저혈압)과 구분이 불가능하다.

분포성 쇼크의 주요 형태들

패혈증

패혈증은 보통 박테리아 또는 바이러스 감염의 한 형태로 나타나며 신체방어기전을 뛰어넘고 전신염증성반응증후군 (systemic inflammatory response syndrome, SIRS)반응을 일으킨다. 일반적으로 주요 장기 저하 혹은 다수의 장기 부전을 초래하고 이는 사망 혹은 장기적인 장애로 이어질 수 있다.

초기 패혈성 쇼크의 특징적인 증상은 따뜻한 피부, 빈맥, 도약 맥박 등이다. 패혈성 소아의 모습은 비정상적이며 무기력하고, 기면상태이며, 상호작용이 감소하며 불안정하고 달래도 진정이 안 되고, 발진, 발열, 불량한 음식섭취, 저혈량성 쇼크와 유사한 증상이 나타난다.

보통 몸이 아픈 소아는 어른이 안거나 붙잡고 있어야 한다. 만약 열이 있는 환아가 안아주는 것을 원치 않거나 혼자 있는 것을 편안해 할 때 그 아이는 기이한 불안정성 상태라고 할 수 있다. 이는 감염된 수막(척수와 뇌를 덮고 있는 막)이 자극되어 나타나는 움직임으로 수막염의 한 징후이다.

때때로 패혈성 소아도 점상출혈의 반점이나 자색반의 피부발진(창백하지 않은 검붉은 또는 보랏빛 반점이나 얼룩)이 나타난다(**그림 4-3**). 이 피부 병변은 혈관의 염증이나 피부로 누출되는 혈액 손실을 일으키는 독소들 때문에 생긴다. 이때에는 패혈성 열과 발진을 동반한 쇼크로 환아의 상태를 고려해야 한다. 이 환아는 적극적 수액처치가 현장에서 필요하며 특히 응급구조사는 아이들의 감염 위험성을 감소시키기 위해 마스크 착용을 포함한 엄격한 감염 관리 술기를

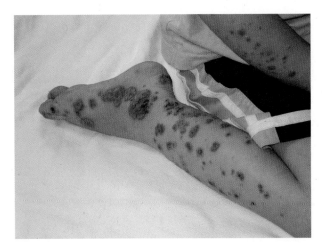

그림 4-3 자반증
© Jonathan ORourke/Alamy Stock Photo.

시행해야 한다.

아나필락시스

아나필락시스 즉 과민반응은 주로 항원에 대하여 전신적이며 신체의 여러 계통이 반응을 나타내는 것을 포함한 알러지 반응이다(이종 단백질). 기도와 심혈관계는 종종 생명을 위협하는 반응의 주요 부위이다. 대개 벌, 말벌이나 불개미와 같은 곤충, 땅콩, 라텍스, 약물 등에서 야기된다. 소아들은 저관류로 아나필락시스에 의한 쇼크가 발생할 수 있으며 호흡 노력의 증가와 함께 그렁거림 또는 쌕쌕거림의 증상이 더해진다. 소아는 또한 흥분하거나 격앙되거나 때때로 죽을 것 같은 절박한 두려움을 나타낸다. 두드러기(심한 가려움이 동반되고 피부발적이 있는) **(그림 4-4)** 와 혈관부종(피부가 붉게 보이고 부풀어 오름)이 흔한 증상이다. 과민성 쇼크의 증상과 징후는 표적 장기에 따라 달라진다. 어떤 환자는 구토, 설사, 두드러기가 나타나기도 하고 다른 사람은 혈관

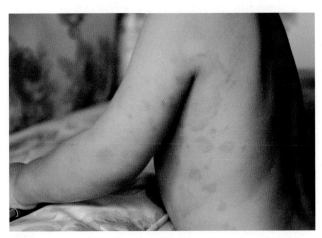

그림 4-4 두드러기는 알러지 반응으로 일반적인 알레르기 반응의 가장 극단적인 형태인 아나필락시스에서 볼 수 있다.
© nidchita/Shutterstock.

표 4-3 쇼크의 원인이 되는 중독약물
항고혈압제
β-차단제
칼슘 길항제
클로니딘
삼환계 또는 사환계 항우울제
철
오피오이드(opioids)
페노티아진(phenothiazines)

부종 및 그렁거림과 쌕쌕거림이 나타나기도 한다.

약물중독으로 인한 쇼크

많은 심혈관계 약물들은 섭취 후 혈관긴장도를 낮추고 저관류를 야기할 수 있다. **표 4-3**은 이러한 약품들을 모두 나열한 것이다. 기전은 주로 심혈관계의 직접적인 억제효과를 포함한다.(심박동수의 둔화, 심근수축력의 감소, 혈관확장)

신경성 쇼크

신경성 쇼크는 소아에게는 드문 경우이다. 이는 등, 목, 또는 둘 모두를 포함한 부상으로부터 발생한 결과로서 신경계 경로를 차단한다. 자율 신경계의 교감신경 순환 조절 능력이 손실된다. T6 또는 그 이상의 부상이 발생하는 경우에 관찰된다. 이로 인한 결과는 혈관 확장과 심장의 교감신경 자극의 손실이다. 소아는 운동 마비가 있고 실질적 또는 상대적인 저혈량증에서 보이는 정상적인 빈맥 반응 등의 손실로 혈압 강하 및 서맥이 나타난다. 체온을 유지하는 정상 혈관의 반사 손실로 몸은 주변 환경으로부터 열을 빼앗긴다.

조언
외상 환자가 정상 또는 느린 심박동 및 저혈압이 있으면 척수 손상 및 신경성 쇼크를 고려한다.

심장성 쇼크

심장성 쇼크는 어린 소아에게는 흔하지 않으며, 병원 전 현장에서 환아의 심장에 대한 과거력을 알고 있지 않는 한 진단하기는 어렵다. 사실적으로 환아의 상태를 패혈

성이나 저혈량성 쇼크, 수액투여의 결과, 그리고 아드레날린성 작용으로 오진하게 된다. 이것은 심근염으로 인한 울혈성 심부전이나 심근병증과 매우 비슷하게 발생한다. 심근염은 심장근육의 병으로 대개 바이러스에 의해 발생한다. 초기 부정맥으로, 심실상성 빈맥(SVT), 또는 서맥(< 60min) 등이 심장성 쇼크를 유발한다. 칼슘통로 차단제 또는 베타 교감신경 차단제 같은 강심제의 과다 복용도 또 다른 발생 가능한 원인이다.

심장성 쇼크 평가 시 특이점

돌봄제공자로부터 얻은 환자의 과거력은 주로 소아의 비특이적인 징후들, 즉 식욕저하, 영양실조, 기면상태, 불안정성, 그리고 수일 동안의 발한 증상 등 이다. 발한은 증가된 노력 부하가 원인이며(호흡 노력 증가 또는 심박수 증가) 몸을 식히려는 시도이다. 이것은 심근염과 선천심장병을 가진 환아들의 증상들이다. 종종 선천심장병의 과거력이나 심장수술로 인해 가슴 중앙선에 흉터가 있다**(그림 4-5)**. **표 4-4**는 심장성 쇼크의 증상과 징후를 요약해 놓은 것이다.

심장성 쇼크는 좌심부전으로부터 악화되어 발생된

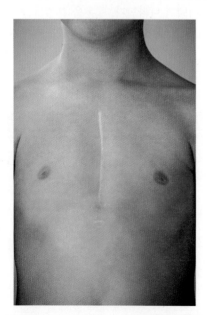

그림 4-5 복장뼈 중간선의 흉터는 심장 병력을 표시한다.
© Perboge/iStock/Getty Images.

표 4-4 심장성 쇼크의 증상들과 징후들
심장성 쇼크 시 가능한 과거병력 소견들
1.   흉통의 직전 병력
2.   허약과 피로가 발생하는 유행성 감기와 같은 증후군의 예전 병력
3.   모유수유나 우유병 수유하는 영아가 수유동안 피로와 발한으로 인한 섭취장애
4.   발열의 병력은 없음
5.   체액손실(설사, 구토, 혈액손실)의 병력은 없음
6.   선천성 심장질환의 명확한 병력
7.   평가 시 천명음이 있음에도 불구하고 천식병력은 없음
8.   베타 작용제(알부테롤: salbutamol)의 투여에도 불구하고 계속되는 천명음
9.   청색증 병력
10. 운동불내성의 최근병력
가능한 신체적 소견들
1.   평가 시 깨끗한 폐의 상태인데 빈 호흡과 그렁거리는 숨소리
2.   유행성 감기 같은 질병 중에 보이는 설명되지 않는 부정맥
3.   발열의 정도와 맞지 않은 빈맥
4.   수액투여에도 불구하고 계속되거나 악화되는 빈맥
5.   운동하는 동안 심잡음, 마찰음, 빠른음(gallop)
6.   산소투여로도 호전되지 않는 지속적 청색증
7.   폐음 평가시 거품소리
8.   말초부종/ 함요부종
9.   간비대

조언

심장성 쇼크는 너무 빠른 혹은 너무 느린 심박동수로부터 발생한다.

다. 좌측 심장기능의 부전은 주요장기의 관류 감소를 야기한다. 신체 검진 시에 환아의 비정상적 상태: 느리고, 불안정하고, 또는 격앙되고, 피부에 반점이 나타나거나 청색증이 보일 수 있다. 심장박동은 빨라진다. 혈압이 높아지거나(초기), 정상이거나, 또는 낮아진다(후기). 피부는 차갑고 발한 상태가 된다(저혈량성 쇼크가 동반된 것처럼 건조하지 않음). 폐부종은 호흡활동의 증가와 들숨 시에 거품소리 또는 쌕쌕거림을 일으킨다. 증가된 노력 부하는 저장 에너지를 고갈시켜 저혈당이 나타날 수 있으므로 혈당검사를 권장한다.

오른쪽 심장 압력의 증가는 또한 심장성 쇼크와 간비대증의 결과로도 나타난다. 간비대증은 특이하게 영아나 유아에서 유용한 소견이다. 말초성 부종과 목정맥 팽만은 드물게 나타난다. 심장성 쇼크는 너무 빠르거나 너무 느린 심박동수가 발생할 수 있다. 심박동 속도 관련 문제의 근원은 흔히 선천성으로 평가하고 있기 때문에 치료는 선천적인 심장 문제에서 논의된다.

폐쇄성 쇼크

심각한 병리학적 상황에서는 심장으로부터의 혈류 폐쇄나 쇼크가 유발된다. 심장눌림증과 긴장성 공기가슴증은 흉부의 관통상 이후, 쇼크 상태로 악화될 수 있는 급성상태의 두 가지 원인이다. 혈액심장막(hemopericardium)은 주로 우심실에 혈액이 차 있는 상태에서 총상이나 날카로운 물체에 의해 관통이 되었을 때 심낭에 빠르게 혈액이 차기 시작하는 상태이다. 심장 벽에 생긴 구멍으로 두 심낭막 사이의 공간으로 혈액이 우회한다. 왜냐하면 막은 쉽게 늘어나지 않으며 혈액 정체와 우심실의 허탈이 일어나기 때문이다(눌림증). 이것은 우심장 정맥환류의 차단과 심박출량의 심한 저하를 일으킨다.

드물게도 심장눌림증은 흉부 감염 혹은 오염과정 이후에 악화되어 발생된다. 심낭의 수액축적은 종양 또는 급성 신부전증을 일으킨다. 암, 만성 신부전, 류마티스 질병은 심장막액 축적을 야기한다. 이러한 수액축적의 형태는 느리고 심장의 막이 늘어난다. 그렇지만 폐쇄성 쇼크는 드물게 발생한다.

긴장성 공기가슴증은 가슴막강의 관통상 이후에 발생한다. 때로는 가슴 벽에 무딘 부상으로 폐포 파열이 발생하여 공기가슴증의 원인이 되며 이때 백 마스크를 이용한 활발한 환기가 발생되었을 때 신속하게 긴장성 공기가슴증으로 진행할 수 있다. 공기와 때로는 피(혈액가슴증)가 늑

막의 두 막 사이에 모인다. 종격동의 변화를 일으킬 정도의 압력 증가는, 오른쪽 심장으로의 정맥 환류를 손상시켜 이로 인해 심박출량 저하와 혈류 감소가 발생한다.

낭포성 섬유증을 가진 소아 또는 청년에게서, 자발적으로 수포 파열이 있을 수 있는데 이 결과로 공기가슴증이 발생되며 이는 긴장성 공기가슴증으로 진행 할 수 있다.

폐쇄성 쇼크의 평가에서 특이한 특성

가슴의 관통성 손상은 종종 확실히 알 수가 없다. 상처의 모습이 양성이고, 표재적으로 보인다. 모든 가슴의 총상과 자상에서는 심각한 심장 또는 가슴막의 관통상을 고려해야 한다. 관통상의 다른 형태로는 작거나 날카로운 물체에 의해 심각한 내부손상을 야기할 수 있다. 특히 주의할 것은 두 유두 사이의 부분과 빗장뼈사이가 심장손상의 고 위험부위이므로 관통상의 주위험 부위가 된다는 것이다. 가슴의 둔상은 긴장성 공기가슴증으로 진행할 수 있는 공기가슴증의 원인이 된다. 환아가 둔상의 손상기전이 있고 폐쇄성 쇼크증상을 보인다면 이 상황을 의심해야 한다.

폐쇄성 쇼크 시 심장의 특징은, 손상 시 순환의 감소와 목정맥 팽만 증가의 증상들이다. 목정맥 팽만의 증가는 오른 심장에서 정맥환류의 폐쇄를 반영한다. 그러나 때로 가슴의 혈액 손실이나(혈흉) 다른 손상, 손상에 의한 출혈 시 목정맥 팽만은 나타나지 않기도 한다. 긴장성 공기가슴증의 경우 폐음이 양쪽이 같지 않거나, 영향 받는 쪽의 폐음이 들리지 않게 되며 환기는 점점 더 어렵게 된다.

의심되는 모든 유형의 쇼크에서 일반적인 비침습적 치료

소아평가삼각구도와 초기 ABCDEs(기도, 호흡, 순환, 신경학적 상태, 노출 상태)를 평가한 후 모든 환아에게 일반적인 비침습적 치료를 시작하며 저관류를 의심해 보아야 한다. 일반적인 처치는 언제나 같다: 만약 내과적인 원인이라면 먼저 환아를 편안한 자세를 취하게 하고(둔상의 경우, 척추 고정을 한다. 절차 7 참고) 가능한 산소를 공급한다.

체위

영아와 소아는 아마도 거의 모두 돌봄제공자의 팔에서 안정감을 찾으며 그렇게 평가가 이루어져야 한다. 만일 초기 평가에서 환아가 생리학적으로 불안정하다면 활동성과 불안

을 감소시킬 수 있는 편안한 체위를 취해 주어야 한다. 이러한 체위가 보통 바로누운자세이다(**그림 4-6**). 소아가 누운 위치에 있을 때, 다리를 높이는 것은 효과적이지 않다. 머리를 아래로 하는 자세가 예후를 호전시킨다고 알려진 바는 없다. 머리를 아래로 하는 자세는 복부 내의 장기가 가로막을 압박하여 호흡을 방해한다. 소아가 불안정하면 산소요구량이 증가하고 치료가 복잡해진다. 바로누운자세에서, 기도의 정렬은 어깨와 몸통 아래에 수건을 배치하여 도움을 받는다. 이것은 호흡을 쉽게 하는데 도움이 된다. 아이들은 높은 체표면적으로 빠르게 체온을 잃을 수 있기 때문에 아이를 따뜻하게 유지한다.

산소

모든 쇼크 상태의 환아 치료에서는 고유량의 산소를 투여한다. 응급구조사는 산소투여가 환아를 흥분 시킬 수 있는 위험이 있다는 점에 어떻게 하는 것이 이득인지 계산해야한다. 분무하는 방식의 산소투여법은 환아를 당황하게 하지 않고 보충산소를 투여할 수 있으며 아마도 환아의 산소를 증가시킬 수 있는 유일한 방법일 것이다.

> **조언**
>
> 쇼크 상태의 모든 환아 에게는 고유량의 산소를 공급한다.

저혈량성 쇼크에 대한 전문적 처치

환아에게 1차 평가와 일반적 지지요법을 시작한 이후 쇼크에 대한 전문적 처치를 추가적으로 제공한다. 만약 환아가 저혈량성 쇼크일 때 어떻게 체액의 손실을 멈추고 그것을 대체할 지 고려해야 한다. 외상환자는 출혈의 부위들을 주의 깊게 살펴야 하며 나아가 내출혈이 있는지 꼼꼼하게 관찰해야 한다. 외출혈시 혈액을 멈추게 하기 위해서는 직접 압박법을 적용한다. 손상된 사지에는 고정과 부목사용을 7장에서와 같이 고려한다.

폐혈성 쇼크의 처치

처치의 주요점은 정맥수액과 항생제의 신속한 투여이다. 성인환자에서 항생제와 수액소생술은 소생시간을 향상시켰으며, 패혈증이 있는 소아에서 ED로 빠른 이송과 ED에 알리는 것은 결과를 개선할 수 있다.

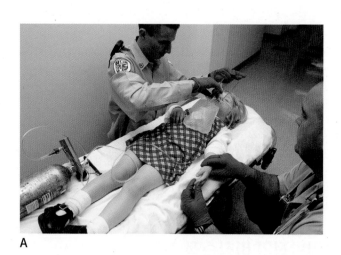

A

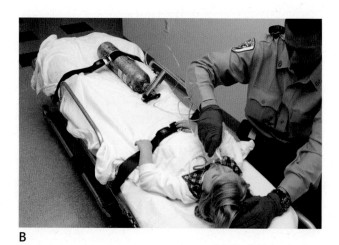

B

그림 4-6 A. 저혈량증 쇼크가 의심되는 환아는 고유량 산소를 공급하고 바로누운 자세를 취한다. **B.** 환아 보온을 유지한다.

> **전문소생술(Advanced Life Support)**
>
> 만약 환아에게 구토나 설사로 심한 체액손실이 있다면 수액투여를 위하여 혈관확보를 고려한다. 만약 환아가 질병으로 저혈압성 쇼크 상태라면 병원 전 현장에서 우선 정맥로 확보를 한번정도 시도한다. 더 이상의 시도는 현장에서 너무 시간을 지연시키지 않기 위해서 이송하면서 실시해야 한다. 만약 환아가 매우 위중한 상태이거나 의식이 없다면 골내 주사 삽입을 고려한다.

정맥로 확보

정맥로 확보는 투약을 확실하고 쉽게 할 수 있게 하고 심한 출혈이나 체액 손실 시에 수액처치를 제공할 수 있는 방법이다. 약물투여에 있어 정맥투여는 반드시 해야 하는 중요한 처치방법이다. 왜냐하면 중요한 약물의 적정량을 투여할 수 있으며 수액치료와 더불어 약물을 급속하게 투여할 수 있기 때문이다. 이 과정에 대한 단계별 설명은 절차 16를 참조한다.

보상성 저혈량성 쇼크의 정맥수액처치

만약 환아가 혈압은 정상이고 심박동수, 맥박의 질적 상태, 모세혈관 재충혈 시간, 피부체온으로 평가하여 경미한 정도에서부터 중간정도 중증의 체액손실 상태일 때 그 소아는 보상성 쇼크 상태이다. 이때는 현장에서 정맥로 확보와 수액투여를 딱 한번 시도해보고 안되면 바로 지체하지 말고 이송해야 한다. 만약 성공하지 못한 경우, 병원으로 가는 도중에 혈관에 접근하여 환자를 안정시키기 위해 20 mL/kg 정질액을 일시 주입한다. 각 일시 주입 후 재평가를 완료해야 하며, 환자는 관류 이상을 교정하기 위해 추가적인 일시 주입이 필요할 수 있다.

저혈압성(비보상성) 쇼크의 정맥수액처치

만약 질병으로 인해 비보상 쇼크라면 정맥로 확보를 현장에서 한번 정도 시도한다. 그러나 만약 환아가 외상을 입었다면 모든 혈관확보는 현장에서 시도하지 말고 응급실로 이송 중에 하도록 한다. 반대로 이송 중 환아의 출혈이 있을 경우 현장에서의 정맥로 확보와 수액처치 시도는 계속되는 혈액손실보다 신중하게 고려될 수 있다. 이송 중에 환자 평가를 실시하고 정맥내 투여용량은 정질액 20 mL/kg이며 일시 주입 방법으로 실시한다. 만약 정맥로 확보가 빠른 시간 내 시행 될 수 없고 환아가 의식을 잃은 상태라면 골내 주사 삽입을 고려한다. 이송 중 환자 활력징후와 소아 평가삼각구도 재평가를 근거로 하여 관류상태를 안정화시키기 위해서 정맥 내 일시주입을 반복하며 이 때 용량은 20 mL/kg에서부터 60 mL/kg까지이다.

골내주사 삽입(IO)

약물이나 수액을 투여하기 위하여 골내주사법을 사용하는 것은 말초정맥을 관통하는 우수한 대체주사 방법이다. 골내 공간은 비허탈성 혈관으로서 그 기능을 확보하고 있는 혈관들이 잘 발달되어 있다. 골내주사 삽입은 빠르고, 단순하며, 효율적이고, 일반적으로 안전하다. 합병증은 드물게 발생하고 혹 발생한다 해도 경미한 정도이다. 이 과정에 대한 단계별 설명은 절차 17을 참조한다.

주의

저혈량성 쇼크의 소아에서는 정질액을 가능한 빨리 일시적으로 주입한다. 수액이 천천히 떨어지도록 내버려두지 않는다.

사례연구 3

유치원에서 6살 소년이 호흡 곤란이 있다고 교사가 119를 호출했다. 현장에 도착해보니 소년은 눈이 부은 상태 이었고 자신의 이름과 나이에 대한 질문에는 응답을 했다. 그는 점점 숨쉬기가 어려워보였으며 쌕쌕거림이 심해졌다. 그의 얼굴과 팔에 두드러기가 있었다. 교사는 그가 땅콩 알레르기가 있는 것 같다며, 견과류가 들어있는 생일 케이크를 먹었다고 진술했다. 활력 징후는 다음과 같았다: HR, 150회/분, RR, 50회/분, BP 90/50 mmHg, 실내 공기에서 SpO2 90%,

1. 이 아이는 쇼크인가?
2. 적절한 병원 전 치료는 무엇인가?

저혈압성(비보상성) 분포성 쇼크의 특수 처치

분포성 쇼크와 저혈량성 쇼크 처치의 일차적 차이점은 환아가 분포성 쇼크상태일 때 심근기능과 혈관의 긴장도를 증진시키는 혈관수축제가 잠재적으로 필요한 것이다. 모든 쇼크 증상에는 첫 번째로 비침습적인 방법으로 처치한다. 쇼크 환아에게 100% 고유량 산소를 투여하고 바로누운자세를 취하게 한다.

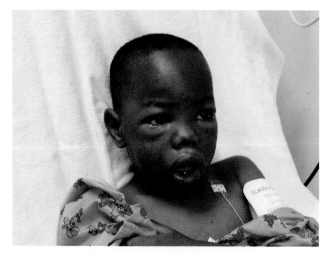

그림 4-7 알레르기 반응으로 얼굴, 입술, 혀의 부종을 나타낸다.
Courtesy of Susan Fuclis, MD, FAAP.

전문소생술(Advanced Life Support)

비보상성 분포성 쇼크 처치

현장에서 혈관확보는 최소한 한번 정도 시도한다. 응급실로 이송하는 중에 정질액을 일시주입(볼루스, bolus)으로 20 mL/kg 투여하는데 60 mL/kg까지 투여한다. 만약 환아가 호흡이 좋지 않고 무반응성 쇼크상태가 보이면 백-밸브마스크로 환기시키고 기관내 삽관을 한다.

만약 60 mL/kg의 정질액 투여 후에도 심혈관계 불안정성(저혈압, 뚜렷한 심박동수 증가, 의식상태 불량)상태가 계속된다면 혈관수축제(에피네프린 또는 노르에피네프린)를 사용한다. 만약 환아 상태가 치료되지 않는 저혈량증 상태라고 의심된다면 혈관수축제로 투여하지 말아야 한다.

아나필락시스(과민반응) 처치

과민반응을 보이는 환아에게는 수액을 투여하고 에피네프린으로 치료하며, 기관지 경련이 있으면 베타교감신경 작용제(beta agonist)로 처치하고 메틸프레드니솔론을 투여한다. 두드러기와 혈관부종이 있다면 디펜하이드라민이 또한 필요하다. 단순한 알레르기 반응과는 다르게 과민반응은 심혈관계에 위험한 영향을 미친다(**그림 4-7**).

에피네프린은 과민반응을 치료하는 우수한 약물이다. 그것은 교감신경 알파-베타 수용체 모두를 자극하여 두 가지 효과를 나타낸다: (1) 과민반응으로 확장된 혈관을 수축시키고(알파효과) (2) 과민반응으로 기관지경련 상태를 제거하여 기도를 열어준다(베타효과). 천명음을 나타내는 모든 알레르기 반응의 환아들에게 에피네프린 1mg/mL 농도를 0.01 mg/kg(0.01 mL/kg)(최대 0.3 mg 또는 0.3 mL)을 근육으로 투여한다. 기본소생술을 하는 경우, 환아나 부모가 에피네프린 자동주사기를 가지고 있는 경우 근육에 주사한다.

에피네프린은 단기 작용 약물이다. 따라서, 메틸프레드니솔론과 같은 지속형 스테로이드로 후속 조치할 필요가 있다. 메틸프레드니솔론(1-2 mg/kg IV/IO, 최대, 60 mg)은 알레르기 반응 물질의 반응을 방지하기 위해 영속 비만 세포의 세포막을 안정화시키는 역할을 한다. 연구에서는 더 나은 예후를 위해 급성기 치료 후에 조기 메틸프레드니솔론의 투약을 제안하기도 한다.

두드러기 또는 혈관 부종이 존재하는 경우에, 디펜하이드라민(1 mg/kg 경구, IV 또는 IO, 최대 50 mg) 투여가 필요하기도 하다. 디펜하이드라민은 혈관벽과 피부에 상주하는 히스타민 수용체에, 특이 히스타민 차단제로서 작용한다. 이 약물의 투여는 가려움증을 완화한다.

심장성 쇼크 처치

만약 병력조사나 환자 평가에서 심장성 쇼크가 의심된다면 현장에서는 일반적인 비침습적 처치정도만 시행하고 이송한다. 이송 중에 정맥로 확보를 고려한다. 만약 심장성 쇼크의 진단이 불확실하다면 단지 정질액 10 mL/kg 정도만 조심스럽게 투여하고 환아의 외관, 호흡 노력, 모세혈관 재충혈시간, 심박동수, 혈압을 재평가한다. 만약 심전도 감시 상 심박동수에 문제가 없고(심박동수와 연관된 문제는 5장에서 논의), 처음의 수액 일시주입(볼루스, bolus) 후에도 관류상태가 계속 좋지 않거나 이송시간이 길다면, 혈관수축제(도부타민, 도파민, 에피네프린 또는 노르에피네프린)투여를 고려한다. 그리고 수용할 만한 관류상태(환아의 모습과 혈색이 호전되고 심박률과 호흡률이 감소하는 상태)를 유지하기 위하여 용량을 결정하여 환아의 체중 1 kg 당 1마이크로그램으로 계산해서 낮은 용량의 혈관수축제로 시작한다. 만약 심장성 쇼크를 동반한 울혈성 심장기능상실 환아로 이미 진단받았다면 수액의 일시주입은 피하고 만약 관류상태가 심각하게 손상되었다면 전방위 최선의 치료로서 혈관수축제를 고려한다.

저혈량성 쇼크, 분포성 쇼크, 심장성 쇼크에 대한 처치의 주요 차이점은 수액투여의 용량과 혈관수축제 고려여부이다.

주의

심장성 쇼크의 소아에서 수액 제공을 보류해서는 안된다. 일단 10 mL/kg를 일시주입하고 다시 재평가한다.

전문소생술(Advanced Life Support)
폐쇄성 쇼크 처치

공기가슴증(기흉)으로 인한 폐쇄성 쇼크의 추가적인 선택 처치는 절차 23에서 설명한 바와 같이 공기압박을 줄이기 위한 주사 바늘 흉강삽관술이다. 이 술기는 혈액을 제거하지 않고 흉강 내에 있는 공기를 제거하여 공기가 허파(폐)를 누르는 압박상태를 제거하려는 것이다. 흉부손상환자에서의 빠른 이송은 필수적이다.

1차평가 : 이송 결정

일차평가가 수행되고 일반적 처치가 시작된 후에 응급구조사는 현장에서 계속 처치할 것인가 혹은 이송할 것인가를 반드시 결정해야만 한다. 만약 소아평가삼각구도와 ABCDEs(기도, 호흡, 순환, 신경학적 상태, 노출 상태)가 정상이고 환아가 심각한 병력이나 손상기전이 없고, 해부학적으로 비정상 상태도 없고, 통증도 없다면, 그 환아는 긴급한 처치나 즉시 이송을 요구하는 상태는 아니다. 가능한 현장에서 주호소에 따른 병력조사와 신체검진을 하고 외상에 대한 정밀한 신체검진을 수행하기 위하여 좀 더 시간을 가져야 한다.

반면, 만약 환아가 심각한 손상기전이 있고, 해부·생리학적 비정상 상태와 심한 통증이 있거나, 또는 현장이 안전하지 않다면 즉시 이송한다. 이러한 환아에게 이차평가를 실시하고 전문적인 처치를 시도하는 것은 가능한 병원으로 이송하는 중에 실시한다.

정맥로 확보가 필요한 심혈관계 문제가 의심되는 환아에 대한 이송 결정은 가끔 어려울 때가 있다. 만약 환아가 보상성 쇼크상태이고 위팔동맥이 촉지되고 정상혈압이 나타나면, 척추를 고정하고(외상 시), 기도와 호흡을 유지하도록 하고 출혈을 조절하면서 즉시 이송해야 한다. 전문적인 처치를 위한 혈관확보는 응급실로 이송하는 중에 시도한다.

만약 환아가 저혈압성 쇼크상태라면, 응급구조사는 환아의 임상적 상태, 지역 응급의료체계 일반적 지침과 환아의 안위수준, 가장 가까운 응급실로의 이송시간에 근거하여 여러 가지 상황을 고려해야 한다. 만약 그 환아가 외상을 입었다면 언제나 즉시 이송하여야 한다. 만약 그 환아가 비정상적인 모습과 저혈압을 동반하고 있다면 현장에서 혈관확보를 시도한 후 지체하지 말고 이송하는 것을 고려한다.

쇼크상태 요약

성인과 소아 모두에게서 볼 수 있는 쇼크의 형태는 4가지로 분류할 수 있다: (1) 저혈량성, (2) 심장성, (3) 분포성, (4) 폐쇄성 쇼크로 분류된다. 저혈량성 쇼크는 외상으로 인해 그리고 손상 후 출혈로 인해 가장 보편적으로 발생된다. 저혈량증을 발생시키는 가장 보편적, 내과적인 원인은 구토와 탈수를 동반한 설사이다. 분포성 쇼크는 패혈증, 과민반응, 약물중독 또는 척수손상으로 인해 발생될 수 있다. 열이 나며 비정상적 모습을 하고 있는 영아나 유아는 언제나 패혈증을 의심해 보아야 한다. 점상출혈의 반점이나 자색반의 피부발진은 일종의 패혈증의 위험 신호이다. 심장성 쇼크는 소아에게 있어서 이미 선천성 심장문제로 진단받은 경우가 아니라면 현장에서 확인하기는 어렵다. 폐쇄성 쇼크는 때때로 심각한 흉벽손상에 동반되어 발생한다. 대부분 임상적인 소견들은 병태생리학적으로 여러 종류의 쇼크 형태를 반영하기도 한다. 모든 종류의 쇼크형태에 대한 처치는 일반적으로 비침습적 중재를 한 후 임상적인 소견에 근거한 전문적인 처치를 해야 한다. 비정상적인 외관과 저혈압이 동반된 비보상성 쇼크상태인 환아에게 수액을 일시주입(볼루스)으로 빠르게 투여하는 것을 고려한다.

사례연구 답안

사례연구 1

이 소아는 패혈성 쇼크나 분포성 쇼크상태의 환자이다. 그는 저혈압으로 비보상성 쇼크 상태이다. 발진은 불길한 징후이며, 소아환자의 생명을 구하려면 적극적인 처치가 필요할 것이다. 적절한 첫 번째 처치는 산소 투여와 백-밸브 마스크 환기이다.

현장에서 한 차례 정맥주사나 골내주사 방법을 시도하고, 가능한 신속하게 20 mL/kg 정질액을 일시주입(볼루스)한다. 그런 다음 이송하여 응급실로 가는 도중에 20 mL/kg 일시주입에서 최대 60 mL/kg까지 제공한다. 수액을 투여한 후에도 관류가 여전히 불량하고, 이송시간이 길다면 혈관수축제인 에피네프린이나 노르에피네프린 중 하나의 주입을 고려한다. 백-밸브 마스크 사용이나 기관내 삽관이 필요할 수도 있다.

이 경우는 아이가 심각한 감염성 질병을 가지고 있기 때문에 병원전 전문인력을 보호하기 위해 보편적인 예방 조치를 필요로 한다. 감염 관리 담당자에게 노출 및 예방적 치료에 대한 구체적인 질문을 직접 하도록 한다.

사례연구 2

이 아이는 혈압이 낮기 때문에 저혈압성(비보상성) 쇼크에 놓여있다. 구토와 설사의 병력 때문에 저혈량이 원인이 된 것으로 생각된다. 그의 기면상태는 쇼크에 의한 것일 수도 있지만 서혈낭에 의해 발생할 수도 있다. 현장에서 한 차례 정맥주사나 골내주사 방법을 시도하고, 가능한 신속하게 20 mL/kg 정질액을 일시주입(볼루스)한다. 즉시 이송하며 재평가한다. 이송하여 응급실로 가는 도중에 20 mL/kg 일시주입에서 최대 60 mL/kg까지 제공한다. 혈당측정을 해봐서 혈당이 낮다면 수액의 정맥주입과 함께 10% 포도당(덱스트로오스)을 제공한다. 이 경우 혈당이 50 mg/dl이고 체중이 20 kg이면 10% 포도당(덱스트로오스)을 100 mL 주입한다.

사례연구 3

이 사례는 과민반응으로 이번 경우는 아직 소아가 쇼크는 아니지만, 곧 진행되고 있다. 과민반응은 긴급하게 치료를 필요로 하는데 에피네프린 1 mg/ml 농도를 0.01 mg/kg을 근육 주사로 주입한다. 이 아이는 몸무게가 20 kg이므로 용량은 0.2 mg(0.2 mL)이다. 소아가 자동주사기를 가지고 있다면 주사해도 된다. 분무기를 통해 알부테롤의 투여가 천명음에 도움이 될 수 있다. (지금 정맥로 확보가 수행되었다면) 디펜히드라민 및 메틸프레드니솔론을 투여하는 것이 유용할 수 있다. 아이의 혈압이 (과민성 쇼크) 저하되기 시작하면, 20 mL/kg로 정질액을 일시주입(볼루스)한다.

추천 자료

Textbooks

American Academy of Pediatrics and the American College of Emergency Physicians. *APLS: The Pediatric Emergency Medicine Resource*. 5th ed. Burlington, MA: Jones and Bartlett Learning; 2012.

American Heart Association. *2010 Handbook of Emergency Cardiovascular Care for Healthcare Providers*. Hazinski MF, Samson R, Schexnayder S, eds. Dallas, TX: American Heart Association; 2010.

Hazinski MF, Mondozzi MA, Baker RA. Shock, multiple organ dysfunction syndrome, and burns in children. In: McCance KL, Heuther SE, Brashers VL, Rote NS, eds. *Pathophysiology: The Biologic Basis for Disease in Adults and Children*. 6th ed. St. Louis, IL: Mosby Elsevier; 2010:1727–1752.

Articles

Brierly J, Carcillo JA, Choong K, et al. Clinical practice parameters for hemodynamic support of pediatric and neonatal septic shock: 2007 update from the American College of Critical Care Medicine. *Crit Care Med.* 2009;37(2):666–688.

DeCaen AR, Maconochie IK, Aickin R, et al. Part 6: Pediatric Basic Life Support and Pediatric Advanced Life Support. 2015 International Consensus on Cardiopulmonary Resuscitation and Emergency Cardiovascular Care Science with Treatment Recommendations. *Circulation.* 2015;132 [suppl 1]: S177–S203.

Fuchs S, Terry M, Adelgais K, et al. Definitions and assessment approaches for emergency medical services for children. Supplemental information. *Pediatrics.* 2016:138(6);e20161073.

Han Y, Carcillo J, Dragotta, et al. Early reversal of pediatric-neonatal septic shock by community physicians is associated with improved outcome. *Pediatrics.* 2003;112(4):793–799.

Kawasaki T. Update on pediatric sepsis: a review. *J Intens Care.* 2017:5:47. https://doi.org/10.1186/s40560-017-0240-1.

Kleinman, ME, Chameides L, Schexnayder SM, et al. Part 14: Pediatric advanced life support: 2010 American Heart Association Guidelines for Cardiopulmonary Resuscitation and Emergency Cardiovascular Care. *Circulation.* 2010;122(suppl 3):S876–S908.

Morris MC. Pediatric cardiopulmonary-cerebral resuscitation: an overview and future directions. *Crit Care Clin.* 2003;19(3):337–364.

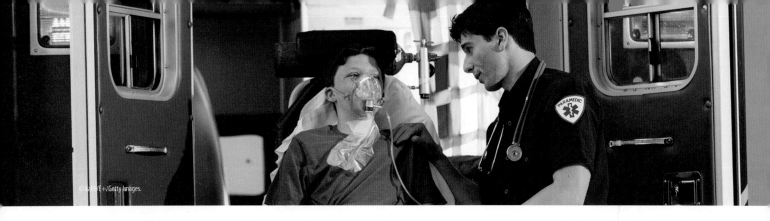
© Caia/E+/Getty Images.

CHAPTER 5
소생술과 부정맥

John A. Erbayri, MS, NRP, CHSE

Michael H. Stroud, MD, FAAP

학습목표

1. 소아평가삼각구도(PAT), ABCDEs, 추가 평가를 통해 순환을 평가하는 방법을 기술할 수 있다.

2. 빈맥과 서맥을 언제 처치해야 하는지 설명하고, 관리 방법을 논의할 수 있다.

3. 소아의 생존사슬을 순서대로 설명할 수 있다.

4. 무맥성 전기활동(PEA), 심실세동(VF), 무맥성 심실빈맥(VT)이 원인인 소아 심정지 시 관리를 각 단계별로 설명할 수 있다.

5. 소아환자의 자동제세동기(AED) 사용의 적응증을 설명할 수 있다.

6. 소아환자의 일차적 심정지의 원인을 설명할 수 있다.

7. 병원 전 응급구조사가 만날 수 있는 선천성 심장질환을 가진 소아의 주요 의료적 문제에 대하여 논의할 수 있다.

사례연구 1

9세 소아가 의식이 없고 호흡이 없다는 신고를 받고 출동하였다. 야구경기장에 도착하니, 아이가 경기장 바닥에 바로 누운 상태로 쓰러져있었다. 팀원들은 그가 야구공에 가슴을 맞았다고 말했다. 아이는 의식이 없었고, 호흡이 없었으며, 청색증을 보였고, 맥박이 만져지지 않았다.

동료와 함께 심폐소생술을 시작하며 자동제세동기를 적용하였다.

1. 무맥성 전기활동 또는 무수축의 처치와 심실세동 또는 심실빈맥 처치의 차이는 무엇인가?

2. 심폐소생술을 가능한 빨리 시작해야 하는 이유는 무엇이며, 왜 중단 없이 계속해야 하는가?

개요

소아의 병원 전 심정지는 현장 상황에서 보기 드문 경우이다. 병원 전 상황에서 발생한 심정지의 경우 생존하여 퇴원하는 사례는 6%에 불과하다(영아는 3%, 소아, 청소년은 9% 정도). 소아의 일차적 심정지의 원인은 보통 심정지로 이어지는 질식성 심정지이다.

소아에게는 저산소증이 주로 무맥성 전기활동 혹은 무수축으로 이어지는 주요 원인이지만, 무맥성 심실빈맥 혹은 심실세동도 낮은 비율이긴 하지만 발생한다. 심혈관 응급상황의 다양한 양상과 관계없이, 조기 인지와 시기적절한 관리는 중증의 이환율이나 사망률을 낮출 수 있다.

현장 도착 전 준비(Prearrival preparation)

응급통신관리자의 출동 정보를 바탕으로 응급구조사는 증상 있는 심장 부정맥, 심장질환 또는 심정지 상태에 있는 소아에 대한 환자평가와 처치, 이송 결정을 내려야 한다. 환자평가를 위한 적절한 술기를 기억하여 활력징후를 측정하고 처치에 필요한 장비, 약물, 수액처치, 자동제세동기와 전기충격 처치가 요구되는지 평가한다. 또한 현장에서 계속 처치할 것인지, 즉시 이송할 것인지 판단해야 한다.

현장평가(Scene Size-Up)

모든 응급구조사들은 현장이 안전한지 확인하고 상황에 영향을 줄 수 있는 중요한 단서를 기록해야 한다. 응급구조사는 적절한 현장조사를 시행하여야 하며, 아동학대 징후가 있는지도 평가해야 한다.

전반적 평가: 소아평가삼각구도(PAT)

현재호소에 대한 평가

현장 도착 즉시 소아의 주호소를 파악한다. 완전한 환자 병력을 수집하는 것은 심장 문제를 파악하는 결정적 요소가 된다. 1차평가를 시행하면서 전반적인 SAMPLE 병력조사 자료를 수집한다.

순환계통 평가

소아평가삼각구도(PAT)의 사용
소아평가삼각구도(PAT)는 1장에서 설명한 바와 같이 순환평가의 첫번째 단계이다. 소아평가삼각구도는 세 가지의 특성을 평가하게 되는데, 첫째는 외관 상태, 둘째는 호흡상태, 셋째는 피부에 나타난 순환상태이다. 이 평가 방법은 아이가 아픈지 아프지 않은지와 생리적인 비정상 유형과 긴급한 치료를 결정할 때 도움을 준다. 또한 이 평가를 통해 순환계통의 문제 유형을 확인할 수 있다.

외관(Appearance)
첫 번째, 아이의 외관을 평가한다. 심기능 장애로 인한 중심순환이 감소된 소아는 불량한 뇌관류의 징후를 보일 수 있다. 관류 문제의 종류와 순환부전의 정도에 따라 소아의 외관상 이상이 발생할 수 있다. 중심순환이 저하된 소아에게서 외견상 다음과 같은 비정상적인 특징이 나타난다.

- 기면 또는 생기가 없음
- 영아의 저하된 움직임, 근육긴장도 감소
- 돌봄제공자, 응급구조사, 환경에 대한 상호교감성 감소
- 진정이 안되고 보챔
- 시선을 마주치지 못함
- 약한 울음소리

때로는 혈역학적으로 불안정한 아이들은 안절부절못하거나 슬픔에 빠져있는 듯이 보인다. 그러나 *외관만이 순환기계 문제의 명확한 징후는 아니다*. 외관을 평가하는 것이 소아가 아픈지 판단하는데 좋은 평가방법 중 하나이지만 생리적 문제를 파악하는 데는 적절하지 않다. 소아평가삼각도구(PAT)를 대체할 다른 평가 도구는 ABCDEs 평가도구로, 생리적 문제 유형을 구분하고 비정상적인 관류상태의 유무를 구별하는데 도움이 된다.

호흡 노력
다음으로 호흡상태를 평가한다. 주요 장기로의 순환이 감소되었다면 아이의 호흡수는 증가하게 된다. 무노력성 빠른 호흡이나 빠른 호흡수는 흔하게 나타나지만 비특이적인 혈역학적 불안정상태의 징후이다. 이것은 소아의 이산화탄소를 내보내려는 시도를 반영하는 것으로 세포의 관류를 감소시키는 대사산증을 완화시킨다. 힘든 호흡상태의 징후 즉 비정상적 자세, 퇴축, 비익확장, 그렁거리는 소리(grunting), 그렁거림(stridor), 쌕쌕거림과 같은 비정상적 호흡음은 순환계 문제를 갖고 있는 소아들에게서 특이적으로 나타난다.

피부순환
외관과 호흡 상태를 평가한 후, 피부색을 통해 혈액순환 상태를 평가한다. 이는 주위 온도가 낮아진다면 열을 보존하기 위한 반사적인 반응으로 혈관의 수축이 특히 영아에게서 피

부색을 변화시킬 것이기 때문에 이를 순환계 문제로 잘못 판단할 수 있으므로 평가가 용이하지 않다. 소아의 의복을 제거하고 얼룩덜룩하거나, 창백하고 청색증이 보이면, 이는 말초혈관 수축이나 필수적인 중심순환을 유지하기 위하여 불필요한 피부 관류가 감소된 것이다. 소아가 따뜻한 주변 환경에도 비정상적 외관 상태와 비정상적인 피부 징후를 보인다면, 혈역학적으로 불안정한 상태일 수 있다.

1차 평가: ABCDEs

소아평가삼각구도 평가 후 ABCDEs 평가를 시행한다. 이전 단원에서 설명한 바와 같이 기도와 호흡을 평가한 후, 순환을 평가한다. 순환평가는 네 부분으로 이루어진다.

1. 심박동수
2. 맥박의 질
3. 피부 온도와 모세혈관 재충혈 시간
4. 혈압

심박동수

첫째, 심박동수를 측정하기 위해, 30초간 맥박을 촉지하고 측정된 수에 두 배를 곱한다. 정상 심박동수는 60-160회/분 사이에 있으며, **표 5-1**에 제시된 것처럼 소아의 연령에 좌우된다. 영아와 소아에 있어서 맥박을 측정할 때 선호하는 부위는 요골동맥과 위팔동맥이다. 목동맥은 나이가 많은 소아나 청소년에게는 측정 가능하지만, 영아에게는 위치상 측정하기 어렵다. 만약 맥박 촉지가 어렵다면, 소아의 왼쪽 유두 안쪽으로 청진기를 대고 직접 심음을 청진하여 심박동수를 측정할 수 있다. 그러나 청진으로 "정상" 심박동수로 확인됐다고 해서 적절한 심박출량과 관류 상태를 명확히 반영하는 것은 아니라는 점을 유의해야 한다.

표 5-1 나이에 따른 정상 심박동수	
나이	심박수(회/분)
영아(생후 12개월)	100 – 160
유아(1-3세)	95 – 150
학령전기 아동(3-5세)	80 – 140
학령기 아동(6-12세)	70 – 120
청소년(13-18세)	60 – 100

심박동수에 대한 해석은 1장에서 설명한 바와 같이 쉽지 않을 수 있다. 정상 심박수의 범위는 나이가 들면서 반비례한다. 또한 대다수의 상태가 심각한 생리적 문제에서부터 드물게는 생명을 위협하는 유해한 자극까지 발생할 수 있어 심박동수의 증가 원인은 다양할 수 있다. 흔히 사용되는 약물이 심박동수를 변화(증가 또는 감소)시킬 수도 있다.

빈맥을 유발할 수 있는 자극 요인으로는 통증, 발열, 두려움(공포), 흥분 등이 있다. 심박동수는 관류 상태, 나이, 유해자극의 유무, 약물 투여 및 관찰된 증상의 변화추이 등 모든 징후를 포함해서 해석한다. 심박동수의 측정 하나로 결정적인 생리적 교란 상태를 판단하기는 어렵지만, 점점 심해지는 빈맥이나 정상치의 하한선 이하로 떨어진 심박동수의 변화추이는 심각한 신체적 문제를 반영한 것이다. 추가적으로, 지속적인 빈맥도 위험스러운 신호이다. 마지막으로, 서맥인 소아는 종종 저산소증이나 심각한 허혈의 징후일 수 있기때문에 매우 주의 깊게 관찰해야 한다.

> **조언**
>
> 서맥은 항상 소아에게 위험한 증상이며 저산소증이나 악화된 쇼크를 반영한다.

맥박의 질

강한 말초 맥박(소아의 위팔동맥, 노동맥 또는 발등 동맥)과 함께 강한 중심 맥박(영아의 목동맥, 넙다리동맥, 위팔동맥)이 만져지는 경우 정상 혈압을 의미한다. 약한 말초 맥박과 강한 중심 맥박을 가진 경우는 보상성 쇼크를 의미한다. 만약 위팔 맥박이 촉지되지 않는다면 아마도 저혈압 상태이고 혈역학적으로 불안정한 상태를 나타내는 것이다.

> **주의**
>
> 목동맥은 큰 소아나 청소년에게 맥박 측정 가능 부위이나 영아에게는 찾기가 어렵다.

피부 온도와 모세혈관 재충혈시간

심혈관계의 다음 부분은 피부 증상의 평가를 포함한다. 손과 발, 무릎 또는 전박의 피부 온도를 측정한다. 찬 손과 발이 정상일 수 있으나 근위부 사지들이 모두 차갑다면, 저관류와 중심부위에 혈액을 공급하기 위해 수축한 것으로 판단할 수 있다.

모세혈관 재충혈시간은 정상 체온인 소아에서 2초 이내

이다. 부적절한 중심관류는 말초혈관수축을 야기하고 이는 차가운 피부와 모세혈관 재충혈시간의 지연으로 나타난다. 모세혈관 재충혈 시간은 소아의 순환을 측정하는 좋은 방법이나, 반드시 관류 전체 징후의 일부분으로 해석해야 한다. 병원 전 응급구조사는 모든 소아에게 수행하는 피부 검진 술기의 시행과 평가결과를 해석하는 데 능숙해야 한다.

> **조언**
>
> 모든 소아에게 모세혈관 재충혈 시간과 맥박의 질을 평가하는 실습을 한다. 이로써 평가 술기에 익숙해질 수 있고 주요 결과를 정확하게 해석하는데 도움이 될 것이다.

> **주의**
>
> 모세혈관 재충혈 시간은 소아 순환 측정을 위한 좋은 검사 방법이나 이 징후만을 너무 강조하면 안 된다.

혈압

마지막으로 혈압을 측정한다. 소아에게 높은 혈압은 고혈압, 콩팥질환, 또는 급성 두부손상의 과거력이 없다면 현장에서의 유의한 임상증상은 아니다. 반면 소아의 저혈압은 혈역학적 불안정성을 반영하기 때문에 의미 있게 여긴다. 병원 전 현장에서 소아 혈압측정 시, 언제 혈압을 측정할지 판단하는 것이 중요하며, 정확한 혈압 측정과 정확한 해석이 중요하다.

1세 이상 소아의 정상 최소 수축기혈압은 70+(2×나이)이다. 영유아의 혈압을 정확하게 측정하기 위해, 적절한 장비와 기술, 인내심이 필요하다. 시간이 많이 소요될 수 있고, 3세 또는 그 이하의 소아에게서 혈압을 한 번만 측정하거나 제외할 수 있는데 이는 임상적으로 혈압이 관류 상태를 중요하게 반영하지 못하기 때문이다.

부적절한 관류상태는 앞에서 기술한 다른 징후(심박동수, 맥박의 질, 모세혈관 재충혈, 피부 온도)가 더 잘 반영하는 이유이기 때문이다.

3세 이상의 모든 환아에게 적어도 한 번의 혈압측정은 시도하여야 한다. 반복 측정한 활력징후는 증상 변화의 추이를 제공하여 심각성 정도를 결정하는 유용한 정보를 제공한다. 혈압계의 커프는 위팔 길이의 2/3 정도 너비를 가진 것으로 사용하여야 한다. 너무 큰 커프를 적용하면 혈압이 실제보다 낮게 나타날 수 있고 작은 커프를 사용하면 혈압이 실제보다 높게 나타날 수 있다.

> **조언**
>
> 1세 이상 소아의 정상 최소 수축기 혈압은 70+(2×나이)이다. 1세 미만 영아의 수축기압은 60 mmHg 이상이어야 한다.

추가 평가

초기평가를 시행하는 동안 소아가 안정적이며 즉각적인 처치가 필요하지 않고, 안전에 특별한 문제가 없다면, 응급구조사는 현장에서 주요 병력 피악과 신체검진, 집중검진을 수행한다. 심혈관계 병력의 중요한 특징을 청취하기 위해서 SAMPLE(표 5-2)과 OPQRST(표 5-3)를 활용한다. 나이에 적절한 접근방식을 사용하여 아이와 신뢰를 형성하고 직접 대화한다. 소아의 병력을 추가적으로 보호자에게 질문한다. 소아가 너무 어려서 의사소통이 어렵고 협조가 곤란하다면 보호자를 통해 병력을 청취한다.

집중 병력을 평가한 후 심장, 말초순환, 복부에 대한 집중 평가를 수행한다. 그 후, 1장에서 언급한 신체 전반의 부위에 대한 해부학적 검사를 시행하면서 다른 손상 여부를 찾아본다. 외상이 있는 경우에도 다른 손상 여부를 상세히 관찰한다.

심혈관계 문제가 있는 소아를 응급센터로 이송하는 동안 심폐기능 모니터를 통해 상태 변화를 지속적으로 관찰하며 평가한다. 소아의 상태는 이송하는 동안 변할 수 있으며, 어떠한 생리학적 변화라도 관찰하고 기록한다. 소아평가삼각구도를 사용하여 효과적인 관류 상태와 호흡수, 심박동수, 혈압, 맥박산소포화도를 주의 깊게 관찰한다. 만약 소아의 상태가 악화되거나 처치에 반응하지 않는다면 호흡계와 심혈관계 처치 수준을 높일 수 있도록 준비한다.

심혈관계 평가에 대한 요약

소아평가삼각구도는 심혈관계 평가의 가장 좋은 첫 번째 방법이다: 비정상적 외관, 정상적인 호흡노력, 피부 순환 부전은 관류 문제를 시사한다. 창백, 얼룩덜룩함, 청색증은 모두 말초관류의 저하를 나타낸다. ABCDEs에서 순환계 부분은 심박동수, 맥박의 질, 피부온도, 모세혈관 재충혈 시간, 혈압 등의 평가로 구성되어 있다. 이러한 생리학적 요소들은 소아평가삼각구도(PAT)를 보완하며 순환상태에 대한 보상능력 정도와 보상유형을 확인하는 데 도움

표 5-2 순환기 문제가 있는 소아의 SAMPLE 구성 요소	
구성요소	설명
징후/증상 **S**igns/ Symptoms	• 구토 유무 • 평상시 보다 더 푸른 피부색 • 낮은 맥박산소포화도 측정치 • 구토 횟수 • 발열 유무 • 발진 • 호흡장애 또는 호흡곤란(예. 울혈성심부전으로 인한 심인성 쇼크)
알레르기 **A**llergies	• 알려진 알러지 반응 • 아나필락시스 병력
약물복용 **M**edications	• 복용중인 약물의 정확한 명칭과 용량 • 만성 이뇨요법 • 다른 약 또는 약물에 대한 잠재적 노출 • 진통제 또는 해열제의 투여 시기 및 용량
과거의 질병 **P**ast medical problems	• 심장병력 • 조숙증 병력 • 심혈관계 질환으로 인한 이전 입원 • 암병력, 장기이식, 아드레날린 문제, 면역억제 치료 이력
마지막 섭취한 음식이나 수분 **L**ast food or liquid	• 분유 또는 모유 수유를 포함하여 • 마지막 음식 또는 음료 섭취 시각
부상 또는 질병으로 이어진 사건 **E**vents leading to the injury or illness	• 여행 • 외상 • 열 병력 • 가족구성원의 증상 • 잠재적 독성 노출

이 될 것이다. 활력징후는 때때로 오류가 있을 수 있으므로 정확하게 측정하고, 연령에 맞는 해석을 해야 한다. 활력징후의 변화나 빈맥과 같이 지속적인 비정상적 활력징후들은 1차 평가에서 나타난 경미한 비정상적인 활력징후보다 실제 생리학적 문제를 더 정확하게 나타내는 지표이다.

표 5-3 통증 평가 - OPQRST
O-Onset 발생상황 **핵심질문**: 통증/불편함이 발생했을 때 무엇을 하고 있었나요?
P-Provocation/Palliation 유발요인/완화요인 **핵심질문**: 무엇을 할 때 통증/불편함이 나아지거나 더 심해지나요? 증상을 경감시키기 위해 무엇을 시도했나요? 그 방법이 효과가 있었나요? **보조질문**: 전에도 이와 같은 증상이 발생한 적이 있는가? 있다면 언제인가?
Q-Quality 통증의 질 **핵심질문**: 통증이 어떻게 느껴지나요?
R-Region/Radiation 부위/ 방사되는 곳 **핵심질문**: 통증/불편감이 있는 주요 부위를 한 손가락으로 가리킬 수 있나요? **보조질문**: 다른 부분에 통증이 퍼지는 곳이 있나요? 만약 있다면 어디가 아픈지 보여주거나 말로 설명해주세요.
S-Severity 심한 정도 **핵심질문**: 통증이 얼마나 심한지 1에서 10점까지 점수로 말해보세요. 1점은 통증이 없는 것이고 10점은 가장 심하게 아픈 것을 뜻합니다. **보조질문**: 경험한 가장 아픈 통증은 무엇인가요? 그것과 비교하면 지금은 어떤가요?
T-Time frames 시간 경과 **핵심질문**: 증상을 처음 알게 된 것은 언제였나요? **보조질문**: 증상이 지속되나요? 만약 그렇지 않다면 증상이 있다가 사라지나요?

부정맥

서맥(느린맥)

소아에게서 발생하는 서맥은 대부분 일차적인 심장의 문제보다는 저산소증에 기인한다. 이것은 가장 먼저 발생하는 심정지 전 리듬이며 치료하지 않는다면 예후는 나쁘다. 즉시 고농도의 산소를 투여하면서 환기 보조를 시행하는 것이 필수적이다. 치료하지 않은 서맥은 즉시 혈역학적 불안정의 원인이 되고 사망에 이르게 된다. 천식이나 호흡성 질식이 있는 소아에게서 서맥이 나타날 경우 저산소증이 더 악화된다. 이때 현장에서의 맥박산소포화도측정기 사용은 저산소증 정도를 파악하는데 도움이 된다.

선천적 심장 전도장애는 극히 드물게 영아나 유아에게 서맥의 원인이 된다. 약물 과다 복용(예, 베타차단제, 칼슘채널차단제, 디곡신, 콜로니딘)은 서맥을 일으킬 수 있는 또 다른 유발 원인이 된다. 의료적 처치나 위장관 튜브 삽입을 하는 동안 미주신경이 자극되어 서맥이 유발될 수 있다. 기관내삽관이나 흡인을 하는 동안 발생하는 서맥은 미주신경자극으로 발생될 수 있지만, 저산소증이 더 근본적인 원인일 수 있다. 만약 이러한 과정에서 서맥이 발생한다면 처치를 중단하고 환아에게 충분한 산소를 제공하고 재평가해야 한다.

서맥은 정상적인 경우에도 나타나는데 특히, 육상선수인 청소년에게서 무증상으로 발견된다. 만약 서맥이 혈역학적 불안정성 없이 혈액관류가 잘되는 학령기 또는 10대 청소년에게서 단지 서맥만 나타난 것이라면 현장에서의 처치는 필요하지 않다.

서맥이 있는 소아 평가

만약 소아의 심박동수가 나이에 맞는 정상범위에 미치지 못할 경우(**표 5-1** 참조) 호흡부전이나 쇼크의 징후를 주의 깊게 살펴야 한다. 또한 이러한 아이에게 소아평가삼각구도와 ABCDEs(기도, 호흡, 순환, 신경학적 상태, 노출상태), 그리고 간단한 병력조사를 통해 원인과 문제의 중증도를 파악할 수 있을 것이며 나아가 긴급한 처치 시행의 필요성 여부를 파악할 수 있다.

서맥 처치

만약 소아가 무증상이고 그 아이가 청소년이라면 처치의 필요성이 없을 수도 있음을 고려한다. 특히 청소년 운동선수들에게 느린 심박동수는 흔하기 때문이다. 서맥이 있는 소아의 1차 평가에서 산소화상태, 환기상태, 관류상태가 비정상적인 소견을 보인다면 100% 산소를 투여하고 백-밸브 마스크로 환기하면서 이송한다. 환기를 제공하는 동안 효율성을 확인하기 위해 흉부의 오르내림이 있는지를 관찰하고 소아평가삼각구도, 심박동수, 관류상태, 혈압이 호전되었는지 관찰

전문소생술(Advanced Life Support)

증상을 동반한 서맥에 대한 약물처치. 서맥 환아에게 산소투여와 환기요법은 우선적 처치이다. 만약 환기 보조를 시행해도 심박동수가 증가하지 않는다면 이러한 모든 환아에게는 1차적 약물로 에피네프린 0.01 mg/mL을 정맥내로 투여하거나, 골내로 0.1 mL/kg 혹은 0.1 mL를 3-5분 간격으로 투여한다. 만약 환아가 방실차단이나 미주신경 흥분상태(혹은 콜린성 약물이나 유기인산제제의 독성작용)시는 아트로핀 0.02 mg/kg를 정맥내, 골내(최소용량 0.1 mg, 최대용량 0.5 mg)에 투여한다. 만약 환아가 콜린

성 약물로 인한 서맥임을 이미 알고 있는 상황일 경우, 예로서 선천성 심장전도로차단의 경우 우선 아트로핀을 투여하고 그 후에 환아의 반응을 계속하여 관찰한다.

혈관수축제를 투여하기 전에 항상 산소투여와 환기 시의 기계적 문제점을 평가한다. 즉, 산소튜브가 빠져있는지, 마스크의 밀착 상태가 불량하지는 않은지, 기도가 폐쇄되었는지, 환자의 흉부상승이 부적절한지, 기관내 튜브가 막혀있거나 잘못 위치했는지를 확인한다. 기타 저산소증이나 허혈증을 동반한 서맥의 원인들은 기흉, 저혈량증, 심근병증, 중독 또는 두개내압 상승이다.

산소투여와 인공환기 그리고 심장에 대한 약물처치가 실패한 경우 경피적 인공심박동조율을 고려해야 한다.

약물의 기관내 투여. 소생술 실시 중 정맥내 또는 골내로 약물을 투여하기가 힘들다면 대안으로써 적어도 다음의 4가지(LEAN); Lidocaine(리도카인), epinephrine(에피네프린), atropine(아트로핀), naloxone(날록손) 약물은 기관내로 투여가 가능하다. 물론 기관내로 약물을 투여하는 것이 정맥내 또는 골내로 투여하는 것만큼 효율적이지 않지만 중증의 환아에게 정맥내 혹은 골내주사 부위가 확보가 될 때까지 기관내 투여는 적절한 방법이다. 이 과정에 대한 단계별 설명은 20번 절차를 참조한다.

정맥로나 골내주사가 확보되지 못한 환아에게 기관내 튜브로 에피네프린을 투여할 때 좀 더 농도를 높여 0.1 mg/kg (0.1 mL/kg)으로 한다. 이것은 정맥내/골내로 투여할 때의 에피네프린 용량과 같지만 농도는 10배 용량이기 때문이다. 아트로핀을 기관내로 투여 시 정량은 정맥내/골내 투여 시 보다 2-3배 더 높다.

주의

> 정맥내/골내/기관내 에피네프린 투여 시 용량과 농도를 반드시 확인한다.

하여 환기 보조에 대한 효과를 확인한다.

드물게는 서맥 시 흉부압박이 필요한 경우도 있다. 만약 심박동수가 60회/분 이하이고 환아가 산소투여와 환기요법을 실시한 이후에도 전신적 관류상태가 나쁜 징후들을 보이면 흉부압박을 시작한다.

빈맥

빈맥은 두려움, 불안, 통증, 발열이 있을 때 발생할 수 징후로 특별히 심각한 손상이나 질병을 의미하는 것은 아니다.

그러나 때로는 빈맥이 생명을 위협하는 문제 즉, 저산소증, 심장기형, 저혈량증의 징후일 수도 있다. 동성빈맥은 소아에게 가장 보편적인 부정맥으로서 처치는 일반적으로 수액투여, 산소 보조, 진통제, 병원으로의 이송으로 제한된다.

빈맥이 있는 소아평가

빈맥은 소아평가삼각구도(PAT) 및 기도, 호흡, 순환, 신경학적 이상, 노출(ABCDEs)과 더불어 평가해야 한다. 선천적 심장질환의 병력을 조사하고 흉부 중앙선에 심장수술의 흉터가 있는지 살펴본다.

처치의 근거와 관류상태에 대한 평가로서 환아의 심전도는 두 가지 특성을 측정해야 하는데 이는 (1) 분당 심박동수 (2) QRS군의 폭이다. 첫째로, 심전도를 보고 심박동수를 계산한 후 서맥 평가의 경우와 같이 연령에 따른 정상 심박동수(표 5-1 참조)에 근거하여 해석한다. 둘째로 심전도 상 QRS군의 폭을 측정하여 QRS군의 폭이 0.09초 이내(심전도 기록지의 작은 칸 2개 및 1/4 칸 정도 이내이다)이면 정상적인 좁은 QRS군 빈맥(narrow complex tachycardia)을 의미하며, QRS군의 폭이 0.09초 이상(심전도상 작은 칸 2개 및 1/4 칸 이상)이면 비정상적인 넓은 QRS군 빈맥(wide complex tachycardia)을 의미한다.

표 5-4는 좁은 QRS군 동빈맥을 좁은 QRS군 심실상성빈맥(supraventricular tachycardia, SVT) 및 넓은 QRS군 심실빈맥(VT)과 구별하여 차이를 나타내고 있다.

빈맥의 전문적 처치

만약 환아가 빈맥을 나타낸다면 그 관류상태를 평가하고, 심전도를 통해 심박동수와 QRS폭을 평가하여 적절한 처치를 결정한다.

좁은 QRS군 빈맥. 만약 환아가 좁은 QRS군 빈맥(≤0.09초)이며, p피가 보이고, 심박동수가 영아의 경우 220회/분 이내 혹은 소아의 경우 180회/분 이내에서 변화가 있다면 그 원인은 통상적으로 비심장성 원인(예를 들어, 저산소증, 저혈량증, 저체온증, 저혈당증, 비정상적 대사, 중독, 고열, 두려움, 통증, 혹은 심각한 흉부손상)으로 발생하는 동성빈맥이다 **(그림 5-1)**. 일반적으로 동성빈맥에 대해 의료적으로 특별한 관리는 필요하지 않지만, 대신 수액투여, 산소투여, 부목적용, 진통제 혹은 증상과 연관되어 지시된 진정제 투여가 필요하다. 만약 처치 후에도 심박동수에 변화가 없다면 다른 원인, 예를 들어 심실상성 빈맥(SVT)을 고려한다.

심실상성빈맥의 전문적 처치. 만약 심전도상 QRS가 ≤0.09초이며, P파가 없거나 비정상적이고 심박수의 변동이 없거

표 5-4 동성빈맥, 심실상성 빈맥, 심실빈맥의 특징						
	과거병력	심박동수	가변성	QRS 간격	평가	가능한 처치
동성빈맥	열 체액손실 저산소증 통증 증가된 활동이나 운동	<220회/분(영아) <180회/분(소아)	변화 있음	좁음 ≤0.09초	저혈량증 저산소증 통증성 손상	수액 산소 부목 적용 진통제/진정제
심실상성 빈맥	선천성 심장질환, 이미 진단받은 심실상성 빈맥, 비특이적 증후군(예, 불충분한 음식섭취, 신경질적임)	≥220회/분 (가끔 240 – 300회/분) (영아) ≥180회/분 (소아)	변화 없음	좁음 ≤0.09초	울혈성 심부전 가능성 있음	미주신경수기법 (얼굴에 얼음주머니대기) 아데노신(안정) 동시적 전기적 심조율 전환(불안정)
심실빈맥	심각한 전신적인 질병	>150회/분	변화 있음	넓음 >0.09초	울혈성 심부전 가능성 있음	동시적 전기적 심율동전환 제세동(무맥성심실빈맥) 리도카인 아미오다론

CHF, congestive heart failure; SVT, supraventricular tachycardia; VT, ventricular tachycardia.

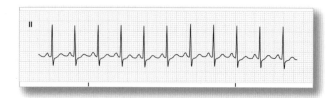

그림 5-1 동성빈맥 심전도

From *12-Lead ECG: The Art of Interpretation*, courtesy of Tomas B. Garcia, MD.

나, 영아의 경우 심박수가 220회/분 이상이거나, 소아의 경우 180회/분 이상이면, 심실상성빈맥을 병인으로 고려한다. 소아가 이전에 심실상성빈맥의 병력이 없고 안정적이면, 산소를 공급하면서 즉시 응급실로 이송한다. 심실상성빈맥의 전문적 처치는 병원 도착까지 연기하고, 병원 의료진에 의해 확인되도록 하며 지속적인 심전도를 확인하면서 부정맥을 적극적으로 처치할 수 있도록 한다. 심실상성빈맥으로 확진된 환자는 심장 약물에 의한 장기적 치료를 필요로 할 수 있다.

전문소생술(Advanced Life Support)

만약 환아가 심실상성 빈맥의 과거력이 있고 상태가 안정적이라면 우선 미주신경 자극법을 고려한다. 얼굴에 적용하는 얼음주머니(만약 사용할 수 있다면)는 "잠수반사" 효과를 유발시켜 영아나 유아에게 효과적인 처치 방법이 된다. 잘게 부순 얼음을 비닐 백에 넣어 장갑 혹은 수건으로 싸서 환아의 얼굴 중앙부위(뺨과 코부위) 위에 약 15초 가량, 그 리듬이 변화될 때까지, 혹은 증상이 멈출 때까지 잘 밀착시켜 적용한다(**그림 5-2**). 이때 코를 눌러 막지 말고(호흡이 가능하도록 하고) 그 환아와 부모에게 지속적으로 안도감을 제공할 수 있도록 한다. 소아에게 미주신경 자극법으로서 눈을 압박(안구압박)하는 것은 피한다. 단 미주신경 자극법은 1회 정도 시행한다.

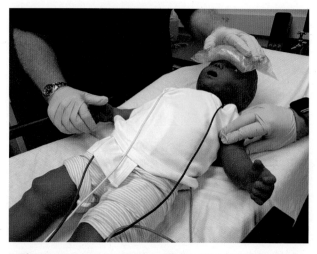

그림 5-2 아이 얼굴에 얼음주머니를 대는 것은 "잠수 반사"를 유발시켜 심실상성 빈맥을 동리듬으로 전환시킬 수 있다.

전문소생술(Advanced Life Support)

만약 좁은 QRS군 빈맥이 있는 환자가 혈역학적으로 안정적이지만 심전도 리듬이 한번의 미주신경 자극법 후에 동리듬으로 전환되지 않는다면, 아데노신을 첫 번째 용량으로 0.1 mg/kg, 최대 6 mg까지 정맥내 또는 골내로 신속하게 투여하고 이어서 즉시 생리식염수 2-5 mL를 일시 주입한다. 최대한 심장에 가까운 정맥내 혹은 골내 주입을 하되 아데노신을 빠르게 투입하고 식염수를 투여한다. 이 때 보유하고 있다면 쓰리스탑 스탑콕을 쓴다. 급하게 아데노신에 이어 식염수를 투여할 때 사용하기 좋은 도구이다. 만약 아데노신의 첫 용량 투여 후에 리듬이 전환되지 않는다면 0.2 mg/kg으로 용량을 두 배로 투여한다(최대 두 번째 용량 = 12 mg). 아데노신(이것은 심장에 매우 강한 약물이다)의 부작용을 처치하기 위하여 준비한다. 만약 적절하게 투여하면 대부분 심실상성 빈맥 처치에 효과적이다. 아데노신 투여로 흔히 잠깐동안 서맥이 된다든지 몇 초 동안 무수축이 발생하지만 이는 계속되지 않고 치명적인 부정맥(무수축, 심실빈맥, 심실세동)으로 악화되는 경우는 드물다. Carbamazepine(Tegretol)을 복용하고 있는 소아에게 아데노신을 투여할 경우 매우 주의해야 한다. 이유는 심장의 전도차단이 계속될 수 있기 때문이다. 그러나 만일의 사태를 위해 환아를 밀착 감시하고 심폐소생 약물이나 제세동기를 가까이 두어야 한다.

만약 관류 상태가 불량하고 혈역학적으로 좋지 않은 상태(비정상적인 발작성 심방빈맥(PAT), 약하고 비정상적인 맥박, 비정상적인 모세혈관 재충혈시간과 피부온도, 저혈압)의 징후가 있는 심실상성 빈맥이 의심되는 소아가 쇼크 상태이거나 무의식 상태라면, 동시성 전기적 심조율 전환을 즉시 시행하는데 초기에 전기용량 0.5-1 J/kg로 실시한다. 만약 이 처치가 효과가 없다면 2 J/Kg으로 용량을 2배 증가시킨다. 만약 환아가 쇼크 상태이지만 의식이 있고 정맥로 확보가 되었다면 전기적 충격을 시행하기 전에 가능한 진정제를 투여한다. 그러나 진정제 투여 때문에 전기적 충격이 늦어지면 안된다. 만약 전기적 처치가 환아의 리듬을 동리듬으로 전환시키는 데 실패한다면 다른 항부정맥, 예를 들어 지역응급의료체계 지침에 의거하여 아미오다론(5 mg/kg 20-60분간)이나 프로케나마이드(15 mg/kg 20-60분간) 투여를 고려한다. 아미오다론과 프로케나마이트를 동시에 투여해서는 안된다.

조언

응급구조사는 모든 심장 약물의 적응증, 용량, 투여경로가 정확하더라도 발생할 수 있는 부작용을 처치할 수 있도록 준비해야 한다.

넓은 QRS 빈맥. 만약 환아가 의식이 있고 관류 상태가 적절하고, 심박수가 150회/분 이상 QRS군 간격이 0.09초보다 넓다면 이는 아마도 안정적 심실빈맥일 것이다. 비정상적 전도(각차단)를 동반한 동성빈맥이 심실빈맥처럼 보일 수 있으나 이는 통상적으로 심장질환이나 심장 수술의 병력이 있는 소아에게서 발생된다. 마찬가지로 변형전도를 동반한 심실상성 빈맥에서도 결과적으로 넓은 QRS 리듬이 발생 될 수 있다. 그러한 넓은 QRS 리듬을 동반한 안정적 상태의 모든 환아에게는 산소를 투여하고 즉시 제세동과 심율동전환을 시행할 수 있는 제세동기를 환아 가까이 위치시키고 심전도를 감시하면서 적절한 응급의료기관으로 이송한다.

전문소생술(Advanced Life Support)

만약 소아가 심실빈맥이고 리듬이 단형이며 규칙적이고, 리듬이 변형전도를 가진 심실상성 빈맥이라면 첫 번째로 아데노신을 고려해본다. 만약 리듬이 심실빈맥이라면 처치지침에 근거하여 항부정맥제를 사용할 수 있다. 만약 소아가 심실빈맥이고 관류상태가 좋지 않다면, 동시적 심율동전환(0.5-1 J/kg)으로 처치해야 한다. 만약 두 번째 동시적 심율동전환(2 J/kg)이 실패했거나 빈맥이 빠르게 재발한다면 다른 항부정맥제, 예를 들어 아미오다론(5mg/kg 20-60분간)이나 프로케나마이드(15 mg/kg 30-60분간) 투여를 처치지침에 근거하여 고려하여야 한다. 아미오다론과 프로케나마이드를 동시에 투여해서는 안된다.

만약 소아가 심실빈맥과 쇼크 증세를 보이며 맥박이 촉지되지 않는다면, 무맥성 심실빈맥/심실세동 환자처치의 알고리즘에 따라 처치해야 한다.

자동제세동기(AED)

소아의 심정지는 보통 심한 저산소증이나 쇼크의 결과이며, 이는 소아 심정지의 가장 빈번한 부정맥인 무수축, 무맥성 전기활동을 초래한다. 그럼에도 불구하고 심실세동도 소아에게 발생할 수 있다. 전형적인 심실세동의 경우는 심정지가 목격된 영아기 이후의 좀 더 연령이 있는 소아이다. 소아에서 심실세동 심정지에 대한 병인은 심근염, 심근 감염, QT 연장증후군, 선천적인 심장 전도장애, 그리고 비후성 심근병증(HCM), 심실중격과 심실의 비대가 포함된다. 심실세동에 의한 심정지의 또 다른 특수한 상황은 보통 공, 스틱 혹은 다른 둔탁한 물체로 심장을 맞은 젊은 운동선수에게서 발생되는 심장진탕증(commotio cordis)이다.

의식이 없는 모든 소아환자에게 심실세동에 대한 신속한 평가를 시행하고 심장 모니터 상에 심실세동이 나타나면 심폐소생술을 시작하면서 즉시 제세동을 실시한다. 소아의 나이가 더 있을수록 목격된 심정지 경우는 심실세동 발생에 특히 주의한다. 무수축 발생 시의 제세동에 대해 입증된 효과는 없으며 이러한 절차는 흉부압박, 환기, 산소 공급의 중요한 중재술을 지연시킬 것이다.

자동제세동기(**그림 5-3**)는 심실세동에 대한 조기 인식과 신속한 제세동을 가능하게 한다. 미국심장협회(AHA) 지침에서는 현재 영아를 포함한 모든 연령의 소아에서 심실세동의 치료를 위해 자동제세동기의 사용을 권장하고 있다. 자동제세동기는 소아에게 심실세동과 심실빈맥을 정확하게 분석하는 것으로 입증되었다. 지정된 소아용 패드-케이블 시스템과 함께 사용될 때 자동제세동기는 성인용 패드를 통해 전달되는 것보다 더 적은 에너지량이 전달된다.

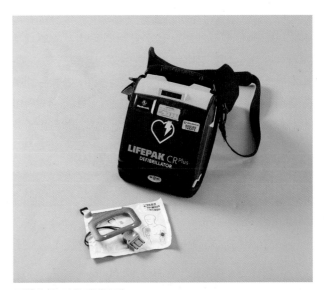

그림 5-3 자동제세동기

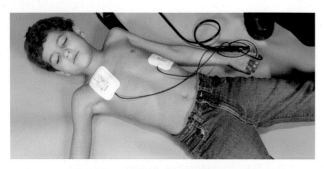

그림 5-4 의식이 없는 소아환자에게 CPR과 AED 병행 사용
© Jones & Bartlett Learning. Courtesy of MIEMSS.

가능하다면 소아용 자동제세동기 혹은 소아용 자동제세동기 패드를 사용한다. 그러나 성인용 자동제세동기가 소아에게 사용될 수도 있다(한가지 고려할 점은 영아에게는 패드 부착 시 전후 위치법으로 부착하여야 한다). 소아 심정지 시 가능한 빨리 자동제세동기를 사용해야 한다. 연구에 의하면 제세동에 대한 사전경험이나 교육을 받지 않은 학령기 아동들조차 성공적으로 자동제세동기를 작동할 수 있다는 것을 보여준다. **그림 5-4**는 소아에게 자동제세동기를 사용하는 것을 보여준다.

> ### 조언
>
> 자동제세동기는 누구에게나 사용할 수 있다. 소아에게는 우선 소아용 자동제세동기를 사용해야 하지만 에너지 감쇠 장치가 있는 성인용 자동제세동기도 사용할 수 있다. 목격되지 않는 심정지를 위해 심폐소생술을 시작하고 가능한 신속하게 자동제세동기를 사용해야 한다.

부정맥 요약

성인과는 달리 원발성 심장리듬 장애는 소아에게는 매우 드물게 나타난다. 심정지 가능성이 있는 리듬인 서맥은 대부분 극심한 저산소증 상태를 반영하는 것이므로 반드시 백-밸브 마스크 환기가 신속히 시행되어야 한다. 빈맥은 대부분 흔히 동성 리듬이지만, 심실상성 빈맥이나 심실빈맥이 나타날 수 있다. 비록 소아도 동성빈맥이 분당 200회를 넘을

수 있지만, 저혈량증, 저산소증, 다른 치료 가능한 원인들에 대해 신중한 평가를 시행한 후 확인된 원인들을 치료하도록 한다. 영아에서 220회/분 이상이거나, 소아에서 180회/분 이상인 빈맥 그리고 모든 QRS파가 넓은 리듬(QRS>0.09초)인 빈맥은 주요 심장 리듬장애로 간주해야 한다.

안정적인 환자는 심장박동과는 상관없이 일반적인 보조 치료만을 필요로 할 수 있다. 증상이 있는 심실 리듬장애는 아미오다론이나 프로카인아미드를 포함한 약물치료와 심장율동전환 또는 제세동을 필요로 할 수도 있다. 자동제세동기는 심실세동으로 의식이 없는 소아를 다루는 병원 전 응급의료종사자들에게 중요한 기기이다.

심정지

심정지 환자에게는 조기에 효율적인 흉부압박을 시행해야 한다. 새로운 "생존 사슬"은 심정지 환자의 소생 후 처치를 강조하기 위해 다섯 번째 요소를 추가했다.

소아의 생존 사슬은 다음과 같다:
- 예방
- 조기 심폐소생술
- 조기 신고
- 조기 전문소생술
- 심정지후 통합치료

심정지로 인한 소생률은 심폐소생술 시간, 리듬 등 몇 가지 요인에 따라 달라지게 된다.

기본소생술을 시작하기까지의 시간이 짧을수록 소생률을 높이는 좋은 결과를 보이게 된다. 성인과 마찬가지로 심실세동이 나타난 소아가 응급구조사에 의해 조기 심폐소생술과 조기 제세동을 제공 받았다면 무수축 상태인 소아 환자보다 소생할 가능성이 좀 더 높다.

> ### 조언
>
> 소아의 무수축성 심정지의 생존과 관련된 유일한 중재는 심폐소생술을 시작하기까지 시간이다.

사례연구 2

보건의료전문가로서 자원봉사 중 고등학교 운동장에서 14살 남자아이가 100미터 질주를 하다가 쓰러지는 것을 보았다. 아이를 돕기 위해 달려가서 그 아이가 무호흡, 무맥박인 것을 발견하여 즉시 심폐소생술을 시작하였다.

1. 이 소아에 대한 평가 및 처치 절차상 다음 단계는 무엇을 해야 하는가?
2. 소아의 심실세동 리듬을 평가하기 위하여 자동제세동기를 적용하기에 적절한 나이는 몇 살인가?

원인들

성인과 달리 소아 심정지는 대부분 심각한 저산소증이나 쇼크의 결과로 발생하므로 대부분 이차적인 결과로 발생한다. 소아 심정지는 1차적으로 호흡정지 후 발생하게 되는데 폐렴이나 세기관지염 또는 천식과 같은 흔한 호흡부전의 원인에 의해 발생하는 경우가 많다. 성인 심정지의 흔한 원인인 심근경색과 부정맥은 나이가 어린 소아들에게는 극히 드물다.

소아는 비후성심근병증 같은 질환에 의해 심정지가 나타날 수 있는데, 비후성심근병증은 급사의 발생률이 높고, 사춘기 이전의 소아와 사춘기의 소아 모두에게 있어 심정지의 주된 원인이다. 비후성심근병증은 소아가 심박출 장애를 발생시키는 심실과 심실중격의 극심한 비대를 가지고 있는 질병이다. 또한 관상동맥 내벽을 두껍게 해 혈관을 좁아지게 만들고, 심근으로의 혈류를 감소시킨다.

QT연장증후군은 서맥과 심실세동을 포함한 부정맥의 위험을 증가시키는 심장의 전기생리학적 문제가 있는 선천적인 질병이다. 심정지의 또 다른 원인은 심실세동과 급사를 유발하는 비관통성 물체에 의한 가슴앞쪽 타격외상(심장진탕증, commotio cordis)이며 이는 소아가 야구공, 하키공, 소프트볼, 태권도 타격이나 다른 비슷한 운동성 추진력에 의해 맞았을 때 발생한다. 만약 타격이 좌심실의 중앙 윗 부분에 가해지면 가장 치명적일 수 있다. 이것이 심실세동과 실신을 유발하기 때문에 자동제세동기의 사용이 매우 중요하다.

영아돌연사증후군, 감염이나 아동 학대로 인한 호흡부전으로 발생하는 심정지의 주 연령층은 영아다. 그러나 유아기나 취학 연령의 소아에서는 심정지의 가장 가능성이 있는 원인은 출혈성 쇼크와 차량과 관련된 손상이나 낙상으로 생긴 둔상(무딘 외상)이다.

심정지에 대한 평가

심정지가 발생한 소아의 증상은 무반응, 무호흡, 무맥박이다. 심장 모니터에는 무수축, 무맥성 전기활동, 심실빈맥이나 심실세동 같은 심정지 리듬이 나타날 것이다. 무수축은 가장 흔한 리듬이다. 심실상성 빈맥과 심실빈맥은 심정지의 드문 원인이다.

무수축은 극심한 저산소증과 허혈 상태를 의미한다. 무맥성 전기활동은 다양한 허혈성, 저산소성, 저체온성 그리고 외상성 손상에 의해 발생할 수 있다. 일부 무맥성 전기활동은 병원 전 환경에서 혈압이 너무 낮아 측정하기가 어려울 정도의 낮은 혈액 흐름 상태에서 발생할 수 있다. 심실세동은 심근염, 선천적 기형, 중독, 감전사나 저산소증을 포함한 다양한 질병으로부터 발생하는데, 보통 2세 이상의 소아에게 발생한다.

가슴압박

가슴압박은 심정지 환자 치료의 핵심이 되었다. 미국심장협회(AHA)의 지침은 C-A-B (circulation(순환)-airway(기도)-breathing(호흡)) 순서로 시행하여 더 빠른 가슴압박을 시작하도록 하였는데, 이 가슴압박은 심정지 환자의 소생에 중요한 요소이다. 소아와 영아를 위한 가슴압박 술기는 다르다. 소아에게는, 한 손(또는 두 손)을 복장 뼈의 아래 1/2 지점에 놓아야 하고, 분당 최소 100-120회의 속도로, 압박 깊이는 최소 2인치(5cm)로 완전한 이완(충분한 전부하를 보장하기 위해)이 되도록 하여야 한다. 영아에서는, 1인 구조자라면 두 손가락을 유두 가상선 직하부에 놓고 분당 최소 100회의 속도로 최소 1.5인치(4cm)의 깊이로 압박하며 이어 완전한 이완이 되도록 한다. 2인 구조자가 영아 심폐소생술을 실시할 때 권장되는 술기는 양손감싼두엄지법으로 압박하는 것이다. 소아와 영아에게 1인 구조자가 심폐소생술을 실시할 때 비율은 30:2이고, 2명의 보건의료제공자일 때는 15:2로 바뀐다. 이 절차의 단계별 설명은 **그림 5-5**를 참고한다.

신장을 기준으로 한 약물 투여량

소아는 나이에 따라 장비의 크기와 약물의 용량, 수액의 양이 다르게 필요하므로, 병원 전 환경에서 영아와 소아의 처치는 어렵다(**그림 5-6**). 소생술 중에, 키는 약물 투여량과 장비 크기 선택 시 좋은 지표이다. 환자의 키를 측정함에 따라, 전산화된 소생술 소프트웨어 프로그램이나 색 분류 테이프는 복용량과 장비 크기를 정확히 제공할 수 있다. 전산화된 프로그램은 약물과 추가적인 안전 장비의 보다 폭넓은 사용 범위를 제공한다. 이 절차에 대한 단계별 설명은 키를 기준으로 한 소생테이프 '절차 2'를 참고한다.

심정지 리듬의 발생과 처치

심정지 환자 관리의 최우선 사항은(고품질의 가슴압박에 중점을 둠) 순환, 기도와 호흡(기도 유지기와 백마스크 환기의 적절성, (만약 심정지의 원인이 자연적 질식이라면 기관내 삽관을 우선으로 고려한다) 그리고 제세동(적응증이라면)이다. 심장 리듬은 심정지 환자의 주요한 처치 결정 요인이다. 소아가 무맥박, 무호흡인 경우와 무수축과 무맥성 전기활동일 때의 처치는 같다.

소아 심정지 환자의 소생을 위해서는 고품질의 기본인

소아 기본소생술 – 1인 구조자, 2015년 개정

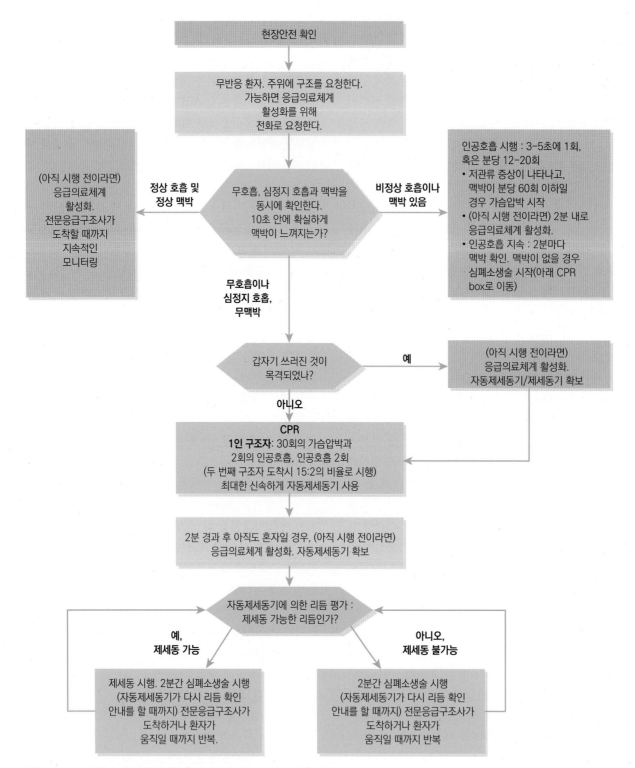

그림 5-5 소아 기본소생술 알고리즘을 보여주는 2015 AHA 지침 기준

Reproduced from Atkins DL, et al. Part 11: pediatric basic life support and cardiopulmonary resuscitation quality: 2015 American Heart Association Guidelines Update for Cardiopulmonary Resuscitation and Emergency Cardiovascular Care. *Circulation*. 2015; 132(suppl 2):S519 - S525.

소아 기본소생술 - 2인 이상 구조자, 2015년 개정

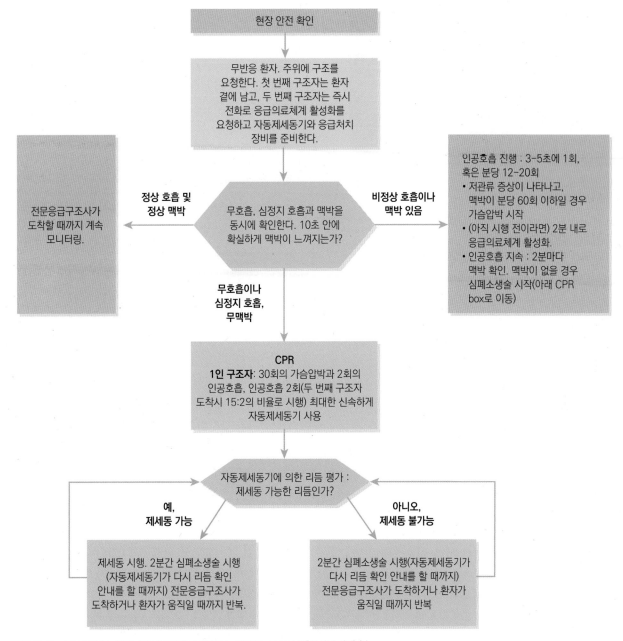

현장 안전 확인

무반응 환자. 주위에 구조를 요청한다. 첫 번째 구조자는 환자 곁에 남고, 두 번째 구조자는 즉시 전화로 응급의료체계 활성화를 요청하고 자동제세동기와 응급처치 장비를 준비한다.

정상 호흡 및 정상 맥박

전문응급구조사가 도착할 때까지 계속 모니터링.

무호흡, 심정지 호흡과 맥박을 동시에 확인한다. 10초 안에 확실하게 맥박이 느껴지는가?

비정상 호흡이나 맥박 있음

인공호흡 진행 : 3-5초에 1회, 혹은 분당 12-20회
• 저관류 증상이 나타나고, 맥박이 분당 60회 이하일 경우 가슴압박 시작
• (아직 시행 전이라면) 2분 내로 응급의료체계 활성화.
• 인공호흡 지속 : 2분마다 맥박 확인. 맥박이 없을 경우 심폐소생술 시작(아래 CPR box로 이동)

무호흡이나 심정지 호흡, 무맥박

CPR
1인 구조자: 30회의 가슴압박과 2회의 인공호흡, 인공호흡 2회(두 번째 구조자 도착시 15:2의 비율로 시행) 최대한 신속하게 자동제세동기 사용

자동제세동기에 의한 리듬 평가 : 제세동 가능한 리듬인가?

예, 제세동 가능

제세동 시행. 2분간 심폐소생술 시행 (자동제세동기가 다시 리듬 확인 안내를 할 때까지) 전문응급구조사가 도착하거나 환자가 움직일 때까지 반복.

아니오, 제세동 불가능

2분간 심폐소생술 시행(자동제세동기가 다시 리듬 확인 안내를 할 때까지) 전문응급구조사가 도착하거나 환자가 움직일 때까지 반복

그림 5-5 소아 기본소생술 알고리즘을 보여주는 2015 AHA 지침 기준 (**계속**)

Reproduced from Atkins DL, et al. Part 11: pediatric basic life support and cardiopulmonary resuscitation quality: 2015 American Heart Association Guidelines Update for Cardiopulmonary Resuscitation and Emergency Cardiovascular Care. Circulation. 2015; 132(suppl 2):S519 - S525.

그림 5-6 소생테이프
© Jones & Bartlett Learning. Courtesy of MIEMSS.

표 5-5 6H와 5T	
Hypovolemia(저혈량증)	Tension pneumothorax(긴장성기흉)
Hypoxia(저산소증)	Tamponade, cardriac(심장눌림증)
Hypoglycemia(저혈당증)	Toxins(약물중독)
Hydrogen ion(acidosis)(수소이온(산증))	Thrombosis (cardiac or pulmonary)(심장혈전증, 폐혈전증)
Hypo/hyperkalemia(저칼륨혈증/고칼륨혈증)	Trauma(외상)
Hypothermia(저체온증)	

전문소생술(Advanced Life Support)

무수축/무맥성 전기활동(PEA). 제세동을 할 수 없는 리듬에 대한 소생술의 노력은 중단 없는 가슴압박에 중점을 둔 고품질의 심폐소생술로 시작한다. 기도와 호흡유지는 백마스크 환기 및 기도유지기로 1차 중재를 시행하는데 이를 통해 인공호흡시 가슴이 상승되고 산소가 잘 들어가는 폐순응 상태인지를 확인해야 한다. 만일 심정지가 질식에 의한 것이라면 기관 내 튜브 삽관이 우선순위가 된다. 커프가 없는 기관 내 튜브는 소아의 나이를 4로 나눈 후 4를 더한 크기가 되어야 하며 커프가 있는 기관 내 튜브는 이보다 절반 정도 작은 크기를 선택한다.

정맥로 확보는 정맥 내 주사나 골내 주사로 시행한다. 약물, 수액, 혈액은 골내 주사를 통해 투여될 수 있다. 에피네프린은 0.01 mg/kg (0.1 mL/kg, 0.1 mg/mL 농도) 정맥/골내로 투여한다. 적절한 기도 관리와 고품질의 기본소생술은 2분마다 재평가되어야 하며 이후 전문소생술로 3-5분마다 투여되는 에피네프린을 통해 계속된다.

무수축/무맥성 전기활동 처치의 중요한 요인은 원인을 확인하는 노력이 빨리 진행되어야 한다. 따라서, 보건의료제공자는 처치를 시행하는 동안 반드시 6Hs와 5Ts(**표 5-5**)을 고려해야 한다.

명소생술이 필요하다. 정맥 또는 골내 주사와 약물 투여가 도움을 줄 수는 있으나 생존의 주요한 결정 요인은 아니다. 기관 내 튜브 삽관도 생존에 결정적인 이점을 제공하지는 않는다. 또한, 심정지에 사용된 "고용량" 에피네프린이 생존율을 증가시키지 않는 것으로 나타났다. 이것은 다만 교감신경 베타차단제 중독 같은 예외적인 상황에서는 고려될 수 있다.

전문소생술(Advanced Life Support)

심실세동/무맥박 심실빈맥. 심실세동/무맥성 심실빈맥의 관리는 제세동기를 붙이고 제세동 가능한 리듬인지 확인하는 동안 고품질의 심폐소생술과 함께 시작해야 한다. 소아의 초기 에너지 설정은 2 J/kg이어야 하며, 제세동 후 2분 동안 고품질의 심폐소생술이 뒤따라야 한다. 이 시간 동안, 정맥로 확보가 되어야 한다. 초기의 기도 관리는 충분한 흉부 상승과 적절한 폐 유순도를 보이는 상태라면 백마스크 장비와 구강인두 기도유지기로 유지되어야만 한다. 그러나 기도가 백마스크 환기로 유지될 수 없거나 혈중 산소 감소로 인해 심정지가 발생했을 때 가능한 빨리 기관 내 튜브 삽관을 고려해야 한다.

2분 동안 고품질의 심폐소생술 이후, 환자는 재평가하여야 하며 맥박이 없을 경우 제세동은 4 J/kg로 시행한다. 심폐소생술을 계속하면서, 환자에게 0.01 mg/kg의 에피네프린(0.1 mL/kg)을 정맥/골내로 3-5분마다 반복 투여한다. 심폐소생술을 다시 시작하고, 2분마다 재평가한다. 두 번째부터 모든 차후의 전기충격은 4 J/kg로 제공하는데 성인 기준을 초과하지 않는 선에서 10 J/kg까지 올릴 수 있다.

불량한 심실세동/무맥성 심실빈맥 환자에게 5 mg/kg의 아미오다론을 투여할 수 있으며, 총 15 mg/kg까지 2회 반복 투여할 수 있다. 리도카인은 부하용량으로 최초 1 mg/kg을 투여하고, 최초 투여 후 15분 경과시 20-50 mcg/kg/min을 반복 투여할 수 있다.

이송 결정 : 현장 안정화 또는 이송

소아 심정지 환자의 병원 이송이 필요한지 결정하는 것은 또 다른 중요한 논란이 되는 문제이다. 병원 밖에서 심정지를 일으킨 모든 소아 중 6%만 생존한다. 생존의 예측변수는 심정지시 발생된 심장리듬 유형과 현장에서 기본인명소생술 후 조기(5분 이내) 자발순환회복 여부에 따라 다르다. 무맥성심실빈맥/심실세동에서 소생한 환자들은 약 15%이고, 무수축에서는 3%이다. 만일 심정지 소아에게 기본소생술과 전문소생술의 시행에도 병원 전 소생술이 실패할 경우, 특별한 상황이 아닌 이상 소아는 생존하지 못할 것이다. 다량의 진정제-수면제(예를 들면, 바비튜레이트)를 삼킨 환아는 좀더 소생술을 시행하면 생존할 가능성이 좀더 높으며, 심폐소생술 중단 결정에 앞서 연장 처치를 제공받을 필요가 있다.

경우에 따라 현장 소생술의 시도는 지역 응급의료서비스의 응급의료지침에서 허용하는 경우 이송 전에 중단할 수 있다. 병원 밖에서 목격되지 않은 심정지로 살아남을 확률은 매우 드물지만, 병원 전 응급의료종사자는 소아에 대한 소생 시도를 중단하는 것에 대하여 힘들어 할 것이다. 소생술이 끝났을 때, 13장에서 설명한 것과 같이, 소아 보호자와의 능숙한 의사소통은 매우 중요하다**(그림 5-7)**. *적절한 지원 없이 가족 구성원을 사망한 소아와 함께 현장에 남겨 두지 말*

아야 한다. 응급의료서비스 지침이 현장에서 소생 노력의 중단을 허용한다면 보호자에 대한 지원서비스를 제공하는 시스템이 반드시 마련되어야 한다. 이러한 서비스들은 사회복지사와 목회자의 도움, 슬픔 상담사에 의해 제공될 수 있다.

소아의 심정지 상황은 소생술 제공자에게 심한 스트레스를 준다. 이런 비극적인 사건 이후에 위기상황 스트레스 해소 활동(CISD)은 응급구조사들에게 도움이 될 수 있다.

> ### 주의
> 적절한 지원 치료 없이 가족을 사망한 소아와 함께 현장에 절대 남겨두고 떠나지 말아야 한다.

심정지의 요약

소아 심정지는 흔치 않은 일이다. 병원 밖 생존은 낮고, 무수축은 최악의 예후를 보인다. 무맥성심실빈맥/심실세동은 보통 좀 더 나이가 있는 소아들에게서 발생하며 좀 더 높은 생존율을 보인다. 가슴압박, 기도유지, 산소공급, 환기, 적절한 시기의 조기 제세동에 대한 세심한 주의를 기울인다면 성공률이 높아질 것이다. 소아 심정지의 모든 경우에서, 보호자를 위한 상담과 응급구조사를 위한 위기상황 스트레스 해소 활동은 큰 도움이 된다.

선천성 심장질환

선천적인 심장질환의 병력이 있는 소아는 성인보다 부정맥과 울혈성 심부전을 포함해 심혈관계 응급상황에 대한 위험이 더 증가한다. 이런 합병증은 영아기나 10대 후반에 나타날 수 있다**(표 5-6)**. 심혈관 수술의 발전은 의료계가 불과 수십 년 전 영아기에 사망했을 아이들의 생명을 연장할 수 있게 했다. 이 소아들 중 많은 아이들이 지금은 가정에서 생산적인 삶을 살아가고 있다. 응급구조사들은 어린 소아에게서 "성인에게서 나타나는 질환"에 의한 심정지 상황에 대하여 반드시 처치를 준비해야 한다.

> ### 조언
> 병원전 심정지 처치는 뛰어난 기본소생술 능력을 필요로 한다.

그림 5-7 소아의 죽음 이후 보호자, 가족과의 숙련된 의사소통은 반드시 필요하다.
© Glen Ellman.

사례연구 3

방금 수영장에서 구조된 의식 없는 2세 남자 아이에게 출동하였다. 얼마 동안 의식이 없었는지는 알 수 없고, 부모가 현장에 있었으며 아이가 30분 이상 보이지 않았다고 한다. 부모는 즉시 심폐소생술을 시행했었다. 현장 도착 즉시 평가한 결과 아이는 차갑고, 청색증을 보였고, 무호흡, 무맥박인 것으로 확인되었다.

1. 이 아이의 생존 가능성을 높이기 위해 가장 중요한 중재는 무엇인가?
2. 이 아이에게 능동적 가온(따뜻하게 해 줌)을 해야만 하나?

표 5-6 영아기 동안의 시기별, 울혈성 심부전을 유발하는 선천성 심장 질환

나이	선천성 심장질환의 유형
신생아	좌심실 형성부전 심각한 폐동맥 부전 팔로트 4징후 심각한 삼첨판 부전 3도 방실차단 심실상성 빈맥 폐정맥환류이상 대혈관 전위증
1개월	동맥관개존증을 동반한 대동맥협착증 심실중격결손 삼첨판 폐쇄 총동맥간증
6개월	심실중격결손 동맥관개존증
6-12개월	심실중격결손 심내막탄력섬유증

심혈관계 응급상황이 발생한 모든 소아의 일차평가와 관리는 기도, 호흡, 순환으로 동일하다. 그러나 심장질환의 가능성이 있는 소아는 심장 리듬을 빠르게 평가할 수 있는 "빠른 심전도 평가"를 포함하여 심장리듬을 모니터하는 것이 포함되어야 하며, 이 소아들은 치료가 가능한 부정맥을 가지고 있을 수 있다.

익사

익사는 물속에 잠긴 후 질식된 것이다. 익사는 1-4세 사이 소아의 의도하지 않은 사망의 주요 원인이며, 14세 미만 소아의 의도하지 않은 손상으로 인한 사망의 세 번째 원인이다. 불행히도 익사는 여름에만 국한되지 않는다. 따뜻한 기후에서는 연중 내내 발생하며, 서늘한 기후에서는 호수, 양동이, 온수욕조 및 욕조에 빠져서 발생할 수 있다(**그림 5-8**).

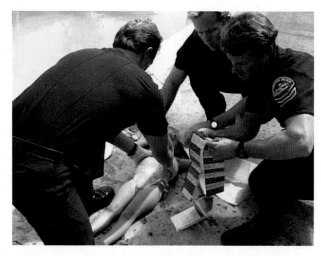

그림 5-8 익사는 1-4세 소아의 의도치 않은 손상으로 인한 사망의 주요 원인이며, 5-14세 소아의 의도치 않은 손상으로 인한 사망의 세 번째 원인이다.

예방

익수의 최선의 관리는 예방이다. 주택 내 수영장 사방에 울타리를 설치하는 것은 소아의 익수와 익사를 90%까지 예방한다. 보트와 관련된 익사 사고의 85%는 개인 구명장비를 착용함으로써 예방이 가능하다.

치료

심정지의 빠른 인식과 목격자에 의한 즉각적인 심폐소생술은 심각한 익수 사고로부터의 생존과 중요한 관련이 있다. 전문소생술에 대한 이점은 아직 입증되지 않았다.

첫째로, 환자를 물 밖으로 옮기고 신속하게 의식상태와 호흡, 맥박을 확인한다. 소아가 맥박이 없다면 가슴압박을 시작으로 심폐소생술을 시작한 후, 기도를 확보하고 2회의 인공호흡을 시행한다. 제세동기를 가지고 와서 제세동 패드를 부착하기 전에 소아의 가슴에 있는 물기를 닦아낸다. 머리와 목에 잠재적인 외상이 있을 경우 경추를 보호한다. 가슴압박을 시행하고, 기도 관리, 산소공급과 인공호흡을 시행하고, 심장리듬에 따라 약물 치료, 제세동/심장율동전환을 위한 의료 지침을 따른다.

소아에게 맥박이 있다면, 기도를 확보하고 적절한 산소 공급 및 환기(보통 백-밸브 마스크 장비를 이용)를 시행한다. 정맥 내 주사 또는 골내주사로 정맥로를 확보하고 이송한다. 쇼크나 부정맥이 나타나면 약물 요법을 시행하고, 드물지만 제세동이나 심장율동전환 처치를 시행한다.

사례연구 답안

사례연구 1

이 아동은 심실세동/무맥성 심실빈맥, 무맥성 전기활동, 또는 무수축 상태일 수 있다. 이 아이는 심정지 상태에 있으며, 적절한 첫 번째 중재는 고품질의 기본소생술을 제공하는 것이다. 이 환자의 처치는 부정맥의 유형에 기초하여 이루어질 것이다. 이 아이는 흉부 타격으로 인한 심실세동 즉 심장진탕증일 가능성이 높다.

사례연구 2

이 심정지는 원발성(유전적)의 심장마비 사건으로 판단된다. 30회의 가슴압박과 2회의 인공호흡을 시행하고, 다른 응급의료제공자에게 AED를 건네받도록 한다. AED가 도착하면 패드를 부착하고 리듬을 분석한다. 전기충격이 권고되는 상황이면, 전기충격을 전달한 후 2분간 심폐소생술을 재개하고 다시 리듬을 분석한다. 전기충격이 필요한 리듬이면 전기충격을 가한 후 심폐소생술을 재개한다. 이 아동은 예전에는 진단 내려지지 않은 질병인 "QT연장증후군"으로 인한 심실세동이었다.

이 질병으로 생존한 사람들은 종종 운동과 스트레스와 관련된 의식소실의 병력을 갖고 있다. 다른 가족 구성원들 또한 같은 질병의 영향을 받고 있을 수 있다. 가족력을 확인하는 것은 어린 소아의 설명할 수 없는 죽음을 밝혀낼 수 있다.

성인과 마찬가지로 심실세동 상태인 소아의 초기 처치는 빠른 제세동이다. 자동제세동기 이용가능성이 증가함에 따라, 이러한 많은 소아들은 목격자에 의해 빠르게 발견되고 제세동을 받을 수 있을 것이다.

사례연구 3

물에서 구조한 후, 심폐소생술을 시작하고, 가슴압박을 시작한다. 그리고 100% 산소로 백-밸브 마스크 환기를 제공한다. 100% 산소로 효과적인 백-밸브 마스크 환기를 제공하기 전에, 이 소아에게 서둘러 기관내 삽관을 시행하는 것은 저산소증과 과탄산증이 악화 될 수 있다. 대부분의 익수는 기도 경련을 야기시키는데, 이것이 폐에 약간 또는 거의 물이 들어가지 않게 하므로 백-밸브 마스크 환기가 효과적일 수 있다. 2살 아동의 맥박을 해부학적으로 가장 잘 촉진할 수 있는 위치는 위팔동맥 위쪽인데, 이 동맥은 팔꿈치에 인접해 있으며 이두근의 내측에 위치하고 있다.

성인에서 심정지 이후 저체온증 상태에서의 소생률과 관련하여 긍정적인 연구 결과가 있지만, 소아에 대한 연구에서는 아무런 효과도 입증되지 않았다. 저체온증 상태는 뇌기능을 보호할 수 있지만, 빠른 재가온은 부정맥을 야기시킬 수 있다. 따라서, 젖은 옷을 벗기고 신속한 이송을 시행한다.

추천 자료

Textbooks

The American Academy of Pediatrics; Fuchs S, Klein BL, eds. *Pediatric Education for Prehospital Professionals.* 3rd ed revised. Burlington, MA: Jones & Bartlett Learning; 2014.

Hauda WE. II. Resuscitation of children. In: Tintinalli J, Stapczynski S, John Ma O, et al., eds. *Tintinalli's Emergency Medicine.* 7th ed. New York, NY: McGraw-Hill; 2010:80–90.

Yee LL, Meckler GD. Pediatric heart disease: acquired heart disease. In: Tintinalli J, Stapczynski J, John Ma O, et al., eds. *Tintinalli's Emergency Medicine.* 7th ed. New York, NY: McGraw-Hill; 2010:827–830.

Articles

Atkins DL, Berger S, Duff JP, et al. Part 11: Pediatric Basic Life Support and Cardiopulmonary Resuscitation Quality: 2015 American Heart Association Guidelines Update for Cardiopulmonary Resuscitation and Emergency Cardiovascular Care. *Circulation.* 2015;132(suppl 2):S519–25.

deCaen AR, Maconochie IK, Aickin R, et al. Part 6: Pediatric basic life support and pediatric advanced life support: 2015 International consensus on Cardiopulmonary Resuscitation and Emergency Cardiovascular Care Science with Treatment Recommendations. *Circulation.* 2015;132(suppl 1):S177–S203.

Perondi M, Reis A, Paiva E. A comparison of high-dose and standard-dose epinephrine in children with cardiac arrest. *N Engl J Med.* 2004;350(17): 1722–1730.

Other Resources

Raghavan SS. Pediatric long QT syndrome. https://emedicine.medscape.com/article/891571-overview. Accessed August 6, 2019.

Shah SN. *Hypertrophic cardiomyopathy*. https://emedicine.medscape.com/article/152913-overview. Accessed August 6, 2019.

Yabek SM. *Commotio cordis*. Available at http://emedicine.medscape.com/article/902504-overview. Accessed September 12, 2012.

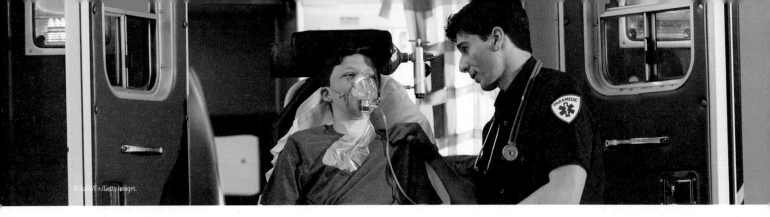

CHAPTER 6
내과 응급

Sharon Chiumento, BS, BSN, EMT-P

Sylvia Owusu-Ansah, MD, MPH, FAAP

학습목표

1. 체중에 따른 약물 복용량과 약물 안전성에 주의를 기울이면서 소아에서의 약물 문제에 대해 논의할 수 있다.

2. 발작의 주요 유형과 각각의 발작 유형에 대한 우선적인 관리에 대해 설명할 수 있다.

3. 각종 벤조디아제팜계열 약제의 장·단점과, 간질지속증의 각 약물에 대한 투여경로를 비교할 수 있다.

4. 영아와 소아의 의식상태 변화의 주요 원인들을 구분하고, 우선적인 관리 사항에 대해 설명할 수 있다.

5. 저혈당증의 징후와 증상에 대해 설명하고, 우선적인 관리 사항에 대해 설명할 수 있다.

6. 고열과 중병의 관련성에 대해 논의할 수 있다.

7. 온도와 관련된 문제, 자상(물림), 쏘임 등을 포함한 일반적인 환경응급 상황의 평가와 처치에 대해 설명할 수 있다.

개요

병원전 응급의료 연구에 의하면, 소아 환자의 EMS 이송의 주요한 원인은 일반적인 질병, 호흡기 질환, 통증(흉부, 복부 이외의 통증), 발작으로 나타났다. 소아내과 문제를 가진 소아들에 대한 구급출동 요청은 대체로 보다 심각한 경향이 있으며, 이러한 징후의 다양한 특성은 소아내과문제를 가지고 있는 소아들을 평가하고 처치하는데 더 어려움을 겪게 된다. 이 장에서는 병원 밖 소아 내과 응급상황인 발작, 의식수준 변화(AMS), 고열, 내분비계 장애, 위장관계 질환 그리고 환경적 응급상황 등을 검토한다. 또한 이러한 많은 응급상황에

서 약물 투여가 필요할 수 있으므로, 소아에게 약물투여 용량의 중요성에 대해서도 학습한다.

3장에서 언급된 호흡기 질환과 발작은 병원 밖에서 발생하는 가장 흔한 소아 응급상황이다. 고열은 흔한 내과적 문제이지만 때론 드물게 응급상황이 된다. 고열은 대부분 기저질환에 의한 증상이다. 고열이 있는 대부분의 소아환자들은 상대적으로 경증이며 자기제한적인 임상상황이지만(예를 들면, 귀 감염, 크룹, 바이러스증후군), 즉각적인 병원 전 관리가 요구되는 잠재적으로 더 심각한 임상상황(예를 들면, 수막염, 패혈증)이 있는 고열 환아를 판별해 내는 것이 더 중요하다. 고열은 영아와 학령전기 소아의 발작과 관련이

있을 수 있다. 의식수준 변화는 119구급출동 대상인 소아 환자들의 흔하지 않은 특성이지만 의식수준 변화가 있다는 것은 일반적으로 아동이 심각하거나 생명을 위협하는 응급상황에 처해 있다는 것을 의미한다. 소아의 내분비 응급상황들은 주로 의식수준 변화 및 혈당 수치 변화와 관련되어 있다.

소아기에 발생하는 환경 응급상황은 열냉 응급과 관련된 임상상황과 물린 상처나 찔린 상처 등에 의한 독물 주입(envenomation) 상황을 포함한다. 어린 소아는 생리적, 행동적 그리고 발달상의 특성 때문에 이러한 환경적 응급상황에 대한 위험성이 증가한다.

내과적 질병이 있는 소아를 정확하게 진단하는 것은 1장과 2장에서 논의된 바와 같이, 연령에 따른 병력 조사와 신체검진 방법을 필요로 한다. 소아와 그 가족과의 의사소통은 필수적이다. 효과적인 의사소통은 좋은 임상식 치료, 신뢰 형성, 소아와 편안한 상호작용을 도모하는데 중요하다.

약물 용량(Medication Dosing)

소아환자의 관리에 있어 소아는 주로 체중을 기준으로 주요한 응급중재술을 시행하므로 성인군과는 차이가 있다. 이러한 중재에는 약물 용량, 정맥내 수액 요구량, 제세동 에너지 용량 그리고 장비의 크기 등이 포함된다. 소아에게 올바른 약물 용량을 제공하고, 실수를 예방하며, 환자의 안전과 치료의 품질을 유지하기 위해서는 소아의 체중 측정 부분에 있어 무게 측정의 일관성을 갖는 것이 중요하다. 소아 환자의 체중 계산 시 표준 단위는 파운드 대신 킬로그램을 사용한다. 대부분의 약물 용량은 킬로그램 단위의 체중에 대비되는 미터법을 채택하고 있다.

소아환자의 체중을 측정하는 방법은 여러 가지가 있다. 그 중에는 소생용 측정 테이프/시스템(Broselow 혹은 Handtevy)과 연령 기반의 체중 산출 공식 등이 있다. 이에 대한 단계별 설명은 신장 기반 소생테이프, 절차 2를 참고한다. 기존의 전문소아소생술에서 나이로 예측한 체중 산출 공식은 실제 체중보다 적게 측정되는 경향이 있었고, 나이가 많아질수록 오차범위가 커지는 경향이 있었다. 소아의 키에 기초한 측정 방법이 연령에 따른 측정 공식보다 정확하다는 증거가 늘고 있지만, 이를 위해서는 정확한 신체 측정이 요구된다. 신장 기준 테이프는 장비 크기를 선정할 때 정확하지만, 아동 비만의 증가함에 따라, 아동의 몸무게를 과소평가할 수 있으며, 나이가 있는 아동의 경우 더 심하다. 반면에 빈민국의 경우 아동의 영양부족이 심각할 경우에는, 오히려 몸무게를 과대평가할 수도 있다. 그러나 소생술 약물은 키 기준으로 용량을 정해야 한다. 중요한 것은 약물 농

도가 테이프에 표시된 기준과 일치하는지 확인하고 용량을 정해야 한다(예: 아트로핀이나 날록손은 농도가 다를 수 있다). 추가적으로, 최근 나온 테이프들은 밀리리터 단위로 용량이 표기되어 있으나, 과거에 나온 테이프들은 소생용 약물 외에는 밀리그램으로 표기된 경우가 있다.

모든 환자들에게, 알맞은 약물이 투약되어야 하며, 합당한 원인에 따라 적절한 경로와 적절한 시간에 투약되어야 한다. 또한 소아의 알레르기 병력을 확인하고, 이미 복용한 약은 무엇인지 확인하여 잠재적인 부작용을 예방하는 것도 중요하다.

어떠한 약물은 현장에서 즉시 처방이 가능하나, 어떤 약물은 응급의료지도의사의 의료지도 및 자문을 받아 투약되어야 한다. 구두로 지시 받는 내용은, 오해가 없도록 반드시 재차 확인해야 한다. 응급구조사의 업무지침이나 업무 범위에서 벗어났거나, 불분명하거나, 혼돈스러운 의료지도는 표준지침의 오해나 위반을 방지하기 위해 재차 질문해야 한다. 투약하고자 하는 약물이 정확한 약물인지 확인하고, 유효기간이 경과되지 않았는지, 어떤 형태로든 오염되거나 손상되지 않았는지, 침전물이나 변색이 없는지 꼼꼼히 확인한다.

소아들의 약물 투여는 잘못된 용량으로 투약될 가능성이 있기 때문에 특히 위험하다. 병원 전 상황에서 소아에게 주어지는 대부분의 약물은 체중을 기준으로 투약량을 산출한다. 잊지 말아야 할 것은 무게에 따른 처방 시 체중을 파운드가 아닌 킬로그램 기준으로 계산해야 한다(mg/kg 또는 mL/kg). 1킬로그램은 2.2파운드에 해당하므로 무심코 파운드에 기초하여 계산했을 경우 투약량이 너무 많아 과다 투약으로 이어질 수 있다.

응급상황에서는 용량을 잘못 계산하기 쉬우므로 용량이 표기된 약물 보조기구의 사용은 매우 유용하다. 여러 종류의 보조기구가 있다. 어떤 도구는 소아의 체중에 따른 용량이 표기 되어 있다. 그 예로 차트, 카드 또는 스마트폰 어플리케이션이 있다. 이외에도 키 기반의 측정 테이프가 있는데, 소아의 키를 측정한 후 해당 키의 소아 평균 몸무게에 기초하여 계산된 용량을 제공한다. 어떤 형태로든 도움이 되는 도구를 사용하면 수학적 계산에 따른 실수를 줄일 수 있으며 특히 계산된 용량에서 소수점을 실수하지 않도록 도움을 준다. 소수점의 자릿수의 잘못된 사용은 실제 투약량보다 10배 더 많거나 작을 수 있다.

어떤 약제는 특히 소아와 성인용 용량에 맞춰 미리 포장되어 있다. 그 예로는 에피네피린 자동 주입기가 있다. 정확한 용량을 제공하기 위해서는 올바른 포장을 선택하는 것이 중요하다. 예를 들어, 성인용 에피네프린 주사는 일반적으로 0.3 mg이고, 이는 일반적인 소아용 에피네프린 0.15 mg의 두 배이다.

약물 과다투여는 쉽게 발생하고 잠재적으로 심각한 결과를 초래할 수 있기 때문에 응급구조사는 소아의 치료과정에서 어떤 약물이라도 안전하게 투약할 수 있도록 가능한 모든 조치를 취해야 한다. 또한 처방한 모든 약물의 용량을 정확하게 모두 기록에 남기고 또한 환자 이송 중에 구두로 한번 더 보고해서 병원에서도 같은 약물을 중복 처방해서 과잉투여가 되지 않도록 막는 것이 중요하다.

발작

발작은 뇌안의 신경세포 다발로부터의 비정상적이고 지속된 전기 전하에 의해 초래된다. 발작은 뇌에서 비정상적인 전기적 발작 활동의 부위와 소아의 연령에 따라 다양한 신체적 증상을 보인다. 중추신경계가 미숙한 상태인 영아(0-12개월)의 발작은 파악하기 매우 어려울 정도로 미묘하므로 비정상적인 주시(응시), 수평 안구진탕(horizontal nystagmus), 지속적인 근육경련, 빠른 행동, 혹은 두 발로 자전거바퀴를 돌리는 행동인 'bicycling'등으로 나타날 수 있다. 보다 발달된 중추신경계를 가진 더 큰 소아들에서의 발작은 보통 더 분명하며, 일반적으로 반복적인 근육 수축(강직-간대성 경련)과 무반응으로 나타난다. 지속적인 혹은 반복적인 근육경련은 공기교환부족, 과이산화탄소혈증, 저산소증을 일으키는 상부기도폐쇄와 관련이 될 수 있다. 그 결과로써 청색증이 발생한다.

　이러한 대발작(generalized seizures)은 아동에서 가장 흔한 유형이다. 대발작은 경련성발작(강직-간대성 움직임과 같은 운동 활동이 있는)과 비경련성발작(소발작 또는 실신발작, 즉 운동 활동이 없는)으로 나눈다. 부분발작은 의식 유지 여부를 기반으로 분류한다. 의식상실 없는 부분발작은 "단순부분발작"으로 알려져 있으며, 의식상실 있는 부분발작은 '복합부분발작'으로 알려져 있다. 더 나아가 부분발작은 운동성 활동(국소적이었다가 퍼져나가는), 감각(감각이상, 현기증, 시각, 청각 증상), 자율신경계 변화(발한, 동공변화) 같은 증상과 징후를 기초로 세부 분류된 복합부분발작 중 환아는 운동자동능(motor automatisms), 예를 들면 껌 씹는 듯한 행동이나 자전거 바퀴를 돌리는 듯한 움직임을 보일 수 있다. 간질증후군이 있는 영아와 소아는 여러 형태의 발작을 나타낼 수 있다. 간질이라는 개념은 알려진 잠재적 원인이 있거나 없이 시간이 지남에 따라 재발작을 유발하는 만성 질환을 의미한다. 간질을 경험한 아동의 돌봄제공자들은 119구급활동 현장에서 매우 침착할 수 있지만 처음으로 발작을 목격한 아동 돌봄제공자들은 보통 매우 당황하여 아이가 죽어간다고 두려워하며 심폐소생술을 시작할 수도 있다.

열성경련

아동기에 가장 흔한 발작 형태는 열성경련이다. 모든 아동의 약 5%는 최소한 6세까지 한 차례의 발작을 경험할 것이다. 그러한 아이들의 절반 이상은 결코 더 이상의 발작을 경험하지 않을 것이다. 정의에 의하면, 단순열성경련은 기존 신경학적 이상이 없는 생후 6개월에서 5세의 고열 환아에게서 발생한 15분 이하의 전신성, 강직-간대성 발작으로 24시간 이내 다시 반복되지는 않는다. 단순 열성경련은 환아가 비록 반복적으로 열성경련을 일으킨다고 해도 뇌손상을 일으키지 않는다. 대부분의 열성경련은 병원전 응급구조사가 현장에 도착하기 전 자연적으로 멈춘다. 재발의 위험요소는 첫 열성발작이 1세 이하에서 시작하고, 열성발작의 가족력이 있으며 복합 발작인 경우가 포함된다.

　복합열발작(complex febrile seizures)은 15분 이상 지속

사례연구 １

가정집 거실에서 놀고 있던 2세 유아가 쓰러지며 의식소실을 경험하고 10-15분간 팔과 다리의 경련이 발생되었다. 현장에 도착하자마자, 조는 듯하며 눈을 뜨지만 질문에 답변을 하지 못하며 아픈 자극에만 우는 환아를 발견하게 된다. 비정상적인 호흡음은 없고 증가된 호흡도 없으며 피부색은 정상이다. 호흡수는 12회/분, 심박동수 100회/분이며 혈압은 90/58 mmHg이다. 산소포화도는 92%이다. 신경학적 장애 소견은 없고 현재는 발작이 없는 상태이다. 환아체온은 38.6℃이다. 아버지에 의하면, 전에도 발작을 일으킨 적이 있어서 복용하는 약이 있다고 한다. 발작이 너무 길어져서 아버지가 아이에게 신경과 의사가 처방해준대로 디아제팜을 직장주입했다고 말한다.

1. 1. 아이의 발작과 이전 병력에 대해 무엇을 더 알아야 하는가?
2. 2. 이 환자를 어떻게 처치해야 하는가?
3. 3. 환아는 이송되어야 하나?

되며 대발작성이기보다 국소적일 수 있으며, 24시간 내 한 번 이상 발생한다. 이러한 유형의 발작은 중병과 관련이 높아서 병원에서 더 많은 평가를 요한다. 열성발작이 있는 대부분의 환아는 고열의 원인이 상대적으로 양성이다(중이염, 바이러스성 증후군). 양성 원인을 가진 환아에서 발생한 발작은 발작 후 기간이 짧고, 일반적으로 의식수준이 호전되고 좋아지는 것처럼 보인다. 보다 중증의 원인(수막염)이 있는 환아는 발작이 소멸된 후에도 심하게 아파보이거나 관련증상(점상출혈, 목강직)이 동반된다. 발작을 한 환아가 현재 고열상태는 아니지만 열성발작을 겪었던 아동은 심각한 질병을 배제시키기 위해 전문의의 검사를 받아야 한다. *병원 전 응급구조사는 열성 경련에 대한 진단을 내릴 수 없다.*

> **수의**
>
> 병원 전 응급구조사는 열성경련에 대한 진단을 내릴 수 없다.

> **조언**
>
> 만약 환아가 또 다른 발작을 시작하면 ABC를 확인한다. 5분내 발작이 멈추지 않으면 약물투여를 시작한다.

무열성 발작(Afebrile seizures)

아동기 발작은 흔히 고열과 관련이 있지만, 그 외에도 많은 다른 다양한 발작의 원인들이 있다. 여기에는 외상, 특히 두부 손상(아동 학대를 포함한), 저산소증, 저혈당증, 감염, 독극물 섭취, 중추신경계 출혈, 대사이상 그리고 선천적인 신경학적 문제 등이 포함된다. 무열성 발작을 가진 일반적인 소아 집단은 경련 방지 약물투여를 받지 않고 '돌발성 발작'을 경험하게 되는 간질을 가진 소아들이다. 약물을 잘 투여 받고 있었음에도 불구하고 발생한 '돌발성 발작'을 일으키는 환아 그룹이 있다. 이 그룹 환아에서, 부모들은 통상적인 발작활동을 관리하는 일상적인 방법들이 성공하지 못했을 때 구급출동을 요청한다.

> **조언**
>
> 고열이 동반된 발작은 열성발작과 같지 않다.

간질지속상태(Status epilepticus)

간질지속 상태의 고전적 정의는 (1) 의식의 회복 없이 연속적인 두 차례 이상의 발작 혹은 (2) 20분 이상의 지속적 발작 둘 중의 하나이다. 상태에 대한 보다 새로운 조작적 정의는 발작 관리를 전공한 신경학자들에 의해 1990년대 후반에 개발되었다. 대다수의 발작이 5분 이내에 자동으로 멈춘다는 것을 나타내는 자료를 토대로 그들은 '간질지속상태'라는 개념을 다시 정의하고, 약물학적 치료 개시를 위한 시작을 5분 이상 지속 되는 발작으로 정하였다. 따라서 병원 전 응급구조사가 도착했을 때 발작 상태에 있는 소아에 대해서는 간질지속상태로 간주하도록 하고, 발작을 멈추기 위해서는 약물 요법으로 치료하도록 한다. 대부분의 응급의료체계 평균출동소요시간(반응시간)에서 이러한 환아들은 불가피하게 최소 15분 이상 발작 중일 수 있다.

간질지속상태는 소아의 첫 발작 때 발생할 수 있다. 간질지속 상태에서 소아의 나이는, 발작의 가능한 원인을 예측하도록 도와준다. 3세 이하의 소아들은 저산소증, 감염 혹은 음독과 같은 급성이며 때로는 점진적인 간질지속 상태의 원인을 보이는 경향이 있다. 간질지속증 상태를 나타내는 3세 이상의 아이들은 만성적인 정적인 원인(예를 들면 간질, 신경학적 장애, 선천성 대사장애 또는 부적절한 항경련제 치료)을 보이는 경향이 있다. 따라서 영아와 어린 소아들이 고열이나 간질의 병력을 가지고 있지 않다면 간질지속상태를 가진 영아와 소아의 치료에 특히 신중해야 한다.

간질지속상태는 내과적 응급 상황이다. 현장에서의 초기 치료가 중요하다. 왜냐하면 발작 시간이 길수록 약물로 중단시키기가 어렵기 때문이다. 발작을 중단시키는 것은 또한 기도 관리와 산소 및 환기 공급 그리고 이송을 쉽게 도와줄 수 있다. 그러나 장기적인 신경학적 손상의 위험은 발작의 지속시간보다는 근본 원인과 관련 합병증(고이산화탄소혈증, 저산소증)과 가장 밀접한 관련이 있다. 예를 들어 20분의 열성발작을 보인 소아는 뇌손상을 견디기 어렵지만 동일한 시간의 발작을 보인 뇌막염 아동은 장기적인 신경학적 문제의 높은 위험에 처하게 된다.

> **조언**
>
> 간질지속상태 동안 뇌손상의 위험은 발작 시간이 아니라 발작의 원인과 가장 밀접한 관련이 있다.

발작의 분류

비정상적인 운동 활동(motor activity)과 아동의 연령은 **표 6-1**에서 볼 수 있는 것과 같이 발작 분류에서 중요한 요인이다. 발작이 신체 전반(전신발작(generalized seizures)은 뇌의 양 반구에 영향을 미친다)이나 혹은 신체 일부(국소발작(focal seizures)은 뇌의 단 한개 반구에 영향을 미친다)와의 관련여부가 중요한 구별이다. 전신 발작은 비정상적인 근육의 경련(긴장-강대 또는 대발작: grandmal seizure)과 보통 관련이 있지만 단지 주의력 상실이나 눈만 깜박거릴 수도(실신발작이나 소발작: absence or petit mal seizure) 있다. 소아에서 부분발작이 있을 경우 의식과 언어 상호작용이 보존되거나(단순부분발작: simple partial seizure) 혹은 장애(복합부분발작: complex partial seizure)가 있을 수 있다. 단순부분발작은 복합 부분발작이나 전신발작으로 진행할 수 있다. 부분발작이 전신성 발작으로 진행될 때 이를 2차성 전신발작(secondary generalization)이라고 부른다. 신생아발작은 좀 더 미묘한 경향이 있는데 출생 1개월 이내에는 강직-간대성 활동(tonic clonic activity)이 나타나지 않기 때문이다. 비정상적인 주시(응시), 수평 안구진탕(horizontal nystagmus), 근간대성 발작(갑자기 하나의 근육 경련)은 영아 발작의 유일한 증거이다.

합병증

발작은 기도폐쇄, 흡인, 부적절한 호흡으로 인한 저산소증을 발생시킬 수 있다. 적절한 병원 전 응급처치는 이러한 합병증을 최소화 할 수 있다. 두 번째 관심사항은 감염, 중독(독성물질 노출), 출혈, 선천성 신경학적 문제와 같은 중요한 중증상태에 있는 환아에서 발생한 장시간의 발작 활동으로 인한 뇌손상이다. 소아는 성인보다 에너지 예비량이 적다. 활성화된 발작활동은 이러한 예비력을 사용한다. 저혈당증이 원인이 될 수 있으며, 또한 발작활동을 연장시킬 수도 있다.

기도와 호흡 지지, 발작 활동 통제, 저혈당증 확인 및 응급처치, 소아 중환자 처치 능력이 있는 의료기관으로의 빠른

표 6-1 발작의 분류

유형	설명
전신	
■ 강직-간대성(대발작) ■ 실신(소발작)	▪ 몸통 경직과 의식 상실, 양팔이나 양다리의 갑작스러운 경련; 강직성이거나 간헐적 경련성일 수 있다. ▪ 어떤 이상한 신체 운동이 없는 짧은 의식 상실; 소아가 노려보는 것처럼 보이거나 반복적으로 눈을 깜박일 수 있다.
부분(국소)	
■ 단순 ■ 복잡 ■ 강직-간대성 ■ 다초점 ■ 간대성근경련	▪ 의식 상실이 없는 국소 운동 경련; 감각, 자율 신경계 혹은 정신적일 수 있다; 복잡한 발작 활동으로 진행할 수 있다. ▪ 의식 상실이 동반된 국소 운동 경련; 때로는, 강직-간대성 발작(tonic-clonic seizure)의 2차성 전신발작이 나타난다. ▪ 몸통과 사지의 강직 자세는 사시를 고착시킬 수 있다; 근육군, 특히 사지와 얼굴의 씰룩거림 ▪ 다양한 근육 집단이 포함된 간헐적 경련과 유사하다. ▪ 말초 근육 집단과 신체의 사지나 일부의 국소 혹은 전신 경련이 하나의 경련 혹은 반복된 경련으로 발생할 수 있다.
신생아	
■ 미묘(subtle)	▪ 씹는 운동, 지나친 타액 분비, 눈을 깜박거림, 사시, 삼키기, 수영하는 팔 자세, 페달을 밟는 듯한 발, 무호흡, 혈색 변화 등

조언

발열이나 간질 병력이 없으면서 간질지속상태(status epi-lepticus)이 있는 영아나 유아의 응급처치는 특히 끊임없이 경계를 게을리 하지 않아야 한다.

논쟁

발작중인 환아를 위한 가장 좋은 자세는 논쟁이 있다. 바로누운 자세(앙와위, supine position)는 흡인의 위험을 증가시킬 수 있으나 기도와 호흡 응급처치를 좀 더 쉽게할 수 있다. 옆누운자세(측와위, lateral decubitus position)는 흡인으로부터 약간의 보호를 제공할 수 있지만 산소공급과 호흡 완화 응급처치를 좀 더 어렵게 한다.

그림 6-1 기도개방을 위한 환아 머리 자세는 환아를 우선 옆으로 누운 자세로 두고 흡인으로 구토물을 구강 내에서 깨끗이 제거한다.

이송은 이러한 중증 환아에서 사망률을 최소화할 수 있는 최상의 전략이다.

활동성 발작 환아의 평가와 응급처치

병원 전 응급구조사가 현장에 도착했을 때 만약 환아가 발작 중이라면 몇 가지 주요 응급처치 단계가 있다.

1. *기도개방*
   기도개방은 가장 중요한 일차적인 응급처치 활동(**표 6-2**)이다.
   척추고정술은 발작 활동이 멈출 때까지 효율성이 높지 않다고 하더라도 외상 후 발작(posttraumatic seizure)의 기도 관리의 한 부분으로 고려한다.
2. *적절한 호흡확보*

표 6-2 발작중 환아의 일차적인 기도관리

기도개방을 위하여 환아의 머리를 바른 위치에 둔다.
흡인으로 구강을 깨끗하게 한다.
만약 환자가 구토를 하고 있고 기도를 통제하기 위한 흡인이 부적당한 경우 측와위를 고려한다(**그림 6-1**).
비재호흡 마스크나 불어 주기법(blow-by)에 의한 100% 산소를 제공한다.
특히, 치아를 꽉 깨물고 있다면, 코인두기도기 사용을 고려한다.

전문소생술(Advanced Life Support)

치료적으로 적합한 자세(Positioning)는 나이가 어린 환아에게서 기도를 확보하기 위한 가장 쉬운 방법이다. 영아, 학령전기 아동을 위한 기도개방은 턱들어올리기(chin lift)나 턱밀어올리기(jaw thrust)이다. 구강내 분비물이 많다면, 환자를 옆누운자세(회복자세)를 취하면서 동시에 기도를 열어준다. 턱들어올리기(chin lift)나 턱밀어올리기를 한 후에 코인두기도기를 삽입하는 것이 가장 유용한 기도개방 방법이다. 치아를 꽉 깨물고 있을 때 기도개방을 제공한다. 그리고 입인두기도기 또한 유용하게 사용할 수 있으나, 치아가 꽉 물린 상태에서는 삽입하기 어렵고 만약 환자가 구역반사가 있는 경우에는 구토를 일으킬 수 있다. 구토발생 시 구강분비물을 흡인해 낸다.

발작 중 신경근차단약제를 사용하지 않는다면 기관내삽관을 성공시키기가 매우 어렵고 합병증 발생률이 높아진다. 발작을 하고 있는 환아에게 기관내삽관은 시도하지 않는다. 만약 기도를 유지시키기가 어렵다면 항경련약제의 투여로 발작을 중지시키도록 노력한다. 필요하다면 발작이 멈춘 후에 기도관리를 수행한다.

대부분 발작은 어느 정도의 저환기와 관련된다. 만약 환아가 청색증을 보이거나 산소를 보충해주고 있는 상황에서 맥박산소측정기로 측정 시 90%이하의 산소포화도를 보인다면 환기보조를 시도한다. 여기서 주의할 것은 대발작중인 환아에서 정확한 맥박산소측정기의 판독치를 얻기가 어렵다는 것이다. 다시 강조하면 발작을 멈추는 것이 성공적인 환기의 핵심이다. 전신발작 중 기도를 개방하고 자연적인 호흡노력이 있는 환아에게 양압환기를 보조하여 강직성 흉벽을 확장 시키는 응급처치 절차는 기술적으로 어렵다. 환기보조 시 공기로 인한 위 팽만이 발생되는 것은 흔하다. 만약 백-밸브 마스크 환기가 복부를 팽만시킨다면 응급구조사는 위 감압을 위한 비위관삽입을 고려한다.

3. 순환보호

패혈증이나 외상과 관련된 발작 환아가 아니라면 응급 현장이나 이송 중 수액 투여는 필요하지 않다. 관류장애의 징후는 장시간의 발작활동, 저산소증, 대사성 산독증과 관련성이 높다.

4. *신경학적 상태 관리(manage any disability)*

현장에서 혈당 수치를 확인하고 저혈당증이 확인되면 표 6-3에서 설명한 대로 치료한다.

전문소생술(Advanced Life Support)

대부분의 발작이 현장에 응급구조사가 도착하기 전 멈추긴 하지만 여전히 발작을 계속하고 있는 환아라면 약물치료로 완화시킬 수 있다. 현장에서의 항경련제 투여를 위한 선택사항들을 고려한다. 약물 투여의 목표는 약물의 부작용을 최소화하면서 발작을 중지시키는 것이다.

벤조디아제핀 약물이 우수한 1차 항경련제이다. 이 약제에 포함되는 일반적인 약들은 로라제팜, 디아제팜, 미다졸람이다. **표 6-4**는 투여용량과 투여경로를 제공한다.

벤조디아제핀계 약물들은 약리작용은 동일하지만, 각각 제제와 투여경로가 달라 약물 작용의 최대효과 시간과 약효 지속시간에서 유의한 차이를 나타낸다.

표 6-3 발작 중 포도당 투여 지침

적응증
- 혈당 수치 <60 mg/dL 영아와 소아
- 혈당 수치 <40 mg/dL 신생아

치료
- 방금 태어난 신생아 : $D_{10}W$, 2 mL/kg IV 혹은 IO 투여
- 신생아 : $D_{10}W$, 5 mL/kg IV 혹은 IO
- 소아 <2세: $D_{25}W$, 5 mL/kg IV 혹은 IO
- 소아 ≥2세 : $D_{50}W$, 2 mL/kg IV or IO 또는 D50W, 1 mL/kg IV 혹은 IO bolus

위 형태의 고농도 포도당(concentrated dextrose)이 현장에 없다면 D_{10}% IV, 5 mL/kg를 믹스해서 주사한다.

IO, intraosseous; IV, intravenous.

표 6-4 발작 중 벤조디아제핀계 약물 투여

약품명	일차용량	투여경로	장점	단점
디아제팜	0.1 mg/kg	IV, IO	빠른 약효발현 값이 저렴 냉장보관하지 않아도 됨	진정시킴 호흡억제 발작통제를 위한 약효지속시간이 짧음(15분)
디아제팜	0.5 mg/kg	PR	빠른 약효발현 정맥주사가 요구되지 않음	진정시킴 호흡억제
로라제팜	0.05 – 0.1 mg/kg	IV, IO	빠른 약효발현 발작통제를 위한 약효가 오래 지속됨(12–24시간)	열이나 극단적인 기온으로부터 보호된 곳에 저장
미다졸람	0.1 mg/kg 0.15 mg/kg 0.2 mg/kg	IV/IO IM Intranasal	빠른 약효발현	발작통제를 위한 약효지속시간이 중간정도(30–120분)

IM, intramuscular; IO, intraosseous; IV, intravenous; PR, per rectum.

디아제팜(Diazepam). 디아제팜은 간질지속상태 치료를 위해 이전부터 사용해온 약물이다. 간질지속상태 혹은 장시간의 발작에 효과적 치료를 위해 디아제팜을 0.1 mg/kg을 IV 혹은 IO로 투여하여하는데, 급속한 정맥투여는 호흡억제를 일으킬 수 있다. 또한 디아제팜을 IM으로 투여하지 않는데 이는 근육에 흡수가 잘 되지 않고 조직에 자극을 주기 때문이다. 혀밑이나 비강내투여가 가능하지만 현장에서의 투여 사례는 거의 없다.

발작중인 환아에게 말초 정맥로의 확보는 특히 영아나 유아에서 자주 전문소생술 약물 투여를 늦어지게 하는 원인이 될 수 있다. *응급 디아제팜 투여를 위한 효과적인 대체 투여 경로는 곧창자(직장)이다.* 곧창자(직장)로 디아제팜을 투여하는 것의 장점은 효과적이며 호흡억제를 덜 일으키고 투여하기 쉽다는 것이다. 이 때 곧창자(직장) 투여 용량은 0.5mg/kg으로 다른 투여경로보다 더 높은 투여량을 사용한다.

곧창자(직장)를 통한 디아제팜 투여와 관련된 호흡억제 발생률은 정맥을 통한 디아제팜 투여보다 낮다. 그러나 5분의 범위 내에서 임상적 효과가 나타나므로 약효 발현 시간이 길어진다. 이 과정에 대한 단계별 설명은 절차 21을 참조한다.

디아제팜의 가정용 곧창자(직장)투여제로 Diastat가 있다. 보호자가 이미 Diastat를 발작 환아에게 투여했는 데도 불구하고 발작이 멈추지 않을 때 응급의료체계에 도움을 요청한다. 발작을 중지시키기 위한 추가 약물로 벤조디아제핀이 정맥내, 골내, 근육내로 투여 될 수 있다.

디아제팜의 약리작용은 빨리 시작되지만 진정효과는 길지 않으므로 이송시간이 긴 응급현장에서의 사용에 심각한 제한이 있다. 약제가 투여된 후 10-20분 이내에 디아제팜의 추가 용량(혹은 가능한 다른 항경련제 투약)이 필요할 수도 있다. 만약 환아에게 페노바비탈이 투여되었거나 이전 몇 시간 이내에 다른 벤조디아제핀이 투여된 경우 호흡억제를 최소화시키기 위하여 디아제팜을 정상투여량의 절반 정도 용량 사용을 고려한다.

로라제팜(Lorazepam). 벤조디아제핀계 약제 중 로라제팜 0.05-0.1 mg/kg투여가 아마도 병원 전 발작 응급처치에 대한 최상의 약물투여 사례이다. 약리작용이 빨리 나타나고 정맥내, 골내 투여할 수 있으며 반감기가 길다. 로라제팜은 발작을 멈추기 위하여 사용하며 용량에 따라 8시간 이상 발작이 재발되는 것을 막아 준다. 병원 전 환경에서 소아에 대한

곧창자(직장)를 통한 로라제팜 투여 사례는 많지 않고 약물용량도 확실하게 확립되어 있지 않다. 보통 로라제팜은 냉장보관을 하여야하기 때문에 병원 전 응급구조사들에 의하여 많이 사용되어지지 않았다. 로라제팜을 30일 마다 교체 가능하다면 병원 전 전문소생술 전용 구급차 내에 냉장보관하지 않고 실온에서 보관할 수도 있다.

미다졸람(Midazolam). 근육으로 투여하는 미다졸람은 정맥로가 확보되지 않은 환아에게 투여할 수 있는 벤조디아제핀 계열 약물의 항경련제로서 작용이 빠르고 효과가 좋다. 투여용량은 0.15 mg/kg 근육주사로 투여한다. 미다졸람은 수용성으로 주입 부위에서 빠르게 흡수되며 국소 내성이 우수하다. 미다졸람의 약리학적 효과는 투여 후 몇 분 이내에 볼 수 있으며, 발작은 보통 10분 이내에 멈춘다. 정맥 내 디아제팜에 비해 약효가 늦게 나타나지만, 정맥 내 시작 시간을 비교할 때 발작 중단 시간은 더 짧을 수 있다. 또한 미다졸람은 IV와 IO(0.1 mg/kg)를 투여할 수 있으며, 비강으로 투여 가능하다. 비강 내 투여량은 0.2 mg/kg이고 최대 투여량은 10 mg이며 비강 점막 분무기에 의해 가장 잘 투여된다. 구강 안쪽에 투여하는 것은 사실 미다졸람 투여에 가장 좋은 경로이지만, 미국에서는 일반적으로 사용되지 않는다. 미다졸람은 IV와 IM을 통해 투여된 병원 전 소아과 환자에서 호흡기 손상이 거의 없는 것으로 나타났다.

그 어떤 투여경로로 벤조디아제핀계 약물을 투여했을 때라도 이 계열에 속하는 약물들의 일반적인 부작용인 호흡 억제를 주의 깊게 살펴보아야 하며, 필요 시 백-밸브 마스크 환기 보조를 제공하여 이를 예방한다. 예로 벤조디아제핀 투여 후 무호흡이 발생 했을 때 호흡 억제 효과는 일시적이므로 백-밸브 마스크 환기 장치라면 보통 응급처치로 충분하다. 그리고 기관내삽관이 필요한 경우는 매우 드물다.

만약 발작이 벤조디아제핀을 두 번 투여해도 멈추지 않으면 더 이상의 추가투여량을 주어도 발작이 종료되지 않을 수 있다. 만약 지역 응급의료체계 업무지침에서 허락이 되어 있다면 두 번째 약의 선택을 고려한다. 제2선의 항경련제의 일반적 선택에는 페니토인, 포스펜토인, 그리고 페노바비탈이 포함되며, 이는 **표 6-5**에 서술되어진 용량과 투여방법이 서술되어 있다.

페노바비탈. 페노바비탈은 신생아를 위한 제일선의 약제로 선택되는 편이며 투여용량은 20 mg/kg이고, 영아와 소아를 위한 제2선의 항경련약제이다.

표 6-5 2차 선택 항경련제의 투여

약품명	일차 용량	투여 경로	주입 속도	최대 주입속도
페니토인(Phenytoin)	20 mg/kg	IV, IO	1 mg/kg/min	50 mg/min
포스페니토인(Fosphenytoin)	20 mg/kg (PE)	IV, IO, IM	3 mg (PE)/kg/min	150 mg (PE)/min
페노바비탈(Phenobarbital)	20 mg/kg	IV, IO	1 mg/kg/min	50 mg/min

IM, intramuscular; IO, intraosseous; IV, intravenous; PE, phenytoin equivalents.

전문소생술(Advanced Life Support)

포스페니토인, 포스페니토인은 페니토인의 기존 치료 효과를 향상시키기 위한 약물 혹은 대사성 선행물질이며 제2선에서 선택할 수 있다. 포스페니토인은 페니토인 IV나 IO 보다 더 빨리 투여할 수 있고 IM도 받을 수 있지만 활성 대사물인 페니토인까지 대사하는 데 약 15분이 걸린다. 그러므로 발작을 중지시킬 수 있는 혈액과 뇌에서 효과적인 약물의 효과를 얻게 되는 총 시간은 페니토인과 포스페니토인이 거의 같다. 포스펜토인의 단점은 페니토인보다 더 고가라는 것이다.

페니토인은 신생아, 영아, 소아에서 제2선의 약제이다. 생리 식염수에 페니토인을 믹스하여 최대 50 mg/min의 속도로, 소아에서는 1mg/kg/min 보다 빠르지 않게 투여한다. 환아에게 심장모니터를 적용하여 정맥이나 골내로 페니토인 투여 시 가장 많이 발생하는 중증 합병증인 느린맥(서맥)이나 저혈압을 주의 깊게 살펴본다. 합병증은 희석제나 혼합물인 프로필렌 글리콜(propylene glycol)에 의해서 발생된다.

포스페니토인이나 페니토인 모두 약물에 의한 발작을 나타내지 않는다.

조언

발작중이거나 발작 후 상태인 환아는 항상 산소를 투여해야 한다. 약물 유발 발작에 대해서는 제 1선의 약제로 항경련제와 벤조디아제핀을 투여하고 페노바르비탈을 이어서 투여한다. 포스페니토닌 혹은 페니토닌은 사용하지 않는다.

주의

페니토인이 투여될 때 포도당과 접촉하면 젤리형 물질이 만들어져서 정맥주사로를 폐쇄시킬 수 있다.

이송

기도와 호흡 보조를 제공하고 벤조디아제핀을 투여한 후 이송을 시작한다. 어떤 응급의료체계에서는 이송 중 제2선에 있는 항경련제 투약을 지시한다. 가능하다면 이송 중 환자의 병력과 신체검진, 외상 환아라면 정밀신체검진을 수행한다. 가능하다면 계속적인 심장 모니터와 맥박산소측정기를 사용한 이송 중 평가를 시행한다. 벤조디아제핀과 제2선의 약물(예, 포스페니토인, 페니토인과 페노바비탈)을 투여한 후에도 발작이 멈추지 않는다면 장시간 발작의 위험이 높다. 이러한 소아들은 집중치료가 요구되기 때문에 이송될 의료기관에 관한 선택 시 고려한다.

발작 후 소아의 평가

보통 병원 전 응급구조사들이 현장에 도착했을 때 소아들의 발작은 이미 종료가 된 경우가 많다. 이러한 발작 후 상태(postictal state)는 꾸벅꾸벅 졸거나 혼동, 과민성, 상호작용 감소의 특성을 보이며 몇 분이나 몇 시간 뒤에 끝난다.

만약 소아가 신체적으로 안정되어 있으면 현장에서 주호소를 중심으로 한 집중 병력청취와 신체검진, 외상환자의 경우 정밀신체검진을 포함한 2차 평가를 시행한다. 혈당 수치를 확인하고 저혈당증이 존재할 경우 이를 교정한다.

발작 후 환아가 안정되어 있을 경우의 예로 이전에 간단한 대발작을 경험하고, 간질 진단을 받은 소아와 6세 이하 열성 경련이 있는 소아를 들 수 있다. 간단한 발작을 경험한 대부분의 소아는 15-30분 내에 의식의 명료 정도, 근육 긴장도, 상호작용이 호전되는 것을 볼 수 있을 것이다. 발작 후 30-60분 이상이 되도록 의식이 명료해지지 않았다면 중증 문제가 있다는 것을 반영할 수 있으므로 이송 중 2차 평가를 수행하면서 빠른 이송을 시작한다. **표 6-6**은 장시간 지속되는 발작 후 응급실에서 긴급한 치료가 요구되는 상태로 이끄는 상황들을 열거하고 있다. 만약 소아가 폐쇄성 두부 손상

이후 발작을 한 경우는 7장에서 논의된 바와 같이 항상 목뼈(경추)를 고정해야 한다.

　간질의 과거력이 있는 환아인 경우 복용중인 항경련제의 이름과 용량, 마지막으로 투여된 용량을 포함하여 상세하게 병력을 수집한다. 언제 마지막으로 약물의 혈중 농도를 검사했는지 그 수치가 적절했는지를 질문한다. 발작의 지속시간, 시작 장소, 진행 양상, 의식소실 여부 및 의식소실 기간 등을 포함한 운동성 활동에 대한 상세한 내용을 질문한다. 이러한 정보로부터 발작의 형태(즉 전신, 부분 혹은 부분발작에서 이차적인 전신발작으로 진행)를 판단한다. 또한 두부 외상에 대하여 세심하게 질문한다. 그리고 독극물 섭취나 약물 과량투여의 가능성을 고려한다. 항히스타민제 같은 비처방성 약물의 남용이 발작을 일으킬 수 있다는 사실을 항상 염두에 둔다.

　환아 돌봄 제공자들의 두려움을 완화시킨다. 만약 소아가 첫 번째 발작을 한 경우라면 돌봄제공자는 특히 놀랄 수 있다.

주의

발작에 관한 돌봄 제공자의 두려움을 완화시켜주되 진단을 내리거나 발작의 원인, 재발의 위험에 대한 불확실한 정보를 제공해서는 안된다.

표 6-6 발작 후 환아에서 걱정되는 상황들

외상 후 발작

독극물 섭취 후 발작

발작과 지속적인 저산소증

4주 이하의 신생아 발작

6세 이상에서 처음 발생한 발작

한 번이상의 발작

5분 이상 발작시간

저혈당 수치

발작 요약

발작은 소아에서 흔히 일어나는 일이며 돌봄제공자들은 이러한 문제를 해결하기 위하여 119구급출동을 자주 요청한다. 보통 발작은 구급차가 도착하기 전에 멈추며 이러한 사례의 경우 발작 후 환아에 대해 단지 평가와 관찰을 하며 병원으로 이송하게 된다.

　가끔 현장 도착 시 환아가 발작 중이라면 의학적 응급처치가 요구된다. 응급처치로 기도 개방 및 청결, 필요 시 산소 투여를 하며, 보통 디아제팜이나 로라제팜, 미다졸람 같은 벤조디아제핀계 약물을 투여한다. 곧창자(직장)로 투여하는 디아제팜은 소아에서 발생한 대부분의 발작을 멈추게 한다. 더욱 효과적인 대안에는 로라제팜 IV, IO 나 미다졸람의 IV, IO, IM 혹은 디아제팜의 IV, IO 이다. 벤조디아제핀 투약은 자주 일시적인 호흡억제를 일으키며 대부분의 사례에서 기관내 삽관하지 않고 백-밸브 마스크 환기로 이를 해결한다. 벤조디아제핀 치료가 성공하지 않을 경우 지역 응급의료체계 업무지침에 따른 2차적으로 선택할 수 있는 좋은 약물은 페노바비탈, 페니토인, 포스페니토인이다.

의식수준 변화(AMS)

의식수준 변화(AMS)는 나이에 맞지 않는 명료도나 상호작용이 저하된 비정상적 신경학적 상태를 말한다. 의식수준 변화라는 용어는 과민(irritability)에서부터 완전 무반응상태까지 비정상적인 모습의 범위를 뜻한다. 가끔 돌봄제공자의 걱정거리는 애매모호하며 단순히 소아가 '바르게 행동하지 않는다'는 호소를 한다. 행동에서의 정상 성장발달이나 연령과 관련된 변화에 대한 이해와 돌봄제공자의 개인적인 표준에서의 변화에 관한 의견을 신중하게 청취하는 것이 평가의 열쇠가 된다. AEIOUTIPPS 라는 기억하기 좋은 기호로 의식수준 변화의 중요한 원인(**표 6-7**)을 기억한다. 알파벳 AEIOU에서의 5개 모음글자와 TIPPS라는 자음의 기억코드는 의식수준 변화의 주요 원인들을 나타내고 있다.

평가

신경학적 상태를 빠르게 평가하기 위해 현장에서 소아평가 삼각구도와 ABCDEs 처치를 시행한다. 1차 평가는 제1장에서 서술된 뇌피질과 뇌줄기(뇌간)를 평가와 상호관련지어 판단한다. 비정상적인 환자의 증상과 의식수준 변화 사이에는 차이가 있다. 비정상적인 모습은 뇌 기능 측정법으로 TICLS 기억코드를 사용해 평가한다(**표 1-1**). 의식수준 변화는 AVPU 척도를 사용하여 평가한다. 의식수준 변화는 항

사례연구 2

응급구조사가 반응이 없는 소아에 관한 구급출동 요청을 받았다. 3세 아동의 돌봄 제공자는 소아가 낮잠을 잔 후 현재까지 깨어나지 않는다고 진술한다. 응급구조사가 현장에 도착했을 때 소아는 '잠을 자고'있고 비정상적인 호흡음이나 근육의 퇴축은 없다. 환아의 피부는 창백했다. 호흡수는 20회/분, 심장 모니터는 160회/분의 좁은 QRS군을 보여주며, 혈압은 72/50 mmHg이다. 환아의 대광반사 검사 시 느리며, 동공은 작게(pin point) 나타났고, 통증을 주었을 때 회피반응을 보인다. 외상의 징후는 보이지 않는다. 돌봄 제공자에 의하면, 환아는 며칠째 바이러스성 질병을 앓고 있어 구토와 설사 증상이 있었다고 한다.

1. 어떤 평가를 추가적으로 해야 평가에 도움이 될 것인가?
2. 이 환아를 위한 일차적인 응급처치는 무엇인가?
3. 어떤 추가적인 병력청취가 도움이 될 수 있는가?

표 6-7 AEIOUTIPPS : 의식 수준변화를 일으킬 수 있는 원인들
알코올(**A**lcohol)
간질, 내분비성, 전해질(**E**pilepsy, endocrine, electrolytes)
인슐린(**I**nsulin)
아편제와 기타 약제(**O**piates and other drugs)
요독증(**U**remia)
외상, 체온(**T**rauma, temperature)
감염, 장중첩증(**I**nfection, intussusception)
정신성(**P**sychogenic)
독극물(**P**oison)
쇼크, 뇌졸중, 뇌공간 점유 병변, 거미막하 출혈 (**S**hock, stroke, space-occupying lesion, subarachnoid hemorrhage)

그림 6-2 의식수준변화가 있는 소아에서 환아의 병력을 나타내는 의료인식용 팔찌를 찾아본다.

Courtesy of Rhonda Hunt.

상 비정상적인 모습과 관련이 있는 반면 보다 미묘한 비정상을 보이는 소아는 AVPU를 사용한 의식 수준 변화를 나타내지 않을 수도 있다. 예를 들면 불안정하고 과다행동을 보이는 소아는 소아평가 삼각구도에서 비정상적인 외관으로 나타나지만 실제적인 ABCDEs 평가에서 장애, AVPU 척도에서는 명료일 수 있다.

AVPU 척도로 이송 중 의식 수준의 변화를 빠르게 평가한다. 예로 패혈증이나 손상으로 인한 뇌출혈 환아는 뇌 기능저하가 중증 수준에 있고, AVPU 척도에서 '언어반응'보다 더 낮은 점수를 보인다.

마지막으로 운동성 활동을 관찰하고 눈동자를 확인한다. 운동성 활동 평가에서 팔다리의 목적이 있는 대칭적인 움직임과 운동실조증, 발작, 자세(제피질 혹은 제뇌), 근육허약(저긴장성: hypotonia)이 있는지 살펴본다. 동공반응 검사에서 크기가 큰지 작은지, 좌우 균등한지 등의 대광 반사를 확인한다. 약물중독, 발작진행, 저산소증, 뇌줄기(뇌간)이탈(brain stem herniation) 등의 증상이 있을 때 동공은 비정상적인 크기와 반응을 나타낸다.

의료인식용 팔찌(Medical Alert Bracelet)를 부착하고 있는지 살펴보고 당뇨나 발작장애 같은 소아의 의식수준 변화를 일으킬 수 있는 중요한 병력에 관하여 질문한다(**그림 6-2**).

응급처치

의식수준 변화의 원인이 무엇이든 간에 ABC에 초점을 둔다.

1. *기도개방*

   기도 반사에 장애가 있는, 반응을 잘하지 못하는 환아는 분비물이나 구토물로 인한 잠재적인 폐쇄를 완화시키기 위하여 흡인을 한다. 구역 반사가 없거나 완전한 무반응 상태인 환아는 머리 위치를 바르게 하고 입인두기도기를 삽입한다. 두부나 경부손상이 의심되는 경우는 목뼈(경추)고정을 유지한다.

2. *적절한 호흡 유지*

   의식수준 변화가 있는 환아는 자발적인 호흡노력이 있다 하더라도 호흡수나 일회호흡량이 부적절 할 수 있다. 이 때 비재호흡마스크로 100% 산소를 투여한다. 비재호흡마스크로 100% 산소를 투여 받고 있는데도 산소포화도가 90% 이하인 경우나, 청색증이 있거나, 연령 대비 호흡수가 너무 느리거나, 호흡깊이가 얕고 불규칙한 경우, 100% 산소로 백-밸브 마스크 환기를 시작한다.

전문소생술(Advanced Life Support)

기도 보호와 흡인을 예방하기 위하여 기관내 삽관을 고려한다. 두부손상이 의심되는 환아를 환기시킬 때 과환기 하지 않아야 한다(제3장 참조). 환기의 적절성을 관찰하기 위하여 호기말이산화탄소 측정기나 호기말이산화탄소분압기(capnography)를 사용한다. 심장감시기와 맥박 산소측정기를 환아에게 부착한다.

3. *순환보호*

   정맥로를 확보하고 혈중 포도당 측정을 위하여 채혈한다. 환아가 쇼크상태가 아니라면 항상 정맥을 열어놓는 정도(To-keep-open)에서 등장성 수액 투여를 시작한다. 환아의 의식수준을 재평가한다.

4. *혈당검사 시행(그림 6-3).* 혈청 혈당을 측정한다. 저혈당이 확인된 환아의 경우에만 포도당을 투여한다. 광범위 뇌손상이 있는 환자에서의 신경학적 결과는 소아가 고혈당증일 때 더 악화된다. 간이 혈당검사에서 저혈당증이 나타나면(신생아 40 mg/dL 이하, 소아 60 mg/dL 이하) 표 6-3에서 설명된 대로 포도당을 정맥으로 일시투여, 지시한 대로 희석시켜서 혹은 글루카곤을 근육으로 투여한다. 의식이 있고 구역 반사가 있는 당뇨병 환자는 구강용 포도당을 투여한다.

5. *의식수준 변화와 호흡이 억제되어 있는 환자는 날록손 투여 고려*

   날록손 투여용량은 0.1 mg/kg이며 최대투여용량은 2 mg이다. 하지만, 합성 오피오이드 과다 복용에는 종종 더 많은 용량이 요구된다. 날록손은 여러 가지 투여경로로 투여할 수 있다: 정맥, 근육, 골내, 피부밑(피하), 비강내투여, 혹은 기관내 튜브. 특히 마약 중독 어머니에게서 태어난 질식된 상태로 금방 태어난 신생아에게 날록손을 투여할 때 극히 주의해야 하는데 그 이유는 급성 금단증상 및 발작을 유발시킬 수 있기 때문이다. 이 때 날록손을 투여하는 대신 환기지지와 병원으로 신생아 이송을 우선적으로 고려한다. 금방 태어난 신생아를 제외하고 마약남용이 소아들에게서 의식수준 변화의 원인으로 흔하지 않으나 10대인 경우는 중요한 고려사항이 된다. 순수 아편제제 중독에서 축소된 눈동자는 보편적으로 나타나는 소견이다. 그러나 옥시코돈(oxycodone)같은 합성 마약진통제 투여사례에서는 나타나지 않는다.

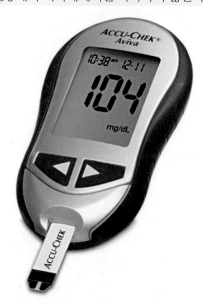

그림 6-3 혈당검사(bedside blood glucose test)를 시행한다.
Accu-Chek® Aviva used with permission of Roche Diagnostics.

내분비계 질환

소아의 내분비계 질환은 당뇨병, 선천성 부신과형성(CAH), 범뇌하수체 기능저하증과 코티솔 결핍이다. 이러한 질환 중 당뇨병이 가장 흔하다.

당뇨병

당뇨는 인슐린 호르몬의 장애이다. 인슐린은 췌장에서 생산되어 혈중 포도당의 농도를 조절한다. 포도당은 체내 세포에서 에너지 생산에 필수적이다. 인슐린의 양이 부족하면, 근육 세포는 순환하는 포도당에 접근하지 못하고 그리하여 에너지를 생산할 수 없다. 당뇨병은 인슐린 기능이 부족한 결과이다.

당뇨병은 소아와 성인의 질병이다. 두 가지 유형이 있는데 Ⅰ형(인슐린 의존성 당뇨, IDDM)과 Ⅱ형(인슐린 비의존성 당뇨, NIDDM)이며, 소아는 보통 Ⅰ형이며 인슐린 의존적이다. 이런 소아는 인슐린을 생산하는 췌장세포에서 항체가 생성되기 쉬운 경향이 있다. 원인은 알려진 것이 없다.

소아에서도 Ⅱ형 당뇨(NIDDM)의 유병률이 증가하고 있다. 이러한 소아는 보통 청소년기에 발생하고 종종 비만과 관련이 있다. 이런 소아는 인슐린보다는 경구 혈당강하제를 사용한다.

당뇨의 유형에 관계없이, 증상의 시작은 며칠(Ⅰ형 당뇨와 같이)에서 몇 주(Ⅱ형 당뇨와 같이)로 상대적으로 느리다. 질병의 과정은 인슐린 생산이 감소하면서 시작된다. 인슐린 량의 감소는 근육세포가 포도당을 사용하는 능력을 감소시킨다. 필요한 포도당의 감소는 에너지 생산을 자극하기 위해 저장된 지방을 방출하도록 자극한다. 저장된 지방이 활성화되면 케톤과 다른 대사성 산으로 전환된다. 포도당과 대사성 산의 축적은 당뇨병성 케톤산증(DKA)의 증상을 유발하게 된다.

만약 혈중 포도당수치가 콩팥의 재흡수의 역치를 넘어서면, 삼투성 이뇨가 발생한다. 그 결과 수분의 손실로 인해 빈뇨(다뇨)가 나타난다. 혈중 포도당 수치가 증가할수록 소변으로 빠져나가는 체수분의 양도 증가한다. 체수분의 소실은 심한 갈증(다갈)을 일으킨다. 지방의 분해는 공복감(다식)을 증가시키고 쿠스마울 호흡의 특징적인 증상과 함께 복통이 나타난다. 이 호흡은 빠르고 깊으며 케톤이나 과일냄새가 난다. 이런 소아는 학교에서 잠을 자며 침대를 땀으로 적시고 비정상적인 갈증을 호소하고 호흡 시 케톤냄새가 난다.

응급의료체계는 복통, 구토, 과도한 갈증의 병력이 있는 이런 AMS를 가진 소아에게 출동할 수 있다. 소아는 종종 심각한 탈수상태일 수 있다. 복통, 오심과 구토가 있으면 패혈증을 의심해야 한다. 혈중 포도당 농도가 300 mg/dL 보다 높거나 고혈당이면 DKA(diabetic ketoacidosis)의 존재를 의심할 수 있다.

평가

고혈당증의 증상과 징후는 특별히 증상 시작이 상대적으로 느리기 때문에 발견하기 어려울 수 있다. 고혈당증의 초기 증상은 탈수이다. 혈당수준에 따라 증상과 징후는 경미하거나 심각한 저관류까지 다양하다. 빈맥, 깊고 빠른 호흡, 건조한 피부는 모두 체액결핍의 증상이다. 일반적으로 혈당 수치가 높을수록 탈수가 더 심하다.

관리

일반적인 처치를 계획한 후에, 정맥로를 확보하고 10-20 mL/kg의 수액을 30-60분에 걸쳐서 투여한다. 수액을 반복 투여하는 것은 소아가 저혈압일 때만 실시한다. 저혈압이 아니면 정맥로를 확보하고 수액을 유지용량으로 투여한다. 수액을 투여할 때 고혈당인 소아는 과도한 체액으로 인해 뇌부종 혹은 의식 수준 변화가 생기기 쉽기 때문에 세밀히 관찰해야 한다. GCS를 계속 모니터링하고 이송 중 반복적으로 재평가한다.

저혈당증

저혈당증은 신생아는 혈중 포도당 수치가 40 mg/dL이하, 소아는 60 mg/dL이하일 때를 말한다. 병원 밖에서 발생하는 저혈당증에서 가장 흔한 시나리오는 당뇨 소아가 너무 많은 인슐린을 사용했거나 소아가 스스로 너무 과도한 운동을 했거나 인슐린 투여후 식사를 제 시간에 못하고 지연되거나 인슐린 섭취 후 구토를 한 경우이다. 저혈당은 또한 대부분 어떤 내분비계 문제의 병력이 있는 소아에게 발생한다.

비당뇨성 영아에게 저혈당은 소아가 너무 심하게 움직여서 글리코겐 저장이 결핍되었을 때(예, 심장 장애에 대한 보상작용 또는 과도한 호흡수에 의해) 발생한다. 이것은 영아나 유아에게 좀 더 일반적이다.

저혈당증은 패혈증 소아에게도 볼 수 있다. 갑자기 몹시 아파보이는 소아, 특히 의식수준변화가 있는 경우는 간이 혈당검사를 시행한다. 소아에서 저혈당증의 또 다른 원인은 위장염과 같은 급성 질환에 걸려 식사 섭취를 잘 못하는 경우로 특히 당원 비축능력이 제한되어 있는 영아나 유아에게서 잘 나타난다.

표 6-8 저혈당증의 증상과 징후		
경증	중등도	중증
허기, 흥분, 허약감, 초조, 빈맥, 빈호흡	불안, 흐린 시야, 위통, 두통, 현기증, 발한, 창백, 진전, 혼돈	발작, 혼수

평가

저혈당증의 증상과 징후는 찾아내기가 힘들고 특히 경미한 저혈당증을 가지고 있는 나이 어린 소아에서 더 그렇다. 증상과 징후의 중증도 변화는 **표 6-8**에 제시되어 있다. 혈당 수치에 의한 증상과 징후는 경미한 징도에서부터 심한 정도의 범위를 보인다. 빈맥, 빈호흡, 발한, 홍분, 진전 등의 증상은 세포성 대사를 지지하기 위한 당분 공급의 부적절함에 대한 신체의 반응으로서 카테콜라민 유리를 증가시킨다. 혈당치가 심각하게 저하될 때 발작, 혼수, 사망이 초래된다.

당뇨병 소아의 저혈당 관리

1형 당뇨병(인슐린 의존성 당뇨병: IDDM)소아는 인슐린에 대한 과거의 경험에 의거하여 저혈당증의 증상과 징후에 대해 잘 알고 있는 경우가 많다. 만약 당뇨병 소아가 신체적으로 안정되어 있고 협조적이며 혈당검사에서만 저혈당증으로 나타나면 구강용 포도당 보충을 할 수 있다. 즉, 소아에게 0.5-1.0 g/kg의 설탕을 먹인다. 예로, 240 cc의 일반적인 소다, 또는 오렌지과즙이나 사과과즙에 20 g의 포도당이 혼합되어 있다. 우유 240 cc에는 12 g의 당, 8 g의 단백질, 8 g의 지방이 들어 있다.

비록 빈번한 경우는 아니지만 소아가 경구용 혈당강하제를 투여 받고 있다면(Ⅱ형 당뇨) 저혈당에 더 잘 빠지기 쉽다. Ⅱ형 당뇨병 소아는 이따금 저혈당증이 발생하면 안정시키기가 더욱 힘들 수 있다. 저혈당증의 증상과 징후가 나타나고 소아가 신체적으로 안정되어 있고 협조적이라면 구강용 포도당을 보충해 주고 의식변화가 있는 소아는 포도당 IV나 글루카곤을 IV 또는 IM으로 치료한다.

저혈당증의 처치

의식수준 변화가 있는 소아, 혈당이 40 mg/dL 이하인 신생아, 60 mg/dL 이하인 소아는 **표 6-3**에 설명된 대로 저혈당을 처치한다. 소아들은 저혈당증에 대한 내성이 서로 다를 수 있어서 40-50 mg/dL 혈당치를 가진 소아라도 의식이 명료하고 협조적일 수도 있다. 이러한 상황의 소아는 구강용 포도당을 섭취시키거나 영아는 모유를 섭취시킬 수 있다.

조언
저혈당증의 증상과 징후는 비특이적일 수 있다.

신체적으로 불안정하고 의식수준에 변화가 있는 소아는 즉시 정맥이나 골내로 포도당을 투여한다. 현장에 머무는 시간이나 이송시간이 길어질 경우, 혈당 수치를 재확인하고 필요한 포도당 용량을 반복 투여한다. 2세 이하의 신생아와 영아는 10% 포도당을 사용한다. 2세 이상에서는 10%, 25%, 50%를 사용한다(용량은 **표 6-3** 참조).

정맥로가 확보되어 있지 않으면 글루카곤을 투여한다 (0.02-0.03 mg/kg IV, IO, IM, 또는 SQ 1 mg까지). 필요시 20분 후에 반복 투여한다. 글루카곤은 간에 저장되어 있는 당원(저장되어 있는 포도당 분자의 긴 연결)이 있는 만큼 혈당치의 일시적인 증가를 자극할 수 있다. 글루카곤이 투여된 소아에게 구토가 증가되기 때문에 주목해야 한다. 투여 후 15-20분 동안 소아의 기도가 개방되도록 체위를 주의해야 한다.

선천성 부신과형성증(CAH)

선천성 부신과형성증은 내분비 장애이다. 이 장애는 부신의 호르몬작용에 관여하고 있다. 부신은 우리 몸을 균형 있게 유지되도록 적절한 양의 코티솔, 알도스테론, 그리고 안드로겐을 형성한다. 선천성 부신과형성증에는 다양한 유형이 있다. 가장 일반적인 유형으로는 코티솔의 결핍(95%)이며 가끔 알도스테론의 결핍도 있다. 그 결과로 우리의 몸은 질병이나 부상으로부터 조절할 수 없게 된다. 저혈압, 저혈당, 그리고 탈수의 문제는 생명에 위협이 될 수 있다.

이 문제를 가진 대부분이 소아들은 응급약물을 항상 휴대하고 다녀야 한다. 보통 이 약물들은 덱사메타손 또는 하이드로코티솔이다. 만약에 소아에게 하이드로코티존 같은 약물이 필요할 경우에는 부모에게 이 약물이 있는지 물어보아야 한다. 만약에 없다면, 가능하면 그 약물들은 투입해야 한다. 스테로이드제를 투여하지 않은 경우 지역 지침에 따라 하이드로코티존(1 mg/kg) IV, IO 또는 IM을 투여한다. 왜냐하면 몸은 스트레스에 적응할 수 없기 때문에 혈당 수치를 확인하고 필요에 따라 덱스트로스 투여를 하고 혈압을 감시하며 필요에 따라 수액으로 대체하는 것이 평가 및 치료의 모든 부분이다.

코티솔 결핍

이 결핍은 부신에서 충분한 코티솔이 생산되지 않을 때 발생한다. 원인은 다양하며, 선천성 부신과형성증(CAH), 뇌하수체의 기능부전, 부신의 자가 기능 부전 또는 스테로이드 장기간 사용 등 다양한 이유가 있다. 아이들이 스테로이드를 일정시간동안 처방 받은 경우, 그들은 반드시 부신의 기능 회복을 위하여 기회를 주어야 한다. 일반적인 치료는 하이드로코티존 경구투여나 근육주사이다. 어떤 상황에선 하이드로코티존 양을 빠르게 증가시켜야 하는 경우가 있는데 이러한 경우에는 경구 또는 근육주사 중 하나를 선택하여 수행하여야 한다.

어떤 경우에는 소아가 코티솔 결핍이 오게 되면 인체의 시스템이 영향을 받아 아프게 된다. 혈당을 유지하는 능력과 체내 수분조절기능이 영향을 받게 된다. 이러한 소아들은 항상 혈당을 체크해야 한다. 부모나 돌봄제공자에게 정상적으로 소아에게 약물을 투여하였는지를 물어보는 것이 중요하다. 투약하지 않은 경우, 지역 지침에 따라 하이드로코티존 (1 mg/kg) IV, IO 또는 IM을 주고, 병원에 전화를 하여 처방약물을 준비하도록 하고 처치 계획에 따른다.

> **조언**
>
> 부신기능의 장애가 있는 소아에게 스테로이드(덱사메타손이나 하이드로코디존)의 투여는 생명을 구하는 것이 될 수 있다.

범뇌하수체기능저하증

이 상황은 특히 갑상선 자극 호르몬(TSH), 부신피질 자극 호르몬(ACTH), 성장호르몬(GH) 등을 분비하는 뇌하수체 전엽에 영향을 미친다. 그 결과 소아의 내분비계의 다른 분비선에도 또한 영향을 준다. 이런 소아들은 보통 영아기에 진단되거나 뇌종양 제거 후에 발생될 수 있으므로 부모나 돌봄 제공자들에게 아이의 상태를 잘 관찰하도록 교육을 해야 한다. 질병으로 발현될 때, 저혈당이 일반적으로 오며 탈수도 함께 나타날 수 있다. 이 때 하이드로코르티존 1mg/kg으로 IV, IO 혹은 IM으로 투여한다.

이송

내분비계 문제를 가진 소아는 이송이 중요하다. 고혈당이 있는 소아는 수액투여를 위해 이송을 지체해서는 안 된다. 소아는 반드시 병원으로 이송되어 추후처치가 필요하다. 이송이 필요한 소아는 이송 중에 IV/IO를 시작하는 것이 적절하다.

그러나 저혈당이라면, 치료가 즉각적으로 시작되어져야 한다. IV 혹은 IO로 포도당 혹은 글루카곤을 IM으로 투여한 후 재평가한다. 정상적인 모습이나 행동으로 환자가 회복되었는지 확인한다. 의식수준 변화가 있는 소아가 IV/IO 투여 후 몇 분 내 또는 근육주사로 글루카곤을 투여하고 15-20분 내 정상으로 호전되지 않으면 즉각 병원 이송을 하고 응급실로 가는 도중 부가적인 평가를 수행한다. 만약 소아가 정상으로 회복되면 현장에서 추가 평가를 시행한다. 소아가 당뇨나 다른 내분비계의 병력이 없는데 고혈당증이나 저혈당증이 나타났다면 즉시 병원으로 이송해야 한다.

추가 평가

가능할 때 병력을 청취한다. 주요 질문사항은 다음과 같다:

- 얼마나 빨리 증상들이 진행되었는가?
- 당뇨병이나 또 다른 알고 있는 질환이 있는가?
- 만약 당뇨병이나 다른 내분비계 문제를 가진 소아라면 최근에 약물이나 식사에 변화가 있었는가?
- 인슐린이나 경구용 저혈당 약제나 다른 대체 약물을 투여 받고 있는가?
- 이번이 처음인가? 아니면 얼마나 자주 이런 일이 일어났는가?
- 소아가 다른 약물이나 알코올에 노출될 가능성이 있는가?
- 소아가 가장 최근에 투약 받은 때는 언제인가?
- 몇 명의 보호자들이 투약하고 있는가? 보호자들이 실수로 중복 투약했는가?

신생아의 경우 다음의 질문을 한다.

- 신생아인 경우 산모가 산전관리를 받았는가?
- 어머니가 임신과 관련된 어떤 의학적인 문제를 가지고 있었는가?
- 어머니가 당뇨병 환자인가?
- 신생아에게 무엇을 먹이고 있으며 몇 번 먹였는가?

병력청취 후 신체검진을 수행해야 한다. 소아의 상태를 지속적으로 재평가하는 것이 중요하다. 당뇨병 소아가 너무 많은 인슐린을 투여 받았는데 재평가 시 신체적 해부학적 비정상이 없거나 소아가 다른 내분비계 문제가 있다면 의료지도를 요청해야 한다. 어떤 응급의료체계에서는 DKA가 없는 제1형 당뇨병 소아는 주치의가 돌보는 사람과 상담을 하여 관리를 할 수 있도록 현장에 두고 올 수도 있다. 그러나

제2형 당뇨병 소아는 이와 약간 다른 데 그 이유는 투여된 경구용 약제는 대부분 인슐린보다 약효 지속시간이 길기 때문에 소아는 혈중 포도당 수치를 유지하기 위해 포도당의 계속적인 투여가 필요할 수 있기 때문이다. 제2형 당뇨병 소아가 경구용 저혈당약제를 투여 받고 있는 경우에 발생된 저혈당증 소아는 현장에 두고 오면 안된다. 응급약물의 투여가 필수적이며, 저혈당의 경험이 있는 제 2형 당뇨 소아는 즉시 응급실로 이송해야 한다.

> **조언**
>
> 제2형 당뇨병 소아가 경구용 저혈당 약제를 투여 받고 있는 경우에 발생된 저혈당증 소아는 현장에 두고 오면 안된다.

의식수준 변화와 내분비계 질환 요약

소아에게 의식수준의 변화를 일으키는 수많은 원인들이 있다. 소아의 돌봄제공자는 의식수준 변화를 가장 잘 판단할 수 있으며 특히 성장발달 평가가 보다 더 어려운 영아나 유아에서 더욱 그러하다. 전반적 외관과 AVPU 척도는 의식수준 변화 평가를 하는데 유용하게 사용된다. 먼저 ABC를 평가하고 특히 고혈당과 같은 탈수의 원인과 저혈당증 같은 가역적 원인들을 고려한다. 고혈당이 있는 소아는 즉시 병원으로 이송한다.

발열

발열은 그 자체가 문제라기보다 감염이나 염증반응의 징후로 볼 수 있다. 이것은 가끔 잘못 진단되기도 한다. 대부분 소아기의 감염은 전신적이며 그 결과로 열이 발생한다. 소아들은 박테리아나 바이러스 감염에 대응하여 고열이 나타나게 된다. 고열(40℃ 또는 104°F이상)은 감기와 같은 경미한 질환 혹은 폐렴, 뇌수막염, 패혈증과 같은 심각한 문제들로 인해 발생할 수 있다. 어떤 원인이든 발열은 기초대사율을 증가시켜 호흡수를 빠르게 하고 심박출량을 증가시키며 산소소모를 증가시켜 수액과 칼로리 요구도가 높아 진다. 아픈 소아는 종종 먹거나 마시는 데 흥미가 없고 발열로 인한 대사요구량이 증가되어 체액 고갈이나 저혈당증의 위험에 노출된다. 41.1℃(106°F) 이하의 체온은 그 자체로 해로운 것은 아니지만 41.1℃(106°F) 이상의 체온은 매우 위험하므로 소아를 주의 깊게 관찰해야 한다. 발열의 결과 뇌 손상 초래 가능성이 있어 일반적으로 발열에 대해 대부분의 돌봄제공자들은 걱정을 한다.

병력조사와 현장 평가를 통해 발열이 있는 지 확인한다. 그러나 체온을 알고 있다고 해서 보통 현장에서의 응급처치가 달라지지는 않는다.

> **조언**
>
> 41.1℃ 이하의 발열은 그 자체로는 뇌 손상을 일으키지 않는다.

평가

일차평가는 소아의 질병의 중증도와 치료의 긴급성을 결정하는데 도움을 준다. 만약 일차평가가 정상이라면 병력을 청취하고 신체검진을 시행한다. 오한, 권태, 불충분한 수유, 기면, 귀를 잡아당김, 구토, 설사, 복통, 발진이나 피부변색, 경부 강직, 두통, 흥분과 같은 감염의 주요 증상과 징후에 관하여 질문한다.

소아기에 잘 걸리는 주요 감염병에 노출되었는지 질문한다. 수많은 소아기 질환은 다른 증상이 발현되기 전에 발열로 시작된다. 소아에게 어떤 중요한 내과 병력을 가지고 있는지 확인해야 하는 데 왜냐하면 열이 있는 소아는 면역이 결핍된 소아(즉 겸상적혈구성 질환자, 암환자, 후천성 면역 결핍성 바이러스 보유자, 장기이식 환자)는 발열의 원인이 되는 심각한 감염의 위험이 매우 높기 때문이다.

소아에서 발열성 호흡기계 감염은 매우 흔한데, 그 특징은 발열, 빈맥, 빈호흡, 비충혈, 기침, 호흡장애 등이 있다. 경미한 질환이 있는 소아라도 발열이 있으면 실제 아픈 것보다 훨씬 더 아파보이게 되고 부모들은 아세트아미노펜이나 이부프로펜 같은 해열제 투여 후 증상이 현저하게 호전되었다고 자주 보고할 수 있다. 병력 청취 후 소아가 신체적인 비정상이 없다면 감염의 가능한 원인을 확인하기 위해 신체 검진을 시행한다.

비록 발열의 고저가 질환의 정도를 반영하는 것은 아니지만 어떤 결과들은 심각한 내재된 질환이 있음을 의미하므로 신속하게 병원으로 이송해야 한다. 여기에 포함되는 소견에는 대천문 돌출(12개월 이하의 소아가 앉아 있을 때 촉진되는 상태), 광선공포증(빛에 민감함), 목 강직, 기이성 불안정성(혼자 두었을 때보다 들어 올려 안았을 때 더욱 칭얼거리는 상태)(**그림 6-4**), 발작, 모세혈관 재충혈 시간 지연, 점상출혈성 발진이나 자반성 발진이 포함된다.

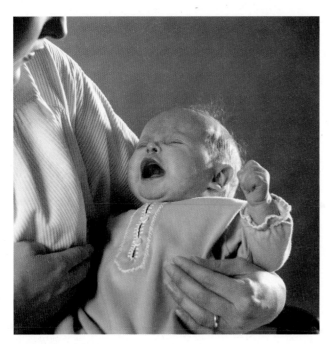

그림 6-4 기이성 불안정성이 있는 영아

© Stock Connection Blue/Alamy Stock Photo.

연령과 발열

증상과 징후에 더하여 소아의 연령은 발열의 심각성을 평가하는데 중요하다. 3개월 이하의 영아에게 발생된 열은 중증감염의 단 하나의 징후일 수 있지만 체온의 정도는 질환의 중증도가 같은 문제를 가진 더 나이든 소아와 비교해 볼 때 그 심각성이 다소 낮을 수도 있다. 어린 영아에서의 중증의 박테리아성 감염의 증상은 많이 칭얼거리거나 수유를 잘하지 못하거나 꾸벅꾸벅 조는 것과 같이 비특이적이다. 왜냐하면 아주 어린 영아는 면역체계가 미성숙하고 행동이나 활동이 제한되기 때문에 평가하는 것이 어렵다. 38℃ 이상의 발열이 있는 4주 이하의 영아는 혈액, 소변, 뇌척수액의 배양과 응급실에서의 항생제 투여가 필요하다. 생의 첫 며칠 동안의 황달은 중증의 박테리아성 감염의 단 하나의 징후일 수도 있다. 생후 28일에서 2개월의 영아는 일반적으로 유사한 평가를 하지만 신체 검진과 혈액검사가 정상이라면 퇴원한다. 6개월 미만의 영아가 발열이 있고 발작을 한다면 신속히 병원으로 이송한다.

관리

1차 평가에서 정상인 발열소아에 대한 치료는 다음과 같다 :

1. 병원 전 응급구조사의 감염을 예방한다.
   감염통제를 위한 표준 예방조치를 실시한다.
2. 6개월 이상의 발열 소아는 지난 4시간동안 아무것도 투여되지 않았다면 해열제 투여를 고려한다.

경구 혹은 직장으로 아세트아미노펜 15 mg/kg을 투여한다. 다른 하나는 의식이 명료한 소아를 위한 선택 사항으로 깨어 있을 때 경구로 이부프로펜 10mg/kg을 투여한다. 이부프로펜은 6개월 미만의 영아에게는 권장되지 않는다. 구강으로 어떤 것을 투여하기 전에 최근 소아의 의식 수준이나 병력 또는 구토여부를 고려해야 한다. 바이러스 질환에 감염된 소아에게 아스피린을 투여한 경우에 레이 증후군의 발생빈도가 증가되었다는 이전의 연구가 있기 때문에 발열 영아나 소아에게 아스피린 투여는 피해야 한다. 부모에게 열이 있는 소아를 과도하게 감싸면 이것이 열을 보유시켜 발열을 더 증가 시킬 수 있다는 것을 교육할 필요가 있다.

3. 옷을 벗겨 발열 소아를 식히지만 저체온증이 되지 않도록 해야 한다.
   체온을 내리기 위하여 찬물, 선풍기, 얼음, 알코올 목욕을 해서는 안 된다.
4. 더 악화되는지 계속 이송 중 평가를 하면서 이송한다.
5. 돌봄제공자에게 열 자체로는 소아에게 위험하지 않다고 설명한다.

> **주의**
>
> 열이 있는 소아에게 열을 내리게 하기 위해서 절대로 얼음, 찬물, 선풍기 또는 알코올 목욕을 해서는 안 된다.

발열 요약

발열은 일반적으로 감염에 대한 반응이다. 그 자체가 문제되는 것은 흔하지 않다. 그러나 소아가 열에 오래 노출될수록 탈수가 되기 쉽다. 소아의 연령과 다른 관련 증상과 징후는 질병의 중증도 가능성을 판단하는 데 중요하다. 발열이 있는 소아에게 점상출혈이나 자반성 발진, 목의 강직, 광과민성, 그리고 또는 의식변화가 있다면 더 심각한 문제가 있다는 것을 의심할 수 있다. 대부분의 경우, 단순한 열을 내리는 절차와 이송은 병원전 응급구조사가 해야 할 일차적인 업무이다.

감염성 질환들

많은 감염성 질환들은 대부분 아동기에 흔히 나타난다. 비록 대부분의 원인이 바이러스이고 중증도는 경미하지만 감염성 질환은 때때로 소아환자에게 중요한 보상작용을 유발하여 병원 전 이송이 필요한 경우가 많게 된다. 많은 소아기 질병은 호흡기계 요소, 위장관계 요소, 또는 둘 다의 요소를 가진다. 호흡기계 질환은 3장에서 다루었으므로 이 장에서는 오심, 구토와 설사의 위장관계 증상과 징후를 다루고자 한다.

오심, 구토와 설사(위장염)

오심, 구토와 설사를 포함하는 것을 위장염이라 한다. 위장염은 위장관의 염증으로 소아환자에게서 구토와 설사를 일으킨다. 위장염의 원인은 음식과 수인성 질환, 바이러스, 박테리아, 항생제의 부작용, 그리고 기생충 등 다양하고 많은 경우에 애완동물과 같은 동물에 의해 전염된다. 이들 원인들 중 특별히 전염성이 높은 노워크 바이러스와 같은 바이러스가 가장 흔하다. 원인에 관계없이 이 감염성 질병은 특별히 어린 소아에게 체액량 결핍을 가져온다. 위장염과 관련된 가장 흔한 열, 복통, 또는 구토가 충수돌기염과 장폐색과 같은 더 심각한 복부 응급상황을 예고하는 증상 및 징후임을 알아야 한다.

오심, 구토, 설사 또는 발열의 존재와 결과를 판단하는 것이 중요하다. 신생아의 장회전이상증, 유문부 협착(수유 후 짧게 구토하지만 설사나 발열은 없음)등은 어린 영아에게 좀 더 흔하다. 살모넬라와 같은 식중독은 일반적으로 식후에 발생(때때로 6-8시간 후)하고 구토와 설사가 나타나며, 발열이 동반되기도 한다. 위장염의 진단은 더 심각한 원인을 배제하는데 필요하지만 이것을 현장에서 결정하는 것은 불가능하다.

평가

위장염이 의심되는 소아의 평가는 소아의 수분공급 상태에 집중해야 한다. 병력조사 질문내용은 다음과 같다:

- 구토, 설사 시작 시기와 빈도
- 먹는 태도
- 구강섭취의 양
- 지난 8시간 동안 젖은 기저귀의 갯수와 소변의 횟수
- 혈액의 유무를 포함한 대변의 특징
- 가장 최근 소변 혹은 젖은 기저귀

신체검진은 다음에 주목해야 한다.

- 열의 유무
- 의식수준
- 점막의 수분공급(축축 또는 건조)
- 눈물의 유무
- 사지의 온기와 맥박의 질
- 복부 압통 또는 팽만

구토, 설사 그리고 구강 내 섭취가 부족한 소아는 항상 혈당을 측정한다.

관리

위장염이 의심되는 소아환자의 관리는 탈수정도에 따라 다르다. 응급구조사가 질병의 감염을 예방하는 것은 또 다른 처치이다.

1. *질병 감염의 가능성을 감소시키기 위한 표준예방조치를 취한다.*
   위장염은 원인이 바이러스, 세균 또는 대장균이든 관계없이 대변-구강 통로를 통해 감염된다. 소량의 병균 유기체를 섭취하더라도 어떤 상황에서는 질병을 일으키게 된다. 어떤 유기체는 검진도구 표면에서 몇 시간동안 생존 가능하다. 따라서 철저한 손씻기 뿐만아니라 의복이나 도구들의 특별관리가 필수적이다.
2. *불안정한 소아환자에게는 추가적인 산소와 기도관리를*

전문소생술(Advanced Life Support)

3. *심각한 임상적인 탈수 시에는 수액 대체를 제공한다.*
   정맥내 또는 골내로 수액로를 확보하여 소아가 심각한 임상적인 탈수 즉 심박동수의 증가, 맥박이 약하고, 모세 혈관 재충혈 시간의 지연, 사지가 차고 복부의 비정상적인 색깔과 같은 증거가 있으면 초기에 정질액 20 mL/kg을 일시로 수액대체 요법을 시작한다. 관류가 안정될 때까지 총 60 mL/kg을 반복 투여한다.

제공한다.
4. *저혈당 증상을 치료한다.*
5. *활력징후를 재평가한다.*
6. *이송한다.*
   이송 결정은 환아의 탈수 정도와 지역의 자원에 따라 결정된다. 경미한 경우부터 중등도 탈수가 있으며, 지속되는 구토와 설사를 하는 소아는 처치 없이 병원으로 이송한다. 때때로 현장에서 응급의료체계가 허락한다면 탈

수된 소아에게 구강 내 수액을 공급하기도 한다. 심한 탈수나 쇼크징후가 있는 소아는 병원이송 전 즉각적인 수액 처치를 하는 것이 도움이 된다.

패혈증과 뇌수막염

패혈증은 의심스럽거나 입증된 결과로서 전신성 염증반응 증후군(systemic inflammatory response syndrome, SIRS)을 초래하는 임상징후군이다. SIRS는 다음 중 2가지 이상의 증상이 나타나는 것으로 정의할 수 있다(그 중 하나는 반드시 비정상적 체온 혹은 비정상적 백혈구수로 나타나야 함): (1) 심부체온 >38.5℃ (101.3℉) 혹은 or <36℃ (96.8℉) (2) 빈맥, 심박수 연령에 따른 표준편차 2 이상으로 0.5-4시간에 걸쳐 발생 혹은 1세 미만 아동에게 서맥(30분 간 평균 심박수의 10% 이하) (3) 평균 호흡수가 나이에 따른 표준편차 2 이상 (4) 백혈구 수가 나이에 비해 급증 혹은 급감, 혹은 10% 이상의 호중구. 이러한 정보가 병원 전 상황에서 응급구조사가 얻을 수 있는 것은 아니나, 열과 빈맥, 빈호흡 등을 보면 패혈증을 의심할 수 있어야 한다. 패혈증 쇼크는 패혈증과 심근 혹은 다른 기관의 기능 부전이 동시에 나타나는 것이며 이는 4장에서 다루고 있다.

패혈증이 있는 소아는 또한 뇌와 척수를 감싸고 있는 뇌막의 감염과 염증으로 인한 뇌수막염으로 나타날 수도 있다. 어떤 소아는 패혈증이나 뇌수막염 중 하나만이 나타날 수도 있다. 뇌수막염의 원인은 무균성(바이러스성)이거나 세균성이다. 바이러스성 또는 무균성 뇌수막염에 걸린 소아는 매우 아프게 보이지만, 이 감염은 생명을 위협하는 경우는 아니다. 반대로 세균성 뇌수막염은 급속히 진행되고, 때때로 증상이 발현한 후 수 시간에서 수일 내 사망을 초래할 수 있다. 신생아기를 제외하고는 항상 열이 있지만, 다른 증상은 목이 뻣뻣한 것과 두통에서부터 임박한 뇌간이탈의 증상에 이르기까지 다양하다.

생후 3개월까지의 영아는 패혈증과 세균성 뇌수막염의 고위험을 가지고 있고, 나이에 따라 원인균은 다양하다. 이것은 이전에는 흔한 소아기 질병의 원인이었는데 1980년대에 헤모필루스 인플루엔자의 B-type 백신이 도입된 이래로 거의 사라졌다. 생후 첫 달에 나타나는 세균성 패혈증과 뇌수막염은 분만 시 모체의 질로부터 얻어진 세균에 의해 가장 흔히 유발된다. 여기에는 대장균, B군 연쇄구균, 리스테리아 모노사이토젠스가 있다.

어린아이 외에도 지역사회로부터 오는 감염은 패혈증과 뇌수막염의 원인이 되고, 일반적인 세균성 원인은 폐렴연쇄구균(또한 소아의 세균성 귀의 감염, 부비동염, 그리고 폐렴의 가장 흔한 원인이 된다)과 수막염균(뇌막구균)을 포함한 면역이 저하된 소아에게 흔한 원인이 된다. 최근에 미국에서 소아기의 폐렴구균 유기체로부터 균혈증과 패혈증의 빈도를 감소시키는데 중요한 백신으로 폐렴백신의 사용이 가능해졌다. 헤모필루스 인플루엔자 B형 뇌수막염 또한 광범위한 백신의 사용으로 유의하게 감소되었다. 또한 장바이러스는 특히 여름이나 가을기간에 바이러스성 뇌수막염의 흔한 원인이다.

소아가 패혈증이 걸리는 다른 경우는 면역 결핍(예, 암, 장기이식 후), 특별히 중심 정맥로를 확보한 경우이다.

수막염균성 패혈증 또는 뇌수막염은 실제로 고열, 의식수준의 변화, 그리고 특징적인 점상출혈성 발진이나 자반이 존재하는 생명을 위협하는 응급상황이다. 이러한 발진의 존재는 신속한 응급 처치를 받을 수 있도록 가장 높은 우선순위에 두어야 하며 신속히 이송되어야 하고, 매우 빠르게 상태가 악화되므로 적극적 소생술을 고려해야 한다.

평가

패혈증 또는 뇌수막염이 의심되는 생리학적으로 불안정한 소아는 현장 평가를 제한한다. 가능하면 이송하는 동안 집중적인 병력조사와 신체검진을 한다. 집중적인 병력조사는 다음과 같다.

- 질병에 노출되었는지 확인
- 생후 1개월 이전의 신생아의 주산기 병력조사
- 증상의 시작과 진행이 얼마나 빠른지
- 열의 유무
- 불안정, 구토, 목강직, 발진(점상출혈 또는 자반)과 같은 연관된 증상/징후
- 예방접종병력

신체검진은 다음을 주의한다.
- 열
- 의식수준
- 관류의 적절성
- 목강직
- 발진(점상출혈 또는 자반)의 존재
- 광선공포증

패혈증과 뇌수막염의 소아는 대사가 항진된 상태 때문에 저혈당과 탈수가 발생할 수 있다. 환자가 패혈증이나 뇌수막염이 의심된다면 바로 혈당을 체크한다.

관리

패혈증 또는 뇌수막염에 걸린 소아의 관리는 반드시 감염예방조치를 해야 한다. 환자의 임상적 양상에 따라 중재는 매우 다양하다.

1. *질병의 전파를 예방한다.*
   응급구조사는 환자의 분비물과 접촉을 피하기 위해 가운, 장갑, 마스크를 포함한 표준화된 호흡기 예방조치를 사용해야 한다.
2. *산소를 제공한다.*
   불안정한 환자는 환기를 보조하거나 기도유지관리가 필요하다.
3. *정맥로를 확보한다.*

전문소생술(Advanced Life Support)

4. *관류가 부적절하다면 수액 투여를 시작한다.*
   부적절한 관류상태인 소아환자에게는 정질액으로 가능하면 빨리 초기에 20 mL/kg의 수액대체를 시작한다. 열의 부작용으로 탈수가 일어나기 때문이다. 혈관내에 있는 세균성 독소의 영향 때문에 패혈증 소아는 분포성 쇼크가 나타나므로 적극적으로 수액요법을 실시해야 한다. 그러므로 정질액 20 mL/kg - 60 mL/kg 1회 용량으로 반복 투여해야 한다.

5. *저혈당을 치료한다.*
6. *자주 활력징후를 측정한다.*
   가능하면 계속적으로 심폐기능과 맥박산소측정기를 감시한다. 이송중의 상태악화를 예측한다.
7. *이송한다.*
   이러한 소아는 빠르게 상태가 악화될 위험이 있기 때문에 전문소생술 중재가 필요하고 최우선순위 소아이므로 신속하게 이송해야 한다. 패혈증과 뇌수막염이 있는 소아는 일반적으로 집중적인 치료를 받는다. 이송할 병원을 결정할 때 이것을 고려해야 한다.

환경응급

일반적인 소아 환경응급은 온도와 관련된 문제, 자상(물림), 쏘임 등이 포함된다. 이러한 응급은 경미한 것에서부터 심각한 것까지 다양하다. 병이나 손상의 심각도에 따라 중재의 강도를 조절해야 한다.

열과 관련된 응급

열과 관련된 응급은 세 가지 주요한 열과 관련된 응급; (1) 열경련, (2) 열피로, 그리고 (3) 열사병으로 나누어지지만 분명하게 다른 두 가지 과정으로 나눈다. 열경련과 열피로는 체액결핍과 전해질 불균형의 조합으로 인해 발생하지만 열사병은 뇌의 시상하부의 열조절 기전의 리셋으로 인해 고체온이 발생하는 것이다.

열경련은 전해질 불균형과 탈수가 혼합된 상태이며, 전해질 불균형이 특히 장골 근육의 경련을 촉진시킨다. 이런 소아는 다리와 팔의 통증, 그리고 때때로 복통을 호소한다. 이 상태가 보통 활동이 많을 때 나타나므로, 피부는 따뜻하고 땀이 많이 나있다. 통증에 의해 유발되는 빈맥이 나타날 수 있다.

열피로는 전해질 불균형과 탈수의 혼합된 상태이며, 탈수는 어지럼증과 실신을 촉진한다. 체액이 결핍되었기 때문에 피부는 종종 창백하고 차고 땀이 나 있다. 빈맥과 빈호흡이 또한 일반적이다. 저혈당은 흔하지 않지만 필요하면 평가하고 치료해야 한다.

열사병은 체온조절 기전이 일반적으로 40.6℃(105℉)보다 높은 고온에서 리셋될 때 나타난다. 그 결과 기초대사율이 매우 증가하고 모든 신체기관이 영향을 받는다. 기관과 신체 체계내의 효소들은 상대적으로 좁은 온도범위 내에서 작용하도록 고안되었기 때문에, 의식의 변화, 폐부종이 있는 심부전, 콩팥과 간기능 부전, 심한 저혈압과 같은 기관의 기능부전이 일어난다. 기초대사율이 증가되었기 때문에 저혈당이 흔하다. 피부는 건조하고 붉고 빈맥이 심하며(보통 >150회/분) 빈호흡이 있다.

그러나 열과 관련된 응급은 이상에서 언급한 것처럼 분명한 경계선이 있는 경우는 드물다. 열피로 소아가 의식의 변화가 있을 수 있고 열사병 소아가 발한이 있는 경우도 있다. 열과 관련된 응급의 종류와 관계없이 열과 관련된 응급을 인지하고 치료를 수행하는 것이 매우 중요하다. 소아에서 열과 관련된 가장 흔한 응급은 어린 소아가 문이 닫힌 차안에 있거나 소아가 고온 환경에서 운동을 할 때 열에 순응하지 못하고 적절하게 수분공급이 안 될 때 발생한다. 현장에서 객관적 평가가 불가능한 외부 온도에서 체온을 측정하다보니 정확한 측정에 어려움이 있다.

열과 관련된 응급상태의 영아와 유아의 생리적인 고려
사항은 미성숙한 온도조절 체계, 넓은 체표면적, 열 발산능
력의 감소와 관련된다**(표 6-9)**. 이러한 특별히 열사병과 같
은 열과 관련된 응급상황은 영아와 유아가 나이가 많은 소
아보다 더 빠르게 노출되기 쉽다.

평가

병력조사는 다음을 포함한다.
- 환경온도
- 환경노출의 기간
- 증상발현 이전의 활동이나 사건들
- 이전의 내과적 상태

관리

열과 관련된 질환의 관리는 증상의 중증도에 따라 특히 환자
의 의식수준과 심혈관계 상태에 따라 다르다. 기전이 다르기
때문에 해열제의 사용은 효과가 없다.

열경련
- 환경을 시원하게 한다.
- 두꺼운 옷을 제거한다.
- 구강으로 전해질 음료를 제공한다.
- 생리식염수로 정맥로를 확보하고 유지한다.

열피로
- 환경을 시원하게 한다.
- 시원한 분무나 미온수로 가볍게 스펀지로 닦아내어
  습기가 증발하도록 한다.
- 정맥로를 확보하여 쇼크치료를 위해 정질액 20 mL/
  kg으로 수액대체를 시작한다.

열사병
- 기도관리하고, 환기를 보조하고 필요시 기관내 삽관
  을 실시한다.
- 정맥로를 확보하여 정질액 20 mL/kg으로 수액대체
  를 한다.
- 시원한 분무나 미온수로 가볍게 스펀지로 닦아내어
  습기가 증발하도록 한다.
- 이송이 지연될 경우, 적극적인 체온하강법: 액와, 서
  혜부, 목에 젖은 시트, 얼음을 대어준다.
- 자주 중심체온을 재측정한다.
- 저혈당을 치료한다.
- 오한을 방지한다.
- 쇼크를 치료한다.

표 6-9 열과 관련된 응급의 특징적인 임상 양상	
임상양상	**징후와 증상**
열경련	- 의식수준이 정상 - 체온이 약간 상승 - 고통스런 근육경련
열피로	- 경미한 의식수준의 변화 - 빈맥, 빈호흡, 저혈압 - 중심체온: 38-40℃ - 피로 - 두통 - 발한
열사병	- 심한 의식수준의 변화: 혼돈에서 혼수 - 빈맥, 저혈압 - 중심체온 > 40.6℃(105℉) - 홍조, 피부건조 - 오심과 구토

조언

열과 관련된 응급 시에는 초기의 처치에도 불구하고 환자의 체
온이 계속 오르기 때문에 초기의 인지와 자주 재평가하는 것이
중요하다.

열과 관련된 응급 요약

열과 관련된 응급의 빠른 인지는 효과적인 관리에 필수적이
다. 치료에 대한 환자의 반응을 평가하기 위해 자주 활력징
후를 재평가한다. 열사병에는 적극적인 체온하강법을 수행
한다.

추위 관련 응급(Cold-Related Emergency)

저체온증은 중심 체온이 35℃(95℉) 미만이다. 영아와 유아는 특히 저체온증의 위험이 높은데, 이는 표면적 대 체중의 비율 증가, 체지방 감소, 얇은 피부의 투과성 증가, 그리고 떨고 열을 생산하는 능력 제한 때문이다. 추운 환경에 노출과 차가운 물의 입수는 어린 소아에게 저체온증의 가장 흔한 두 가지 원인이다. 심각한 질병이나 부상을 입은 소아들은 저체온증에 걸릴 수도 있다. 마지막으로, 영아와 어린 소아들은 특히 추운 환경에서 의료 평가를 위해 노출되는 동안 저체온증에 걸릴 수 있다. 저체온증은 근본적인 상태에 관계없이 영향을 미치며 소생술을 복잡하게 만들 수 있다.

평가

병력 수집에는 최근의 병이나 부상, 환경 노출 등이 포함되어야 한다. 신체검사에는 기도 및 호흡에 대한 특별한 주의가 포함되어야 한다. 저체온증은 신진대사의 둔화로 이어지기 때문에 소아는 호흡이 느리거나 얕아지면서 저환기가 나타날 수 있다.

순환

서맥과 저혈압은 저체온증 그 자체 또는 동시에 저산소증 요구 때문에 나타날 수 있다. 저체온증은 또한 심장 부정맥을 초래할 수 있다. 피부는 종종 창백하고 차갑다.

의식상태

의식 상태는 저체온증의 정도에 따라 혼돈 상태에서 혼수상태에 이를 수 있다. 다시 말해, 저산소증은 특히 익수 대상자의 의식변화의 근본적인 원인이 될 수 있으므로, 산소 공급과 환기의 적절성을 보장해야 한다. 상황에 따라 저혈당도 있을 수 있다.

중심체온

온도계가 34℃(94℉) 미만으로 기록되면 가능하면 중심체온을 잰다.

저체온의 중증도를 결정한다:

- 경증: 35–36℃ (93–95℉)
- 중간정도: 30–34℃ (86–93℉)
- 중증: 30℃ 미만 (<86℉)

열을 발생시키는 오한의 소실은 보통에서 심각한 제체온증의 특징이다.

관리

저체온증 환아의 관리는 중심체온에 의한다.

1. 기도, 호흡, 순환을 유지한다.
2. 열 손실을 방지한다.
   추가 열 손실을 방지하는 것이 중요하다. 검진이 완료된 후 젖은 의복을 제거하고 피부를 건조한 후 환자를 덮는다(**그림 6-5**). 많은 양의 열이 머리를 통해 손실되기 때문에 모자를 쓰게 하거나 머리를 덮어준다.
3. *제가온*
   외부적이고 수동적인 재가온은 경미하거나 중간 정도의 저체온증에 적합하다. 저체온증이 심할 경우, 외부재가온은 차가운 혈액을 심장에 흘려보내 합병증이 생길 수 있다. ED에서 중심 재가온하는 것이 적절한 처치이다.
   a. 경증 저체온증: 따뜻한 담뇨 제공, 구급차 내 온도 증가. 병원전 응급구조사는 편하지 않은 온도 유지!
   b. 중간정도 저체온증: 따뜻한 담뇨, 겨드랑이와 서혜부에 따뜻한 팩.

전문소생술(Advanced Life Support)

   c. 중증 저체온증: 부드럽고 조심스럽게 움직임;따뜻한 가습 산소; 따뜻한 IV 수액; 저혈당이 있는 경우 처치; 중심체온을 올리기 위한 치료시설로 이송.

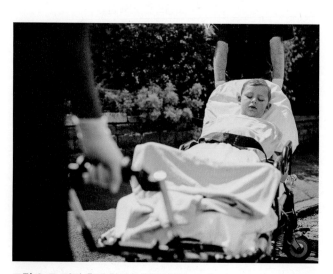

그림 6-5 검진 후에 환아를 덮어준다.
© Rawpixel.com/Shutterstock.

추위와 관련된 응급 요약

소아환자의 생리적인 그리고 발달적인 특징은 그들을 추위와 관련된 응급상황의 위험에 처하게 한다. 저체온증의 정도에 대한 정확한 평가는 병원 전 환경에서 소아의 효과적인 관리를 위해 필수적이다.

조언

말초의 차가운 산성 혈액이 환자의 상태를 더 악화시킬 수 있기 때문에 병원 전 환경에서 심한 저체온증 소아 환자를 재가온할 때 주의해야 한다. 추가적으로 더 이상의 열손실의 방지와 기도, 호흡, 순환의 유지에 집중해야 한다.

물림과 쏘임

물림과 쏘임은 찌르는 유형의 상처나 열상의 전형적인 결과이다. 이러한 손상의 대부분은 경미하다. 그러나 뒁벌(bumblebee)이나 불개미에 쏘일 경우 심각한 알레르기나 아나필락시스 반응을 일으키기도 한다. 방울뱀, 거미, 또는 전갈과 같은 어떤 물림은 생명을 위협하는 독물중독 또는 출혈 문제를 일으킨다. 물림과 쏘임은 소아의 적은 체중과 높은 대사율 때문에, 소아 환자에게 더 심각한 문제를 일으킨다.

평가

병력조사 내용은 다음을 포함해야 한다.
- 물리거나 쏘인 시간과 유형
- 손상 후 활동 내역
- 쏘이거나 물린 것에 대한 알레르기 여부
- 예방접종 병력

신체검진은 다음에 특별히 주의해야 한다:
- 물린 유형, 독소의 유무, 물린 후 경과 시간에 따라 임상적 증상은 다양하다.
- 기도, 호흡, 그리고 순환을 평가한다; 호흡부전과 아나필락시스는 물린 독소에 의한 초기 징후일 수 있다.
- 유형, 해부학적 부위, 찔린 곳이나 상처의 부위의 개수를 조사한다.
- 물리거나 찔린 부위나 주변의 부종, 변색, 통증을 평가한다.

관리: 물림

독소가 있는 벌레, 뱀, 또는 동물의 종류에 따라 관리는 다르다.

일반적인 관리
- 기도, 호흡, 순환을 지지하고 정맥로를 확보한다.
- 만약 아나필락시스가 나타나면 치료한다.

국소적인 관리
- 지혈과 상처 치료를 한다.
- 독소가 의심되면 해당 부위를 물로 세척한다; 거미에 물린 경우, 부종과 통증을 감소시키기 위해 해당 부위에 얼음주머니를 대어 압박한다. 뱀에 물린 경우 위 두 가지 방법은 추천되지 않는다.
- 소아 환자의 활동을 최소화한다. 환자를 바로누운자세로 유지한다. 대부분의 독소는 림프계를 통해 퍼진다. 그리고 신체적 활동의 증가는 독소가 신체로 퍼지는 속도를 증가시킨다.
- 영향받은 사지는 심장의 높이보다 낮은 위치에서 고정한다. 환자를 바로누운자세로 유지하는 게 도움이 될 것이다.
- 가능한 항독소투여와 결정적인 처치를 평가하기 위해 신속하게 이송한다.
- 영향받은 부위나 사지의 옷과 보석은 제거한다.

관리: 쏘임

일반적인 관리
- 기도, 호흡, 순환을 지지하고 정맥로를 확보한다.
- 만약 아나필락시스가 나타나면 치료한다.

국소적인 관리
- 가능하면 침을 제거한다(신용카드로 해당 부위를 쓸어낸다).
- 차갑게 압박한다.
- 임상 증상에 따라 투약한다 : 아나필락시스의 경우에는 에피네프린을, 천명음의 경우에는 알부테롤을, 또는 두드러기, 가려움이나 부종의 경우에는 디펜하이드라민 하이드로클로라이드를 사용한다. 하이드로코티존의 투여도 유용하다.

사례연구　3

6세 소녀가 정원에서 놀고 있었다. 소아에게 호흡에 문제가 나타났을 때 돌봄제공자가 119에 신고했다. 현장에 도착했을 때 환자는 창백하고, 불안정하였으며 들릴 정도의 쌕쌕거림(천명음)이 있고, 상부쇄골과 늑간근의 퇴축이 나타났다. 호흡수는 32회/분, 심박동수는 140회/분, 그리고 그녀의 혈압은 촉지상 90 mmHg이었다. 신체 검사 중에, 당신은 그녀의 목 측면 피부에 붉은, 부은 자국을 발견한다.

1. 이 소아에게 나타난 호흡곤란의 가능한 원인은 무엇인가?
2. 즉각적인 우선순위의 관리는 무엇인가?

물림과 쏘임 요약

벌레에 물리는 것은 소아에게 흔하다. 합병증은 경미한 국소적인 반응에서부터 생명을 위협하는 아나필락시스까지 다양하다. 뱀이나 전갈에 쏘인 것과 같은 독소의 유형은 더 지역적으로 특수한 경우이다. 손상의 특성을 초기에 인지하는 것이 중요하다. 아나필락시스는 현장에서 처치하는 것이 생명을 구할 수 있을 것이다. 항독소치료가 필요하다면 결정적인 처치를 할 수 있는 병원으로 신속히 이송하는 것이 핵심이다.

조언

비정상적인 행동은 소아환자가 물렸거나 쏘였다는 첫 번째 증거이다. 환자의 피부, 즉 허리주위, 사지 말단, 겨드랑이, 그리고 목 주위의 철저한 시진을 통해 물렸거나 쏘인 부위를 찾을 수 있다.

사례연구 답안

사례연구　1

중독, 두부 손상, 또는 발작의 다른 잠재적인 원인이 있었는지 확인하는 것은 중요하다. 게다가 발작 도중의, 두부 손상의 가능성을 확인해야 한다. 또한, 이 발작이 가장 마지막으로 발생한 발작과 유사한지, 그리고 소아가 그의 약물을 정확하게 복용해왔는지를 확인하는 것은 도움이 될 것이다.

발작의 병력을 가진 모든 소아는 현장에서 열성경련을 진단할 수 없기 때문에 병원으로 이송되어야 한다. 뇌수막염과 같은 심각한 감염을 포함한 발작의 원인은 다양하다. 이 소아는 또한 발작의 병력이 있고, 현재 치료에 적정성 등 평가가 필요한 요인이 있다.

약물 투여가 시행되었다면 이송 중에는 지속적이고 주의 깊은 모니터링이 매우 중요하다. 왜냐하면 특히 페노바비탈과 같은 다른 발작 약물과 함께 벤조디아제핀을 투여한 경우, 무호흡 또는 호흡 장애를 일으키기 때문이다. 이 소아는 여전히 적절하게 호흡하지 못하고, 그의 산소 포화도가 92%에 불과하기 때문에, 기도 술기, 100% 산소, 그리고 백-밸브 마스크 환기를 필요로 한다.

소아가 여전히 열이 있다면 현장에서 이마에 단순하게 찬 타월을 놓아서 식히는 방법과 같이 현장에서의 처치는 유용할 수 있다. 열사병 소아가 아니라면 체온을 낮추기 위해 몸에 얼음주머니를 적용할 필요는 없다. 환자를 자주 재평가하여 발작이 재발할 경우를 대비한다.

전문소생술(Advanced Life Support)

만약 다중 발작이 나타나거나 추가적인 발작이 5분 이상 지속된다면, 벤조디아제핀을 투여하는 것을 고려한다(디아제팜을 직장이나 IV로 주입하고, 로라제팜을 정맥이나 비강 내로 주입하고, 미다졸람을 근육 내에 주사한다), 그리고 이송 중에 기도와 환기를 관리할 준비가 되어있어야 한다. 일시적인 발작은 약물치료는 필요하지 않지만, 발작이 5분 이상 지속할 때 즉각적인 처치를 하는 것은 발작을 멈추게 하는 데 가장 성공적이다. 벤조디아제핀과 페노바비탈은 무호흡이나 호흡 장애를 일으킬 수 있기 때문에, 만약 약물치료를 시작했다면 이송하는 동안 기도와 환기를 계속하여 주의 깊게 감시하는 것이 매우 중요하다.

사례연구 2

산소 포화도, 체온 평가, 그리고 혈당 측정은 소아의 의식변화 원인에 대한 추가적인 단서를 제공할 수 있다.

소아의 의식변화의 원인은 광범위하며 두부 손상, 독소, 패혈증, 혈액량 감소, 저혈당 또는 발작 후 기간을 포함하지만 초기 치료는 동일하다: 적절한 자세로 기도를 유지하고 관리하여, 비재호흡마스크로 100%의 산소를 투여한다. 만약 외상이 없다면, 환자를 재채기자세로 위치시키고, 턱들어올리기방법으로 기도를 유지한다. 만약 호흡이 얕거나 불규칙하면, 또는 산소보조에도 산소 포화농도가 90% 이하라면, 적절한 크기의 백-밸브 마스크 기구로 환기를 보조한다. 필요하다면 입인두기도기나 코인두기도기를 삽입하여 환자의 기도를 명확하게 유지한다.

전문소생술(Advanced Life Support)

환자의 혈압이 낮기 때문에(3세 소아의 계산된 혈압은 76[70 + (2 × 나이)]이지만, 측정된 혈압 수치는 72이다), 20 mL/kg의 투약량이 투여되어야 한다. 만약 혈당 수치가 구토와 설사로 인해 60 mg/dl 이하라면, 정맥로를 확보하여 25% 포도당용액을 2 mL/kg로 1회 투여한다. 정맥로가 확보되어 있지 않다면, 글루카곤을 IM으로 투여한다. 만약 즉시 확인한 혈당이 정상이라면, 의식수준변화(AMS)의 다른 원인을 확인해보고, 필요한 경우, 날록손 0.1 mg/kg(최대 2 mg)을 투여하는 것을 고려한다.

절차 2에 기술된 대로, 신장-기준 소생술 테이프나 컴퓨터 소프트웨어 프로그램을 이용하여 약물용량을 결정한다.

AMS의 가능한 원인을 확인하는 것을 도와주기 위한 추가적인 병력 질문은 다음을 포함할 수 있다. 소아가 발열 증상 또는 이미 보고된 구토와 설사 외에 다른 증상을 보였는가: 소아가 입으로 무언가(특히 액체)를 섭취하고 있었는가: 소아의 소변이 적절했는가: 소아가 진행중인 의학적 문제가 있는가: 오늘 또는 최근에 소아에게 어떠한 종류든 외상(특히 두부손상)의 가능성이 있었는가: 그리고 약물 또는 독소 섭취의 가능성이 있는가.

사례연구 3

이전에 건강한 소아가 외부에서 놀다가 갑자기 호흡곤란이 발생했다면 벌레 물림이나 쏘임 그리고 정원과 관련된 화학물질과 같은 가능한 환경적인 알레르기 항원 또는 독소에 대해 평가되어야 한다.

또한 이 소아가 벌 쏘임을 포함한 천식 또는 환경적인 알레르기의 병력이 있는지 확인하는 것은 유용할 것이다. 이 경우, 붓고 붉어진 부위는 곤충 물림의 가능성을 제시한다: 특히 막시류(벌) 쏘임에 의한 것일 확률이 높고, 갑자기 발생한 증상은 모두 아나필락시스를 암시한다.

보조적인 산소와 천명음을 위한 흡인용 기관지확장제는 제공되어야 한다. 게다가 아나필락시스의 가능성을 대비하여 에피네프린을 IM으로 투여해야 한다.

전문소생술(Advanced Life Support)

정맥로를 확보하고 디펜하이드라민을 정맥 투여한다.

만약 의료체계 지침에 포함되어 있다면, IV를 통한 하이드로코티존 투여는 또한 도움이 된다.

쇼크의 증상이 보이는지 주의하고, 적절한 IV 수액으로 처치한다. 만약 소아가 이러한 치료로 현저한 개선이 보이더라도 약효가 떨어지면 증상이 재발할 수 있으므로 긴급히 이송한다. 이송하는 동안 주의 깊게 감시한다.

추천 자료

Textbooks

Advanced Life Support Group. *Advanced Paediatric Life Support: The Practical Approach.* 5th ed. Chichester, UK: John Wiley & Sons Ltd.; 2011.

American Academy of Orthopaedic Surgeons. *Emergency Care and Transportation of the Sick and Injured.* 11th ed. Burlington, MA: Jones and Bartlett Learning; 2017.

American Academy of Orthopaedic Surgeons. *Nancy Caroline's Emergency Care in the Streets.* 8th ed. Burlington, MA: Jones and Bartlett Learning; 2018.

American Academy of Pediatrics and the American College of Emergency Physicians. *APLS: The Pediatric Emergency Medicine Resource.* 5th ed. Burlington, MA: Jones and Bartlett Learning; 2012.

Baram T, Shinnar S. *Febrile Seizures*. San Diego: Academic Press; 2002.

Baren JM, Rothrock SG, Brennan JA, et al. *Pediatric Emergency Medicine*. Philadelphia: Saunders/Elsevier; 2008.

Bledsoe B, Porter R, Cherry R. *Essentials of Paramedic Care*. Upper Saddle River, NJ: Prentice Hall; 2003.

Bledsoe B, Porter R, Cherry R. *Paramedic Care: Principles and Practice*. 5th ed. London, UK: Pearson; 2017.

McCance KL, Heuther SE, Brashers VL, et al., eds. *Pathophysiology: The Biologic Basis for Disease in Adults and Children*. 6th ed. St. Louis: Mosby Elsevier; 2010.

Articles

Argall JA, Wright N, Mackway-Jones K, et al. A comparison of two commonly used methods of weight estimation. *Arch Dis Child*. 2003;88:789–790.

Black K, Barnett P, Wolfe R, et al. Are methods used to estimate weight in children accurate? *Emerg Med*. 2002;14:160–165.

Freedman S, Powell E. Pediatric seizures and their management in the emergency department. *Clin Pediatr Emerg Med*. 2003;4;195–206.

Geduld H, Hodkinson PW, Wallis LA. Validation of weight estimation by age and length based methods in the Western Cape: South Africa population. *Emerg Med J*. 2011;28:856–860.

Goldstein B, Giroir B, Randolph A, et al. International pediatric consensus conference: definitions for sepsis and organ dysfunction in pediatrics. *Pediatr Crit Care Med*. 2005;6:2–8.

Holsti M, Sill BL, Firth SD, et al. Prehospital intranasal midazolam for the treatment of pediatric seizures. *Pediatr Emerg Care*. 2007;23;148–153.

Kuppermann N, Ghetti S, Schunk JE, et al. Clinical trial of fluid infusion rates for pediatric diabetic ketoacidosis. *NEJM*. 2018;378:2275-2287.

Lerner EB, Dayan PS, Brown K, et al. Characteristics of pediatric patients treated by the Pediatric Emergency Care Applied Research Network's affiliated EMS agencies. *Prehosp Emerg Care*. 2014;18:52–59.

Lubitz DS, Seidel JS, Chameides L. A rapid method for estimating weight and resuscitation drug dosages from length in the pediatric age group. *Ann Emerg Med*. 1988;17:576–581.

Luscombe M. 'Kids aren't like what they used to be': a study of paediatric patient's weights and their relationship to current weight estimation formulae. *Brit J Anaesth*. 2005;95:578P–579P.

Luscombe M, Owens B. Weight estimation in resuscitation: is the current formula still valid? *Arch Dis Child*. 2007;92:412–415.

Reuter D. Common emergent pediatric neurologic problems. *Emerg Med Clin North Am*. 2002;20(1):155–176.

Shah MI, Macias CG, Dayan PS, et al. An evidence-based guideline for pediatric prehospital seizure management using the GRADE method. *Prehosp Emer Care*. 2014;18;(Supple 1):15–24.

Tinning K, Acworth J. Make your best guess: An updated method for paediatric weight estimation in emergencies. *Emerg Med Australas*. 2007;19:528–534.

Warden CR. Evaluation and management of febrile seizures in the out-of-hospital and emergency department settings. *Ann Emerg Med*. 2003;41(2):215–222.

Wolfsdorf JI, Glaser N, Agus M, et al. ISPAD Clinical Practice Consensus Guidelines 2018: Diabetic ketoacidosis and the hyperglycemic hyperosmolar state. *Pediatric Diabetes*. 2018;19(Suppl 27):155-177.

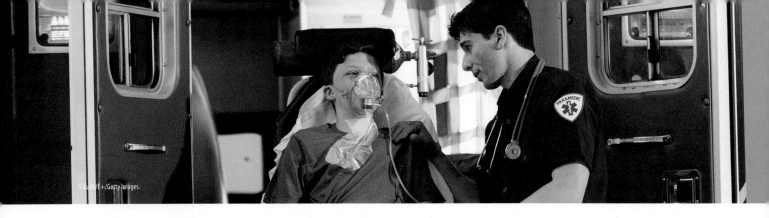

CHAPTER 7

외상

Kathleen M. Brown, MD, FACEP, FAAP

학습목표

1. 손상받기 쉬운 소아의 특이한 해부학적 구조를 설명할 수 있다.
2. 손상 받은 소아의 초기 평가의 순서를 이해할 수 있다.
3. 필수적인 외상 중재를 실제 ABCDEs로 통합할 수 있다.
4. 손상받은 소아 기도관리의 다른 접근법을 구분할 수 있다.
5. 소아 화상 환자의 평가와 처치를 논의할 수 있다.
6. 척추 고정과 교정방법을 설명할 수 있다.
7. 운동으로 인한 진탕과 운동 복귀 기준을 평가할 수 있다.

개요

응급의료체계로 이송되는 소아의 절반은 급성손상 환자이다. 다행히, 가장 흔한 손상은 열상, 표피 화상, 경미한 폐쇄성 두부 손상과 사지 골절과 같이 경미하다. 경미한 외상에서 병원 전단계 응급구조사의 역할은 명확하다: 현장 평가, 생리적 또는 해부학적 문제의 평가, 병원 이송이다. 처치는 일반적으로 상처 처치, 척추고정, 필요시 부목처치만을 수행한다.

반대로 다발성 외상은 응급구조사에게는 커다란 도전이 되며 숙련된 평가와 처치를 위한 전문적인 접근이 요구된다. 성인 외상 관리 원칙의 대부분은 소아에게도 효과적이고 안전하게 적용될 수 있다. 평가에 있어 중요한 차이는 손상 기전, 해부·생리적 반응에서의 차이와 관련되어 있다. 처치에서 달라지는 점은 장비의 크기와 응급처치의 절차에서 달라진다.

손상은 유아기와 성인기 사이에서 가장 흔한 사망원인이다. 영아들에게는 의도적인 손상 즉 일차적으로 소아 학대, 청년기에는 살인과 자살이 외상성 사망을 가져오는 기전들이다. 소아외상의 약 80-90%는 둔상이다. 이는 관통상이 높은 빈도를 차지하는 성인집단과는 다른 점이다. 그러나 총상은 소아에게서 증가하고 있으며 현재 청소년기에서 관통상이 가장 흔한 원인이다.

대부분의 손상은 예방이 가능하다. 자동차의 소아 안전벨트, 자전거 헬멧, 수영장 울타리, 그리고 창문 안전망 등은 둔상과 익수의 빈도를 효과적으로 감소시켰다. 비록 화상이 지속적으로 12세 이하 소아 사망의 주요 원인이지만 엄격한 건축 법규는 화상의 빈도를 감소시켰다. 응급구조사들이 소나무에서 떨어진 소아가 있다는 이웃주민의 신고로 출동했다. 7세 남자 어린이가 높은 나무에서 잔디로 떨어져 얼굴을 바닥으로 향해 누워있는 곳으로 안내하며 남아가 9 m 높이의 나무에서 떨어진 것을 보았다고 한다. 아무도 소아를 움직이지는 않았다. 1차 평가에서는 소아가 단지 통증자극에만 반응한다는 것을 알았다. 호흡은 얕고 귀에 들릴 정도의 코고는 소리가 들린다. 피부색은 창백하고 청색증을 띤다. 호흡수 10회/분, 심박동수 130회/분, 혈압은 촉진상 76 mmHg였다. 피부는 차고 요골맥박은 약하다. 모세혈관 재충혈 시간은 3초 이상이다. 동공은 양측 동일하고 반응이 있다. 산소포화도는 90%이다. 머리 우측에 혈종이 있으며, 복부는 팽만하고, 우측 하지의 대퇴부는 부종과 함께 대퇴골의 명백한 변형이 동반된 상태이다.

1. 1차 평가와 손상의 기전에 근거하여 소아에게 가장 가능성이 있는 손상은 무엇인가?
2. 소아의 초기안정과 병원 전 관리는 무엇인가?

아 외상 환자를 위해 해야 할 일은 손상뿐만 아니라 소아의 통증을 치료하면서 손상을 입은 소아와 "손상받은 가족"과 의사소통하는 것이다.

외상으로 인한 사망과 심각한 손상은 응급구조사들에게 자신의 아이의 취약성에 대한 감정과 공포를 그 상황에 투사함으로써 엄청난 정서적 스트레스를 일으킨다. 이러한 반응은 적절한 정서적 거리를 유지하는 것을 어렵게 하고, 객관적인 업무수행을 곤란하게 한다. 아프고 손상된 소아의 처치에 대한 경험과 교육이 응급구조사로 하여금 자신감과 능력을 높이고 이러한 스트레스 상황을 잘 통제하도록 도와준다. 위기상황 스트레스 관리 및 근무자 보조 프로그램은 심각한 손상을 입은 소아의 처치를 담당한 응급구조사들에게 도움이 된다.

치명적인 손상기전

표 7-1은 소아와 청년기에서 가장 흔한 치명적인 손상기전을 요약하고 있다.

소아의 독특한 해부학적 양상: 손상유형에 미치는 영향

머리

머리손상은 소아에게 가장 흔한 심각한 외상이다. 다발성 외상에서도 외상성 뇌손상(TBI)의 심각도가 주로 환자의 내과적 그리고 기능적 결과에 가장 영향을 미친다. 소아 외상의 관리에서 결정적인 중재의 대부분은 뇌기능을 유지하는 것이다.

성인과 비교해 볼 때 초기 학령기(5-6세)까지의 아동은 머리가 전체 근육량과 체표면적에 비하여 불균형적으로 크다. 이러한 해부학적 양상 때문에 낙상이나 자동차 충돌 시 가속-감속 사건시에 머리의 기능은 잔디 다트의 무거운 끝

표 7-1 사망과 관련된 주요 손상기전			
1세 미만	1-4세	5-9세	10-14세
질식	익사	자동차 외상	살인
자동차 외상	자동차 외상	살인	자동차 외상
익사	살인	익사	살인
자연사/환경사	질식	화상	익사
화상	화상	질식	기타 지상 교통수단

출처: 10가지 사고에 의한 사망 원인 순위: 연령별, 미국 –. 2017. https://www.cdc.gov/injury/wisqars/LeadingCauses.html

과 같이 선도점(lead point)이 된다**(그림 7-1)**. 결과적으로 성인보다 소아에게 둔상에서 머리와 뇌가 가장 흔히 손상을 입게 된다.

척주

소아들은 척추의 골절이나 변형을 많이 경험하지는 않는다. 척추골절은 자동차 충돌이나 다이빙 사고와 같이 힘이 척추의 축에 가해지거나 과도한 굴곡이나 신전을 동반하는 전형적인 고에너지 손상기전에 의해 발생한다(차량 접촉 사고 혹은 운전 사고). 외상성 척수손상 혹은 중심신경로의 손상 또한 소아들에게는 드물다.

소아에게 가장 흔한 경추손상은 경추의 상부에서 발생한다. 무거운 머리와 연결되어 있는 목의 약한 근육들과 척추 인대들은 자동차 사고와 추락 시 흔한 가속 - 감속력에 더 크게 취약성을 나타낸다. 실제로 상부 경추손상을 동반한 대부분의 소아들이 현장에서 모든 의학적 처치에도 불구하고 심정지로 사망한다.

가장 흔한 하부척추손상은 중간 혹은 하부 흉추에서 일어나는데 손상기전으로는 직접적인 충격, 추락, 혹은 자동차 충돌 사고 시 부적절한 안전벨트의 착용으로 인한 척추압박 등이다. 차량에 부스터 시트를 사용하면 무릎과 어깨 벨트를 적절히 장착할 수 있어 이러한 유형의 손상을 줄일 수 있다.

주의

신생아나 유아에게 꼭 맞는 경추고정칼라를 찾는 것이 어렵다. 정확한 크기의 칼라를 찾기 어려울 때는 움직임을 예방하기 위하여 소아를 척추고정판 위에 패딩을 하여 고정시킨다.

조언

외상은 1-4세 어린이 사망원인의 대부분을 차지하고 있으며 소아와 청소년을 합하여도 다른 원인들보다 우위에 있다.

가슴

소아의 갈비뼈는 대부분 연골로 이루어져 성인에 비해 더 유연하다. 이러한 이유 때문에 비록 고에너지 이동에서도 갈비뼈 골절과 동요가슴(flail chest)은 드물다. 그러므로 흉벽과 연결된 이들 뼈의 압축성은 지방이나 근육에 의해 보호 받지 못하고 충격에너지가 직접 폐와 심장으로 전달된다**(그림 7-2)**. 흉부 장기들의 심각한 손상이 찰과상, 멍, 혹은 압통과 같은 손상의 외적 징후들과 함께 또는 이들 징후들 없이도 일어날 수 있다.

폐타박상, 혹은 폐조직 자체의 멍은 소아에게서 가장 흔히 발생하는 심각한 폐 손상의 형태이다. 흉부둔상을 입은

그림 7-1 소아에서 머리의 크기가 불균형적으로 큰 것은 낙상 시 "머리가 먼저"떨어지는 경향으로 인해, 외상성 뇌손상의 높은 빈도를 설명해 준다.

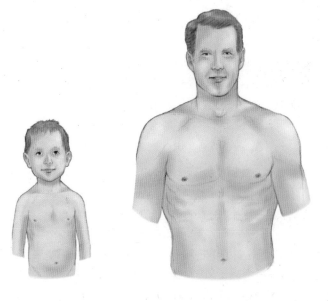

그림 7-2 소아의 흉벽은 근육이 잘 발달되지 않아 성인과 청소년에서처럼 연부조직은 손상을 보호하지 못한다.

소아가 저산소증이나 호흡곤란을 나타낸다면 폐타박상을 의심해 보아야 한다. 그러나 폐타박상은 X-ray에 의해서만 진단될 수 있다. X-ray검사로 현장에서는 불가능한 폐타박상과 공기가슴증을 구별할 수 있다.

만약 둔상을 입은 소아가 있다면 늑막강 내 바늘감압은 조심스럽게 시도해야 한다. 왜냐하면 타박상이 긴장성 공기가슴증보다 더 일어나기 쉽기 때문이다. 반대로 관통상 후에 저산소증과 호흡곤란을 나타내는 소아는 아마도 긴장성 공기 가슴증일 가능성이 많으므로 바늘 감압이 필요하다.

흉부 관통상은 산소화와 환기에 있어 심각한 문제를 초래한다. 흉벽, 등 또는 상복부의 관통상이 있을 때는 긴장성 공기가슴증과 흡인성흉부상처를 찾아봐야 한다. 이들 손상들은 소아에서는 흔하지 않다. 그러나 만약 있다면 특별하고 폐쇄적인 드랭비 현장에서 이루어져야 한다. 바늘감압법은 긴장성 공기가슴증이 있는 소아의 생명을 살릴 것이다. 소아와 성인의 방법은 유사하나 가장 큰 차이점은 카테터의 크기이다. 이 과정에 대한 단계별 설명은 절차 23을 참조한다.

소아의 가로막은 충분히 내쉬었을 때 유두선 높이까지 올라온다. 유두선 아래 또는 견갑골 아래 흉부에 둔상이나

관통상이 있는 경우 흉부와 복부 내 장기 손상이 있을 가능성을 염두해 두어야 한다(**그림 7-3**).

복부

복부는 종종 소아환자들에서 심각한 출혈부위로 쇼크를 초래하는 가장 흔한 손상부위이다. 상복강 내의 단단한 기관들로는 간, 지라(비장), 콩팥(신장)이 있다. 이들 기관들은 성인에 비해 불균형적으로 더 크고 더 많이 돌출되어 있으며, 소

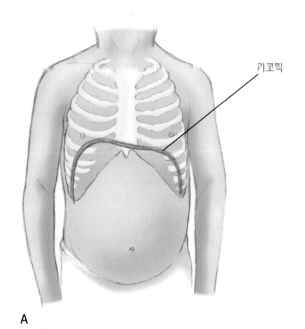

A

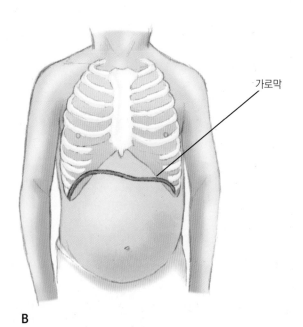

B

그림 7-3 가로막은 최대로 내쉬는 동안 유두선까지 올라올 수 있다**(A)** 최대로 들이쉬는 동안 갈비뼈의 가장 아랫부분까지 내려갈 수 있다**(B)** 그러므로 흉부외상 후 복부장기 손상이 일어날 수 있다.

조언

소아의 흉벽은 성인에 비해 더 작고 얇고 근육이 적어 폐음이 흉강을 통해 전파되어 비대칭적인 호흡음을 평가하기 어렵게 한다. 흉벽의 측면을 따라 액와 아래에서 청진을 함으로써 왼쪽과 오른쪽 폐 사이의 폐음의 차이를 구별할 수 있다.

조언

흉벽의 유두아래 혹은 견갑골 아래에 관통상이 있다면 긴장성 공기가슴증 뿐만 아니라 복부손상도 예상한다.

주의

어린 아동은 가로막 뿐 아니라 복근에 의존하여 호흡을 하므로 척추 고정 시 혹은 이송을 위해 고정 시 복부를 압박하지 말아야 한다.

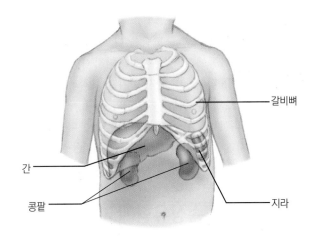

그림 7-4 소아의 상복강의 고형 장기들은 성인에 비해 불균형적으로 크고 더 많이 노출된다. 흉벽이 얇고 복부근육이 발달되지 않아 적절하게 보호받지 못한다.

아의 부드러운 갈비뼈와 상대적으로 덜 발달된 복부근육으로 적절하게 보호받지 못한다**(그림 7-4)**. 간은 가장 큰 복부 장기이고, 우상복부에 위치하여, 유아, 영아, 학령전기 아동의 경우 갈비뼈 밑까지 내려온다. 간은 가장 흔히 손상되는 장기 중 하나이다. 좌상복부에 위치해 있는 지라도 가장 흔히 손상 받는 복부장기의 하나이다. 복부의 공동장기 -위, 소장, 방광- 의 손상은 고형장기 손상에 비해 덜 흔하다. 골반골절은 소아들에게 흔치 않지만 성인의 해부학적 구조를 가진 청소년기에는 더욱 흔해진다.

　심각한 외상을 가진 모든 어린이는 생명을 위협하는 복부 손상을 가지고 있다고 가정해야 한다. 복부손상이 있는 많은 어린이에서 특정한 징후가 없고 통증을 호소하지도 않는다. 두려움, 어린나이, 혹은 다른 손상들이 증상과 징후들을 가릴 수 있다. 복부손상이 있을 때 복부가 점점 팽만 되거나 단단해지고 압통, 복벽의 좌상이나 찰과상이 있으며 혈역학적으로 불안정해지는 증상들을 나타낸다. 정해진 시간 간격(5-10분)으로 일련의 검사들을 시행함으로써 복부검진의 정확도를 높일 수 있다.

주의

두려움, 어린나이, 다른 손상들이 증상과 징후들을 가릴 수 있기 때문에 둔상이 있을 때는 실질장기의 손상 가능성을 절대 간과하지 말아야 한다.

사지

어린이들의 뼈는 더 유연하고 근육은 성인만큼 발달되어있지 않다. 특히 약하고 연골로 된 성장판은 골절되기 쉽다**(그림 7-5)**. 특히 뼈의 끝부분에 있는 유연한 뼈가 종축을 따라 압박을 받는 "버클골절(buckle fracture)"에 비해 뼈의 한쪽면의 골막이 찢어진 골절(종종 약목골절이라 부름)이 흔하다. 이러한 골절은 심각한 부종, 멍이나 변형이 없이도 올 수 있다. 특별히 관절 주위를 눌렀을 때 압통이 있거나 관절가동범위(ROM)가 제한되는 경우는 언제나 골절을 의심해야

전문소생술(Advanced Life Support)

통증은 소아들에서 종종 과소평가되고 잘 처치하지 않는 경향이 있다. 사지의 단독골절이 있는 어린이는 통증조절을 위한 진통제 사용을 고려해야 하며 선택할 수 있는 약물에는 황산모르핀 혹은 펜타닐이 있다. 펜타닐은 분무기를 통해 비강투여를 할 수 있다(절차 15 참고). 통증조절을 위해 필요하다면 용량의 반을 반복투여 할 수 있다. 펜타닐은 효과가 모르핀보다 빠르게 나타나지만, 대신 지속력이 짧다. 심각한 손상기전이 있거나 보상성 혹은 비보상성 쇼크의 징후를 보이는 소아에게 모르핀은 매우 조심스럽게 사용해야 한다. 모르핀은 저혈량증인 소아에게 투여되었을 경우 소아의 혈압과 부족한 관류를 빠르게 떨어뜨릴 수 있다. 마약성진통제 사용 시 호흡 문제가 없는지 항상 확인해야 한다.

조언

복부는 쇼크를 일으키는 가장 흔한 손상 부위이다. 일련의 검사들은 복부손상에 대한 평가의 정확도를 높일 수 있다. 다발성 둔상이 있는 손상 아동의 경우, 병원 전 응급구조사는 쇼크가 있을 경우 항상 복부 내 출혈에 대한 높은 의심 지수를 가져야 한다.

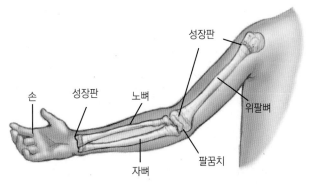

그림 7-5 소아들의 뼈의 끝에 있는 성장판은 골절되기 쉽다.

한다.

사지손상의 가장 심각한 합병증은 신경혈관문제와 골절부위의 연부조직내로의 출혈이다. 출혈은 장골골절(즉, 대퇴골절)에서 심각하다. 일반적으로 심각한 사지손상과 연관된 증상은 통증이다.

> **조언**
>
> 압통이 있는 곳이 있거나 관절가동범위의 제한이 있을 때는 사지골절을 의심한다.

> **조언**
>
> 장골의 성장판 손상은 영구적인 사지 손상을 조래할 수 있다.

피부

피부는 체온을 조절해 준다. 소아는 체격과 체중에 비례하여 성인보다 체표면적이 더 넓다. 그렇기 때문에 피부로부터 체열손실 혹은 체열 상승이 빠르게 일어난다. 비록 피부를 손상시키는 화상이 없다 해도 손상이 있는 소아는 저체온에 의해 심부장기기능의 저하가 나타날 위험이 증가된다. 저체온의 증상과 징후들은 저혈량증과 쇼크의 증상과 징후와 유사하다. 저체온증은 중요한 포도당을 다 소모해버릴 수 있다. 특히 학령전기 아동에서 저체온증을 피하려면 피부를 건조하게 하고 환아를 덮어주며 환자 평가나 처치과정 동안 노출을 최소화함으로써 열손실을 예방해야 한다. 구급차 내에서는 히터를 올려야 한다. 어른들에게는 너무 더워 불편감을 주는 온도이지만 옷을 벗긴 신생아에게는 따뜻한 온도일 것이다. 너무 더운 환경에서는 고열을 주의한다.

손상의 기전 : 손상유형에 따른 영향

소아들에게 있어 여러 가지 손상의 기전은 그들의 독특한 해부학적 특징과 함께 손상의 유형들을 예측가능하게 한다. 둔상에 의한 두부손상은 소아들에게 매우 흔하다. 놀이와 관련되어 발생하는 많은 경증의 폐쇄성 머리손상들이 신경학적 결함을 나타내지 않는데 비해 고에너지 충격은 종종 외상성 뇌손상을 초래한다. 소아들이 사이즈가 작기 때문에 고에너지에 의한 둔상의 충격은 머리, 흉부, 복부와 사지를 포함한 다발성외상을 초래 할 수 있다.

표 7-2는 소아손상과 손상의 유형과 연관된 흔한 손상기전들이다. **그림 7-6** A-D는 소아에게 있어 여러 특징적 손상을 보여주고 있다.

표 7-2 소아의 흔한 손상기전과 손상의 유형들		
손상기전		**관련된 손상 유형**
자동차 충돌 (소아 동승자)	안전벨트 미착용	다발성 장기손상, 두부와 목 손상, 두피와 안면부 열상
	에어백	머리와 목, 안면부와 눈손상
	안전벨트 착용	흉부와 복부손상, 경추 및 하위척추 골절
자동차 충돌 (소아 보행자)	저속	하지 골절
	고속	흉부 및 복부 손상, 머리와 목 손상, 하지골절
높은곳으로부터 추락	낮은 곳	상지골절
	중간	머리와 목 손상, 상-하지골절
	높은 곳	흉부와 복부손상, 머리와 목 손상, 상-하지 골절
자전거로부터 떨어짐	헬멧 미착용	머리와 목 손상, 두피와 안면부 열상, 상지골절
	헬멧 착용	상지골절
	핸들에 부딪힘	복부내손상

Reproduced from American College of Surgeons, Committee on Trauma. *ATLS Advanced Traumas Life Support*, 10th ed. Chicago, IL: American College of Surgeons, 2018.

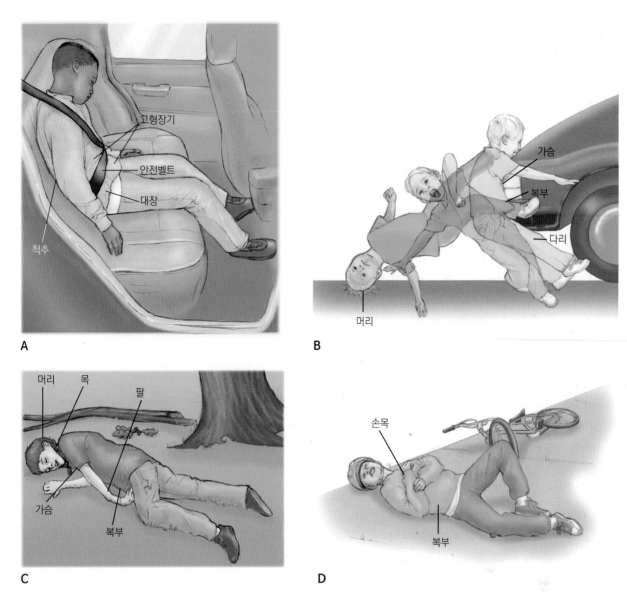

그림 7-6 **A.** 자동차 충돌에서 안전벨트를 착용한 소아는 주요 장기들, 소장과 척추를 포함한 랩 벨트 손상을 입게 된다. **B.** 소아들은 흔히 머리, 흉부, 복부, 장골 등을 포함하는 여러 기관에 손상을 입는다. **C.** 높은 곳에서 추락하는 경우 대개 머리, 목, 복부와 사지의 손상을 입는다. **D.** 자전거의 손잡이를 넘어 떨어지는 경우 복부와 사지의 손상을 초래한다.

손상 소아의 평가

손상이 있는 소아 평가의 첫 번째 단계는 1장과 2장에서 언급된 모든 소아들을 위한 일반적 접근법에 따른다. 이는 도착 전 접수정보에 기초한 마음의 준비와 도착 시 현장 평가를 포함한다. 항상 일반적인 주의사항에 따르거나 개인보호 장비를 사용하여 체액의 잠재적인 위험이나 감염성 체액에 노출되는 것을 예방하여야 한다.

현장에서의 외상평가는 다음을 포함해야 한다:

(1) 소아평가삼각구도를 이용한 전반적인 평가

(2) ABCDEs에 따른 1차 평가

(3) 주호소를 중심으로 한 집중적인 신체검진과 병력

청취, 정밀 신체검진. 여러 장기에 손상이 있는 소아는 현장에서 평가와 처치를 하는 것이 효과적인지 응급실로 빠르게 이송을 하는 것이 좋을지 우선순위의 결정이 필요하다. 일반적으로 응급구조사들은 다발성외상이 있는 소아에게 1차 평가 이상은 진행하지 않는다. 왜냐하면 생명을 위협하는 생리적 문제를 인식하고 처치하는 것이 현장처치의 초점이 되기 때문이다. 추가 평가에서 확인된 해부학적 문제들은 일반적으로 생명을 위협하지는 않는다. 따라서 소아가 생리적으로 안정된 후 병원에서 처치될 수 있다.

전반적 평가

소아평가삼각구도(PAT)

소아평가삼각구도는 내과 환자는 물론 외상환자 일차평가의 첫 부분이며 생리적 변화의 유형, 손상의 심각성과 처치의 긴급성을 빠르게 결정하도록 한다.

외관

외관은 뇌기능 상태를 반영하는데, 이는 손상받은 소아에서 일차 뇌손상(뇌세포 자체에 대한 직접적인 외상으로 초래) 또는 이차 뇌손상(저산소증이나 허혈에 의해 뇌조직의 간접적인 손상에 의해 초래)으로 비정상적인 외관을 나타낼 것이다. 소아외상환자의 가장 흔한 비정상적 외관의 원인은 폐쇄성 머리손상, 저산소증, 출혈, 골절, 화상, 연부조직 손상에 따른 통증 등이다.

> ### 조언
>
> 폐쇄성 머리손상 : 저산소증 : 출혈 : 골절, 화상, 연부조직손상에 의한 통증을 포함하는 소아 외상 환자에서는 비정상적인 외관의 많은 잠재적 원인들이 있다.

중독 또한 비정상적 외관의 원인이 된다. 그러나 학령전기와 학령기 외상환자에서는 흔하지 않은 원인이다. 그러나 대부분의 기분전환용 약물 중독은 청소년기 외상에 중요한 원인이 되며 약물을 한 청소년은 약물 작용 동안 고위험 행동으로 손상을 초래하게 된다. **표 7-3**은 손상된 소아에서 비정상적 외관의 흔한 원인들이다.

호흡노력

손상은 기도, 폐와 흉부벽, 늑막강에 영향을 주어 호흡노력을 증가 시킨다. **표 7-4**는 소아외상환자에서 호흡상태 증가의 원인을 요약한 것이다. 호흡상태의 증가가 없는 빈호흡 또는 빠른 호흡률은 외상성 쇼크를 동반한 소아에서 볼 수 있다. 이는 저관류에 의해 초래되는 대사성 산증을 이산화탄소 배출로 보상하려는 반사기전이다.

기도손상이나 폐쇄로 인한 그렁거림(stridor)이나 말소리의 변화와 같은 비정상적인 호흡음을 듣는다. 쌕쌕거림(wheezig)은 하부기도 자극과 기관지 경련임을 의미한다. 이는 화재와 같은 증기화된 독소의 흡입으로 발생한다.

그렁거림(grunting)은 폐좌상이 있는 경우 나타날 수 있으며 폐포수준에서의 가스 교환의 감소를 의미한다. 비정상

표 7-3 소아외상환자의 비정상적 외관의 흔한 원인들

손상의 분류	예
1차 뇌손상	폐쇄성 두부손상 뇌부종 뇌진탕 뇌좌상 두개강내 혈종 두개강내 출혈 관통성 뇌 손상
2차 뇌손상	• 다음 원인들에 의한 저관류/쇼크를 동반한 출혈; 　복부의 실질장기 손상 　혈액가슴증 　골반골절 • 다음 원인들에 의한 저산소증; 　위 내용물의 기도 내 흡인 　중추성 호흡충동의 부전 　폐좌상 　연기 흡입 　긴장성 공기가슴증
통증	화상 골절 연부조직 손상
독소들	알콜 기분전환용 약물 일산화탄소

적 호흡음을 들은 후에는 저산소증에 대한 다음 평가를 위해 퇴축과 비익확장이 있는지 살펴보아야 한다.

피부순환

피부순환은 피부와 점막으로의 혈류를 반영한다. 만약 손상이 있는 소아가 추운환경에 노출되어 있지 않은 상태에서 피부색과 피부온도가 비정상이라면 저혈량과 불충분한 관류를 의미한다. 복부 내 고형장기 손상으로 인한 출혈은 소아외상환자에서 저관류와 쇼크의 가장 흔한 원인이다. 사지 손상의 경우 과다한 출혈 발생 시, 이를 막기 위해 압박띠 사용도 고려해야한다. 국한된 폐쇄성 머리손상(isolated closed head injury)은 신생아를 제외한 소아에서 과소관류 또는 쇼크의 징후에 대해 설명할 수 없다. 왜냐하면 머리뼈의 폐쇄된 공간은 많은 양의 혈액을 수용할 수 없기 때문이다. 그러

표 7-4 소아외상환자의 호흡 노력을 증가시키는 손상 원인들

원인	예
기도손상	혀, 입, 목의 혈종이나 열상
	연기와 증기흡입
	상부기관내의 관통상
흉부손상	폐좌상
	흡입성 흉부손상
	긴장성 공기가슴증/혈액가슴증
복부손상	가로막 손상
	통증을 동반한 실질장기와 속빈장기의 손상"부목 적용"

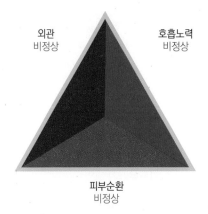

그림 7-8 다발성 외상 환자는 비정상적인 외관, 비정상적 호흡, 비정상적 피부 순환을 나타낸다.

1차 평가

ABCDEs의 실시

ABCDEs는 실제 행하는 1차 평가이다. 외상 ABCDEs는 척추보호와 출혈의 지혈에 특히 중점을 두고 있다. 소아 평가는 소아평가삼각구도와 ABCDEs를 포함하며 특별한 장비를 필요로 하지 않는다. 잠재적으로 생명을 위협하는 문제들은 ABCDEs 진행 중 발견되는 즉시 처치되어야 한다. **표 7-5**는 소아 외상 ABCDEs의 핵심과 외상환자에 대한 중재들이다.

기도유지(Airway)

기도는 언제나 가장 우선이다. 외상환자들은 출혈, 구토, 부종, 이물질 등으로 인한 기도폐쇄의 위험이 있다. 외상성 두부 손상은 보호적인 기도 반사들을 상실하거나 중추성 호흡 충동을 손상시킨다.

아래와 같은 경우에 해당되는 소아들은 척추손상을 고려해 보아야 한다:

- 머리 또는 척추를 경유한 고속력의 손상기전이 있는 경우(즉, 높은 곳에서 추락하거나 자동차에서부터 튕겨져 나간 경우)
- 의식수준의 변화
- 경부나 척추의 통증 호소
- 목 움직임 제한
- 신경쇠약(허약이나 무감각이 있는 경우)
- 목 혹은 척추 변형

만약 소아에서 이들 중 하나라도 나타난다면, 척추를 보호하면서 2차 손상을 방지해야 한다. 이는 척추고정(spinal motion restriction, SMR)이라고 한다.

그림 7-7 폐쇄성 머리손상이 있는 환자는 비정상적인 외관을 보이나 호흡은 정상이며 정상적인 피부순환을 나타낸다.

나 신생아는 두개강 내 출혈로 많은 양의 혈액을 잃을 수 있다. 머리뼈의 평판들이 아직 융합되지 않아 두개골이 압력에 팽창할 수 있기 때문이다.

그림 7-7과 **그림 7-8**은 주요 소아 외상에서 가장 흔한 두 가지 유형을 알 수 있는 소아평가삼각구도를 보여주고 있다: 폐쇄성 머리 손상과 다발성 외상이다.

표 7-5 소아 외상의 ABCDEs

평가요소	특별한 처치
기도유지	목고정을 유지하는 동안 변형된 턱밀어올리기법 실시
	흡인기로 기도 내 액체 혹은 혈액 흡인
	기도유지기 고려
호흡	바늘감압술
	흡인성 흉부손상의 드레싱
순환	외출혈의 지혈
	압박띠 적용
	골절된 사지의 부목 적용
장애	상승된 두개강내압 관리 (머리중립, 머리와 척추고정판 거상, 정상 CO_2 수준 유지를 위한 호흡 보조)
노출	체온소실 예방

그림 7-9 만약 척추손상의 가능성이 있는 아동이 기도폐쇄가 의심 된다면 변형된 턱밀어올리기법과 도수직 척추고정법을 함께 사용한다.

에 환자를 고정하기 전에 구토가 일어난다면 즉시 조심스럽게 환자를 통나무굴리기(log-roll) 하여야 한다. 척추가 완전히 고정되었을 때는 흡인(aspiration)으로부터 환자를 보호하기 위해 필요하다면 척추고정판 전체를 돌릴 수 있다.

주의

척추손상에 대한 처치 때문에 적절한 기도관리를 놓치지 않도록 주의한다.

척추 고정은 목에 목보호대(cervical spine collar)를 장착하거나, 환자를 들것에 고정하고 특히 들것으로 옮길 때 혹은 구급차에 탑승할 때 목의 움직임을 최소화 하는 것이다. 단단한 판에 환자를 고정하는 것은 잠재적으로 손상의 위험이 있는 것으로 알려져있다. 만약 들것에 고정하거나 구급차에 태울 때 단단한 판이나 다른 딱딱한 도구가 사용되었다면 옮긴 후 최대한 빠르게 제거해야 한다. 외상을 입은 소아는 들것에 고정되어 이송하거나 몸에 맞는 크기의 카시트를 이용해서 이송해야 한다.

추가적인 손상을 예방하기 위한 중요한 처치가 시행되어야 하지만 소아의 적절한 기도관리가 더 우선이다. 손상을 입은 소아는 척추손상보다 저산소증이나 쇼크에 의해 사망에 이를 가능성이 훨씬 더 많다.

처치. 만약 기도폐쇄가 있다면 도수적 척추고정과 함께 변형된 턱밀어올리기법을 시행**(그림 7-9)**하여 기도를 개방하고 유지한다. 만약, 기도개방을 유지하기 어렵고 소아가 구토반사가 없다면 기도유지기를 삽입한다. 흡인(aspiration)으로 인한 기도 내 분비물을 제거하거나 마질겸자로 입이나 코, 상기도 내의 이물질을 제거한다. 만약, 환자가 구토를 한다면 위 내용물이 기도내로 흡인(aspiration)되는 것을 예방하기 위해 환자를 옆으로 돌려 눕혀야 한다. 만약 척추고정판

척추 고정. 척주는 33개의 분절성 뼈인 척추골로 이루어져 있으며 이들 구조는 소아들이 성장하는 동안 많은 변화를 거친다. 척추 손상의 발생률과 유형은 소아의 연령과 손상기전에 따라 다르며 소아의 발달수준과 활동성에 영향을 받는다. 경추손상은 척추손상의 가장 무서운 유형인 사지마비를 초래할 수 있다. 항상 흉부와 요추부의 고정을 포함한 완전한 척추고정을 시행한다**(그림 7-10)**. 척수손상과 마비는 흉추와 요추 손상에 의해 초래된다. 이 과정에 대한 단계별 설명은 절차 22를 참조한다.

호흡

호흡은 ABCDEs 중에서 우선순위 두 번째이다. 기도손상, 흉벽손상, 폐손상 또는 공기를 삼킴으로 인한 복부팽만은 호흡과 환기를 방해한다. 머리와 경추 손상은 때때로 중추성 호흡충동을 억제하고 보호적 기도반사를 감소시킨다. 위 내

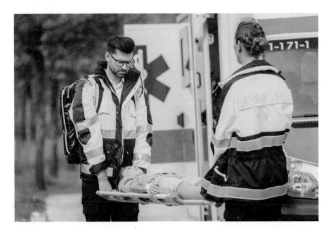

그림 7-10 척추고정은 신체를 고정하여 척추가 움직이지 않도록 한다.

© Kzenon/Shutterstock.

용물의 폐 흡인은 두부손상 환자에게 자주 일어나며 잠재적으로 심각한 합병증을 초래하며 저산소증과 호흡노력을 증가시키게 된다.

흉부와 등 쪽에 연부조직 손상과 관통상이 있는지 살펴보아야 한다. 흉부상승이 적절하며 대칭적인지 살펴보고 공기의 이동과 호흡음이 양쪽에서 동일하게 들리는지 평가하기 위해 청진기로 들어보아야 한다. 흉벽에서 염발음, 통증, 불안정성이 있는지 느껴 보아야한다. 창백함이나 청색증은 나중에 발견되기 때문에 맥박산소측정기를 사용하여 저산소증이 있는지 평가해야 한다. 맥박산소측정결과가 정상이 나오더라도 호흡곤란을 배제하지 말아야 한다. 심한 빈호흡이나 힘든 호흡을 하는 어린이는 맥박산소측정기의 결과와 관계없이 호흡보조가 필요하다.

처치. 만약 호흡이 부적절하다면 적절한 체위를 취해주고 호흡보조를 실시한다. 턱을 당겨 마스크와 밀착시킨다. 마스크를 얼굴에 밀착시켜 막는 것은 경추 굴곡을 초래할 것이다. E-C고정법**(그림 7-11 A-D)**은 마스크를 안면에 잘 밀착시키기 위한 적절한 손의 위치를 가능하게 한다. 비록 구토반사가 있는 아동은 구인두 기도기를 견딜 수 없으나 그 외 아동은 기도개방의 유지를 위한 기도유지기의 삽입을 고려해야 한다.

100% 산소를 주거나 백-밸브 마스크 호흡을 시행한다. 정확하게 딱 맞는 산소마스크를 사용한다. 만약 소아의 호흡상태가 부적절하거나 심폐기능이나 의식수준이 악화되는 경우는 백-밸브 마스크로 보조호흡을 해야 한다. 백을 너무 빨리 짜는 경향이 있기 때문에 "짜고-풀고-풀고" 타이밍 테크닉을 사용하여 보조호흡을 하도록 한다. 각 호흡 사이에 일시중지를 함으로써 위 팽만을 최소화할 수 있다. 오직 뇌줄기이탈이 있는 소아에서만 과호흡을 시킨다. 소아에서 동공반사는 뇌줄기이탈을 추측할 수 있는데, 그 예로 동공이 고정되어 있거나 동공 비대칭, 그리고/혹은 자세 변화가 있다. 이때는 혈중 이산화탄소 농도를 30-35 mmHg (주로 35-40 사이)로 유지한다. 과호흡은 뇌로의 관류를 감소시킬 수 있으므로 매우 조심스럽게 시행하여야 한다. 각 호흡마다 흉부상승이 될 수 있는 충분한 양의 일회 호흡량이 제공되어야 한다.

소아의 관통상, 흡인성흉부상처, 이물에 찔림, 긴장성 공기가슴증의 처치는 성인과 동일하다. 흡인성흉부상처는 바셀린 거즈와 같은 폐쇄드레싱으로 덮고 지역 의료지침에 따라 세 면 혹은 네 면에 테이프를 붙인다**(그림 7-12)**. 또는 흡인성 흉부손상에 대한 붕대/밀폐를 위해 특별히 고안된 테이프를 사용하여 처치한다. 이 방법은 긴장성 공기가

사례연구 2

응급구조사는 동네 운동장에서 6세 남아가 머리를 야구공에 맞아 스탠드에 넘어졌다는 연락을 받았다. 어린이는 큰 혈종이 이마에 생겼고, 코치에게 안겨 울고 있었다. 의식을 잃지는 않았으나, 응급구조사나 그의 코치와 눈을 맞추지는 못하였다. 소아평가삼각구도는 정상이며, ABCDEs는 정상적인 활력징후로 나타났으며 다른 외관상 손상은 없었다. 어린이는 평가하는 동안 점점 더 졸리워하며 깨어 나기 힘들어했다.

1. 이 어린이의 생명을 가장 위협하는 것은 무엇인가?
2. 어떤 처치가 필요한가?

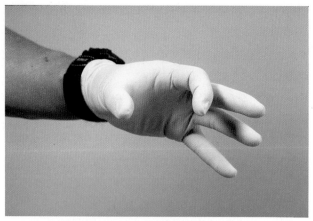

A

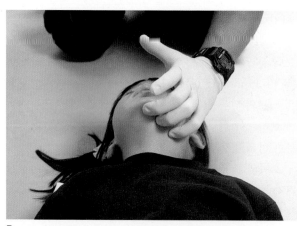

B

C

그림 7-11 E-C고정법은 손으로 마스크를 안면에 잘 밀착 시킬 수 있도록 한다. **(A)** 손을 E-C 모양으로 위치시킨다. **(B)** 손가락을 턱의 뼈 가장자리에 둔다. **(C)** 백-밸브 마스크 호흡을 실시한다.

© Jones & Bartlett Learning.

습증의 진행과 공기유입을 막는 동안 갇혀있는 공기는 새어나가도록 하는 것이다. 신체에 박혀있는 이물질은 절대 제거하지 말고 있는 위치에서 잘 고정하여야 한다.

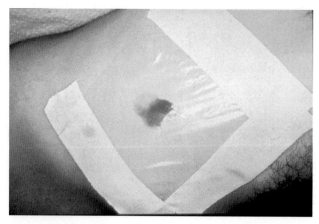

그림 7-12 흡인성흉부상처의 관리. 바셀린 거즈와 같은 폐쇄드레싱으로 세 면 혹은 네 면에 테이프를 붙여 흡인성 흉부 상처를 덮는다. 제세동기 패드도 사용될 수 있다.

Courtesy of the State of North Carolina EMSC

조언

만약 흉부관통상이 있는 환자에게 호흡곤란, 저산소증, 저관류까지 나타난다면 가능한 한 긴장성 공기가슴증을 처치하기 위하여 바늘 감압을 시행한다.

전문소생술(Advanced Life Support)

긴장성 공기가슴증의 처치. 만약 흉부관통상이 있으면서 호흡곤란, 저산소증, 저관류가 있다면 긴장성 공기가슴증을 처치하기 위해 바늘감압술을 시행하여야 한다.

바늘감압술은 흉부의 둔상이 있는 소아에게 또한 필요할 수 있다. 만약 소아가 흉벽에 심한 둔상이 있고 호흡곤란이 있는 경우 특히 호흡보조에도 불구하고 더 나빠지는 경우 바늘 감압술이 필요하다. 이러한 상황에서는 폐쇄성 공기가슴증이 있을 때 양압호흡은 빠르게 늑막강내 공기압을 증가시켜 위험한 수준의"긴장"을 초래하게 된다. 긴장성 공기가슴증은 손상 받은 폐의 환기를 악화시킬 뿐 아니라 심장으로의 정맥환류도 부적절하게 한다. 이는 수액처치에도 반응하지 않는 쇼크를 초래할 수 있다. 공기가슴증 환자의 바늘 감압술은 산소화, 호흡 그리고 관류를 증진시킬 것이다. 이 과정에 대한 단계별 설명은 절차 23을 참조한다.

코위관/입위관 튜브를 사용한 위 팽만의 처치. 보조적 호흡이나 장시간의 울음은 공기를 삼켜 위 팽만을 초래할 수 있다. 코위관(NG)이나 입위관(OG)튜브의 삽입은 팽만된 위가 가로막을 밀어 올리는 힘을 감소시켜 호흡을 증진시키고 구토의 위험을 줄여준다. 만약 가능하다면 혼수환자의 기관 내 삽관 후 코위관을 삽입한다. 양압호흡은 기관 삽관된 소아라 하더라도 위 팽만을 초래할 수 있기 때문이다. 코위관 삽관의 금기증은 안면중앙의 외상과 두개기저 골골절(racoon's eyes, Battle's sign, 코나 귀에서 뇌척수액 유출이 있는 경우)이 의심되는 경우이다. 이 경우는 튜브가 파손된 판을 통해 두개내로 통과할 수 있기 때문이다. 이러한 경우 입위관을 삽관하도록 하는데 입위관을 삽관하는 동안 구토 및 흡인의 합병증 또는 기관내로 잘못 삽관될 수 있는 합병증에도 불구하고 위감압의 이점이 더 큰지 점검해봐야 한다. 이 과정에 대한 단계별 설명은 절차 10을 참조한다.

> **조언**
>
> 가급적 전자 모니터로 심장 박동 수를 자주 재평가한다. 빈맥은 통증, 두려움, 한기 또는 불안감에 대한 반응일 수 있지만, 심장 박동 수의 증가 추세는 지속적인 혈액 손실을 암시한다.

> **조언**
>
> 1-10세 사이의 소아의 수축기 혈압은 (70+2X나이) 보다 높아야 한다. 만약 아니라면 소아는 저혈압성(비보상성) 쇼크이다.

순환

소아 다발성 외상에서는 쇼크 보다 호흡부전을 초래하는 경우가 많다. 그러나 때때로 외출혈, 내출혈, 공기가슴증, 척추 손상, 심근좌상이나 심장눌림증에 의한 심박출의 부전은 쇼크로 이어진다. 소아평가삼각구도와 실제 **ABCDEs**를 병행하여 관류평가를 수행한다. 심장감시장치와 맥박을 자주 검사하여 심장박동 상태를 지속적으로 확인한다. 빈맥은 통증, 두려움, 한기, 불안에 의해 발생할 수 있지만, 일반적으로 심박동수 증가는 혈액 손실이 진행되고 있다는 것을 의미한다. 혈압 측정은 저혈량증을 알아내는 지표로 부적절하다. 왜냐하면 소아인 경우 정상적인 혈압을 나타내면서도 보상성 쇼크에 빠질 수 있기 때문이다. 그러나 정확하게 혈압이 낮게 측정 된다면 저혈량의 지표로 유용하다. 저혈압이 확실시 되는 상황이라면 소아는 비보상성 쇼크의 단계에 있다고 가정할 수 있다. 외상성 두부손상의 가능성이 있는 소아는 정상 보다 혈압이 높게 측정될 수 있는데, 이러한 경우 두개내압의 증가를 의심할 수 있다.

정확한 소아 혈압 측정에는 기술적인 어려움(주로 적절한 크기의 커프 사용)이 있고 피부 징후, 모세혈관 재충혈 시간, 맥박 평가도 관류 상태의 좋은 지표이므로 3세 이상의 소아라면 혈압 측정은 한번만 시도하도록 한다. 혈압 측정시 커프의 크기가 적당한지 반드시 확인한다. 그렇지 않으면 측정 결과는 부정확해진다. 그러므로 3세 이하의 소아인 경우 현장에서 혈압 측정은 의미가 없다.

처치. 확인되는 외출혈은 직접 압박법으로 지혈한다. 소독된 거즈를 이용하여 누르고 장갑과 개인보호장비를 사용한다. 확실히 변형된 사지에는 부목을 댄다. 산소를 공급하고 이송을 위해 소아를 바로 누운자세로 눕힌다. 멈추지 않는 출혈이 발생하면 압박띠 사용을 고려한다(절차 25).

기도가 안정되고 환기가 적절하며 소아의 척추가 고정되었다면 이송을 시작한다. 관류가 비정상적이거나 저혈압인 환자는 등장성 수액 20 mL/kg을 최대한 빠르게 주입한다.

전문소생술(Advanced Life Support)

수액 요법. 소아가 쇼크의 징후를 보이거나 다량의 출혈이 계속되면 정맥로를 확보하고 수액을 주입한다. 우선 상지나 외경정맥에 정맥로를 확보할 곳을 찾은 후 두개의 정맥로를 확보한다. 정맥로 확보가 어렵고 소아가 비보상성 쇼크의 징후를 보이면, 골내 주사 바늘을 삽입한다. 심한 저관류 환자에게는 20 mL/kg의 정질액을 가능한 빨리 주입한다.

신경학적 상태

외상 관련 장애로 두부손상이나 척수 손상이 있다. 손상은 개방성이거나 폐쇄성 일 수 있다. 이 때 소아는 일차 혹은, 이차 뇌손상을 입었거나, 두 손상을 모두 입었을 수도 있다.

일차 뇌 손상은 외상충격에 의한 직접적인 결과로 뇌출혈, 뇌부종, 신경 손상 등이 나타난다. 두개내압 상승이 처치되지 않는다면 뇌줄기 이탈, 심폐기능 정지, 뇌사상태가 발생할 수 있다. 시간이 지나면서 응급구조사가 현장에 도착하기 전 일차 뇌손상이 이미 진행되었을 수 있다.

이차 뇌손상은 중추 신경계 저산소증이나 허혈, 혈당량 장애의 결과이다. 병원 전 응급구조사는 이차 뇌 손상을 예방하는데 매우 중요한 역할을 수행한다. 저산소증은 기도나 흉부손상으로 생길 수 있으나, 일차 뇌손상으로 호흡중추 자극이 손상되어 생길 수 있다. 뇌 허혈은 흉부와 복부의 출혈로 발생한다. 중추 신경계 세포는 충분한 혈당이 유지되지 않으면 살아남기 어렵다.

적절한 산소요법과 환기, 관류 확인, 적절한 혈당량 확인은 이차 뇌 손상 예방을 위해 필요하다.

실제로 119에 의식수준 변화가 있거나, 호흡 정지를 보이거나, 아무런 외상없이 발작하는 소아들의 사례가 종종 접수된다. 그러나 이러한 소아 환자의 평가에서 실제로 심각한 뇌 손상을 받았음에도 불구하고 뇌 손상 또는 외상성 두부손상의 이학적 검사 소견이 나타나지 않을 수 있다. 소아가 심하게 흔들렸거나 머리에 충격을 받았을 때는 '흔들린 아이 증후군'(Shaken baby syndrome)의 전형적인 증상이 나타난다. 이 메커니즘은 심각한 가속과 감속의 힘으로 인하여 아이의 뇌에 신경 손상이 확산되거나 두개내 출혈이 생길 수 있다. 희게고 인한 흔들린 아이 증후군은 11성에서 실병된다.

AVPU의 척도에 따라 부상당한 소아 환자의 신경학적 장애를 평가한다(**표 1-8**). AVPU의 척도에 따른 장애는 소아평가삼각구도의 비정상적인 양상을 따르지는 않는다. 소아는 뇌손상이나 척수 손상이 아니어도 통증이나 공포, 쇼크, 저산소증, 중독과 같은 다른 여러 가지 이유로 인해 비정상적인 양상을 나타낼 수 있다. AVPU의 척도에 따라 평가했을 때 의식이 명확한 아이도 완전히 비정상적인 양상을 나타낼 수 있다. 외관은 AVPU 보다 어린이의 전반적인 생리적 기능을 보다 예민하게 나타내는 지표이다. AVPU척도는 소아의 일차, 이차적인 뇌 손상을 포함한 심각한 신경 손상을 확인하는데 유용하다.

일부 응급의료체계에서 신경학적 손상을 평가하기 위해 소아 글라스고우 혼수척도(PGCS)를 사용하기도 한다(**표 7-6**). AVPU나 PGCS 모두 소아 평가에 인증된 것은 아니다. 이 두 척도 모두 신경학적 기능을 평가 할 수는 있지만 AVPU가 보다 간단하고 기억하기 쉽다. PGCS척도에서는 운동반응 점수를 특히 주의해야 한다. 왜냐하면 운동반응은 소아 외상성 두부손상의 신경학적 예후를 추정하는데 가장 큰 지표이기 때문이다.

AVPU나 PGCS에 의한 의식 평가 후 비정상적인 자세나 발작, 동공의 크기, 대칭성과 반응에 대하여 기록한다. 뇌 손상 소아에서는 일반적으로 발작이 나타난다. 또 지속적인 수평성 안구진탕을 확인해야 하는데, 이것은 지속되는 발작을 의미하기 때문이다.

동공 검사는 뇌줄기 기능에 대한 중요한 정보를 제공하며 안저의 유두 검사는 혼수 환자에게 과환기가 필요한지를 결정할 수 있게 한다.

표 7-6 소아 글라스고우 혼수척도

점수	소아	영아
눈뜨기		
4	자발적으로 눈을 뜬다.	자발적으로 눈을 뜬다.
3	눈을 뜨라고 말하면 눈을 뜬다.	눈을 뜨라고 말하면 눈을 뜬다.
2	통증을 가하면 눈을 뜬다.	통증을 가하면 눈을 뜬다.
1	반응이 없다.	반응이 없다.
_____ 김+(눈)		
운동		
6	지시에 따른다.	자발적 움직임을 보인다.
5	부분적으로 움직인다.	만지면 움츠린다.
4	움츠린다.	통증을 주면 움츠린다.
3	구부린다.	구부린다(대뇌겉질 제거자세).
2	편다.	편다(대뇌 제거자세).
1	반응이 없다.	반응이 없다.
_____ = 점수(운동)		
언어		
5	지남력이 있다.	옹알거리거나 재잘거린다.
4	혼돈 상태이다.	예민하게 운다.
3	부적절한 말을 한다.	통증을 가하면 운다.
2	이해할 수 없는 말을 한다.	통증을 가하면 신음한다.
1	반응이 없다.	반응이 없다.
_____ = 점수(언어)		
_____ = 합산점수(눈뜨기,운동,언어) 점수 범위: 3-15점		

Modified from James HE, Anas NG, Perkin RM. **Brain Insults in Infants and Children**. Orlando, FL: Grune & Stratton; 1985.

뇌진탕. 뇌진탕은 외상성 두부손상의 경미한 상태로서, 머리에 부딪히거나 낙상으로 인한 두부 충격이 있을 때 발생한다. 회전으로 인해 가속이 붙은 힘으로 인해 뇌에 온 충격으로 뇌에 화학적 변화가 발생하고, 가끔 심지어 뇌 세포 손상까지 이어지기도 한다. 주로 스포츠 활동과 관련되며, 뇌진탕 환자 중 의식을 잃는 경우는 10-15%만 발생한다. 증상은 두통, 구역질, 구토, 겹보임 혹은 흐려보임, 혼란스러움, 어지러움, 빛에 예민해지는 것(photophobia), 소리에 예민해지는 것(phonophobia) 그리고 집중력 문제, 기억력 문제가 발생할 수 있다. 이중 몇 가지 증상은 부상 직후 발생할 수 있으나, 몇몇 증상은 몇 시간 후에 나타날 수 있다. 소아/청소년이 몸이 좋지 않다고 할 수 있으나, 만약 정신 없어 보이거나, 멍한 것 같거나 혼란스러워 보이거나, 대답이 느리거나, 움직임이 둔하거나, 사고 전 상황을 기억하지 못한다면, 뇌진탕이 의심된다. 만약 운동 경기 도중이라면, 즉시 경기에서 열외 해야 한다. 회복을 위해선 육체적 정신적 휴식이 필요하고, 몇 주 혹은 몇 개월이 걸릴 수 있다. 회복 단계에서 두 번째 충격은 급격한 뇌부종과 사망까지 이어질 수 있다. 뇌진탕이 발생한 환아는 의료 전문인에게 평가를 받아야 하고, 허락 받기까지 경기로 복귀해서는 안된다.

처치. AVPU척도에서 P나 U의 소견을 보이는 소아 외상환자는 적절한 환기와 혈중 산소 농도를 유지하기 위한 보조 환기가 필요하다. 외상성 두부손상이 있는 소아 환자에서 저산소증은 이차 뇌 손상을 초래하는 주요 원인이다. 저산소증은 두개내압의 증가와 관련되며, 이 상황은 빠르게 발생하고, 종종 일차 뇌손상이 있는 소아에서 나타날 수 있다.

외상성 뇌손상이 있는 소아 환자에게 산소요법과 환기를 제공 할 때 주의가 필요하다. 그러나 환기의 비율에 관해서는 아직 논쟁의 여지가 많다. 과거에는 과환기가 두개내압을 감소시키는 최적의 방법으로 알려져 있었지만, 과도한 과호흡은 그 자체로 뇌관류를 감소시켜 이차 뇌손상을 유발하는 원인이 된다. 두개내압이 급격히 증가한 환아 혹은 임박한뇌줄기이탈 징후를 보이는 외상성 두부 손상 환자의 경우, 파형 장치 혹은 전자 호기말이산화탄소분압측정술을 사용하여 EtCo₂를 30-35 mmd Hg로 유지한다.

이는 환아가 극심한 신경학적 장애를 보이고 소아가 AVPU척도로 P나 U의 소견을 보이거나 PGCS에서 9점 이하, 산대되고 고정된 동공, 비대칭성 동공 혹은 특징적 자세(대뇌제거자세, 겉질제거자세)가 나타나면 적용을 고려한다.

조언

외상성 두부 손상 환아는 AVPU척도로 P나 U의 소견을 보이거나 PGCS에서 9점 이하, 산대되고 고정된 동공, 비대칭성 동공 혹은 특징적 자세(겉질제거자세, 대뇌제거자세)를 보이면 임박한뇌줄기이탈 상태이다.

전문소생술(Advanced Life Support)

상승된 두개내압 관리. 만약 소아가 의식수준 변화(AVPU척도로 보아 의식이 명확하지 않고, PGCS에서 15점 미만일 때)를 보인다면 두개내압 상승을 예상해야 한다. 쿠싱 징후인 서맥, 혈압 상승, 불규칙적 호흡은 두개내압으로 인해 발생할 수 있다. 두개내압 관리는 단계별 차별화된 처치를 시행한다. 아울러 치료에 따른 이득과 위험성을 비교해 볼 필요가 있다.

- 환자의 머리를 중앙으로 반듯하게 하여 깅정맥혈의 심장 귀환을 돕는다.
- 환자가 쇼크상태가 아니라면 척추 고정판을 들어 올린다. 그리고 적절한 환기와 혈중 산소농도를 유지한다.
- 임박한 뇌줄기이탈증후군의 증상을 보이는 환자에게만 과환기를 고려한다. 파형 장치 혹은 전자 호기말이산화탄소분압측정술을 사용하여 EtCo₂를 30 mmHg 이상으로 유지하고, 30-35 mmHg이 가장 적합하다(정상범위는 35-45)
- 만약 환자가 두부 손상과 저혈량증을 보이면 뇌 관류를 유지하기 위해 수액을 공급한다. 손상받은 뇌의 허혈은 위험하다.
- 만니톨 혹은 3% 고장식염수는 비대칭 동공 혹은 비정상 자세를 보이는 환아의 두개내압을 빠르게 감소시키나 출혈성 쇼크 소아 환아에게는 주의하여 사용해야 한다.

노출

노출은 1차 평가의 마지막 단계이다. 적절한 노출로 사지를 포함한 전신의 해부학적 평가를 시행한다. 척추를 안정시키는 동안, 연부 조직 손상이나 관통상이 있는지 빠르게 찾아낸다. 눈에 보이지 않지만 의심되는 사지의 손상을 알아내기 위해서 말초순환과 신경학적 기능을 평가한다. 다발성 사지 손상(위팔뼈나 넙다리뼈의 개방성 골절)은 일반적으로 생명을 위협하지는 않지만, 상당한 양의 출혈과 통증을 유발한다. 검사가 끝난 후, 열 손실이나 저체온증을 막기 위해 환자를 덮어주는 것을 잊지 말아야 한다.

주의

만니톨은 뇌척수액의 분포를 조정하고 이뇨작용으로 두개내압을 급격히 감소시킨다. 저혈량성 쇼크 환자에게는 만니톨을 사용하면 안 된다.

1차 평가 요약

소아 평가에서 해부학적, 기능적 차이에 따라 손상기전이 특별하게 달라질 수 있다는 점을 알아야 한다. 소아의 기도는 작고 폐쇄되기 쉬우며 폐는 타박상에 의해 쉽게 손상된다. 또 실질 장기와 긴 뼈는 거의 보호되지 않는다. 다발성 외상환자에 대한 병원 전 응급구조사의 가장 중요한 역할은 기도 개방, 환기 보조, 2차 손상을 최소화하는 것이다. 치료 목적은 저산소증과 저혈압을 예방하는 것이다. 생리적으로 불안정하고 심각한 손상기전을 가진 소아환자일 때는 현장에 머무는 시간을 단축하고 빠르게 응급의료센터로 이송하여야 한다. 정맥로 확보와 수액 요법은 이송 중에 수행해야 하는 2차적 처치이다.

주의

만니톨은 온도에 예민하므로 7℃(=45℉) 이하에 저장해서는 안 된다.

조언

AVPU척도상에서 P나 U의 소견을 보이는 소아환자에게는 산소 농도를 유지하고, 이산화탄소의 정체를 막기 위해서 보조 환기를 시행한다.

조언

병원 밖 상황에서 기관내삽관이 언제나 최적의 기도관리수단은 아니다.

소아 외상 환자의 특수 기도 유지법

신경학적 장애를 동반한 심한 두부손상 소아 환자가 임박한 뇌줄기이탈 증상을 보이는 경우 다음과 같은 적극적인 처치가 필요하다:

- 기도를 보호하고 흡인을 방지한다.
- 환기를 개선하고 증진시킨다.
- 산소화를 개선하고 증진시킨다.

적절한 기도 유지는 잠재적 위험성과 잠재적 이익을 고려하여 결정해야 한다. 이제까지 치명적 손상을 입은 환자의 기도관리는 기관내삽관이 최적의 방안으로 간주되었지만 그 수행에는 많은 위험이 따른다. 기관내삽관은 현장 시간 지연, 저산소증 악화, 구토와 흡인 유발, 후두경 사용으로 인한 두개내압 상승, 튜브의 위치등이 잘못될 수 있다. 백마스크를 사용하여 환기를 보조할지, 기관내 삽관을 할지를 결정하는 것은 단순하지 않다. 따라서 다음 제시되는 조건들을 반드시 고려한다:

- 두개내압 증가의 위험성(소아의 공격성 증가나 기관내 삽관 동안 구토 유발 위험성)
- 기도유지 능력
- 이송 시간
- 개인적 능력과 경험 유무
- 빠른연속기관삽관(RSI) 수행 능력

표 7-7은 병원 전 응급구조사에게 필요한 최적의 기도 유지 요소이다.

표 7-7 최적의 기도 유지를 위한 요소
기본소생술(백-밸브 환기)이 유리한 경우
공격적인 환자, 심한 구역반사가 있는 환자
턱근육 강직이 있는 환자
현장 체류와 이송시간이 짧은 경우
전문소생술(기관내삽관)이 유리한 경우
백마스크로 환기가 어려운 환자
무의식 환아
구역반사가 없는 환아
무호흡, 근육긴장이 적은 환자
구출 시간이나 이송 시간이 길어질 때
이송 도중 도와줄 인원이 적을 때
약물보조삽관(DAI)이 가능할 때

소아 외상환자의 전문기도관리

중증 소아 외상환자에게 기관내삽관이 필요할 때, 경추의 도수 고정 후, 구강을 통한 기관내삽관을 시행한다(단계별 설명은 절차 11 참조).

성인의 경우 코를 통한 기관내관의 삽입은 입을 통한 삽입보다 경추의 움직임을 덜 유발하지만, 소아의 경우 후두가 성인에 비해 전방에 위치하고, 삽입 시 선양조직의 출혈 위험이 증가되므로 이 방법은 적합하지 않다. 소아에게 맹목적 코기관삽관을 시도하지 않는다.

진정제나 마취제를 사용한 후 실시하는 약물보조삽관(빠른연속삽관)은 대부분 응급실과 일부 응급의료체계의 소아 기관내 삽관 표준 방법이다. 그러나 이 방법의 효율성, 안정성, 편리성은 여전히 논쟁의 여지가 있고 별도의 훈련을 받아야 시행이 가능하다. 이 처치에 대한 설명은 절차 13에 소개되어 있다.

주의

소아환자에게 맹목적코기관삽관은 시행하지 않는다.

논쟁

진정제나 마취제를 사용한 후 실시하는 기관내삽관은 많은 응급실과 일부 응급의료체계에서 소아 기관내삽관술의 표준방법이다. 그러나 현장에서의 효과와 안정성은 논란이 많고 특수 훈련을 필요로 한다.

1차 평가

이송 결정: 지연 혹은 이송

1차평가와 기본소생술이 끝나면 이송 시간을 고려해야 한다. *비정상 생리적 또는 해부학적 증상이 나타나거나 심각한 통증 또는 심각한 손상기전이 나타나는 모든 소아 환자는 즉시 이송해야 한다.* 손상이 심각하지 않고 안정된 외상환자의 경우는 현장 평가와 처치를 계속한다. 현장 평가 결과 소아 환자나 응급구조사에게 위험이 있다면 즉시 이송한다. 화재 현장에 근접해 있거나, 위험 물질, 폭력 위험, 흥분한 주위사

람이나 보호자, 아동 학대가 의심되는 상황이라면 즉시 이송을 시작하고 구급차 안에서 평가를 시행한다.

추가 평가

추가 평가는 주호소에 입각한 외상평가와 병력청취, 외상환자의 경우 정밀신체검진을 시행한다. 이 과정에서 해부학적 문제를 직접적으로 발견할 수 있다. 만약 환자가 생리적으로 정상이고 상태가 안전하다면 현장에서 추가 평가를 시행할 수 있다. 하지만 그렇지 않은 경우라면 이송 도중 구급차 안에서 추가 평가를 실시한다. 생리적으로 환자가 불안정한 상태라면 추가 평가는 미루도록 한다.

병력 확인은 이미 1장에 소개된 SAMPLE 모형을 사용한다. 이때 초기 외상평가와 처치에 영향을 주는 병력에만 초점을 맞춘다. **표 7-8**은 소아 외상환자에게 사용하는 SAMPLE 모형이다.

표 7-8 소아 외상 환자의 SAMPLE 병력

구성 요소	설명
징후/증상(S)	사고 발생 시간
	증상이나 통증의 특성
	나이에 따른 통증 징후
알레르기(A)	알고 있는 약물 반응이나 다른 알레르기
투약(M)	만성약물-복용 기간과 용량
	진통제와 해열제의 복용시간과 용량
과거력(P)	이전 수술력
	예방접종
최종 섭취 음식(L)	마지막 섭취한 음식 종류와 섭취 시간(수유 포함)
손상 관련 사고(E)	이번 사고로 이어진 주요 사건
	손상기전
	현장의 위험 정도

집중 신체검진에서 손상이 의심되는 부위의 비정상 해부학적 상태를 신중히 살펴야 한다. 폐쇄성 두부 손상이 의심되는 소아의 경우 머리와 두피를 세밀히 잘 살피고 촉진하면서 검진하도록 한다. 흉부 관통상이 있는 소아 환자의 경우, 등과 액와부를 관찰하고 촉진한다. 목이 졸린 소아는 목을 촉진하여 검사한다.

정밀신체검진(외상)은 머리부터 발끝까지 또는(영아나 유아, 학령전기) 발끝부터 머리까지, 그리고 앞에서 뒤로 완벽하게 신체평가 한다. 평가 과정은 이미 1장에서 언급한 시진, 촉진, 청진과 같은 기존의 평가 방법을 사용한다. 이송 도중 비정상 생리적 문제가 있는 환자는 재평가를 시행한다. 평가에는 소아평가삼각구도, ABCDEs, 맥박산소측정, 활력징후, 심장모니터상 심박동수와 리듬, 해부학적 문제, 치료에 대한 반응은 연속적으로 평가한다. 가능하면 한기를 관찰하면서 통증을 조절해 준다. 소아 환자가 응급의료센터에 도착하여 시행하는 혈액검사와 영상검사를 포함한 진단검사는 향후 지속적인 평가에 도움을 준다.

그림 7-13 소아를 들것에 고정하기 전에 어깨에서 엉덩이까지 소아의 몸 아래에 패딩을 대어 기도와 척추를 중립 위치로 유지한다.

추가평가요약

1차 평가를 마친 후 이송 시기와 적절한 병원을 결정한다. 환자가 있는 장소가 안전하고 안정 상태일 경우에만 추가 현장 평가, 계획된 병력 청취와 신체검진을 수행하면서 정밀 신체검진을 수행한다. 이외의 모든 경우라면 환자를 즉시 이송하고 이송 중에 평가를 시행한다. 부상당한 소아환자는 자주 재평가를 해야 한다. 소아환자의 손상이 심각하다면 지역 병원보다 외상센터로 이송한다. 미국 내 대다수의 주에는 소아 외상환자가 적절한 수준의 치료를 받을 수 있는 외상 프로그램이 있다.

이송에 따른 척추 고정과 부목 적용

외상 관련 손상기전이 있거나 심각한 두부손상이나 다발성 외상이 있는 소아환자의 척추 고정법은 어른의 척추 고정법과 같다. 적당한 크기의 소아 고정칼라와 두부 고정장치를 이용하여 목을 고정한다. 가능하지 않다면 천붕대와 반창고를 대신 사용할 수 있다. 척추고정에 대한 설명은 절차 22에 소개되어 있다.

학령전기 아동의 경우 목이나 등에 통증을 표현하지 못하는 경우가 있다. 소아를 고정하기 위해서는, 성인에 비해 상대적으로 머리가 큰 소아의 해부학적 차이를 감안하여 약

간의 변형이 필요하다. 척추고정판에 소아환자를 고정하기 전에 소아의 어깨부터 엉덩이까지 얇은(1인치) 패드를 깔아 기도와 척추가 일렬이 되도록 한다(그림 7-13).

척추는 7번 경추에서 멈추는 것이 아니며 부상이 의심되면 척추 고정 시 주의사항이 적용되어야 한다. *척추고정판은 모든 운동축에 대하여 완전히 고정한다.* 환자가 이송되는 동안 거의 수직에 가까운 자세가 필요할 수도 있다. 환자와 조임끈 사이의 모든 공간을 메워서 환자의 측면 움직임이 최소화되도록 한다.

턱이나 호흡이 억제되는 부위는 조이지 말고 호흡하는 동안 흉부가 팽창될 수 있도록 여유 공간을 남겨 둔다. 경추 고정칼라가 적절히 맞는지 확인하고, 적당한 크기의 경추 고정 칼라가 없다면, 소아환자가 척추 고정판에 완전히 고정될 때 까지 도수 고정한다. 척추고정 장치가 환자 평가나 접근성에 방해되지 않는지 확인한다. 손상이 심각하지 않은 소아환자는 지역 의료 지침에 따라 고정을 하지 않아도 될 수 있다.

형태가 변형되었거나 통증이 있는 사지에 부목을 대는 것은 병원 전 처치에서 매우 중요하다. 부목은 통증을 완화시키고, 출혈을 감소시키며, 신경과 혈관 기능을 보존한다. 사지의 신경이나 혈관 손상이 없고, 매우 심한 통증이 있는 경우, 골절이나 탈구된 뼈에 부목으로 고정한다(그림 7-14). 노출된 뼈는 밀어넣어야 하나, 이는 밀어넣었을 시 상태가 유지될 수 있는 상황에서만 시행한다. 이는 출혈 및 통증관리를 돕는다. 순환이 유지되는 상황이면 나온 뼈를 안으로 밀어 넣는 과정에서 생기는 감염

그림 7-14 부목.

을 막기 위해 피부 손상으로 밖으로 노출된 뼈는 그대로 남겨 두도록 한다.

이송 중 소아 고정

구급차에 탑승한 모든 인원이 제대로 고정되어 있는지 확인한다. 척추손상이 예상되는 소아 환자를 척추고정판에 바로 누운자세로 눕히고 고정시켜 움직이지 않도록 한다. 소아의 척추손상이 의심되지 않는 외상환자이면 응급의료체계가 제시하는 연령별 억제법을 사용한다. 미국의 거의 모든 주는 소아가 차에 탈 때, 안전을 위한 탑승 규정이 있다. 그러나 구급차로 이송할 때에는 이 규정이 적용되지 않는다. 소아용 고정 좌석을 구급차 안에서 사용하는 것이 적절한가에 대해서는 논쟁의 여지가 있다. 응급의료 이송에 사용되는 좌석은 장비나 고정판 이용이 확실하도록 생산기준이나 지역 특성의 요구에 맞아야 한다. 응급의료지역 정책이 허락하고, 보호자의 동승이 아이의 치료와 동료의 안전에 방해되지 않는다면 아이가 보호자를 볼 수 있거나 목소리가 들리는 곳에 있도록 한다. 이것은 의식상태가 좋고 혈역학적 안정상태인 아이에게 안심을 줄 수 있기 때문이다.

소아 화상환자

소아 화상환자 평가와 처치 우선 순위는 외상환자의 경우와 같다. 먼저 부상 아동에게 안전하게 접근 할 수 있는지 확인하여야 한다. 그리고 위험요소와 일산화탄소에 노출되어 있다는 것을 항상 인지하고, 보호장비를 활용하도록 한다. 필요한 경우 유해물질 관련 단체에서 기술 지원을 받을 수 있다.

평가

현장에서 기도와 호흡을 위협하는 요소가 있는지 평가해야 한다. 그리고 현장에서 화재나 연기에 노출되고, 특히 다음의 경우에 해당된다면 기도와 호흡 평가에 특별히 주의한다:

■ 밀폐된 공간
■ 심한 연기
■ 유독성 기체
■ 난방 스팀
■ 뜨거운 증기
■ 유독가스
■ 화학적 유해물질
■ 화상이나 관통상의 노출

　열 화상에 의한 기도 징후나 연기나 미립자 흡입에 의한 기도 징후가 있는지 평가해야 한다. 폐쇄된 공간에서 연기나 화기에 노출되었거나 의식수준 변화, 비정상적 외관을 가진 환아에게 일산화탄소 중독이 의심된다면 100% 산소를 공급해야 한다. 폭발에 의한 손상을 받았거나 추락했을 경우, 숨어 있는 손상 특히 복부손상 가능성을 예상해야 한다.

　신속하게 신체 화상범위를 측정한다. 소아 연령별 차이에 따른 변화된 해부학적 도식으로 화상 체표면적을 측정할 수 있다(**그림 7-15**). 만일 이러한 도식을 사용할 수 없다면, 환자의 손바닥 면적을 1%로 계산하는 손바닥 법칙을 사용한다(**그림 7-16**). 화상 면적은 환자 손바닥 면적의 몇 배에 해당하는 가와 대략 일치한다.

　대부분 화상은 비고의적이지만, 고의적 화상인지 항상

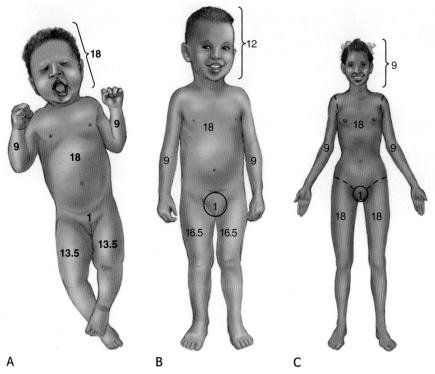

그림 7-15 소아의 연령에 따른 해부학적 도식으로 화상 체표면적을 추정할 수 있다.
A. 영아, **B.** 소아, **C.** 청소년

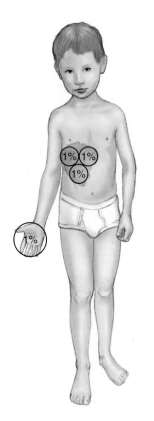

그림 7-16 손바닥은 체표면적의 1%에 가깝다.

평가해야 한다. 끓는 물에 데었거나 접촉에 의한 화상은 소아에게 가장 많은 화상이지만 아동 학대일 가능성도 있다 (11장 참고). "모형" 화상(화상을 입은 피부에 뚜렷한 물체의 윤곽이 나타나는)이거나 물에 데인 화상의 분포가"장갑형"또는"양말형"인 상처(**그림 7-17**)이거나 병력이 앞뒤가 맞지 않는다면 고의적 손상으로 아동 학대를 의심해 볼 수 있다.

관리

화상 부위의 의복을 제거하고 화염이나 폭발에 의한 화상 환자에게는 100% 산소를 공급 한다. 고유량 산소요법은 현장에서 할 수 있는 유일한 일산화탄소 중독 처치법이다. 저체온증의 위험이 있으므로 오염을 제거하거나 화상의 진행을 정지시키는 경우가 아니라면 상처를 씻거나 적셔서는 안 된다. 화상 부위를 건조하고 깨끗한 시트로 덮거나 들러붙지 않게 화상용 드레싱을 한다. 화상부위를 덮는 것은 상처가 공기의 흐름에 노출되는 것을 최소화시켜 통증을 줄여준다. 화상부위는 연고나 크림을 바르지 않는다.

통증 관리와 진정. 소아 화상환자의 공포감이나 통증이 무시

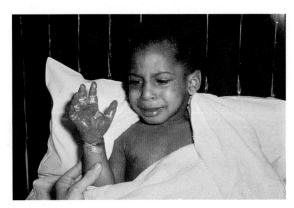

그림 7-17 의심스러운 화상 유형의 경우 특히 장갑형이나 양말형의 화상의 경우에는 고의적인 손상을 의심할 수 있다.

명음이 들린다면 기관지확장제를 주거나 에피네프린 근육주사나 알부테롤 흡입제를 사용한다.

소아 화상환자의 약물 처치. 신체 표면의 5%이상 부분적 또는 피부 전층 화상환자인 경우는 적어도 한 개 이상의 정맥로를 확보하고, 꼭 필요하다면 화상부위에 바늘을 꽂아도 된다. 우선 20 mL/kg의 정질액을 일시주사로 주입한다. 수분과 체온 손실이 피부 손상부위에서 빠르게 나타나며 그 손실률은 손상된 체표면적에 비례한다. 신속하게 적정량의 진정제와 진통제를 투여해야 한다. 장거리 이송 시 의료지도를 통해 수액주입 속도를 조절하도록 한다.

되거나 잘못 해석되기도 한다. 통증관리는 병원 전 상황에서 매우 중요하며, 특히 장시간 이송이 요구되는 환자의 통증관리는 매우 중요하다. 영아나 소아 모두 어른과 같은 통증을 느끼지만 단지 말로 표현하지 못 할 뿐이다.

통증과 불안은 다른 것이며 따라서 다른 처치가 필요하다. 통증에는 모르핀이나 펜타닐과 같은 마취성 진통제를 사용하고, 불안에는 벤조디아제팜(디아제팜 또는 미다졸람)과 같은 진정제를 사용한다. 예를 들면 화상 입은 소아는 지속적으로 통증을 호소한다면 통증 조절을 위해 모르핀이 필요하다. 모르핀과 펜타닐 같은 마약은 통증을 없애면서 약간의 진정효과가 있다. 반면에 소아가 두려움으로 극도의 정신적 흥분 상태이거나, 소아에게 기관내삽관을 해야 하는 경우는 통증이 아닌 불안이 주된 문제이므로 디아제팜과 같은 진정제가 필요하다.

주의

화상부위는 연고나 크림을 바르지 않는다.

전문소생술(Advanced Life Support)

소아 화상환자의 전문기도관리. 밀폐된 공간에서 화기에 노출되었거나 흡기에 의한 기도 손상이 의심되는 환자인 경우 조기에(부종이 시작되기 전에)기관내삽관의 시행을 고려해야 한다. 그리고 이러한 환자에게는 비정상 호흡음, 비정상 자세, 호흡부전의 증상이 나타날 수 있다. 그을린 코털이나 그을음이 섞인 객담은 기도손상의 또 다른 지표이다. 연기흡입은 기관지 경련을 유발할 수 있다. 만약 천

조언

파크랜드 공식은 화상 후 수액 소생술 방법을 결정 시 가장 보편적으로 쓰인다. 수액 소생술에 있어 가이드 정도로 보면 된다. 이에 근거하여, 화상을 입은 환아는 최초 24시간 동안, 정질액을 2 - 4 mL/kg 곱하기 화상 입은 표면적의 비율만큼 계산해서 주입한다. 이는 현장에서 이송이 장시간 걸릴 때 유용하다.

모르핀과 같이 정맥로로 주사하는 진통제는 화상환자 또는 장골골절이나 탈구환자같은 혈역학적으로 안정된 외상환자에 적합하다. 심각한 혈액손실이 있거나 출혈이 의심되거나 저관류가 의심되는 경우에는 이러한 약물은 저혈압을 유발할 수 있으므로 사용을 피해야 한다. 저혈압성 환자에게는 펜타닐을 선택하는데, 그것은 상대적으로 혈관이완작용이 적기 때문이다. 의식있는 상태에서 삽관되어 있거나, 빠른연속기관삽관 동안 신경근육차단제를 주입한 소아를 이송할 경우 진정제 사용을 고려해야 한다. 벤조디아제핀계의 약물은 역시 저혈압을 유발할 수 있으므로 용량을 조심스럽게 결정해서 사용해야 한다.

표 7-9는 지역 응급의료체계 지침에서 의료지도를 통하여 혈역학적으로 안정된 소아에게 통증과 불안 치료에 사용하는 일반적인 약물을 열거하였다.

정맥로로 주입하는 모든 진정제나 마약성 약물은 호흡저하를 초래할 수 있다. 3-5분에 걸쳐 약물을 주입하도록 한다. 다른 방법은 펜타닐을 비강내 주입하는 것이다. 약물을 투여한 소아에게는 보충적으로 산소를 공급해야 한다. 심장 모니터와 맥박 산소측정기, 파형장치 혹은 호기말이산화탄소분압측정술을 이용하여 소아를 평가한다. 소아의 호흡이

표 7-9 전문소생술 : 통증 및 불안의 약물처치

통증	
모르핀	*신생아*: 0.05 mg/kg IM,IV,IO,또는 SQ
	영아 및 소아: 0.05-0.1 mg/kg IM,IV,IO,또는 SQ
	청소년: 3-4 mg IV 또는 IO
펜타닐	1-2 mcg/kg, 매 30-60분 마다 투여 IV, IO, 비강내
불안	
디아제팜	0.1 mg/kg IV (max 5 mg/dose)
미다졸람	0.05-0.1 mg/kg IV,IM, IO, 또는 0.2 mg/kg 비강내

IM, intramuscular; IO, intraosseous; IV, intravenous; SQ, subcutaneous.

주의

다발성 외상환자에게는 저혈압이 유발될 수 있기 때문에 마약성 약물 사용을 금해야 한다.

조언

통증과 불안은 다른 것이며 그 처치도 다르게 행해져야 한다.

이송 결정. 미국 화상협회는 화상 입은 환아의 이송 결정 시 아래의 내용을 토대로 한다:

　　1-2도 화상 범위가 몸 표면적의 10% 이상;
　　얼굴, 손, 발, 생식기, 회음 화상;
　　주요 관절화상;
　　3도 화상.

소아의 화상을 처치할 수 있는 화상 센터가 인근에 있다면 그곳으로 이송하는 것이 가장 적절하다. 그러한 시설이 없다면 지역 의료지침에 따라 가장 가까운 병원으로 이송한다. 필요에 따라 그 이후에 다시 화상 센터로도 이송할 수 있다.

화상 요약

화상은 소아에게 매우 빈번하게 일어나지만 그 정도가 경미하고 응급처치만을 요하는 경우가 많다. 그러나 체표면적 5%이상의 화상이거나 기도 화상이면 기도 확보와 적극적 수액주입 같은 현장처치가 매우 중요하다. 폐쇄된 공간에서의 화상은 일산화탄소 중독 가능성을 높인다. 통증은 화상의 일반적 특징이며 진통제로 조절한다.

저하되는 상황을 대비하여 백-밸브마스크를 사용하는 양압 환기를 미리 준비해야 한다. 날록손(0.1 mg/kg/dose 1회 최대 용량 2.0 mg 정맥/골내/비강내/기관내삽관)은 일시적으로 마약성 약물에 의한 호흡저하를 해소한다. 날록손은 소아 몸에 흡수되어 분해될 때까지는 진통효과도 무력화 시키고 안정 효과도 줄어든다는 것을 잊지 말아야 한다.

　　순환 보상을 위해 20 mL/kg 수액을 주입한다.

사례연구 3

차량에 치인 소아가 신고되었다. 현장에 도착하자 도로 중앙에 정차되어 있는 큰 스포츠 차량(SUV)과 길에 누워있으나 명료한 의식으로 깨어있는 6세 여아가 눈에 띠었다. 비정상적 호흡음이나 호흡노력의 증가는 없으나 피부는 창백하였다. 목격자에 의하면 아이는 그녀의 아버지가 차를 뒤로 뺄 때 차 뒤로 걸어가고 있었다고 한다. 아이의 피부는 차고 축축했다. 호흡수 40회/분, 심박동수 146회/분이었고 혈압은 측정할 수 없었다. 폐음은 폐하부에서 감소되었다. 아이를 노출시켰을 때 복부와 흉골부를 가로 지르는 타이어 자국이 눈에 띠었다. 맥박산소포화도측정치는 87%였다.

　1. 의심되는 중요한 손상은 무엇인가?
　2. 치료 및 이송 순위는 무엇인가?

사례연구 답안

사례연구 1

이 환자는 즉각적 치료 및 이송이 요구된다. 두부, 흉부 및 하지에 다발성 외상이 있으며 1차 평가 시 호흡부전 및 쇼크가 확인되었다. 코를 고는듯한 호흡은 연조직과 혈액에 의한 기도폐쇄로 보인다. 기도유지와 흡인을 통해 문제를 완화시킬수 있다. 척추 고정을 빠르게 수행한다.

환아의 의식 변화를 보아, 현재 저산소증 상태이다.

하악 견인법으로 100% 산소 양압환기를 제공한다. 만일 비침습적 기도관리로 산소화가 개선되지 않는다면 기관내삽관을 고려한다.

견인부목으로 대퇴골을 고정시킨다. 병원으로 이송 중 정맥로를 확보하고 수액소생술을 시작한다. 소아과 전문의가 있는 외상센터로 빠르게 이송한다.

사례연구 2

이 아이는 격리성 두부손상 및 외상성 두부손상이 있는 것으로 보인다. 아이의 빠른 악화는 뇌내혈종으로 인하여 생명이 위험할 수 있음을 의미한다. 아이의 척추를 고정하고 구토 가능성에 대비한다. 100% 산소를 공급하고 빠르게 이송한다.

투약을 위해 이송 중 정맥로를 확보하고 유지한다. 또한 과도한 울음으로 인한 위팽만 해소와 흡인의 위험성을 줄이기 위해 구위관을 삽입한다.

소아신경외과로 이송시키거나, 만일 그러한 처치가 그 지역에서 가능하지 않다면 항공 이송을 고려한다. 이것은 외과적 응급상황이며 수술은 아이의 생과 사를 가르게 된다.

사례연구 3

이 아이의 손상은 생명이 위험한 상태이며 쇼크가 발생할 것이다. 척추 고정과 100% 산소 공급, 즉각적 이송이 필요하다. 골반 띠나 시트를 깔아주는 것을 고려한다.

정맥로 확보를 위하여 현장 지체 시간이 길어지지 않도록 한다. 이송 중 수액요법을 한다.

이 아이는 복강내 장기 출혈(간, 비장 및 신장), 위장, 소장과 대장의 장간막 파열, 혈액가슴증, 공기가슴증, 골반 골절을 비롯해 복합 내부 장기손상 위험성이 있다. 현장에서 출혈의 출처는 확인되지 않으나 보상성 쇼크 확인과 처치는 중요하다.

지역 외상분류 지침에 따라 가능한 최상 수준의 응급의료센터로 이송한다. 이 소아는 손상 부위의 조기 X-선 평가 및 조기 수술적 중재가 요구된다.

추천 자료

Textbooks

American Academy of Pediatrics and the American College of Emergency Physicians. *APLS: The Pediatric Emergency Medicine Resource.* 5th ed. Burlington, MA: Jones and Bartlett Learning; 2012.

American College of Surgeons, Committee on Trauma. *ATLS Advanced Traumas Life Support.* 10th ed. Chicago, IL: American College of Surgeons; 2018.

Bledsoe B, Porter R, Cherry R. *Essentials of Paramedic Care.* Upper Saddle River, NJ: Prentice Hall; 2003.

Campbell J. *BTLS for Paramedics and Other Advanced Providers.* 5th ed. Upper Saddle River, NJ: Pearson-Prentice Hall; 2004.

National Association of Emergency Medical Technicians. *PHTLS: Prehospital Trauma Life Support.* 9th ed. Burlington, MA: Jones and Bartlett Learning; 2018.

Articles

Adelgais KM, Brown K. Pediatric prehospital pain management: Impact of advocacy and research. *Clin Pediatr Emerg Med.* 2014;15(1):49–58.

Adelson PD. Guidelines for the acute medical management of severe traumatic brain injury in infants, children, and adolescents. Chapter 4. Resuscitation of blood pressure and oxygenation and prehospital brain-specific therapies for the severe pediatric traumatic brain injury patient. *Pediatr Crit Care Med.* 2012;13(suppl 1):S1-82.

Atabaki SM. Prehospital evaluation and management of traumatic brain injury in children. *Clin Pediatr Emerg Med.* 2006;7(2):94–104.

Fischer PE, Perina DG, Delbridge TR, et al. Spinal motion restriction in the trauma patient – a joint position statement. *Prehosp Emerg Care.* 2018; 22(6):659–661.

Leonard JC, Browne LR, Ahmad FA, et al. Cervical spine injury risk factors in children with blunt trauma. *Pediatrics.* 2019;144(1):e20183221.

Lerner EB, Dayan PS, Brown K, et al. Characteristics of the pediatric patients treated by the Pediatric Emergency Care Applied Research Network's affiliated EMS agencies. *Prehosp Emerg Care.* 2014;18(1):52–59.

Sadow KB. Prehospital intravenous fluid therapy in the pediatric trauma patient. *Clin Pediatr Emerg Med.* 2001;2(1):23–27.

Shah MI. Prehospital management of pediatric trauma. *Clin Pediatr Emerg Med.* 2010;11:10.

Other Resources

Centers for Disease Control and Prevention. Heads up concussion. http://www.CDC.gov/concussions. Accessed April 8, 2019.

Centers for Disease Control and Prevention. Leading causes of death and unintentional injuries, 2017 United States. https://www.cdc.gov/injury/wisqars/fatal.html. Accessed July 2, 2019.

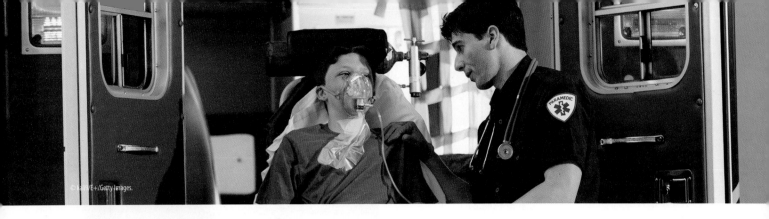

© KaliVE+/Getty Images.

CHAPTER 8

독성 응급

J. Hudson Garrett Jr., PhD, MSN, MPH, FNP-BC, PLNC, IP-BC, AS-BC, NREMT, VA-BC, FACDONA, FAAPM, FNAP

Mary Otting, RN, BSN, CEN

학습목표

1. 독성 노출 위험 연령대를 확인하고, 각 그룹에 대한 물질 및 관리의 중요사항을 확인할 수 있다.

2. 독성노출 의심 아동의 신체 평가를 기술할 수 있다.

3. 서로 다른 형태의 위(gastric) 오염 제거(decontamination) 형태의 위험성 및 장점을 설명할 수 있다.

4. 독성노출 의심 아동의 해독제에 대해 논의할 수 있다.

5. 지역 독극물 센터와의 온라인 접촉이 독성 노출의 평가 및 치료에 영향이 미칠 수 있는 상황을 확인할 수 있다.

개요

독성 노출은 질병 또는 손상을 일으키는 모든 물질의 섭취, 흡입, 주사, 흡수, 또는 적용(application)이다. 아이들이 독성 물질의 비의도적 섭취, 환경 재해 및 고의적 중독 등의 노출을 경험하는 무수한 이유가 있다. 우연한 노출의 한 예는 보호자의 약물을 섭취하는 유아이다. 환경재해는 주택 화재 중 일산화탄소를 흡입한 아동이거나 살충제 혹은 다른 화학물질이 피부에 접촉 시 전신적 반응을 보이는 아동일수 있다. 고의적 중독은 기분 전환을 위한 복용 및 자살시도가 포함된다.

연령에 따른 차이

독성 노출은 일반적으로 소아에게 병원 전 주호소로 나타난다. 전 연령대에서 노출은 6세 이하 아동에게 대부분 나타나지만, 2017년 독극물 통제센터 자료에 따르면 6세 이하의 사망자 비율은 전년도와 비슷한 0.9%로 낮게 나타났다(표 8-1). 하지만, 청소년(13~19세) 인구의 보고된 노출 건수는 상대적으로 비율이 8.1%로 낮았지만, 의도적 노출에 의한 사망률은 5.1%로 높았다.

영아 및 6세 이하의 학령전기 아동의 노출 대부분은 증상이 없다. 유아는 자신의 입으로 어떤 물체를 가져감으

표 8-1 미국독물통제센터협회 독성노출감시시스템 2017년 독성 증례	
전체 보고된 건수	2,115,186
3세 이하 소아	711,011 (33.6%)
6세 이하 소아	956,871 (45.2%)
20세 이하 전체	1,265,052 (59.8%)

Data from 2017 Annual Report of the American Association of Poison Control Centers' National Poison Data System (NPDS): 35th Annual Report. *Clinical Toxicology.* 2018; 56(12): 1213 – 1415.

그림 8-1 유아기 아동은 "입 탐험가(oral explorer)"이다. 그들은 거의 모든 물질을 맛보거나 삼키려 할 것이다.

© Antonio Diaz/iStock/Getty Images Plus/Getty Images.

로써 세상을 탐구하며, 두려움이 없고 호기심이 많다(그림 8-1). 유아의 섭취는 비의도적이고 섭취 대부분이 음식이 아닌 제품이 매우 맛이 없기 때문에 이 연령대는 종종 소량의 단일 물질의 중독에 국한된다. 어린 아동의 가장 흔한 섭취는 화장품, 개인위생 제품, 세제, 진통제를 포함한다. 그러나 초기에 증상이 없는 아동에게 여전히 체내에 위험할 정도로 높은 수치의 독소가 있어도 시간이 훨씬 지날 때까지 드러나지 않을 수 있다는 점을 염두에 두어야 한다. 생명에 대한 확실한 위협이 없을 경우에는 이송 결정을 내리기 전에 철저한 병력을 확보하는 것이 절대적으로 필요하다. 이 연령군에서는 진통제, 버튼형 전지, 탄화수소가 가장 치명적일 수 있다.

버튼형 전지는 보통 문제없이 소화기를 지나지만 식도나 다른 신체 부위에 걸릴 수 있다. 아이가 전지를 삼켰다는 의심이 들면, 정확히 어떤 종류의 전지인지 알아내고 아이를 응급실로 데려오도록 한다. 원반 전지가 식도에 박혀 있는 환자들 중 3분의 1 이상이 초기에는 증상이 없다. 증상은 전지가 부식하기 시작하여 주변 조직을 손상시킬 때 생긴다. 전지를 삼키는 것은 치명적일 수 있지만, 대부분은 1-4일이면 위장관을 통과한다.

6~12세 아동은 음식이 아닌 물건이나 비처방 약을 삼킬 가능성이 적다(표 8-2). 이 연령군에서 대부분의 노출은 계속해서 고의가 아니지만, 특히 중학교 연령군에서 고의적인 노출이 나타나기 시작한다. 의도하지 않은 치명적 노출은 대부분 연기 흡입과 일산화탄소 중독에 의해 초래된다. 치명성 여부에 관계없이 고의적인 노출은 휘발성 화학물질을 고의로 흡입하는 의도성 흡입(huffing)으로 나타난다.

청소년들(13~19세) 사이에서 독성 노출은 보통 마약 이용이거나 자살 표시나 시도로서 의도적이다. 고의적 노출은 비의도성 노출보다 더 많은 응급실 방문과 병원 입원을 초래한다. 자살 기도에서 청소년들은 보통 두어 가지 약물을 종종 다량으로 삼킨다(다제병용). 기분 전환용 약물복용에는 보통 마약 이외에 알코올이 수반된다. 이 연령군

사례연구 1

한 엄마가 119에 전화를 걸어 자신의 3살 된 아이가 침을 흘리며 호흡곤란이 있다고 한다. 도착 한 후 집에는 기침하고 있는 어린 남아를 발견한다. 비정상적 호흡음, 코 벌렁임과 퇴축은 없었다. 피부는 핑크색이었다. 호흡수 32회/분, 맥박산소포화도측정치는 98%, 심박동수 120회/분이었다. 폐는 깨끗하였다. 보다 자세한 평가 중, 아이 손에 캡슐로 만든 알록달록한 색깔의 세탁 세제가 보이고 물어 뜯은 흔적이 보인다. 아이 엄마는 세탁 중 전화를 받았으며 아이를 잠시 혼자 두었다고 말한다.

1. 현장 평가의 주요 핵심은 무엇인가?
2. 이송 및 관리 우선순위를 설명한다.

표 8-2 독성 노출에 수반되는 상위 10개 물질	
아동 (6세 미만)	**아동과 청소년(19세 미만)**
화장품/개인 관리 용품	진통제
집안 청소 세제	진정제/최면제/향정신성 약물
진통제	항우울제
이물질/장난감/기타	심혈관 약제
국소용 장제	집안 청소 세제

*진통제는 아스피린, 아세트아미노펜, 이부프로펜, 메타돈과 모르핀 같은 마약성 진통제 등이다.
출처: Modified with permission from 2014 Annual Report of the American Association of Poison Control Centers, National Poison Data System. To locate your local poison center call (800) 222-1222 or visit aapcc.org.

에서 사망자 수가 증가하고 있다. 통계치는 독물 통제 데이터베이스에 보고된 증례만 포함하므로 실제 발생률보다 과소평가하여 제시한다. 많은 청소년들은 취하기 위한 독창적인 방법을 찾지 못하면 불법 약물을 구입할 자원을 확보하기가 어려울 것이다. 의도성 흡입에는 보통 마커펜, 풀, 에어로졸 방향제, 스프레이 페인트, 수정액, 가솔린, 및 기타 제품 같은 일반적인 가정용품이 수반된다. 이러한 물질은 저렴하고, 많은 가정에서 쉽게 구할 수 있으며, 일반적으로 집에 두어도 부적절해 보이지 않을 것이므로 십대가 쉽게 숨길 수 있다. 샐비어와 흰독말풀을 비롯한 식물성 물질도 기르거나 확보하기가 쉽다. 종종 저렴하게 판매하거나 인터넷, 마약 상점(head shop), 편의점에서 합법적으로 판매하는 기타 약물 중에는 흔히 "배스 솔트(bath salt)"라고 알려진 것이 있다. 이것은 메타암페타민의 증상을 모방한 것으로 빈맥, 혈압상승, 오심을 유발할 수 있다. "스파이스"나 "K2"라고 알려져 있는 합성 마리화나는 기분이 급격히 좋아지는 것과 환각을 초래할 수 있으며, 빈맥, 심계항진, 급격한 혈압 상승, 구역질을 일으킬 수 있다. 또 다른 흔한 약물로는 "액스터시"와 "몰리"가 있다. 이는 메틸렌디옥시-메쓰암페타민(MDMA) 3,4종으로 각성 및 환각효과가 있다. 그 증상은 마냥 행복해지는 기분, 행복감, 기운 상승 등이 있지만, 또한 빈맥과 고혈압을 유발할 수 있다. 또한 체온 조절 능력에 영향을 미쳐서 고열로 인한 탈수를 일으킬

수 있고, 심장, 콩팥, 간 부전을 일으킬 수 있으며, 발작을 일으킬 수 있다.

이러한 약물 중 일부는 십대 환자에게 환각 및 폭력 행동을 초래할 수 있으므로 의료진의 안전을 먼저 기억해야 한다. 지역 의료 지침에 합당하면, 제압이 필요할 수 있다.

또 다른 문제는 실험실에서 사용되는 화학물질 및 메타암페타민 이용에 유아를 계속해서 노출시키는 것이다. 폭발 위험 및 화재 위험으로 인해 이 상황에서는 구조대원의 안전이 중요하다.

특수한 형태의 남용에는 뮌하우젠증후군(Münchausen Syndrome)이라고도 부르는 상태로서, 소아나 유아의 고의적 중독이 포함된다. 이러한 상태는 보호자가 아이를 고의로 중독시키는 복잡한 형태이다. 이 경우, 보호자는 종종 보통 이상의 의학 정보가 있으며, 관심을 끌기 위해 아이에게 질병 상태를 유도하고자 한다. 그렇게 노출된 아동은 중독이 숨겨지고 종종 만성이므로 확인이 특히 어려울 수 있다. 지역 의료 법규 및 규정, 부서 지침에 따라 아동 보호 기관에 알리고 응급실 처치를 받는 것이 중요하다.

심각한 소아 중독의 흔한 원인물질

아동의 심각한 중독과 관련된 일반적인 약물 대부분의 중독은 가정에서 발생한다. 심각한 중독과 관련된 일반적인 약물은 <**표 8-2**>에 나와 있다.

연령 관련 차이 요약

아동에게 독성 노출은 대부분 경미하며 가정용품이 수반된다. 가장 흔한 환자는 의도치 않게 단일 물질을 소량으로 삼키고 증상을 보이지 않는 유아기 아동이다. 두 번째로 흔한 환자는 마약을 사용하거나 자살 시도나 행동을 하는 청소년이다. 청소년 노출은 종종 한 가지 이상의 약물로 구성되며, 종종 다량을 먹게 된다. 유아에게 흔한 심각한 노출에는 진통제가 수반되는 반면, 청소년의 경우에는 진통제, 알코올, 마약이 수반된다. 유아에게 특수한 형태의 중독에는 뮌하우젠증후군이라고도 불리는 상태가 수반된다. 이것은 돌봄제공자가 아이를 의도적으로 중독시키거나 학대하는 복잡한 형태이다.

도착 전 준비와 현장 평가

독소에 관하여 응급 통신된 어떤 시점에 이미 보호자, 독극물센터, 또는 다른 의료전문가에 의해 확인된 상태가 될 수

다음에는 주변 환경을 살펴본다. 가능한 독소가 담긴 병이나 용기, 비닐봉투 및 삼킨 식물 표본이나 주사기를 환자와 함께 응급실로 가져온다(**그림 8-2**). 보호자가 중독 아동의 병원 이송을 거부할 경우에는 의료 지도 담당자에게 전화나 무선으로 보호자와 이야기하게 한다. 이러한 전략이 효과가 없으면, 법 집행 인력의 지원을 요청한다.

있다. 그러한 경우에는 지역 응급 의료 서비스(EMS) 프로토콜에 따라 의료 지도 담당자(medical control)나 독물 센터에 즉시 연락한다. 그들은 해당 물질의 독성 및 평가와 처치에 있어 우선사항을 확인하는 데 도움을 준다. 만일 응급의료통신 및 김끅그린 행동변화를 보이는 유이니 청소년이 신년신 경우에는 독성 노출을 고려한다. 독극물센터에서 제공하는 자료는 결정적일 수 있으며, 노출된 물질에 대해 적절한 처치를 알 수 있도록 시야를 넓혀준다.

도착 시 먼저 현장조사 검증을 실시한다. 현장이나 환자의 옷이나 피부에 잠재적으로 유해한 독소가 있는지 주목한다. 있다면, 현장 및 즉각적인 환자 오염 제거 실행의 안전성 여부를 평가한다. 독물 센터나 기타 의료 기관은 위험 및 기타 인력(예: 유해물질 팀) 동원 필요성을 확인하는 데 지원해 줄 수 있다. 일부 흔한 남용 약물은 망상 및 갑작스러운 폭력 행동으로 이어질 수 있으므로, 갑작스런 행동 변화를 보이는 청소년을 다룰 때에는 현장 안전에 면밀히 주의한다.

가능한 독소나 유해물질이 있다면, 현장을 확보하고 개인용 보호구를 사용함으로써 응급구조사들이 피부나 눈, 폐를 통해 독성에 노출될 위험을 최소화한다. 모든 감각을 활용하여 현장에서 정보를 수집한다. 현장에서 초기에 맡은 냄새에 특히 주의한다. 일부 위험한 독소는 금세 후각을 압도하여 단 몇 번 냄새를 맡은 후 소용없게 된다("후각 피로"). 황화수소 같은 다른 독소들은 악취 정도가 낮다. 이러한 화학 물질이 내는 "썩은 달걀"냄새는 후각을 압도하여 높은 독성 수준에서는 냄새가 나지 않는다. 그 밖의 주요 냄새에는 고편도(시안화물)와 마늘 냄새(유기인산 화합물, 비소) 등이 있다. 한정된 공간에 주의를 기울이고, 일부 독성 기체는 공기보다 무거워서 먼저 아이들에게 영향을 줄 수 있거나 오수통이나 배수구 같이 낮은 구역에만 있을 수 있다는 점을 염두에 둔다.

비의도적 행동이나 의도적 행동(예: 생물테러)으로 인해 독성 물질에 집단으로 노출될 가능성을 인식한다. 재난이나 대량 살상 사건이 의심될 경우에는 재난 대응 준비를 실행한다(14장 참조).

A

B

그림 8-2 병이나 식물 표본이 있으면 응급실로 가져간다. **A.** 병과 용기. **B.** 독성 식물 흰독말풀.

독성 노출 가능 아동 평가

전반적인 평가

독극물 센터의 역할

미국에는 거의 모든 주에 지역 독극물 센터가 한 곳 이상 있다. 주 내 전화번호는 보통 수신자 부담이다. 수월한 접근을 위해 전국 수신자 부담 번호(1-800-222-1222)도 있으며, 여기서는 가능할 경우 해당 주 독극물 센터로 전화를 돌려준다. 전화를 받는 사람은 물질의 잠재적 독성이나 부작용에 대한 정보를 제공하고 가정이나 병원 관리를 추천해 줄 수 있는 전문가이다. 보호자는 종종 응급구조사가 도착하기 전이나 도착하기를 기다리는 동안 독극물 센터에 전화하여 조언을 구한다.

지역 독극물 센터는 독성 노출 아동을 관리할 때 응급구조사에게 귀중한 자원일 수도 있다. 지역 EMS 시스템 프로토콜은 온라인 의료 지도 담당자가 독극물 센터와 연락해야 하는 상황 및 직접 통화할 수 있는 상황을 정해야 한다.

신속한 현장 평가와 환경 평가를 통해 독소를 파악한 후 아동을 평가한다. 1장과 2장에 나온 대로, 연령에 적합한 기법을 활용하여 환자에게 접근하고, 일반적인 평가(소아평가삼각구도[PAT])를 실시하고 1차 평가를 진행한 다음, 경우에 따라 추가 평가를 실시한다. 아이가 불안정할 경우, 일반적인(PAT) 그리고 일차평가에서 찾아낸 생리적 문제를 처치한 다음 이송한다. 이송 중에는 가능할 경우 재평가 및 추가 평가를 실시한다.

병력은 전반적인 위험 평가 및 소아 중독 처치의 위급성을 판단하기 위한 최상의 도구이다. 그것은 보통 특정 유형의 독성 노출을 판단하는 데 있어 신체 평가보다 더 정확하다. 초기에 중요한 질문은 다음과 같다: (1) 물질의 정체, (2) 노출 경로(섭취, 흡입, 주사, 흡수), (3) 노출 발생 후 경과 시간, (4) 노출에 수반된 물질의 양. 파악되지 않을 경우에는 최악의 시나리오를 가정한다. TART라는 두문자어를 이용하면 "T = Toxin 독소, A = Amount 양, R = Route 경로, T = Time 시간"을 기억하는 데 도움이 될 수 있다. **표 8-3**에 나온 TART 도표를 참조한다.

1차 평가에서 특수 고려사항

PAT 이후 실제 ABCDEs를 실시하여 1차 평가를 실시한 다음, 즉시 생리적 문제를 처치한다. 중독 유형을 확인하는 데 도움이 될 수 있는 신체 평가의 특수 요소는 입 냄새, 활력 징후, 동공 크기, 피부 온도, 피부 상태 등이다. 쓴 아몬드냄새 (bitter almonds)는 시안화물에 의해 초래될 수 있는 반면, 마늘 냄새는 유기인산 화합물에 의해 초래될 수 있다. 또한 피부나 옷에서 얼룩과 분말을 찾는다. 가능성 있는 "독성증후군"을 확인할 수 있는 단일 물질 중독의 임상패턴과 환자의 징후와 증상을 일치시키기 위하여 평가정보를 사용한다. 소아과에서 중요한 독성증후군의 징후와 증상에 대한 간략한 설명은 **표 8-4**에 나와 있다.

표 8-3 TART 도표

T = Toxin 독소	A = Amount 양	R = Route 경로	T = Time 시간
약물 명칭 유형(알약, 캡슐, 액체, 씨앗, 뿌리, 꽃, 좌약, 패치 등)	밀리그램, 또는 그 외에 알려진 분량. 알약과 씨앗의 대략적인 개수, 액체의 양 등을 포함한다(바닥이나 옷에 흘렸는지 살펴본다). 구토물이 있는가? 가능할 경우 가져간다.	경구 섭취, 코 흡입, 연기, 주사, 직장, 피부 흡수, 눈, 코, 기타.	대략적인 최초 노출이나 섭취 시간. 노출 기간 및 경우에 따라 한정된 공간인지 여부 포함.

표 8-4 흔한 독성증후군

독성증후군	물질	징후와 증상
항콜린성	항히스타민제, 삼환계 항우울제	산토끼처럼 뜨겁고, 비트처럼 붉고(뜨겁고 건조한 피부, 고열증), 박쥐처럼 눈이 보이지 않고(동공 확대), 완전히 제정신이 아님(망상, 환각)
콜린성	유기인산 화합물	DUMBELS: 설사(diarrhea)/발한(diaphoresis), 배뇨(urination), 축동(miosis), 서맥(bradycardia)/기관지 수축(bronchocon striction), 구토(emesis), 유루증(lacrimation), 유연증(salivation)
마약	모르핀, 메타돈	서맥, 호흡 저하, 축동, 저혈압
교감신경 흥분성	코카인, 암페타민	빈맥, 고혈압, 고열, 산동(동공 확대), 발한(땀 흘림)

기도(Airway)

의식상태 변화(AMS)로 독성 노출이 의심되는 아동의 기도를 확보하고, 유지하고, 통제한다. 이것은 벤조디아제핀이나 바비튜레이트 같은 진정제나 최면제에 노출된 아동을 대상으로 이루어질 수 있다. 잿물 같은 가성제를 삼킨 아동을 주의한다. 이러한 아동은 식도에 심한 화상을 입고 침을 흘리고 연하 곤란 및 상기도 폐색 징후를 보일 수 있다. 흡인 장치를 준비하고, 사용할 필요가 있게 되면 조심스럽게 사용한다.

호흡(Breathing)

의식 상태 변화나 호흡 곤란, 또는 호흡 문제를 일으킨다고 알려진 독성 물질에 노출된 이력이 있을 경우에는 비재호흡 마스크로 100% 산소를 제공한다. 이러한 유형의 독성 노출의 한 예는 탄화수소 흡입이다. 맥박 산소를 측정하되, 일산화탄소 중독 등, 일부 독성 노출에는 결과가 정확하지 않다는 점을 인지한다. 진정제나 최면제, 아편제, γ-히드록시 부티르산(GHB)은 호흡 속도를 감소시킬 수 있는 반면, 교감신경 흥분제(코카인, 암페타민), 펜시클리딘(PCP), 아스피린은 호흡 속도를 증가시킬 수 있다.

호흡이 부적절해질 경우 지체 없이 보충 산소가 있는 백-밸브 마스크 장치로 중재를 시작할 수 있도록 기도를 면밀히 감시하는 것은 호흡의 적절성을 평가하는 데 필수적이다.

순환(Circulation)

아동이 가능한 심폐 독소를 먹었거나 삼켰을 경우에는 심장 모니터링을 실시하고 부정맥(arrhythmia)이 있는지 지켜본다. β-차단제나 디곡신, 칼슘 길항제 같은 약물은 심박수를 감소시킬 수 있는 반면, 교감신경 흥분제와 항콜린제(스코폴

표 8-5 특수 물질

특수물질	물질	징후와 증상
γ-히드록시 부티르산	GHB, "데이트 강간 약물"	초기에 졸림, 어지러움, 방향 감각 상실. 다량 복용은 서맥, 호흡 저하, 호흡 정지를 초래한다.
엑스터시, MDMA	3,4메틸렌디옥시-메스암페타민, 메페드론, MDPV, "Molly"	도취, 활력 증가, 시지각 증진. 합병증: 고열, 고혈압, 빈맥, 발작, 탈수, 심근경색, 뇌출혈
로힙놀	Flunitrazepam, "roachies," "roofies"	졸림, 진정, 기억상실증, 의식잃음
합성 카나비노이드	"Spice", "합성마리화나," K2, 가짜 약초	기분 향상, 긴장 풀어짐, 인지 능력 변경 합병증: 동요, 환각, 극심한 피해망상, 발작, 구토, 빈맥, 고혈압, 심근 허혈
합성 카티논	"Bath salts"	빈맥, 고혈압, 도취, 피해망상, 동요, 환각, 폭력적 행동, 발한, 구역, 구토, 어지러움, 공황 발작
2세대 (비정형) 항정신제	올란자핀 (자이프렉사), 리스페리돈 (리스페리돈), 아리피프라졸레(아필리파이), 지프라시돈 (거돈), 쿠에티아핀 (세라쿠엘)	졸림, QT 연장, 복통 또는 신경이완제악성증후군(neuroleptic malignant syndrome, NMS)이 나타날 수 있으나 매우 드물며, 발생 시 생명에 위협이 있다. 항정신제/신경이완제에 대한 특이약물 반응으로서 특징은 발열, 근육경련, 과다긴장성, 의식변화, 그리고 자율 기능 장애가 있다. NMS는 신경이완제 처치 후 곧 발생하거나 투여량을 높였을 때 나타날 수 있다.
선택세로토닌재흡수억제제 (SSRI)	설트랄린(졸로프트), 플루옥세틴 (프로잭), 파록세틴(팍실), 플루복사민(루복스)	가만히 있기 어려워함, 환각, 오한, 발한, 구역, 설사, 두통 이러한 약제는 세로토닌 증후군을 유발할 수 있다. 이는 동요하는 섬망, 고열, 급격한 혈압 상승, 빈맥, 그리고 발한이 특징이다. 약물에 노출되고 몇 분만에 증상이 나타날 수 있고, 쇼크와 근육 경직으로 이어질 수 있다.

라민, 항히스타민제, 흰독말풀)는 심박수를 증가시킬 수 있다. 항히스타민제와 항콜린제 같은 약물은 피부를 따뜻하고 건조하게 만들 수 있는 반면, 교감신경 흥분제, 유기인산 화합물, 아스피린, PCP는 피부를 뜨겁고 땀나게 만들 수 있다.

신경학적 상태(Disability)

AMS(의식상태의 변화)는 여러 다양한 화학 물질 노출의 공통된 결과이다. 진정제나 최면제 등, 마약을 이용하면 중추신경계가 저하될 수 있다. 교감신경 흥분제는 중추신경계를 자극시키고, 흥분이나 초조감, 망상, 환각을 초래할 수 있다. 고리형 항우울제(cyclic anti depressant)는 발작이나 혼수상태를 초래할 수 있다. 혼수상태거나 반응이 없는 환자는 (알코올이나 β- 차단제 섭취에 수반될 수 있는) 저혈당증이나 발작, 두부 손상 같은 AMS(의식상태의 변화)의 다른 흔한 원인을 항상 고려한다. 독소가 의심되더라도 의식상태 변화 환자는 침상 혈당치(bedside glucose level)를 확인한다. **표 8-5**는 특수 물질의 징후와 증상을 설명하고 있다.

노출(Exposure)

아이의 옷을 벗기고 눈과 피부의 독성 노출 증거를 찾는다. 탄화수소 같은 많은 물질들은 눈을 자극한다. 염산 같은 기타 독성 물질은 피부를 부식시킨다. 유기인계 살충제는 흡입이 가능하고 피부를 통과할 수도 있으며 발한(땀 흘림), 배뇨, 축동(동공 축소), 서맥, 기관지 축소, 구토, 유루증, 유연증으로 심한 콜린성 위기를 초래할 수 있다. DUMBELS(표 8-4)는 콜린성 약물 중독 징후를 확인하는 데 도움이 된다. 일부 시스템에서는 연상 기호 SLUDGEM을 사용한다: Salivation-유연증, Lacrimation-유루증, Urination-이뇨, Defecation-배변, Gastrointestinal pain-위장통, Emesis-구토, Muscle twitching (seizures or coma)-근연축(발작이나 혼수상태). 14장에서 다루겠지만, 초조 및 호흡 곤란과 함께 이러한 징후는 심한 노출을 암시한다.

독성 노출 초기 관리

1차 평가 후 신체 평가와 위험 평가를 결합함으로써 중독 아동의 처치 및 이송 필요성을 결정한다. 신체 평가는 아동의 생리적 안정과 처치 및 이송의 전반적인 위급성을 판단하는 방법이다. 위험 평가는 노출로 인한 심각한 (조기/지연) 독성 확률을 알아본다. 약물의 정체, 섭취나 노출 후 경과 시간, 관련 독극물의 양에 대한 지식으로 위험 평가를 실시한다. 아동의 체중도 고려해야 한다(표 8-6 참조). 독극물 센터에 연락하면 이러한 정보를 많이 얻을 수 있다.

논쟁

소아가 안정적이고 위험이 적은 물질의 단일 소량 섭취 이력이 있을 경우, 일부 응급의료 시스템은 의료 지도 담당자로부터 동의를 얻은 후 이송을 취소하도록 허락한다. 이러한 방법은 의학적으로 적절할 수 있지만 응급실에서 심리사회적 위험 요인을 평가할 기회가 사라진다.

조언

독성 노출이 의심될 경우에는 위험 평가를 실시하여 심각한 독성 가능성을 판단한다.

아스피린, 아세트아미노펜, 철 같은 흔한 독성 물질은 생리적 결과가 예측 가능하며, 이것은 그 약물을 얼마나 복용했는지, 노출 후 경과 시간, 킬로그램 당 약물의 양에 의해 판단한다. 응급구조사는 현장에서 정보와 증거를 수집함으

표 8-6 위험 평가

아래의 다섯 가지 정보에서 심각한 독성 가능성을 평가한다:

1. 관련 물질 및 일반적으로 의료 지도 담당자나 독극물 센터와 상의하여 확인되는 치사율
2. 섭취한 독물의 양(단위: 밀리그램(mg))
3. 아동의 체중
4. 노출된 경위
5. 노출 후 경과 시간

로써 이후 응급실 검사의 처치에 중요한 역할을 한다. 모든 약(처방약과 일반약), 조제약, 및 아동이 노출되었을 수 있는 기타 물질에 대해 질문해야 한다. 보호자는 일부 국소용 제제(예: 벤게이(Bengay)나 사마귀 치료제)에 살리실산염이 들어 있으며 아이가 역시 대다수에 살리실산염이 들어 있는 아스피린이나 흔한 천연물제제와 오일을 섭취할 때 잠재적 살리실산염 독성에 기여할 수 있다는 점을 모를 수 있다.

때때로 응급구조사는 위험 평가에서 소아가 생리적으로 안정되어 있더라도 잠재적으로 치사량에 노출되었는지 판단해야 한다. 실제로 소아는 알약 한 알을 삼키거나 흔한 약물 한 스푼을 섭취해도 치명적일 수 있다. 소량 독성 노출(예: 알약 한 알)이 유아기 소아에게 치명적일 수 있는 잠재적으로 위험한 물질은 표 8-7에 나와 있다.

철 중독은 유아에게 치명적인 중독의 주요 원인 중 하나이다. 아동용 씹어먹는 비타민에는 평균 17 mg의 철분이 들어 있고, 새로운 임산부용 씹을 수 있는 점착성 비타민에는 27 mg이 들어 있다. 유아는 이것을 사탕으로 잘못 알고 과다 섭취하기 쉽다. 심각한 독성 복용량은 철분 60 mg/kg에서 시작되고, 섭취량이 120 mg/kg 이상으로 증가함에 따라 즉시 처치하지 않으면 중독이 쉽게 치명적일 수 있음을 고려한다. 모든 병을 수거하고 알약이 없으면 다르게 입증될 때까지 아이가 먹었다고 가정한다.

조언

어떤 형태의 니코틴(예: 껌, 패치, 로젠지, 전자 담배)은 섭취할 경우 독성이 있을 수 있다. 증상으로는 구토, 땀 흘림, 졸음/피곤, 떨림, 혼란, 발작, 사망 등이 있다.

사례연구 2

당신은 어머니의 임산부용 철분 정제(약 30개)를 방금 모두 삼킨 3세 유아에 관한 전화를 받는다. 당신이 도착했을 때, 아이는 활기차게 방안을 뛰어다니고 있지만, "아프다"고 한다. 아이는 호흡이 빨라지지 않았고, 피부는 분홍빛이다. 호흡수는 분 당 22회이고, 심박수는 분 당 110회이며, 혈압은 90/60 mmHg이다. 신체검사에서는 이상이 나오지 않는다. 어머니는 과일 맛의 임산부용 츄어블 비타민이 들어 있던 빈 병을 건네준다. 라벨을 읽어보니 비타민 한 알 당 철분 27 mg이 들어 있다.

1. 이 아이를 병원으로 이송해야 하는가?
2. 활성탄을 주어야 하는가?

표 8-7 알약 한 알은 치사량일 수 있다: 잠재적으로 치명적인 유아기 소아가 섭취할 경우

약	치사량
장뇌	오일 1스푼
클로로퀸	500-mg 정제 1개
클로니딘	0.3-mg 정제 1개
글리부리드	5-mg 정제 2개
이미프라민	150-mg 정제 1개
린덴	1%로션 2 스푼
디페녹실레이트, 아트로핀	2.5-mg 정제 2개
프로프라놀롤	160-mg 정제 1~2개
테오필린	500-mg 정제 1개
베라파밀	240-mg 정제 1~2개

템에서는 모든 독성 노출 사례에서 병원 이송이 필요하다고 보기 때문에 이것은 논쟁의 여지가 있다. 다른 시스템은 독극물 센터가 전화상으로 경미한 섭취만 관리하도록 허용한다. 항시 지역 의료 통제에 따른다.

신체 평가에서 아이가 생리적으로 비정상이라고 나오거나 위험 평가에서 독성 노출이 잠재적으로 유해하다고 나올 경우에는 응급실로 이송하면서 가능할 경우 도중에 추가 평가를 실시한다. 증상 발현은 관련 약물에 따라 차이가 있다. 응급구조사 도착 시 증상이 없는 아동은 치사량의 약물을 삼켰을 수 있다. 예를 들어, 흔한 가정상비약인 아세트아미노펜은 극히 위험할 수 있지만 초기 증상은 없을 수 있다. 현장에서 입수한 병력은 응급실에서 관리하는 데 중요하다.

조언

청소년기 이전 소아 중독에는 대부분 현장 처치가 요구되지 않는다.

이송 결정: 지연 혹은 이송?

1차 평가, 초기 처치, 위험성 평가 후에는 즉시 이송하면서 응급실로 오는 도중에 추가 평가와 처치를 실시할지, 또는 계속 현장에 머무를지 여부를 고려해야 한다. 신체 평가와 위험 평가 결과에서 무증상 아동 및 소량의 단일 저위험 물질 섭취가 드러나면, 의료지도 의사나 독극물 센터와 적절하게 상의한 후 이송 취소를 고려한다. 그러나 일부 EMS 시스

추가 평가

아이에게 신체적 이상이 없고 무증상이며 위험 평가에서 심각한 독성이 나타나지 않을 경우에는 현장에서 상세한 평가를 실시한다. 추가 평가에는 집중 이력과 신체검사 및 상세한 신체검사(외상)가 포함된다. 때로는 응급실로 가는 도중에 이러한 추가 평가를 실시하는 게 더 적절하다. **표 8-8**은 의심되는 독성 노출에서 중요한 이력을 표준 SAMPLE 형식으로 제시하고 있다. 일차 평가와 위험 평가 중에 응급구조사는 SAMPLE 이력 중 일부를 이미 확보했을 것이다.

표 8-8 독성 노출에 대한 소아 SAMPLE

구성요소	설명
징후와 증상(S)	• 의심되는 노출 시점 • 아동의 행동 변화 • 구토 및 구토물의 내용
알레르기(A)	• 파악된 약물 반응이나 기타 알레르기
약물(M)	• 의심되는 독소의 정체 • 독소 노출 분량(알약 수나 용량 측정) • 현장의 알약이나 화학 물질 용기 • 처방 약의 정확한 명칭과 투여량
병력(P)	• 이전 질병이나 부상
마지막 음식이나 음료(L)	• 아동이 마지막으로 먹거나 마신 시점 • 가정 처치 유형과 시점
노출을 초래한 사건(E)	• 노출을 초래한 주요 사건 • 노출 유형(흡입, 주사, 섭취, 피부를 통한 흡수) • 독극물 센터 연락

독성물질에 노출 가능성이 있는 소아 평가 요약

독성 노출 아동은 모두 철저한 신체 평가와 위험 평가를 요한다. 신체 평가에는 보통 독성 평가에서 가장 중요한 부분인 이력을 강조하여 표준 평가의 특징이 모두 포함된다. 준비는 환자의 연령, 노출 유형 및 잠재적 독성, 개인용 보호구 필요성에 관한 파견 정보와 함께 현장에 가는 도중에 시작된다. 이후 현장 검증 및 환경 평가와 함께 준비가 계속된다. 다수의 환자가 발생하였다면, 재난 계획 실행을 고려한다.

신체 평가 후 위험 평가는 관련 독소 유형, 독소의 양, 아동 체중, 노출 후 경과 시간을 토대로 심각한 독성인지 여부를 판단하는 데 도움이 된다. 위험 평가는 예측되는 생리적 결과, 처치 필요성, 이송 시점에 관한 중요한 정보를 제공한다. 독극물 센터는 종종 처치와 이송에 관한 결정을 지원하는 데 있어 중요한 역할을 한다.

중독 관리

심각하거나 잠재적으로 치명적인 노출에 대한 독성 관리에 가능한 세 가지 방법이 있다: (1) 해당 독소에 대한 국소, 또는 전신 노출을 줄이기 위해 오염을 제거한다. (2) 독소 제거를 증진하거나 제거 속도를 높인다. (3) 독극물의 작용을 직접 무효화하기 위해 해독제를 처방한다. 대부분의 경우, 철저한 이력을 파악하고, 위험을 평가하고, ABC를 지원하며, 신실한 이송을 실시하는 것이 일반적으로 최상의 처치이다.

오염 제거

처치와 이송 결정 후에는 오염 제거를 고려한다. 독소와 노출 유형에 따라 몇 가지 유형의 오염 제거 방법이 있다.

피부
피부를 통해 독물이 흡수되었을 가능성이 있다면, 아이의 옷을 제거한다. 응급구조사는 장갑과 보호 장비를 사용함으로써 본인의 피부와 눈을 보호해야 한다(시간이 되고 명백한 생명 위협이 없을 경우). 피부에 따뜻한 물로 15-20분 동안 세척을 하며, 세게 문지르지 않으면서 순한 비누와 물로 잘 씻는다.

눈
눈에 직접 닿았을 경우에는 즉시 눈을 씻는다(**그림 8-3**). 잿물 같은 가성제로 인한 알칼리 화상이 가장 위험이다. 생리식염수나 물을 이용하여 20분 동안 눈을 씻는다. 생리식염수 주머니에 수액세트를 연결하여 수액세트의 끝인 팁으로 눈을 세척한다. 이것이 가능하지 않을 경우에는 개수대에 환자의 머리를 위치시키고 주전자나 컵을 이용하여 세척한다. 눈이 주요 노출 지점일 때에는 가능할 경우 이송 중에도 계속 세척한다.

위장관 오염 제거
위장관 오염 제거 전에 EMS 프로토콜에 따라 의료 지도 담당자나 독극물 센터에 연락한다. 어떤 경우에는 환자에게 우유나 물 240 mL를 마시게 함으로써 경미한 산이나 알칼리 섭취를 희석하는데 유리할 수 있다. 구역반사 소실(absent

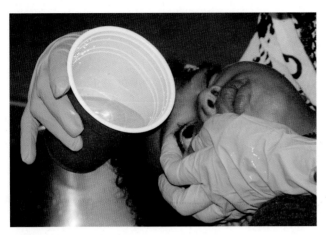

그림 8-3 눈에 직접 닿았을 경우에는 즉시 눈을 씻어낸다.
© Jones & Bartlett Learning.

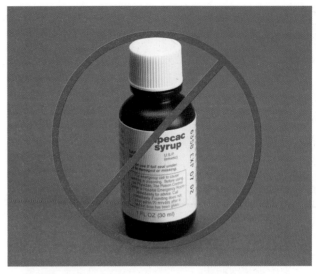

그림 8-4 토근 시럽은 응급구조사가 소아 중독을 처치할 때 아무런 역할도 하지 않는다.
© Jones & Bartlett Learning.

gag reflex)이나 기도의 악화, 의식수준의 감소, 탄화수소부식제나 소작제(caustics)의 섭취가 있을 때에는 희석이 금기시된다.

 가정이나 EMS, 병원용으로 더 이상 권고되지 않지만, 오래 전부터 사용되었던 섭취 치료제인 토근시럽(Ipecac)을 가정에서 보호자가 제공했을 수 있다. 이 점 및 제공 시점을 파악한다. 토근시럽이 초래하는 구토는 섭취한 상당량의 독소를 위에서 제거하지 않으며 장기적인 구토를 초래하고 활성탄 투여를 지연할 수 있다**(그림 8-4)**.

활성탄(Activated Charcoal). 보행기 아동과 학령 전기 아동에게 고위험 섭취는 대부분 병원 전 처치를 요하지 않는다. 위장관 오염 제거가 필요할 경우에는 활성탄 사용을 고려한다. 활성탄은 태운 목제 제품으로 만든다. 그것의 표면은 증기나 화학적 처리에 의해 "활성화"되므로, 그 물질은 위와 소장에 있는 섭취 독소가 흡수되지 않도록 흡착하고 독소의 혈류 흡수를 줄일 수 있다. 활성탄 자체는 위장관에서 흡수되지 않으며, 대사되지도 않는다. 활성탄은 냄새나 맛이 없지만, 과립의 일관성으로 인해 많은 아이들이 마시기를 꺼린다. 협조적인 아동에게도 활성탄을 투여하면 지저분해진다. 의식 변화나 저하를 보이는 아동의 경우, 활성탄이 흡인되면 폐에 심각한 결과를 초래할 수 있다. 병원 전 처치 상황에서 활성탄 활용에 관한 데이터는 적으며, 신속한 이송과 조기 응급실 관리의 잠재적 이익에 비해 현장 시간이 길어지는 것의 위험을 비교 검토해야 한다. 일부 물질은 활성탄에 의해 흡수되지 않으며, 이것은 **표 8-9**에 나와 있다.

표 8-9 활성탄에 의한 흡수가 저조한 독소
"PHAILS"
살충제, 칼륨(P).
탄화수소(H).
산, 알칼리, 알코올(A).
철(I)
리튬(L).
용제(S)

활성탄 투여. 활성탄 복용량은 섭취한 물질의 10배이다. 그러나 섭취한 물질의 실제 양이 보통 파악되지 않으므로 아동 체중의 1-2g/kg을 사용한다. 활성탄은 즉시 작용하기 시작하며, 섭취 후 1시간 이내에 제공할 때 가장 효과적이다**(그림 8-5)**.

 절대 거부하는 아동에게 강제로 활성탄을 복용 시키지 않는다. 흡인과 폐 합병증을 초래할 수 있으므로 지역 의료 지침이 허용한다면 소아에게 활성탄에는 착향료(예: 콜라, 주스, 우유)를 추가하여 혼합물을 마시기에 더 적합하게 만든 다음 소아를 이송하는 것을 고려한다. 일부 활성탄 제제

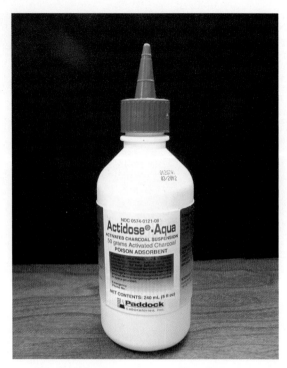

그림 8-5 활성탄은 잠재적으로 심각한 결합 가능 독소(bindable toxin) 섭취에 대한 처치 방법이다.

에는 소르비톨도 들어 있다. 그러나 설사로 인한 탈수 및 전해질 이상을 초래할 수 있으므로 생후 1년 미만의 영아에게 소르비톨과 함께 활성탄을 제공하는 일은 위험하다. 활성탄 및 이용 지침은 **표 8-10**에 요약되어 있다.

전문소생술(Advanced Life Support)

아동이 활성탄을 투여받기 위해서는 안정되고 협조적이어야 한다. 유아나 청소년은 활성탄을 마시고 싶어 하지 않을 수 있으므로, 일부 EMS 시스템에서는 섭취가 잠재적으로 심각하거나 치명적일 경우 대안 제공 방법으로 비위관(nasogastric tube)을 사용한다. 비위관으로 활성탄을 제공하는 것은 위험할 수 있으므로 이송 시간이 길고 위험 평가에서 심한 독성이 나오는 매우 특수한 상황으로 제한해야 한다.

조언

현장에서 활성탄을 이용할 때 가장 큰 문제는 소아에게 복용시키는 것이 어렵다는 점이다.

표 8-10 활성탄: 사용 지침

지시	■ 목재펄프로 만든, 흡수성이 높고, 무해한 무미 물질
방법	■ 대부분의 독성물질 섭취에서 신체가 흡수하는 약의 양을 제한한다(즉, 장 오염 제거). ■ 반복 투여는 제거 과정을 증진할 수 있다.
금기	■ 환자 체중 당 1~2g/kg을 물에 섞어 슬러리를 만든다. 섭취 물질의 양이 파악되면, 체중에 따라 섭취한 독소 용량의 10배를 제공한다(최대 투여량 100g). 경구 투여한다.(드물지만 비위관으로도 투여한다) ■ 착향료를 추가하여 슬러리를 더 복용하기 수월하게 만드는 것을 고려한다.
부작용	■ 구역반사 소실 ■ 의식 변화 ■ 자발적 약 복용을 거부함 ■ 부식제 섭취 ■ 활성탄이 흡수하지 않는 약
유해작용	■ 변비나 장석(intestinal bezoar)(창자에 있는 큰 이물질 덩어리) ■ 폐 흡인 ■ 유아의 경우, 하제(예: 소르비톨)와 활성탄을 함께 제공하면 설사와 탈수가 발생할 수 있다.

논쟁

병원 전 응급처치에서 활성탄 사용의 가치는 아직 확인된 바 없다. 창자에 있는 독극물과 합성해서 제거시키는 장점이 있으나, 흡인이나, 소장 장애와 같은 잠재적 합병증의 위험도 있다.

배설 증진

소르비톨은 시판되는 여러 활성탄 제제와 혼합되는 하제이다. 하제는 장에서 결합된 독소를 청소하고 제거 속도를 높이는 데 도움이 된다고 장려되어 왔다. 하제의 효과는 입증되지 않았다. 소르비톨은 대부분의 EMS 시스템에서 승인된 약이 아니다. 응급구조사는 제제가 실제로는 활성탄과 소르비톨의 혼합물인데 순수 활성탄을 제공하고 있다고 생각할 수 있다. 유아에게 소르비톨은 오심, 구토, 복부 불편감, 설사, 전해질 장애를 초래할 수 있다. 따라서 *병원 전처치 상황에서 아동에게는 하제를 사용하지 않아야 한다.*

해독제

해독제는 독성 섭취의 부작용을 무효화하거나 처리하는 약이다. 병원전 처치 제공자는 중독 환자의 생명을 구할 수 있는 해독제를 몇 가지 가져온다(**표 8-11**). 섭취나 노출 유형, 환자의 임상 상태, 해독제 관련 부작용에 관한 지식을 갖고 이 약들을 사용한다.

날록손은 마약 과다 복용이 의심되는 성인 환자에게 자주 사용되는 해독제이다. 그것은 특정 소아 환자에게 치료 및 진단 효과가 있을 수 있다. 환아에게 마약 섭취나 과다 복용 징후가 있으면(서맥, 혼수상태, 동공 축소, 호흡 저하), 0.1 mg/kg을 투여한다. 최대 투여량은 2 mg이다. 정맥 내(IV)투여가 선호되는 경로지만, 근육 내(IM), 골수 내(IO), 비강내(IN), 기관 내(ET), 혹은 분무형태로도 제공할 수 있다. 그러면 아동은 약간, 또는 완전히 깨어나고 활력징후가 향상될 수 있다. 날록손의 작용 기간은 20~60분이므로, 작용 기간이 긴 마약(예: 메타돈, 로모틸®)이 수반될 경우에는 반복 투여가 필요할 수 있다. 날록손을 투여할 때에는 성인과 마찬가지로 가장 효과적인 투여량을 제공하고 서서히 투여한다. 마약에 만성으로 중독된 청소년의 경우, 너무 빨리 투여하면 원치 않는 급성 금단 증상을 유발할 수 있다. 구토가 발생할 경우에는 흡인 장치를 손에 든다. 또한 환자가 깨어나며 폭력성을 띨 수 있어서 응급구조사가 안전하도록 미리 주의하는 것이 좋다.

플루마제닐은 효과적인 벤조디아제핀 길항제지만, 원인이 파악되지 않은 의식상태의 변화가 있는 환자에게는 일상적으로 사용하지 않는다. 아동에게 가장 흔한 AMS(Altered Mental Statue 의식변화)의 원인 중 하나는 발작 후 상태이다. 플루마제닐을 제공하고 아이에게 발작이 더 나타나면, 벤조디아제핀은 효과가 없다. 또한 플루마제닐은 치료를 위해 벤조디아제핀을 만성적으로 투여하는 환자에게 투여할 경우 발작을 촉진할 수 있다.

중탄산염은 전도 이상을 비롯하여 고리형(삼환계) 항우울제 과다 복용으로 나타나는 심장 부작용을 무효화하는 데 도움이 된다. 그것은 혈액을 알칼리성으로 만들어 약에 의해 초래되는 나트륨 경로 차단을 무효화한다. 투여량은 1~2 mEq/kg이며 정맥 내로 서서히 투여한다.

글루카곤은 저혈당증 치료에서의 역할로 인해 응급구조사에게 친숙한 해독제로 β-차단제 과다 복용으로 인한 독성을 무효화하는 데 도움이 된다. β-차단제는 고혈압과 성인 심장병 치료에 흔히 사용되는 약이다. 아동이 과다 복용하면 서맥과 저혈압을 초래할 수 있다. 적절한 소아 연구는 없지만, 권고되는 글루카곤 투여량은 0.03~0.15 mg/kg 후 0.07 mg/kg/hr 이다(최대 5 mg/hr, IV). β-차단제 과다 복용은 유아에게 저혈당을 초래할 수도 있으므로, 침상에서 혈당치를 확인하고 저혈당이 있을 경우 치료한다.

칼슘채널차단제는 성인 고혈압에 자주 처방되는 또 다른 약이다. 소아가 섭취하면 서맥과 저혈압을 비롯하여 β-차단제 과다 복용과 유사한 심한 독성이 초래될 수 있다. 2차 호흡 및 신경 효과가 있을 수 있다(호흡 저하, 의식 수준 감소). 정맥 수액은 최초의 치료 라인이며, 칼슘은 유익할 수 있다. 정맥 내 염화칼슘 10%(20 mg/kg = 0.2 mL/kg)나 정맥 내 글루콘산 칼슘 10%(60 mg/kg = 0.6 mL/kg)를 서서히 제공한다. 환자는 이 약물을 투여하는 동안 및 이송 중에 심장 모니터링을 받아야 한다. 글루카곤은 그러한 환자의 난치성 저혈압에 가능한 또 다른 치료법이다.

표 8-11 일반적인 해독제	
독물	해독제
일산화탄소	산소
유기인산 화합물	아트로핀/2-PAM
고리형 항우울제	중탄산염
아편	날록손
β-차단제	글루카곤
칼슘 길항제	칼슘, 글루카곤
벤조디아제핀	플루마제닐
경구용 혈당강하제	포도당, 글루카곤

유기인산 화합물

DUMBELS는 유기인산 화합물 중독증후군의 임상 특징을 요약하는 기억법이다. 처치에는 몇 단계가 수반된다:

1. 스스로를 보호한다(장갑 및 기타 보호복을 착용하여 노출을 막는다).
2. 오염된 옷을 제거하여 봉투에 넣는다.
3. 1차 평가를 실시하고 적절한 산소 처치와 환기가 되도록 한다.
4. 환자에게서 오염을 제거한다(다량의 물로 피부를 씻어내고, 비누와 물로 피부, 두발, 손톱 밑을 잘 씻는다).
5. 노출된 눈은 다량의 따뜻한 물이나 식염수로 씻어낸다.
6. 아동에게 난치성 서맥이 있을 경우에는 아트로핀이라는 해독제를 이용한 처치를 고려한다. 이 약은 무스카린" 유기인산 화합물의 효과(유연증, 기관지루, 기관지경련, 서맥, 호흡 저하, 발작, 혼수상태)를 무효화하는 데 도움이 된다. 소아에게 첫 아트로핀 투여량은 정맥 내 0.05 mg/kg이다(평소보다 더 고용량 투여). 기도가 건조하고 아동의 관류가 적절할 때까지 투여를 반복한다. 구체적인 해독제는 프랄리독심(2-PAM)이다.

　화학적 테러 사건이 출현함에 따라 사린가스 같은 신경 작용제와 동일한 유기인산 화합물의 부작용을 크게 주목해 왔다. 일부 EMS 기관은 화학적 테러 관리를 위해 제공자들에게 MARK 1이나 MARK 2 키트를 배포했기 때문에 이 자기주사기 키트의 투약량이 성인용임을 파악해야 한다. 그러나 생명을 위협하는 심한 소아 사례에서 3세 이상의 아동에게는 IM 주사로 이 키트의 내용물을 투여한다. 대량 살상 무기(WMD) 사건에 연루되는 아동에 대응할 가능성은 볕 좋은 오후에 뒤뜰에서 유기인산 화합물이 함유된 여러 가정용 및 시판용 살충제 중 하나에 중독된 아이에 대응하는 것보다 훨씬 낮다는 점을 염두에 두어야 한다.

중독 관리 요약

독성 노출 아이들은 대부분 현장에서 어떤 종류의 처치도 요하지 않는다. 아이가 증상이 없고, 위험이 적은 단일 물질을 소량 삼켰고, 아동 방임이나 학대에 대한 "위험 신호"가 없을 경우에만 의료 지도 담당자나 독극물 센터와 상의한 후 EMS 이송 취소를 고려한다. 신체 평가와 위험 평가에서 모두 생리적 불안정이나 가능한 독성이 나타나는 다른 상황에서는 처치를 지시한다. ABCDEs를 관리한 후 오염 제거나 특수한 환경에서는 해독제 투여를 통한 독성 관리를 고려한다. 지시에 따라 피부와 눈 오염 제거를 실시한다. 지역 프로토콜을 토대로 심각하거나 잠재적으로 치명적인 섭취에는 위장관 오염 제거를 시도한다. 활성탄은 많은 유형의 독성 섭취에 유용한 결합제지만, 협조적인 아동에게만 안전하게 투여할 수 있다. 소르비톨은 아동에게 금기시된다. 응급구조사들이 가져가는 몇 가지 해독제는 진단용, 치료용, 및 심지어 생명 구조용일 수 있다. 응급실이나 병원 상황에서는 보다 나은 해독제 치료를 최상으로 실시한다. 1장에서 논의한 바와 같이, 상황이 되면 가족이나 보호자를 대상으로 중독 예방 교육을 실시하도록 한다.

법의학적 문제

아동 대상 독성 응급 관리에서 법의학적 문제가 중요한 역할을 하는 몇 가지 시나리오가 있다. 보호자가 치료와 병원 이송을 거부할 경우에는 의료 지도 담당자에게 전화상으로 보호자와 이야기하게 한다. 이 전략이 효과가 없으면, 법 집행 인력의 지원을 요청한다. 자살 기도나 표시를 하는 청소년은 응급실로 이송해야 한다.

　자살 기도를 하는 사람은 법적으로 치료 결정을 내릴 능력이 없으며 이송을 거부할 수 없다. 어떤 경우에는 현장 관리에 법 집행이 수반되어야 한다. 환자를 임시로 보호 구치하고 병원으로 이송한다(15장 참조).

　청소년은 또한 의존 미성년자의 치료 동의 능력과 알코올이나 마약 불법 이용 같은 문제로 인해 법적 문제를 가져올 수 있다. 15장에서 설명한 바와 같이, 청소년이 잠재적으로 독성인 분량의 약을 복용했거나 약물 이용이나 과다 복용으로 생명을 위협하는 합병증이 있을 경우에는 응급 예외 규칙(묵시적 동의 주의)을 토대로 처치한다. 알코올이나 약물 이용의 법적인 문제는 법 집행 담당자에게 맡긴다.

사례연구 3

당신은 공원에 발작을 일으키는 여성에 관한 전화를 받는다. 도착하자 고등학생들이 파티에서 긴장-강대 발작 한 친구를 에워싸고 있다. 바닥에 누워 있고, 목소리에 반응을 하지 않으며, 청색증이 보인다. 호흡은 얕고 분당 6회이며, 심박수는 분당 90회이고, 혈압은 잴 수 없었다.

친구들의 증언에 의하면 그 여성은 16세이고, 미식축구 시합 후 파티를 하고 있었고 "Spice"를 피우고 있었고, 맥주를 마시고 있었다. 그녀는 즐겁게 춤을 추고 있었는데 갑자기 흥분하더니 발작을 일으켰다. 두부 외상은 전혀 없었다고 말했고, 10분 째 발작을 멈추지 않고 있다.

1. 초기 관리 우선순위는 무엇인가?
2. 부모의 동의 없이 이 환자를 처치하고 이송할 수 있는가?

사례연구 답안

사례연구 1

현장 조사 시 반드시 장갑 및 다른 보호 장비를 갖춰 스스로를 보호한다. 혹시 섭취 외에도 눈이나 피부에도 오염된 부분이 없는지 확인한다. 만약 있다면, 소아의 의복을 제거하고 눈과 피부에 오염을 제거한다.

알록 달록한 색깔의 캡슐 세제는 많은 소아 섭취 문제를 야기할 수 있다. 걸음마 단계의 아이는 분명 물어 뜯을 것이고 그 안의 액체를 삼켰을 위험이 있다. 중요한 것은 액체의 성분이 무엇인가 이다. 세제와 계면 활성제가 들어 있을 것이나, 어떤 것은 알칼리성 성분이 들어있을 것이다. 이를 섭취했을 시 알칼리 성분이 들어있다면 나타날 수 있는 증상은 구토, 기침, 졸림이다. 강알칼리성인 공업용 제품은 입, 인두, 식도 내벽의 심한 조직 손상과 부어오름을 초래할 수 있다.

이 아이는 기도를 수시로 재평가하며 즉시 병원으로 이송해야 한다. 이미 물어뜯은 캡슐과 새것까지 챙겨서 응급실로 간다. 아이가 편안하지만 똑바로 앉게끔 한다. 산소마스크는 견디지 못할 것이므로, 불어주기 방식으로 산소를 주입한다. 인근 의료 통제센터 혹은 독극물 센터에 연락해서 기도부종, 천명음, 협착음과 같은 잠재적 합병증을 이송 중에 어떻게 처치할지 지시를 받는다. 구토의 위험 때문에 구강으로는 활성탄도 액체도 그 어떤 것도 투여해선 안된다.

사례연구 2

이 아이는 괜찮아 보이지만, 이것은 잠재적으로 위험한 섭취이다. 철은 아동에게 가장 흔한 치명적 섭취 중 하나이다. 철 섭취에는 4단계가 있다. 첫 단계는 섭취로 시작되어 6시간 지속된다. 경미한 섭취에서 일반적인 징후와 증상은 오심과 구토이다. 2단계(6~12시간)는 조용한 단계로서, 아동은 괜찮아 보인다. 3단계(섭취 후 12~2시간)가 되어야 아동은 위장관 출혈, 저혈압, 의식상태 변화, 신부전 및 간부전을 비롯한 독성 징후를 보이기 시작한다. 4단계는 회복 후 단계로서 여전히 위장관 협착이 발생할 수 있다. 초기 증상에서는 독성 범위를 예측할 수 없으므로 조심스러운 접근이 요구된다. 지역 독극물 센터가 연락되어 복용 알약의 성격과 개수를 토대로 비독성 섭취라고 판단된 경우를 제외하고, 철이 함유된 알약을 삼킨 아동은 추가 평가를 위해 병원으로 이송한다. 이것은 흔히 아동용 종합비타민제 섭취 사례로서, 여기서는 철 농도가 낮지만, 아동용 비타민은 종종 생김새와 맛이 사탕과 매우 흡사하도록 제조되므로 걸음마 시기 아동이 상당수에 철분이 최대 17 mg 씩 함유될 수 있는 다채로운 모양의 비타민 60개 한 병을 전부 섭취하는 것은 가능하다. 그러나 임산부 비타민 섭취는 매우 심각할 수 있는데, 특히 입덧이 있는 여성들과 철분이 든 전통적인 임산부용 비타민을 삼키지 못하는 여성들에게 맛있는 과일 맛 츄어블 비타민이 점점 더 인기를 얻고 있기 때문이다. 알약 병은 응급실로 가져와서 적절한 확인과 위험 평가를 받도록 한다. 철은 활성탄에 의해 흡수되지 않으므로 위장관 오염 제거를 시도하지 않는다.

사례연구 **3**

호흡 부전이 나타나기 때문에 최우선 사항은 효과적인 기도를 확보하고 100% 산소를 가지고 백-밸브 마스크 환기를 시작하는 것이다. 지역 의료 지침에 따라 IN혹은 IV로 미다졸람이나 직장 디아제팜 투여를 한다.

친구들에게 해야 할 질문에는 SAMPLE 병력이 포함된다:

- 징후와 증상: 친구가 쓰러지기 전에 본 사람이 있는가? 정상적으로 행동하고 있었는가?
- 알레르기: 파악된 약물 반응이나 기타 알레르기가 있는가?
- 약: 복용하는 약이 있는가(제조약이나, 허브나 비타민 같은 일반약)? 술을 마시고 있었는가? 불법 약물을 이용하는가? 다른 약물을 돌리는 것을 본 사람이 있는가?
- 병력: 친구에게 병이 있는가?
- 마지막 음식이나 음료: 친구가 뭘 먹거나 마시는 것을 마지막으로 본 게 언제인가?
- 사건: 친구가 넘어지기 전에 무엇을 하고 있었는가?

"Spice"를 피웠다고 인정했으니, 진짜 질문은, 합성 마리화나 외에 다른 약물이나 혼합물이 있었는가이다. 발작의 주요 증상은 이 약물에 의해서 발생했을 수 있으나, 알콜 섭취로 인안 서열냥 때분일 수 있나, 발삭이 낮으면 활력싱후를 재평가하고 병원으로 이송하며 백-밸브마스크로 환기 시키고 정맥으로 수액을 투여한다.

이 소녀의 동의 혹은 부모의 승인이 없어도 현재 생명의 위협을 받는 상황이므로 법적으로 이 환자를 처치하고 이송할 의무가 있다.

추천 자료

Textbooks

American Academy of Pediatrics and the American College of Emergency Physicians. *APLS: The Pediatric Emergency Medicine Resource*, 5th ed. Burlington, MA: Jones and Bartlett Learning; 2012.

Dieckmann R. Toxic exposures. In: Seidel J, Henderson D, eds. *Prehospital Care of Pediatric Emergencies*, 2nd ed. Burlington, MA: Jones and Bartlett Learning; 1997:122–129.

Olson K. *Poisoning & Drug Overdose*, 7th ed. New York, NY: McGraw-Hill Education; 2018.

Tenenbein M, Macias CG, Sharieff GQ, Yamamoto LG, Schafermeyer RW, eds. *Strange and Schafermeyer's Pediatric Emergency Medicine*. 5th ed. New York, NY: McGraw-Hill; 2019.

Articles

Bar-Oz B, Levichek Z, Koren G. Medications that can be fatal for a toddler with one tablet or teaspoonful: a 2004 update. *Pediatr Drugs*. 2004;6(2):123–126.

Bassett RA, Osterhoudt K, Brabazon T. Nicotine poisoning in an infant. *N Engl J Med*. 2014;370: 2249–2250.

Bonney AG, Mazor S, Goldman RD. Laundry detergent capsules and pediatric poisoning. *Can Fam Physician*. 2013;59:1295–1296.

Gummin, DD, Mowry JB, Spyker DA, et al. 2017 Annual Report of the American Association of Poison Control Centers' National Poison Data System (NPDS): 35th Annual Report. *Clin Toxicol*. 2018;56(12):1213–1415.

Kim JW, Baum CR. Liquid nicotine toxicity. *Pediatr Emerg Care*. 2015;31(7):517–521.

Lowry JA, Leeder JS. Over-the-counter medications: update on cough and cold preparations. *Pediatr Rev*. 2015;36(7):286–297.

Stromber PE, Burt MH, Rose SR, et al. Airway compromise in children exposed to single-use laundry detergent pods: a poison center observational case series. *Am J Emerg Med*. 2014;33(3):349–351.

Wang GS, Hall K, Vigil D, et al. Marijuana and acute health care contacts in Colorado. *Preventive Med*. 2017;104:24–30.

Other Resources

American Addiction Centers. The dangers of inhalants. https://americanaddictioncenters.org /inhalant-abuse. Accessed May 3, 2019.

Karb R. One pill (or sip) can kill. https://www .acep.org/how-we-serve/sections/toxicology/news /march-2016/one-pill-or-sip-can-kill. Accessed May 3, 2019.

National Capitol Poison Center. Button batteries. https://www.poison.org/battery. Accessed May 9, 2019.

National Institute on Drug Abuse. Commonly abused drugs charts. https://www.drugabuse.gov/drugs -abuse/commonly-abused-drugs-charts. Accessed July 5, 2019.

New York State Bureau of Emergency Medical Services, Department of Health. Prehospital treatment protocols https://www.health.ny.gov /professionals/ems/pdf/statewide_prehospital _treatment_protocols_ver16-04.pdf. Accessed May 3, 2019.

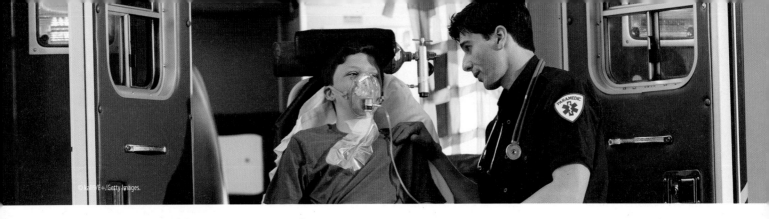

CHAPTER 9
행동 응급

Victoria Barnes, RN, BSN, EMT

Saranya Srinivasan, MD, FAAP

학습목표

1. 자폐스펙트럼장애(ASD), 주의력결핍 과잉행동장애(ADHD), 행동장애, 불안증, 우울증을 겪고 있는 아동 혹은 청소년의 소아과적 특성을 설명할 수 있다.
2. 행동 응급 소아의 관리에 대해 논의할 수 있다.
3. 자살에 대한 생각과 자살 환아의 적절한 분석에 대해 설명할 수 있다.
4. 일반적인 자살 목적 음독의 관리를 설명할 수 있다.
5. 동요하는 환자를 진정시키는 방법을 논의할 수 있다.
6. 약물 억제(chemical restraint)에 대한 정보를 설명할 수 있다.
7. 환자 억제 과정에서 나타날 수 있는 문제점에 대해 이해할 수 있다.

개요

아동과 청소년의 행동 응급은 수차례의 응급실행과 응급 구조사의 호출을 야기하는 중요한 사회적 건강 이슈이다 (그림 9-1). 아동에게 가장 흔히 진단되는 장애는 주의력 결핍 과잉행동장애(ADHD), 행동장애(적대적반항장애, oppositional defiant disorder [ODD] 포함), 불안장애, 우울 증이다. 미국의 2-8세 아동 6명 중 1명은 정신적, 행동적 혹은 발달 장애(자폐스펙트럼장애를 포함한) 진단을 받았다. 행동장애는 6-11세에 더 많이 발생하며, 불안장애와 우울증 발병 빈도는 나이와 함께 증가한다. ASD와 ADHD 아동은 간혹 특별한 건강 관리가 요구되는 아동으로 분류되기도 한 다.

행동 응급은 특수 건강 관리의 일부이거나 혹은 동반해 서 필요한 조치이다. 효율적인 처치에 제약이 쉽게 발생하 며, 입원환자든 외래환자든 처치 자료가 부족하고, 치료 제 공 가능자도 부족하다. 더불어, 이러한 행동장애는, 유아부 터 청소년까지 전 연령에 나타나며, 학교나 가정을 포함한 각종 상황에서 나타날 수 있어, 진단하고 처치하는 것이 쉽 지 않다. 발병은 점진적으로 혹은 급진적으로도 나타날 수 있다.

아동의 행동 응급의 예시로는, 자해나, 고의적 약물복 용 등의 자살 행위가 있고, 폭력적인 행동으로 적대적반항장 애(ODD)가 있을 수 있다. 행동 응급은, 그 전에 전혀 공식 적인 진단을 받지 않은 아동에게도 발생할 수 있다. 정신과 전문가에게 알려야 할 행동이 무엇인지 판단하는 것은 응급 구조사에게 달려있다.

이러한 행동 응급구조 출동은 병원 전 의료진료 체계에

사례연구 1

여름에 야외에서 바베큐 파티를 하는데, 옆에서 놀다가 벌에 쏘인 6세 남아에 대한 신고로 출동한다. 도착해서 보니, 아이 어머니가 말하기를, 아들이 갑자기 자신의 팔을 가리키며, 통제가 안될만큼 자지러지게 울었다고 한다. 어머니는 아들의 입술이 부풀었고, 눈에 띄게 부푼 자국 및 발적이 나타난 것을 보았다. 쏘인 후 아들이 전혀 달래지지 않았다고 진술하며, 아이가 알레르기는 없고 경미한 천식의 병력이 있어 필요에 따라 알부테롤 흡입기를 사용한다고 한다. 또한 아이가 자폐스펙트럼장애 진단을 받았다고 한다. 이로 인해 놀란 아이를 진정시키는 것이 상당히 어렵고, 의료인들에 둘러싸여 아이의 불안감이 점점 증폭되고 있다.

평가에 의하면, 동요하는 아이가 어머니 옆에 앉아서 울고 발버둥치고 있다. 아이는 매우 불안해한다. 울고 있어서 호흡 노력은 평가하기 어렵고, 그의 피부는 핑크빛이다. 입술이 부풀어 올랐고, 눈, 팔과 목의 두드러기가 보인다. 아이는 계속 눈을 마주치지 않고 응급구조사로부터 벗어나려고 한다. 그 가운데, 호기시 천명음이 들린다. 아이가 평가에 협조적이지 않으므로, 활력 징후는 얻기 불가하나, 호흡이 빠른 것으로 보이고 염증은 점점 퍼져가고 있다. 아이의 어머니가 다른 가족 구성원에게 부탁해서 아이가 좋아하는 담요와 솜인형을 가지고 오도록 했다.

1. 이 아동을 평가함에 있어 주요원칙은 무엇인가?
2. 치료 및 이송 방법을 설명하시오.

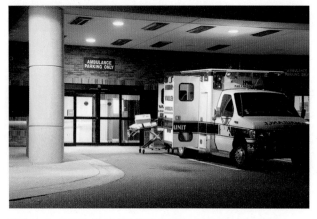

그림 9-1 아동과 청소년의 행동 응급은 수차례의 응급실행과 응급구조사의 호출을 야기하는 중요한 사회적 건강 이슈이다
© Jacqueline Watson/Shutterstock.

도 부담이 되며, 처음 직면할 때도, 경험이 쌓은 후 직면했을 때도 응급구조사에게 상당히 버거운 것이다.

소아의 일반적인 정신의학적 그리고 행동적 상태

응급구조사들이 직면하는 행동응급의 유형을 이해하기 위해, 먼저 ASD, ADHD, 적대적반항 장애(ODD), 우울증, 양극성 장애, 조현병 등을 포함한 일반적인 소아과의 정신의학적 그리고 행동적 상태를 정의하고 묘사하는 것이 중요하다.

자폐스펙트럼장애 (Autism Spectrum Disorder, ASD)

앞서 언급한 상태 중, 자폐스펙트럼장애(ASD)는 가장 어린 나이부터 나타난다. ASD는 Diagnostic and Statistical Manual of Mental Disorders, Fifth Edition (DSM-5)에 의해 정의된 바, 다음과 같다: "신경발달장애로서 2가지 기본적인 특징이 있음. (1) 사회적 의사소통 및 타인과의 소통에서 지속적인 부진 (2) 반복적이고 제한적인 행동 양식을 보임." 이는 스펙트럼 장애이다 보니 자폐로 인해 드러나는 징후가 경미하게 시작해서 극심해질 수 있다. 대다수 ASD 아동은 감각 과민으로 인해 빛, 소리, 접촉, 활동과 같은 자연적인 자극원에도 과민하게 반응한다. 이러한 증상은 발달 초기부터 나타나며, 심지어 18개월 아이에게도 나타날 수 있다(**표 9-1**). 그래서 American Academy of Pediatrics에 의하면, 모든 18-24개월 아동은 조기 진단과 치료 중재를 받기 위해 긴밀하게 모니터링 되어야 한다. 안타깝게도 많은 아동들은 더 나이가 들 때까지 제때 진단을 받지 못한다. 사실 대부분의 아동은 4세까지도 진단을 받지 못하는 경우가 많다. Centers for Disease Control and Prevention에 의하면, 자폐는 59명의 미국 어린이 중 1명에 나타나는 것으로 보고 있다. 여아에 비해 남아에게 4배 이상 발병률이 높게 나타나며, 모든 인종, 모든 민족, 모든 사회경제적 그룹에 다 영향을 미친다. 이 장애의 진단률은 최근 몇 년간 증가한 바가 있다.

자폐스펙트럼장애 환아를 처치하는 것은 정신과의사, 소아과의사, 행동교정가, 심리학자, 사회복지사 등 여러 명

표 9-1 자폐스펙트럼 장애의 징후와 증상

나이	임상적 징후
6개월	• 활짝 웃는 일이 없거나 거의 없고, 다른 반기는 표정도 없음 • 없거나 제한적인 눈맞춤
9개월	• 주고 받는 소리, 미소 혹은 다른 표정이 거의 없거나 아예 없음
12개월	• 옹알이를 거의 안하거나 하지 않음 • 가리키거나, 보여주거나, 잡거나 손을 흔드는 등, 누군가와 주고 받는 행동이 거의 없거나 아예 없음 • 이름을 불러도 반응이 없음
16개월	• 말을 안하거나 거의 안함
24개월	• 거의 말이 없고, 2개 이상의 의미있는 단어로 말하지 않음(소리만 그대로 따라 하는 것 제외)

그림 9-2 자폐스펙트럼장애 환아를 처치하는 것은 정신과의사, 소아과의사, 행동교정가, 심리학자, 사회복지사 등 여러 명으로 구성된 여러 분야에 걸친 팀을 필요로 한다.

© Oksana Kuzmina/Shutterstock.

으로 구성된 여러 분야에 걸친 팀을 필요로 한다(**그림 9-2**). 극심한 동요 혹은 극심하거나 빈번한 돌발 행동을 보이는 환자의 경우 알파-2-아드레날린 작용제(예:구안파신[인투니브, 테넥스])와 같은 약물 혹은 클로니딘(카타프레스)을 처방할 수 있다. 초기 약물 요법이 실패하면 드물지만, 리스페리돈과 같은 비정형 항정신병약물이 필요할 수 있다.

응급구조사는 자폐 환아로 인한 출동에 응하여, 외상 응급, 행동 응급 상황을 발견할 수 있다. 이때 접근법은, 환경 평가, 병력 청취, 평가, 중재이며 이송 시 특별히 주의하며 진행해야 아동과 가족의 예후가 좋을 것이다. ASD 아동은 도움으로부터 오히려 도망치거나, 물에 빠지거나, 다른 사고로 인한 부상이 발생할 위험이 높다. 스트레스 지수가 높아지면, 이해력이 떨어지고, 소통에 어려움을 겪으며, 두려워하고, 낯선 사람 혹은 의료진을 무서워할 수 있다. 그 결과로 난폭해지거나, 동요하거나, 폭발할 수 있어서, 응급구조사가 처치하기 어려울 수 있다. 이러한 경우, 평소에는 큰 어려움 없이 소통이 가능했던 ASD 아동이 갑자기 언어장애가 오고, 특정 단어나 행동을 반복하며, 질문이나 요구 사항에 응답하는데 소요되는 시간이 길어질 수 있다. ASD로 확인된 아동에게 응답하거나, 케어하거나, 이송할 때 몇 가지 조정 사항이 있다. 예를 들면, 빛, 사이렌, 시끄러운 소리, 갑작스런 움직임을 피할 수 있다면, ASD 아동을 응급의료센터로 이송할 때 응급 상황으로 극심해진 감각과민을 조금 진정 시키는데 도움이 된다.

추가적으로, 부모나 보호자와 효과적으로 진정시켜줄 수 있는 방법을 의논하여 과거에 효과적이었던 방법을 사용해볼 수 있다. ASD 아동은 다른 환아들과 큰 차이는 없으나, 평소 상태나 기준 수치의 정보에 관하여서는 가족이나 보호자에게 정보를 받아야 한다. 보호자가 처치에 동참하는 것이 환아를 안정시키고 협조할 수 있기에 반드시 필요하다. 무엇을 해야하는지 간략하게 설명해주고, 응급구조사가 이제 무엇을 할 것인지 아이에게 먼저 설명하고 수행하며, 가족을 반드시 곁에 두어 최대한 자극될만한 상황을 피한다. 현장에서 가능하다면 아이에게 처치를 하는 응급구조사 수를 최소로 줄여서 가능하면, 1-2명만 참여하도록 하여, 아이의 불안 증세를 줄일 수 있도록 한다. 천천히 진행하는 것이 도움이 되며, 갑작스런 움직임을 피하고, 평가 시 아동의 몸 중심으로부터 최대한 거리를 두고 하는 것이 좋다. 드레싱이나 반창고가 촉각 과민반응을 불러일으킬 수 있으므로 주의한다. 가능하면, 최대한 조용한 장소에서 평가를 진행하는 것도 좋은 전략이 될 수 있다. 불필요한 신체적 접촉은 피한다. 신체적 평가가 필요할 경우, 무엇을 할지 먼저 간단히 설명을 해주고 진행한다. 처치와 이송 중, 아동과 부모를 계속 안심시켜주고, 안심시켜줄 수 있는 모든 도구-솜인형이나 담요 등을 활용한다. 이는 아이가 스트레스가 급증하는 상황에서 진정하고 안정을 되찾을 수 있도록 돕는다(**그림 9-3**. 만약 법적 보호자가 공식적으로 ASD 진단을 받았다고 말한다면, 라디오 송신 혹은 대면 보고 시 그 내용을 포함해서 처치 시

그림 9-3 ASD아동은 스스로 안정을 찾도록 도움이 되는 도구를 활용할 수 있다.
© ChrisSteer/iStock/Getty Images Plus/Getty Images.

성공적이었던 접근법을 보고한다. 그런 부분이 없다면, 직접 확인한 내용 "아이가 촉각에 과민 반응한다" 혹은 "평가 중 아이는 규칙적으로 앞뒤로 흔들거렸다" 등의 내용만 보고한다. 평소의 환아 처치를 ASD 의심 혹은 확진 아동에게 알맞게 수정해서 적용함으로 이후 좋은 예후를 기대할 수 있다.

조언

ASD가 있는 환아를 처치할 시, 부모나 보호자의 협조를 얻어 진행한다. 보호자는 접근할 수 있는 방법, 진정 시킬 수 있는 방법 그리고 무엇으로 인해 아이가 동요하는 지 알려줄 수 있다.

주의력결핍 과잉행동장애(ADHD)

주의력결핍 과잉행동장애(ADHD)는 아동들 중 일반적인 행동 특성이다. 이는 DSM-5에 의해 여러 상황에서 발생하고 6개월 이상 지속되며, 12세 이전 발현(평균 발현 나이: 6세)하는 증상의 무리로 정의 되었다. 집중력 부족, 과다활동, 충동성이 실제 나이 발육과 일치 하지 않으며 손상된 기능이 집과 학교에서 나타나면서 전문가에 의해 진단 받게 된다.

ADHD 치료는 행동교정요법, 약물요법 혹은 이 둘의 조합으로 이루어질 수 있다. 행동교정요법은 비징벌적 방식

과 보상 제도를 통해 행동을 교정하는 중재이다. 그러한 중재의 예시로는 시간제한(time out)제도, 긍정적 지원 혹은 특권 회수가 있다. 이것을 다 혼합한 행동 중재는 "토큰 경제"이다. 토큰 경제에서 아이는 잘한 행동에 대해서는 토큰을 받고, 나중에 토큰을 가지고 원하는 보상이나 특권을 받을 수 있다. 어린 아동에게는 행동 교정 방법이 선호되나, 6세 이상의 아동의 집중력 부족, 충동성, 과다 활동을 치료하기 위해서는 약물 요법을 가장 먼저 고려한다.

메칠페니데이트(Ritalin, Concerta) 혹은 덱스트로암페타민(Adderall)과 같은 흥분제를 가장 먼저 사용한다. 흥분제는 빠른 적용과 적정 수준 이하의 부작용이 있어 다른 물질보다 선호된다. 다른 약물, 아토목세틴(Strattera, 노르에피네피린 재흡수 억제제[SNRI]) 그리고 guanfacine(Intuniv, Tenex)과 같은 알파-2 작용제 혹은 클로니딘(Catapres)도 고려할 수 있다. 병원 전 혹은 병원 상황에서도 ADHD 환아는 지시를 따르는 것을 어려워하고 의료인에 의해 겁먹거나 동요할 수 있다.

ADHD 아동에게 있어서 부모 자녀 관계는 매우 결정적이므로, 부모가 중재에 참여하도록 하는 것이 더 효과적인 접근이 될 것이다. ADHD 아동은 긍정적인 지원, 최소화된 방해, 차분한 훈육적 방식에 잘 호응한다. ADHD 아동은 자신의 치료에 스스로 참여할 수 있도록 격려해주되, 제한적인 선택을 할 수 있도록 해주고(예를 들면, "어느 팔에 혈압 커프를 착용해볼까? 등), 긍정적 지원으로 격려한다**(그림 9-4)**.

그림 9-4 ADHD 아동은 자신의 치료에 스스로 참여할 수 있도록 격려해주되, 제한적인 선택을 할 수 있도록 해준다.
© Rawpixel.com/Shutterstock.

행동 장애: 적대적반항장애(ODD) 및 품행장애

적대적반항장애(ODD)와 품행장애(conduct disorder)는 DSM-5에 의해 정의된 아동과 청소년에게 나타나는 2가지 정신적 장애이다. 적대적반항장애(ODD)로 진단된 아동은 다음 중 4가지 증상에 부합해야 한다: 강한 복수심, 시비거는 행동, 반항, 화난 상태. 이러한 증상은 최소 6개월 이상 지속되어야 하며, 아이의 행동에 부정적인 영향을 미치고 있어야 확진할 수 있다. ODD 환아는 전형적으로 반항하고 시비걸며 적대적인 태도를 취한다. 이 아이들은 주로 복수심이 강하고 규율을 잘 어기고, 권위 있는 자와 다투며, 그들의 실수나 잘못된 태도의 탓을 타인에게 돌린다. ODD는 주로 8세 이전에 시작하며 12세 이후에 시작하지 않는다.

품행 장애는 별도의 장애지만 42% 가량 ODD와 동시에 발현한다. 품행장애의 특징은 타인 혹은 동물을 향해 지속되는 극명한 공격성 혹은 폭력성과 물건파손, 도벽, 사기치는 행위 등으로 원칙을 심각하게 깨트리는, 점점 심해지는 비정상적 행동이다.

ODD와 품행장애 모두 치료가 어렵고, 여러 의학분야에 걸친 접근이 필요하며, 주로 가장 먼저 행동교정법을 가장 먼저 시도한다. 이러한 교정법의 예로는 부모 관리가 있으며, 부모 혹은 보호자가 거슬리는 행동을 관리하고 문제 해결을 위해 협력하며, 아이와 부모가 함께 문제적 행동을 해결하는 방법을 배워나간다.

약물요법은 행동교정법에 부수적으로 사용되기도 하나, 1차 치료 방법으로 사용하진 않는다. 연구에 의하면, 동시에 발생하는 ADHD의 치료의 경우, ODD의 증상을 완화시키고, 품행장애 환아에게도 도움이 되는 것으로 나타났다.

병원 전 입장에서, 난폭한 행동 때문에 이송이 필요한 환아를 마주할 수 있다. 이때 부모 혹은 보호자에게 도움을 받아 아이를 진정 시키는 것이 중요하다. 평가를 진행하고 신체검사를 하는 동안, 부상을 입지 않도록 유의한다. 어떠한 경우, 법적 지원이 필요할 수 있다. 난폭한 환자를 이송하기 위해, 위 방법들만으로 어렵다면, 지역 의료 지침에 따라, 약물 혹은 물리적 제압이 필요할 수 있다(행동 응급 환아 평가 및 이송 참고).

주의

억제를 사용하는 것은 난폭한 환아 이송 시 정말 마지막 수단으로 사용해야 한다.

불안장애

아동이 성장하면서 일반적 아동이 갖는 두려움과 걱정에서 벗어나지 못하면, 혹은 가정, 학교, 일상 생활 속에서 그 영향을 받는다면, 불안장애로 진단 받을 수 있다. 이러한 두려움의 예로는 학교에 있는 동안 부모와 떨어져 있는 것에 대한 두려움(분리불안), 특정 상황에 대한 두려움(공포증), 사람들이 있는 곳에 대한 두려움(사회 불안), 혹은 미래에 대해서, 혹은 나쁜일이 생길까봐(일반적 불안) 두려워할 수 있다. 불안 장애는 3-17세 아동의 7.1%에게 나타난다.

치료요법은 행동요법, 가족요법 또는 둘 모두를 포함한다. 많은 경우, 약물이 처방되는데, 가장 흔한 것은 선택적인 세로토닌 재흡수 억제제(SSRI), 예를 들어 uoxetine(Prozac), sertraline(Zoloft), fluvoxamine(Luvox), paxil(Paxil), 또는 SNRI인 venlafaxine(Effexor)이다.

응급의료가 필요한 가장 일반적인 사례는 공황 장애이다. 이것으로 아동은 심장이 너무 빨리 뛴다고 느낄 수 있으며, 어지럽거나 땀이 날 수 있고, 숨쉬기 어려울 수 있으며 심지어 의식을 잃을 수도 있다. 활력 징후를 확인하고 맥박산소측정기로 측정하며, 간이 혈당 체크를 진행한다. 전에도 이와 같은 현상이 있었는지 확인한다. 환아를 앉히거나, 바로누운자세를 취하게 하고, 비재호흡식 마스크를 착용 시켜주고, 천천히 숨 쉬도록 하고, 소아에게 차분하게 말을 건다. 평가 결과에 따라 이송 여부를 결정하고 부모와 상의한다.

조언

공황장애 환자 이송 시 불빛과 사이렌은 필요하지 않다. 오히려 더 극심한 불안감을 조성할 수 있다.

우울증

우울장애로 알려져 있는 주요한 우울증은 2주 이상 우울감을 경험하거나, 일상에 대한 관심 혹은 즐거움을 상실한 환자로 정의된다. 또한 음식 섭취, 기운, 수면, 집중력, 스스로 가치없게 느껴지는 문제가 증상으로 나타난다. 3-17세 아동 중 약 3.2%가 우울증 진단을 받는다.

우울증이 있는 환자의 경우, 병원 전 응급의료를 마주하는 원인은 자해, 자살기도 혹은 자살 행위, 시도이다. 이러한 행동은 살을 베거나, 목을 매려고 하거나 약물 중독 시도(고의적으로 치사량의 물질 섭취)로 나타난다. 이러한 주요 우울 장애 아동과 청소년을 치료할 때는 행동 요법과 가능하면 약물 요법이 사용된다. 가장 일반적으로 사용되는 약물은 플루옥세틴, 설트랄린, 에스시탈로프람, 그리고 시탈로프람과 같은 SSRI 물질이다. 이러한 처방의 갑작스런 중단은 증상 악화로 이어져, 불안 장애 증폭, 피로, 구역, 근육통, 혹은 오한으로 이어질 수 있다. 그래서 약물은 시간을 두고 천천히 줄여가야 한다.

다른 정신 장애와는 달리, 물론 자살 기도 및 시도는 응급 상황이지만, 스스로 우울하다고 말하는 소아 발생이 응급 상황은 아니다. 혹 자살에 대한 생각이나 계획을 갖고 있는지 확인하는 것이 중요하다. 우울증을 가진 어떤 아동도 정신 건강 체크를 받아야 한다. 병원 전 의료진은 자신과 그들의 부모를 단계적 진정 기술로 최대한 안전하게 보호해야 한다. 자해를 시도한 환아의 경우, 신체적 상해가 없는 지 꼼꼼히 점검을 해서 이송 중 처치를 해야 한다.

주의

자살 기도 혹은 계획을 말하는 환자 이송 시, 응급구조사 혹은 본인 자신을 해치지 못하도록 주의한다.

양극성 정동장애(bipolar disorder)

양극성 정동장애는 기분 장애로 분류되며, 이전에는 조울증으로도 불렸다. 이는 뇌 화학적 불균형 특히 도파민과 노르에피네프린 수치 불균형이 원인인 것으로 알려져 있다. 불안한 아동 경험 또한 양극성 정동장애로 이어질 수 있다. 양극성 정동장애는 주로 청소년 혹은 청년기에 나타나며, 남녀 동일한 비율로 나타난다. 양극단의 조증(급격한 기분 혹은 기운 상승, 과도한 자신감, 수면을 필요로 하지 않음, 과도한 말수 혹은 아이디어)과 우울증(급격히 슬퍼함, 수면, 식이 문제, 자괴감, 죽음에 대한 생각, 분노, 위축)의 증상 없이는 양극성 정동라고 진단할 수 없다. 양극성 정동장애를 가진 아동은 조증, 우울증, 중간 상태를 계속 변동을 거듭할 수 있다. 응급구조사가 아동을 마주했을 때는 어떤 상태일지 알 수 없다. 조증 주기에 나타나는 통찰력과 조심성이 없고 스스로 대단하고 느끼는 심적 상태는 아동에게 외상을 유발할 수 있다.

우울증 주기에는 아동은 불특정한 병력을 호소할 수 있으며, 만성질환 악화가 나타날 수 있고, 자살 시도 혹은 자살 기도를 할 수 있다.

양극성 정동장애는 심리요법과 약물로 치료한다. 기분을 안정 시켜주는 리튬(리토비드), 발포릭 산(Depakote, Depacon, Depakene)을 주로 처방한다. 동시이환 발작장애가 없는 환아도 양극성 정동장애를 효과적으로 처치하는 것으로 알려져 항경련제 처방을 내리기도 한다.

사례연구 2

14세 소녀가 폭행하고 있다는 연락을 받고 출동하여 보니, 학교 간호사가 이 청소년이 다른 여학생과 언쟁에 말려서 머리채를 잡고 싸웠으나 보고되거나 눈에 보이는 외상은 없다. 이 청소년은 소리를 비속어로 지르고 있고 응급구조사에게 꺼지라고 외치고 있다. 책과 실험 도구 등을 들고 던질거라고 협박하고 있다. 또한 절대 가까이 오지 말고 손 댈 생각도 하지 말라고 소리 지른다. 간호사가 조용히 알려주는 것은 이 아이가 국가 보호 하에 있으며, 지역의 가정에 위탁 양육 중이라고 한다. 이전 학교에서 행동장애 문제 때문에 그곳으로 보내졌다고 말한다. 이 환자는 ADHD, 품행 장애, 외상후스트레스 장애 때문에 매일 methylphenidate 18 mg, fluoxetine 10 mg, 그리고 aripiprazole 5 mg을 복용하고 있다.

평가에 의해, 청소년기 소녀는 보기에도 동요하는 상태며, 양호실에서 쿵쾅 거리며 다른 사람들을 위협하고 소리지르고 있다. 안전거리를 유지하며 관찰하며, 소녀가 굉장히 흥분한 상태이고 과호흡 상태인 것으로 보인다. 흥분 상태로 인해 활력 징후를 얻는 것은 불가능하다.

1. 이 청소년을 평가함에 있어 주요 핵심 원리는 무엇인가?
2. 처치와 이송을 위한 접근법을 설명하시오.

조현병

조현병은 굉장히 복잡한 정신 장애로서, 환자로 하여금 장애를 앓게 만든다. 원인은 뇌의 화학적 불균형으로부터 시작된다고 알려져 있으나, 그 외의 다양한 원인 – 유전적, 행동적, 환경적 요인도 작용했을 것이라고 보고 있다. 12세 이하 아동에게 확진되는 경우는 드물다. 조현병은 상당히 극심할 수 있으며, 장애로 왜곡된 사고, 행동변화 그리고 독특한 언어 및 단어 사용이 나타난다. 조현병은 한동안 다중인격 장애로 인지되었으나 그렇지 않다. 다른 정신 장애와의 유사성 때문에, 오진을 내리기 쉬우며 특히 아동과 청소년의 경우는 더욱 진단이 어렵다.

아동에게 조현병은 매우 점진적으로 발병할 수도 있고 갑작스럽게 발병할 수도 있다. 응급구조사는 아동이 정신병 증세를 나타낼 때 호출될 수 있다. 아동은 혼돈스러운 사고, 피해망상, 현실 왜곡, 환각(청각적, 시각적, 촉각적), 망상, 급격한 기분 변화, 불안증세, 동요, 위축, 긴장증 혹은 특이한 행동을 보인다.

조현병을 처치하는 것은 그 질병 자체 만큼이나 복잡할 수 있다. 약물 관리로서는 항정신병제와 기분 조절제를 투여해서 극심한 환각과 망상증을 낮출 수 있고, 충격적이고 불안한 생각들을 조절해줄 수 있다. 이러한 약물이 병 자체를 치료해주는 것은 아니지만, 증세를 조절하는데 도움이 된다. 행동 프로그램으로 구성된 심리요법, 지원하는 단체는 아동과 가족들에게 질병을 이겨내는데 있어 도움이 될 수 있다.

자살시도/의도적인 음독 혹은 독극물 노출

자살은 10-14세 아동의 사망 원인의 2번째다. 총기, 질식, 음독이 가장 흔히 사용되는 방법이다. 남성에게 있어서는 총기가 가장 흔히 쓰이고, 여성에게 있어 가장 일반적인 방법은 음독이다.

음독 혹은 독극물 노출은 약학적이거나 화학적일 수 있다. 일반적인 약물 복용은 아세트아미노펜, 아스피린, 이부프로펜, 항우울제, 에탄올, 불법 마약이 있다. 일반적인 화학품 섭취 및 노출에는 표백제, 가정용 세제, 공업용 접착제(예:본드)가 있다. 본 과에서 일반적인 약물 중독과 그 증상을 논할 것이며, 부가적인 독극물 섭취에 대해서는 8장을 참고한다.

조언

독극물 관리 센터는 연중무휴 주 7일, 24시간 이용 가능하며, 독극물 섭취 및 노출에 있어 중요한 지원을 한다. 연락처: 1-800-222-1222.

병력 청취

위험한 섭취 혹은 노출에 관련된 환자의 병력 청취를 할 때 몇 가지 해야 할 질문이 있다:

- 언제 섭취/노출이 발생했는가?
- 어떤 약물/성분을 섭취했는가?
- 복합적으로 여러 가지 약물을 섭취했는가?
- 섭취된 양이 약물 마다 어느 정도 되는가? 전에도 섭취한 적이 있는가?

위 질문은 어떤 상황이고 어떤 약물을 섭취했는지 알아내기 위해 적절히 해야할 것이다.

조언

약물의 종류를 알아내거나 병원 전 처치를 함에 있어 어려움이 있다면 독극물 관리 센터로 연락한다.

약물

아세트아미노펜

아세트아미노펜 혹은 파라세타몰은 해열제이자 진통제로서 쉽게 처방전 없이 구매할 수 있다. 접근성이 용이해 얻기 쉽다보니, 특히 10대들이 의도적 음독에 주로 사용한다. 또한 청소년은 이 약제의 경우, 다른 약물만큼 위험하거나 치명적일 것이라고 생각하지 않는다. 아세트아미노펜 과다복용은 초기에는 24시간까지는 무증상이다. 그 이후 환자에게 복통, 구역, 구토가 시작된다. 무기력감도 발생한다. 연구에 의하면, 높은 간수치, 비정상적 응고 혹은 신장 손상까지 이어진다. 아세타미노펜 과다복용은 24시간 후 말초기관 손상으로 인해 치명적일 수 있다. 처치는 N-아세틸 시스테인 투여 및 입원 후 지속적인 모니터링이다.

아스피린

아스피린은 일반적인 항응고제 및 진정제로서 주로 성인이 복용한다. 이 제품도 처방 없이 구매할 수 있으므로, 아동과 청소년들도 쉽게 획득할 수 있다. 의도적인 과다복용으로 인해, 보상성 호흡 알카리증 및 대사성 산증을 보인다. 아스피린 과다복용한 환자는 빠른 호흡, 과호흡, 빈맥이 나타난다. 증상은 구역, 구토, 설사, 이명과 함께 초기부터 나타날 수 있다. 심각한 경우, 의식 변화 및 코마 상태도 나타날 수 있다. 아스피린 과다복용 처치는 기본적으로 지지요법 밖에 안되지만, 나트륨 중탄산염을 투여해서 알칼리성 이뇨를 유도할 수 있다.

삼환계 항우울제(Tricyclic Antidepressants, TCAs)

삼환계 항우울제(TCAs)는 우울증 치료를 위해 1950년대에 개발이 되었다. 그 원리는 시냅스 이전 경계에서 세로토닌과 노르에피네프린 흡수를 억제하는 방식이다. 현재는 SSRIs로 거의 대체 되었지만, 아미트리프탈린과 노르트립틸린와 같은 삼환계 항우울제(TCAs)도 아직 몇몇 환자에게 쓰이고 있다. TCAs 과다복용도 아직 어느 정도 발생하고 있으며, 이는 굉장히 위험하고 심지어 치명적일 수도 있다.

TCAs 과다복용은 빈맥, 의식 변화(AMS) 그리고 콜린억제성의 독성 효과(예: 확대된 동공, 홍조, 고열) 증세가 나타난다. TCAs 과다복용의 극심한 경우에는 발작 증상이 나타날 수 있고, QRS 연장에 이어 심장 부정맥까지 나타날 수 있다. TCAs 과다복용의 처치로서는 지지요법 그리고 간혹 활성탄을 사용한다. 경구약 처방 시, 갑작스런 의식 상실 혹은 발작이 잠재적으로 발생할 수 있으므로 주의해야 한다. 발작 증세는 벤조디아제핀으로 처치하고, QRS 연장과 같은 심장 부정맥은 중탄산 나트륨으로 처치한다.

선택적세로토닌재흡수억제제(Selective Serotonin Reuptake Inhibitors, SSRIs).

선택적세로토닌재흡수억제제(SSRIs)는 아동 우울증 치료에 선호되는 치료 물질이며, 그 중 플로옥세틴 그리고 에스시탈로프람만 아동에게 사용하기 적합하다. 그 외 에르트랄린, 부프로피온, 파록세틴, 플루복사민과 같이 다양한 약제가 사용된다. 마찬가지로 SSRIs도 의도적 복용의 흔한 약물에 속하지만 거의 TCAs보다 덜 치명적이다. SSRIs는 중심, 말초 뉴런에 세로토닌이 흡수되는 것을 억제하고 세로토닌 수용체를 자극하는 방식이다.

SSRIs 과다 복용의 결과는 주로 경미한 편이다. 평소 30배 이상 과다복용을 해도 무증상일 수 있다. 증상이 발현한다면, 빈맥, 고혈압, 구토, 졸림/무기력이 발생할 수 있으나, 부프로피온 과다복용 시 발작, 호흡 부전 심지어 사망까지도

표 9-2 세로토닌 증후군의 징후와 증상

신경의학적	고조된 망상 (동요, 경계 과잉, 예민한 놀람반사*)
신경근육적	간대성 근육경련 (가장 흔히 발견되는 증상) 반사항진* 근육 경직(주로 다리)* 클로누스(간대)* 떨림* 좌불안석증
자율신경계	빈맥 고열* 저혈압으로 이어지는 고혈압 발한 (땀흘림)* 오한 설사 동공 확대

*진단 시 활용되는 범주

발생할 수 있다. SSRIs 치료는 주로 지지요법을 쓰나, 활성탄도 활용할 수 있다.

잠재적으로 생명의 위협이 될 수 있는 SSRIs 과다복용은 세로토닌 증후군이며, 이는 중추신경계에 세로토닌 작용 증가로 인해 발생한다. 세로토닌 증후군은 주로 SSRIs가 다른 세로토닌 물질, 예를 들면 TCAs, 리튬, 트립탄과 같은 편두통약, 몇몇 항경련제 (카르바마제핀, 밸프로산), 오피오이드 그리고 마약(코카인, LSD, 메탐페타민)과 혼합 되었을 때 발생한다. 그러므로 꼭 과다복용이 아니어도 발생할 수 있다. 세로토닌 증후군은 주로 극심한 의식 변화, 신경근의 반사항진 증상, 그리고 자율신경불안 증세로 나타난다(**표 9-2**).

세로토닌 증후군의 처치는 빠른 발견과 폭력성 중재를 요한다. 모든 세로토닌 물질은 즉시 중단해야 한다. 벤조디아제핀과 sedation도 필요하다. 자율 신경 불안증 해결을 위해 정맥내 수액을 투여한다. 이는 모두 병원 전 환경에서 시행 가능하다. 병원에서는 시프로헵타딘과 같은 세라토닌 해독제를 투여한다. 드물지만, 고열 환자의 경우(41℃ 이상) 기관내삽관, 진정제 그리고 마비제가 필요 할 수 있다.

정신과 약의 부작용

대부분의 항정신과약은 잘 수용되지만, 부작용의 위험이 없

지 않다. 심각한 부작용으로서는 급성 긴장이상반응, 지연발생운동이상증, 그리고 신경이완제 악성증후군이 있다.

급성 긴장이상반응(Acute Dystonic Reactions)

급성 긴장이상반응은 향정신성 약물을 복용하는 환자들에게 나타난다. 긴장이상반응은 주로 향정신성 약물 2세대보다(비전형적) 향정신성 약물 1세대에 더 흔하게 나타난다(전형적). 급성 긴장이상반응의 특징은 근육에 비자발적 틱이나 경련이 일어나서 머리와 목 그리고 혀와 턱에 영향을 미친다. 이는 심지어 약이 치료용으로 처방된 용량에서도 나타날 수 있다. 긴장 이상 반응이 생명에 위협이 되는 경우는 드물지만, 증상은 환자와 가족에게 매우 큰 스트레스를 주므로 가능한 빠르게 처치해야 한다. 생명에 위험이 될 수 있는 부작용은 후두 긴장이상 반응이다. 숨막히는 느낌이 들면서 호흡 곤란 혹은 협착음을 낼 수 있다. 첫 번째로 가능한 처치는 디펜히드라민이며, 최대한 빠르게 처방되어야 한다. 처방해도 완화되지 않는다면, 벤조디아제핀도 처방할 수 있다.

신경이완제 악성증후군(Neuroleptic Malignant Syndrome, NMS)

신경이완제 악성증후군(NMS)은 매우 드물지만 생명에 치명적이고 할로페리돌과 리스페리돈과 같은 향정신제에 따른 합병증이다: 사망률은 5-20%이다. 신경이완제 악성증후군(NMS)은 3일에 걸쳐 증상이 발현되며, 그 예로 의식의 변화(AMS), 고열(41℃ 이상), 극심한 근육 경직, 빈맥을 유발하는 자율신경불안증이 있다. 의식의 변화는 섬망에서 동요에서 코마까지 다양한 초기 증세를 보일 수 있으며, 혈압 불안정, 발한, 심장 부정맥, 정상 동공, 연하곤란 그리고 침흘림도 보인다. 공통적인 신경학적 증상은 lead-pipe rigidity다. 안타깝게도 NMS의 증상은 세로토닌 증후군과 유사하여, 어떤 약을 복용했는지에 대한 이력이 매우 중요하다. 처치는 합병증에 대한 적극적 치료 및 단트롤렌이나 브로모크립틴(응급구조사가 보유하고 있지 않음)과 같은 약제를 사용 한다. NMS환자는 중환자실에서 집중적인 모니터링이 필요하며, 기계에 의존한 환기, 체온 조절, 정맥 수액, 혈압강하제를 투여해야 하며 그리고 벤조디아제핀으로 동요를 통제해야 한다.

행동 응급 아동의 평가와 이송

행동 응급 아동을 이송할 때는 안전을 가장 최우선시 한다. 응급구조사는 평가를 하면서 아이와의 공감대 형성을 시도해야 하며 폭력 상황 발생을 예견해야 한다. 만약 아이가 협조를 하며, 평가를 위한 접촉을 허용하면, 꼼꼼하게 병력을 확인하고, 신체 평가를 진행한다. 그 다음은 정신 건강 상태를 평가한다. 아이의 상태가 본인 혹은 타인에게 위협적인가? 마지막으로 이송의 필요성 여부를 결정 한다. 만약 아이의 상태가 본인 혹은 타인에게 위협이 될 수 있다면, 화학적 혹은 물리적 억제를 고려한다. 보호자는 구급차에 동승하거나 뒤에 따라서 병원으로 동행해야 한다. 자해하는 상황에서는 환자 혹은 보호자의 잠재적 위협 도구, 예를 들면 칼, 날, 약물 등을 압수해서 보호자에게 넘겨야 한다.

억제를 고려하기 전에, 응급구조사와 환자의 안전을 도모하는 것이 가장 중요하며, 환자가 감정을 추스르고 자신의 행동을 통제할 수 있도록 해주는 것이 중요하다. 만약 이 또한도 불가능한 상황이 되면, 다시 동요가 시작될 수 있으므로, 강압을 최소화해서 나이에 알맞은 최소한의 억제 방법을 사용한다.

사례연구 3

응급구조사는 13세 소녀가 상담사에게 자살하고 싶다고 호소했다는 학교로 출동한다. 도착 시, 소녀는 깨어있지만 눈물을 글썽이고 있고, 호흡 노력의 증가는 없으며, 피부도 핑크빛이다.
심박수는 76회/분, 호흡은 16회/분, 혈압은 106/70 mmHg 이며, 혈압을 잴 때, 왼쪽 팔에 가로로 그어진 상처가 여러 개 있다. 이 외 다른 부상은 없다. 소녀가 죽고 싶은 이유는 2주 전에 남자친구와 헤어졌기 때문이며, 그래서 그때 칼로 그었다고 한다. 약물은 복용한 적이 없다고 한다.

1. 병원으로의 이송이 필요한가?
2. 이송 중 어떤 추가적인 평가를 해야하는가?

구속

구속은 자해 혹은 타인을 해치는 행동을 막기 위해 개인의 움직임, 활동 혹은 신체 접촉을 막는 방법을 의미한다. 구속은 언어적 구속, 약물적 결박, 혹은 신체 구속으로 할 수 있다.

언어적 구속

언어적 구속은 다른 방법보다 더 선호되는 방법이다. 아동은 정신 건강 문제, 약물 남용, 외상, 혹은 일반적인 아동 혹은 청소년기 문제를 포함한 여러 가지 원인에 의해 정서적 고통을 겪는다. 경우에 따라 이러한 행동은 폭력성으로 확대될 수 있다. 아이들이 위협하거나 경고한다면 심각하게 받아들여야 한다. 응급구조사는 본인과 동료들의 안전에 유의하면서, 아동을 주의 깊게 관찰하면서, 훈련받은 단계적 진정기술을 통해 이를 대비할 수 있다. 국립 행동 건강위원회(National Council of Behavioral Health)의 미국 소아 정신 건강 응급처치(Youth Mental Health First Aid USA) 프로그램에서는 실질적인 대처법을 제공하며, 제안하는 단계적 진정기술은 아래와 같다:

- 천천히 부드럽게 걱정하는 말투로 이야기한다.
- 언성을 높이거나 빠르게 말하지 않는다.
- 적대적인 말투, 가르치는 말투, 도전적인 말투를 쓰지 않는다.
- 두려움을 증폭시키거나, 갑작스런 폭력적인 행동을 보일 수 있으므로 청소년과 언쟁을 하거나 위협해선 안된다.
- 부정적인 어투 대신 긍정적인 어투를 사용한다: "싸우지 마"보단 "진정해", "뭐가 문제야" 보단 "무슨 일이 있었니?"
- 응급구조사가 긴장한 태도를 취해선 안된다(예: 발을 흔들거나, 꼼지락거리거나, 갑자기 움직이거나)
- 어린 사람의 움직임을 제한하면 안된다(예: 방 안에서 조금 왔다갔다 움직이고 싶다고 하면 그렇게 허용할 것)
- 문화적 위로를 위해 계산해서 청소년과의 거리를 유지해준다.
- 대화 도중 잠시 멈추고 쉬면서 아동이 진정할 시간을 준다.
- 만약 청소년이 서 있다면, 앉도록 권한다.
- 만약 청소년이 대답을 잘하는 편이라면, 안전 계획 혹은 위기 계획이 있는지 물어보고, 최대한 협력해준다.

응급구조사의 행동은 출동 당시 뿐 아니라, 청소년의 이후 있을 상황에도 영향을 미칠 수 있다. 침착을 유지하고 편안한 바디랭귀지를 사용하며, 청소년의 사적인 공간을 지켜준다면, 아동이 갖추게 될 행동의 좋은 본보기가 될 것이다. 이러한 사태를 대비하여 지역 커뮤니티에서 제공하는 자원에 대해 알아두어, 청소년을 직면하기 전후, 그리고 그 당시에도 도움이 될 수 있도록 한다.

약물적 결박

미다졸람이나 디펜히드라민과 같은 약물적 결박은 성인 관련 응급 상황에서 종종 쓰여왔다. 그러나 미성년자의 경우 지역 의료 지침을 확인해보고 그에 따른다.

신체적 구속

신체적 구속은 신체 움직임을 제한하기 위해 기술적 도구를 사용하는 것을 의미한다. 이는 환자가 자해 또는 타인에 대한 가해의 극심한 위험이 있고, 모든 다른 억제 방법이 실패하지 않는 이상 사용을 자중한다.

좀 더 어린 아동의 경우, 긴장을 풀 수 있게 안아주는 것도 도움이 된다. 보호자가 아이를 안고 난폭한 행동을 하는 것을 통제한다(**그림 9-5**).

만약 신체적 구속이 필요하다면, 보호자에게 그 이유를 설명한다. 그들에게 협조를 요청한다. 환자와도 대화한다. 무엇을 할 것이며 왜 하는 것인지 설명하는데, 협상은 하지 않는다. 혼자 구속 장치를 사용하려고 해선 안된다. 일

그림 9-5 어린 아동의 경우, 긴장을 풀 수 있게 안아주는 방법도 도움이 된다. 보호자가 아이를 안고 난폭한 행동을 하는 것을 통제한다.

© interstid/Shutterstock.

반적으로 3-5명이 협동을 해야한다. 만약 아이가 어리다면, 아이를 카시트에 앉히는 것만도 충분한 구속이 될 수 있으며, 아이도 카시트에 이미 익숙하기 때문에 아이에게도 더 좋을 수 있다. 아이를 구속하기 전에, 법적 지원을 요청하는 것도 고려한다. 아이가 어떤 형태로든 나갈 수 있는 출구에 가까이 있지 않도록 한다. 그렇게 된다면 아동은 빠르게 피할 수 없는 보호자에게 외상을 입히거나 도망칠 수 있다. 들것으로 이동한다면, 환자는 바로누운자세를 취하고 두부가 더 높도록 해야한다. 먼저 사지를 구속하고, 이를 들것 옆에 레일이 아닌, 틀에 고정시킨다. 환자의 얼굴이나 머리는 침 방지 마스크나 그 외 침 뱉기나 물기를 막을 적절한 도구가 없으면 덮지 않는다. 시행한 구속의 유형과 원인을 서류에 잘 작성하여 둔다. 주기적인 평가를 진행한다.

부모가 원하는 것과 아이에게 필요한 것이 충돌하는 상황도 발생할 수 있다. 만약 아이가 즉각적인 자해 위험 혹은 타인에 외상을 입힐 위험이 있다면, 법적 지원을 요청하여 아이를 결박해서 가장 가까운 시설로 이송할 수 있도록 한다.

응급구조사의 정서적 웰빙

정서적 고통 가운데 있는 아동에 대한 호출은 굉장히 진빠지고 어려울 수 있다. 응급구조사 본인도 자신의 또래 만남이나 다른 직원 지원 프로그램 등을 활용해서 자신의 감정을 추슬러야 한다. 충분히 잠을 자고, 제대로 챙겨 먹고 명상하고 힐링하는 시간을 가지면서 스스로를 관리하는 시간을 가져야 한다.

사례연구 답안

사례연구 1

기도, 호흡, 순환을 평가해봤을 때, 벌 쏘임에 의한 과민성 반응으로 보인다. 아이의 어머니에게 이전 벌레 물림 이력에 대해 물어보고, 흡입기를 가지고 있는지 확인한다. 아이를 진정 시켜줄 수 있는 물건을 가지고 오는 것은 도움이 된다. 아나필락시스에는 근육 주사로 에피네피린을 투여해야 하는데, 이로 아이는 더 동요하게 될 것이기 때문이다.

아이에게 침착하게 접근하고, 아이에게 물어볼 질문은 어머니에게 도움을 요청한다. 아이에게 고농도 산소를 공급하며, 어머니에게 증상을 토대로 아이에게 에피네피린을 근육내 주사로 투약 해야하는 것을 설명한다. 에피네피린을 주사하는 동안 어머니에게 아이를 편안한 자세로 안고 있도록 요청하고, 무릎에 앉히는 것이 좋으며, 아이가 좋아하는 담요와 솜인형도 활용한다. 필요하면, 지역 의료 지침에 의거해서, 임시적으로 고정하는 장비를 사용한다. 침착하게 아이에게 어떤 중재를 할 것인지 설명하고, 상황이 허락하는 한, 아이의 반응을 보며 최대한 천천히 진행한다.

알부테롤 흡입기를 사용해서 아이의 기도를 확보하고 호흡 곤란을 해소시킬 수 있다. 이 경우, 부모가 아이의 흡입기를 가지고 있다고 한다. 아이는 조금씩 진정하기 시작했지만 엄마 무릎에 앉아 앞뒤로 흔들거리고 있고, 반복적으로 "아야-"라고 말하고 있다. 아이의 아버지는 알부테롤 흡입기를 가지고 왔고, 아이는 응급구조사와 아버지에 의해 내려지는 투약에 순순히 따른다.

아이를 정밀 검사 및 처치를 하기 위해 병원으로 이송한다. 적절한 전문소생술 방법으로는 정맥로 확보, 디펜히드라민 그리고 솔루메드롤이 있다. 아이가 조금 진정했고, 호흡이 정상 속도와 박자로 돌아왔고, 얼굴 붓기가 조금씩 빠지기 시작하고 있다. 아이는 이제 응급구조사의 가방에 무엇이 들어있나 궁금해하기 시작한다. 이제 아이와 조금 더 여유를 가지고 청진기를 만져보게 해주고 혈압측정기를 눌러보게 해준다. 이렇게 하고 나면, 아이는 응급구조사가 활력 징후를 얻도록 해준다. 혈압은 90/56 mm Hg, 심박수 130 회/분, 호흡은 22회/분, 그리고 비강 삽관으로 산소포화도 100%가 측정된다. 다시 산소포화도 측정했을 때는 98%가 나왔다. 아이는 현재 안정적인 상태이고, ASD 아동이 놀라지 않도록 빛과 사이렌 없이 아동을 병원으로 이송하기 시작한다. 이송 중 5분 마다 상태 변화가 있는지 재평가를 하고, 어머니가 함께 구급차에 동승하여 아이가 침착하고 협조적일 수 있도록 한다. 인계하는 기관에 모든 정보를 정확히 넘겨야 하고, 응급실의 정신 없는 모습이 아이에게 과민반응을 일으켜 다시 동요할 수 있으므로, ASD 진단 이력도 사전에 알린다. 가능하다면 조용한 개인실에서 치료 받는 것이 좋다.

자폐가 있는 아동은 외관만으로는 바로 알아차리기 어려우며, 기본적으로 언어장애가 있거나, 스트레스 상황에서 언어 장애를 일으킬 수 있음을 이해한다. 질문에 답할 때 3-4초 지연은 흔히 나타난다. 아이가 질문에 답하지 않으면, 이는 거의 그 말을 이해하지 못했기 때문이며, 중재에 대해 다시 차분하게 설명을 해주어야 한다. ASD 아동은 촉각 과민 문제도 있는 경우가 많다. 이러한 환아를 평가할 때는 불필요하거나 반복적인 접촉을 피하고, 고정용 반창고나 억제용 도구를 사용하는 것을 자중한다. 이러한 아동은 빛이나 사이렌을 힘들어할 수 있으므로, 지역 의료지침이 허용한다면, 사용을 자중한다.

사례연구 2

이 청소년이 명백히 도움이 필요한 가운데, 현장 안전이 내내 우선시 되어야 한다. 바짝 경계하며, 탈출 경로를 항시 염두에 두고, 법적 지원 혹은 추가 응급구조사 인력 지원 요청을 해서 응급구조사 본인, 동료, 환자, 학교 교직원, 그리고 다른 학생들의 안전을 확보한다. 인력 확충 시 환자를 더 악화 시킬 수 있어서, 어떠한 경우에는 적은 인력으로 대처하는 것이 나을 수 있으나 이것은 상황에 따라 다르다. 차분함을 유지하고, 대화를 통해 단계적으로 진정시키는 것을 시도한다. 환자보다 더 큰소리로 말하거나, 말을 끊고 이야기하지 않는다. 침착하고 자신감 있게 이해심 있는 태도로 대화한다. 환자와 언쟁을 벌이거나 도발하지 않는다. 걷는 것을 제한하지는 말되, 자리에 앉도록 권한다. 명료하고 차분하게 지시를 한다 "우리가 대화할 수 있게 물건을 내려놓으렴" 혹은 "무슨 일이 있었는지 알려줄래?"등의 표현으로 대화한다. 물건을 던지는 것은 환자와 주변 사람들에게 안전하지 않음을 설명해준다. 환자의 신뢰를 얻기 위해 도와주러 왔다는 사실을 언급하고, 무슨 일이 있었는지 듣고 싶다는 의사를 전달한다. 환자가 진정한다면, 이러한 격론까지 오게 된 경위를 들을 수 있고 잠재적 부상에 대해 알 수 있다. 병력청취 및 활력징후 확보까지 가능할 수 있다.

환자가 대화만으로는 진정하지 못하고 자신과 타인을 위협하는 행동을 지속한다면, 신체적 구속 그리고/혹은 약물적 결박을 진행해서 응급실로 이송해야 한다. 신체적 구속 그리고/혹은 약물적 결박은 차선책이 되는 중재이어야만 하고, 지역 의료지침에 따라서만 적용해야 한다.

또한 청소년이 즉각적인 위협이 될지 그리고 즉시 이송해야할지를 결정해야 한다. 만약 이송하는 것으로 결정되고, 환자가 침착한 상태면, 직접 들것까지 걸어가도록 허용해주고, 안전하다고 판단되는 선에서는 자율적으로 움직일 수 있도록 허용해준다.

ADHD, ODD, 품행장애는 모두 행동장애로 분류된다. 품행 장애 아동은 규율과 사회적 통념을 따르는 것을 어려워하여, 가족이나 또래와 소통하는 여러움까지 이어진다. 그래서 증상은 학교와 같은 공간에서 더 격하게 나타날 수 있다. 신체적으로 폭력적인 행동 – 절도, 공공기물 파손, 약물 복용 및 남용, 동물 학대, 난잡한 성행위 등도 품행장애 가운데 나타난다. 품행장애의 원인은 정확히 알려져 있지 않으나, 가장 유력한 원인은 유아기 때 엄마의 거부, 분리, 방임, 학대 그리고 가정 폭력으로 알려져 있다. 이러한 경우, 지속적인 조기 중재가 중요하며, 많은 경우, 사춘기 때 발생하는 호르몬 변화로 증상이 악화될 수 있다.

사례연구 3

이 청소년이 자살 기도를 하고 자해 흔적이 있었다고 해서 정신 건강 분석을 필요로 하지 않는다. 만약 이미 정신 건강 문제로 진료해주는 담당 정신건강 의료진이 있다면, 부모님을 통해 연락한다. 만약 부모가 즉시 아이를 데려갈 수 있다면, 부모와 함께 가도록 허용해도 된다. 만약 이러한 사건이 처음이고, 이후 정신적으로 관리해줄 사람이 없다면 응급실로 이송해서 신체검진을 받고 정신 검진을 받도록 한다.

이송 시, 이 청소년이 다른 외상이 없는지 혹은 음독 흔적이 없는지(8장 참고) 확인한다. 청소년과 소통하면서 대화를 이끌어내서 학교나 가정에서 어떻게 지내는지, 혹은 삶에 다른 문제가 있는지 물어볼 수 있다. 만약 답하지 않아도 괜찮으니 그대로 두고, 들 것에 누워야 하고 이송 시 안전문제로 고정을 하게 될 것임을 설명해준다

추천 자료

Textbooks

Adirim T, Smith E. *Special Children's Outreach and Prehospital Education (SCOPE)*. Burlington, MA: Jones and Bartlett Learning; 2006.

American Academy of Pediatrics and the American College of Emergency Physicians. *APLS: The Pediatric Emergency Medicine Resource*. 5th ed. Burlington, MA: Jones and Bartlett Learning; 2012.

American Psychiatric Association. *Diagnostic and Statistical Manual of Mental Disorders*. 5th edition. Washington, DC: American Psychiatric Association; 2013.

Articles

Chun TH, Mace SE, Katz ER. American Academy of Pediatrics Committee on Pediatric Emergency Medicine. Evaluation and management of children and adolescents with acute mental health or behavioral problems. Part I: Common clinical challenges of patients with mental health and/or behavioral emergencies. *Pediatrics*. 2016;138(3):e20161570.

Chun TH, Mace SE, Katz ER. American Academy of Pediatrics Committee on Pediatric Emergency Medicine. Evaluation and management of children and adolescents with acute mental health or behavioral problems. Part II: Recognition of clinically challenging mental health related conditions presenting with medical or uncertain symptoms. *Pediatrics*. 2016;138(3):e20161573.

Fishe JN, Lynch S. Pediatric behavioral health-related EMS encounters: a statewide analysis. *Prehosp Emerg Care*. 2019;23(5):654–662.

Floet AM, Scheiner C, Grossman L. Attention-deficit/hyperactivity disorder. *Pediatr Rev*. 2010;31(2): 56–69.

Graudins A, Stearman A, Chan B. Treatment of the serotonin syndrome with cyproheptadine. *J Emerg Med*. 1998;16(4):615–619.

Hyman SL, Levy SE, Myers SM; American Academy of Pediatrics Council on Children with Disabilities, Section on Developmental and Behavioral Pediatrics. Executive summary: identification, evaluation, and management of children with autism spectrum disorder. *Pediatrics*. 2020;145(1):e20193448.

Kennedy SP, Baraff LJ, Suddath RL, Asarnow JR. Emergency department management of suicidal adolescents. *Ann Emerg Med*. 2004;43(4):452–460.

Knowlton AR, Weir B, Fields J, et al. Pediatric use of emergency medical services: the role of chronic illnesses and behavioral health problems. *Prehosp Emerg Care*. 2016;20(3):362–368.

Mason PJ, Morris VA, Balcezak TJ. Serotonin syndrome. Presentation of 2 cases and review of the literature. *Medicine*. 2000;79(4):201–209.

Michelson D, Faries D, Wernicke J, Kelsey D, et al. Atomoxetine in the treatment of children and adolescents with attention-deficit/hyperactivity disorder: a randomized, placebo-controlled, dose-response study. *Pediatrics*. 2001;108(5):E83.

Myers SM. Management of autism spectrum disorders in primary care. *Pediatr Ann*. 2009;38(1):42–49. PubMed PMID: 19213293.

Overburg A, Morton S, Wagner E, Froberg B. Toxicity of buproprion overdose compared to selective serotonin inhibitors. *Pediatrics*. 2019;144(2):e20183295.

Riley M, Ahmed S, Locke A. Common questions about oppositional defiant disorder. *Am Fam Physician*. 2016;93(7):586–591.

Varigonda AL, Jakubovski E, Taylor MJ, Freemantle N, et al. Systematic review and meta-analysis: early treatment responses of selective serotonin reuptake inhibitors in pediatric major depressive disorder. *J Am Acad Child Adolesc Psychiatry*. 2015;54(7): 557–564.

Wolraich ML, Chan E, Froelich T, et al. ADHD diagnosis and treatment guidelines: a historical perspective. *Pediatrics*. 2019;144(4):e20191682.

Zwaigenbaum L, Bryson S, Lord C, Rogers S, et al. Clinical assessment and management of toddlers with suspected autism spectrum disorder: insights from studies of high-risk infants. *Pediatrics*. 2009;123(5):1383–1391.

Other Resources

Centers for Disease Control and Prevention. Anxiety and depression in children. https://www.cdc.gov /childrensmentalhealth/depression.html. Accessed September 5, 2019.

Centers for Disease Control and Prevention. Anxiety and depression in children: Get the Facts. https://www .cdc.gov/childrensmentalhealth/features/anxiety -depression-children.html. Accessed September 5, 2019.

Centers for Disease Control and Prevention. Behavior or conduct problems in children. https://www.cdc .gov/childrensmentalhealth/behavior.html. Accessed September 5, 2019.

Centers for Disease Control and Prevention. Children's mental disorders. https://www.cdc.gov /childrensmentalhealth/symptoms.html. Accessed September 5, 2019.

Centers for Disease Control and Prevention. Data and statistics on children's mental health. https://www.cdc. gov/childrensmentalhealth/data.html. Accessed September 5, 2019.

Centers for Disease Control and Prevention. What is autism spectrum disorder? https://www.cdc.gov /ncbddd/autism/facts.html. Accessed September 3, 2019.

Autism Spectrum Disorder (ASD). Data & Statistics on Autism Spectrum Disorder. https://www.cdc.gov /ncbddd/autism/data.html. Accessed September 3, 2019.

Autism Spectrum Disorder (ASD). New Data on Autism Spectrum Disorder in 4-Year Old Children. https:// www.cdc.gov/ncbddd/autism/features/asd -data-four-year-old-children.html. Accessed September 3, 2019.

Attention-Deficit/Hyperactivity Disorder (ADHD). https://www.nimh.nih.gov/health/topics/attention -deficit-hyperactivity-disorder-adhd/index.shtm. Accessed September 3, 2019.

Leonte KG, Puliafico A, Na P, Ryan MA. Pharmocotherapy for anxiety disorders in children and adolescents. *UpToDate*. Waltham, MA: UpToDate, Inc, 2019. Accessed September 5, 2019.

National Institute of Mental Health. Autism Spectrum Disorder (ASD). https://www.nimh.nih.gov /health/statistics/autism-spectrum-disorder-asd .shtml. Accessed September 3, 2019.

National Institute of Mental Health. Bipolar disorder. https://www.nimh.nih.gov/health/statistics/bipolar -disorder.shtml. Accessed September 3, 2019.

National Institute of Mental Health. Major depression. https://www.nimh.nih.gov/health/statistics /major-depression.shtml. Accessed September 3, 2019.

National Institute of Mental Health. Mental illness. https://www.nimh.nih.gov/health/statistics/mental -illness.shtml. Accessed September 3, 2019.

National Institute of Mental Health. Personality disorders. https://www.nimh.nih.gov/health/statistics /personality-disorders.shtml. Accessed September 3, 2019.

National Institute of Mental Health. Suicide. https:// www.nimh.nih.gov/health/statistics/suicide.shtml. Accessed September 3, 2019.

CHAPTER 10

특별한 건강관리가 요구되는 아동(CSHCN)

S. Heath Ackley, MD, MPH, FAAP

Mary Otting, RN, BSN, CEN

학습목표

1. 소아에게 나타나는 인지 장애, 신체 장애 및 만성 질환의 2가지 사례를 정의하고 설명할 수 있다.

2. 특별한 건강관리가 요구되는 아동(CSHCN)을 위해 변형된 중요한 현장 평가 술기를 설명할 수 있다.

3. 특별한 건강관리가 요구되는 아동(CSHCN)을 위한 이송 고려사항을 설명할 수 있다.

4. 기관절개술 튜브, 가정용 인공호흡기, 중심정맥 유치 카테터, 위관 튜브, 심박조율기, 뇌척수액 배단락과 같은 보조 기구 사용 시 발생하는 합병증과 관리에 대해 설명할 수 있다.

5. 특별한 건강관리가 요구되는 아동(CSHCN)을 위한 공동응급처치정보양식(EIF)을 포함한 의료정보기술(HIT)의 사용에 대해 설명할 수 있다.

개요

맥퍼슨은 특별한 건강관리가 요구되는 아동이란 "신체적, 발달적 혹은 정서적 상태에 만성적 위험성이 있는 소아로 일반 소아보다 많거나 다양한 의료 서비스와 처치가 요구되는 아동을 말한다"고 하였다.

그러한 상태는 선천적이거나 후천적일 수 있다. 그러한 소아들은 종종 병원 전 응급 평가 및 처치가 요구되는 환자 집단으로 다양하다. 이러한 높은 요구 집단은 조산이나 폐쇄성 두부 손상 또는 중추신경계 손상이 있거나 폐, 뇌, 콩팥 등에 만성 질환이 있는 소아들이 포함된다. 후천적 문제로는 뇌성마비나 기관지폐형성이상 등이 있고, 선천적 문제의 예로는 청색성 심장질환이나 척추갈림증 등이 있다.

기술적인 지원에 의존하는 소아들은 생존을 위해 의료기에 의존해야 하는 특별한 건강관리가 요구되는 아동의 한 소그룹이다. 통상적으로 기관절개술 튜브, 가정용 인공호흡기, 위관 튜브, 심박조율기, 뇌척수액 단락 등의 장비가 있다.

오늘날 특별한 건강관리가 요구되는 아동은 과거보다 더 오래 생존할 수 있으며, 종종 가정에서 관리를 받기도 한다. 그들은 특별한 건강관리를 요구받지 않는 정상 아동보다 더 잦은 빈도로 응급의료서비스를 요구받는다. 비정상적인 특이 체형이나 증상으로 인해 정상 아동들보다 현장 평가 및 처치에서 특별한 문제가 발생하거나 어려움을 당할 수도 있다. 그러므로 병원전 전문가들은 특별한 건강관리가 요구되는 아동의 흔한 종류를 인식할 수 있어야 하고 그 상황에 맞는 평가를 구체화하고 빈번하게 발생할 수 있는 문제에 대한 처치를 이해하여야 한다.

인지 및 신체 장애

미국의 지적 및 발달 장애 협회에 의하면 "지적장애란 일상 속에서 사회적 실질적으로 필요한 지적 기능(사고, 학습, 문제해결)과 성행에 따른 행동에 심각한 제반을 가신 특성이 있는 장애"라고 정의할 수 있다. 지적장애와 정신지체와 같은 용어로 사용되나 아직까지 지적장애가 보다 덜 불쾌한 표현으로 선호되어 보편적으로 쓰이고 있다.

판단, 지각, 기억 및 이해하는 것과 같은 정신작용은 자연스러운 인지 기능이며 소아들이 지식을 습득함에 따라 발달한다. 인지장애는 소아들이 사고하고, 지각하고, 기억하고, 요약할 때 나타나는 장애 현상이다. 그 중 몇 가지 예시로 자폐 스펙트럼 장애(autism spectrum disorder, ASD), 주의력 결핍 과잉 행동장애(attention-deficit/hyperactivity disorder, ADHD) 그리고 의사소통, 사회성 기술, 자기관리과 같은 분야의 정신 기능에 심각한 제한이 있는 지적 장애가 있으며 9장에서 다뤄져 있다.

신체장애는 소아들의 움직임이나 독립적인 일상생활에 영향을 미친다. 내과 및 외과적 응급상황은 신체장애와 상관없이 발생할 수 있다. 이는 청력 장애 혹은 시각 장애를 포함할 수 있다.

만성적인 질환은 소아들이 질병이나 손상의 장기적인 치료 과정에서 나타난다. 건강해 보이는 소아일지라도 합병증을 예방하기 위한 약물치료나 관리를 받는 중일 수 있다. 만성적인 증상의 예시로는 천식, 암, 장기 이식, 선천성 심장 질환이 있다. 추가적인 만성적 상태는 아래와 같다.

- 기관지폐형성이상(Bronchopulmonary dysplasia, BPD)은 만성적인 폐질환으로 조산 아동에게 나타나며 출생 후 호흡 보조가 필요하다. 이러한 아동은 모든 호흡계 질환으로 쉽게 악화될 위험이 있으며, 지속적인 천명음을 낼 수 있고, 가정에서도 산소 보조가 필요할 수 있으며, 폐동맥 고혈압과 폐기능 저하가 동반될 수 있다.

- 뇌성마비(Cerebral palsy)는 행동과 근육 장애로, 태아 발달 시기 혹은 출생 시 뇌 손상으로 인해 발생한다. 이러한 아동은 근육 긴장이 있어서 거동이 불편하거나 보조가 필요하다. 걷기 위해 다리에 보조기가 필요할 수 있으며, 휠체어에 의존해야 될 수도 있다. 지적 장애가 있을 수도 있고 없을 수도 있다.

- 낭성섬유증(Cystic fibrosis)은 선천성 장애로 점액 분비 혹은 외분비샘 기능 부전으로 폐와 소화 장애를 유발한다. 이로 인해 자주 폐 감염과 공기가슴증이 발생하며, 소화 장애와 영양분 흡수 장애로 인해 성장 부진을 겪는다.

- 다운 증후군(Down syndrome)은 선천성 장애로서 21번 상염색체 3개를 가지고 태어난 것이다. 3염색

사례연구 **1**

여러가지 건강 문제가 있고 야간에 기관절개술 튜브로 호흡기에 의존하는 9개월 된 여아가 있는 현장에 출동 의뢰를 받았다.

도착 시 보호자는 아이가 종일 호흡이 어려웠고 고열과 기관절개술내 분비물이 증가했다고 진술했다. 아이는 강직과 발작 증세를 가진 뇌성마비 환자였다. 아이는 출산 시 조산과 호흡저하 증후군의 결과로 인한 만성 폐질환으로 인해 호흡기에 의존하고 있었다. 아이는 발작 때문에 carbamazepine을 투여받고 있는데 아침 용량은 복용된 상태였다. 아이는 펌프에 연결된 위관조루술 튜브로 음식물을 섭취하고 있었다.

응급구조사는 아이가 침대에서 가정용 인공호흡기에 연결되어 의존하고 있다고 평가하였다. 눈을 마주치지 않고 늑골하 퇴축, 코 벌렁임이 있다. 피부는 핑크색이었다. 천명음과 수포음이 폐검진시 들렸다. 심박동수 130회/분, 호흡수 60회/분, 혈압은 촉진상 85 mmHg였으며 맥박산소포화도측정치는 90%였다. 호흡기는 20회/분으로 맞추어져 있었다.

1. 이 아이의 평가 시 중점 원칙은 무엇인가?
2. 처치와 이송 시 주의점을 설명하시오.

체성 21이라고도 한다. 그들은 특성들이 있고, 선천적 심장질환의 위험이 있으며, 경추 기형으로 인해 경추 부상의 위험이 있다. 다양한 수준의 인지 장애를 가지고 있다.

- 혈우병(Hemophilia)은 혈액응고기전이 비정상적인 선천적 질환이다. 응고지연이 발생할 수 있어, 작은 두부외상에도 두개내출혈이 발생할 수 있다.
- 근위축(Muscular dystrophy)은 근섬유가 점차적으로 퇴화되는 유전적, 근육장애이다. 이는 흡입과 폐렴의 위험이 있다.
- 척추 갈림증(Spina bifida)은 척추 후궁이 하나로 융합되지 않고 선척적 기형인 상태로, 척수와 뇌막의 돌출을 야기한다. 특히 허리부위에서 호발하나, 척추 모든 부위에서 발생가능하다. 이러한 병변은 고쳐질 수 있지만, 소아에게 물뇌증, 하지에 근력과 감각 장애, 소장과 방광 문제가 있을 수 있다.

특별 건강관리 요구 소아의 평가

적절한 조치

응급구조사의 가장 주요한 지원자는 아동의 보호자이다. 보호자들은 아동 환자의 특이 증상에 대해 어떻게 처치하고 환자의 의료장비에 대해 잘 알고 있다. 종종 보호자들은 아동 환자의 병력과 투약, 기존의 전반적 외형, 산소 포화도, 활력 징후의 기본에 대한 양식이나 카드를 관리하고 있다.

아동의 임상적 나이보다 신체발달 수준에 맞는 응급소아평가 기술을 가지고 특별한 건강관리가 요구되는 아동의 평가를 시작한다. 보호자는 대개 아이의 발달 수준, 몸무게, 기본 활력 징후를 제공할 수 있을 것이다. *기술적 지원을 받는 아동들은 다른 특수 장비의 사용으로 인해 정신이 산만해지지는 않는다.* 특수 장비를 의식하기보다는 아동을 돌보는데 집중해야 한다. 보호자는 아동이 원래 어떠한 기존 상태였는지를 알려주고 장비를 조작해 주거나 문제 해결을 하는데 도움을 줄 것이다. 보호자에게 도움을 요청한다.

특별한 건강관리가 요구되는 아동의 평가는 다음과 같다:

1. 기존 상태에 유의 : 아이의 통상적인 상태에 대해 보호자에게 묻는다. 대체적으로 보호자들은 누구보다 아동의 기존상태를 더 잘 알 것이다.
2. 보호자 견해에 집중 : 아동에게 무엇이 잘못되었다고 생각하는가? 아이가 평소와 어떻게 다른가?
3. 아이가 생리적으로 안정되었다면 현장에서 전체 병력

을 청취한다. 보호자는 대개 아이의 의무기록자료, 건강 문제, 투약, 의료 장비 그리고 아이의 호소 등을 알고 있다. 또한 어떤 처치가 가장 효과적이었는지 잘 알고 있다.

4. 아이는 질문에 답변이 늦을 수 있고 말을 못할 수도 있다. 소아 환자가 안정된 상태라면 인내심을 가지고 상태를 파악한다. 보호자 보다는 소아 환자와 직접 대화하는 것으로 시작하는 것이 좋다.
5. 심각하지 않은 질병도 특별한 건강관리가 요구되는 아동에게는 치명적일 수도 있다. 예를 들면 감기는 호흡기에 의존하는 만성 폐질환을 가진 아이에게 치명적인 질병이 될 수도 있다. 아이는 저항력이 없고 쉽게 저산소증에 빠질 것이다.
6. 2장에서 언급한 바와 같이 적절한 언어, 몸짓, 대화 기술을 사용하여 아이와 의사소통을 한다.
7. 만약 보호자가 현장에 없다면 의료 문제, 정상 활력 징후, 투약, 다른 중요한 의료 자료에 관한 정보가 담긴 형식이나 카드를 아이가 가지고 있는지 찾아본다. 응급처치정보 자료는 미국 소아과 협회(AAP), 미국 의과대학(ACEP)에서 사용하고 있다. 미국의 몇개 주에서는 특별한 건강관리가 요구되는 아동들은 응급처치정보 양식을 소지할 것을 권장한다. 그러한 양식은 뉴멕시코 아동 의무기록, 콜롬비아 응급의료체계 프로그램이 있다.
8. 아이의 상태가 표기된 의료 인식 팔찌나 목걸이를 찾는다.
9. 특별한 건강관리가 요구되는 아동의 활력 징후의 정상 기준은 건강 문제가 없는 또래의 이이와 비교할 때 정상 범위와 차이가 날 수도 있다. 표준 활력 징후는 특별한 건강관리가 요구되는 아동의 평가에서는 제한적이다. 소아평가삼각구도와 보호자의 관찰 사항에 주의를 기울여야 한다.
10. 신체적 장애가 있는 아동이 인지적으로 장애가 있을 것이라고 단정짓지 않는다. 예를 들어 뇌성마비를 가진 많은 아이들은 경직을 갖고 있으나 인지적 이상을 갖지는 않는다. 아이의 기능, 이해, 상호관계에 관해 보호자에게 신중하게 질문한다.
11. 정중하고 전문적으로 행동한다. 보호자의 말을 경청하고 신중하게 그의 관심사에 주의를 기울인다. 특별한 건강관리가 요구되는 소아의 가족들은 종종 의료 시스템에 관한 많은 경험을 갖고 있다. 그들의 경험이 긍정적이라면 응급구조사를 협력자로 볼 것이다. 그러나 의료체계와의 나쁜 경험은 그들을 의심하고 비우호적으로 만들 것이다.
12. 특별한 건강관리가 요구되는 아동의 보호자가 겪고 있

을 많은 스트레스를 염두에 둔다.

13. 소아의 응급 상황에 대해 이미 시행된 치료나 중재가 무엇인지 보호자에게 물어 본다.

14. 가능하면 특별한 건강관리가 요구되는 아동을 그들만의 "전문보건의료소"로 이송한다. 항상 지역의 응급 의료 지침을 따른다.

주의

특수 장비에 의존하는 소아를 처치할 때, 지나치게 장비를 의식해서 처치에 방해가 되어선 안된다. 장비를 지나치게 의식하지 말고 아동을 처치한다.

소아평가삼각구도(PAT)

소아평가삼각구도는 특별한 건강관리가 요구되는 아동의 치료를 위한 긴박성과 생리적 문제의 여러 타입을 구체화하는데 도움을 주는 징후를 보고 듣는 좋은 방법이다. 그러나 종종 특별한 건강관리 요구 소아의 생리적 기준선이 변하므로 소아평가삼각구도에는 몇가지 제한점과 적절한 처치가 있다.

외관

소아의 전체적인 외관상태가 산소, 환기, 관류, 중추신경계 상태의 적절성을 반영한다고 하더라도, 대부분의 특별한 건강관리가 요구되는 소아에서는 다를 수도 있다. 뇌성마비를 가진 소아에서 긴장도나 강직이 증가하거나 다운증후군을 가진 소아에서 긴장도가 감소하는 것처럼 내재하는 의료적 문제는 비정상적 근긴장도를 일으킬 수 있다. 뇌손상이나 발달 지연이 있는 아이에서는 상호관계, 일반적인 행동 상태가 저하되기도 한다. 특별한 건강관리가 요구되는 아동의 대부분은 보거나 목소리를 들음으로 보호자를 확인할 수 있기 때문에 보고 응시하는 것이 도움이 된다. 특별한 건강관리가 요구되는 아동은 말을 못하기도 하나 울음이나 얼굴 표정의 강도나 질은 건강이나 질병의 유용한 징후이다. 예를 들면 뇌척수액 단락을 가진 소아가 고음으로 운다는 것은 단락이 막힌 것을 의미할 수도 있다.

호흡 노력

많은 특별한 건강관리가 요구되는 아동은 호흡기 문제를 갖는다. 기관지폐형성이상(BPD) 같은 만성폐질환을 갖는 아이들은 호흡수가 빨라지고 호흡 노력이 증가된다. 그런 아이들이 열이 있거나 더불어 호흡기 질환에 이환될 때 그들은

조언

아이의 기존 상태에 관해 보호자에게 물어봄으로써 외관을 평가한다.

주의

신체 장애가 있는 아이가 인지적으로도 장애가 있다고 추측해서는 안된다. 예를 들어, 뇌성마비를 가진 많은 아이들은 강직은 있지만 정상적인 인지 발달이 된다.

회복되기 힘들다. 그러므로, 이런 환자의 호흡 노력은 급성 실행이나 손상 능으로 빠르게 증가한다.

소아에게 가까이 가기 전부터 들릴 정도의 비정상적인 호흡음(협착음, 천명음 혹은 그르렁거리는 소리 등)을 평가해야 한다. 어떤 비정상 호흡음은 특별한 건강관리가 요구되는 아동에게는 정상적인 호흡음일 수도 있다. 예를 들어 기관절개술을 한 소아는 대개 시끄러운 호흡소리가 들리고, 기관지 폐 형성이상을 가진 영아는 호기 시 약한 천명음을 갖는다. 기관지 폐 형성이상이나 선천성 심질환이 있는 소아는 겨울에 특히 호흡기 세포 융합바이러스(RSV)에 의한 호흡기 감염이 발생하기 쉽다. 소아는 방어력이 급격히 떨어진다. 발달 장애, 신경계 문제를 가진 특별한 건강관리가 요구되는 소아는 흡인, 폐렴, 호흡기 부전의 고위험군에 속한다.

삼각 자세(tripoding)나 영아의 호흡시 고개 끄덕임과 같은 비정상체위는 호흡 상태 증가와 저산소증의 중요한 시진 징후이고 대개 심각한 호흡 문제를 뜻한다. 평소에도 약한 퇴축을 보이는 소아는 퇴축의 정도나 기본적인 부위로 호흡 노력 증가를 파악할 수 있다. 예를 들면 기본적으로 늑간의 심하지 않은 퇴축이 있었지만, 현재는 훨씬 강한 복장뼈 위 퇴축이 보일때와 같다. 코벌렁임은 대개 기본 상태가 아니며 특히 빈맥, 그르렁소리, 퇴축과 동반되면 호흡 노력의 증가를 의미한다.

피부 순환

특별한 건강관리 요구 소아는 청색성 선천성 심질환, 만성폐질환, 암, 간부전을 가진 영아에서 처럼 피부색이 정상에서 벗어난다. 청색성 선천성 심질환을 갖거나 만성 폐질환을 가진 소아들은 기본적으로 입술과 점막, 손톱, 사지가 푸른색이다. 간질환이 있는 아이의 피부는 황색인 반면 암을 가진 아이는 창백하다. 보호자에게 아이의 평소 피부색에 관해 설명해 줄 것을 요청한다.

ABCDEs의 적용

소아평가삼각구도를 완성한 후 소아의 기존 상태에 ABCDEs의 평가를 적용하여 초기 평가를 완성한다.

기도유지(Airway)

기도를 개방하고 유지한다. 개방된 기도를 유지하는 것이 특별한 건강관리 요구 소아에게서는 더 어려울 것이다. 소아는 근긴장도와 머리를 가누기 어려워하며 전액 분비가 많다. 다운 증후군 소아의 경우 크고 돌출된 혀는 기도 확보를 어렵게 할 수 있다. 바른 두부 자세를 잡고 또 유지하기 위해 몇몇 방법이 요구된다: 기도를 중립 축으로 맞출 수 있도록 머리를 정확히 놓기 위해 어깨를 둥글게 한다. 기도를 열기 위해 턱들기나 하악 견인을 한다. 항상 흡인이 가능하도록 준비한다.

척추갈라짐이 있는 많은 소아들은 뇌의 기저부가 척추강으로 돌출되는 마놀드키아리기형(Arnold-Chiarimal formation ACM)을 가지고 있다. 척추갈라짐이 있는 소아의 목을 과신전 시키면 안되는데 탈출한 뇌에 압력이 가해지면 호흡이 멈출 수 있기 때문이다. 이러한 소아에게는 외상이 없어도 기도 유지를 위해 중립자세를 취해준다.

CSHCN의 특별 관리: 기관절개요법. 기관절개술이 있는 소아는 분비물이나 장치가 빠짐으로 인해 쉽게 막히는 인공 기도를 가지고 있다. 이 장의 기관절개 부분에서는 이러한 아동의 특정 관리 기법에 대해 설명한다.

호흡(Breathing)

호흡수를 측정한다. 양쪽 폐의 공기의 움직임과 비정상 흉부음을 듣는다. 앉지 못하거나 시끄러운 호흡음을 가진 특별건강관리 요구 소아는 들어도 정확한 결과를 얻지 못할 수도 있다. 또한 맥박 산소 측정기를 부착하여 기준선과 비교한다. 소아를 편안한 자세로 유지한다. 호흡 노력이 증가하면 안면 마스크, 백-마스크 장비, 불어주기 방식으로 어떤 특별한 건강관리 요구 소아에게라도 산소를 공급한다. 보호자가 사용 가능한 기준선의 산소 포화도를 알면 기준선까지 산소를 준다. 만성 폐질환이 있거나 선천성 심질환이 있는 아이들은 산소를 너무 많이 투여하면 더 나빠질 수 있다. 특별한 건강관리 요구 소아를 위해 보호자는 소아에게 산소를 주는 최상의 방법을 알 것이다. 이미 가정에서 산소 투여를 하던 영아나 소아는 산소 공급률을 올려야 한다. 기관 절개슬 튜브를 가진 환자를 위해 튜브나 기공을 통해 직접 산소를 투여한다.

특별 건강관리 요구 소아의 특별처치: 기관지 확장제 투여. 특별한 건강관리 요구 소아가 호흡 문제 병력이 있거나 가정에서 기관지 확장제를 쓴 경험이 있고 천명음이 들릴 때, 분무되는 기관지 확장제를 투여한다

순환(Circulation)

심박동수, 맥박의 강도, 피부 온도, 모세혈관 재충혈 시간을 평가한다. 이는 특별한 건강관리 요구 소아에서 대개 비슷하고 임상 판단도 거의 유사하다. 3살이나 그 이하 소아에서는 혈압 측정을 고려한다. 그러나 이 연령층에서는 측정하고 판단하기 어려울 수 있다. 3살 이상의 모든 소아에서는 최소한 한번은 혈압을 측정한다. 특별 건강 관리 요구 소아는 기본적으로 빈맥을 갖고 있고 그 자체로가 쇼크를 의미하지는 않는다. 이는 소아의 평소 심박동수에 대해 보호자에게 묻는 것이 도움이 될 수 있다. 심박수와 혈압을 평가하기 위해 1장과 4장에서 언급된 것처럼 순환의 다른 핵심 특성들도 함께 평가한다.

특별한 건강관리가 요구되는 소아의 쇼크를 처치하는 것은 정상아와 마찬가지다. 표준 처치는 산소, 체위와 필요하면 백마스크 지지 등을 포함한다. 소아가 선천성 심장질환이나 심부전의 문제를 갖고 있지 않다면 쇼크에 빠진 특별한 건강관리 요구 소아는 대개 순환량 증가를 필요로 한다. 특별한 건강 관리 요구 소아도 정상아와 같은 수액량이 요구된다. 외상을 입은 환자는 즉시 이송하고 정맥로 확보를 시도한다. 응급의료센터로 가는 도중 등장액 20 mL/kg를 투여한다. 소아가 질병이 있거나 보상성 쇼크가 있으면 현장에서 정맥로 확보를 시도한다. 심각한 사례에서는 골간 주입이 필요하기도 하다. 소아가 수직의 흉부 반흔이 있거나 선천성 심질환을 갖고 있다면 관류 불충분에 대한 원인으로 심인성 쇼크를 고려한다. 특별한 건강관리 요구 소아는 정확한 평가가 더 어렵고 정맥 주입은 종종 문제가 많기 때문에 항상 쇼크 가능성이 있는 경우 신속히 이송한다.

> ### 주의
>
> 케톤 식이를 하는 소아에게 포도당이나 포도당 함유 수액을 주지 않는다.

전문소생술(Advanced Life Support)

CSHCN의 특수 관리. CSHCN에서 서맥은 일반적이지 않다. 이것은 저산소증이나 부적절한 뇌 관류의 징후이다. 실제 연령보다 심박수가 느린 BPD나 다른 만성심폐질환을 가진 소아의 저산소증을 의심할 수 있다. CSF 션트를 사용하는 소아의 두개골 내 압력 증가를 의심할 수 있다.

심한, 통제 안되는 간질이 있는 몇몇 소아는 케톤식이를 하고 있을 수 있다. 이러한 식이요법은 글루코즈 음식을 제외시키고 발작을 조절하기 위해 케톤상태를 유지시킨다. 이러한 소아에게 발작이 발생할 수 있기 때문에 덱스트로즈 함유 수액은 사용하지 않는다.

신경학적 상태(Disability)

특별 건강관리 요구 소아는 비정상적인 신경학적 상태를 갖는다. 소아평가삼각구도의 일부로서 외관을 관찰함으로써 신경학적 상태를 평가하고 AVPU로 의식 수준을 판단함으로써 아이의 기본 상태와 비교한다. 운동 기능을 평가함에 있어 목적적 움직임, 사지의 대칭적 움직임, 간질, 자세, 긴장도 등을 평가한다. 그것이 기존 상태로부터 변화되면 변화된 의식 수준을 평가한다. GCS는 많은 특별한 건강관리 요구 소아의 점수에 영향을 미치는 인지적, 신체적 문제를 기본적으로 가지고 있으므로 특별한 건강관리 요구 소아를 평가하는 데는 적용하지 않는다. 오히려 기존 상태와 다른 부분들로 소아를 평가하는 것이 낫다.

> **조언**
>
> 특별한 건강관리 요구 소아에 대한 정상기준 활력징후는 소아의 생활 연령과 다르거나 정상 범위를 벗어난다.

> **조언**
>
> 서맥은 특별 건강관리 요구 소아에게 흔한 현상이 아니다.

노출

소아의 전신을 살펴보되 소아가 부끄러워한다는 것을 알아야 한다. 소아를 차게 해서는 안된다. 많은 특별 건강관리 요구 소아들이 체지방이 적어 저체온증에 빠지기 쉽다.

요약 : 특별 건강관리 요구 소아의 평가

특별한 건강관리 요구 소아 평가 시 보호자 말을 주의 깊게 경청한다. 소아의 기존 상태에 관해 질문한다. 이 아이에게 어떤 것이 "정상"인지? 그런 아이들은 예상치 않은 행동, 의사 소통의 어려움, 긴 병력 그리고 복합적인 장비 등으로 평가가 혼란스러울 수 있다. 소아의 신경학적 상태는 가끔 비정상이기도 하다. 보호자가 없다면 의료정보기록이나 의료 인식 팔찌같은 정보 출처를 찾는다. 표준 평가 기술을 사용

> **주의**
>
> 글래스고우 혼수 점수(GCS)는 많은 특별 건강관리 요구 소아의 점수에 영향을 미치는 인지적, 신체적 기본 문제가 영향을 미치므로 특별 건강관리 요구 소아의 평가에는 적용하지 않는다.

한다. 그리고 급성기 문제를 평가하고 조절하기 위해 기준 비교선에 맞추어 변화된 발달 단계에 적합한 접근법을 사용한다. 빠르게 이송한다.

이송

표 10-1은 특별 건강관리 요구 소아의 이송 시 주요 원칙을 나열하고 있다. 구급차에서는 항상 소아를 고정한다. 구급차에서 최상의 억제대, 장비의 안전을 위한 최고의 방법은 논쟁 중인 이슈이다.

일반적으로 아이가 심하게 아프거나 손상 받았다면 그의 등을 들 것에 안전하게 고정한다. 아이가 머리에 손상을 받아 고통 받거나 척추 손상을 받았으면 척추의 안정을 위해 척추 고정판을 사용한다. 만약 소아가 뇌성마비로 가위형 다

> **표 10-1** 특별 건강관리 요구 소아의 이송 원칙
>
> 1. 집에 산소가 있는 특별한 건강관리가 요구되는 소아는 액체산소를 제외한 가스 산소와 함께 이송한다. 만일 소아가 호흡곤란이 없다면 산소 유량을 이전과 같은 비율로 지속한다.
> 2. 인공호흡기가 집에 있는 소아는 장비에 문제가 없다면 인공호흡기와 함께 이송한다. 인공호흡기에 대해 우려되는 부분이 있다면 직접 환기를 보조한다. 환기의 방법에 상관 없이, 잠재적 문제와 적절한 설정 확인을 위해 소아의 집에 있는 인공호흡기를 구급차로 안전하게 소아와 함께 이송시킨다.
> 3. 만약 소아의 근육조절 능력이 떨어져 있거나 근육 긴장상태가 심하다면 소아의 자세를 필요에 따라 움직이지 못하게 고정시킨다. 만약 소아가 특별한 의자나 휠체어 또는 다른 장비(식이튜브 또는 흡인기)가 있다면 환아와 함께 안전하게 관리가 가능하고, 환아를 처치할 공간이 충분하다면 이 장비들을 응급실로 이송시킨다.
> 4. 만약 아이가 다리절개나 등뼈 고정과 같은 근육 경축이나 자세 고정이 필요하다면 이송 중에 아이가 움직이거나 척추 흔들림으로 인해 손상되지 않도록 장비나 공간에 패드를 사용해야 한다. 아이가 장비에 억지로 밀착하도록 힘으로 밀어선 안된다.

리나 심하게 굽은 등과 같은 수축되거나 경직된 자세라면 주의해야 한다. 뜬 공간에 패드를 대주되 장비에 고정하기 위해 소아에게 힘을 주면 안된다. 체위가 적절한지 특수 카시트가 있는지 보호자에게 묻는다. 일부 아이는 바로누운 자세가 분비물 과다, 근력 부족, 해부학적 차이로 인해 기도를 막을 수 있다. 아이를 위해 특별히 고안된 고정 장치나 카시트가 구급차에서 그나마 안전할 수 있다.

　　많은 특별한 건강관리 요구 소아는 공급되는 산소와 산소 운반 장비를 가지고 있다. 구급차로 액체화된 산소를 이송하는 것은 안전하지 않다. 액체가 아닌(혹은 기체인) 산소와 소아의 개인 장비를 응급실로 운반하는 것을 고려한다.

이송에 대한 요약

특별 건강관리 요구 소아는 특별 이송을 고려해야 한다. 소아가 구급차 안에서 안전하게 고정되어 있는지 확인한다. 환아의 부모는 카시트와 함께 사용 가능한 고정기나 하네스(harness)를 가지고 있을 수도 있다. 어떤 장치도 환아의 기관절개술 튜브 또는 식이튜브와 닿아서는 안된다. 외상으로 꼭 필요한 경우가 아니라면 목을 가누지 못하는 환아에게 두부고정을 위해 딱딱한 경추보호대를 사용하지 않는다. 소아를 돌보는 보호자와 함께 이송에 대한 문제에 대해 준비하고 구급차 안에서 안전하게 할 수 있다면 보조 장비를 응급실에 지참할 것을 고려한다. 적절한 크기의 안전시트를 사용해야 하고 단단하게 고정할 수 있다면 구급차 후면을 향하게 해야 한다. 휠체어에 타고 있는 환아를 휠체어에서 분리하기 어렵다면, 이송용 의자가 사용되어야 하고, 불가능하다면 휠체어가 앞을 향하도록 두고 휠체어의 금속부분을 끈으로 구급차에 고정시켜야 한다.

기술 지원을 받는 소아

기술 지원을 받는 소아들은 집에 있는 의료 기구나 장비가 작동하지 않을 수도 있다. 가장 흔한 장치는 기관절개술 튜브, 뇌척수액 단락, 중심정맥 유치 카테터, 그리고 식이튜브이다. 장비의 고장이 많은 문제의 원인이 될 수 있다. 식이튜브의 빠짐 또는 막힌 중심정맥 도관과 같은 일부 고장 기구는 아주 작은 영향을 미칠 수도 있고 수리가 되면 아무런 문제없이 해결될 수도 있지만, 기관절개술 튜브의 경우 빠짐으로 호흡곤란을 야기할 수 있고 또는 뇌척수액 단락 장해로 뇌압상승과 같은 심각한 생리학적인 문제를 발생시킬 수 있다.

기관절개술 튜브

기관절개술은 목 앞의 기관 부분에 외과적으로 절개(작은 구멍을 만드는 것)하는 것이다. 기관절개관은 뚫린 구멍을 통해 소아가 숨쉴 수 있도록 하는 인공적인 기도 내 튜브이다(**그림 10-1**). 표 **10-2**에 나와 있는 것처럼 영아와 소아는 몇 가지 이유로 인해 기관절개술을 받을 수 있다.

　　기관절개술 튜브에는 여러 가지 종류가 있고, 튜브의 크기도 매우 다양하다. 튜브 사이즈는 튜브의 날개 또는 플랜지에 적혀 있다. 튜브의 형태를 나타내는 사이즈와 이름 또한 박스 위에 적혀 있다. 안과 밖의 지름 또한 종종 날개 부분에 적혀 있다(**그림 10-2**). 가장 공통된 소아의 기관 내 튜브 크기는 2.5 mm에서 10.0 mm(사이즈 000-10) 이다. 3.0 기관절개술 튜브는 3.0 기관내 튜브랑 크기가 동일하다. 모든 기관절개술 튜브는 백 밸브 마스크 장치가 목 바깥 부분에 부착될 수 있는 표준화된 바깥구멍 또는 허브가 있다. 어떤 튜브는 백-밸브 마스크와 연결시키기 위해 어댑터(접속 기구)가 필요하다.

기관절개술 튜브의 형태

기관절개술 튜브의 주요 형태는 창문 모양의 작은 구멍이 있는 것, 더블루맨 그리고 단일 루맨이 있는 것으로 이루어 졌

그림 10-1 기관절개술
Courtesy of Cindy Bissell.

표 10-2 기관절개술의 목적
1.　외상, 외과수술과 출산 결함에 따른 상기도폐쇄를 우회
2.　기도 내 분비물 제거
3.　만성적 호흡 곤란, 폐의 손상, 심각한 중추신경계의 손상 또는 심한 근육 무력증과 같은 증상을 가진 소아의 장기간 기계적 환기 제공

CNS, central nervous system.

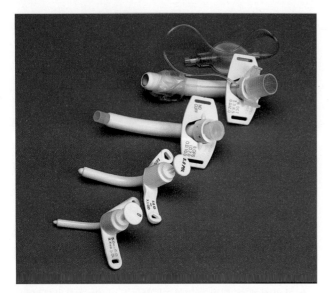

그림 10-2 크기와 내부 그리고 외부 지름은 기관절개술 튜브의 날개 부분에 쓰여져 있다.

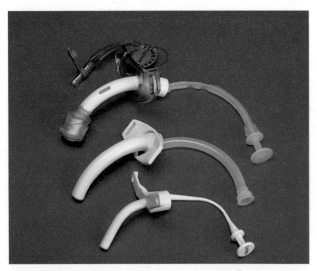

그림 10-3 창문 모양의 작은 구멍이 있는 관, 더블 루맨 관 그리고 단일 루맨 관(위에서부터 아래로)

다(**그림 10-3**). 튜브는 또한 커프가 있을 수도 있고 없을 수도 있다. 이 커프는 공기 또는 거품으로 채워질 수 있다. 모든 튜브는 삽입을 쉽게 하기 위해서 튜브 안에 있는 딱딱한 플라스틱 가이드인 탐침이 있다. 흡인 카테터가 사용될 수 없다면 긴급 시에 이 탐침을 튜브 내의 분비물을 제거하기 위해 사용한다.

단일 루맨 기관절개술 튜브는 공기의 흐름과 분비물의 흡인을 위해 하나의 속이 빈 튜브 또는 캐뉼러를 지니고 있다. 커프가 없는 단일 루맨튜브는 보통 신생아, 영아 그리고 어린 소아들에게 쓰인다. 더블루맨튜브는 빈 바깥 캐뉼러와 비어 있고 움직일 수 있는 내부 캐뉼러 두개가 있다. 기계적 환기를 제공하기 위해 루맨은 그 곳에 위치시켜두고 내부 캐뉼러만 세척하기 위해 빼낸다. 전체 모든 튜브를 교체하지

않는 이상 외부 캐뉼러는 절대 빼지 말아야 한다.

창문 모양의 작은 구멍이 있는 튜브는 성대와 입을 통해 공기가 위로 흐를 수 있도록 하는 구멍이 있다. 이 구멍은 소아가 자연스럽게 얘기하고 숨쉴 수 있게 한다. 이 구멍난 튜브는 구멍을 통해 공기가 흐르는 것을 막는 외부 캐뉼러에 부착되어 있는 삽관제거 플러그가 있다. 만약 소아가 코나 입을 통해 숨쉴 수 없으면 이 플러그를 제거하여 개구를 통해 숨쉬기가 가능하도록 한다. 또한 이러한 튜브는 기계적 환기를 위해 제 위치에 있어야 하는 빈 내부 캐뉼러가 있다.

> ## 조언
>
> 만약 더블루맨 기관절개술 튜브의 내부 캐뉼러가 제거되었다면, 백 밸브 마스크 링치는 튜브의 외부 구멘에 테에 인깅긱으로 고정되지 않을 것이다. 내부 캐뉼러를 제거함으로써 기관절개술 튜브를 환기시키기 위해, 백 위에 영아 안면 마스크를 부착하여 목에 있는 기관절개술 튜브의 개구를 덮어 안면 마스크를 밀착시켜라.

기관절개술 튜브를 통한 산소공급 및 환기

정상적으로 기능하는 기관절개술 튜브의 도움을 받고 있는 소아는 불어주기 방법, 안면 마스크 또는 관 개구 바로 위에 위치한 기관절개 마스크 또는 백-밸브 마스크 장치로 공급되는 수동 환기에 의한 산소를 공급 받을 수 있다.

1. 불어주기 식으로 산소를 공급한다. 개구 마스크 또는 소아의 안면 마스크를 기관절개술 튜브 또는 개구 위에 가깝게 위치해 두고 10-15 L/분의 산소를 공급한다.
2. 안면 또는 기관절개 마스크를 기관절개 튜브 개구부 위에 바로 확실하게 고정하고 목 둘레에 끈을 안전하게 고정시킨다.
3. 기관절개술 튜브 어댑터에 백-밸브 마스크 기구를 부착시킨다. 백-밸브 마스크 기구를 기관절개술 튜브 외부 끝에 직접 연결시킨다(**그림 10-4**).

개구(목에 수술로 인한 개구부)가 있지만 기관절개술 튜브가 없거나 튜브가 재삽입 될 수 없는 소아는 개구를 통해 환기 시키고 개구 위에 마스크를 밀착시킨다. 또는 멸균 거즈와 손가락으로 개구부를 막고 마스크를 통해 입으로 환기 시키거나, 마스크를 통해 입과 코로 환기 시키는 기술을 적용시킨다. 필요하다면 백-밸브 마스크 환기를 시작한다.

기관절개술 합병증 : 막힘

기관절개술 튜브의 막힘은 특별 건강관리 요구 소아에게 생명을 위협하는 긴급사태이다. 막힘은 분비물, 잘못된 삽입(잘못된 삽관), 부적절한 소아의 머리 위치 또는 튜브와 관련

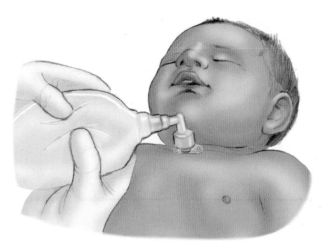

그림 10-4 기관절개튜브의 외부 끝 부분에 직접 연결 되어 있는 백마스크 장치

된 기계적 문제에 의해 발생 할 수 있다. 폐쇄는 호흡곤란과 호흡부전을 야기 시킨다.

평가. 소아의 기관절개술 튜브가 막히면 흉부가 상승하지 않고 스스로 숨을 쉴 수가 없다. 소아평가삼각구도는 건강하지 않은 외관, 호흡상태의 상승, 그리고 호흡 부전의 경우에 나타나는 청색증을 보여준다. ABCDEs는 약한 공기의 흐름과 서맥을 나타낼 것이다.

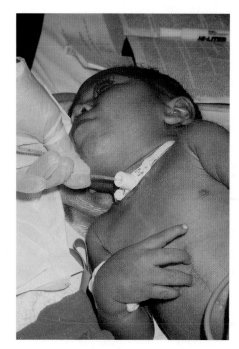

그림 10-5 기관절개술 튜브의 흡인

조언

기관절개술을 하고 있는 소아의 가장 흔한 합병증은 튜브 막힘에 따른 호흡곤란이다.

처치 : 튜브 청소. 막힌 기관절개술 튜브를 뚫기 위해서 이 과정을 따른다:

1. 타올을 말아서 소아의 어깨 아래에 위치시키고, 관의 외부 개구가 깨끗한지 확인한다.
2. 튜브가 올바른 위치에 놓여있는지 확인하고, 날개와 플랜지는 목에 바짝 붙여져 있어야 하고 폐쇄기(obturator)는 없어야 한다.
3. 만약 소아가 구멍이 뚫린 관을 하고 있다면 Decannulation Plug를 제거한다.
4. 만약 소아가 더블 루맨 기관절개술 튜브를 하고 있다면 분비물을 제거하기 위해 내부 루맨을 제거한다.
5. 만약 이런 방법 중 아무것도 해당되지 않는다면 흡인 카테터를 사용해서 튜브를 통해 흡인한다.

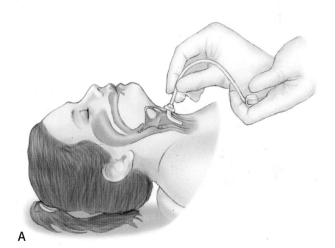

A

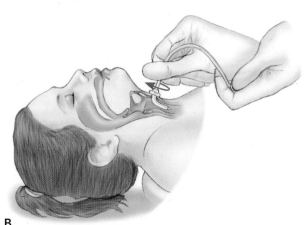

B

처치 : 기관절개술 튜브를 흡인한다. 만약 폐쇄된 튜브를 뚫지 못했다면 다음 절차를 따라 기관절개술 튜브를 통해 흡인한다(**그림 10-5**과 **10-6**).

그림 10-6 A. 알맞은 깊이로의 흡인 카테터 삽입 : 흡인력이 작동하지 않게 흡인구멍이 열려진 상태 **B.** 카테터를 돌려 빼면서 기도 흡인 : 흡인 구멍을 닫은 상태

1. 환자의 보호자에게 흡인 카테터, 장비 그리고 물품을 가지고 있는지 물어보고, 가지고 있다면 그것들을 사용해서 흡인을 한다. 그렇지 않다면 튜브를 통과할 만한 작은 흡인 카테터를 선택한다(1.0 또는 3.0 mm 크기의 튜브는 6에서 8 프렌치 카테터와 같다). 소아를 돌보는 사람은 카테터의 사이즈를 바르게 알고 있을 것이다. 만약 장비가 바로 쓸 수 없다면 폐쇄된 것을 청소하기 위해 폐쇄기(obturator)를 삽입한다.
2. 만약 이동식 흡인 장치를 사용한다면 100 mmHg 또는 그보다 낮은 수치로 맞추어 놓는다.
3. 기관절개관 위로 마스크를 사용하여 산소를 공급하고, 생리식염수를 1.0-2.0 mL를 관튜브에 넣고 분비물을 액화시킨다.
4. 흡인 카테터를 약 2인치(5 cm)정도 튜브에 삽입시킨다. 만약 소아가 기침을 하기 시작한다면 카테터는 튜브를 통해 기관에 너무 깊게 삽입 되었다는 뜻이다. 카테터를 삽입하는 동안 흡인하지 말고, 절대 카테터를 억지로 삽입하지 않는다.
5. 흡인 구멍을 막고 카테터를 천천히 빼내면서 3-5초간 흡인한다. 절대 5초 이상 흡인하지 않는다. 흡인 과정동안 항상 소아의 심박동수와 얼굴색을 관찰한다. 만약 심박동수가 떨어지거나 소아가 청색증이 발생하면 즉시 흡인을 멈춘다.
6. 만약 기도폐쇄가 해결되고 소아가 제 스스로 숨을 쉴 수 있다면 더 이상 흡인을 하지 않는다. 만약 추가적인 흡인이 필요하다면 불어넣기나 직접 환기를 통한 산소를 공급하고 3-5번 단계를 반복한다.
7. 흡인한 후에는 불어넣기 방법 또는 수동적인 환기에 의해 항상 보충산소를 공급해야 한다.

기관절개술 튜브 교환
기관절개 문제에 대한 처치는 보통 기도를 개방하기 위해 흡

그림 10-7 기관절개술 튜브 교환

인을 하거나 또는 오래된 기관절개튜브를 제거하고 새로운 튜브로 교환하는 등의 간단한 기술이다**(그림 10-7)**. 때때로 기관절개관이 빠지거나 또는 완전한 폐쇄로 인해 현존하는 기관절개 튜브로 소아를 환기 시킬 수 없는 경우가 있다. 이러한 상황에서 병원 전 응급구조사는 소아의 생명을 구하기 위해 새로운 기관절개 튜브로 교환해야 한다. 이 과정에 대한 단계별 설명은 절차 24를 참조한다.

중심정맥 카테터

많은 아동들은 중심정맥 카테터를 통해 가정에서 영양공급 또는 의학적 처치를 받는다. 중심정맥 카테터로 의학적 처치를 받는 아동은 상부 위장관 또는 간문제로 체중이 잘 늘지 않는 경우, 항암요법을 요하는 소아 암환자, 감염으로 인해 가정에서 항생제 치료를 받는 경우가 포함된다.

대부분의 중심정맥 카테터는 외과적 절개술을 요구하지만 일부는 피부를 통해서 또는 손상되지 않은 피부를 통해 행해진다. 중심정맥 카테터는 가슴, 목 또는 서혜부 피부를

사례연구 2

중심정맥 카테터가 삽입된 주위에 출혈이 있는 6살 된 남자 아이의 집에 출동하였다. 아이의 엄마는 매우 초조해 보였는데 새 카테터 이고, 카테터를 관리하는데 익숙하지 못해서 인 것 같다. 엄마는 응급구조사에게 아이가 6개월 전에 장폐색으로 인해서 간단한 소화관 증후군을 겪었다고 말해주었다. 아이는 위관튜브를 통해서 몇 가지 약물이 투여되고 있었지만 방금 뽑혀져 나왔다. 아이는 중심정맥 카테터로의 영양공급에 의존하고 있었다.

응급구조사가 도착하자, 6살 된 남자아이가 보호자와 함께 소파에 조용히 앉아 있는 것을 발견하였다. 아이의 피부색은 누렇고, 호흡수는 22회/분으로 가쁘게 몰아쉬지는 않는다. 심박동수 95회/분, 혈압은 90/50 mmHg였다. 맥박산소포화도측정치는 98%이다. 오른쪽 목 부분에 삽입된 카테터에서 약간의 혈액이 새어나온다.

   1. 주요 병력 사항은 무엇인가?
   2. 평가와 치료의 우선순위에 대해 설명하시오.

통해 들어갈 수 있지만 내부 끝은 보통 위대정맥(상대정맥) 안쪽이나 가까이에 위치해 있거나 우측 심방에 있다. 일부는 단일 내강이고, 다른 것 들은 두 개의 구분된 외부 개구와 하나의 내부 개구를 가지고 있는 두개의 내강이다.

카테터의 형태
중심정맥 카테터는 넙다리부위(대퇴부), 목부위(경부) 그리고 빗장뼈아래(쇄골하) 정맥에 삽입할 수 있다**(그림 10-8)**. 카테터 삽입의 시작 부위는 보통 가슴 또는 팔에 있다. 이것은 말초에 삽입된 중심카테터(peripherally implanted central catheter, PICC)라고 불린다.

완전 이식 장치(Totally implanted devices, mediport)는 삽입 포트 또는 저장기 전체가 이식되어 있는 카테터이다. 이 카테터는 위대정맥(상대정맥)과 같은 중심정맥안에 있다. 말초에 삽입된 중심정맥관과 같이 피부 밖으로 나오는 대신에 그 끝은 보통 가슴 위의 피부밑(피하) 포켓에 있는 저장기에 부착되어 있다. 따라서, 외부에서는 볼 수 없다. 단지 그 장치가 위치해 있는 곳에 불룩하게 튀어나온 것이 보일 뿐이다.

중심정맥 카테터의 흔한 합병증
표 10-3은 흔한 중심정맥 카테터의 합병증을 나타낸 것이다. 말초에 삽입된 중심정맥관의 가장 흔한 문제는 카테터가 부러지거나 빠지는 것이다. 출혈이 있는 지점을 점검해본다. 입구 지점에서의 출혈이 있으면서 카테터가 제자리에 있으면 멸균 거즈로 직접 압박을 가한다. 마찬가지로 만약 카테터가 완전히 빠져 있거나 출혈이 있을 때에도 멸균 거즈로 직접 압박을 가한다.

카테터 삽입 부분의 감염. 감염은 삽입된 카테터가 들어간 피부 부위 또는 전체 삽입된 기구가 있는 포켓 안에서 발생할 수 있다. 감염의 징후로는 발적, 압통, 부종, 열감 또는 농이 있다.

소아는 또한 열, 오한 그리고 쇼크와 같은 증상과 함께 혈액 감염에 걸릴 수도 있다. 이러한 경우에는 제4장에 설명

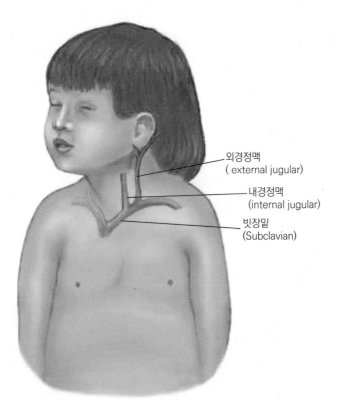

외경정맥 (external jugular)
내경정맥 (internal jugular)
빗장밑 (Subclavian)

그림 10-8 중심정맥카테터 삽입부위. 빗장밑(Subclavian), 내경정맥(internal jugular), 외경정맥(external jugular)

표 10-3 중심정맥 카테터의 흔한 합병증
빠지거나 부러진 카테터
카테터 부분의 감염
카테터를 씻거나 접근하는데에 문제(폐쇄)
공기색전증
주입과 관련된 의학적 문제

되어 있는 것처럼 패혈성 쇼크 치료를 한다. 만약 카테터 튜브가 감염되었다면 정맥에 삽입하지 말아야 한다.

폐쇄. 카테터를 삽입하여 사용하는 도중에 발생하는 문제는 보통 막히는 것이다. 이러한 합병증은 모든 형태의 카테터에서 발생할 수 있다. 합병증이 발생하면 환자를 평가하고 이송한다. 소아에 있어서 중요한 문제는 영양공급을 하기 위해서 열량이나 당분을 정맥으로 주입하는 것이다. 만약 그 카테터가 막혀서 소아가 영양분을 공급받지 못하고 있다면 혈당 내 포도당 수치는 낮아질 것이므로 간이 혈당 검사를 진행한다.

주의

중심정맥 유치 카테터가 감염되었다면 사용하지 말아야 한다.

조언

영양공급을 위해서 열량이나 당분을 정맥으로 주입하는 방법에 의존하고 있는 아동의 경우, 정맥 카테터가 제대로 기능을 하지 못하고, 아동이 영양을 공급받지 못한다면 아동의 혈당 수치는 낮아질 것이다.

저혈당의 처치. 저혈당의 증상이나 징후가 있으면 빨리 손가락 끝에 혈당 체크 스틱(finger stick)으로 혈당을 측정한다. 6장에 나와 있는 것처럼 저혈당을 치료하기 위해서 기본 인명소생술팀은 지역 지침에 따라서 입으로 혈당을 투여하고, 전문 인명소생술팀은 포도당 또는 근육주사용 글루카곤을 투여할 수 있다.

공기색전증. 공기색전증은 카테터 튜브를 관류하거나 또는 카테터가 부러졌을 때 중심정맥 카테터에 공기가 뜻하지 않게 들어가 발생한다. 공기색전증의 증상에는 숨이 가쁘고, 가슴에 통증이 있고 그리고 기침 등의 증상이 나타난다. 가끔 심혈관계 허탈과 심폐정지 증상이 나타난다.

의심되는 공기색전증에 대한 처치. 카테터를 잠그거나 보호자에게 카테터를 잠가 달라고 부탁하고, 아동에게 산소를 공급하고 아동의 머리를 왼쪽 아래로 위치시키고 응급의료센터로 이송한다.

주입에 관련된 의학적 문제. 중심정맥 카테터를 통해 공급되는 다양한 수액과 약물로 인해서 몇가지 의학적 문제들이 발생할 수 있는데 이러한 문제들은 알레르기 반응, 비정상적인 심장 박동수 또는 리듬, 호흡 곤란 등이 발생할 수 있다. 이러한 문제를 처치하고 분석하기 위해 주입된 수액을 응급의료센터로 가져와야한다.

영양공급 튜브

영양공급 튜브는 입으로 음식을 섭취할 수 없는 특별한 건강관리가 요구되는 아동에게 영양분과 약물을 공급한다. 영양공급 튜브는 소아가 적절하게 성장할 수 있도록 열량과 영양분을 충분히 섭취할 수 있도록 도와준다.

영양공급 튜브의 종류

영양공급 튜브는 코에서 위로 들어가는 코위관(nasogastric tube), 입에서 위로 들어가는 입위관(orogastric tube), 코에서 빈창자(공장)로 들어가는 코빈창자관(코공장관, nasojejunal), 입에서 빈창자(공장)로 들어가는 입빈창자관(입공장관, oro jejunal)이 있다.(그림 10-9). 이러한 튜브는 보통 소아의 얼굴에 테이프로 부착시키는 긴 카테터이다.

　다른 종류의 영양공급 튜브는 배에서 직접 삽입하여 위로 통한다(위창냄(위관)튜브 또는 G-튜브). 다른 종류로는 피부경유내시경위창냄(술)(percutaneous endoscopic gastrostomy) 또는 위를 열어서 삽입하는 버튼형(button)이다(그림 10-10). 이러한 튜브는 기관삽관 튜브와 비슷하게 위 삽입부위 끝에 풍선이 달려있다. 버튼 부위가 납작하지

조언

영양공급 튜브의 주요 합병증은 영양공급 튜브가 빠지는 것이다.

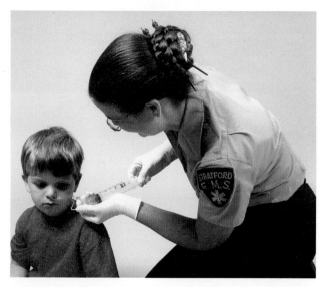

그림 10-9 아동의 얼굴에 테이프로 고정되어 있는 코빈창자관 (코공장관, nasojejunal)

© Jones & Bartlett Learning. Courtesy of Glen Ellman.

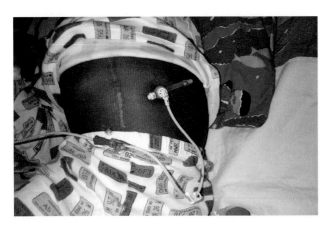

그림 10-10 피부경유내시경위창냄(술) (percutaneous endoscopic gastrostomy) 이러한 종류의 명칭으로는 위루 튜브, 위관영양관 또는 버튼형(button)이라고도 부른다.

Courtesy of Cindy Bissell.

않도록 해야 한다. 밸브가 있는 작은 캡은 바깥쪽에서 사용할 수 있도록 한다. 아동의 보호자가 교체할 수 있다. 또 다른 것은 경피적내시경위조루술(피부경유내시경위창냄술)(percutaneous endoscopic gastrostomy, PEG)이며, 튜브가 더 길다. 많은 보호자들은 신체활동을 할 때 잘 빠지지 않는 버튼형을 선호한다.

영양공급 튜브의 합병증

영양공급 튜브의 주요 합병증은 튜브가 빠지는 것이다. 만약 영양공급 튜브가 빠지면 소아는 수액을 흡인할 수도 있다. 배에 튜브가 삽입되어 있으면 혈액이나 수액이 흘러나올 수도 있다. 버튼형 튜브를 교체할 때 개구가 잘 맞지 않거나 너무 늦게 교체할 때 발생할 수 있다. 이때에는 소아를 평가하고 특히 호흡을 주의 깊게 관찰하고, 맥박산소포화도측정기를 부착해야한다.

처치

만약 G-튜브가 빠져나오면 출혈부위를 점검하고 소독된 거즈로 직접 압박을 한다. 만약 G-튜브의 삽입된 부분이 염증을 일으키고 감염이 되었다면(피부 발적, 열감 및 팽창이 관찰됨)그 주위를 멸균된 거즈로 소독한다.

　튜브가 이탈하거나 감염이라는 확실한 증거가 있으면 즉시 소아를 응급의료센터로 이송한다. 보호자에게 소

영양공급 튜브 제거. 코위관(nasogastric tube), 입위관(orogastric tube)이 제 위치에 있음에도 불구하고 소아가 호흡 곤란을 느낀다면 보호자에게 튜브의 위치를 점검해 달라고 부탁한다. 만약 튜브 위치를 확인할 수 없다면 튜브를 제거한다.

아의 빠져 나온 튜브 사이즈를 알기 위해서 병원으로 가져와 달라고 부탁한다. 만약 소아가 수액 또는 약물을 주입 중이었다면 보호자에게 주입을 중단하고 소아와 함께 이송시켜 달라고 부탁한다. 만약 소아에게 응급의료체계가 도착하기 전 30분 이내에 영양 공급 카테터를 통해서 수액을 공급했다면 역류와 흡인을 예방하기 위해서 앉은 자세로 이송한다.

뇌척수액 단락(CSF shunt)

뇌척수액 단락은 뇌에서 초과된 뇌척수액이 배액되어 나오게 하는 장치이다. 이것은 보통 뇌의 뇌실에 삽입하여 목을 지나 배의 복막(배막)(ventriculoperitoneal or VP shunt, 뇌실복강단락) 또는 심장(ventriculoatrial or VA shunt, 뇌실심방단락)까지 삽입한다**(그림 10-11)**. 단락이 지나가는 통로는 한쪽 머리를 옆으로 하거나 목을 아래로 이어서 가슴벽 또는 복부의 흉터까지 닿는 단락을 만져서 추적해볼 수 있다. 뇌척수액 단락은 뇌수종을 앓고 있는 소아가 정상적인 뇌압을 유지할 수 있도록 도와준다. 물뇌증(수두증, hydrocephalus)은 선천적인 문제 또는 출혈, 외상 또는 감염과 같은 후천적인 조건에 의해 발생될 수 있다.

뇌척수액 단락의 합병증

뇌척수액 단락의 주요 합병증은 폐쇄와 감염이다. 가장 흔한 합병증은 단락 폐쇄와 기능 부전이다. **표 10-4**는 주호소에 대한 심각성과 치료의 긴급함을 평가하기 위해서 평가 중에 물어봐야 할 주요 질문들이다.

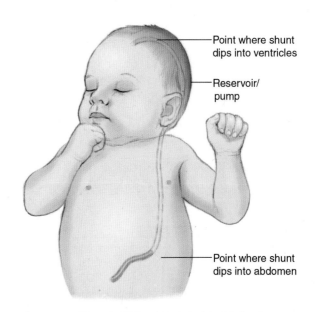

그림 10-11 뇌척수액 단락은 뇌의 뇌실로부터 복막 또는 심장까지 뇌척수액을 흐르게 한다.

CSF, cerebrospinal fluid.

뇌척수액 단락의 폐쇄 또는 감염이 가능한 소아에 대한 평가

뇌척수액 단락의 폐쇄 증상은 두통, 무기력, 졸음, 염증 또는 구역, 구토를 포함하여 머릿속압력(두개내압) 상승의 증상과 비슷하고 보행에 문제가 있다. 발열은 보통 단락 감염 또는 병발성 질병의 징후이지만 그것은 단지 단락 기능상실에 의해 발생할 수도 있다. 단락 폐쇄의 징후로는 비정상적인 외관, 높고 날카로운 울음(high-pitched cry), 발작 또는 의식 변화이다. 매우 걱정스러운 징후는 단락 폐쇄로 인해서 머릿속압력(두개내압) 상승으로 나타나는 쿠싱삼징후(Cushing triad)(느린 맥, 혈압 상승, 불규칙한 호흡)이다.

조언

특히 척추갈림증(이분척추, spina bifida)이 있는 특별한 건강관리가 요구되는 아동은 라텍스에 대한 민감성과 알레르기를 가지고 있을 수 있다. 라텍스에 대한 반응은 국소 반응부터 아나필락시스 반응까지 다양하다

단락이 감염된 소아는 발열, 두통, 식사의 어려움 또는 행동의 변화가 있을 수 있다. 단락 감염의 징후는 비정상적인 외모, 의식변화 그리고 패혈성 쇼크가 있다.

처치

소아의 기도 내 튜브가 깨끗한지, 효율적인 호흡을 하고 있는지 확인한다. 보충산소를 공급하고 환자를 이송한다. 머리

전문소생술(Advanced Life Support)

머릿속압력(두개내압)의 상승으로 인한 과호흡. 과호흡은 뇌탈출이 임박하거나 명백하게 나타난 소아를 위한 처치법이다. 그러나 병원 밖에서의 물뇌증(수두증, hydrocephalus)으로 인한 머릿속압력(대개내압) 상승을 치료하는 데 있어서 과호흡치료에 대한 효과가 아직 확실하게 정립

되지 않았다. 빠른 이산화탄소 감소와 혈관수축에 따른 과호흡은 뇌관류를 감소시킬 것이다. 다른 한편으로 과도한 환기는 관류를 심각하게 감소시키고, 뇌허혈(국소 빈혈)을 초래하게 된다. 만약 뇌척수액 단락을 하고 있는 소아가 임박한 또는 명백한 뇌탈출의 증상이 나타나면 호기말이산화탄소분압측정술로 이산화탄소 수치를 30-35 mmHg로 유지한다. 이는 7장에 나와 있는 외상성 뇌손상 치료와 같다.

를 신체의 정중선에 유지시키고, 가능하다면 계속적으로 머리를 30-45°정도로 높게한다. 만약 소아가 느린맥(서맥), 불규칙한 호흡 그리고 혈압상승 등 쿠싱삼징후(Cushing triad)의 증상을 보이면 머릿속압력(두개내압) 상승과 뇌 헤르니아(탈출)가 곧 발생하려고 하는 것이다. 백-밸브 마스크로 환기를 시작하고 빨리 이송한다.

창냄술(ostomies)

크론병(Crohn's disease), 척수손상, 암, 원위부 요관 또는 방광 결손, 괴사성 작은창자큰창자염(소장대장염)이 있는 영아는 정기적으로 소변과 대변을 배설하는 것에 방해를 받는다. 이를 해결하기 위해서는 여러 종류의 창냄술(ostomies)이 있다. 복부에 구멍을 내어 만드는 잘록창자창냄술(결장창냄술, colostomy) 또는 돌창자창냄(술)(회장조루술, ileostomy)은 작은창자(소장) 또는 큰창자(대장)에 수술로써 개구가 만들어진다. 이러한 시술은 창자(장)에 염증이나 손상이 있을 때 우회로를 만들어서 소화기계가 계속 기능을 할 수 있도록 해준다. 외부 주머니는 소화기계 배설물을 담기 위해서 개구에 붙어있다. 나중에 창자(장)를 재결합할 가능성이 있는 경우에는 개구 아래에 창자(장)를 제거하지 않는다. 잘록창자창냄술(결장창냄술, colostomy)은 일시적 또는 영구적일 수 있다. 요로창냄술(요루, urostomy)의 개구 소변을 제거할 수 있도록 수술에 의해서 만들어진다.

창냄술(ostomies)의 합병증

창냄술(ostomies)의 합병증은 탈수, 감염, 주머니 위치변동이 포함된다. 잘록창자창냄술(결장창냄술, colostomy)을 가지고 있는 소아는 탈수의 위험이 증가하기 때문에 임상적 징후 및 증상을 주의깊게 관찰하여야 하고, 특히 설사나 구강섭취의 감소 병력이 있는 소아는 더욱 그렇다.

창냄 부위의 감염 징후로는 붉고, 따뜻하고, 개구 주변부위로 확산된 압통이 있다. 보호자는 개구 부위가 평소보다 더 압통이 있는지 소아에게 물어봐야 한다. 만약 소아가 감염의 징후가 있다면 추후 평가를 위해 병원으로 이송해야 한다.

주머니 교체

소아를 병원으로 이송하기 전에 주머니가 다 채워졌다면 보호자에게 비워달라고 부탁한다. 또한 주머니를 비우기 전에 정확한 양을 재서 기록한다. 주머니를 비우고 나서 누출을 방지하기 위해 재밀봉 되었는지 확인한다. 어떤 경우에는 주머니가 분리되거나 찢어지기도 한다. 다른 주머니를 사용할 수 없는 경우에는 젖은 거즈를 둥글게 하여 개구 주변에 둥글게 부착하고, 다른 대체할 수 있는 주머니를 부착한다. 주머니를 사용할 수 없는 경우 적절한 교체가 이루어지기 전까지 개구에 젖은 거즈를 여러겹 대어준다. 또 다른 방법으로는 개구에 비재호흡 마스크를 대주는 것이다. 마스크의 저장주머니는 대변이나 소변을 수집할 수 있다.

마지막으로 소아의 프라이버시를 존중한다. 개구 부위를 공개적인 장소에서 노출 하지 않고, 주머니를 보이지 않게 해준다.

체내박동조율기와 제세동기

박동조율기(페이스메이커)는 심장박동을 규칙적으로 하기 위해서 체내에 삽입한다. 적응증은 적절한 관류가 유지되지 않아서 느린맥(서맥)이 있거나, 이전에 심정지가 있었거나, 개심수술(심장절개수술) 이후에 특히 심장차단이 있는 경우이다. 박동조율기는 보통 발생기(발생장치, generator)와 전극선(lead)이 있다. 발생기(발생장치)는 소프트웨어와 배터리가 있고 전기 충격을 제공한다. 전극선(lead)은 절연된 전선으로 되어 있으면서 심장에 전기 충격을 수행하고, 맥박 발생장치를 백업하여 정상적인 심장 리듬에 대한 정보를 제공한다.

체내박동조율기의 합병증

박동조율기를 가지고 있는 소아는 여러 합병증이 있을 수 있다. 일부 장치는 소아의 심장 박동이 일정 비율 이상으로 갈수 없도록 되어 있다. 소아가 쇼크가 발생하였거나 쇼크에 임박하였을 경우, 기기는 심박수를 증가시킴으로써 보상할 수 없으므로, 즉시 치료와 이송을 시작해야 한다. 또 다른 합병증은 박동조율기의 고장이다. 소아의 심장박동이 떨어지거나 관류가 늦어질 때에도 즉시 치료와 이송이 시작된다. 세 번째 합병증은 박동조율기의 기능이상이다. 만약 박동조율기가 잘 작동하지 않으면 소아는 느린맥(서맥)이 발생할 수 있다. 또 다른 예로서 전극선(lead)이 빠질 수 있는데, 박동조율기가 작동할 때 심장근육 대신에 가로막(횡격막)에 잘못 위치하는 경우이다. 호흡수는 박동조율기의 숫자와 동일해질 것이다. 하나의 특별한 문제는 흉부 외상으로 인해 전극선(lead)이 빠질 수 있다. 심박동수를 모니터링하고 이송 해야 한다.

체내심장제세동기

자동이식형제세동기(automatic implantable cardioverter defibrillator, ACID)와 체내심장제세동기(internal cardiac defibrillator, ICD)는 피부 아래에 이식하는 전자장치이다. 이 장치의 목적은 심장 박동을 모니터하고, 심실에서 발생한 지나치게 빠른 심장 박동을 느리게 하거나 중지하는 것이다. 이러한 리듬에는 심실빠른맥(심실성빈맥)과 심실세동이 포함된다.

발전장치는 심장 리듬을 모니터링하고 기록하기 위해서 작은 배터리로 작동하는 전자 장치이다. 지나치게 빠른 심장 박동을 변환하고자 할 때 충격을 보내게 된다. 전극선(lead)은 발전장치에 장착되며, 심장 근육에 연결되어 심장 리듬을 모니터링하고 심장에 충격을 준다. 이는 컴퓨터에도 기록이 된다.

박동조율기(페이스메이커), ICD 또는 AICD를 가지고 있는 소아의 경우 응급구조사는 보호자에게 다음과 같은 질문을 한다 :

- 소아의 심장 문제 유형은 무엇입니까?
- 소아의 기본 심장 리듬은 무엇입니까?
- 소아가 가지고 있는 박동조율기(페이스메이커), ICD 또는 AICD는 어떤 종류입니까?
    - 박동조율기(페이스메이커)를 가지고 있는 경우, 소아는 박동조율기(페이스메이커)에 의존하고 있습니까? 설정은 어떻게 되어 있습니까?
    - 만약 ICD 또는 AICD을 가지고 있는 경우 설정은 어떻게 되어 있는지, 심박수는 ICD 작동과 관련된 것인지, 소아는 얼마나 많은 충격을 경험하고 있는지? 더욱이 다음의 경우 중 소아는 어떤 것을 경험하고 있는지를 본다.
        - 연속적으로 3개 이상의 충격인지?
        - 특이한 증상이 충격이후 계속 발생하는지?
        - 현기증, 어지러움, 두근거림 등 일정기간 동안 있었는데, 그동안 전기적 충격(shock)은 없었는지?

조언

체내박동조율기는 소아의 빗장뼈(쇄골) 근처 또는 배(복부)에서 느낄 수 있다. 제세동기 패들을 근처에 두지 말아야 하고, 제세동기 페이싱 패치에 손이 닿으면 안되고, 자동 외부 제세동기 패치는 체내박동조율기나 제세동기 발생 장치 위에 직접적으로 놓여 있으면 안된다. 이식된 박동조율기와 제세동기의 배터리 수명은 6-12년 정도이다.

미주신경 자극

미주신경 자극(VNS)은 난치성 간질 환자들을 위해서 1997년에 식품의약품안전처(FDA)의 승인을 받았다. 어떤 아동은 약물치료, 수술, 식이에도 불구하고 발작이 계속된다. 미주신경 자극은 발작을 해결하기 위한 희망적인 처치이다.

미주신경 자극(VNS) 장치는 박동조율기처럼 보이는 것으로 신경외과 의사의 수술로 왼쪽 가슴 피부 아래에 이식되어진다. 이것은 뇌에 직접 유도되어 좌측의 미주신경이 간헐적으로 자극되는 것을 기준으로 하여 제공되도록 프로그래밍된다. 환자 또는 관리자는 이식부위 위에 손으로 자석을 대어 장치를 활성화한다.

발작이 있고, 미주신경 자극 장치가 이식되어 있는 특별한 건강관리가 요구되는 아동이 호출하였을 때에는 제일 먼저 미주신경 자극 장치가 활성화할 수 있도록 보호자를 지원한다. 또한 지침에 따라 의료지도를 받는다. 발작이 있으면서 미주 신경 자극 장치를 가진 아동들은 그렇지 않은 다른 환자들처럼 기도, 호흡, 순환을 관찰하고 평가한다.

투석 단락 (Dialysis Shunt)

만성 콩팥기능상실(신부전)은 네프론의 영구적인 손실로 인해서 콩팥의 기능이 지속적이고, 불가역적이고, 불충분한 상태이다. 이러한 질병은 몇 달 또는 몇 년에 걸쳐서 진행되고, 콩팥 기능이 상실되면서 노폐물과 혈액내 수분이 계속적으로 많아져서 콩팥에 흉터가 발생한다. 콩팥(신장)투석은 혈액에서 노폐물의 독성을 걸러내는 기술이고, 과량의 수분을 제거하고, 전해질의 정상적인 균형을 회복하는 것이다. 투석의 두 가지 종류는 복막투석(peritoneal dialysis)과 혈액투석(hemodialysis)이다.

복막 투석은 특별하게 제조된 다량의 투석액을 복강으로 주입하고, 배출하는 것이다. 이러한 투석액은 (액체는) 균형을 유지할 수 있도록 1-2시간동안 복강에 머물러 있도록 한다. 매우 효과적이긴 하지만 복막염의 위험성도 있다. 많은 환자들은 보호자가 이러한 방법에 대해 적절하게 훈련을 받으면 가정에서 실시한다. 응급구조사들은 일반적으로 이러한 절차에 관여하지 않는다.

혈액투석 환자는 콩팥과 같은 기능을 하는 기계로 혈액순환을 하는 것이고, 이를 위해서는 단락 또는 수술에 의해서 만들어지는 정맥 또는 동맥의 확보가 필요하다. 외부 단락은 손목 부분이나 위팔 부위, 허벅지 안쪽에 위치한다. 일부 환자들은 동정맥샛길(동정맥루)이라고 부르는 내부 단락을 가지고 있는데, 이는 보통 아래팔 또는 위팔 부위에 위치한다(**그림 10-13**).

환자를 이동하거나 이송할 때, 외부 단락은 잘 보호되어야 하고, 어떠한 벨트나 끈에 의해서 기능을 방해받지 말아야 한다. 혈압을 잴 때에도 장치가 없는 팔에서 측정해야 한다. 만약 환자가 내부 단락이나 동정맥샛길(동정맥루)을 가지고 있는 경우에는 그 곳에서 혈액이나 체액채취를 해서는 안된다.

주의

혈관 접근을 위해서 동정맥샛길(동정맥루)을 사용하여서는 안된다.

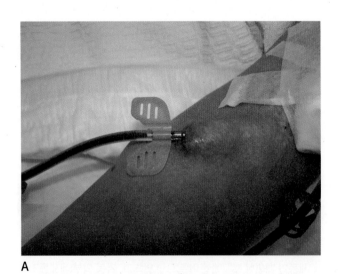

A

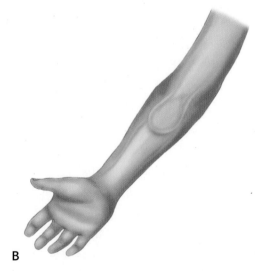

B

그림 10-12 A. 동정맥샛길(동정맥루)로 팽창은 동맥의 압력에 의하여 생성된다. **B.** 동정맥샛길(동정맥루) 이식이 큰 혈관이 돋아진 것처럼 보인다.

A: © Terrapanthera/Shutterstock.

아동의 기술적 도움 요약

장비를 가지고 있어서 기술적 도움을 받는 소아들은 많은 도전적인 문제가 발생할 수 있다. 응급구조사들은 기본 목적, 디자인, 기관절개튜브, 중심정맥 카테터, 영양공급 튜브, 뇌척수액(CSF) 단락(shunt), 박동조율기(페이스메이커), 이식형 제세동기의 일반적인 합병증을 잘 알고 있어야 한다. 장비에 대해 보호자에게 물어보고, 모든 장치는 아동과 함께 응급의료 센터로 이송한다. 이러한 문제가 전에도 발생한 적이 있는지, 전엔 어떻게 대처를 했었는지도 묻는다. 마지막으로 아동이 자신이 사용하고 있는 장치에 대해 가장 잘 알고 있을 수도 있다는 사실을 기억해야 한다. 장치에 대해서 아동에게 직접 질문함으로써 더 나은 처치를 할 수 있고, 신뢰를 얻을 수 있을 것이다.

특별한 건강관리가 요구되는 아동을 위한 소아전문요양원(Medical Home)

특별한 건강관리가 요구되는 아동의 처치를 조정함에 있어서 다양한 기관의 참여가 복잡할 수 있다. 일반 의사나 소아청소년과 전문의의 사무실은 가족 중심의 소아전문요양원이 됨으로써 문화적으로 민감하지만 헌신적이고, 종합적이고, 지속적인 처치를 제공한다. 정보는 www.medicalhomeinfo.org에서 얻을 수 있다.

특별한 건강관리가 요구되는 아동은 만성질환을 관리할 수 있는 여러 명의 의사, 치료사, 가정 간호 제공자, 기타 보건의료 제공자의 진료를 받게 된다. 효과적인 치료를 위해 담당 의료진은 소아전문요양원과 다른 기관과 상호 효율적인 의사소통을 해야 한다. 전통적으로 의사소통은 보고서를 팩스나 사본으로 보내서 문서화한다. 이러한 체계는 보고서가 일부 손실되거나 누락된 점, 진료 시간까지 사무실이나 병원에 도착하지 않는 점에서 문제가 발생하면 추가로 방문절차를 따른다. 예를 들어, 소아가 소아신경과에서 발작을 관리하기 위해서 이전과 다른 약물치료를 받는 경우, 주치의는 이러한 변화에 대해서 알 수 없고, 질병 치료를 위해 위험한 상호 작용을 할 수 있는 다른 약물을 처방할 수 있다. 이러한 경우 약물 부작용뿐만 아니라 치료가 불량해질 수 있고, 불필요한 입원이나 중복검사, 다른 모순된 임상적 조언, 불량한 임상결과가 있을 수 있다.

미국국립의학연구소(Institute of Medicine, IOM)는 만성 질환자에 대한 치료의 질을 향상하고 부진한 치료 결과를 해결할 수 있는 한 가지 방법으로 비효율적인 진료 관리를 막고 추천된 전자의무기록에서 모든 진료를 통합 조정하고 관리하는 것임을 확인하였다. 아동의 처치와 치료를 전자의무기록으로 문서화하면, 아동의 과거 병력 및 수술력, 약물, 알레르기, 여러 기관들을 접촉하기 위한 연락처, 예방서비스 일정, 기본 정신상태 및 다른 정보들을 즉시 제공받을 수 있다.

전자의무기록은 다른 기관과 정보를 공유하는데 도움이 된다. 일부 국가에서는 환자의 치료에 도움을 주기 위하여 건강정보 교환을 발전시켜서 전자데이터를 병원, 의사, 다른 기관과 공유한다. 현재 산발적으로 정보를 공유하고 있지만 응급 의료시스템과는 연동이 되지 않고 있다는 어려움이 있다.

특별한 건강관리가 요구되는 아동과 관련된 응급 상황에서, 정확한 의료 정보의 획득은 치료, 약물 및 지속적인 관리보다 우선순위가 높다. 이를 해결하기 위해서, 전자정보의 버전은 EIF인데 원래 버전이 AAP와 ACEP에 의해 개발된 것이다.

특정 웹사이트에서 아동의 부모와 보건의료제공자들은 보안이 확보된 상태에서 데이터 입력과 접근이 가능하다. 건강정보 기술과 전자데이터 교환은 특별한 건강관리가

사례연구 3

다급한 어머니가 구급대를 불렀다, 왜냐하면 평소와 달리 아들에게 젖을 먹이기 힘들고, 피부색이 평소보다 청색을 띠기 때문이다. 아들은 생후 2개월이 되었고, 다운증후군과 심장결손이 있다고 어머니는 말하였다. 아들은 집에 온지 몇 주 되었고, 심장 교정수술을 할 정도로 충분히 성장하기를 기다리고 있는 중이라고 하였다. 어머니는 맥박산소포화도측정치를 80%대가 평소 수치라고 알려주었다, 어머니는 아들의 병력, 약물, 병원 이용력이 적힌 카드를 가지고 있었고, 아들은 어제부터 구토를 하고 있기 때문에 어떤 약물도 복용할 수 없었다고 하였다.

응급구조사는 영아에게 다가가서 평가해보니 청색증이 있고, 반응이 약하며, 영아는 가슴 퇴축과 코벌렁임(비익확장, nasal flaring)이 있었다. 가슴에서는 거품소리(수포음, crackle)가 들리고, 맥박산소포화도측정치는 75%로 측정되었다, 심박동수 130회/분, 호흡수 70회/분, 혈압은 촉진상 86 mmHg이었다,

1. 이 생리학적 문제를 무엇이라고 보는가?
2. 응급구조사는 초기 중재를 어떻게 할 것인가?

요구되는 아동의 치료를 향상시킬 수 있는 방법의 한 예가 된다. 또한 환자가 있는 소아전문요양원과의 접촉은 응급의료 전문가에게 환자에 대한 중요한 정보를 제공할 수 있다.

특별한 건강관리가 요구되는 아동에서 부가적인 응급의료체계의 고려사항

1. 특히 척추갈림증(척추이분증)과 같은 특별한 건강관리가 요구되는 아동은 라텍스에 대해서 민감한 반응 또는 알레르기 반응을 보인다. 항상 이러한 환자들에게는 라텍스에 대해서 주의를 준다. 라텍스에 대한 반응은 특정한 부분의 피부 반응에서 과민증까지 나타날 수 있다.

2. 아동에게 조용하고 차분하게 말하고 아동의 지적수준에 알맞은 단어를 사용함으로써 아동에게 앞으로 일어날 수 있는 일에 대해서 설명한다. 이러한 접근은 아동의 불안감을 감소시키고 협조할 수 있도록 하게 할 것이다. 대부분의 특별한 건강관리가 요구되는 아동은 서두르지 않는 동작과 단호하고 안전한 접촉에 가장 잘 응답한다는 것을 알아야 한다.

3. 뇌성마비 또는 근(육)위축으로 근골격계 문제를 가진 아동을 이송하기 위해서 준비하는 동안 특별한 관리가 필요하다. 뇌성마비인 아동은 자주 수축되고 경직된다. 억지로 움직이게 하지 않는다. 아동들을 자연스러운 자세로 안전하게 유지한다. 마비 또는 근(육)위축 아동들은 정상적인 감각을 가지고 있지 않을 수 있고, 바퀴형 들것 위에 있는 아동들의 팔다리를 안전하게 하고, 가장자리에 매달리지 않도록 특별한 관리를 해야 한다.

4. 특별한 건강관리가 요구되는 아동의 통증을 평가한다.

만약 아동이 의사소통이 불가능하다면 보호자에게 아동의 통증에 대해서 물어본다. 아동이 편안하도록 자세를 취해주고, 몸에 상처입기 쉬운 부분 밑에 담요를 깔아준다. 만약 지역 지침상 가능하다면, 응급구조사가 도착하기 이전에 통증을 완화시키기 위해서 어떤 약물도 주지 않았다는 것을 보호자에게 확인한 후 통증을 조절하기 위해서 약물을 준다.

5. 특별한 건강관리가 요구되는 아동이 집을 떠날 때:
   ▪ 부모나 보호자들에게 아동의 '이동용 가방'에 대해서 물어본다. 이 가방은 아동의 기관절개술 튜브, 영양공급 튜브 또는 중심정맥을 다루기 위해서 필요한 모든 물품(관례적으로 구급차에 없는 것들 포함)이 들어있다.
   ▪ 부모에게 아동의 일상적인 의료 정보를 물어보는데, 건강상태, 기본 활력징후, 알레르기, 의사 성명과 전화번호, 약물치료, 필요한 가정 지원 장비에 대한 정보를 포함한다. 환자가 가장 편안할 수 있는 방법에 대해서 물어본다.
   ▪ 가정에 있는 압축 산소가 출발 전에 꺼져 있는지 확인한다.

6. 아동의 보호자가 아동의 관리를 계속 도와주기 위해서 병원까지 동반하도록 요청한다. 보호자는 반복적인 평가와 중재에 중요한 자료제공을 해 줄 뿐만 아니라, 익숙하지 않고 혼란스러운 환경에서 아동에게 친근감과 안도감을 줄 수 있다.

7. 보호자가 정서적으로 안정되지 못하고 피로한 상태라면 아동과 함께 있는 동안 아동의 처치에 있어서 수동적인 역할만 하도록 배려한다.

사례연구 답안

사례연구 1

호흡곤란이 있을 때에는 기도, 호흡, 순환에 대한 평가를 해야한다. 소아의 보호자에게 기본 활력징후와 활동수준에 대해서 물어본다. 어떤 변화가 있었는지, 만일 그렇다면 무엇이 다른지에 대해서 물어본다.

소아에게서 인공호흡기를 제거하고, 백-밸브 마스크로 수동식 인공호흡을 실시한다. 기관절개관으로 공기주입이 잘 되는지 보고, 호흡곤란이 있는 소아의 호흡이 개선되었는지 확인한다. 보호자에게 마지막으로 언제 기관절개관을 교체하였는지 물어보고, 얼마나 자주 흡인하였는지 질문한다. 소아가 호흡하는데 도움이 된다면 기관절개관으로의 흡인을 실시한다. 만약 분비물이 많거나 수동식 인공호흡기로 공기를 주입하는데 곤란함이 있다면 기관절개관의 교체를 고려한다.

알부테롤 분무기 치료를 고려한다. 알부테롤은 분비물이 맑아지고, 호흡곤란이 있을 때 기도를 개방시켜 주는데 도움을 준다. 부모는 평상시보다 더욱 자주 흡인을 하였고 오늘 이미 기관절개관을 교체를 했다고 말한다. 아동은 더욱더 병색이 짙어진 것 같고, 여동생은 지난 몇 일전부터 감기에 걸려 있었다고 말한다. 이러한 병력을 가진 아동은 만성 폐질환이 더욱 악화된 것이고, 섬액에 의해 기도가 막힐 가능성이 있다.

응급구조사는 기관절개관으로 알부테롤 분무기 치료를 하면서 아동을 병원으로 이송해야 한다. 응급구조사는 보호자에게 위창냄술(gastrostomy) 튜브로 먹이는 것을 중단하고 이송을 준비할 수 있도록 한다.

사례연구 2

남자 아이는 힘들어 하지 않는다. 소아 평가삼각구도는 정상으로 나타났다. 활력징후도 안정적이다. 아동은 중심정맥카테터로 주입되는 영양과 수액공급에 전적으로 의지하고 있다. 보호자에게 얼마나 오랫동안 카테터 부위에서 출혈이 있었는지를 물어본다. 카테터가 빠지지 않았는지, 파손되지 않았는지 살펴본다. 출혈을 멈추게 하기 위해서 직접압박을 실시한다. 보호자에게 연결을 해제해줄 것을 요청한다. 아동을 이송할 준비를 하고, 평소 이용하던 병원으로 이송하면 카테터를 교정하거나 교체받을 수 있다. 만약 1-2시간 이내 영양분 공급이 없었다면 혈당 검사를 시행한다.

매우 빈번한 문제는 영양을 공급하는 카테터가 빠지는 것이다. 모든 영양과 수분공급이 위루관을 통해서만 전적으로 공급되는 영아가 있다면 특히 그렇다. 또한 위창냄술(gastrostomy) 튜브가 빠진지 시간이 오래 경과했을수록 다시 재삽관이 매우 어렵다. 가족들에게 위창냄술(gastrostomy) 튜브가 빠진 것과 만약 있다면 새것도 같이 챙겨달라고 요청한다. 모든 병원들이 아동에게 적절한 크기이 위창냄술(gastrostomy) 튜브를 구비해 놓지 않을 수 있으므로 이송 이전에 응급실로 미리 연락하거나, 평소 이용하던 병원으로 이송한다.

짧은 창자 증후군은 혈관에 의한 혈액순환의 장애로 창자(장)가 괴사되어서 넓은 부위의 창자를 절제할 때 발생한다. 이러한 현상은 미성숙 아동과 창자 염증, 장폐쇄, 외상으로 인해서 창자(장) 쇼크나 저산소증을 경험한 아동에게서 발생할 수 있다. 이러한 아동들은 종종 위루관을 통해서 영양이 공급되었을 것이다. 그렇지만 수술 후 남아 있는 장의 용적이 충분하지 않은 경우에는 중심정맥카테터를 이용해 영양(높은 영양물질이나 지질)을 공급한다. 이 아동은 더 이상 위창냄술(gastrostomy) 튜브를 통해서 영양분을 공급받을 수 없으며 중심정맥 카테터로의 영양 공급이 필요하다.

영아에게 오랜 시간동안 수액공급을 하지 않으면 관류 저하의 초기 단계에서 빠른맥(빈맥), 끈적거리는 점액 분비물이나 눈물이 나지 않는 것과 같은 탈수 징후가 나타난다. 중재로는 산소공급, 보온, 마른 거즈로 구멍을 막아주고, 적절한 크기의 위창냄술(gastrostomy) 튜브를 챙겨서(어떤 특별한 어댑터가 있을 경우 그것도 포함해서) 이송한다.

전문소생술로는 중심정맥이 잡히지 않고, 위창냄술(gastrostomy) 튜브가 빠져있어 탈수 증상을 보이는 아동에게는 말초 정맥에 정맥로를 확보하여 결정질용액(정질액, 전해질이 포함된 용액)을 20 mL/kg 정도로 빨리 주입한다. 혈당이 낮으면, 정맥내 덱스트로오스를 주입한다.

사례연구 3

기도, 호흡, 순환을 평가한다. 응급구조사는 소아의 호흡을 보조하는 것이 필요하다고 판단되면, 백-밸브 마스크로 수동식 인공호흡을 실시한다. 다른 응급구조사는 정맥주사 부위가 적절한지 살펴보고, 팔다리 부종이 있는지 파악하고 보고한다. 응급구조사는 소아가 울혈성 심장기능상실(심부전)이라고 판단되면 의료지도 없이는 수액을 정맥으로 주입하지 말아야 한다. 혈압과 관류가 적절하다면 혈압을 올리는 약물을 사용하지 않는다. 즉각 응급의료센터로 이송한다.

다운증후군 소아는 의학적인 합병증에 대한 위험이 증가한다. 심맥관계, 감각기계, 내분비계, 근골격계, 치과계, 위창자계, 신경계의 발달과 조혈체계 등을 포함한 기관 계통에 영향을 초래한다. 다운증후군이 있는 소아는 발달이 지연되며 지적 장애가 있다.

심맥관계의 결함은 다운 증후군을 가진 신생아들의 사망의 원인이 되는데 이는 선천적으로 기형이 있기 때문이다. 심각한 심장 기형을 가지고 태어난 소아의 중재로는 심장수술을 받을 때까지 가정에서 잘 보살펴주고, 심장수술을 할 수 없는 경우에는 지지요법을 적용한다.

추천 자료

Textbooks

Adirim T, Smith E. *Special Children's Outreach and Prehospital Education (SCOPE)*. Burlington, MA: Jones and Bartlett Learning; 2006.

American Academy of Pediatrics and the American College of Emergency Physicians. *APLS: The Pediatric Emergency Medicine Resource*. 5th ed. Burlington, MA: Jones and Bartlett Learning; 2012.

Wertz E. *Emergency Care for Children*. Albany, NY: Delmar; 2002.

Articles

American Academy of Pediatrics, Committee on Children with Disabilities. Care coordination: integrating health and related systems of care for children with special health care needs. *Pediatrics.* 2005;116:1238–1244.

Bhandari A, Bhandari V. Pitfalls, problems, and progress in bronchopulmonary dysplasia. *Pediatrics.* 2009;123:1562–1573. doi:10.1542/peds.2008-1962.

Burton LC, Anderson GF, Kues IW. Using electronic health records to help coordinate care. *Milbank Quarterly.* 2004;82:457–481. doi: 10.1111/j.0887-378X.2004.00318.x.

Institute of Medicine. Committee on Identifying Priority Areas for Quality Improvement. In: Adams K, Corrigan J, eds. *Priority Areas for National Action: Transforming Health Care Quality.* Washington, DC: National Academies Press; 2003:1–13.

McPherson M. A new definition of children with special health care needs. *Pediatrics.* 1998;102: 137–139.

National Task Force on Children with Special Health Care Needs. EMS for children: recommendations for coordinating care for children with special health care needs. *Ann Emerg Med.* 1997;30:274–280.

O'Neil J, Hoffman B. American Academy of Pediatrics Council on Injury, Violence, and Poison Prevention. Transporting children with special health care needs. *Pediatrics.* 2019;143(5):e20190724.

Spaite DW, Conroy C, Karriker KJ, et al. Improving emergency medical services for children with special health care needs: does training make a difference? *Am J Emerg Med.* 2001;19:474–478.

Spaite DW, Conroy C, Tibbitts M, et al. Use of emergency medical services by children with special health care needs. *Prehosp Emerg Care.* 2000;4:19–23.

Spaite DW, Karriker KJ, Seng M, et al. Training paramedics: emergency care for children with special health care needs. *Prehosp Emerg Care.* 2000;4:178–185.

Other Resources

Center for Pediatric Emergency Medicine (CPEM). Teaching resource for instructors in prehospital pediatrics (TRIPP), Version 2.0 [CD-ROM]. New York: Center for Pediatric Emergency Medicine; 1998.

National Center for Medical Home Implementation. www.medicalhomeinfo.aap.org. Accessed July 14, 2019.

National Down Syndrome Society. Down syndrome fact sheet. http://www.ndss.org/wp-content /uploads/2017/08/NDSS-Fact-Sheet-Language -Guide-2015.pdf. Accessed July 14, 2019.

American Academy of Pediatrics. Emergency information forms and emergency preparedness for children with special health care needs. https://pediatrics .aappublications.org/content/125/4/829.

American College of Emergency Physicians. Emergency information form for children with special health care needs. https://www.acep.org/globalassets /new-pdfs/policy-statements/emergency-nformation -form-for-children-with-special-health-care-needs/. Accessed October 2, 2019.

CHAPTER 11
아동학대

Joyce Foresman-Capuzzi, MSN, APRN, CCNS, CEN, CPEN, CTRN, TCRN, CPN, EMT-P, FAEN

Toni M. Petrillo, MD, FAAP

학습목표

1. 아동학대의 징후, 원인 및 합병증을 설명할 수 있다.
2. 신체적 학대, 정서적 학대, 성적학대 및 아동방임의 용어를 정의할 수 있다.
3. 의심되는 아동학대의 관리에서 아동보호기관의 역할을 설명할 수 있다.
4. 현장 평가, 병력과 신체검진 과정 및 돌봄제공자의 행동에서 아동학대를 시사하는 소견을 구별할 수 있다.
5. 학대가 의심되는 희생자의 돌봄제공자와 적절한 의사소통 방법을 설명할 수 있다.
6. 아동학대가 의심되는 경우 응급구조사의 법적 의무 즉, 기록 및 보고의 의무를 설명할 수 있다.
7. 인신매매의 단서를 확인할 수 있다.

개요

응급구조사는 언제 아동학대(child maltreatment)를 의심해야 할지 알아야 한다. 응급 의료를 제공하는 것이 언제나 최우선 순위이지만, 아동학대가 의심되는 사례에 관한 가치있는 현장 기록을 제공하고 맨 먼저 보고를 하는 것도 종종 응급구조사가 할 일이다. 이 모든 일이 약한 아동을 보호하고 학대의 악순환을 중단시키는 데 아주 중요하다. 명백한 외상으로 고통받는 소아환자를 처치할 때, 응급구조사는 학대의 잠재적인 징후를 찾는 데 있어 방심하지 말아야 한다.

불행히도 아동학대는 흔히 발생하며, 생후 12개월 이하 영아의 주요 사망 원인 중 하나이다. 신체학대와 방임은 종종 확인되지만, 성적학대, 정서적 학대 및 아동방임은 그렇게 명백하지 않을 수 있다. 학대로 사망한 일부 아동들은 아동학대를 감시, 관리, 예방하기 위해 각 지역에 마련된 법적 기관인 아동보호기관(child protection services, CPS)에 보고된다. 학대에 의한 사망은 때때로 예방이 가능하다. 학대받은 혹은 방임된 아동은 추후 다시 학대받을 가능성이 크다. 미래의 손상 및 사망을 예방하기 위해 조기 발견이 중요하다.

배경, 비용 및 정의

2017년, 국가 아동학대 및 방임 자료 시스템을 통해 350만 명의 사례가 미국 아동보호기구에 보고되었다. 그중 674,000명이 학대받거나 방임되고 있었다. 생후 1년까지의 영아에서 가장 높은 발생률이 나타났다(1,000명당 25.3명의 사례). 보고된 아동학대의 각 사례에서, 2 사례 중 1 사례는 인식되지 않은 것으로 추정된다. 2017년에 1,720명의 아동이 학대나 방임으로 인해 사망했다고 추정되며, 이는 매일 4

사례연구 1

119에 영아가 무반응 상태라는 신고가 들어온다. 도착 시, 무반응 상태이며 창백하고 불규칙한 호흡을 하는 10개월 된 남아를 발견한다. 아기 엄마의 남자친구(엄마는 근무 중)는, 그가 낮잠을 자고 있는 아기를 깨우려고 갔을 때 이 상태였다고 말한다. 응급구조사는 오후 7시라는 점에 주목한다. 그 남자친구는 영아를 안고 있지 않고, 응급구조사는 아기를 침대에서 꺼낼 때, 근육 긴장감이 없고 축 늘어져 있다는 점에 주목한다. 평가와 처치를 하는 동안, 위팔 둘 다에 멍이 있다는 점을 주목한다.

1. 초기 환자 관리의 우선 사항은 무엇인가?
2. 남자친구가 보고한 병력과 영아의 손상에 대하여 응급구조사가 염두에 두어야 하는 것은 무엇인가?
3. 일차적 손상이 무엇이라고 의심하는가?

조언

대처 능력이 부족한 성인이 스트레스 상황에 직면했을 때, 아동학대가 시작될 수 있다.

명 이상의 아동이 사망하는 것이다. 이런 일을 겪은 후 생존한 많은 아동은 여생 동안 부정적인 영향을 받는다. 신체적, 정신적으로 학대받은 경험자들 자신도 미래에 아이들을 학대하거나 방임적인 돌봄제공자가 됨으로써 연속적인 학대의 고리를 이어갈 수 있다. 방임의 장기적인 영향으로 고통받는 아동의 수는 정확히 기록되어 있지는 않으나, 상당히 많을 것으로 짐작된다. **표 11-1**은 이런 장기적인 합병증의 목록이다.

좀 더 어린 나이의 아동일수록 나이 많은 아동에 비해 치명적인 학대나 방임의 위험이 높다. 학대로 사망하는 아동의 71.8%는 3세 미만이고, 49% 이상이 1세 미만이다. 이들 사망의 약 50%는 아동보호기관에 현재 혹은 이미 과거에 등록된 아동에게서 발생한다. 아동학대로 인해 미국은 매일 2억 2천만 달러를 지불하는 것으로 추정된다.

아동학대의 정의

아동학대는 모든 종류의 학대와 방임을 총괄하는 일반적 용어이다. 매년 입증되는 학대의 75%는 방임, 17%는 신체적 학대, 8%는 성적학대로 분류된다. 나머지는 정서적 학대, 의료적 방임 또는 여러 학대가 조합된 경우들이다.

표 11-1 학대의 잠재적 합병증

낮은 자존감과 낮은 성취도
정신과적 질환 혹은 정신과적 증상
비정상적 성장 및 발달
영구적인 신체적 혹은 신경학적 손상
학업 수행능력 저조
십대 청소년기의 문란한 생활 및 임신
사회적 위축
식이 장애
물질 남용
학습된 비행
젊은 성인기의 범죄 행동
향후 학대에 대한 취약성
자살 경향
생존 시 가정 및 사회의 건강관리 비용 증가
사망

신체적 학대

신체적 학대(physical abuse)는, 18세 이하의 아동이나 21세 이하의 정신 장애아에게 의도적으로 손상을 가하거나, 손상이 가해지도록 허용할 때 발생하며, 사망위험, 외형손상 및 고통(distress)을 유발하는 원인이다.

정서적 학대

정서적 학대(emotional abuse)는 아동의 정상적인 정신적, 사회적 발달을 방해하는 어떤 행동 양상이 일관되게 계속되는 경우에 발생한다. 이는 아동의 나이에 걸맞지 않는 부당한, 과도한 혹은 공격적인 요구, 아동 신체 능력을 벗어나는 과업 부여, 혹은 건강한 아동의 성장과 발달에 꼭 필요한 양육, 지도, 정신적 지지를 제공하지 않는 돌봄제공자 등을 포함한다. 무시, 모욕, 거부 및 지속적인 비난과 같은 언어폭력도 정서적 학대의 일부 양상이다.

성적학대

성적학대(sexual abuse)는 나이 많은 아동 또는 성인이 자신의 성적 흥분이나 다른 사람의 즐거움을 위해서(예를 들어, 아동 포르노 혹은 매춘), 아직 의존적이고 발달적으로 미성숙한 아동이나 청소년과의 성행위에 개입할 때 발생한다.

대부분의 경우, 성적학대의 가해자는 아동을 잘 알거나 한 지붕 아래 생활하는 사람이다. 아동 성적학대가 대개 낯선 사람에 의해 가해질 것이라고 여기는 것은 일반적인 오해일 뿐이다. 미국 정신협회에 따르면, 성적학대 가해자의 60%가 가족 구성원은 아니지만 아동이 알고 있는 사람이고, 30%는 가족 구성원이며, 10%만이 낯선 사람이다.

성적학대는 대개 일회성으로 일어나지 않는다. 항상 폭력이나 신체적 힘이 사용되는 것은 아니며, 보통 가시적인 징후를 남기지 않는다. 가해자는 힘이나 폭력 대신 어른과 아동 혹은 부모와 자녀 관계의 권위를 이용하기도 한다. 아동은"괜찮다" 그리고 정상적인 행동이다 또는 가해자를 즐겁게 해줄 수 있는 "특별한 아이다"라는 생각을 주입 당하기도 한다. 또 아동은 깊은 수치심과 무력감을 가지거나, 가해자의 협박에 의해 침묵하기도 한다. 이런 학대의 나쁜 본질 때문에, 아동이 친한 친구나 응급구조사에게 정보를 제공하지 않는 한 성적학대 여부를 알아내기가 어렵다.

아동방임

아동방임(child neglect)은 돌봄제공자가 아동의 기본적 필요를 충족시키지 못하거나 부적절하고 위험한 육아 습관에 젖어 아동의 신체적, 정신적 혹은 정서적 상태를 손상하거나 위태롭게 하는 경우에 발생한다. 아동방임은 돌봄제공자의 약물 남용, 알코올 남용, 아동 유기를 포함한다. 방임이란

아동의 편에서 행동하지 못하는 것과 태만한 행동을 말한다. 방임은 눈에 띄는 징후를 나타내지 않을 수도 있으며, 보통 한 번의 사건으로 발생하기보다 오랜 시간에 걸쳐 일어난다.

방임은 신체적 혹은 정서적으로 일어날 수 있다. 신체적 방임(physical neglect)은 아동의 신체적 발달 및 안전에 기본적으로 필요한 것들, 즉 돌봄, 주거, 의복, 치료, 영양 등을 제공하지 못하는 것이다. 일부 사회봉사기관은 이 범주를 더 구체적인 태만 행동 즉, 의료적 방임, 적절한 돌봄의 부족, 또는 교육적 방임으로 세분화하기도 한다. 정서적 방임(emotional neglect)은 아동의 정신적, 사회적 발달에 필요한 정서적 지지를 제공하지 못하는 경우를 말한다.

학대와 방임

학대와 방임의 차이로는 학대는 아동에게 가해지는 행동을 말하며, 방임은 아동을 위한 행동의 결핍을 의미한다는 점이다. 학대가 직권 남용이라면, 방임은 의무 태만이다. 학대의 경우, 신체적, 정신적 손상이 아동에게 가해진다. 방임의 경우, 적절한 음식, 돌봄, 거처, 지도, 교육, 의복, 의학적 조치에 대한 아동의 기본적 욕구를 충족시키지 못하는 것이다.

조언

학대는 아동에게 가해지는 행동(직권)을 말하며, 방임은 아동을 위한 행동의 결핍(태만)을 의미한다.

고위험군

어린 아동들은 유용한 자원을 더 많이 가지고 있고 스스로 더 잘 돌볼 수 있는 나이든 아동들보다 더 취약하고 학대 위험에 노출되어 있다. 질병 통제 및 예방센터는 3세 미만의 아동들이 학대로부터 심한 손상 또는 사망 위험이 가장 크다고 보고하고 있다. 아동학대는 위험 요소들을 포함하며 개인, 가정, 지역사회 및 사회적 차원에서 아동이 보호를 받지 못하게 된다. 어느 지역적, 윤리적 혹은 경제적 환경도 아동학대로부터 자유로울 수는 없다. 성적학대의 발생률은 도시, 도시근교 및 시골에서 모두 비슷하다. 저소득층 혹은 편부모 가족 자녀의 경우, 고소득층의 자녀에 비해 방임이나 신체적 학대가 더 많이 보고되었고 부모가 모두 있는 백인 가정에서는 신체적 학대가 적게 보고되었다. 아동학대에 대한 2017년 자료에 의하면 3개 인종 또는 민족이 희생자의 88%를 대

표 11-2 인종 또는 민족에 따른 아동학대 희생자	
아프리카계 미국인	20.6%
백인	44.6%
히스패닉	22.3%

U.S. Department of Health & Human Services, Administration for Children and Families,
Administration on Children, Youth and Families, Children's Bureau (2017). Child Maltreatment 2017. Available from http://www.acf.hhs.gov/cb/research-data-technology/statistics-research/child-maltreatment.

표 11-3 학대 관련 요소의 평가
시시때때로 병력이 변하는가?
치료가 지연되거나 가까운 치료 기관을 우회하였는가?
손상 시기가 다양한 상처들이 섞여 있는가?
병력이 아동의 성장 발달 상태에 알맞은가?
손상과 병력이 일치하는가?
환자가 돌봄제공자로부터 위안을 찾지 못하는가?
돌봄제공자가 환자의 요구에 부적절하게 반응하는가?
환자의 형제자매는 환아 및 돌봄제공자와의 관계가 어떠한가?

표하는 것으로 나타났다(**표 11-2**).

응급구조사는 학대가 의심되는 상황이라면, 가정의 사회경제적 수준에 관계없이 학대 가능성을 고려해야 한다.

아직 말하지 못하는 유아와 영아 외에 아동학대에 대한 다른 위험 요소들은 추가적인 스트레스 요인과 불충분한 자원인데, 이는 부모와 돌봄제공자들에게 유효하게 작용한다. 예를 들면 특별한 요구를 가진 아동(정신적 및 신체적 장애와 발달 문제)과 만성 의학적 문제를 가진 아동-아이를 돌보는데 책임이 많이 수반되는, 그리고 가정에서 스트레스 수준에 영향을 미칠 정도의 경제적 충격을 포함한 모든 상태. 아동을 돌보거나 양육하고 통제하는 사람이라면 누구든지 아동학대의 가해자일 수 있다.

여기에는 아동의 부모, 친척, 선생님, 보모 혹은 보육원 직원, 아동 관련시설의 직원, 버스 운전기사, 운동장 관리원, 코치, 종교지도자, 돌봄제공자, 돌봄제공자의 이성 친구가 포함된다. 폭력적인 두부손상(이전에는 흔들린아이증후군-shaken baby syndrome-이라 알려져 있다)은 발작이나 무호흡으로 진행될 수 있는데, 응급의료서비스에 연락한 시점에 영아와 함께 있던 사람이 반드시 가해자라고는 할 수 없다. *119 출동 요청이나 응급구조사의 현장 도착 당시에 아이와 함께 있는 돌봄제공자가 아동을 다치게 한 사람이 아닐 수 있다. 또한, 학대사실을 모르고 있거나 아동이 피해를 당하고 있다는 것을 믿지 못하고 부인할 수도 있다. 그들 역시 학대를 두려워하거나 학대의 희생자일 수도 있다.* 학대는 아주 다양한 이유로 자행된다. 때로는 돌봄제공자가 아이를 성심껏 돌보다가도 자원의 부족으로 혹은 좌절이나 분노를 감당할 능력이 부족하여 가해자가 될 수 있다. 응급구조사가 학대의 발생을 확신할 수 있을 만큼 충분한 정보를 얻기란 쉽지 않다. 그러나 현장에서 수집된 정보는 추후 학대를 확인하는 데 결정적인 단서가 될 수도 있다. **표 11-3**은 학대를 시사하는 평가 요소들을 나열하고 있다. 학대가 의심되는 경우 돌봄제공자가 말한 병력을 정확히 기록하는 것은 아주 중요하다. 추후 돌봄제공자가 설명을 번복하는 것은 학대의 가장 흔한 단서 중 하나이기 때문이다. 의심되는 아동학대 사례를 잘 인식하고 보고하는 것은 아동의 손상을 예방하기 위해 응급구조사가 할 수 있는 가장 중요한 일 중 하나이다.

응급구조사의 의무와 의사소통

응급구조사는 현장에서 매우 중요한 역할을 담당한다. 아동보호소와 응급실의 담당자는 현장 평가 내용 및 아동학대로 의심되는 상황에 대한 기록에 의존하게 된다. **표 11-4**에는 아동학대가 의심되는 경우에 수행해야 할 응급구조사의 의무가 정리되어 있다.

보고할 의무

대부분의 주에서는, 응급구조사를 포함한 자격있는 건강관리자들은 아동학대가 의심되는 경우, 그리고 범죄가 저질러지거나 취약한 대상이 해를 입은 상황인 경우 보고하도록 법적 명령을 받는다. 또 다른 주에서는, 응급구조사의 의무가 접수 병원, 법 집행 기관 또는 지정된 주 사무소에 신고가 접수되도록 하는 것이다. 학대에 대한 법이 있는 주들은 의심되는 학대를 법적 조치 또는 아동보호소 쪽으

표 11-4 학대가 의심되는 상황에서 응급구조사의 의무
현장에서 의심할 만한 주변 상황을 인식
아동의 신체 평가
돌봄제공자가 제공하는 병력의 평가
돌봄제공자 및 가족과 의사소통
세신한 기록
현장에 거주하는 다른 아동에 관한 사항의 기록
권위 있는 유관 기관에 학대 가능성을 보고

표 11-5 돌봄제공자 행동의 적신호 (Red Flag)
무감정
엉뚱한(bizarre) 혹은 이상한(strange) 태도
아동에 대한 무관심 또는 미미한 관심
아동의 나쁜 행실에 대한 과잉 반응
손상 사건에 관한 비협조
중독(intoxication)
아동 상태에 대한 과잉 반응

로 독립적으로 보고하기 위해 건강관리제공자를 필요로 할 것이다.

비록 어떤 법률도 민형사상의 고소를 금지할 수는 없지만, 대부분의 주법은 만약 그 보고가 선의로 이루어진 것이라면, 아동학대 의심 신고자를 소송에서 어떠한 결정도 내리지 못하도록 보호한다. *반면에, 의심되는 아동학대를 보고하는데 태만하면 위임된 보고자에 대하여 법적 소송으로 이어진다.*

작은 지역사회에서는, 특히 응급구조사가 관여된 개인을 알고 있을 때, 의심되는 아동학대를 보고하는 것이 중요한 사회적 암시를 줄 것이다. 많은 주에서는, 익명의 보고서가 제출될 수 있고, 학대를 보고한 사람의 신원이 보호된다. 의심되는 아동학대의 보고는 가족을 해하거나 처벌하려는 의도가 아니고, 아동을 도와주려는 의도라는 것을 명심한다. 모든 응급구조사는 근무하는 주에서 법에 보고할 특별한 의무에 친숙해져야 한다.

돌봄제공자 행동의 평가

학대받는 아동의 돌봄제공자 중에서 일반적인 특징은, 약물 남용, 빈약한 자아, 미성숙, 육아 상식의 결여, 대인관계 기술의 부족 등이다. 이런 특성 자체가 곧 아동학대를 의미하지는 않지만 **표 11-5**에 언급된 것처럼 이런 "적신호" 행동에 경각심을 가져야 한다. 역설적이지만, 이런 부정적 특성이 없는 "적합한" 돌봄제공자라 해도 아동학대 가능성을 배제할 수는 없다. 일부 경우에는 돌봄제공자가 아동의 상태에

과잉반응을 보이는 경우도 있는데, Proxy가 밝힌 뮌하우젠 증후군(Münchausen syndrome)이 그 예이다. 이 증후군에서 돌봄제공자는 스스로 관심을 받고 싶어서 아동에게 고의적인 질병이나 손상을 가한다.

돌봄제공자에게 학대가 의심된다는 사실을 직면시키지 않는다. 현장에서의 그러한 접근은 처치를 지연시키고, 아동을 위험하게 할 수 있으며, 응급구조사에게 적대적이고 위험한 상황을 야기할 수 있다.

대신, 알코올이나 약물 유무 등을 관찰 기록하고, 학대를 명백히 드러내는 돌봄제공자 진술이나 앞뒤가 맞지 않고 둘러대는 듯한 진술 내용을 기록한다. 돌봄제공자들 간의 관계를 관찰하고 특이사항이 있으면 기록한다. 단, 보고서가 객관적이고 중립적일 수 있도록 주의를 기울여야 한다. 보고 들은 것을 보고서에 기록하되 자신의 판단이나 해석은 배제한다. 특히 어떻게 다치게 되었는지에 대해 아동이 직접 이야기한 내용은 잘 기록한다. 다만 알아둘 것은, 어린 아이들은 자신의 손상이 본인이 의지하고 있는 돌봄제공자가 아닌 절대적 가해자(예, 유령이나 나쁜 사람)의 탓으로 일어났다고 여길 수도 있다는 것이다.

문서화

의심되는 아동학대의 기록에서 기본적인 수준과 전문적인 수준 사이의 차이는 없다. 가능한 아동학대(예, 아동에게 적당한 음식, 보온, 에어컨이 있는지, 적당한 의복, 관리, 안전과 관련된 것들이 있는지)와 관련된 현장 평가 결과를 반드시 기록한다. 처음 아동을 봤을 때 자세와 위치를 기록한다. 또한, 현장에 그 밖에 누가 있고(예, 경비원) 그들과 아동과의 관계를 기록하는 것이 권고된다. 병력과 신체평가를 문서

화할 때 기록은 철저하게, 그러나 객관적이어야 한다. 느낌을 삽입하거나 사실을 해석하는 것은 법정에서 용인되기 어려운 기록을 만들 수 있다. 예를 들면, "손에 담배 화상"이라고 쓰는 대신에 "손바닥에 1cm 원모양의 화상 보임"이라고 쓴다. 객관적이고, 명확하고, 구체적인 용어를 사용한다. 인용표시를 하고 돌봄제공자로부터의 어떤 진술이라도 기록지에 기록한다 (예, "아이가 뜨거운 욕조 안으로 기어서 들어갔어요"라고 아버지가 진술한다).

> **조언**
>
> 객관적으로 신체적인 검사결과를 기록한다. 법정에서 그 사실들은 진실을 가려줄 것이다.

그림 11-1 학대 혐의를 뒷받침할 수 있는 장면을 문서화한다.
© sangriana/iStock Editorial/Getty Images.

아동과 돌봄제공자와의 의사소통

아동의 연령에 적절한 방식으로 의사소통한다. 학대와 연관된 안정된 아동을 평가할 때, 가능한 한 빨리 전체평가를 위해서 응급실의 안전한 환경으로 아동을 이동시킨다.

학대가 의심될 때 돌봄제공자와의 의사소통은 응급구조사들에게는 도전적인 과제이다. "정말로 일어난 것을 찾아내려는" 충동 또는 돌봄제공자에게 분노를 표현하려는 충동을 억제한다. 비난하거나 판단적인 어조를 취하지 않는다. 학대의 의심에 직면했을 때 돌봄제공자들은, 그들이 손상을 가한 사람이든지 아니든지 간에, 종종 방어적으로 반응하거나 화를 낸다.

때때로 돌봄제공자들은 더 자세한 평가에 협력하는 것을 거절하거나, 이송을 거절하거나, 아동과 현장에 남으려고 시도할 것이다. 만일 아동이 위험하다고 생각되면, 즉시 지원을 위해 법적인 보호를 요청한다. 결코, 돌봄제공자를 신체적으로 억제하려고 시도하거나 아동을 강제로 소유하려고 시도하지 않는다. 이런 행동은 모든 사람을 위험에 빠뜨릴 수 있다. 만일 현장이 어수선하지만 위험하지 않다면, 의료지도와 접촉하는 것을 고려한다. 의료지도 의사는 처치를 허용하고 이송하도록 돌봄제공자를 납득시킬 수 있을 것이다.

환자 평가

현장 평가

첫째, 현장이 아동과 응급구조사에게 안전한지 확인한다. 학대가 의심된다면, 현장에 대한 어떤 상황도 기억해둔다. 왜냐하면, 환자처치 보고에서 상황을 기록하는 데 필요하기 때문이다(**그림 11-1**). 돌봄제공자의 발언이나 구체적인 대화 내용을 기록하고, 손상이 발생된 장소의 환경에 대한 특이사항을 기술한다. 예를 들면, 영아가 굴러떨어진 가구의 높이 추정치나, 바닥의 표면상태, 아이가 화상을 입은 개수대 또는 방의 위치나 상태 등을 기록한다.

모든 소아 외상에 의한 출동 요청 시, 1세 이하 소아에게 심정지가 온 경우 항상 아동학대를 고려한다. 학대와 무관한 증상으로 출동한 경우에도 주변 환경 상태, 아동이나 돌봄제공자의 행동, 병력, 신체검사소견상 의심스럽다면 학대 가능성에 대한 관심을 높인다. 총기, 약물 사용 도구, 안전하지 않은 양육 여건 등 위험하거나 비위생적인 집안 상태를 파악한다.

현장이 안전하면, 아동을 평가하고 적절한 의학적 처치를 시행한다. 학대가 의심되는 영아가 비정상적 외관(예, 무관심, 낙담, 약한 울음)이나 의식 수준의 변화(언어 자극이나 통증 자극에 대한 비정상적인 반응)를 보인다면, 외상성 뇌손상을 평가한다.

> **조언**
>
> 주변 환경, 아이나 돌봄제공자의 행동, 병력 및 신체 검사로 보아 학대가 의심되는 경우는 물론 기타 모든 손상 사례에서도 아동학대를 고려한다.

외상성 뇌손상의 원인 중 하나는, 이전에 흔들린아이증후군(shaken baby syndrome)이라고 불린 폭력적인 두부손

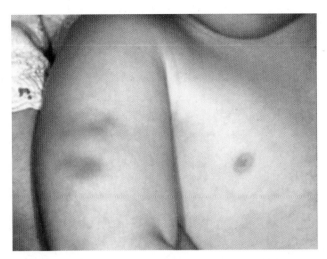

그림 11-2 사람의 손이나 손가락이 할퀸 흔적은 타원형의 멍으로 나타날 수 있다.

상이다. 폭력적인 두부손상은 충격을 동반하든지 동반하지 않든지 아이가 폭력적으로 흔들려서 발생된 미만성 두개내출혈을 포함한다. 폭력적인 두부손상의 징후, 증상 및 신체검사 소견은 뇌손상 정도에 따라 다양하다. 이는 기면과 불안정부터 발작, 혼수 또는 사망에 이르기까지 다양하다. 팔이나 가슴 위에 점상출혈(petechiae) 또는 손으로 꼬집은 양상도 나타날 수 있다(**그림 11-2**). 폭력적인 두부손상에서는 영구적인 신경학적 손상의 발생률이 높다. 발작, 학습장애, 실명 및 기타 장애가 흔하다. 사망률은 20-30% 정도이다.

학대가 의심되는 아동이 생리적으로 불안정하거나 의미있는 손상을 입었다면, 1차 평가 후에 이송을 시작한다. 현장이 아동이나 응급구조사에게 안전하지 않다면, 사법당국에 지원을 요청하고 평가와 초기 처치를 완료하기 위해 구급차로 이동한다. 손상이 사소할지라도, 학대가 의심되는 모든 아동을 이송한다.

> **주의**
>
> 의심되는 학대의 희생자를 절대로 현장에 남겨두어서는 안 된다. 미미한 손상인 경우에도 모든 아동을 이송한다.

추가 평가

현장이 안전하고 아동이 안정적일 경우에만 현장에 머물러 추가 평가를 시행한다. **표 11-6**에 제시된 문항을 사용하여 세심하게 병력을 청취한다. 보통 병력이 신체평가보다 더 중요할 수 있다. 질문할 때는, 정보의 질을 최대화하고 상황이 악화되지 않도록 판단적인 태도를 피한다. 모순되거나 기피하는 말이 있는지 살피면서, 출동 요청까지의 사건 경위에 대한 돌봄제공자의 설명에 주의를 집중하고, 들은 내용을 상

표 11-6 주요 병력: 의심되는 아동학대를 평가하기 위한 질문 및 고려사항

질문	고려사항
어떻게 손상이 발생하였는가?	– 돌봄제공자의 설명이 그럴듯한가? – 신체적 상태가 진술된 손상의 기전을 뒷받침하는가?
언제 발생하였는가?	– 119 신고가 오래 지연되지는 않았는가? – 손상 상태와 시간대가 일치하는가?
누가 사건을 목격했는가?	– 돌봄제공자와 목격자의 진술이 모두 일치하는가? – 적절한 돌봄이 이루어졌는가?
아동의 의학적 병력은 어떠한가?	– 기존에 정신사회적, 발달상 혹은 만성적 문제가 있었는가?
아동의 주치의가 있는가?	– 마지막 방문은 언제인가? – 주치의가 아동을 알고 있는가?

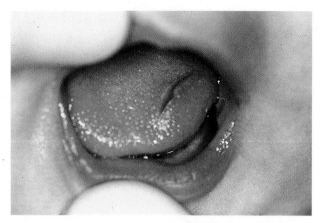

그림 11-3 '아이가 스스로 혀를 깨물었다'는 돌봄제공자의 진술은 아직 치아가 없는 영아에게 모순되는 내용이며, 이는 가해진 손상을 시사한다.
Courtesy of Ron Dieckmann, MD, FAAP.

표 11-7 일반적인 허구와 사실의 분별	
병력	**사실**
"아이가 소파에서 떨어지고 나서 저렇게 못 움직인다."	1.2 m 이하의 높이에서 떨어진 경우, 심각한 손상을 입을 확률은 1000명 중 1명 미만이다.
"생후 한 달 된 아이가 침대에서 굴러 떨어졌다"	대개의 영아는 3-4개월이 되기 전에는 몸을 굴릴 수 없다.
"아이가 스스로 멍이 들었다"	아직 충분히 서있지도 못하는 영아에서 멍은 드물다.
"아기가 침대에서 다리를 못 움직이는 채로 발견되었다"	영아는, 의도적이든 우발적이든 외부의 힘에 의하지 않고서는 골절상을 입지 않는다.

세히 기록한다. 아동의 발달 상태를 고려한다. 병력과 관찰되는 손상이 맞지 않을 때(**그림 11-3**), 돌봄제공자가 진술하는 병력이 때에 따라 변할 때, 또는 돌봄제공자가 설명한 손상의 기전이 아동의 발달 상태에 알맞지 않을 때에는 가해진 손상에 관심을 갖는다. 돌봄제공자나 가해 가능성이 있는 다른 사람과 아동 사이에 특이한 상호관계가 있는지 주목한다. 아동은 가해자를 보고 놀라거나 경계할 수도 있지만, 때로는 더 이상의 학대를 피하기 위해 학대하는 돌봄제공자에게 붙어 있거나 요구를 들어주려고 노력할 수 있다.

손상이 "사고"에 의한 것이라고 진술한다면, 그 기전을 확인한다. 예를 들어, 돌봄제공자가 아이가 떨어졌다고 말한다면 떨어진 높이, 부딪힌 표면, 아이의 초기 반응 등을 확인한다(**표 11-7**). 현장에서 수집된 정보는, 응급실 직원, 아동보호소 혹은 법집행관에 의해 추후 수집되는 자료보다 더 정확하다.

신체검진

응급구조사는 아동의 신체검진에서 의심되는 소견에 주목할 것이다. 신체적 학대 희생자의 90% 이상이 몇 종류의 피부 손상을 나타낼 것이다. 자세한 신체검진을 통해서 아동학대를 의심할 수 있는 유형과 신체적인 소견을 알 수 있을 것이다. 성적학대가 의심되는 경우에는, 특별한 교육을 받은 전문가가 생식기 검진을 하도록 한다.

멍

가해진 손상을 나타내는 신체적 소견은 다음과 같다:

- 목, 등, 넓적다리, 생식기, 엉덩이와 같은 연부조직의 멍
- 귀 위 또는 귀 뒤의 멍
- 4개월 미만 영아에서의 멍
- 얼굴의 멍(**그림 11-4**)

사실, TEN-4 멍 규칙은 4세 이하의 소아에서 몸통(Torso), 귀(Ear), 목(Neck)의 멍 또는 4개월 미만 영아에서의 멍이 학대의 의미있는 표시라는 것에서 발달되었다.

학대로 인한 멍과 정상적인 손상으로 인한 멍의 차이는 아동의 외양, 위치, 발달시기에 달려있다. 팔꿈치, 이마, 또는 무릎 아래 같은 뼈 융기 위의 멍은 흔히 아이들끼리 놀다가 초래된 상해이다. 그러나 넓적다리, 엉덩이, 볼, 귀와 같은 연부조직, 또는 등 위의 멍은 덜 흔하고 가해진 손상이라는 의구심이 들어야 한다(**그림 11-5**).

아직 움직이지 못하는 영아에서의 어떤 멍도 가해진 손상을 나타낼 수 있다. 대부분의 아동들은 4개월 이상이면 구를 수 있고, 9개월이면 서기 위해 잡아당기고 앞으로 갈 수 있다. 아직 앞으로 나아가지 못하는 아동은 설명되지 못하는 멍이나 골절이 있어서는 안 된다—앞으로 나아가지 못한다는 것은 멍도 들지 않는다는 것을 의미한다. 아이들이 점점 나이를 먹고 움직임이 증가함에 따라 정상적인 활동으로부터 멍과 열상이 좀 더 흔하게 된다.

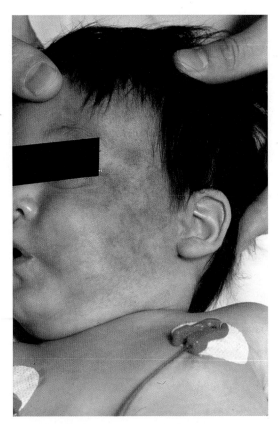

그림 11-4 얼굴은 신체적 학대가 흔한 부위이다.

Courtesy of Ron Deickmann, MD, FAAP.

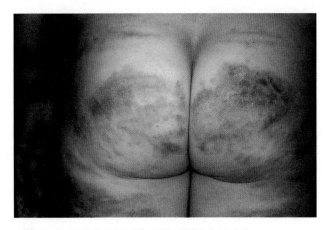

그림 11-5 엉덩이 위의 멍은 보통 가해진 손상이다.

Courtesy of Ron Deickmann, MD, FAAP.

멍은 가장 흔한 요감시(감시가 필요한) 사건이다. 이는 의료 기록에 잘 설명되지 않은 가시적인 손상 또는 감지 가능한 경미한 손상으로 보고된 이전의 손상이다. 요감시 손상의 조기 발견은 더 심각한 손상이 발생하기 전에 식별하고 개입할 수 있는 기회를 제공할 수 있다.

조언

"아장아장 걷지 못하는 아이들은 좀처럼 멍이 생기지 않는다." 아직 서기 위해 잡아당길 수 없고 가구를 잡고 걸을 수(아장아장 걷기) 없는 아동에서는 멍이나 손상은 드물다. 대부분의 영아들은 약 9개월이 되어서야 비로소 "아장아장 걷기"를 시작한다.

패턴이 있는 유형의 멍은 가해진 것이 거의 확실하다. 흔한 도구는 벨트, 끈, 손 등이다. 물건이 높은 강도로 피부를 쳤을 때, 그 가장자리는 점상출혈의 윤곽을 남긴다. 가느다란 나뭇가지 또는 끈 같은 매우 얇은 물건으로 피부를 때린다면, 물건의 윤곽처럼 평행 점상출혈 선을 형성한다.

이전에는 멍이 가해진 시간을 멍의 외양에 근거하여 결정될 수 있다고 생각되었다. 이제는 이것은 부정확한 것이다. 멍은 생긴 위치, 손상기전에 따라 다른 비율로 변형되고, 색깔이 다른 멍은 한 사건에서 남아있는 손상으로 초래될 수 있다. 그렇다 하더라도, 남아있는 손상의 완전한 설명을 제공하기 위해서 모든 멍의 위치와 색깔을 기록한다.

화상

가해진 화상은 보통 뜨거운 물에 담그거나(열탕 화상) 소아를 뜨거운 물체에 강하게 접촉시키는 것이다. 성인의 피부는 150°F(66.1°C) 물에 2초간 노출되면 전층 화상(full thickness)을 입는다—소아들은 좀 더 빠르게 화상을 입을 수 있다. 사고로 인한 열탕 화상은 전형적으로 "흐르는" 유형의 증거를 가지고 있으며, 다양한 깊이와 불규칙한 모서리를 가진다. 그것은 드물게 대칭적이고(예, 두 손 또는 두 발), 거동전 소아에서 드물게 발생한다. 대조적으로, 뜨거운 물에 고의로 담근 소아의 열탕화상은 명확하게 경계가 구분되며 굴곡 주름(예, 무릎 뒤나 팔꿈치 안쪽의 주름)이 비교적 온전하게 남아 있다. 왜냐하면 이 부분은 소아가 반사적으로 피하려고 시도할 때 "보호되는" 부분이다. 엉덩이의 남은 부분과 더불어 "도우넛형 화상"은 뜨거운 물에 담가진 소아들에서 발생하지만, 그들의 엉덩이는 욕조나 세면대의 상대적으로 시원한 면에 대고 아래로 강하게 밀어낸다(**그림 11-6**). 가해진 화상을 가진 소아들은 또한 억제된 팔과 다리에 멍이 있을 수 있다. 도처에 평평한 두께의 또는 반복된 일정한 형태의 화상은 학대의 적신호다.

어떤 급성 화상도 강렬한 고통이 있다는 것을 기억한다. 응급구조사는 지역 의료 규정이 허용하는 한도에서 진통제의 투여를 고려한다.

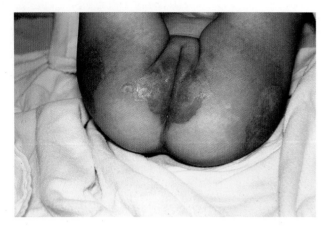

그림 11-6 도우넛형 화상

Courtesy of Ron Deickmann, MD, FAAP.

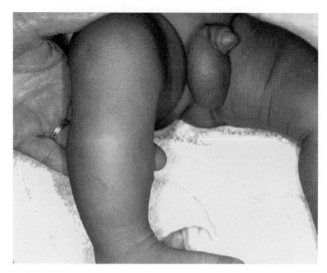

그림 11-7 몽고반점은 많은 영아에서 엉덩이, 등, 팔다리에
나타난다.

골절

아직 거동하지 못하는 소아에서의 골절 또한 학대를 의심
할 수 있다. 옮기다가 무심코 떨어뜨린 영아는 골절이 남아
있을 수 있는 반면에, 단지 기어 다니거나 걷기 시작하는 영
아가 자신의 뼈가 골절될 정도로 충분한 에너지를 가할 수
있다는 것은 설득력이 없다. 학대로 인한 영아의 골절은 병
원 방사선 소견상 전형적인 유형을 가진다. 불완전골형성증
(osteogenesis imperfecta)의 병력 또는 감소된 뼈석회질화를
초래하는 문제가 일부 소아들에서 골절 발생을 증가시킬 수
있다. 소아의 병력을 기록하는데 이러한 상황을 포함시킨다.

학대로 오해하기 쉬운 피부 징후들

종종, 정상적인 신체소견이 가해진 손상을 암시한다. 예
를 들면, "몽고반점(Mongolian spots)"은 멍으로 쉽게 잘
못 생각할 수 있는 유색인종의 소아들(즉, 아프리카계 미
국인, 아시아인, 라틴인)에서 자주 보이는 태어날 때부터
있는 모반이다(**그림 11-7**). 이러한 모반들은 종종 색소가
진하게 침착된 피부에 크고, 평평한 반점 형태를 취하고,
대부분 등 아래부위나 엉덩이 위에서 흔히 발견된다. 몽고
반점은 창백하게 될 것이고, 멍은 그렇지 않을 것이다.

   백혈병(leukemia), 혈관염(vasculitis), 수막알균혈증
(meningococcemia), 또는 출혈성 질환(예, 혈우병)같은 일
부 질병 상태는 드물게 멍처럼 보일 수 있는 피부소견을 보
일 수 있다. 농가진 같은 감염질환은 화상인 것처럼 보일 수
있지만, 훨씬 덜 아플 것이다. 일부 소아들에서의 곤충 교상
은 발적과 수포를 초래할 수 있다. 확실하게 의도적인 손상
을 구별하는 것은 현장에서 때때로 불가능하다.

   학대로 오해하기 쉬운 또 다른 양성 피부소견은 질병

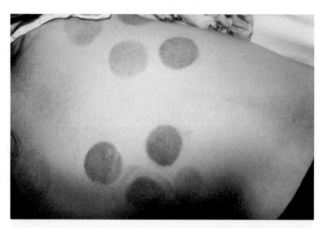

그림 11-8 부항은 신체의 질병을 치료하기 위해 피부 위에 따뜻한
컵을 놓는 문화적 치료행위이다. 빨갛고, 편평하고, 동그란 피부
병소는 종종 모서리가 좀 더 집중적으로 빨갛다.

Courtesy of the American Academy of Pediatrics.

을 치료하기 위해 시도된 문화적인 의식에 의해 생긴 병
소의 유형이다. 이러한 유형중 가장 흔한 것은 부항(**그림
11-8**)과 동전 마사지(**그림 11-9**)라고 불리는 아시아인의
관습들과 관련된다. 이러한 표면적인 병소들은 구별되는
동그란 가장자리를 가진다. 이러한 소아들을 돌보는 사람
들은 그러한 관습의 목적을 설명할 수 있다-이것은 도와주
기 위해 시도된 가해 손상과 해롭게 하기 위해 시도된 가해
손상을 구별할 수 있도록 도와줄 수 있는 정보이다.

사례연구 2

아파트에서 새벽 3시에 아기가 숨을 쉬지 않는다며 연락이 온다. 도착 시, 중독된 것으로 보이는 여자가 심정지 상태로 청색증을 띄고 무호흡 무반응인 6개월 된 여아를 안고 문 앞에서 당신을 맞이한다. 동료 응급구조사가 처치를 시작하고, 당신은 그녀가 바로 아기 엄마가 밤샘 교대근무를 하는 동안 손녀를 돌봐주기로 되어 있는 할머니라는 것을 알 수 있다. 그녀는 자기와 아기가 소파에서 잠들었으며, 아기 바로 옆에서 깼고, 아기가 이렇다는 것을 알았다고 말한다. 당신은 방안에 있는 몇 개의 맥주 깡통을 주목한다. 적어도 3장 정도의 담요와 베개 1개가 소파 위에 쌓여 있다.

1. 아동학대의 적신호는 무엇인가?
2. 당신의 의학적, 법적 책임은 무엇인가?

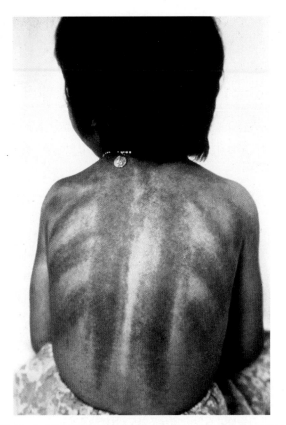

그림 11-9 종종 등 위에 뜨거운 동전을 문지르는 것은, 동그랗고 직사각형의 빨간 반점 형태의 편평한 피부 병소를 만든다.

Courtesy of the American Academy of Pediatrics.

학대가 의심될 때 법의학적 의무, 의사소통 및 평가

아동학대가 의심될 때, 응급구조사는 도전적이고 잠재적으로 격정적인 상황에 직면한다. 아동과의 의사소통은 어렵거나 한계가 있을 수 있으며, 돌봄제공자와의 상호작용은 좌절될 수 있고 때때로 적대적일 수 있다. 전문적이고, 비판단적인 접근이 필수적이다. 환경상태, 아동과 돌봄제공자의 행동, 병력, 학대를 제시할 수 있는 관련된 신체적 검사결과를 기록한다. 응급구조사는 의심되는 학대사례를 적절한 권한으로 보고할 윤리적, 법적 의무를 갖는다.

응급구조사는 가능한 아동학대의 징후를 인지할 수 있는 특수한 입장에 있다. 현장처치의 초기 원리는 신중한 현장 평가, 병력 확인, 생리적 비정상 또는 가해 손상의 해부학적 유형에 대한 세심한 신체적 평가이다. "적신호"를 보이는 아동의 부가적인 평가와 확인 그리고 돌봄제공자의 행동들은 이후의 학대조사에 종종 대단히 중요하다. 아동학대의 진단은 현장에서 드물게 가능하다. 모든 사례들은 지역사회의 아동보호기관에 의해 완전한 조사가 필요하다.

법률, 원칙과 절차

아동보호소

아동보호소는 아동학대로부터 보호하는 책임을 지는 법적인 지역기관이다. 아동보호소는, 집에서 손상이나 방임의 위험에 놓인 아동을 임시로 옮겨, 안전한 보육환경에 있게 할 법적 권한을 가진다. 아동보호소는 의심되는 학대에 관해 초기 조사를 해야 할 책임이 있다. 아동보호소는 학대 여부를 가리기 위한 어렵고도 중요한 판단을 해야 하며, 때로는 아동을 집에서 옮겨 양육시설로 보내야 하고, 학대 혹은 방임하는 가족에 대한 지원도 제공하여야 한다. **표 11-8**에는 아동보호소가 보고를 접수하였을 때 시행하는 초기 활동을 나열하고 있다. 아동보호소는 법집행관이 학대 사실을 조사하고 학대 가해자를 확인하는 과정을 돕기도 한다. 최종적으로 사법기관이 기소된 사람의 "유죄" 여부를 가리기도 한다. 응급구조사가 아동학대를 의심하게 될 때 감정적으로 흥분될 수도 있지만, 현장에서 돌봄제공자와 이런 문제로 대립하는 것은 적절하지도 안전하지도 않다.

표 11-8 아동보호기관의 초기 활동
1. 건강관리전문가나 사법기관으로부터 학대나 방임에 관한 보고를 들었을 때, 기관의 규약에 따라 초기 활동의 시점과 범위를 정한다.
2. '가정 방문이 적절한가', 그렇다면 '방문 팀을 어떻게 구성할 것인가'등을 검토한다.
3. 아동보호기관의 사회 복지 상담원은 아동이 처한 위험, 안전성을 확보하기 위한 가족의 능력 및 가족을 위해 활용가능한 지지 자원을 평가한다.
4. 조사 및 평가 후, 보고된 사건을 확인, 미확인, 확인 불가(정보 불충분)의 범주로 분류한다.

공되는 활동과 프로그램을 조정한다. 나머지 중요한 국가 자원들로는 아기를 흔들지 말자는 캠페인(흔들린아이증후군 국가 센터; www.dontshake.org)과 미국 건강 가족(www.healthyfamiliesamerica.org; 가족에 신생아가 태어남과 동시에 도와줄 새로운 부모와 기대되는 교육과 지지를 제공한다)이 있다.

주의

돌봄제공자와 대립하거나 부적절한 양육 문제에 직접 개입하는 것은 아동의 처치나 추후 학대에 관한 조사를 방해할 수 있다. 돌봄제공자는 실제로 아이가 어떻게, 누구에 의해 다쳤는지 모를 수도 있다. 응급구조사의 개입이 응급구조사 자신을 위험에 빠뜨릴 수 있고, 대립하는 것은 아동에게도 도움이 되지 않는다.

조언

학대가 의심되는 상황에 있는 다른 아동들이 있는지 기록하고 보고한다.

주의

결코 돌봄제공자를 신체적으로 제압해서 아동을 데려오려고 시도해서는 안 된다. 만일 현장이 안전하지 않다면 법적 조치를 요청한다.

조언

학대 가능성이 상당한 경우조차도, 돌봄제공자를 판단하지 말고, 현장의 통제를 유지하고 이송한다.

응급구조사는 현장 정보를 제공하여, 아동보호소가 환자를 안전한 장소로 옮기는 것을 결정하는 데 도움을 줄 수 있다. 학대가 의심되면 집안에 다른 아동이 있는지 주의 깊게 살핀다. 환경이 안전하지 않다고 생각되면, 해당 지역의 응급의료 지침에 따라 법집행관이나 아동보호소 관계자와 접촉하여 집안에 있는 다른 어린이의 안전도 점검받을 수 있도록 한다. 환자가 병원으로 이송될 때 보고 임무를 맡고 있는 병원 관계자와 학대와 관련한 모든 사안을 상의한다.

잘 알고 친숙해져야 하는 또 다른 자원은 아동학대 방지 및 치료에 관한 법률(CAPTA)이다. 아동학대 방지 및 치료에 관한 법률은 연방법으로서 기금, 자원, 보조금, 진술 지침, 학대받는 아동을 보호하기 위한 조직을 제공한다. 이 법은, 여러 가지 항목 중에서도, 국가정보처리기관이 자료수집을 할 수 있도록 제공하고(국가 아동학대 및 방임 정보처리기관), 학대와 방임 사무실을 세우고, 학대아동들에게 제

논쟁

아동학대가 의심되는 상황에서 법적 시행의 현장역할에 대해서는 논쟁이 있다. 대부분의 경우에, 의사와 아동보호기관 평가를 위해 응급실로 아동을 이송하는 것이 현명하다. 현장이 안전하지 않거나 돌봄제공자가 이송을 거부하고 있다면, 응급구조사는 보호와 지원을 위해 법적 제제를 요청해야한다.

소아 인신매매

인신매매는 국제적인 문제인 동시에, 미국에서도 급증하고 있다. 전 세계적으로 4천만명 이상 그 피해를 보고 있는 것으로 추정되며, 그중 30%가 아동으로 알려져 있다. 현대판 노예살이라고 여겨지며, 남녀 구분할 것 없이 이는 국제적인 범죄이고 이는 유엔에 의해 다음과 같이 정의된다. "착취를 목적으로 한 인간의 모집, 이송, 선박 혹은 인수를 협박, 폭력 혹은 어떤 형태든 강압, 유괴, 사기, 기만, 권력 남용, 혹은 취약한 입장을 악용하여 한 인간이 다른 인간에 대한 통제를 갖는 것"이다.

미국에서 아동이 성 산업에 처음 들어가는 평균 나이는 12-14세이다. 영유아라고 이 범죄로부터 자유로운 것은 아니다. 인신매매 당한 여성이 자신의 자녀들도 동일하게 당하도록 허용하거나 심지어 본인 스스로 판매하는 일이 발생할 수 있다. 그러나 이는 아동이 성 산업에 들어가게 되는 유일한 경로가 아니다.

삶의 경험 부족으로, 충동 통제 능력 부족으로, 부족한 논리적 사고로 아동은 손쉬운 표적이 된다. 또한, 미성년자들은 쉽게 강압할 수 있고 통제하기 쉬우며, 피해자인 것이 덜 드러나므로, 어른보다 선호된다. 매우 어린 아동은 매춘으로, 아동 성인물 제작, 비디오나 인터넷 사이트로 성착취를 당할 수 있다. 이들은 언어적으로 그들의 곤경을 설명할 능력이 없을 수 있다. 그러나 그들이 학대당하고 있다는 증상 – 예를 들면 분노발작을 부리는 것이나 수면 장애는 잘 못 해석되거나 아예 놓치기 쉽다. 신체적 가해나 억압이 발생할 수는 있지만, 가해자는 아동의 연약함을 가지고 조종할 수 있기 때문에 이것이 꼭 인신매매의 일부는 아니다. 스스로 가치 없다고 느끼는 아동이나, 낮은 자존감을 가진 아동은 쉬운 표적으로 여겨진다. 이로 가해자가 더 효과적으로 아동을 조종하여 사랑받고 보호받는다고 착각하게 할 수 있다. 전 연령대의 아동이 피해를 입을 수 있는 상황이며, 인신매매단은 주로 가장 보호가 취약한 층을 공략한다. 특히나 가출 청소년, 노숙 아동, 납치된 아동, 성소수자 아동 그리고 임시 보호 시설에 있는 아동을 많이 공략한다. 여기에 신체적, 정서적, 성적학대는 흔한 양상이다. 피해 아동은, 본인이 당한 것이 부당한 것조차 모를 수 있으며, 고립되어 있고, 위협이나 폭력으로 인해 탈출도 불가능하다.

이를 더 어렵게 만드는 것은, 다른 인종이거나 다른 언어를 사용할 수도 있는 가해자는, 모든 형태의 신분증을 갈취해서 제거하고 아이의 외모를 완전히 바꾸고 도움을 받을 수 없도록 멀리 이동한다.

연구에 의하면, 어른과 청소년 여성의 경우, 착취 당하는 기간 동안, 거의 90% 이상은 응급구조사를 포함한 전문 의료인을 마주한 적이 있다. 63%는 응급실에 실려온 적이 있다. 인신매매 생존자들 중 40%는 의료인이 그 상황에서 본인을 도울 수도 있었으나 돕지 않았다고 진술했다. 응급의료인, 의사, 간호사 중 누구도 그들에게 그들의 상황에 대해 묻거나 인신매매 당한 사실을 알아차리지 못했고, 그대로 구조의 기회를 놓쳤다. 응급실 직원 뿐 아니라, 응급구조사들과의 소통도 인신매매 아동을 알아차리고 치료해서 이러한 비극적인 인지 누락이 발생하지 않도록 유의하는 것이 매우 중요하다.

응급 환자가 인신매매 피해자인 사실을 알아차리는 것은 쉽지 않지만, 적신호표(red flag : 적기)가 도움이 될 수 있다. 아동이 스스로 먼저 말할 확률이 낮으므로 다른 사람들로부터 분리해서 질문할 수 있는 환경을 조성하는 것이 중요하다. 이는 한 아이를 지속적인 인신매매 피해자로 둘지, 구조할 수 있을지를 나누는 매우 중요한 일이 될 수 있다. 인신매매자는 분명 이러한 상황을 미리 잘 준비했을 것이고 유창하게 말하며, 의심을 받지 않기 위해 납득할만한 주장을 펼칠 것이다. 매우 좋은 부모처럼 보살피고 다정할 수 있다. 아동이 직접 질문에 답할 수 없고, "친구"나 "가족"이 무조건 대신 답하며, 절대 의료진과 단둘이 남지 못하게 방해할 수 있다. 나이에 맞는 상태도 관찰한다. 아주 어린 아동은 집주소를 모를 수 있지만, 나이 있는 아동이 본인 집주소나, 본인이 어느 주 혹은 어느 도시에 있는지 모를 수 없다. 그렇다면 이는 적신호이다(**표 11-9**).

질문은 분석적으로 적절하게 해야하며, 조심스럽게 아이를 배려하는 태도로 해야한다. 응급구조사는 신뢰를 쌓아야 하고, 비판적이지 않은 태도로 존중하며 인내심을 가지고 아이의 안전을 재차 확인하며, 아이가 구조와 돌봄에 스스로도 참여할 수 있도록 북돋아주어야 한다. 그와 동시에 기본적인 사항들이 충족되는지 세심하게 보살핀다. 안전한지 여

표 11-9 인신매매 적신호 (Red Flags)

병력

- 인신매매자는 인신매매 피해아동일 수도 있는 여럿의 아동을 대동하고 있음
- 아동과 의료진을 단둘이 있는 것을 거부하는 사람
- 앞뒤가 맞지 않거나 애매한 병력 제공
- 법적 지원에 대해 분노하는 환자나 인신매매자
- 집주소를 모르거나 집으로 가는 방법을 모르는 경우
- 신분증이 없거나 개인 소지품이 없음
- 자살 시도 이력, 자살 기도, 우울증, 정신적 문제 혹은 약물 남용, 외상후장애, 수치심, 자책
- 사유가 없는 수업 결석
- 장소나 날씨 상황에 맞지 않는 의복 차림
- 성적 행동 (Sexualized behavior)
- 수업 시간에 지나친 피로
- 질병에도 근무
- 치료받지 않는 만성 질환
- 가짜 신분증 보유 혹은 호텔 키를 소지한 아동
- 결속 (스톡홀름 신드롬: 인질이 살아남기 위해 유괴범과 심적인 유대감을 형성하는 증상)
- 값비싼 물건, 옷이나 핸드백이나 신발 보유, 과다한 현금 보유, 혹은 매우 어린 나이에도 불구한 현금보유
- 강압적 약물복용
- 보험 적용하지 않고 현금 결제
- 남자친구를 '아빠'라고 부름
- 가출 이력(지난 연도 3회 이상), 버려진 상태(집에서 쫓겨났거나 돌아오지 말라고 한 경우), 노숙 중
- 나이 많은 이성 친구(4살 이상 더 많은)

신체 평가

- 장기적인 관리 부족
- 성장장애, 영양부족, 섭이장애
- 꾀죄죄한 모습
- 성병
- 요로 감염증
- 과다하게 많은 성관계 대상자 수
- 거리에서 쓰는 비속어 사용, 삶을 '게임'으로 표현, 갱과 연관된 표현 사용(특정 색상을 좋아하거나, 갱의 표식을 낙서로 그리는 등)
- 질에 생리혈을 막기 위한 솜이나 휴지 발견
- 질이나 직장 내의 이물질
- 원인 인자로 인한 패턴이 있는 부상 (밧줄, 라이터, 전기 코드, 손바닥 등)
- 질, 음낭, 페니스, 직장에 외상
- 담배, 철, 산 화상
- 결핵
- 충치, 썩은 치아, 병입
- 혀주름띠(설소대, lingual frenulum) 상처(입을 틀어막거나 억지로 병을 입에 넣어서 생긴)
- 목 조름으로 인한 턱이나 목에 통증
- 낙태 혹은 유산 이력
- 신체 외상
- 목, 손목, 발목에 결찰 자국
- 문신, 특히 남성의 이름, 브랜드, 돈 표시, 이니셜, 슬로건 혹은 바코드는 인신매매를 의미할 수 있다. 특히 목, 등 아래쪽, 서혜부 혹은 발에 영구적으로 소유를 표시하고 누군가의 소유물임을 나타냄
- 병리 반응
- 자해 (칼로 긋기, 긁기, 때리기, 물기, 피부 뜯기, 모발 뽑기)

부를 확인하는 것뿐 아니라, 충분히 따뜻한지, 배가고픈지, 목이 마른지 묻는다(그리고 계속 잠재적 문제를 관찰한다). 분명 억압되어 있을 때는 아무것도 선택할 수 없었을 것이니, 제공할 수 있는 것에 대해서는 아동에게 스스로 선택할 수 있는 상황을 만들어주며, 스스로 용기를 낼 수 있도록 돕는다. 영어가 모국어가 아닌 경우 공식적으로 승인 받은 통역자 외에는 절대 통역을 허락하지 않는다. 아이를 대할 때, 앉거나 몸을 낮춰서 눈높이를 맞추고 대화하는 것을 잊지 않는다. 아동의 세계에선 놀이가 가장 중요하다는 것을 잊지 않는 것이 중요하다. 그래서 대화할 때, 솜인형이나 다른 마음을 열어줄 수 있는 물건, 노래, 흥, 비눗방 혹은 다른 마음 여는 기술을 활용하는 것이 좋다. 아이가 스스로 위안을 삼을 수 있는 것이 무엇인지, 엄지를 빠는 것인지, 특정 음악인

지, 특정 편한 자세인지 알아내고 모든 방법을 통해 아이가 그렇게 하도록 한다.

한 두가지 적신호만으로도 충분히 의심할만한 정확을 파악할 수 있을 것이며 이러한 발견은 응급실 직원들과 소통한다. 법조인을 부르거나 경찰을 부르는 것이 느껴지면 인신매매자나 환자나 혹은 둘다 치료나 이송을 거부할 수 있고 이는 아동이 더 큰 위험에 빠지게 하는 행동이다. 인신매매가 의심되면, 나이에 맞게 "가고 싶지 않은 곳에 가본적 있니?"라고 물어볼 수 있다. **표 11-10**에는 다른 가능한 질문들이 기록되어 있다.

현장 조사 및 환경과 대상자까지 평가할 수 있는 입장인 응급구조사는 적신호와 적절한 질문을 통해 인신매매를 알아차리고 구조할 수 있는 아주 좋은 입지에 있다. 모든 소

표 11-10 인신매매 피해자로 의심될 때 물어볼 질문

: 나이에 적합하고 발달에 맞는 표현 바꿔서 아래의 질문을 한다.

- 나와 함께 대화해도 괜찮겠니? 만약 000(이름)이랑 나랑 단둘이 조금 대화하면 뭔가 문제가 생길까?
- 나랑 단둘이 이야기하면 안되는 이유를 말해줄 수 있니? 너가 편하게 말하려면 무엇을 하면 될까?
- 너가 집이나 직장에 가고 싶을 때 가고 나오고 싶을 때 나올 수 있니?
- 집에 널 신체적으로 다치게 한 사람이 있니?
- 먹거나 자거나 화장실 갈 때 허락 받아야 할 수 있니?
- 너가 나가지 못하게 문이나 창문에 잠금 장치가 있니?
- 음식이나 물이나 잠이나 의료 진료를 거부한 적이 있니?
- 누군가 가족을 위협한 적이 있니?
- 누군가 너의 신분증이나 신분 서류를 뺏어간적이 있니?
- 뼈가 부러지거나 정신 잃고 쓰러진 적이 있거나, 꿰맬 정도의 상처가 난 적이 있니? (있다면, 그때 상황에 대해서 알려줄 수 있니? – 학대인지, 또래 폭력인지, 데이트 폭력인지 확인한다)
- 어떤 친구들은 집에서 사는게 쉽지 않아서 도망가야 하는 친구들이 있단다. 너도 집에서 도망쳐 본 적이 있니? (그렇다면, 밤새 밖에 있었거나 심지어 더 오래 있었니? 몇 번이나 도망가 봤어? 가장 오랫동안 도망가본 것이 얼마나 오래 도망가본 것이었어? 도망 갔을 땐 음식을 먹기 위한 돈은 어떻게 구했고 어디서 지냈어?)
- 어떤 친구들은 마약이나 술을 먹기도 하고, 다양한 친구들이 다양한 마약을 복용하더라구. 너도 마약이나 술을 먹니? (이어서 구체적인 것을 질문 – 복용 빈도, 종류, 복용하는 이유[기분 전환, 자체 처방])
- 가끔 어떤 아이들은 경찰과 마주할 때가 있어. 도망가서 그렇거나 통금시간을 어기거나 아니면 도벽 때문에. 여러 가지 이유가 있을 수 있어. 넌 그런 문제로 경찰과 마주해본 적이 있니? 나에게 이야기 해줘도 괜찮을까?
- 아이들은 각기 다른 나이대에 성경험을 해. 구강성교, 질내성교, 항문성교를 하곤 하지. 이런 것에 최근 경험이 있니? 그렇다면 5명 이상의 파트너가 있었니? 성병에 감염된 적이 있니?
- 이성친구 혹은 그 누군가가 너에게 본인과 혹은 다른 사람과의 성교를 강요한 적이 있니?
- 어떨 땐 아이들은 진짜 돈, 마약, 음식 혹은 지낼 곳이 필요한 상황에 있어. 그때 성관계나 어떤 형태의 성적인 활동을 해야지만 돈이나 그 외 필요한 것을 얻을 수 있다고 생각해. 너도 돈, 음식, 지낼 곳이나 원하는 것을 얻는 대가로 성관계를 해야만했니?

아 검사 시 성별, 인종, 문화, 성지향성, 거주지, 건강, 사회경제학적 위치, 외모 혹은 행동과 관계없이 성매매 여부를 주의 깊게 눈여겨봐야 한다. 아동학대를 보고할 의무가 있으므로, 인신매매가 의심되는 아동에 대해 주의 법을 정확히 알고 지침에 따라 보고하는 것이 중요하다. 응급구조사는 아이와 세상 사이의 교차로가 될 수 있으므로 작은 행동만으로도 아동과 그 가족에게 큰 영향을 미칠 수 있다.

표 11-11에는 유용한 기관과 연락처가 기록되어 있다.

표 11-11 기관

National Center for Missing & Exploited Children
1-800-843-5678
실종 아동이나 아동 성 착취 의심자에 대한 정보가 있는 경우 전화를 걸어 신고하거나 해당 웹사이트를 방문하십시오.
(http://www.missingkids.com/).

National Human Trafficking Hotline
1-888-373-7888
국가인신매매 핫라인(National Human Tracking Hotline)은 미국의 반인신매매 및 반인신매매 공동체의 피해자와 생존자를 위한 국가적인 반인신매매 핫라인 및 자원 센터. 무료 핫라인은 하루 24시간, 일주일 7일, 1년 365일 실시간 응답된다. 자세한 내용은 다음 웹 사이트를 참조하십시오.
www.humantraffickinghotline.org.

The National Runaway Switchboard
1-800-RUNAWAY
NRS(The National Runaway Switchboard)는 노숙자와 가출 청소년을 위한 연방 지정 국가 통신 시스템 역할을 한다. NRS는 150명 이상의 자원봉사자들의 지원을 받아 평균 10만 통의 전화를 처리한다.
조직 설립 이후 연간 300만 건 이상의 전화 통화를 하며, 핫라인과 온라인 서비스를 통해 전국 청소년, 가족, 지역사회 구성원에게 365일 24시간 위기 개입, 지역 자원 소개, 교육 및 예방 서비스를 제공한다. 자세한 내용은 다음 웹 사이트를 참조하십시오.
www.1800RUNAWAY.org.

U.S. Immigration and Customs Enforcement
1-866-347-2423 (United States & Canada)
1-802-872-6199 (International Calls)
ICE의 핫라인으로 아동학대 의심자 신고 및 의심스러운 활동 신고
Call or complete an online tip form (www.ice.gov/tips/).

사례연구 3

119는 아이 돌보미로부터 아이가 화상을 입었다는 전화를 받는다. 현장에 도착했을 때, 응급구조사는 울고 있는 2세 남아를 안고 있는 10대 소녀를 발견한다. 10대 소녀는 아이를 돌보아주었는데도 아이가 2시간 동안 법석을 떨고 울어댔다고 진술한다. 아이의 기저귀를 갈아주면서, 아이 돌보미는 엉덩이에 화상처럼 보이는 것에 주목했고, 그녀 엄마의 조언에 따라 119에 전화를 했다.

남아는 명료했지만 동요된 상태였고 아기 돌보미에 의해 쉽게 진정되지 않는다. 호흡 노력의 증가는 없고 피부빛도 핑크빛이다. 기저귀 발진 크림으로 덮인 엉덩이 위에 벗겨진 피부 부분이 있고, 엉치뼈 가까이에 터지지 않은 수포가 한 개 있다. 두 엉덩이의 중앙과 엉덩이 갈림 부분은 손상된 것으로 보이지 않는다. 팔다리 검진 상 멍이나 다른 비정상이 없다.

1. 이러한 손상은 학대로 인한 것인가?
2. 어떤 중재가 필요한가?

사례연구 답안

사례연구 1

변화된 의식 상태와 불규칙한 호흡이 갑작스럽게 발생한 영아와 소아에서 학대에 의한 두부 손상 징후를 명심한다. 꽉 쥐어서 생긴 멍과 상흔은 잡히거나 흔들린 소아의 팔에서 발견될 수 있으며, 이것은 기록되어야 한다. 현장 상황, 돌봄제공자의 말, 손상을 일으킨 보고된 사건을 주의 깊게 기록한다.

즉각적인 이송이 대단히 중요하다. 가해진 두부손상의 흔한 합병증 하나는 쿠싱 3징후로 서맥, 급격한 혈압상승, 불규칙한 호흡으로 인해 뇌내압 상승과 숨뇌(뇌줄기에 있는 호흡중추)압박이 생기고 호흡부전 또는 무호흡으로 이어지는 것이다. 응급실 직원이 아동보호기관에 반드시 보고하도록 하거나, 본인이 직접 보고서를 만들어 놓도록 한다.

사례연구 2

이 사례는 할머니가 우발적으로 영아를 질식하게 한 결과일 수 있다. 특히 알코올이나 약물의 영향 하에 있는 돌봄제공자와 함께 잠을 자는 것은 치명적인 결과를 가져올 수 있다. 성인이 영아의 위로 구를 수 있고 중독된 상태에서는 그것을 인식하지 못할 수 있다. 영아는 성인의 등을 밀어내거나 자기 위에 누워있다는 것을 성인에게 알릴 힘이 없다. 그 현장을 기록하고 법 집행기관에 연락한다. 당신의 관심은 아이를 소생시키기 위한 노력에 집중할 필요가 있다.

사례연구 3

이 아동은 가해진 열탕 화상의 명백한 징후를 가지고 있다. 주름부위와 엉덩이 가운데 부분이 화상을 덜 입은 것은(도우넛형 화상) 아동이 뜨거운 물에서 강하게 저항했다는 것을 나타낸다. 응급구조사는 누가 손상을 가했는지 알 방법도 없고, 역할의 의무로 제정하고 있지도 않다.

가능하다면 진통제를 투여한다. 큰 화상은 의미 있는 수액 손실을 초래할 수 있으므로 정맥로를 확보하고 수액소생술을 시작해야 한다. 현장 평가, 아동과 돌봄제공자의 행동, 병력을 기록한다. 가해진 손상의 평가뿐만 아니라 화상처치를 위해 응급실로 아동을 이송한다. 궁극적으로 화상센터에서의 처치가 필수적일 것이다.

추천 자료

Textbooks

American Academy of Pediatrics and the American College of Emergency Physicians. *APLS: The Pediatric Emergency Medicine Resource.* 5th ed. Burlington, MA: Jones and Bartlett Learning; 2012.

Bush KM. Human trafficking. In: *Emergency Nurse Pediatric Course.* Burlington MA: Jones & Bartlett; 2018:143–149.

Hazinski M, Zaritsky A, Nadkarni V, et al. *PALS Provider Manual.* Dallas: American Heart Association; 2016.

Lasky A, Sirotnak A. *Child Abuse: Medical Diagnosis and Management.* 4th ed. Itasca, IL: American Academy of Pediatrics; 2019.

Articles

Andrea G, Asnes AG, Leventhal JM. Managing child abuse. *Pediatr Rev.* 2010;31(2):47–55.

Becker H.J, Bechtel K. Recognizing victims of human trafficking in the pediatric emergency department. *Pediatr Emerg Care.* 2015;31(2):144–147.

Donahue S, Schwien M, LaVallee D. Educating emergency department staff on the identification and treatment of human trafficking victims. *J Emerg Nurs.* 2019;45(1):16–23.

Ernewein C, Nieves R. Human sex trafficking: recognition, treatment, and referral of pediatric victims. *J Nurse Pract*, 2015;11(8):797–803.

Escobar MA, Wallenstein KG, Christianson-Lagay ER, et al. Child abuse and the pediatric surgeon: A position statement from the Trauma Committee, the Board of Governors and the Membership of the American pediatric Surgical Association. *J Pediatr Surg*. 2019;54:1277–1285.

Grace AM, Lippert S, Collins K, et al. Educating health care professionals on human trafficking. *Pediatr Emerg Care*. 2014;30(12):856.

Greenbaum VJ, Dodd M, McCracken C. A short screening tool to identify victims of child sex trafficking in the health care setting. *Pediatr Emerg Care*. 2018;34(1):33–37.

Hoehn EF, Wilson PM, Riney LC, et al. Identification and evaluation of physical abuse in children. *Pediatr Ann*. 2018;47(3):e97–e101.

Johnson CF. Child maltreatment 2002: Recognition, reporting and risk. *Pediatr Int*. 2002;44:554–560.

Kairys S. Distinguishing sudden infant death syndrome from child abuse fatalities. American Academy of Pediatrics Committee on Child Abuse and Neglect. *Pediatrics*. 2001;107(2):437–441.

Kempe CH. The battered child syndrome. *JAMA*. 1962;181:17–24.

Krug EG, Dahlberg LL, Mercy JA, et al. World report on violence and health. Geneva: World Health Organization; 2002.

Normandin PA. Child human trafficking: see, pull, cut the threads of abuse. *J Emerg Nurs*. 43(6); 588–590.

Pierce MC, Kaczor K, Aldridge S, et al. Bruising characteristics discriminating physical abuse from accidental trauma. *Pediatrics*. 2010;125:67–74.

Other Resources

American Academy of Pediatrics. *Visual Diagnosis of Child Abuse*. 4th ed. [CD-ROM]. Itasca, IL: American Academy of Pediatrics; 2016.

Child Welfare Information Gateway. What is child abuse and neglect? Recognizing the signs and the symptoms. https://www.childwelfare.gov/pubpdfs/whatiscan.pdf. Accessed July 5, 2019.

Child Welfare Information Gateway. Child maltreatment 2017: summary of key findings. https://www.childwelfare.gov/topics/systemwide/statistics/can/can-stats/. Accessed July 5, 2019.

Children's Healthcare of Atlanta. Clinical Practice Guideline for Assessment and Treatment of Potential Victims of Child Sex Trafficking and Commercial Sexual Exploitation (CSEC) ≥ 11 yrs old. http://aapdc.org/wp-content/uploads/2013/12/Child-Sex-Trafficking-FINAL-published-guideline-may-28-2015.pdf. Accessed July 16, 2019.

Gelles RJ, Perlman S. *Estimated Annual Cost of Child Abuse and Neglect*. Chicago, IL: Prevent Child Abuse America; 2012.

Ford, H. Child, infant sex trafficking; It's like the Wild West. https://www.11alive.com/article/sports/nfl/superbowl/child-infant-sex-trafficking-its-like-the-wild-west/85-f4c0520a-acb7-4370-abbd-be8139caa99d. Accessed July 16, 2019.

Lauridsen J, Levin A, Parrish R, et al. *Shaken Baby Syndrome: A Visual Overview*. Version 3.0. National Center on Shaken Baby Syndrome(CD-ROM).

Polaris. The Facts. https://polarisproject.org/human-trafficking/facts. Accessed July 16, 2019.

US Department of Health & Human Services, Administration for Children and Families, Administration on Children, Youth and Families, Children's Bureau. 2017. Child Maltreatment https://www.acf.hhs.gov/cb/research-data-technology/statistics-research/child-maltreatment. Accessed August 30, 2019.

Hotlines and Websites

National Center for Missing and Exploited Children.
1-800-843-5678

National Human Trafficking Hotline. 1-888-373-7888
www.Humantraffickinghotline.org

National Runaway Switchboard 1-800-RUNAWAY
www.RUNAWAY.org

U.S. Immigration and Customs Enforcement.
1-866-347-2423 (United States and Canada)
1-802-872-6199 (international)

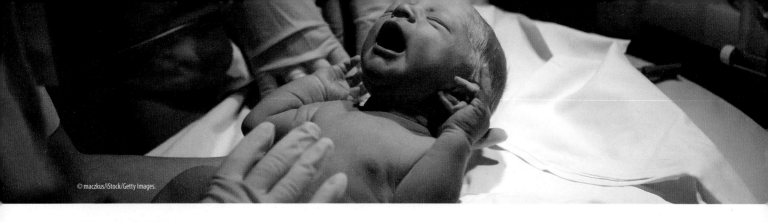

© maczkus/iStock/Getty Images.

CHAPTER 12
응급분만과 신생아 안정

Andrew Bartkus, RN, MSN, JD, CEN, CCRN, CFRN, NREMT-P, FP-C

Tabitha Cheng, MD

Joyce Foresman-Capuzzi, MSN, APRN, CCNS, CEN, CPEN, CTRN, TCRN, CPN, EMT-P, FAEN

학습목표

1. 현장에서 응급분만의 위험이 있는 임부를 판단하기 위한 임신력과 신체검진의 구성요소를 설명할 수 있다.

2. 분만 중이나 분만 직후 산모나 신생아의 건강에 유해한 요인이 되는 산모, 태아 그리고 신생아의 잠재적인 위험요소를 설명할 수 있다.

3. 진통중인 여성을 초기에 병원으로 이송해야 할 때와 현장에서 응급분만 준비를 해야 할 때를 구분할 수 있다.

4. 분만을 위한 준비와 분만 이행, 산모와 신생아에게 분만 후 어떤 처치를 해야 하는지 설명할 수 있다.

5. 분만 중 합병증으로 산모나 신생아의 건강이 위태로운 상황을 인식하고 바른 중재법을 적용할 수 있다.

6. 신생아의 환기를 돕기 위한 적응증과 술기를 설명할 수 있다.

7. 신생아에서 약물과 수액을 적용하기 위해 혈관주사가 필요한 상황을 확인할 수 있다.

개요

응급구조사는 병원 전 환경에서 분만이 임박한 환자를 평가하거나 현장에서 출산을 돕기 위해 출동 요청을 받기도 한다. 미국 역사 초기에는 종종 훈련된 의료인 없이 가정에서 출산했으나, 점차 산모를 돌보고 아이를 분만하는 데 기술과 입원을 이용하면서 고도의 전문화된 의학 분야로 진화했다. 대부분 병원에서 분만을 하는 상황에도 불구하고, 상당수의 부모들은 가정 분만을 선택한다. 매년 출산의 거의 1%는 병원 전 환경에서 일어나며 이는 2004년 이후로 꾸준히 증가하고 있는 추세이다.

가정분만의 약 30%가 면허 간호 조산사에 의해 이루어지는 반면, 나머지는 "일반 조산사"나 면허가 없는 간병인에 의해 이루어진다. 이런 환자에게 응급구조사는 산모나 신생아에게 합병증이 생길 때를 대비해 훈련된 유일한 선택일 수 있다. 응급구조사는 매우 다양한 장소에서 심한 진통 중인 임산부와 마주치기도 한다. 응급구조사는 진통이나 임신이 확인되지 않거나 숨겨져 있을 때, 교통사고를 당하여 진통 중인 환자가 제때 병원에 도착하지 못하게 할 때, 계획한 병원 외 출산 중 예상치 못한 합병증이 발생하거나 병원 이전 환경에서 진통이나 황급한 분만이 발생될 때 환자를 이송하는 것을 보조하기 위해 출동을 요청을 받기도 한다.

병원 전 환경(현장)에서의 분만

응급의료체계의 역량, 업무 영역, 법적 문제

현장에서의 분만은 흔한 절차가 아니다. 그래서 진통 중인 환자와 응급구조사 모두의 불안 수준은 높다. 대부분의 신생아는 자궁 밖으로 나오는데 최소한의 처치만 필요하다. 응급구조사는 대부분의 산모가 최소한의 소생 노력만 필요할 지라도, 분만 중 합병증은 신생아에 대한 강력하고 평생 남는 신경학적 손상을 일으키는 잠재력이 있다는 것을 명심해야 한다. 응급구조사의 훈련, 경험, 업무 범위, 그리고 장비가 제한적이면, 응급구조사는 손상을 예방하기에 너무 늦어버릴 때까지, 임신이나 분만의 심각한 합병증을 인식하지 못할 수 있다. 비록 합병증이 없는 출생은 틀림없이 기본소생술 수준의 기술만 필요하지만, 이 장에서 간단하게 소개될 많은 신생아나 산모의 합병증은 전문소생술 수준의 중재가 필요하다. 현장 분만이 급박할 때 이용 가능한 최고 수준의 병원 전 처치가 제공되어야 한다.

윤리적 고려사항과 응급의료체계의 전문성

모든 분만의 목표는 건강한 산모와 신생아이다. 응급구조사에 의해 수행된 모든 분만에서 생존하는 건강한 신생아가 태어나는 것은 아니다. 심각한 조산과 잠재적인 태아 사망의 경우, 모든 소생 노력이 충분치 않은 상황을 만든다. 응급구조사는 사전 진단의 이점도 없고 치료적인 환경에서 아이의 부모와 소생 결정에 관해 상의할 기회도 없이 이런 상황을 주기적으로 마주친다. 이런 상황과 마주하게 되면, 응급구조사는 의료지도를 받아야 하고 소생 개시 및 종료와 관련된 응급의료체계(EMS) 법과 규정을 준수해야 하는 전문적 요건에 따라 환자에 대한 윤리적 책임의 균형을 섬세하게 맞춰야 하나

임신 합병증

여러 상황은 임신 중 산모와 태아의 건강에 부정적인 영향을 줄 수 있다. 이런 상황은 분만 중이나 분만 후에 산모와 신생아에게 합병증을 일으킬 잠재성을 가지고 있다. 응급구조사는 분만을 위해 초기에 병원으로 신속하게 이송하는 것 대비 현장에서 분만할 경우의 위험과 이점을 따져볼 때 이런 상황들을 고려해야 한다. 특정한 둔위분만이나 전치태반 같은 많은 합병증들은 현장에서 단순히 처치될 수 없다. 응급구조사가 감당할 수 있는 범위를 넘어선, 확인된 합병증이 있을 때는 즉시 이송을 시작하는 것이 낫다.

조기 분만

조기분만(조산, preterm delivery)은 임신 37주 이전에 산통이 시작되는 것을 말한다. 응급구조사는 조산의 정도(얼마나 빨리 태어났는가)에 비례하는 합병증을 예상해야 한다. 기술적 향상은, 비록 극심한 평생의 합병증을 가져올 지라도, 22-24주의 조산아(premature infant)를 생존시킬 수 있다. 21-22주 사이에 태어나서 장기간의 합병증이 없거나 미

사례연구 1

분만통이 있는 32살 지역 주민이 응급의료체계에 출동 요청을 한다. 환자는 임신 38주차이고, 네 번째 임신이라고 한다. 그녀는 양수가 터진 후 30분 동안 진통을 겪고 있으며 지금은 점점 더 자주 강하게 진통이 온다고 한다.
그녀는 마지막으로 출산했을 때 3시간 진통을 했다고 한다.

1. 이송할 것인지 현장에서 분만할 것인지를 결정하는 데 도움이 되는 질문들은 무엇인가?
2. 현장에서 분만을 준비해야 하는 신체적 소견은 무엇인가?

미한 일부 사례가 보고되었지만, 22주 이전에 태어난 조산아는 생존확률이 낮다. 24-37주 사이에서는, 한 주씩 더해지는 임신의 주수는 신생아 합병증의 영향이나 심각도를 감소시킨다. 응급구조사는 임신 기간이 22-23주보다 짧은 환자가 분만하는 것을 대하게 된다; 많은 경우 신생아는 병원 전 분만에서 생존하지 못할 것이다. 비록 많은 응급의료체계는 24주 미만의 신생아가 생후에 생존반응이 없다면 소생술을 시도하지 말라고 하지만, 신생아 소생과 관련된 지역의 의료 지침을 따라야 한다. 임신 주수를 알 수 없다면, 조산아인지 확인할 수 있는 몇 가지 특징들이 있다; 체모(솜털), 눈꺼풀 결합(눈은 26-29주에 열린다), 발의 크기 <40mm, 투명한 피부, 저지방질의 신체(907 g 미만의 체중), 그리고 낮은 근육 긴장도 조금 더 완숙한 조산아들은 신생아 소생술을 전문적으로 훈련받은 응급구조사로부터 즉각적인 처치를 받아야 한다. 조기 분만 환자에 대한 치료는 결정적인 처치가 제공될 때까지 매우 도움이 된다.

과숙 임신

정상 임신 기간은 37-42주 지속된다. 태아가 42주를 지나 자궁에 남아있을 때 자궁과 태반은 성장하는 태아의 생리학적, 환경적 요구를 지지할 수 없다. 태아가 양막과 자궁 내에 있는 동안, 고통스러워 하고 배변(태변의 배출)을 할 수 있다. 태아가 자궁 속에서 양수를 들이마신다면, 양수에 있는 태변은 분만 후 태아의 호흡장애를 일으킬 수 있다. 산모가 과숙임신(post-term pregnancy)이거나 질에서 태변이 섞인 양수가 유출되고 있다면, 응급구조사는 산모에게 지지적 처치를 제공해야 하며, 어려운 진통과 분만, 그리고 신생아 소생술을 시행할 준비를 해야 한다.

다태 임신

대부분의 다태 임신은(한명의 태아보다 많은) 산전관리 동안 진단된다. 모든 산모 평가는 다태 임신의 가능성에 관한 질문을 포함해야 한다. 특히 즉시 분만할 것이라면 응급구조사는 다태임신(multifetal gestation)을 고 위험군으로 간주해야 한다. 둔위분만, 탯줄 탈출, 조기 진통, 그리고 기타 여러 가지 산모와 태아 상황은 한명의 태아가 있을 때보다 다태아를 임신한 경우 더 흔하다.

전치태반

임신 중 태반은 부분적이거나 완전히 자궁 경부 입구를 덮도

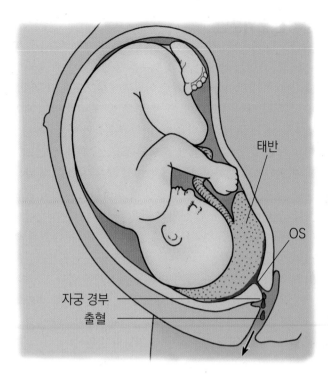

그림 12-1 전치태반

록 자궁 바닥에 착상되기도 한다. 이것이 전치태반(placenta previa)이다(**그림 12-1**). 경부 확장이나 기계적 천공에 의해서 태반파열이 발생되면, 출혈이 심해질 수 있고 대개 통증은 없다. 태반이 경부 입구를덮거나 가까이 위치한 환자는 분만을 위해 제왕절개가 요구된다. 심한 출혈은 산모와 태아에게 치명적일 수 있다. 이런 환자는 현장에서 응급의료체계에 의해 안전하게 출산할 수 없다. 진통 중인 전치태반 또는 통증이 없는 질 출혈이 있는환자는 즉시 신속하게 이송하여야 한다.

태반조기박리

병원 전 응급구조사들은 또한 태반조기박리(abruptio placentae) 상태의 환자를 맞닥뜨릴 수 있다.이러한 환자의 경우, 태반이 자궁벽으로부터 부분적으로 또는 완전히 분리가 되어 정맥 출혈을 야기한다. 전치태반과 대조적으로, 태반 조기 박리를 겪는 환자들은 어두운 색의 질 출혈과 함께 복통을 겪는 경향이 있다. 이는 자궁수축, 복부 압통, 그리고 가사상태의 태아와 같은 증상들을 포함한다.병원 전 관리는 양수량의 순환을 복구하고, 태아를 모니터링하면서 결정적인 처치를 할 수 있는 시설로의 즉각적인 이송에 초점을 둔다.

알려진 둔위분만

출산 중, 태아는 팽창된 자궁 경부를 통해 질관으로 통과할 때, 산모의 엉덩이를 향한 채로 머리부터 나오도록 고안되었다. 그러나 태아가 엉덩이, 양발, 한쪽 발 또는 머리를 제외한 다른 신체 부위부터 나올 때, 이를 둔위분만이라 부른다. 이는 모든 분만의 3-4%에 해당되며 조산, 다태 임신보다 더 빈번하게 발생하며, 태아에게 이상 징후가 있을 때 발생한다. 몇몇 태위는 태아는 분만될 때 최소한의 수기만 필요하다. 그러나 가로 둔위 분만과 같은 다른 태위는 제왕절개(cesarean section)를 하거나 질식 분만을 위해서는 훈련된 의사의 상당한 수기가 필요하다. 응급구조사는 둔위분만임이 알려지거나 의심될 때 즉시 이송을 시작해야 한다. 특정한 유형의 둔위분만의 환경을 최적화할 수 있는 다양한 술기와 산모의 자세가 있다. 온라인 의료 통제는, 둔위분만이 병원 전 환경에서 시작될 경우, 귀중한 지도의 방법이다.

진통중인 산모의 분류

응급구조사는 분만을 위해 산모를 병원으로 안전하게 이송할 수 있는지 아니면 현장에서 응급 분만을 준비해야 할지를 결정할 수 있어야 한다. 모든 응급의료체계 대응의 목표는 진통 중인 산모를 출산이 시작되기 전 병원으로 이송 하는 것이다. 진통과 분만에 경험이 많은 의사와 간호사들은 훈련, 진단 장비, 그리고 병원 전 환경에서 적절히 다룰 수 없는 많은 상황을 중재할 수 있는 술기을 가지고 있다. 진통이 진행되거나 분만이 임박했을 때, 응급구조사는 병원 전 환경에서 분만을 도와야 하는 때도 있다. 이송 시간, 이용 가능한 병원, 응급의료체계 가용성, 예측 가능한 합병증, 그리고 궁극적으로 태위 등은 이송할지 현장에서 출산을 보조할지를 결정하는데 지침이 된다.

산모력

응급구조사는 진통으로 의심되는 환자를 평가할 때 짧고 집중적인 환자력을 얻어야 한다. 여러 요소들이 분만이 임박했는지, 합병증이 예상되는지를 결정하는데 도움을 준다. 최종적으로 세 가지 질문에 대한 답이 응급구조사가 현장 분만을 해야 할지 아닐지를 결정하는데 도움이 된다(**표 12-1**):

1. 환자가 몇 번 분만했는가? 전형적으로, 본격적인 진통 시간은 몇 번 출산을 한 여성(경산부)보다 처음 출산을 한 여성(초산부)에서 더 길다. 만약 경산부라면 산모의 이전 진통시간을 물어본다. 이전 임신에서 진통시간이 짧다면 이번에도 짧을 확률이 높다. 전 임신과의 간격이

길지 않다면, 잇따르는 진통시간은 그 전보다 짧을 것을 예상한다.

2. 만출 압박감을 느끼는가? 대부분의 산모는 진통말기에 이러한 느낌을 경험한다. 일반적으로 산모가 만출 압박감이 절박하면 보통 30분 이내에 분만이 이루어진다. 만출압박감이 있는 환자는 회음부를 즉각적으로 시진하고 신생아 분만을 준비한다.

3. 성공적인 현장 분만을 하기에 해부학적 상태는 괜찮은가? 전치태반이나 가로누운 둔위 태위 같은 상황은 현장에서 안전하게 분만할 수 없으므로 즉시 이송을 시작해야 한다.

시간이 허락되면, 응급구조사는(투약과 알레르기를 포함한) 산모 병력과 산전관리 동안 기형이 확인되었는지, 이전 분만 중의 합병증, 임신기간 등에 관해 물어봐야 한다. 임신기간 또는 예정일은 마지막 월경기나 가임기로부터 계산될 수 있다. 양막파열, 다태 임신 가능성, 그리고 이전 신생아 기형과 같은 다른 요소들은 또한 환자력을 얻을 때 포함되어야 한다. 산모력은 신체검진을 하거나 분만을 위한 구급차와 이송장비를 준비하는 동안 동시에 얻어야 한다.

산모 신체평가

응급구조사가 만난 모든 환자는 생명의 즉각적 위협을 규명하는 초기 평가가 요구된다. 이 평가는 기도 유지, 호흡과순환의 질, 의식수준 평가를 포함한다. 많은 사례에서 환자의 피부색이 정상이고 맥박이 강하며, 환자가 깨어있고 온전한

표 12-1 분만의 긴급도 결정
질문
첫 번째 분만인가?
이전에 분만한 경험이 있다면 진통시간은 얼마 걸렸는가?
만출 압박감이 느껴지는가?
신체적 소견
아두배림이 나타나 있는가?
수축기 동안 회음에 아두나 두피가 보이는가?

문장으로 말할 수 있다면, 생명의 즉각적 위협은 배제될 수 있다.

이런 소견으로부터 벗어난 것은 생명의 잠재적 위험을 제시하므로어떤 것이라도 임신과 관련된 집중된 평가를 하기 전에 더 평가되어야 한다.응급구조사는 만약 산모가 분만이 임박한 경우,간단히 회음부의 신체 평가를 해야한다. 질 입구에 태아 머리가 보이는 상황인 아두배림(crowning)이 보이는지 살펴본다(**그림 12-2**). 아두배림은 분만이 임박했다는 징후이다.

만약 태아 머리가 즉시 보이지 않으면 수축기 동안 산모 회음을 검사한다. 그리고 만약 태아의 머리가 보이게 되면 기록한다. 만약 회음 수축 시 태아의 머리가 보이거나 아두배림 상태이고 5분 이내에 이송할 수 없다면 분만하기 위한 준비를 한다. 즉각 분만이 예상되지 않을 경우 즉, 환자가 어떤 압박감이나 특별한 감각이 없음을(배변의 절박감을 포함한) 보고할 수 있고, 질 내에 액성 분비물(혈액이나 양수)이 없으면, 회음부 평가는 연기한다. 이런 항목 중 어떤 것이든 발생하거나 의심되면, 응급구조사는 회음부를 시진해야 한다.

분만 전 질로부터 흘러나온 양수가 맑은지 또는 양수에 태변(태아의 대변-짙은 녹색의 점성이 있는 물질)이 있는지 검사해야 한다. 태변흡입증후군(meconium aspiration syndrome)이 일어날 수 있기 때문에, 태변 흡인은 신생아에 대한 중요한 관심사이다. 자궁수축은 현장 분만의 가능성을 이끌어내는 가치있는 단서를 제공한다. 적극적인 진통 중인 대개의 환자에게는, 간단한 시각적 관찰을 통해서 즉시 확인할 수 있는 명백한 수축이 나타낸다.

환자는 불편함, 헐떡이는 호흡을 보이고 종종 수축이 일어남을 호소한다. 복부를 부드럽게 촉진하면 자궁이 수축기 동안 현저히 단단하고,수축 사이에 이완되는 것이 느껴진다. 수축의 간격이 짧아지는 동안(시작부터 다음 시작까지 2분 이하), 수축의 강도와 지속 기간이 증가하면, 짧은 시간 내에 신생아의 분만이 예상된다. 환자가 수축을 감지하지 못하고, 때때로 등의 통증, 대변을 볼 것 같은 느낌(절박감), 혹은 심지어 복통이나 월경기 경련과 같은 증상이 있다고 설명할 가능성은 항상 있다. 전형적이고 명백한 자궁 수축이 없다고 해서 급박한 현장 분만이 필요 없다는 것은 아니다.

둔위분만

만삭분만의 3-4% 정도가 둔위분만이다(**그림 12-3**). 회음 검사에서 아두배림이 보이지 않을 것이다. 발이나 둔부처럼 다른 해부학적 부위가 아마 보일 것이다. 이러한 상황에서는 즉시 가장 가까운 응급분만실로 이송한다. 합병증의 위험과 태아를 안전하게 분만하기 위해 응급 제왕절개가 필요하다는 것을 고려해볼 때, 분만이 임박했을지라도 둔위 태위가 발견되는 즉시 병원으로의 이송을 시작한다. 양발이 먼저 보이고 태아가 분만 중이라면, 머리가 분만되기까지 몸을 지탱해준다; 그러나, 머리가 분만되지 않는다면, 장갑을 낀 손을

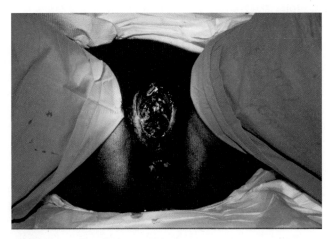

그림 12-2 아두배림의 유무로 이송할 것인지 현장분만을 준비할 것인지를 결정한다.

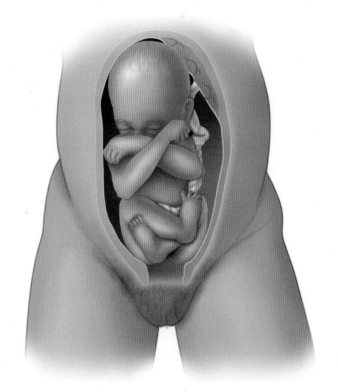

그림 12-3 둔위분만

자궁으로 넣어 손가락으로 자궁벽과 태아의 얼굴 사이로 개방된 기도를 만들어준다.

추가 합병증

산전 기간 동안이나 산모력과 응급구조사가 합병증을 예상해 시도한 신체검진을 통해 많은 상황이 확인된다. 몇몇 합병증은 응급구조사의 기술과 경험에 의해 완화될 수 있다. 그러나 많은 합병증은 특별한 처치, 술기, 그리고 현장에서 사용할수 없는 장비들이 요구된다. 잠재적인 또는 특정한 합병증이 확인되었을 때, 응급구조사는 조심스럽게 현장에서 신생아 분만의 위험과 이점이**(표 12-2)** 초기의 즉각 이송의 위험과 이점보다 나은지를 고려해야 한다**(표 12-3)**.

표 12-2 현장 분만의 위험과 이점	
이점	**위험**
▪ 적어도 한명의 추가 응급구조사가 분만을 보조한다 ▪ 아무도 이송 차량을 운전할 필요가 없다	▪ 만약 합병증이 생기거나 추가로 훈련된 인력이나 장비가 필요할 때 결정적인 처치를 할 수 없다.
▪ 환자 가족이나 행인으로부터 도움 받는 것이 가능하다.	▪ 행인이나 환자 가족이 환자 처치를 방해하기도 하고, 사생활을 침해하거나, 응급구조사가 최적의 처치를 제공하는 것의 집중을 방해하기도 한다.
▪ 환자 처치를 저해하는 차량의 움직임, 소음, 도로의 위험이 없다.	▪ 응급구조사나 환자가 안전 위험요소에 노출될 수 있다; 신생아 처치에 적절한 온도 조절이 안 되기도 한다.
▪ 환자를 평가하고 신생아를 분만할 가능한 더 많은 공간이있다.	▪ 공간이 적고, 장애물이 더 많으며 어두워, 평가와 신생아분만을 더 어렵게 할 수도 있다.

표 12-3 초기 신속 이송의 위험과 이점	
이점	**위험**
▪ 결정적인 환자 처치를 가능하게 하는 훈련된 인력, 특수화된 장비, 그리고 조절 가능한 환경	▪ 환자 처치를 보조하는 추가적인 응급구조사가 없을 수 있다 (이는 교체가능하게 훈련된 운전자가 있다는 특정 상황에서는 완화된다).
▪ 행인이나 가족 구성원의 유해한 방해가 없는 이송 차량 안에서 환자는 더 사생활을 지킬 수 있다.	▪ 가족이나 행인으로부터 제한되거나 활용 가능한 도움이없다.
▪ 현장에 있었던 안정성의 위험요소와 조절되지 않는주변 온도를 피할 수 있다.	▪ 차량의 움직임, 소음, 도로의 위험요소가 환자 처치를 저해한다.
▪ 현장에서 이용할 수 있던 것보다 환자를 평가하고 신생아를 분만할 더 많은 공간을 가질 수 있다. ▪ 조명이 더 밝다; 소생술 장비를 즉시 사용할 수 있다.	▪ 평가와 신생아 분만을 위해 공간이 적거나 환자에게 접촉하기가 더 어렵다.

진통 중인 환자 이송 시 고려 사항

이송 전에 분만하지 않은 진통 중인 환자는, 도착지(목적지) 병원에서 폭넓은 영역의 처치를 필요로 할 수 있다. 이는 또한 신생아가 분만되고 합병증이 나타났을 때 그렇다. 응급구조사의 목적지 결정은 환자 선호도, 지리적 위치, 그리고 산모와 아기에게 요구되는 처치의 형태 등의 조합에 기초를 둔다. 합병증이 예상되고 즉시 분만되지 않을 것 같으면, 작은 지역 병원을 건너뛰고 환자를 고위험군 산과 환자를 치료하는 병원또는 신생아 중환자실 가용성이 있는 병원으로 이송하는 것이훨씬 나을 것이다. 반대로 환자에게 가장 이득이 되는 것은 산모나 아이가 제3의 병원으로 오래 이송되기 전에 안정화될 수 있는 가장 가까운 병원에 바로 이송되는 것일 수도 있다. 응급구조사는 지침에 의해 요구될 때나 적절한 선택이 명확하지 않을 때 온라인 의료지도의와 상담해야 한다. 응급구조사는 또한 그들이 일하는 지역의 여러 지역 병원의 산과처치 능력을 이해하기 위한 노력을 해야 한다. 모든 병원이 진통과 분만 서비스를 하지는 않는다. 많은 지역에서 산과 의사가 항상 병원에 있지는 않다. 전문의가 일주일에 7일, 24시간 있지 않을 때, 병원에 사전에통보하는 것은 필요한 자원을 활성화하는 기회를 제공한다. 진통 중인 환자에 대한 통상적인 처치는 빈번히 응급구조사에 의해 수행되는 기술이 포함된다. 진통 중인 환자를 위한 일반적인 처지는응급구조사에 의해 빈번하게 사용되는 술기들을 포함한다. 저산소혈증이 있는 진통중인 환자는 확인되지 않는 태아의 저산소혈증을 방지하거나 발현을 제한하기 위해 보조적인 산소 공급을 받아야 한다.

산모에게 저산소혈증이 보이지 않는 경우의 산소공급 여부에 대해서는 논쟁이 있다. 이러한 경우 산소 공급에 대한 지역의 응급의료체계 지침이나 온라인 의료지도를 참고한다.정맥 수액은 탈수나 혈액 농축을 예방하기 위해, 그리고 순조로운 수액량 상태를 유지하기 위해 격렬한 진통 환자에게 적용되어야 한다.

활력징후는 현장(병원 전) 환자 평가의 가치 있는 부분이고 환자 처치동안 적절한 간격으로 측정되어야 한다. 만약 분만이 임박하고, 도와줄 사람이 제한되어 있거나, 초기평가에서 비정상의 가능성이 제시되지 않았다면, 활발한 진통 중인 환자의 활력징후는 일시적으로 달라질 수도 있다.대정맥의 위치 때문에 바로누운자세로 누웠을 때 저혈압 위험에 놓일 수 있다. 바로누운자세에서, 자궁은 아래대정맥을 누를 수 있어, 이는 심박출량을 감소시키는 결과를 가져올 수 있다. 이것은 주로 임신 3기의 합병증이다. 구급차 들것이나 척추고정판에 누웠을 때 임산부는 심장으로 최적의 혈액 귀환을 증진하도록, 한면의 모서리나 자궁이 아래대정맥을 누

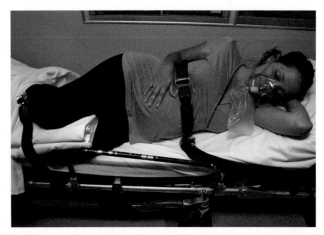

그림 12-4 왼쪽으로 옆누운자세(심즈 자세)의 임부
© Jones & Bartlett Learning. Courtesy of MIEMSS.

르지 않는 다른 쪽에 위치하도록 각도를 잡아야 한다(**그림 12-4**). 왼쪽 옆누운자세가 추천된다. 그러나 이는 지속적인 기도 감시가 필요할 때 특정 이송 차량에서는 가능하지 않을 수 있다. 들것과 척추고정판 끈은 경산부 배 바로 위에 채워서는 안 된다. 대신에 끈이나 안전벨트는 이송 동안 환자 배 위쪽과 아래쪽에 위치시킨다.

조언

진통 말기에 대부분의 여성들이 경험하게 되는 만출 압박감은 분만이 임박한 징후로 일반적으로 30-60분 이내에 분만이 이루어진다.

주의

현장에서는 절대로 둔위분만을 시도하지 않는다. 둔위분만을 확인하는 순간, 분만이 임박했을지라도 즉시 병원으로 이송한다.

진통중인 산모분류의 요약

세가지 앞에서 물어본 질문(**표 12-1**)에 대한 응답과, 회음의 시진은, 현장에서 진통하는 산모분류의 필수적인 정보를 제공한다. 알려진 둔위분만과 전치태반 진단을 받은 환자들은, 분만이 임박했는지 안했는지 상관없이, 즉시 이송되어야 한다. 산모력과 신체 조사에서 얻어진 다른 소견들은이송을

시작할지 현장에서의 분만을 준비할지에 대한 결정에 영향을 끼친다.

분만을 위한 준비

소생술-중심의 산과력

산모의 여러 병력의 많은 요소들이 출산과 신생아의 소생술기의 선택에 영향을 끼친다. 그러나, 현장 분만을 결정되면 신생아의 즉각적인 안전을 위하여 단 4개의 질문이 고려된다(표 12-4).

1. 쌍둥이나 다태아를 임신하고 있는가? 쌍둥이나 그 이상의 신생아를 분만할 것으로 예상되면 한명의 분만보다 많은 준비를 한다. 이것은 여분의 기구, 부가적 보온 환경의 준비, 그리고 두 번째 아이를 분만하는 동안 첫 번째 신생아를 관리할 계획을 의미한다. 이런 상황은 일반적으로 두 번째 구급차의 출동이 필요하다. 상호 연결된 응급구조체계에서는 전문소생술기 구급차가 요청되어야 한다.

2. 분만예정일이 언제인가? 병원 외 분만에서 많은 경우가 임신 37주미만의 조산이다. 그리고 분만예정일보다 빨리 태어났을수록, 가사상태의 신생아를 분만할 가능성은 높아진다. 분만예정일을 아는 것은 기도관리와 호흡보조를 위한 적절한 소생술 기구를 준비하는데 있어 중요하다. 30주 미만의 조산아에게 맞는 크기의 마스크가 있는지 확인한다. 0번 크기의 후두경 날과 신생아에게 맞을 것으로 예상되는크기의 기관내삽관 튜브를 준비

조언

많은 수의 병원 외 분만은 조산인 경우이다. 그리고 소생술의 필요성은 조산의 정도(주수가 빠를수록) 높아진다.

한다(그림 12-5).

3. 양수는 무슨 색인가? 양수의 색깔이 녹색을 띤 경우 태변(태아의 대변) 배출 징후이다. 태변 배출은 자궁 내 스트레스 특히 저산소증의 징후일 수 있다. 만약 태변이 관찰되면 태아가 가사상태이거나 기도가 막힌 것을 대비해 준비해야 한다. 끈끈한 태변이 있는 기도를 깨끗이 하기 위하여 신생아 입 입인두, 그리고 코의 흡인이 필요할 수도 있다.

표 12-4 소생술-중심의 산과력: 4가지 필수 질문

1. 쌍둥이나 다태아를 임신하고 있는가?

2. 분만예정일은 언제인가?

3. 양수는 무슨 색인가?

4. 위험 요소가 있는가?

그림 12-5 조산아 소생술을 위한 특별한 기구: 작은 마스크가 있는 백-밸브 마스크, 0번 크기의 후두경 날과 2.5 또는 3.0 크기의 기관내삽관 튜브

사례연구 2

병원에 갈 차량이 없는 진통 중인 주민이 출동을 요청한다, 도착해보니 "곧 아기가 나올 것 같아요," 라고 소리를 지르며 마루바닥에 누워있는 산모를 발견한다, 산모는 여섯 번째 아기이며 지난 번 아기는 "정말 빨리" 나왔다고 말한다.

30분 전에 파수가 되었고 색은 투명했다, 검진 상에서 아두배림이 나타나고 산모에게 만출 압박감이 있음을 알게 됐다.

1. 이 순간 분만을 위한 최상의 준비에 가장 적합한 4개의 질문은 무엇인가?

2. 분만을 위해 어떤 장비를 준비해야 하는가?

4. 어떤 종류라도 위험 요소가 있는가? 이것은 임신성 고혈압(자간전증), 산모 당뇨병, 또는 산모의 약물 복용을 포함한다. 만약 산모가 자간전증이 있다면, 발작을 일으킬 위험이 있다. 만약 산모가 당뇨병이 있다면, 신생아는 (특히 만산의 경우)위험이 큰 경향이 있다. 만약 산모가 약물중독이 있다면, 신생아는 가사상태(또는 활력이 없는 상태)로 태어날 수 있고 환기보조를 필요로 한다.

장비 준비

만약 산모 분류 상, 현장에서 분만하겠다는 결정을 내리면, 적절한 장비를 준비한다. **표 12-5**의 목록은 산과용 휴대용 팩으로 가장 바람직하게 구성된 기본 구급차 물품을 나열하였다(**그림 12-6**).

따뜻한 환경

저체온을 피하는 것은 새롭게 태어나는 신생아 관리에서 중요한 부분이다. 분만 전에 구급차나 방을 가능한 따뜻하게 한다. 어른에게는 불편하게 느껴질 때까지 온도를 높인다. 태아에게 바람이 불면 이는 열 손실로 이어질 수 있기 때문에, 모든 선풍기는 끈다. 만약 현장에서 상황이 허락되면, 가족원에게 분만을 기다리는 동안 건조기에 따뜻한 수건을 준비하고 있도록 한다.

조언

태변이 보이는 것은 신생아에서 합병증을 예고한다: 기도폐쇄 또는 불건강한 영아.

산모의 자세

산모와 그 가족에게 분만은 의학적 응급상황이기도하나 아기의 분만은 또한 고도의 개인적이고, 감정적인 사건이다. 산모와 산모의 분만 자세를 계획한다. 그러나 배림 이전에는 덮어주고 편안한 자세를 취할 수 있도록 한다.

분만을 위한 안전한 산모의 자세는 침대의 한쪽에 바로누운 자세로 눕는 것이다. 산모가 침대 위에서 신생아 처치에 최소한의 처치를 받으면서분만할 수 있게 한다(**그림 12-7**).

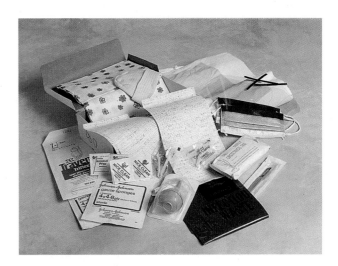

그림 12-6 산과용 팩

그림 12-7 분만을 위한 안전한 자세는 산모가 침대의 한쪽에 바로누운자세로 눕는 것으로 침대 위에서 최소한으로 신생아를 취급하여 분만하도록 하는 것이다.

개수	품목
	표 12-5 질분만을 위한 휴대용 산과용 팩의 내용물품
1	멸균 일회용 메스나 가위
3	일회용 수건
1	분만 담요
1	멸균 일회용 구형 흡인기
2	멸균 제대 결찰 겸자 또는 끈
1	(태반을 보관하기 위한) 빵끈이 있는 큰 비닐백
2	밑에 비닐이 대어있는 패드
1	일회용 비닐 앞치마, 마스크, 보안경

그러나 이러한 자세를 취하는 산모에서는 대부분의 신생아가 얼굴이 아래로 향하여 분만되기 때문에 신생아 분만 전에 신생아의 코와 입의 흡인이 어렵다. 다른 기술은 신생아의 입인두 기도기를 흡인하기 위해 신생아의 머리가 분만된 후, 접은 타올을 겹쳐 쌓아 산모의 둔부의 위치를 높여주는 것이다. 또 다른 안전한 자세는 씸스체위이다. 이 체위는 산모는 응급구조사가 등 뒤에 위치하도록 옆으로 눕고 무릎을 가슴 쪽으로 끌어당기고 있는 자세이다(그림 12-8).

이 자세에서 신생아의 머리는 분만 시 필요한 경우 흡인하기 쉽게 된다. 이러한 자세에서 산모의 회음부는 침대 위에 있으며 침대에서 최소한의 처치만 이루어지는 분만이 가능하다. 고려할 수 있는 세 번째 자세는 등을 대고 바로누운자세로 누운 산모가 침대 측면의 가장자리에 회음부

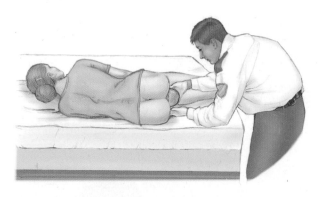

그림 12-8 씸스자세에서 산모는 돌보는 사람이 등쪽에 위치하도록 옆으로 눕고 무릎을 가슴쪽으로 끌어 당긴다.

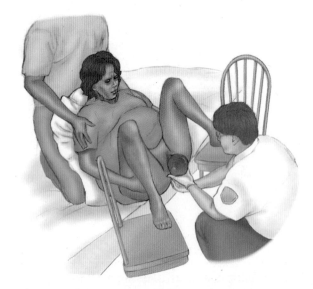

그림 12-9 변형된 분만 자세는 등을 대고 누운 산모가 침대 측면의 가장자리에 회음부를 위치하고 분리된 의자위에 양발을 놓는 것이다.

를 위치하고 분리된 의자 위에 양발을 놓는자세이다(그림 12-9).

태아 머리가 분만된 후에 몸체가 분만되기 전에 필요한 경우 입과 코를 흡인하기에 충분한 공간을 제공하는 자세이다. 이 자세의 불리한 조건은 회음부 아래 지지면이 없는 것으로 응급구조사는 분만되는 신생아를 실제로 받아야 한다.

(분만을 위한) **깨끗한 면의 선택**

신생아를 즉각 처치할 수 있을 정도의 가능한 깨끗한 면을 선택한다. 신생아 처치에 참여하는 모든 사람이 손을 씻고 장갑을 착용했는지 확인한다.

분만의 진행

대부분의 태아는 도움 없이도 분만이 되며 특히 진통중인 산모가 침대에 바로누운자세나 심스자세로 누운 경우 그렇다. 병원 전 응급구조사는 다음에 서술된 것처럼 분만을 통제하는 것을 시도할 수 있지만. 대부분의 경우 분만의 자연스러운 과정에 최소한의 중재만 필요하다.

모든 분만은 다음 순서대로 한다:

1. 산모가 질 입구로 태아 머리를 밀어내도록 힘을 주게 한다. 갑작스러운 분만을 방지하기 위해 태아의 머리가 나올 때, 머리를 살짝 바쳐줄 필요가 있다.

2. 그 다음, 한 손가락으로 탯줄이 아기의 목을 감고 있는지 확인한다(그림 12-10). 탯줄이 아기의 목을 감고 있으면 부드럽게 치워주고, 심한 출혈을 유발하는

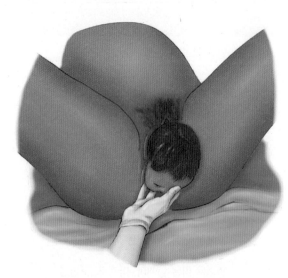

그림 12-10 탯줄이 아기의 목을 감고 있지 않도록 확인한다.

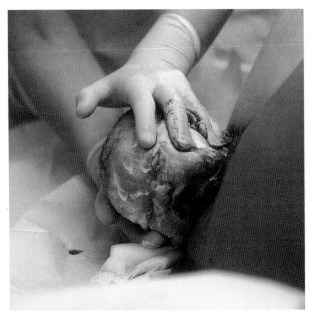

그림 12-11 분만 조절을 돕기 위하여 신생아의 몸 아래쪽에 한손을 대고 한손은 신생아 목의 뒤쪽에 둔다.

© Eddie Lawrence/Science Source.

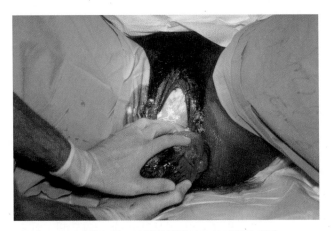

그림 12-12 때때로 산모의 치골 결합부를 통과하기 위해 신생아의 어깨 앞쪽을 뒤쪽으로 밀어주는 것이 필요하다. 신생아 머리의 양측을 잡고 부드럽게 아래로 잡아당긴다.

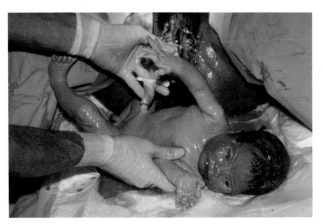

그림 12-13 신생아로부터 약 3인치(7.5cm)와 4인치(10cm) 부위 각각에 탯줄을 묶는다. 각 묶은 지점 사이의 탯줄을 자른다.

기한다. 신생아가 활기가 없거나 태반 박리의 염려가 있다면, 탯줄을 묶고 소생술을 시작한다.

5. 신생아로부터 약 3인치(7.5cm)와 4인치(10cm) 부위 의 탯줄을 각각 묶는다. 각 묶은 지점 사이의 탯줄을 자른다(**그림 12-13**).

6. 깨끗하고 따뜻한 수건으로 신생아를 건조시키고 따 뜻하게 한다. 필요한 경우 구형흡인기를 가지고 (입 과 코 순서로)흡인하여 기도를 확보한다. 이것은 양 수를 제거하며, 체온소실을 방지하고 호흡하도록 신 생아를 자극한다. 축축한 수건이나 담요는 신생아주 변에서 제거하고 깨끗하고 건조한 것으로 바꾸어준 다. 합병증이 없다면, 신생아를 (피부 대 피부가 접촉 하도록) 맨 몸의 산모의 가슴에 올려둔다.

7. 분만과정의 마지막 단계는 태반의 만출이다. 이것은 일 반적으로 신생아가 분만된 후 10-15분 후에 자연적으 로 일어난다. 태반의 만출은 응급절차가 아니므로 이를 위해 산모와아기의 이송을 늦추지 않아야 하며, 이 과정 을 서두르기 위해 탯줄을 잡아당기지 않는다.

박리를 유발할 수 있기 때문에 탯줄을 세게 잡아당기 지 않도록 한다.

3. 만약 산모가 침대에서 분만하면 중재없이 분만이 진 행되도록 한다. 분만을 돕기 위해 신생아의 몸 아래 쪽에 한손을대고 한손은 신생아 목 뒤쪽에 둔다(**그림 12-11**). 때때로 산모의 치골 결합을 통과하게 할 수 있도록 신생아의 어깨 앞쪽을 뒤쪽으로 밀어주는 것 이 필요할 수 있다. 신생아 머리의 양측을 잡고 부드 럽게 아래로 잡아당긴다(**그림 12-12**).

4. (완숙하거나 미숙한) 활기찬 신생아의 경우, 산모의 배 위에 아이를 위치시키고 탯줄묶기를 30-60초 연

자궁에서 태반이 분리되는 신호로 종종 질에서 피가 쏟 아지는 현상은 나타난다. 자궁벽에서 태반이 분리된 후 부드 럽게 탯줄을 당겨주면 질에서 태반이 제거된다. 태반이 자연 적으로 분리되기전에 너무 세게 잡아당기면 탯줄 박리와 출

> **조언**
>
> 태반의 만출은 현장에서 도움이 필요 없는 자연적 활동이다. 탯줄을 당기지 않는다.

혈을 유발할수 있다. 병리적 평가를 위해 비닐 봉투에 태반을 넣어 환자와 함께 이송한다.

질식분만 중 산모와 신생아 합병증

탯줄 탈출

탯줄을 통해 태아에게 산소와 영양이 공급되지 않으면 태아 사망을 포함한 심각한 손상을 일으킬 수 있다. 드물게, 태아를 분만하기 전이나 분만과 동시에 탯줄은 질강으로 빠져나올 수 있다. 탯줄은 눌리고 태아 혈액 공급이 차단된다.

평가 동안 탯줄은 질 입구에서 보일 것이다. 병원 전 환경에서 확인 되었을 때, 단지 하나의 처치가 가능하다. 환자를 무릎가슴자세(knee-chest position)로 눕히고**(그림 12-14)**, 응급구조사는 장갑 낀 손으로 두 손 가락을 질강으로 넣어 분만 중인 태아 신체 일부가 탯줄을 누르는 것을막는다. 한 손가락은 탯줄의 어느.쪽이든 압력을 막고 피가 탯줄을 통해 계속 흐르도록 공간을 확보해줘야 한다. 즉시 응급 제왕절개를시행할 수 있는 기관으로 이송이 이루어져야 한다. 탯줄 탈출은 조기 양막 파열, 조산, 다태아 임신, 경산, 둔위 분만에서 더 흔하다.

목에 감긴 탯줄

분만 중, 응급구조사는 신생아 목에 탯줄이 감겨있는지를 평가해야 한다. 신생아 목 주위에 한 번 탯줄이 감긴 것은 흔하지만, 탯줄이 목 주위에 한 번 이상 감길 수도 있다. 한 번 감긴 목 주변의 탯줄을 제거하기 위해서 간단하게 신생아 목

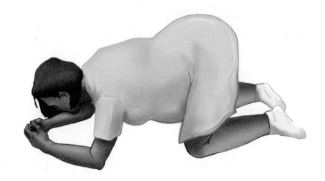

그림 12-14 무릎가슴자세

주변으로부터 미끄러뜨리 듯이벗 겨낸다. 탯줄이 목 주변에 여러 번 너무 단단히 감겨있을 때, 응급구조사는 탯줄을 따라 두 개의 묶음을 한 후에, 각 묶음 사이의 간격의 탯줄을 잘라야 한다. 다태 임산부는 목주변의 탯줄로 인해 주목할 만한 문제가 생긴다. 왜냐하면 한 태아의 탯줄이 다른 태아를 목을 조를 수 있기 때문이다. 목 주변의 탯줄을 묶고 잘라야 할지를 고려할 때, 다태 임신의 경우 매우 신중하게 해야 한다.

태변

태변은 자궁에서 태아의 대변이 배출된 것이다. 가늘고 묽거나 짙고 끈적거릴 수 있다. 신생아가 활기차면(보통의 호흡상태, 근육 긴장도,그리고 100회/분 심박동수), 어떠한 중재도 필요없다. 일상적인 분반중에는 태변흡입증후군의 발현을 방지하거나 수정하기 위해 입인두기도기나 코인두기도기를 통한 흡인중재를 필요로 하지 않는다. 태변이 발견되고, 신생아가 활기차지 않은 경우의 즉각적인 기관내 삽관과 깊은 기관 흡인은 더 이상 추천되지 않는다.(특정한 신생아 합병증에 관련된 절차 참조). 이는 본서의 이전 인쇄판의 맥락과 다른 신생아 소생술에 대한 지속적인 추천의 상당한 변화를 나타낸다. 대신에, 간단히 구형흡인기 또는 직경이 큰 흡인 카테터(12 Fr. 또는 14Fr.)를 사용하여 신생아의 입과 코에서 분비물과 태변을 제거하고 필요한 소생술을 실시한다.

견갑난산/아두골반불균형

견갑 난산은 태아 머리가 질 입구에서 성공적으로 나온 후**(그림 12-15)** 산도에서 태아가 걸리게 되는 역학적 함정이다. 산모의 당뇨병, 거대아, 산모의 비만, 그리고 만산의 경우 이 상황이 발생할 확률이 높다. 비교적 크거나 불균형한 태아는 응급구조사의 보조없이 질강 내를 통해 분만되지 못한다. 한쪽 혹은 양쪽 어깨는 산모 골반에서, 보통 치골결합에서 걸릴 수 있다. 초기 처치는 두명의 보조자가 골반을 앞쪽으로 회전하면서 산모 넙다리를 환자의 배로 과굴곡시키고, 요추에 비례하여 산모의 엉치뼈를 곧게 펴주는, 맥로버츠수기(McRoberts maneuver)이다**(그림 12-16)**. 이 자세는 많은 견갑 난산 사례를 해결한다. 몇몇의 임상의는 치골상의 압력을 맥로버츠수기와 결합하는 것을 추천한다. 이것이 실패한다면, 추가적인 "구조" 술기는 산모의 직장에 가장 가까운 쪽의 신생아의 팔 또는 어깨의 분만을 시도하는 것이다. 이 술기는 앞어깨의 난산을 완화할 확률이 높다.

아두골반불균형(cephalopelvic disproportion)은 비슷한

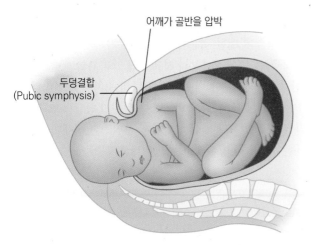

그림 12-15 견갑 난산

Adapted from http://emedicine.medscape.com/article/1602970-overview.

어깨가 골반을 압박

두덩결합
(Pubic symphysis)

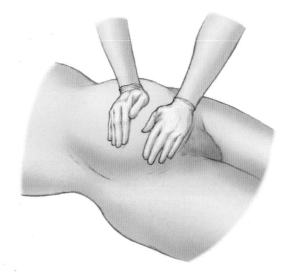

그림 12-17 자궁을 마사지하기 위하여 한손은 손가락을 핀 채로, 산모의 치골상부에 대고 다른 한손은 하복부를 압박하는데 사용한다. 자궁이 단단해질 때까지 부드럽게 마사지 한다.

볼 또는큰 자몽의 크기 정도로 느껴질 것이다. 만약 신생아가 안정되면, 산모의 자궁출혈을 멈추고 자궁 긴장도를 증가시키기 위해 모유수유를 격려한다.

그림 12-16 맥로버트 수기(McRoberts maneuver)

상태인데, 이는 골반강을 통과하기에 태아 머리가 너무 큰 경우를 일컫는다. 실제 아두 골반 불균형의 경우에서, 제왕절개는 성공적인 분만을 위해 효과적인 유일한 방법이다.

산후출혈

산후 산모의 가장 흔한 합병증과 주된 사망 원인은 과도한 출혈이다. 보통, 산모는 질분만 시 500 mL 정도 출혈이 있을 것이다. 1,200-1,500 mL의 출혈이 있는 산모의 경우,빠른맥과 기립 저혈압의 증상이 시작된다. 출혈량을 판단하는 것은 매우 어렵다. 그러므로 분만 후 산모의 활력징후를 주의 깊게 관찰한다.

　만약 산후 과도한 질출혈이 있으면 자궁 마사지를 실시한다(**그림 12-17**). 자궁을 마사지하기 위하여 한손은 산모의 두덩뼈 상부에 대고 다른 한손은 하복부를 압박하는데 사용한다. 자궁이 단단해질 때까지 부드럽게 마사지한다. 자궁 마사지는 3-5분간 수행한다. 자궁은 단단해지면 소프트

전문소생술(Advanced Life Support)

산후출혈의 처치. 태반 배출 후에도 출혈이 계속되고 현기증, 창백, 빠른맥,저혈압을 나타내는 산모에게는 정질액으로 수액소생술을 시작한다. 활력징후와 환자의 임상적 상태를 계속 모니터하면서 이송하는 동안, 락테이트 링거나 생리식염수를 정맥내로 주입한다. 필요한 정맥 내 수액의 주입 속도와 용량은 산모의 안정에 따라 결정한다. 심각한 상황에서, 많은 양의 정맥 내 수액과 혈액 제제가 필요하기도 하다. 지속적인 출혈은 일반적으로 응급구조사가 할 수 없는 자궁 검진, 외과적 중재나 자궁수축 약물 투여가 필요하다.

질 분만의 요약

분만은 많은 중재가 필요치 않은 자연적 과정이다. 분만조력자는 과도하고 빠르게 분만과정이 진행되는 것을 피할 수 있게 단지 환경만 관리해야 한다. 조산력, 다태아 임신, 또는 태변 포함된 양수는더 높은 가능성의 가사상태의 신생아 분

만을 시사한다. 현장으로 가는 동안 질 분만을 수행하는 단계를 검토한다. 적절한 기구를 준비하고, 환경의 온도를 적절하게 조절하고, 그리고 산모를 분만하기에 적절한 자세를 취하게 하고 분만한 신생아를 처치한다. 모유 수유를 격려하고, 자궁을 마사지하여 산후출혈을 조절한다.

신생아의 즉각적인 처치

잘 조직된 계획은 신생아에 대한 최적의 처지가 되도록 응급구조사를 지도하고 안내한다. **표 12-6**은 모든 상황에서 모든 신생아를 처치할 수 있는 필수적인 5단계이다.

응급구조사는 모든 신생아를 따뜻하고 건조하게, 기도가 개방된 채로 유지해야 하며, 징후가 보이면 신생아 호흡이나 순환 기능을 보조해야 한다.

새롭게 태어나는 완숙한 신생아의 대부분은 전문소생술 중재가 요구되지는 않는다. 활력은 신생아 외관의 즉각적인 평가이다. 이런 결정은 호흡의 질 또는 울음, 피부색, 그리고 근육 긴장도를 따른다. 이런 빠른 시각적 평가로 응급

표 12-6 신생아 평가와 처치를 위한 접근
신생아를 건조 시키고 보온할 수 있게 한다.
필요 시 기도를 확보한다.
호흡을 평가한다.
심박동수를 평가한다.
피부색을 평가한다.

구조사는 신생아의 임상적 상태를 즉각적으로 인식하고 신생아 소생술에 대한 접근을 한다. 아프가 점수(Apgar score) **(표 12-7)**는 출생 후 1분과 보조적인 그리고 소생술의 처치를 한 후, 다시 5분에 얻어지는 활력의 숫자적 표현이다. 이 점수는 병원에 도착할 때 요구될 수 있지만 응급구조사는 아프가 점수를 얻거나 계산하기 위해 불안정한 신생아에 관한 위급한 소생술을 방해해서는 안 된다.

신생아의 건조와 보온

신생아는 분만 시 양수로 덮여있어 즉각적으로 닦아주지 않으면 증발에 의해 많은 체열을 잃게 된다. 체열손실은 신진대사 요구와 산소 소모를 급격하게 증가시킨다. 신생아를 잘 닦아주고 젖은 수건이나 담요를 신생아 주위에서 제거하고 깨끗하고 따뜻하며 건조한 것으로 교체해준다. 이는 5-10초 내에 수행되어져야 한다.

기도청결

필요하다면, 분만 중 신생아의 머리가 나오는 즉시 입과 코를 깨끗하게 한다. 대부분의 신생아는 흡인을 필요로 하지 않거나, 구형 흡인기를 통한 입 그리고 나서 코의 약한 흡인 정도를 필요로 한다. 태변이 존재하는 경우, 병원 전 응급구조사는 추가적인 소생술 처치의 필요 여부를 예상해야한다. 통상적인 기관내삽관과 깊은 흡인은, 심지어 생기가 없는 신생아에게도, 더 이상 통상적으로 제안되지 않는다.

갓태어난 신생아는 성인이나 소아의 신체 대비 머리의 크기에 비해 머리가 더 커서, 바로누운자세를 취할 경우 목이 굴곡된다. 이것은 기도폐쇄의 원인이 될 수 있다. 기도를

표 12-7 APGAR 점수			
Sign	0	1	2
Appearance 외모: 피부색	파랗거나 창백	사지 청색	완전히 분홍
Pulse 맥박 : 심박동	없음	< 100회/분	>100회/분
Grimace 표정 : 반사 흥분도	무반응	찡그림	울거나 활발한 움츠림
Activity 활동 : 근육 긴장도	무기력	약간	활발한 움직임
Respiration 호흡	없음	약한 울음 ; 저환기	좋음, 울음

AAP, The APGAR Score, *Pediatrics* Vol. 117 No. 4 April 1, 2006, pp. 1444–1447.

중립적인 자세로 유지하기 위해 신생아의 머리를 살짝 젖히고 수건을 어깨 아래에 넣어준다.

호흡 평가

대부분의 신생아는 적절한 호흡상태를 나타내는 울음을 터뜨릴 것이다. 호흡상태는 정상의 갓 태어난 신생아에서 약간 불규칙할 것이다. 헐떡거리거나 그르렁거리는 소리를 내는 것은 호흡노력이 증가하고 있으며 보조 환기의 요구를 보여준다.

분명한 호흡상태가 없는 무호흡의 신생아는 즉각적인 처치가 요구된다. 대부분의 무호흡 신생아는 간단한 촉각적인 자극에 호흡을 시작할 것이다. 만약 신생아가 건조와 흡인 후에 무호흡이거나 헐떡이는 호흡을 하면 보다 큰 자극을 준다고 해서 호흡노력이 개선되는 것은 아니다. 백-밸브 마스크를 통한 40-60호흡/분 양압환기(PPV)를 시작한다. 본 저서는 신생아 소생술에 있어서의 보조 산소 적용 절차에 대한지침을 업데이트 하였다. 최초 소생술은 백-밸브 마스크에 부착된 보조 산소(21%) 없이 시작되어야 한다. 35주 미만의 조산아들의 경우, 저산소포화도(21-30%)로 시작하고, 맥박산초측정값에 기반하여 산소를 적절히 공급한다(**그림 10-20**의 맥박산소측정 목표치를 확인한다. 신생아의 산소포화도가 생후 10분 이내에 85-95% 넘기를 기대하지 말라). 이것은 수 십년의 소생술 절차의 전형적인 예시의 커다란 변화를 보여준다.

조언

신생아는 태어난 지 10분이 지나야, 맥박산소측정이 85% - 95%가 된다.

전문소생술(Advanced Life Support)

아편제에 중독된 산모에서 태어난 영아 치료. 응급구조사가 마약에 중독된 산모가 분만한 호흡이 억제된신생아를 대면하게 되는 것은 특별한 상황이다. 산모가 마약에 중독되었으면 신생아에게 날록손(날칸)을 주지 않는다. 왜냐하면 날록손은 급성마약금단과 발작을 촉진시킬 수 있기 때문이다. 백마스크로 환기를 보조하고 가사상태의 갓 태어난신생아의 처치를 위한 지침에 따른다. 만약 신생아가 연장된 환기 또는 지속적인 소생술 처치가 필요하다면 지역 응급의료체계의 지침에 따라 기관내삽관을 고려한다.

조언

맥박산소측정기를 신생아의 오른손의 손가락이나 팔목에 위치시킨다. 이는 동맥관이 있는 위치로서 뇌와 심장에 공급되는 혈량을 더 잘 나타낸다.

심박동수 평가

갓 태어난 신생아에서 느린맥은 초기 심장질환에의한 것이 아니라 보통 저산소증에 의한 것이다. 울음을 터트리고 활발한 상태의 신생아는 일반적으로 적절한 심박동수를 나타낸다. 활발하지 않거나 환기의 보조가 요구되는 신생아의 경우 주의 깊게 심박동수를 평가한다. 신생아는 탯줄의 기저부에서 맥박을 촉지하여 쉽게 평가할 수 있으며(**그림 12-18**), 6초간 심박동수를 촉지한 후 그 수치에 10을 곱하여 계산한

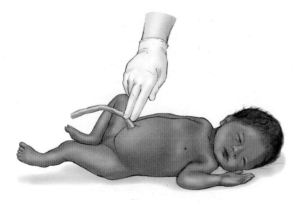

그림 12-18 탯줄의 기저부에서 맥박을 촉지한다.

다, 이 심박동수의 빠른 평가는 의사 결정에 필요되어진다 때때로 탯줄의 정맥이 협착되어 맥박이 촉지되지 않는다.

만약 맥박을 촉지할 수 없으면 청진기를 이용하여 왼쪽 가슴의 심박동을 듣는다. 분당 100회 미만의 심박동 시에는 신생아가 정상적인 호흡을나타낼지라도, 백마스크를 이용하여 환기한다. 느린맥은 일반적으로 백마스크 환기에 빠르게 반응하며 이러한 경우 더 이상의 처치는 필요하지 않다. 또한 빠른맥(160회/분 이상의)도 신생아에게 나타날 수 있다. 산모의 감염 또는 신생아 혈량저하증과 같은 심각한 생리학적인 장애는 신생아의 증가된 심박동수를 야기할 수도 있다.

피부색 평가

태어난 신생아에서 피부색의 평가는 몇 가지 독특한 특징을 갖는다. 자궁 내에서 태아는 태반의 산소 전달에 의존하므로 혈중 산소농도는 출생 후 상태와 비교하여 매우 낮다. 그러므로 분만 후 호흡이 시작되기 이전의 신생아는 청색증으로 보일 것이다.

만약 청색증을 보이는 갓 태어난 신생아가 무호흡이면 즉시 백마스크 환기를 시작한다. 만약 신생아가 호흡을 하나 푸르게 보이면 그 청색증이 중심(몸통과 얼굴)에 있는지 말초(손과 발에 국한된)에 있는지 확인한다. 이러한 구분은 의사 결정과 치료를 위해 도움이 될 것이다. 만약 중심 청색증이 보이면, 저산소증을 확정하기 위해 소아용 탐색자가 있는 맥박산소측정기를 통해 조사해봐야 한다. 저산소증이 확실하다고 판단되고 심박동수가 100회/분 이상인 경우, 보조 산소를 처방하고, 맥박산소측정값에 기반하여 적정한 양을 공급한다. 자가팽창백을 짜내는 동안시생아의 억굴 위에 마스크를 느슨하게 유지한 채로 산소를 공급한다.

산소를 공급하기 위해선 또한 자가팽창백의 주머니의 열린 입구를 사용할 수 있다.팔다리에서만 나타나는 푸른 피부색은 말초 청색증 또는말단 청색증으로 불리며, 신생아가 태어난 후 24-48시간 동안에 흔하게 나타나며 별도의 처치가 필요하지 않다.

영아 피부색과 맥박의 질은 전체적인 순환 상태를 보여

준다. 저혈량, 쇼크, 그리고 선천적인 심혈관계 결손은 중심 청색증, 나쁜 전체 피부색, 모세혈관 재충혈 지연이나 말초 맥박의 결손과 동반하여 나타나기도 한다. 지속적인 영아 느린맥, 빠른맥이나 관류의 변화는 전문소생술 중재와 특수 관리 센터로의 이송이 요구되는 심각한 상태를 나타낸다.

신생아 소생의 일반 원칙

신생아의 소생술은 분만 후 다양한 기도, 호흡 또는 심장혈관의 문제들을 처치하기 위해 고안된 일련의 중재과정들이다. 대부분의 신생아들은 이후에 거론될 복잡한 중재를 필요로 하지 않는다. 소생술의 초기 단계는 모든 신생아에게 시행된다. 이는 다음의 절차를 포함한다:

1. 신생아를 닦아 건조시키고 모든 젖은 물품들을 제거한 후 따뜻한 곳에 바로누운자세로 눕힌다.
2. 가볍게 입을 흡인하고, 필요한 경우 코를 흡인한다.

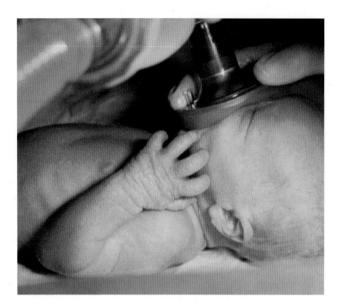

그림 12-19 신생아에게 백-마스크 사용

Courtesy of David J. Burchfield, MD.

3. 고개를 약간 젖힌 상태로 위치시킨다.

아이(baby)가 초기 건조, 보온, 기도 청결 후에도 가사 상태이면 소생술을 시작한다. 다음의 지침의 순서를 따른다:

1. 심박동수와 호흡을 평가한다. 만약 심박동수가 100회/분 이상이지만 신생아가 호흡에 어려움이 있거나 청색증이 보이면, 신생아의 자세를 교정하고 기도를 흡인하고, 맥박산소 측정기를 부착하고, 필요한만큼의 보충 산소를 제공한다. 만약 심박동수가 100회/분 미만이거나 호흡 노력이 없거나 헐떡거린다면, 분당 40-60회 호흡으로 백마스크 환기를 시작한다(**그림 12-19**).

2. 30초 환기 후 심박동수를 평가한다. 60회/분 이상, 100회/분 미만이라면환기 술기가 적절한 가슴 상승을 유발하고 있는지 확인한다.만약 심박동수가 60회/분 미만이라면 흉부압박을 시작한다. 압박은 흉부 전후경의 1/3 깊이로 시행해야 한다. "양손 감싼 두엄지법(Two thumb-encircling hands chest compression technique)"로 하는 술기를 추천한다(양손가락으로 젖꼭지선 바로 아래의 가슴을 둘러싸고 등을 지지한 채 양손의 엄지를 사용해 압박). 이 방법은 우수한 관상 동맥의 관류 압력을 유발하는 동시에 시전자에게 피로감을 덜 주기 때문에 추천되어진다. 분당 90회 압박과 30회 환기(120회)를 실시하되압박 대 환기의 비율을 3:1로 실시한다(**그림 12-20**). 압박이 시작되면 산소포화도를 100%로 증가시킨다.

3. 60초 후에 심박동수를 재평가한다. 심박동수가 60회/분이상이 될 때까지 압박과 양압환기를 계속한다. 심박동수가 100회/분 이상이 될 때까지 100% 산소의 양압환기를 계속한다. 심박동수가 60이하로 유지된다면, 기관내삽관을 고려한다.

전문소생술(Advanced Life Support)

기관내삽관과 에피네프린 투여. 기관내삽관과 에피네프린 투여 가슴 압박을 시작한 지 60초 후에 심박동수를 확인한다. 만약 60회/분 미만이면, 지역 응급의료체계에 따른 기관내삽관을 준비한다. 정맥주사 또는 골내주사가 가능한 한 신속하게 준비되어야 한다. 추천되는 에피네프린의 정량은 0.01-0.03 mg/kg이며 0.1 mg/mL(1 mg/10 mL) 농도로 투여한다. 기관내삽관 튜브를 통한 약물 주입은 약의 혈중 농도가 떨어진다. 따라서, 기관내삽관을 통한 투약에서는 0.05-0.1mg/kg을 0.1 mg/mL(1 mg/10 mL) 농도로 투여한다. 3-5 mL의 식염수를 기관내삽관 튜브를 따라 주입하며, 이때 환기를 통해 분무하면서 약물을 주입해야 한다.

심장 압박을 계속하고 심박동수가 60회/분 이상이 될 때까지 매 3-5분마다 에피네프린을 투여한다.

혈당 농도를 모니터링하되, 특히 신생아가 지속적이거나 적극적인 소생술 처치를 받은 경우, 더 유심히 혈당 농도를 모니터링한다. 가사 상태의 신생아의 혈청포도당 농도가 40mg/dL 이하이면 그리고 정맥주사 또는 골내주사가 이송 중 가능하다면, 덱스트로오스(포도당의 일종)을 2 mL/kg 용량으로 주입한다. 신생아 안정화가 가능한 병원 시설로 신속하게 이송한다.

역피라미드. 역피라미드는(**그림 12-21**) 가사상태의 신생아에게 상대적으로 필요로 되어지는 중재를 나타낸다.

조언

환기가 효과적이면 일반적으로 느린맥이 교정된다.

분만 중에 요구되는 것은 대개 기본소생술이 전부이다. 따라서 역피라미드의 꼭대기에 가장 큰 영역을 차지한다. 반대로, 심장압박과, 삽관, 투약과 같은 전문소생술의 중재는 거의 필요치 않으며 이는 역피라미드의 바닥 가장 좁은 영역에 해당된다.

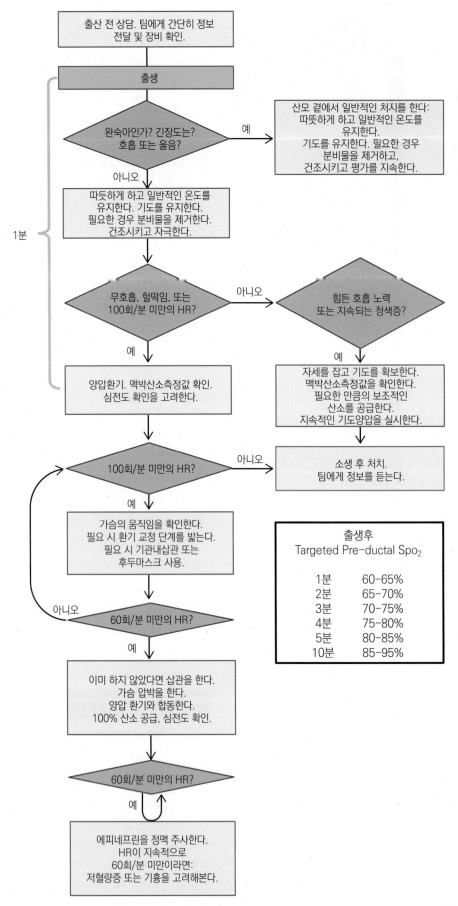

그림 12-20 신생아 소생 프로그램(NRP) 순서도

Neonatal Resuscitation Program (NRP) Flow Diagram from Weiner, G.M., ed. *Textbook of Neonatal Resuscitation.* 7th ed. Elk Grove, IL: American Academy of Pediatrics; 2016.

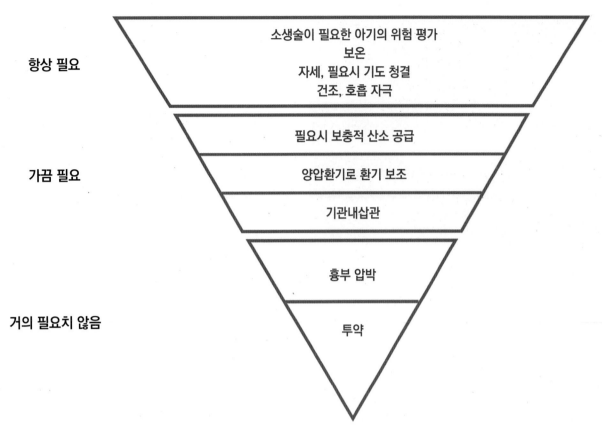

그림 12-21 소생술 과정과 이를 필요로 하는 신생아수의 관계

Weiner GM, Zaichkin J ed. *Textbook of Neonatal Resuscitation.* 7th ed. Elk Grove, IL: American Academy of Pediatrics and American Heart Association; 2016.

특수 신생아 합병증

태변흡인

능동적이고, 호흡기 가사상태가 없으며 약간의 태변이 포함된 양수에서 태어난 신생아는 흡인이 필요가 없거나 입과 코의 가벼운 흡인과 표준화된 신생아 처치가 필요하다. 중재는 주기적인 분만 중 입인두 또는 코인두 흡인을 지지하지 않는다. 이는 이러한 중재가 태변흡입증후군(meconium aspiration syndrome)을 방지하거나 발병과정을 수정해주지 않기 때문이다. 상기도에서 태변을 제거하기 위해, 기도에서 모두 제거될 만큼의 적절한 흡인을 한다. 그러나 태변흡인 시 신생아의 환기보조와 다른 치명적인소생술 지침을 지연시키게 해서는 안된다. 과도한 적극적인 흡인은 미주신경의 자극과 느린맥을 유발할 수 있다.

활력없는 신생아에서 태변 흡인의 치료. 만약 태변이 보이고 신생아가 활력이 없어 보여도 초기 소생술 단계를 바꿀 필요는 없다. 이는 이전의 신생아 소생술 지침과 알고리즘

의 상당한 변화를 나타낸다. 소생술기의 절차가 진행될 동안, 지역 응급의료체계 지침에 따라 궁극적으로 기관내삽관과 깊은 기관 흡인을 필요할지도 모른다. 신생아의 기관에 적절한 크기의 기관내삽관 튜브로 삽관을 한다. 병원 전 응급구조사는 5F-8F 흡인 카테터 또는 태변 흡인기를 활용할 수 있다(**그림 12-22**). 백-밸브 마스크 장비 대신, 태변 흡인기를 기관내 튜브의 바깥 끝쪽에 연결된다. 태변 흡인기의 반대쪽 끝은 벽 또는 휴대용 흡인 장치에달린 튜브에 연결된다. 기관내삽관이 기관과 입으로부터 제거될 때, 태변 흡인기 상부에 있는 포트(구멍)를 응급구조사의 장갑 낀 손가락으로 막아야 한다. 흡인을 통해 태변이 제거된다면, 신생아의 심장박동수가 견딜 수 있는 한, 태변이 더 이상 존재하지 않을 때까지 절차를 반복한다. 만약 영아의 심박동수가 급격하게 떨어지면, 이 과정을 즉각 멈추고 소생술을 시작한다. 만약 태변이 발견되지 않으면, 이 과정은 멈추고 초기 소생술이 시작될 수 있다. 태변 흡인기가 없다면, 흡인 카테터를 기관내삽관 튜브를 통해 삽입하여 가능하다면 멸균 장갑을 끼고 유사한 방식으로 사용할 수 있다.

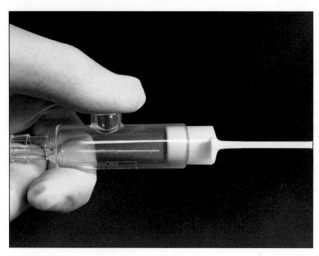

그림 12-22 태변 흡인기
Courtesy of Neotech Products.

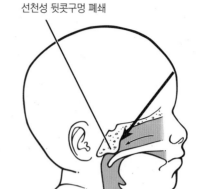

선천성 뒷콧구멍 폐쇄

그림 12-23 후비공(뒷콧구멍) 폐쇄증
Weiner, G.M., ed. Textbook of Neonatal Resuscitation. 7th ed. Elk Grove, IL: American Academy of Pediatrics; 2016.

조산아

조산아(premature infant)는 미성숙의 정도가 증가할수록 심각성과 발병 소지가 증가하는 여러 영역의 합병증의 위험이 있다. 급성 호흡부전증후군, 기관지폐형성이상(bronchopulmonary dysplasia), 혹은 심실내 출혈과 같은 합병증의 대부분은 투약이나 요구되는절차를 제공할 수 없으므로, 현장이나 이송 차량에서는 적절하게 관리될 수 없다. 응급구조사는 소생술과 이송 중에 가능한 가장 따뜻한 환경을 제공해야 한다. 무호흡, 호흡곤란, 청색증이나 100회/분 미만의 심박동을 가진 백마스크 환기가 필요한 아기에게는 환기를 보조한다.

선천성 장애

후비공폐쇄증(Choanal Atresia)

영아는 때때로 완전한 비강 폐쇄를 갖고 태어난다. 심하거나 치료받지 않을 경우, 저산소증으로 인한 신생아 사망을 유발할 수도 있다. 신생아는 우는 경우를 제외하고, 오로지 비강을 통해 호흡한다. 후비공 폐쇄가 있는 신생아는 우는 동안 호흡이 없어져 심한 호흡부전을 겪을 수도 있다. 응급구조사는 이런 상황이 의심된다면 입인두 기도기를 후방 인두에 위치시킨다(기관으로 들어갈 필요는 없다). 호흡부전은 완화될 것이다. 응급구조사가 신생아의 코안에 삽입할 수 있는 작은 흡인 카테터를 가지고 흡인할 경우 추정에 의한 진단을 할 수 있다. 만약 카테터가 양쪽 비강 통로로 인두후방까지 들어가지 않으면 후비공 폐쇄가 추정된다(**그림 12-23**). 비강 흡인 카테터를 통과시키기 위해 센 힘을 써서는 안된다. 변형된 고무 젖꼭지(끝을 제거한) 또는 입인두삽관 기도기와 기관내삽관 튜브와 같은 수많은 다양한 장비들은, 신생아 이송 중에 기도를 개방된 상태로 유지하기 위해 신생아의 입에 부분적으로 삽입될 수 있다.

피에르로뱅증후군(Pierre Robin syndrome)

피에르로뱅증후군은 신생아에서 기도 폐쇄의 다른 잠재적 원인이다(**그림 10-24**). 아래 턱의 발달이 저하되어 혀가 후방 인두를 막게 하는 원인이 된다. 이는 현장에서 흡인 카테터나 삽관튜브를 영아 비강 통로로 위치시키거나 영아를 엎드린자세로 눕혀서 처치할 수 있다.

선천성 가로막 탈장(congenital diaphragmatic hernia)

영아가 가로막이 완전하지 않은 상태로 태어날 수도 있다. 위나 장은 가슴 공간으로 옮겨가 허파를 눌러 허탈시키고 환기를 방해한다. 영아가 납작한(홀쭉한 배 모양의) 복부와 호흡부전이나타나면 응급구조사는 선천성 가로막 탈장을 의심해야 한다(**그림 12-25**). 백마스크 환기를 장시간 지속하면 신생아의 위장안으로 부가적인 공기를 밀어 넣어 호흡 곤란을 악화시킨다. 병원전 환경에서 처치할 경우 신속한 기관내삽관이 필요하며,가능하다면 위장관 튜브로 감압을 시킨다. 신속한 이송과 조심스런 백마스크 술기는 기본소생술을 수행하는 응급구조사에게 할 수 있는 유일한 중재일 수도 있다.

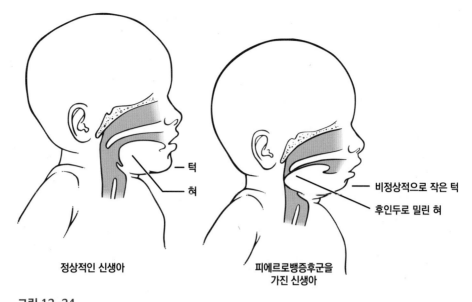

턱
혀

비정상적으로 작은 턱
후인두로 밀린 혀

정상적인 신생아

피에르로뱅증후군을
가진 신생아

그림 12-24

Weiner, G.M., ed. Textbook of Neonatal Resuscitation. 7th ed. Elk Grove, IL: American Academy of Pediatrics; 2016.

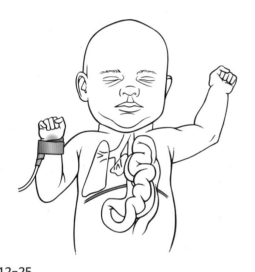

그림 12-25

Weiner, G.M., ed. Textbook of Neonatal Resuscitation. 7th ed. Elk Grove, IL: American Academy of Pediatrics; 2016.

선천성 심혈관계 결손

대략 1%의 영아가 선천성 심혈관계 결손을 갖고 태어난다. 결손은 심장의 여러 부위와 가슴의 대혈관의 하나나 그 이상에서 발생한다. 소아 심장학자 혹은 비슷한 전문가의 지원 없이 진단은 종종 불가능하지만 이러한 상태의 영아를 직면한 응급구조사에게 다음과 같이 몇 가지 단서를 줄 수 있다. 청색증, 쇼크, 폐부종, 그리고 변화된 말초맥박은 심혈관 손상이 있는 영아에서 나타나며 모든 부분에서 다른 정도의 심각성을 보인다. 응급구조사는 선천성심혈관 결손이 의심되면 즉각적으로 신생아 안정이 가능한 시설로의 이송을 시

작해야 한다. 결손(defect)의 많은 형태가, 병원 전 환경에서 교정되지않거나, 심지어는 최적의 소생술에도 교정되지 않는 청색증이 나타난다. 반대로 고농도 산소를 이용한 소생술이 폐순환과 혈관 저항을 변화시켜 상태를 악화시킬 수 있다. 응급구조사는 심혈관 결손이 의심되는 신생아에게 기본적인 보조 처치만 제공하며 적절한 기관으로 이송한다.

쇼크

출생시 쇼크는 대개 질식(자궁 내나 분만 시 심한 저산소증)이나 산증 때문이다. 분만 중 탯줄 박리나 태아-태반 수혈로 인한 실혈은 쇼크의 원인으로 흔치 않다. 원인이 무엇이든 쇼크의 징후와 증상은 비정상적 외형(기면, 근력저하)과 피부색(창백, 얼룩), 빠른맥, 그리고 모세혈관 재충혈 시간 지연 등을 포함한다. 저체온증에서도 이런 유사한 증상들이 나타나기도 한다.

전문소생술(Advanced Life Support)

쇼크의 처치. 신생아 가사 상태의 주된 원인은 자궁 내 혹은 주산기질식 이기 때문에 초기 소생술은 적절한 산소화와 환기를 포함해야 한다. 수액 소생술은 거의 필요치 않다. 저체액성 쇼크로 의심되는 예외적인 환경에서는 정맥주사 또는 골내주사를 고려한다. 등장액은 10 mL/kg의 정량이 추천된다. 빠르고 과도하게 주입된 수액은 심실내출혈과 연결되기 때문에 미숙아의 경우 수액소생술을 시행할 경우 주의해야 한다.

정맥주사. 소생술은 기도 유지와 환기에 대개 초점이 맞추어지기 때문에 정맥 주사는 현장에서 신생아에게는 거의 필요 되지 않는다. 실제로 정맥 주사 통로를 확보하는 것은 신생아의 경우 어렵고, 현장에서 시간이 지연되는 것과 이에 따른 잠재적 합병증 대비 이점은 신중하게 저울질 되어야 한다. 정맥 주사는 전주와(팔꿈치 앞 오목, antecubital fossa)이나 발목의 복재정맥(saphenous vein)에 시도한다. 골내 주입은 하나의 대안이다.

신생아 저혈당. 가사 상태의 신생아나 조산아는 저혈당의 위험이 크지만 이 합병증은 태어난 후 30분 이내에는 나타나지 않는다. 이송시간이 길어지면 출생 후 대략 30분 정도에 혹은 즉시 반응이나 관류가 심하게 변하는 아기는 혈당을 측정한다. 가사 상태의 신생아에서 40 mL/dl보다 낮은 혈당이 보고되면 정맥이나 골내 주사로 이송 중에 10% 포도당 2 mL/kg을 준다. 긴 이송동안 30분마다 혈당을 체크한다. 신생아에서 저혈당이 보고되었지만 능동적인 움직임을 보이고 출생 직후 호흡곤란은 없으며 빨기반사(sucking reflex)가 있으면 수유를 허락하거나 우유병으로 5% 포도당을 20-30 mL 먹인다.

　　IV나 IO 통로가 확보되지 않았다면 에피네프린같은 소생 약물은 기관내삽관 튜브로 투여가 가능하다. 포도당 같은 용액은 기관내삽관 튜브로 주지않는다.

주의

현장에서의 탯줄을 통한 카테터 삽입은 논란이 되고있다. 이러한 방법은 널리 신생아중환자실에서 사용되기도하지만 이 술기를 연습하고 유지하는 기회는 응급구조사에게 주어지지 드물며, 심각한 합병증이 발생할 수 있다.

조언

정맥 주입이 소생에 반드시 필요한데 말초 정맥 혈관이 확보가 되지 않을 경우에는 골내 주입이 적절하다.

신생아 소생의 요약

많은 신생아들이 기도, 호흡기 또는 심혈관 손상을 가지고 있다. 가사 상태의 신생아에게 1차적 치료는 호흡저하, 저산소증에 대한 치료로 즉시 백마스크 환기를 시행하는 것이다. 신생아의 상태가 호전되지 않으면 흉부압박을 시작하고 산소를 제공한다. 백마스크 환기가 효과적이지 않은 경우 지침에 따라 기관내삽관을 고려한다. 쇼크는 드물지만 질식으로 인해 흔하게 나타난다. 저혈당은 신생아에게 드물게 나타나는 쇼크의 원인이다. 저혈량성 쇼크가 의심되면 즉시 이송하고 정맥주사 또는 골내주사로 수액 소생술을 시작한다.

이송시 고려할 사항

응급구조사는 현장에서 합병증 없이 태어난 건강한 신생아 또는 지속되는 심폐정지 상태의 긴급한 신생아를 이송해야 할 수도 있다. 모니터링과 지속적인 중재는 전적으로 환아의 임상적 상황에 달려있다. 모든 신생아는 따뜻한 환경을 필요로 한다. 모든 신생아는 이송 동안 충돌이 발생하더라도 손상을 입지 않을 만큼 안전하게 고정되어야 한다(Chapter 16 참조).

건강한 신생아

활발하고 완숙한 신생아는 이송동안 중재나 심전도 감시가 필요 없다. 지역 응급의료체계지침에 따라 신생아를 관리한다. 가능하면 산모가 활발한 신생아에게 수유할 것을 권장한다. 이는 저혈당을 예방하고 산모-태아 관계, 자궁 수축, 자궁 출혈감소를 촉진한다.

합병증이 있는 신생아

산소처치

모든 신생아에게 보충 산소를 제공하는 것은 적절치 않다. 선천성 심혈관 결손 신생아와 조산아는 이송되는 동안 제한된 양의 산소만 제공되어야 한다. 신생아의 심장박동과 산소포화도를 지속적으로 감시할 수 있고, 안정적으로 유지할 수 있는 경우 대부분의 신생아는 보충 산소가 필요하지 않다. 만약 신생아에게 호흡부전이 있으면, 환아 상태를 주의 깊게 모니터링하며, 산소포화도를 기준으로 하여 필요할 경우에만 산소를 제공한다.

감시(모니터링)

소생술 후, 이송하는 동안 신생아의 상태를 재평가한다. 성인과 같은 위치에 심전도를 부착한다. 120-160회/분의 심박동수는 신생아에게 있어서 정상이다. 심박동수가 예상치 않게 떨어지거나 증가하면, 가능한 원인을(주로 기도 또는 호흡의 문제) 찾는다.

신생아의 경우 맥박산소측정기의 정확한 부착 위치는 신생아의 오른손 또는 손목이다. 이는 대동맥의 동맥관의 혈류의 변화를 측정하기 용이한 곳이기 때문이다. 오른쪽 팔의 맥박산소측정기값은 동맥관 근위 맥박산소측정값(preductal pulse oximetry reading)이라고 불린다. 다른 부위에서도 측정 가능하지만, 정확하지 않을 수 있다. 정상적인 건강한 신생아의 출생 직후 최초 산소포화도는 60-65%로 나타나며 이후 10분에 걸쳐 서서히 증가한다. 출생 10분 이후 85-95%의 산소포화도는 정상이다. 신생아에서 고산소혈증(고산소포화도)의 부정적인 효과에도 불구하고, 아기가 호흡부전이면 현장에서의 목표는 보충 산소 투여와 필요시에 지지적인 환기를 통해 적절한 산소화를 유지하는 것이다. 모든 보충 산소는 신생아의 상태와 맥박산소측정기에 따른 목표 산소포화도, 생후 시간을 기반으로 하여 신중하게 결정되어야 한다.

저체온증

신생아에서 저체온증은 빠르게 일어난다. 피부 온도가 1도 정도 떨어질 때 산소는 3배가 요구된다. 저체온증의 징후는 쇼크의 징후와 비슷하다. 이송 동안 신생아를 따뜻하게 유지한다. 신생아의 머리를 덮는데 유용한 작은 털모자를 준비한다. 산모와 탑승자에게 불편할 지라도 구급차에서 난방기를 켠다. 이송하기 전에 신생아를 산모의 맨 가슴에 놓고(피부와 피부 대 접촉) 신생아의 체온 유지를 위해 둘 다 담요를 덮어준다. 조산아와 저체중아의 경우, 쓰레기봉지 또는 음식을 담는 일회용 봉투와 같은 투명한 비닐 봉지를 사용하여 신생아를 감싸는 것은 특히 높은 위험(저온)의 환경, 또는 이송 중 신생아를 산모의 가슴에 안고 갈 수 없을 때, 저체온증을 최소화하기에 효과적인 방법이다. 신생아의 머리를 제외한 몸통과 사지는 비닐봉지 안에 넣어 감싸고 입구는 느슨하게 목 부위에 감아둔다. 이러한 방법은 신생아 피부를 통해 발생할 수 있는 증발을 감소시켜 탈수의 위험을 최소화 시킨다. 지속적으로 육안을 통해 모니터할 수 있게 투명한 비닐봉지를 사용한다. 촉진을 통한 가슴 움직임 확인, 청진기의 사용은 둘 다 필요한 경우에 신생아가 비닐봉지에 들어가 있는 채로 시행 될 수 있다.

이송 목적지(행선지)

이송 목적지(이송할 병원)를 결정하는 과정에서 모든 잠재적 변수를 고려하는 것은 불가능하다. 환자가 이송될 병원을 정할 때, 응급구조사는 산모와 신생아의 상태, 환자의 선호도, 이송시간, 그리고 도착 병원의 산과와 신생아 처치 능력을 고려해야 한다. 대부분의 상황에서, 신생아를 특수한 의료서비스가 즉각적으로 가능한 더 큰 제3의 의료시설로 이송하는 것이 작은 지역병원으로 이송하는 것보다 더 적절하다. 그 이외에는 응급구조사는 신생아를 우선 신생아를 안정화시킬수 있는 가장 가까운 시설로 이송하여 나중에 추가 이송할 수 있도록 해야한다. 이후의 이송을 위해, 우선 신생아가 안정화될 수 있는 가장 가까운 시설로 환자를 이송한다. 지침이 명확하지 않거나 어디로 이송할지 명확치 않을 경우 온라인을 통해 의료지도를 받도록 한다.

특별 관리팀

전국의 많은 지역에는 고위험군의 산모를 치료할 수 있는 전문팀 또는 신생아 이송팀이 있으며 여기에는 의사, 간호사, 임상공학기사 또는 특수 훈련을 받은 응급구조사로 구성된 경우가 많다. 태아나 신생아 합병증이 있거나 발생할 것으로 예상될 때, 이런 지원을 조기에 활성화시킬 것을 고려해야한다. 전문 진료에 신속하게 접근하는 것은 치명적인 상태의 산모나 신생아에게 치료효과를 극적으로 향상시킨다.

요약

응급구조사는 병원 외의 장소에서 진통이 오는 환자를 지지해야 하고, 분만을 보조하며, 그리고 위태로운 산모나 신생아에게 즉각적인 생명구조 처치를 제공하는 고유한 역할을 한다. 응급구조사가 내린 결정과 중재는 임산부와 신생아의 건강과 생명에 영향을 미칠 가능성이 있다.

사례연구 답안

사례연구 1

우선 임부를 가장 가까운 병원으로 이송할지 현장에서의 신생아 분만을 위해 준비할지를 결정한다. 첫 임신인지 묻는다. 전에 아기를 낳았다면 진통은 얼마나 길었는가? 산모에게 만출 압박감이 있는지 묻는다. 산모에게 만출 압박감이 느껴지면, 아두 배림이 나타났는지 검진한다. 아두배림이 안보이면 기다렸다가 다음 수축일 때 검진한다.

현장 분만을 결정한다면, 소생술에 중점을 둔 임신력을 조사한다. 쌍둥이인가? 분만 예정일은 언제인가? 양막이 터졌을 때 양수의 색은 무엇이었는가? 위험 요인이 있는가? 이런 질문은 응급구조사가 사전 준비하는데 도움을 준다.

회음부에 신생아의 머리가 보이면 산과 분만 키트를 준비하고, 내용물을 살펴 익숙해지도록 한다. 그리고 모든 필수 장비가 있는지 확인한다. 환경을 따뜻하게 하고 아기를 건조시킬 깨끗한 수건을 준비한다. 신생아 분만을 위해 깨끗한 표면을 찾는다. 머리로부터 열손실을 줄이기 위해 아기 두피에 덮을 모자를 준비한다.

사례연구 2

시간이 허락되면, 현장으로 향하는 길에 현장에서 일어날 질식분만 과정을 검토한다. 도착 시, 우선 산모의 적절한 지세를 계획한다. 산모가 분만 계획을 이해하도록 초기에 환자와 자세를 상의한다. 산모는 바로누운자세로 뉘어야 한다. 신생아의 입과 코의 흡인이 필요하다면(수건이나 전화번호부 같은 물체로) 산모의 엉덩이를 받쳐야 한다. 대안 방법으로, 산모는 흉부를 향해 무릎을 당겨 응급구조사로부터 측면으로 돌아누울 수도 있다(심스체위).

소생술에 집중된 산모력을 조사한다. 쌍둥이인가? 예정일은 언제인가? 양막이 터질 때 양수의 색깔은 무엇이었는가? 위험 요인이 있는가?

깨끗한 양수는 태변 배출이 없다는 것을 암시한다. 태변은 스트레스 상황에서 태아로부터 나온 것이다. 깨끗한 양수가 나오는 것은 안심이 되는 징후이고, 신생아는 표준 신생아 처치의 초기 단계만 필요로 하는 활기찬 아이일 가능성이 높다. 준비된 장비에는 산과 분만 키트가 포함되어야 한다. 신생아 소생 장비는 즉시 사용할 수 있도록 갖춰져야 한다.

사례연구 3

신생아는 급성 호흡부전이며, 즉각적인 중재가 필요하다. 신생아를 꼼꼼하게 건조시키고, 바로누운자세로 눕혀 놓고 입과, 그리고 필요 시 코를 흡인한다. 신생아의 몸으로부터 3인치와 4인치 떨어진 지점에서 탯줄을 묶고, 두 지점 사이의 탯줄을 자른다. 이때 신생아가 아직 호흡이 없으면 백-밸브 마스크를 통해 산소를 40-60회/분 으로 환기를 시작하고 흉부 상승을 관찰한다. 보조 환기 30초 후 심박동수를 평가 한다. 만약 심박동수가 60회/분 이하이면 분당 90회의 흉부 압박과 산소 100%를 30회/분의 환기로 시행한다.

3회의 가슴 압박을 한 후 1회의 백마스크 환기를 시행한다. 만약 신생아에게 이런 노력 시행했음에도 60초 이내에 긴장도, 피부색, 심박동수가 호전되지 않는다면, 다른 응급구조사가 기관내삽관과 에피네프린 주사를 준비해야 한다. 최적의 심폐소생술에는 환기를 지지하는 사람, 흉부 압박을 하는 사람, 필요한 경우 기관내삽관과 에피네프린 주사를 준비할 사람, 총 3명이 필요하다.

단지 두 명의 응급구조사만 현장에 있다면, 종종 사례에서 보았듯, 심장압박을 하기 위해 가능하다면 다른 성인의 도움을 받는다. 정맥 주입은 신생아 소생술에서 대개 필요치는 않은 반면, 이 신생아는 이송중에 저혈당과 저혈압이 발생할 위험이 높고, 정맥주입이 도움이 될 수 있다. 이송 중 정맥이나 골내 주사를 시도한다.

출생 30분 후에 혈당을 체크하고 40 mg/dl 이하이면 치료한다. 소생술이 더 필요할 수 있기 때문에, 신생아를 들것에 고정시키고 계속 심전도 측정과 산소 포화도 측정을 하면서 이송한다. 이 신생아는 지속적인 집중 치료가 필요하므로 신생아 중환자실이 있는 병원으로 이송할 것을 고려한다.

추천 자료

Textbooks

American Academy of Orthopaedic Surgeons. *Emergency Care and Transportation of the Sick and Injured.* 11th ed. Burlington, MA: Jones and Bartlett Learning; 2017.

Weiner GM, ed. *Textbook of Neonatal Resuscitation.* 7th ed. Elk Grove, IL: American Academy of Pediatrics; 2016.

Articles

Gherman RB, Chauhan S, Ouzounian JG, Lerner H, Gonik B, Goodwin TM. Shoulder dystocia: the unpreventable obstetric emergency with empiric management guidelines. *Am J Obstet Gynecol.* 2006;195(3):657–672.

Hamel MS, Anderson B. Rouse DJ. Oxygen for intrauterine resuscitation: of unproved benefit and potentially harmful. *Am J Obstet Gynecol.* 2014;211(2):124–127.

Leadford A E, Warren JB, Manasyan A, et al. Plastic bags for prevention of hypothermia in preterm and low birth weight infants. *Pediatrics.* 2013;132(1):e128–134.

Warland J. Back to basics: avoiding the supine position in pregnancy. *J Physiol.* 2017;595(4): 1017–1018.

Other Resources

American College of Obstetricians and Gynecologists. *Delayed Umbilical Cord Clamping After Birth. Committee opinion No 684.* Washington, DC: American College of Obstetricians and Gynecologists; 2017.

Declercq E, Stotland NE. Planned home birth. *Up to Date.* https://www.uptodate.com/contents/planned-home-birth. Accessed December 31, 2018.

Gray CJ, Shanahan MM. Breech presentation. In: StatPearls [Internet]. Treasure Island, FL: StatPearls Publishing; 2018. https://www.ncbi.nlm.nih.gov/books/NBK448063/. Updated October 27, 2018.

Isayama T, Dawson JA, Roehr CC, et al. Initial oxygen concentration for term neonatal resuscitation. Brussels: Belgium: International Liaison Committee on Resuscitation (ILCOR) Neonatal Life Support Task Force, November 12, 2018. https://costr.ilcpr.org/document/initial-oxygen-concentration-for-term-neonatal resuscitation.

Oyelese Y, Ananth CV. Placental abruption: Management. *Up to Date.* https://www.uptodate.com/contents/placental-abruption-management?topicRef=6826&source=see_link. Accessed January 11, 2019.

Rodis JF. Shoulder dystocia; Intrapartum diagnosis, management and outcome. *Up to Date.* https://www.uptodate.com/contents/shoulder-dystocia-intrapartum-diagnosis-management-and-outcome. Accessed January 11, 2018.

Roehr CC, Weiner GM, Isayama T, et al. Initial oxygen concentration for preterm neonatal resuscitation. Brussels: Belgium: International Liaison Committee on Resuscitation (ILCOR) Neonatal Life Support Task Force, November 16, 2018. https://costr.ilcpr.org/document/initial-oxygen-concentration-for-preterm-neonatal resuscitation.

United States Centers for Disease Control and Prevention (n.d.). Congenital Heart Defects (CHDs). https://www.cdc.gov/ncbddd/heartdefects/data.html. Accessed January 13, 2019.

United States Centers for Disease Control and Prevention (2014). Trends in Out-of-Hospital Births in the United States, 1990-2012. https://www.cdc.gov/nchs/products/databriefs/db144.htm. Accessed December 29, 2018.

© Mike Powell/Stone/Getty Images Plus/Getty Images.

CHAPTER 13
영아돌연사증후군과 소아의 사망

S. Heath Ackley, MD, MPH, FAAP

Keith Widmeier, BA, NRP, FP-C

학습목표

1. 영아돌연사(SUID: Sudden Unexpected Infant Death)에 대한 일반적인 임상적 증상과 위험요인을 설명할 수 있다.
2. 영아돌연사(SUID)와 간결하게 해결된 예상치 못한 사건(BRUE: Brief Resolved Unexplained Event)의 차이점을 이해할 수 있다.
3. 영아돌연사(SUID)가 의심되는 상황에서 응급구조사가 취해야할 행동에 대해 설명할 수 있다.
4. 간결하게 해결된 예상치 못한 사건(BRUE: Brief Resolved Unexplained Event)을 정의하고, 평가, 처치, 이송 시 고려할 사항에 대해 설명할 수 있다.
5. 영아나 소아 사망 시의 가족들의 반응을 설명할 수 있다.
6. 영아나 소아 사망 시의 응급구조사의 감정 반응을 설명할 수 있다.
7. 영아와 소아의 예기치 못한 사망 후 도움을 받을 수 있는 지역사회 자원을 열거할 수 있다.

개요

영아돌연사(SUID: Sudden Unexpected Infant Death)와 소아의 사망은 응급구조사에게는 지극히 어렵고, 감정적인 경험이다.

영아돌연사는 2017년 미국에서, 생후 1개월에서 1년 미만 사이의 영아의 두 번째 주요 사망 원인이었다. 소아의 사망은 비할 데 없는 가족의 위기이고, 보호자뿐만 아니라 응급구조사에게도 힘겨운 정서적 문제를 야기한다. 영아 사망은 부모, 양육자, 베이비 시터가 집에 있을 때 또는 이들이 집에 없을 때 발생할 수 있다. 한쪽 또는 양쪽 부모가 없을 경우에 현장에서의 처치나 의사소통은 더 복잡해질 수 있다.

영아돌연사(SUID)의 정의

영아돌연사(SUID)는 만 1세 미만의 영아에게 갑자기 그리고 예상치 못하게 발생하고, 조사 전에 사망 원인이 밝혀지지 않은 예상치 못한 사망을 의미한다. 미국질병예방센터는 영아돌연사증후군(SIDS)를 "완전한 부검, 사망 현장의 조사, 그리고 병력의 검토와 같은 면밀한 조사 후에도 해명되지 않는 만1세 미만의 영아의 갑작스러운 사망"으로 정의한다.

따라서 SUID는 영아돌연사증후군(SIDS: sudden infant death syndrome), 불분명한 사망원인, 그리고 침대에서 우연에 의한 질식과 교살을 포함하기 때문에 더 넓은 개념으로 간주된다. 따라서 영아돌연사는 현장이나 응급의료센터에서는 진단될 수 없다

영아돌연사의 역학

때때로 갑작스럽고 예상치 못한 영아의 사망은 영아돌연사에 의해서만 발생하는 게 아니므로 검시관은 원인이 될 만한 특별한 질환이나 손상이 있는지를 확인한다. 여기에는 11장에서 토론한 대로 아동 학대로 인한 사망이 포함된다. 현장에서는 응급구조사가 영아 사망의 진정한 원인을 단정할 수 없다. 모든 돌봄제공자(caregiver)들을 슬퍼하는 부모로 간주하고, 현장에서는 절대로 아동학대가 사망의 원인일 수도 있다는 논의는 하지 않는다. 그러나 환자처치보고서에 사망현장에 대한 세부적인 사항과 관찰사항을 명확하게 기록한다. 사망이 자연적인 원인이 아닐 수도 있는 것을 구분하는 데 도움 될 수 있도록 현장 평가(scene size-up), 신체 검진, 집중 병력 또는 영아돌연사와 관련이 없어 보이는 것이라도 모두 기록한다. 예를 들면, 위험하거나 불결한 주거 환경, 소아의 몸에 있는 멍이나 화상 자국, 자꾸 바뀌거나 신뢰하기 어려운 이야기 등은 11장에서 토론한 대로 아동학대의 위험신호일 수 있다.

영아돌연사는 신생아 후기(생후 28일-11개월) 기간의 사망 원인 2위에 해당한다. 2017년 영아돌연사(SUID) 사례 분석에서 38%가 영아돌연사증후군(SIDS), 36%가 원인 불명, 그리고 26%가 침대에서의 우연적인 질식/교살이었다. 질식의 메카니즘에 대한 주요한 정보는 영아와 침대를 함께 쓰는 성인, 푹신한 침구, 그리고 두 물체 사이에 소아를 끼워넣고 가두는 것을 포함한다. 병원 전 응급구조사들에 의해 제공된 정보는 사망 원인의 추후 결정에 도움이 될 수 있기 때문에 현장 조사는 매우 중요하다.

조언

영아돌연사(SUID)는 1개월-1세의 영아 사망 원인 2위를 차지하고 있다.

주의

현장에서, 사망 가능한 원인으로 아동학대를 언급하지 말아야 한다.

환경적 요인에는 아이가 어떤 자세로, 어디에서 자고 있었는지가 포함한다. 많은 영아돌연사 사례에서 아이들은 옆으로 혹은 잎드린 자세로 놓여 있었으며, 영아 또는 성인 이불을 덮고 있었고, 혹은 머리까지 담요를 뒤집어쓰고 있는 상태로 발견되었다. 영아돌연사증후군(SIDS)와 영아돌연사(SUID)의 위험요인에는 저소득 가정과 구성원이 많은 가정을 포함된다,

산모의 위험요인에는 흡연, 약물 복용, 그리고 음주가 포함된다.

영아돌연사(SUID)의 일반적인 임상적 증상

반응이 없는 영아를 평가할 때 철저한 현장 평가가 필수적이다. 현장 분위기는 감정들로 인해 잠재적으로 적대적일 수 있다. 감정적인 가족들이 응급구조사에게 적대적인 경우는 거의 드물기는 하지만, 현장에서의 안전은 언제든 변화할 수 있으므로 응급구조사는 계속적으로 현장에서의 위험을 재평가해야 한다. 철저한 현장 평가는 어떤 요인이 영아를 맥박이 없거나 호흡이 없는 상태에 이르게 했는지에 대한 중요한 임상적 단서를 제공할 수 있다. 주변 환경에 대해 각별히 주의를 기울여야 한다.

응급구조사는 영아들의 접근 가능 거리에 있을 수 있는 가능한 모든 독극물들에 대해 주목해야 한다. 높은 실내의 온도, 냄새 등 모든 비정상적 상황에 대해 기록해 두어야

사례연구 **1**

호흡이 없는 영아로 출동 요청을 받았다. 도착하자마자 어머니의 품에 안겨 있는 4개월 된 남자아이의 얼굴과 가슴에 짙은 자줏빛 타박상을 입고 있는 것을 보았다. 아기의 입과 코 주위에 분홍색 거품 가래가 있고, 차갑고, 맥박이 없고, 무호흡이었다. 아기의 팔과 턱은 뻣뻣했다. 그의 어머니는 "그가 죽은 것 같다"라고 울고 있다.

1. SUID 사망인가?
2. 가족의 죽음을 돕기 위해 무엇을 할 수 있나?

표 13-1 SUID 희생자의 외적 모습
차가운 피부
입과 코에 거품이 나거나 피가 묻은 액체
신체 부위의 흙빛 혹은 어둡고 적갈색의 얼룩덜룩함
수분과 영양상태 정상
사후강직
구토(흔하지 않음)

표 13-2 집중 병력의 핵심질문*
무슨 일입니까?
누가 어디서 아기를 발견했나요?
돌봄제공자는 무엇을 했나요?
아기를 옮겼나요?
아기가 마지막으로 목격된 게 언제죠?
아기가 아팠었나요?
아기가 약을 먹었었나요?

*이러한 질문을 할때에는, 아기라고 부르기보다는 아기의 이름을 부르는 것이 더 낫다.

한다. 길거리에서 파는 약들이 있는지 찾아보고, 가능하다면 모든 약물들을 응급실로 가져간다. 또한 응급구조사는 학대의 징표들에 대해서도 11장에서 언급한 대로 주의를 기울여야 한다.

응급구조사는 영아가 발견된 시간, 발견시 영아의 자세, 영아가 마지막으로 반응했던 시간 등에도 눈 여겨 보아야 한다. 특히 영아의 자세에 주의를 기울여야 하는데 만약 영아가 엎드린 자세라면 주목해야 한다. 영아가 자는 주변에 몇 개의 베개나 부드러운 천 소재의 장난감이 있는지 평가해야 한다. 응급구조사는 만약 영아가 담요를 뒤집어쓰고 있거나 주변에 흐트러진 침구가 있었는지에 대해서도 반드시 주목해야 한다. 도착했을 때 영아는 무반응, 무맥박, 그리고 무호흡 상태이고, 심폐소생술(CPR)이 진행되는 상황일 수 있다. 응급구조사는 반드시 중심 동맥을 평가해야 한다. 동공이 고정되거나 확장되어 있을 수 있다. 전문응급구조사(ALS provider)는 심전도 모니터상에서 무수축(asystole)을 발견할 것이다.

이것은 검시관에게 넘겨질 때 최소한 두 개의 리드(lead)에 의해 확인되어야 하며 추가적인 스트립(strip)이 요구될 수도 있다. 앞에 이미 언급한 증상들과 함께 응급구조사는 시반과 사후 경직에도 유념해야 한다. 시반은 얼굴이나 관련된 신체 부위의 정맥 울혈이 원인되어 나타나는 붉은빛이 섞인 청색 얼룩이다. **표 13-1**은 영아돌연사(SIDS)의 징후를 열거하였다. 몇몇의 징후는 영아가 사망한 후 얼마나 경과되었는지에 따라 다를 수 있다. 몇몇의 영아돌연사 사례

들에는 이러한 징후들 중 어떠한 징후도 나타나지 않는 경우가 있다. 아이를 바로 응급실로 이송하지 않아도 된다면 현장에서 집중 병력을 파악한다. 단정적 또는 유도하는 질문은 삼가 한다.

표 13-2에는 물어봐야 할 주요 질문의 예들이 있다. 언제나 문진 초기에 아기의 이름을 물어보고 돌봄제공자(caregiver)와의 모든 대화에서 아기의 이름을 사용한다.

철저한 병력조사는 영아 사망의 잠재적 원인을 파악하는데 있어 중요하다. 응급구조사는 최근 영아의 감염, 선천적 결함의 가능성 및 다양한 다른 합병증 등을 포함한 환자의 병력에 각별히 주의를 기울여야 한다. 영아의 산전 병력과 산모의 임신 병력은 자세하게 기록되어야 한다.

주의

영아의 사망이 돌봄제공자의 잘못일 수 있다는 것을 암시하는 단정적 질문 또는 유도하는 질문을 삼가라.

영아돌연사(SUID)가 의심되는 상황에서의 활동

영아돌연사로 의심되는 사안이 발생하였을 때, 응급구조사가 첫 번째로 취해야 할 행동은 영아를 평가하고 처치하는 것이다. 만약 영아가 지역 응급의료체계(EMS)에서 정한 현장 사망 기준에 해당하지 않는다면, 즉각적으로 최신의 미국심장협회 표준지침과 지역 지침을 사용하여 소생술을 실시한다. 대부분의 영아돌연사 상황에서는, 아기가 이미 사망한 흔적을 쉽게 식별할 수 있으므로, 어떤 특별한 처치나 소생

조언

영아돌연사의 전형적인 시나리오는 보통 만1세 미만의 매우 건강한 아기가 방금 전까지 생존하였었지만, 침대에서 사망한 채로 발견되는 것이다.

술 등이 필요하지는 않다. 만약 소생술을 시행해야 할 때에는, 소생술을 시행하는 내내 가능한 한 가족들이 현장에 머무르도록 한다.

영아의 심폐기능 상태를 평가한 후, 환자가 지역의 EMS 현장 사망 기준에 해당하지 않고, 심장박동이나 다른 활력 징후가 없다면 심폐소생술을 시작한다. 만약 소생술이 시작되고 아이가 반응을 보이면 16장에서 설명한 대로 즉시 이송해야 한다.

조언

모든 심폐정지 환자의 경우, 영아가 지역 응급의료체계에서 제정한 사망 현장 기준에 해당되지 않는다면, 표준화된 치료 지침을 사용한 소생술을 즉각적으로 실시한다.

만약 응급구조사가 현장에 도착시 소생술이 소용이 없다고 판단되거나 초기 심폐소생술에 반응하지 않아 소생술이 소용없는 것으로 판단되었다면 사망 조사 기관에 근무하는 검시관 또는 의학적 조사자에게 사망관련 조사를 하게 하는 것이 적절할 수 있다. 그러나 응급구조사는 적절한 전문가가 도착할 때까지 영아가 사망한 현장을 떠나서는 안 된다. 처치나 이송에 불확실한 점이 있다면 의료 지도기관에 연락한다.

표 13-3은 영아돌연사로 의심되는 영아에 대한 이송의 찬성과 반대에 대해 나열하였다. 응급구조사는 다른 심폐정지와 영아돌연사를 구별할 수 없기 때문에, 영아의 심폐정지 시 표준화된 치료 원칙을 사용하여 5장에서 논의한 대로 이송한다.

전문소생술(Advanced Life Support)

심폐정지 시 전문소생술(Advanced Life Support) 실패 후 이송의 가치. 영아가 소생술에 반응하지 않을 때, 즉각적인 또는 지연된 병원 이송을 하는 것에 대해서는 논란이 있다. 현장에서의 진문 소생술이 실패한 후에는, 정상 참작이 가능한 경우(예를 들면, 심한 저체온증, 진정제 과용)가 아니라면, 응급의료센터에 도착한 소아의 신경학적 생존율은 거의 0(zero)에 가깝다.

종종 소아가 응급의료체계의 현장 사망 기준에 해당되거나, 소생술이 성공을 거두지 못할 때, 현장에서는 슬픔에 대한 상담을 제공하지 못하는 경우가 때때로 있다. 이러한 상황에서는 가능하다면 통제된 이송 모드(경광등과 사이렌을 울리지 않는)를 사용하여 돌봄제공자와 영아를 병원으로 이송하는 것을 고려한다. 경광등과 사이렌을 울리며 이송하는 것은 응급소생술 제공자가 수행하는 가장 위험한 이송이다. 전문소생술이 실패한 후 경광등과 사이렌을 울리며 맥박이 없는 영아를 신속히 이송하였을 때 성공적으로 소생시킨 경우는 매우 드물다.

조언

소생술을 시도하는 동안에 가족들이 함께 있도록 격려한다.

경광등과 사이렌을 울리며 이송하는 것의 이익보다는 위험 요소가 훨씬 더 크다. 현장에서는 이송하기 전에 보호자가 영아를 안을 수 있게 하고, 만질 수 있도록 허용한다. 이는 보호자가 마지막으로 소아와 함께할 수 있는 시간일 것이다. 이는 현장이 범죄와 관련되어있는 경우 불가능 할 수도 있으나 슬픔을 위로하는 과정에 있어서 중요한 단계이다.

응급구조사가 돌봄제공자에게 제공하는 정서적 지지는 매우 중요하다. 가능하다면 한 명의 응급구조사는 보호자와 함께 현장에 있게 하고, 정보를 주면서 보호자를 지지해 주도록 한다. 소생술을 적용하거나 이송 도중에도 가족이나 돌

표 13-3 SUID 영아의 이송에 대한 찬성과 반대	
찬성	반대
ED의 ALS기능	영아 신체에 대한 돌봄제공자의 걱정
부검촉진	검시관에 의한 현장조사 방해
영아 및 돌봄제공자 관리를 위한 의료 인력 증원	재정, 인력, 장비에서 높은 비용
관리에 의사포함	가족문화 침해 가능성
종교서비스	익숙한 환경에서 장례
슬픔상담을 위한 사회 서비스	이송에 따른 책임, 특히 구급차 충돌과 불리한 구경꾼 반응

ALS, advanced life support; ED, emergency department.

봄제공자를 아동의 곁에 있게 한다. 만약 가족들이 환자와 함께 구급차를 타고 가기로 선택했다면 구급차 권장 사항이나 지역 규정에 따라 안전벨트를 착용하고 제자리에 앉아 있어야 함을 알려야한다. 아동이 사망했음을 명확하게 한다. "아이가 우리를 떠난 것 같아요." 또는 "아이는 더 좋은 곳으로 갔어요."와 같은 선의의 표현은 사용하지 말아야 한다. 또한 "당신은 또 다른 아이를 낳을 수 있잖아요.", "나는 당신이 어떻게 느낄지 알아요." 또는 "당신은 조만간 이겨낼 거예요."와 같은 말들은 선의의 의도이지만 부적절한 표현이므로 피해야 한다. **표 13-4**는 예기치 못한 아동의 사망을 겪은 돌봄제공자들과의 의사소통할 수 있는 구체적인 의사소통 방법을 제시하였다.

응급구조사는 발생한 일들을 문서작업을 통해 명확하게 작성해야하며 이는 객관적이어야 한다. 문서작업과 관련된 모든 진술 작성은 반드시 인용부호를 통해 표시되어야 한다.이 환자관리 보고서는 극도로 세밀해야 하며, 출동 정보와 현장 평가, 머리끝에서 발끝까지 이르는 철저한 평가, 중재 사항, 중재에 대한 환자 반응, 이송 결정 및 관련 판단 과정 및 진료 이전의 내용 등을 포함해야 한다. 또한 가족, 검시관, 법률집행인, 의학적 관리자 혹은 어떠한 관련된 사람들과 행해진 모든 대화를 기록한다. 적절한 문서를 작성하는 데 실패하는 것은 의료서비스제공자나 돌봄제공자에게 상당한 스트레스를 줄 수 있다.

주의
가족들과 대화할 때 애매한 언어를 사용하여 아동이 사망하였다는 사실을 불분명하게 만들지 않는다.

영아돌연사(SUID)에 대한 요약

영아돌연사는 영아의 가장 흔한 사망 원인이다. 이는 예측이 불가능하고 조용하게 발생한다.

응급구조사는 현장에서 영아돌연사를 "진단"할 수 없다. 그리고 응급의학전문의 역시 응급의료센터에서 영아돌연사로 진단 내리는 것은 어렵다. 사망 원인을 밝혀내기 위해선 부검이 필요하다. 그러나 통상적으로 영아돌연사를 확실하게 식별할 수 있도록 도움을 주는 임상적 징후들과 중요한 위험요인들이 있다. 심정지된 영아를 만났을 때 지역 응급의료체계에서 정한 현장 사망 지침에 따라서 심폐소생술을 시작하거나, 지속해야한다. 일부 지역응급의료체계 지침은 심폐소생술을 보류하거나 중단하고, 가족과 대화를 나누고 그들의 슬픔을 위로해주는 임무에 주요 초점을 맞추고 있다. **그림 13-1**은 영아돌연사로 의심되는 사례가 있을 시 전형적인 증상의 발현 순서를 보여주고 있다. **표 13-5**는 영아돌연사로 의심되는 사례가 있을 시 의학적조사자와 지역 보건부서의 책임에 대해 설명하고 있다.

표 13-4 예상치 못한 아동 사망에 대한 의사소통
소아의 이름을 사용한다.
공감을 보여주고 애도를 표한다.
비판하지 않는 태도로 질문한다. 절대로 적대적이거나 화내지 않는다.
차분하고 직설적인 목소리로 말한다.
질문에 대한 지침과 답변을 명확히 한다.
처치 및 이송에 대한 설명을 돌봄제공자에게 제공한다.
필요시 문장을 반복한다.
돌봄제공자에게 그들이 할수있는 일은 없었다고 안심시키다.
가능하다면 돌봄제공자가 아기와 동반하도록 허락한다.

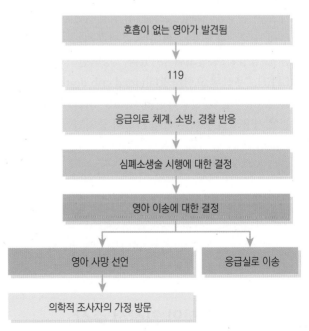

그림 13-1 영아돌연사가 의심되는 경우 업무 흐름표

표 13-5 영아돌연사가 의심되는 경우 의학적 조사자/검시관, 지역 보건부서의 책임

의사/검시관의 책임	지역 보건부서의 책임
사망현장 조사 시행	정보와 상담 제공
부검 수행	동료 집단의 지지를 받을 수 있도록 관련 정보 제공
지역 보건부서에 신고	주정부 프로그램에게 정보 제공
주정부 프로그램에 신고	주기적으로 사후 관리 시행 따라 신고
사망진단서에 서명	지역사회 교육(동료 집단과 함께) 제공
사망원인을 부모에게 고지	

간결하게 해결된 예상치 못한 사건(BRUE: Brief Resolved Unexplained Event)의 정의

이전에는 명백한 생명위급상태(ALTE)라고 불렸던 간결하게 해결된 예상치 못한 사건(BRUE)은 만1세 미만의 영아에게 다음 중 최소한 1개가 발생하는 경우이다: (1) 청색증 또는 창백함; (2) 무호흡, 감소된 호흡, 또는 불규칙적인 호흡; (3) 근육 긴장도의 눈에 띄는 변화(근긴장 증가 또는 근긴장저하); 그리고 (4) 반응성의 변화 수준 일부의 경우, 관찰자는 영아가 죽었을까봐 두려워하며, 처음에 심정지로 신고할 수 있다. "명백한 생명위급상태(ALTE)", "무산된 요람사망(aborted crib death)" 또는 "영아돌연사증후군의 일보직전(near-miss SIDS)" 등과 같이 이전에 사용되던 용어는 이제 사용이 중지되어야 한다. 왜냐하면 이런 용어를 사용함으로써 이 사건을 영아돌연사와와 잘못 연관시키기 때문이다.

주의

명백한 생명위급상태(ALTE)는 BRUE에 대해 정확하게 또는 적절하게 표현한 용어가 아니다.

BRUE의 일반적인 임상적 증상

영아돌연사와 유사한 BRUE 현장은 또한 스트레스로 가득

차 있다. 사건을 유발했을지도 모르는 임상적 단서를 확인하는 동안, 현장 안전을 평가하면서 철저한 현장 조사가 이루어져야 한다. 일차평가에는 환자의 외관, 기도가 개방되어있는지, 그리고 순환에 대한 평가가 포함되어야 한다. 응급구조사는 환자의 호흡수, 깊이 및 호흡의 질을 평가해야 한다. 호흡패턴은 느리고 얕을 수 있고, 호흡을 부적절하게 하는 몇몇의 방해 요인이 있을 수 있다.

순환은 촉진을 통해 맥박수, 규칙성 및 맥박의 질, 모세혈관 재충혈 확인, 피부색, 체온 및 상태 등도 함께 평가해야 한다. 맥박은 서맥이거나 약할 수 있고, 모세혈관 재충혈은 4초 이상 일수 있으며, 피부는 관류저하 및 저산소증의 증상을 보일 수 있다.

SAMPLE 암기법을 이용한 철저한 병력 조사가 이루어져야 한다. 사건 경과표가 만들어 질 수 있도록 시작 시간이 기록되어야 한다. 응급구조사는 환자의 증세가 좋아지거나 악화되게 만드는 어떤 것이라도 기록해야 한다. SAMPLE 병력은 환자의 가족으로부터 얻을 수 있다. 환자의 증상과 징후를 파악해야한다. 환자의 나이에 있을 수 있다고 알려진 어떠한 알레르기가 있다면 주목해야 한다. 환자가 복용중인 모든 의약품은 잠재적인 부작용에 대해 평가해야하며 모든 잠재적 치료계획에 참고 되어야 한다.

이 연령대에, 환자의 모든 병력은 관련이 있다. 환자가 분유를 먹는지 모유를 먹는지 물어보도록 한다. 모유를 먹는다면, 어머니가 복용하는 약물이 있는지 물어본다. 이는 모유를 통해 전달이 되어 영아에게 영향을 끼칠 수 있기 때문이다. 마지막 경구 섭취와 사망이 발생하기까지의 사건들을 확인하는 것은 잠재적 진단에 도움이 될 수 있다.

모든 BRUE 환자의 활력 징후는 반드시 평가되어야 한다. 활력 징후 평가는 맥박수, 호흡수, 혈압, 맥박산소측정 및 가능하다면 혈당 체크 등을 포함해야 한다. 머리끝부터 발끝까지 철저하게, 실질적인 평가가 이루어져야 하며 어떠한 이상 징후라도 기록되어야 한다. 폐와 장의 청진을 해야한다. 중증도와 중재 사항에 따라 5-15분마다 재평가가 이루어져야 한다.

BRUE가 의심되는 상황에서의 행동들

임상적 중재

대부분의 BRUE는 응급구조사가 도착하기 이전에 해결되므로 평가할 때 영아가 정상처럼 보이는 것은 흔한 일이다 (그림 13-2). 환자의 정상적인 외관에 속으면 안 된다. 보호자는 소아가 괜찮기 때문에 평가가 필요 없다고 주장할 수도 있다. 응급구조사는 BRUE가 다른 근본적인 문제의 전조증

그림 13-2 대부분의 BRUE 증상은 응급구조사가 현장에 도착하기 전에 해결되므로 영아 평가에서 정상으로 보이는 경우가 일반적이다.
© Syda Productions/Shutterstock.

상일 수 있다는 것을 명확히 알고 있어야하고, 환자에게 제대로 된 처치를 하기 위해서는 응급실에서의 평가가 필수적이다. 이러한 경우 즉각적인 처치는 필요하지 않고, 추가적인 평가를 현장에서 실시한다. 아동이 불안정해 보이거나 긴급한 처치가 필요할 때는 병원으로 이송하는 동안 이차 평가를 완료한다. 응급구조사는 반드시 환자의 기도에 대해 세심한 주의를 기울이고 보호하여야 한다. 필요 시 최대한 빨리 사용될 수 있도록 산소보조기를 근처나 제자리에 구비해 두어야 한다. 전문응급구조사(ALS provider)는 필요하다고 판단되는 수액 소생술이나 심장 투약을 제공할 수 있도록 준비되어 있어야 한다. 비록 전체적인 검사를 통해 특별한 이상이 없다고 밝혀진 소아라도 항상 병원으로 이송한다. 막 태어나거나 아주 어린 영아의 심각한 질병은 때때로 미묘하며 찾아내기 어렵다.

> **조언**
>
> 모든 간결하게 해결된-사유가 밝혀지지 않은 사건(BRUE)으로 보고된 소아에게는 응급의료센터에서의 평가가 필요한 심각한 문제가 있다는 것을 고려하라.

간결하게 해결된-사유가 밝혀지지 않은 사건(BRUE)의 요약

BRUE는 외관, 호흡노력, 관류 부분에서 갑자기 순간적인 변화가 동반되는 영아의 임상 질환이다. 예를 들어 BRUE 상태에서는 갑자기 근육 강도가 약해지고, 청색증, 호흡중단이 나타난다. 종종 병원에서 검사를 수행해도 원인이 밝혀지지 않지만 BRUE는 심각한 불가사의한 질병 또는

손상의 지표 역할을 하기도 한다. 표준화된 평가를 수행하고, 명백한 생리학적 또는 해부학적 문제가 있으면 치료한다. 대부분의 경우 병원으로 이송하는 것이 현장에서 할 수 있는 가장 중요한 현장 중재이다.

영아 사망에 대한 대응

보호자 반응

응급구조사는 종종 사망한 영아를 발견한 현장의 최초 응답자가 된다. 갑작스럽고 예기치 못한 영아의 사망에 대한 보호자의 반응은 예측할 수 없으며, 침묵부터 분노까지 매우 다양하다. 흔히 부정, 분노, 히스테리, 금단, 강한 죄의식 반응 등을 보이지만 때론 특별히 눈에 띄는 반응이 없을 수도 있다. 보호자는 영아가 사망하였으며 소생이 불가능하다는 사실을 받아들이기도 하고, 그렇지 않기도 하다. 돌봄제공자는 심지어 영아가 명백하게 사망했음에도 불구하고, 응급구조사가 영아의 생명을 구할 수 있을 것이라는 희망에 매달리기도 한다.

소아의 사망은 부모나 돌봄제공자의 일생 중에 가장 스트레스가 큰 비극적인 순간이다. 돌봄제공자가 이러한 상황에서 응급구조사에게 강하게 원하는 바를 나타내거나 무언가를 "요구"하는 일은 흔히 발생한다. 이는 돌봄제공자가 자신이 영아를 보호하고, 돌보는 역할을 수행할 수 있는 마지막 순간이라는 것을 기억해야 한다. 돌봄제공자들에게 친절하면서도 전문적으로 반응해야 한다. 돌봄제공자들은 다음과 같이 행동할 수 있다:

- 같은 질문을 반복한다.
- 응급구조사에게 처치를 하지 말도록 요구하거나 소생술을 중단하라고 요구한다.
- 영아와 함께 혼자 남겨놓기를 요구한다.
- 사망원인을 알고 싶어한다.
- 물리적으로 처치를 방해한다.
- 처치를 계속하라고 또는 소생술을 시작하라고 고집한다.

> **조언**
>
> 영아의 갑작스럽고 예기치 못한 사망에 대한 돌봄제공자의 반응은 예측할 수 없으며 침묵부터 분노까지 매우 다양할 수 있다.

보호자와 가족들이 응급구조사에게 그들의 원하는 바를 표현하거나 어려운 요청을 하면, 차분하면서도 전문적인

접근을 한다. 설명을 단순하게 한다. 가족에게는 정직하면서도 직접적으로 대응한다. 사망 현장에 대한 응급의료체계 지침을 따르고, 공감적 태도를 유지하며 판단적인 태도를 보이지 않는다. 가족들이 슬퍼할 수 있는 공간을 허용한다. 가족들의 종교적 신념과 관습, 또는 전통을 존중한다.

만일 현장에서 의사와 검시관을 기다리는 동안에 영아에게 소생술을 시도할 필요가 없다면, 응급구조사는 가족이나 보호자에게 그들을 도와주기 위해 부를 수 있는 사람이 있는지 물어본다**(그림 13-3)**. 이는 친구, 친척, 성직자 또는 가정의 다른 아이들을 돌보는데 도움을 제공할 수 있는 공공기관 등을 포함한다. 만일 현장이 아동보호기관이라면, 다른 소아들을 도와주고 사망한 소아와 다른 소아들의 보호자에게 연락할 수 있도록 경찰에 협조 요청하는 것을 고려한다.

응급구조사의 반응

응급구조사는 영아 또는 소아의 예기치 못한 사망 현장에서 때때로 어렵고 괴로운 역할을 맡을 때가 있다. 사망을 선언한 후에 부모를 위로해야 한다. 결코 부모나 보호자를 비난

그림 13-3 보호자는 아이의 죽음에 다양한 방법으로 반응할 수 있다. 그러나 모든 보호자는 지원이 필요하다. 보호자를 위로해줄 수 있는 사람이 있는지 확인하고 연락을 시도한다.

해서는 안 된다. 가족들에게 세심한 지원을 제공하고 위협적이지 않은 방법으로 정확한 정보를 모으는 것은 남은 가족들을 도와주는 것이다. 때로 응급구조사는 환아의 사망에 대해 개인적으로 감정이 매우 격한 상태를 겪을 수도 있기 때문에, 이러한 것이 매우 어려울 수 있고 가족들이나 돌봄제공자와 대화를 하는 것은 어려울 수 있다.

다음은 이러한 상호작용의 질을 향상시키기 위한 기술들이다.

- 소아의 이름을 사용한다. 이것은 "환자"로서 보다는 한 개인으로서 소아를 대하는 것이며, 이 소아의 죽음이 가진 고유하고 강렬한 개인적 본질을 인정하는 것이다.
- 보호자와 대화할 조용한 공간을 찾도록 노력한다. 현장은 종종 활동으로 인해서 시끄러울 수 있다. 보호자가 대화에 집중할 수 있는 환경을 찾아내는 것은 메시지를 정확하게 전달하는데 도움이 된다.
- 구체적인 용어를 사용한다. 사실을 부드럽게 표현하는 선의의 표현의 사용은 보호자로 하여금 무슨 일이 일어났는지 이해하기 더 어렵게 만든다. " 당신의 아이는 사망했습니다"는 명확한 의미를 지니지만, "당신의 아이는 더 좋은 곳으로 갔어요"는 불명확한 의미를 지닌다(병원이 더욱 좋은 곳이다).
- 감정을 보여주는 일은 바람직하다. 아동이 사망한 부모들이 보건의료 제공자가 제공한 보살핌이 얼마나 의미 있었는지를 표현하는 일이 종종 있다. 가족과 아동에게 초점을 맞추고 현장에서 전문적인 업무를 수행할 수 있다면 이런 비극적인 상황에서 감정을 표현하는 것은 적절하다.

> **조언**
>
> 소아의 이름을 먼저 물어보고, 모든 보호자와의 대화에서 소아의 이름을 사용한다.

사례연구 2

대규모의 이민자 가족들이 모여 사는 아파트 단지에 출동요청을 받았다. 도착해 보니 많은 수의 흥분한 사람들이 아파트 입구에 모여서 응급구조사가 알아들을 수 없는 언어로 말하고 있다. 아파트에 들어서자 소파에 앉아 조용히 울고 있는 부모를 발견하는데, 그들이 가리키는 요람을 보니 굳고 차가워진 상태의 시반을 보이는 생후 3개월의 영아가 담요에 덮인 채 놓여 있었다. 영어를 말할 수 있는 이웃을 통해 아이의 사망 사실을 설명하고, 시신을 데리고 있을 것인지 물어 보니 아니라고 대답하며 오히려 그런 제안에 화가 난 듯 했다.

1. 이 상황에 어떻게 반응해야 하겠는가?
2. 이 시점에서 어떤 단계의 조치를 취해야 하는가?

때때로 보호자와 응급구조사 사이에는 문화적 언어적 차이가 있을 수 있다. 죽음이 어떻게 받아들여지고 슬픔이 어떻게 표현되는가와 관련된 생소한 종교적 의식과 행동들이 있을 수 있다. 이는 또 다른 중요한 과제가 될 수 있다. 문화적 다양성을 존중해야 한다. 이는 효과적으로 의사소통하기 위해서 필요하다. 문화와 언어의 차이가 드러날 때, 설명하고 번역해 줄 수 있는 통역자를 찾도록 시도해야 한다.

갑작스럽고 예기치 못한 상황의 영아 사망을 접한 응급구조사가 나타내는 반응은 다음 중 하나 또는 그 이상을 포함한다.

- 분노 또는 비난
- 보호자와 동일시
- 위축
- 보호자에 대한 회피
- 자기 불신(소생술을 시도하였는데도 아동의 생명을 구할 수 없었을 때)
- 슬픔과 우울

응급구조사는 보호자의 행동과 반응에 대해서 비현실적인 기대를 가질 수 있다. 또는 보호자가 아동의 사망에 대해 책임이 있다고 믿을 수 있다. 이러한 느낌을 갖는 것은 **표 13-6**에서 보여주는 것처럼 의사소통에 장애가 될 수 있다.

조언

예기치 못한 영아나 아동의 사망은 응급구조사가 경험하는 가장 큰 스트레스 상황 중 하나이다.

표 13-6 돌연사후 골봄제공자와의 의사소통을 방해하는 응급구조사의 대응

돌봄제공자가 사건을 어떻게 반응해야 하는지에 대한 고정관념적 기대치

심폐소생술을 시작하지 않았던 돌봄제공자에 대한 판단

영아가 죽었다는 것을 인지하고 소생술을 원하지 않는 돌봄제공자를 불신

문화나 종교적 신념이 다른 사람들의 애도와 슬픔 행동을 오해

CPR, cardiopulmonary resuscitation.

위기상황 스트레스

스트레스는 응급구조사의 직업상 피할 수 없다. 아동의 사망은 응급구조사의 업무를 하면서 받을 수 있는 가장 큰 스트레스 상황일지도 모른다(**그림 13-4**). 감정을 인정하는 것은 스트레스에 성공적으로 대처하고, 건강한 정신 상태를 유지하는 핵심 요소이다. **표 13-7**은 스트레스 시 빈번하게 나타나는 징후와 증상을 나열하였다.

영아와 소아의 사망과 관련한 스트레스 충격을 감소시

그림 13-4 스트레스는 응급구조사의 직업에서 피할 수 없는 부분이다. 아동의 죽음은 비통함을 느끼게 할 수 있다.
© FangXiaNuo/E+/Getty Images.

표 13-7 중대사고스트레스의 증상과 징후

분노와 불안정

식습관 변화

수면유형 변화

우울

과도한 알코올섭취

집중력 장애

기분변화와 정서장애

신체적 질병

반복되는 꿈이나 무서운 생각

위축

키기 위한 여러 가지 방법이 있다.

위기상황 스트레스 관리법(CISM: Critical Incident Stress Management)은 영아돌연사(SUID) 그리고 예기치 못한 영아와 아동 사망에서 오는 감정적 혼란을 대처하도록 도와주는 중요한 기술이다. 스트레스를 감소시키는데 도움이 되는 다른 기술은 다음과 같다:

- 감정을 공유하기 위해 현장 관리자와 숙련된 응급구조사와 대화한다.
- 업무 외에는 균형잡힌 생활양식을 유지한다. 운동하고, 여가 시간을 계획하고,
- 초과근무를 제한한다.
- 적절한 휴식을 취하고 균형 있는 식사를 한다.
- 과도한 알코올이나 약물을 삼가한다.
- 개인적인 일기를 작성한다.
- 종교적인 상담 또는 동료들과의 상담을 받는다.
- 전문적인 정신과적 지원을 요청한다.

지역사회 자원

보호자와 응급구조사가 아동의 예기치 못한 사망에 대처할 수 있도록 도와주는 지역사회의 자원은 다음과 같다.

- 지역의 지원 그룹
- 지역의 공중보건 담당 부서
- First Candle/SIDS 연합(1-800-221-SIDS)
- 미국 영아돌연사증후군 협회(https://sids.org)
- 전문적 상담
- 응급의료체계의 신부나 목사

> **조언**
>
> 위기상황 스트레스 관리법(CISM :critical incident stress management)은 영아돌연사(SUID)나 예기치 못한 영유아 사망에서 오는 감정적 혼란에 대처하는 중요한 기법일 수 있다.

> **논쟁**
>
> 위기상황 스트레스 관리법(CISM)의 정확한 가치나 적절한 사용 시점은 아직 밝혀지지 않았다. 담당한 아동이 사망한 후 응급구조사는 예측 가능한 스트레스를 받지만, 언제 그리고 어떻게 그런 중재를 해야 할 것인지는 아직 연구되어 있지 않다.

> **논쟁**
>
> 위험을 줄이는 일 그리고 위험과 관련한 상담을 하는 것도 중요한 지역사회 예방 활동이다. 추가적인 연구조사는 손상 또는 사망 현장에서 응급구조사의 적절한 교육적 역할을 정의하는데 도움이 되어야 한다.

> **조언**
>
> 응급구조사는 지역사회의 부모들에게 영아돌연사의 위험을 줄이는 방법을 교육하는 데 있어서 핵심적인 역할을 수행할 수 있다.

위험 감소를 위한 활동 및 위험 관련 상담

지역사회 자원단체이외에도, 응급구조사는 지역사회의 부모들에게 영아돌연사(SUID)의 위험을 줄이는 방법을 교육하는데 중요한 역할을 할 수 있다. 미국 소아과 학회의 '등을 대고 눕혀 재우기(back to sleep)'에 관한 소책자를 배포한다든가 소아를 바닥에 등을 대고 눕혀 재우도록 하는 소아과 학회의 권고를 적극적으로 지지하는 등, 여러 가지 활동을 할 수도 있다. 옆누운자세(lateral position)는 엎드린자세(prone position)보다는 몇 배 안전하지만, 등을 대고 눕는 바로누운자세(supine position)보다는 영아돌연사증후군의 위험이 두 배나 높다. 또한 응급구조사는 단단하고 편평한 매트리스와 안전성을 인정받은 아기 요람 사용하기, 부드럽고 부피가 큰 담요나 방석은 사용하지 않기, 영아 수면 공간을 과도하게 난방하지 않기 등의 영아돌연사 발생 위험을 감소시키기 위한 지역사회 활동에도 동참할 수 있다. 영아돌연사증후군의 위험을 줄이기 위한 추천 사항은 다음과 같다.

사례연구 3

동료의 집에 출동하게 되었다. 거기에는 할머니 한 분이 흐느끼고 있었으며, 그녀는 경황이 없는 상태였다. 그녀가 이끄는 대로 침실로 가보니 생후 3개월 정도의 남자 아이가 꼼짝하지 않고 얼굴을 양가죽에 묻은 채 요람에 엎드려 있었다. 아이는 무호흡, 무맥박 상태였고, 얼굴과 가슴에 시반이 나타나 있었으며, 몸이 경직되어 있었다. 할머니는 흐느끼면서 말하기를 4시간 전에 아이를 재웠다가 10분 전에 보니 이런 상태였다고 했다. 그녀는 아이가 죽었냐고 물었다.

1. 취해야 할 핵심적인 의학적 행동들은 무엇인가?
2. 할머니와 동료를 어떻게 대해야 하는가?

- 아기를 재울 때마다 항상 등을 대고 눕혀 재운다.
- 아기를 재울 때 단단한 바닥에 눕힌다.
- 부드러운 소재나 물렁한 침대, 감싸거나, 질식시키거나 목을 조를 위험을 높일 수 있는 모든 소재를 아이들 침대에 두지 않는다. 이런 것들에는 베개, 담요, 받침용 패드 등을 포함한다.
- 아기와 같은 방에 자되, 같은 침대에 아기를 재우지 않는다.
- 가능한 한 많이 그리고 오래 모유수유를 한다.
- 영아를 잘 보살피기 위한 모임에 시간을 내어 참석한다.
- 아기를 흡연자나 사람들이 흡연하는 장소에서 멀리한다.
- 아이를 너무 덥지 않게 한다.
- 아기가 낮잠을 자거나 밤에 잘 때 진정용 고무젖꼭지를 준다.
- 영아돌연사증후군의 위험을 감소시키는데 도움이 된다고 하는 가정용 심폐 모니터를 사용하지 않는다.
- 영아돌연사증후군의 위험을 감소시킨다고 주장하는 상품 즉 받침대나 자세보정기구 등을 사용하지 않는다.

또한 금연운동에 대한 지원도 중요하다. 최근 연구에 의하면 영아돌연사의 위험은 출생 후 담배 연기에 노출된 아기에게서 두 배 높고, 임신 기간 및 출생 후 모두 담배 연기에 노출된 경우에는 그 위험이 세 배 높았다. 모든 영아의 경우, 모유 수유를 장려하는 것은 유용한 행동이다.

응급구조사는 해당 지역 혹은 전국 단위의 아동 사망 연구팀에 참여할 수도 있다. 이러한 팀은 모여서 영아 및 소아 사망의 지역적 동향에 대해 토론한다. 또한 다른 자연발생적 혹은 특히 학대와 같은 비-자연발생적 사망 원인들에 대비한 영아돌연사 진단의 정확도를 향상시키기 위하여 종종 2세 미만 아동의 갑작스럽고 예기되지 않은 사망의 경우를 모두 조사해 보기도 한다.

사례연구 답안

사례연구 1

영아는 영아돌연사와 관련된 다수의 공통적 소견을 보인다. 복와위 수면(엎드린 자세로 자는 것 - 이런 경우, 시반이 가슴과 얼굴 부위에서 발견된다), 분홍빛 거품이 있는 객담 및 외상에 의한 손상이 없는 경우 등은 영아돌연사증후군 사망의 초기 단서들이다. 그러나 영아돌연사는 의학적 조사자 혹은 검시관 부검 후에야 내릴 수 있는 배제적 진단임을 명심해야 한다.

이런 경우, 부모에게 직접적으로 그리고 차분하게 아이의 죽음을 설명한다. 아이의 이름을 확인하여 대화 중에는 아이의 이름을 사용한다. 비난적인 느낌의 질문은 하지 않는다. 그리고 부모와 대화 시에는 조심스럽고, 지지적인 대화를 사용하라. 만약 아이가 이송되지 않으면, 부모가 슬픔에 관한 상담을 받을 수 있게 하고, 현장에서 의학적 조사자나 검시관에게 연락하고, 당신과 당신의 동료를 위해 위기상황 스트레스 관리법의 적용을 고려한다. 가족을 지지할 수 있는 자원을 모은다.

사례연구 2

문화가 서로 다르면 죽음, 사후 세계 및 시신의 수습 방법에 대해 다른 믿음을 가진다. 당신에게는 낯설지만, 상실에 대처하는 다른 종교적 의식이나 금지하는 행위가 있을 수 있다. 소아를 도울 수 있는 의학적 중재가 필요 없는 상황이므로, 당신은 생존한 사람들을 지원하는 것에 초점을 둬야 한다. 가능하면 전문적 통역자를 구하는 것이 현장 관리 및 사망 조사에 있어서 중요하다. 영어 구사가 가능한 이웃을 통해서 가족들이 무엇을 필요로 하는지, 누구에게 연락하기를 원하는지, 그리고 현장에서 그들을 도울 방법이 어떤 것인지를 알아볼 수 있다. 다만, 통역자가 있다 해도 개념적인 용어는 통역이 어렵고, 가족들이 질병, 의료행위 및 사망 원인에 관련된 매우 다른 믿음을 가질 수도 있음을 명심한다. 만약 처치 혹은 비-처치 행위의 합당한 사유에 관해 충분한 의사소통이 이루어지지 않는다면, 이송해야 한다.

사례연구 3

대개의 응급의료체계에서 아동은 현장 사망 범주에 해당되어, 소생술 시도가 불필요할 수 있다. 소생술이 필요한지 여부에 대해 분명한 판단이 서지 않으면 심폐소생술을 시작한다. 그리고 처치에 대한 옵션을 분명하게 하기 위해 의료지도를 요청한다.

할머니가 안정을 찾지 못한다면 할머니도 의학적인 진찰을 받는 것이 필요할 수 있다. 차분하고 절제된 환경을 제공하며 비난하지 않는다.

동료가 듣고 있을 수도 있으니 무선 통신을 최소화하도록 한다. 동료가 일하는 중이라면 감독자가 동료에게 연락하도록 하고 사망 현장으로 안전하게 올 수 있도록 한다. 여건이 허락하는 한 다른 가족, 친지 혹은 성직자에 연락한다. 위기상황 스트레스와 관련한 증상에 주의하고, 필요하면 위기상황 스트레스 관리법을 적용한다.

추천 자료

Articles

American Academy of Pediatrics. Taskforce on Sudden Infant Death Syndrome. SIDS and other sleep-related infant deaths: updated 2016 recommendations for a safe infant sleeping environment. *Pediatrics*. 2016;138(5):e20162938.

Goldstein RD, Trachtenberg FL, Sens MA, et al. Overall postneonatal mortality and rates of SIDS. *Pediatrics*. 2016;137(1).

Shapiro-Mendoza CK, Camperiengo L, Ludvigsen R, et al. Classification system for the sudden unexpected infant death case registry and its application. *Pediatrics*. 2014;134:e210–e219.

Tieder JS, Bonkowsky JL, Etzel RA, et al. Clinical Practice Guideline: brief resolved unexplained events (formerly apparent life-threatening events) and evaluation of lower-risk infants. *Pediatrics*. 2016:137(5):e20160590.

Other Resources

Centers for Disease Control and Prevention. About SIDS and SUID. https://www.cdc.gov/sids/index.htm. Accessed July 16, 2019.

Centers for Disease Control and Prevention. Sudden unexpected infant death and sudden infant death syndrome. http://www.cdc.gov/sids/index.htm. Accessed April 12, 2019.

Department of Health and Human Services, Center for Disease Control and Prevention. National Center for Health Statistics. Division of Vital Statistics. User Guide to the 2017 Period Linked Birth/Infant Death Public Use File. http://cdc.gov/nchs/linked.htm. Accessed April 12, 2019.

CHAPTER 14
재난에서의 소아 응급

S. Heath Ackley, MD, MPH, FAAP

Victoria Barnes, RN, BSN, EMT

학습목표

1. 재난과 대량사상자 발생사고(MCI)를 정의하고, 재난 대응 단계를 나열할 수 있다.

2. 재난과 대량사상자 발생사고(MCI) 기간 동안 소아에게 한정된 특수한 요구사항을 수용하기 위해, 병원 전 응급의료전문가의 개선 과제에 대해 설명할 수 있다.

3. 재난 발생 시 특수한 위험에 직면하게 되고 취약점을 증가시키는 소아의 해부학적, 생리학적, 심리학적 특징을 정리할 수 있다.

4. 화학적, 생물학적, 방사선, 핵, 폭발 사고(CBRNE)가 소아에게 주는 독특한 영향을 구별하여 설명할 수 있다.

5. 생물학적 요인의 특정 유형의 관리와 평가에 있어서 소아적 관점에서 문제점을 설명할 수 있다.

재난에서의 소아

재난은 인류의 역사 속에서 항상 극적인 부분으로 존재해왔으며, 재난에 대한 지역사회의 반응은 현대의 응급의료시스템의 눈부신 발전을 가져왔다. 실제로 대재난은 응급의료체계의 한계점을 강조할 뿐 아니라, 그의 필수적인 역할과 함께 그 한계점을 조망하는 긍정적인 역할을 확정짓는 준거점이 되어왔다. 재난은 병원 전 응급의료전문가들에게 특별한 어려움을 주며, 소아의 해부학적, 생리학적, 심리학적 특수성 그리고 이송 요구 때문에 재난에서의 소아는 복합적이며 부가적인 도전을 제공한다. 재난의 진행 과정 동안 소아들이 겪는 손상, 질병의 발생 빈도와 유형에 관련된 데이터는 제한적이며 소아에 대한 이송과 치료, 중증도 분류에 관한 국가적인 지침도 없는 실정이다. 그러나 이러한 특수한 상황 속에서 혼란을 압도하는 응급의료체계는 일상적이어야하며 이에 대한 계획과 준비는 필수적이다. 따라서 모든 병원 전 응급의료전문가들은 재난 발생 시 특수한 성격을 갖는 소아 문제에 대하여 기본적인 이해력을 갖추고 있어야 하며, 응급의료기관들 역시 소아 문제를 해결하는 통합적이고 잘 준비된 재난 대응계획을 수립하고 있어야 한다. 학교 총기 난사와 같은 일부 재난의 경우 소아를 희생시킨다; 자신의 자녀 또는 그들이 알고 있는 지역사회의 소아를 포함시키는 상황에 대한 병원 전 응급의료전문가들의 잘못된 생각도 특변한 가능성을 가지고 있다. 사고 발생 이후의 위기상황스트레스관리(CISM)는 장기간의 재난 대응의 중요한 부분이 되고 있다.

재난이란 무엇인가?

재난(Disaster)은 심각한 지역적 충격을 야기하기도 하지만, 종종 도시와 국가, 지역 전체에 영향을 주기도 한다. 재난의 정의는 발생 규모나 위치에 따라 달라진다. 예를 들어, 대도시에서의 버스 충돌은 응급의료서비스 체계에 큰 충격을 주지는 않지만 작은 시골 마을에서 발생한 동일한 사고는 해당 지역 사회의 대응 능력을 초월할 수도 있다. 따라서 재난은 지역 응급시스템의 능력과 상호지원협정의 대응체계를 압도하는 일련의 연속적인 사건이나 사고이다.

재난은 시민들의 안전을 위협하고 정상적인 기능을 파괴하는 지역사회의 응급상황이다. 미국의 응급의료시스템은 주로 성인들의 치료를 중심으로 설계되었기 때문에 대부분의 지역사회의 재난에 놓이게 된 아동들을 돌보기 위한 사회기반 시설은 매우 취약한데, 예를 들어 특히 턱없이 부족한 병상, 특수 전문가의 부족과 소아의 질병과 손상에 관한 경험 부족 등이 있다.

대량사상자 발생사고(MCI: multiple-casualty incident)는 일상적 절차를 통한 관리에 필요한 자원보다 더 많은 환자가 발생한 사고이다. 대량사상자 발생사고(MCI)발생 시 다양한 형태의 구급차량이 요구되며 다른 응급의료서비스 제공 기관으로부터 추가 도움이 필요할 수 있다. 특정 상황에서의 대량사상자 발생사고(MCI)는 응급의료서비스 체계에 커다란 영향을 끼칠 수도 있다.

낮은 단계의 MCI는 지역의 의료진이 적절하게 대응할 수 있으며 지역의 대응 지원은 항상 비상 체제로 돌입 할 수 있을 때 발생한다. 중간 단계의 MCI는 복합적인 관할 의료진의 상호지원을 필요로 한다. 상호지원 동의는 응급구조사가 자신의 관할구역 지역 자원에서 차출되었을 때를 위해 준비되어 있어야 한다. 가장 높은 단계의 MCI는 국가적 재난 계획의 활성화가 포함되어 있으며 정부의 지원을 적극 요청해야 할 수도 있다.

재난은 자연 재해와 인위적 재난 두 가지의 기본 유형이

표 14-1 자연재해와 인적재난의 일반적 양상

자연재해	인적재난
지진	위험물 방출
허리케인	건물화재
토네이도	생물학적 노출
홍수	화학적 노출
폭풍설	핵 노출
산불	건축 부실
전염성 질환	테러

있다. **표 14-1**은 일반적인 예이다. 자연 재해는 지진이나 폭풍, 홍수, 산불, 전염성 질병의 발병과 같은 환경적인 혼란을 말한다.

인위적 재난은 독성 유출; 건물붕괴; 테러나 대량 살상과 같은 악의적 의도와 같은 인간의 과오에 의해 발생한다. 근원에 관계없이 재난은 전형적으로 소아의 질병과 손상을 증가시키는 원인이 된다.

재난과 대량사상자 발생사고(MCI) 시에는 특수한 소아과적 고려사항과 재난 대응 계획은 물론 일상적 소아 대응 계획 및 관리계획에 있어 현재 부족한 점이 무엇인지도 포함되어야한다.

국가와 지방단체는 응급의료서비스 활동에 대한 지역적 감도관이 있으며, 최초반응자간의 협력을 위하여 일상적 운영절차 전반의 다양성이 존재하며, 온라인 또는 오프라인 소아 관리지침, 병원 간 이송지침 및 협약에 대해 권고하여야한다. 또한 종종 구급차 내에 필수적인 소아과 장비와 최초반응자 단위 그리고 의료 종사자의 소아과 훈련을 위한 부족한 자격요건에 대한 대책도 세워야 한다.

사례연구 1

도시는 3일째 폭풍우에 휩쓸리고 있다. 당신은 한 초등학교에 출동하였는데 그곳은 바람이 너무 거세서 창문이 떨어져 나갔고, 수많은 소아들이 손상을 입었다는 보고를 받았다. 출동하는 도중에, 당신은 학교로부터 한 블록 떨어진 곳의 근처의 운하가 붕괴되었다는 것과, 물이 시시각각 이웃으로 범람하여 유입되고 있다는 보도가 있다. 당신의 응급구조대는 3대의 구급차를 보유하고 있고 그 중 한 대는 응급 이송업무로 이미 도시 밖으로 출동한 상태이다.

1. 응급의료서비스와 사고 관리의 우선순위는 무엇인가?
2. 소아 환자를 위해 기울여야 할 특별한 관심사는 무엇인가?

재난 이전의 계획에 있어서 병원 전 응급의료전문가의 역할

Predisaster Planning

응급의료서비스(EMS)는 재난 이전의 대비와 대응에 있어서 필수적 자원이다. 병원 전 응급의료전문가들은 병원, 요양원 및 특수 의료시설을 대피하거나, 대피소에 의료 인력을 지원하기 위해 재난 이전에 호출될 수 있다. 대량사상자 발생사고(MCI) 이후 응급의료서비스 제공자는 수색과 구조, 의료서비스의 제공 그리고 대중에게 정보를 제공할 책임이 있다.

이와 같은 사고들에 대한 계획과 준비는 재난 이전, 재난 기간 동안, 재난 이후에도 응급의료서비스가 성공적으로 기능하기 위해 필수적이다. 가장 효과적인 계획은 해당 기관들의 일상적 활동과 밀접히 일치한다. 불행히도, 종종 대부분의 응급의료서비서는 재난 이전 계획의 고려사항으로 경미한 수준이다. 따라서 응급의료서비스의 재난 이전 계획을 수립하기 위한 개발 과정에서 병원 기반의 소아과 전문의, 간호사 그리고 소아 질병과 손상에 대한 전문성을 갖추고 있는 다른 사람을 포함하는 것이 필수적이다.

EMS는 지역 재난 준비 회의와 활동에 참여함으로써 지역 사회를 보조할 수 있다. 주중 근무 시간 중에, 국가에 6,700만 명의 소아들이 학교 또는 보육센터에 있기 때문에 이러한 장소에서 발생할 수 있는 재난 또는 접근하기 어려운 사고에 대응하는 것을 고려해야 한다. 어떠한 재난 대응을 하기 이전에 다음과 같은 항목들이 언급되어야 한다:

- 당신의 지역사회의 사고현장지휘체계(ICS)가 언제 어떻게 작동하는지와 재난 또는 접근하기 어려운 사고의 현장에서의 자신의 역할이 무엇인지 알아야 한다.
- 학교 또는 건물에 대한 대응책을 사전에 계획한다. 그리고 다양한 방, 운동장, 그리고 학교 교정의 구조에 대해 익숙해져야 한다.
- 어떤 응급구조기관이 대피의 책임을 맡고 있는지 알아야 하고, 사고 현장으로 출동 시 언제 의료 처치가 안전하다고 여겨지는지 알아야 한다.
- 특수한 의료 처치를 필요로 하는 소아와 이들을 수용할 수 있는 장소에 대해 인지한다.
- 환자 이송 목적지 선택을 보조하기 위해, 현장과 수용시설의 담당자와 함께 이송 추적에 대한 과정을 식별한다.
- 적절한 소아 의료 공급물자를 유지하는 것과, 재난 발생 시 누구에게 전화하고 어디에서 추가적인 공급물자와 장비를 얻을 수 있는지를 알아야 한다.
- 공공 정보와 원조 계획

EMSC 프로그램은, 병원 내외의 응급의료종사자의 훈련과 소아 중증도 분류와 처치를 위한 소아 응급의료 체계, 지침, 정책, 그리고 교육적인 자원을 개발하는 것을 통해, 응급상황에서의 소아들이 최첨단 치료를 받는 것을 보장하는 것을 목적으로 하는 연방에서 지원하는 프로그램이다. 이는 소아와 관련된 재난 준비의 자원을 포함한다.

재난 대응의 단계

재난 대응은 3단계로 나눌 수 있다. 첫 번째 단계는 활성화 단계이다. 이 단계는 신고와 최초 반응으로 발생하고, 사고 관리 체계와 현장 평가의 시행을 포함한다. 다음은 실행 단계로 이어지며 수색과 구조, 부상자에 대한 중증도 분류, 초기 안정화와 부상자 이송, 그리고 현장 위험과 피해자에 대한 최종적인 처치가 이루어지는 단계이다. 마지막으로 복구 단계는 현장 철수와 일상적 대응 단계로의 전환, 그리고 재난 사건에 대한 결과 보고를 포함한다.

종합적인 대응 전략

재난은 흔히 병원 전 응급의료전문가와 응급의료체계를 압도한다. 병원 전 응급의료전문가들은 대개는 그 사건이 그들의 개인적인 능력을 초과할 것임을 인지하고 있어야 하며 사전 설정된 통합적 명령과 관리 구조에 대한 적절한 대응 계획을 활성화해야 함을 인식해야 한다. 국가사고관리체계(NIMS)는 이를 통합적으로 대응하기 위한 탄력적인 체계를 구축해야한다. 사고현장지휘체계(ICS)와 재난지휘관(IC)의 활성화를 통해, 협력적 대응은 모든 공동의 조직 구조 내에서 시설, 인력 그리고 통신의 통합과 함께 다양한 기관과 해당 지역 사이에 존재한다. 이러한 체계는 사고의 효율적인 관리와 구조화 그리고 지속성을 제공한다. 재난 대응의 목표는 최대한 많은 피해자들에게 최고의 혜택을 제공하는 것이며 이러한 행동들은 재난 대응에 관한 최선의 조직화를 가능케 해준다.

병원 전 응급의료전문가들은 사고 현장으로 뛰어들어 그들 자신이 피해자가 되는 것을 막아야 한다. 이런 과정은 특히 피해자가 소아이고 도움을 주고자 하는 충동이 강할 때 매우 위협적이다. 구조자 자신이 부상을 당하면 그 누구도 도움을 줄 수 없다는 것을 기억해야 한다. 구조대원은 자신이 오염된 환자들과 접촉하게 될 가능성이 있는 모든 상황에서 적합한 장비와 개인보호장비(PPE)를 활용해야 한다. 화학적, 생물학적, 그리고 방사선 사고들은 특수하고 전문화된 장비를 필요로 한다. 그러므로 어떠한 현장에 진입하기 전에 적절한 기관(예를 들어; 법 집행기관, 소방과 위험물 처리기관)에 의해 파악되었는지를 확인해야 한다.

C등급의 호흡기 보호(여과 장치가 달려 있는 안면 마스크)가 대부분의 평범한 재난에서는 적합하다. 그러나 사고의 요구에 맞는 높은 수준의 보호가 요구될 수 있다.

병원 전 응급의료전문가들은 피해자와 가족 간의 연락을 확보하는데 가장 많은 주의를 기울여야 한다. 이는 재난 시 중증도 분류, 치료, 그리고 이송 중에 소아에게 특히 중요하다.

주의

병원 전 응급의료전문가들은 현장으로 뛰어들어 그들 자신이 피해자가 되는 것을 막아야 한다. 무상낭하고 사망안 구소내원은 그 누구도 살려낼 수 없다.

소아에 대한 대응 시 고려사항

재난에 관한 최초의 인식과 일반적인 반응들 이후에 뒤따르는 조직화된 4가지의 요소로 구성된다. (1) 이동 대기 (2) 중증도 분류 (3) 치료 (4) 이송. 조직화된 반응의 필수적 요소로 재난 이전 계획에 주의를 기울여야 한다.

계획

재난이 발생하기 전 적절한 자원을 보유하고 소아 환자 처치를 위한 훈련을 하는 것은 필수적이다. 응급차량은 소아용 호흡보조 장비, 소아용 경추보호대, 골내 주사 바늘, 작은 구경의 정맥 주사용 카데터의 규격을 포함하여 소아용 공급 장비를 보유하고 있어야 하며 저체온증을 치료할 수 있는 방법을 포함하고 있어야 한다. 또한, 가족과 헤어질 가능성을 염두에 두고 환자 추적과 재회를 위한 시스템의 마련이 필수적이다.

이동 대기

이동 대기는 구급차량과 응급구조사가 인지된 재난 현장에 도착 했을 때 시작된다. 병원 전 응급의료전문가들은 정해진 위치에 모여 이동 대기 관리자로부터 지시사항을 기다린다. 이것은 신속하고 체계적인 배치를 확정할 수 있게 해준다. 이동 대기 단계에 배정된 제공자들은 그들의 구급차와 장비 주위에 대기하고 있어야 한다. 사고 관리 시스템이 정상적으로 작동하기 위해서는 모든 병원 전 응급의료전문가들은 적절하며 적시에 환자 치료를 충실히 수행할 수 있도록 상호간에 협력을 위해 노력해야한다. 소아 장비를 갖춘 구급차는 이동 대기 관리자에 의해 식별되어야 한다.

중증도 분류

중증도 분류는 환자들에 대한 부상의 심각도와 사용 가능한 자원에 기초하여 우선순위를 정하는 과정이다. 재난 시 중증도 분류의 목표는 넘쳐나는 재난 업무를 관리 가능하도록 만들기 위함이다. 상당수의 소아 환자들은 말을 하지 못하고 겁에 질려있으며 가족들로부터 떨어져 있고, 구조대원들에게 익숙지 않은 손상(예를 들어, 압좌손상, 폭탄 폭발, 화학물질 또는 방사선 노출)을 가진 경우도 있으므로 재난에 있어 소아 집단은 어려운 문제일 수 있다.

START(Simple Triage and Rapid Treatment) 중증도 분류체계는 성인 재난 환자의 중증도 분류를 위한 하나의 알려진 분류 방법이다. START 중증도 분류 체계는 색상에 의한 환자분류로서, 병원 전 응급의료전문가가 생리학적 상태와 치료의 긴급도에 따라 각 환자를 신속히 분류하는 것을 가능하게 한다.

스타트(SRART)의 개념은 피해자들이 의사소통이 가능하고 걸을 수 있는 경우에, 성인 활력 징후 측정값을 기준으로 하기 때문에 어린 소아에게 적용하는 것은 어렵다.

점프스타트(JumpSTART) 중증도 분류 체계는 8세 이하나 100파운드(약 45 kg) 미만의 소아에게 사용하기 위

사례연구 2

당신은 관할 지역의 고등학교에서 발생한 종기 사건의 신고를 받았다. 상황 정보에 의하면 최소한 4명이 종상을 입었고 한 명의 범죄자는 체포되었다고 한다. 학교 내에 또 다른 범죄자가 있는지는 불명확하다. 응급구조사가 현장에 도착했을 때, 현장은 경찰에 의해 안정화되지 않은 상태이다. 구내식당에 3명의 학생과 2층의 교장실에 1명의 성인이 심각한 부상을 당했다.

1. 응급구조사가 구급차를 주차시킨 후 장비를 꺼내면서 우선적으로 고려해야 할 사항은 무엇인가?
2. 중요하게 고려해야 할 소아과적 문제는 무엇인가?

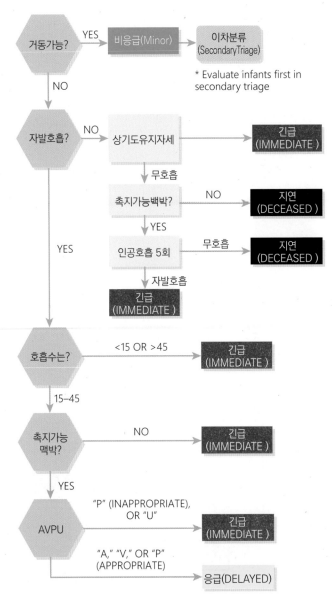

그림 14-1 JumpSTART 중증도 분류 체계

© 2002 Lou Romig, MD, FAAP, FACEP.

해. START 중증도 분류 체계를 수정하여 고안되었다. 이 중증도 분류체계는 좀 더 나이가 많은 환자와 구별하기 위해 영아와 소아의 중요한 평가적 특성이 사용되었다. JumpSTART는 환자 분류를 위해 호흡을 기준 지표로 삼는다(**그림 14-1**).

START 중증도분류체계와 마찬가지로, JumpSTART 중증도분류체계는 4개의 분류 범주 있으며, 치료의 긴급도에 따라 색상으로 구분되어 있다. 분류 결정 요소는 다음을 포함한다: 도보 가능 여부(영아는 제외), 자발적 호흡의 존재, 분당 15회 이하나 45회 이상의 호흡, 촉진 가능한 말초의 맥박, 그리고 AVPU 척도에 의한 통증 자극 시의 적절한 반응.

걸을 수 있는 환자는 "경증"으로 녹색 범주에 해당되며,

즉각적인 치료를 필요로 하지는 않는다. 자발적으로 호흡하며, 말초의 맥박이 촉진되며, 통증 자극에 적절한 반응을 보이는 환자는 "지연"치료를 요하는 노랑색 범주에 해당된다.

자세를 변화시키거나 구조 호흡에도 호흡을 하지 않거나, 호흡 부전이 있거나, 호흡은 하고 있으나 말초 맥박이 만져지지 않는 경우, 또는 부적절한 통증 반응을 보이는 소아들에게는 "긴급" 중재를 위해 빨강색의 범주로 지정된다. 맥박과 호흡이 동시에 없거나, 구조호흡에 반응이 없으며 호흡이 정지된 아이는 이미 사망했거나, 사망할 것이 예견되는 검정색 범주에 지정된다.

최근에 개발되어 현재 사용되고 있는 또 다른 환자분류 체계는 분류(Sort), 평가(Assess), 소생술의 중재(Lifesaving interventions), 치료 그리고/또는 이송(Treatment and/or Transport)SALT분류체계이다(**그림 14-2**).

이 지침은 성인과 소아에게 적용 가능하다는 장점을 가지고 있으며, 연속적으로 발생하는 4가지 활동을 설명한다.

1. 음성적 명령을 사용하는 환자의 일반적 분류는 다른 위치로 이동하기 위한 지시를 이해하고 따를 수 있는 큰 소아에게 사용되어 이들이 다른 위치로의 이동 지시를 이해하여 따르지만 그 보다 어린 소아들은 지시에 반응하지 못할 수 있다.
2. 우선순위 범주의 개별적 평가와 과제는 최초로 반응하지 못했던 개인을 시작으로 이어진다.
3. 소생술의 중재는 기도의 재개방에 반응하지 않는 소아를 위해 구조호흡을 포함하여 신속하게 적용된다.
4. 마지막으로, 처치 또는 이송의 제공은 절차를 완료한다.

다양한 중증도 분류 알고리즘이 사용되고 있으며 최근에는 권장 소아 표준을 권장하고 있지 않다. EMS 시스템 내의 모든 병원 전 응급의료전문가들은 응급의료서비스체계 내에서 사용되는 방법에 숙련되어야 하며 그사용에 대한 훈련을 받아야 한다. 이 시스템은 최선으로 재난속의 소아를 위해 자리해야 한다.

처치

재난 상황에서 소아 환자의 치료는 크게 재난의 세부사항, 환자의 노출, 대응 기관들의 자원의 가용적 특성에 따라 달라진다. 치료는 항상 위험 구역(hot zone, 오염 지역), 준위험 구역(warmzone, 전체 오염 발생 우려지역), 비위험 구역(cold zone, 안전지역)을 고려하여 즉각적인 위협이나 오염 전파 공급원으로부터 환자를 이동시키는 것도 포함된다. 환자를 안전한 구역으로 이동 한 후 오염 노출도에 따라 오염 제거가 필요할 수 있다.

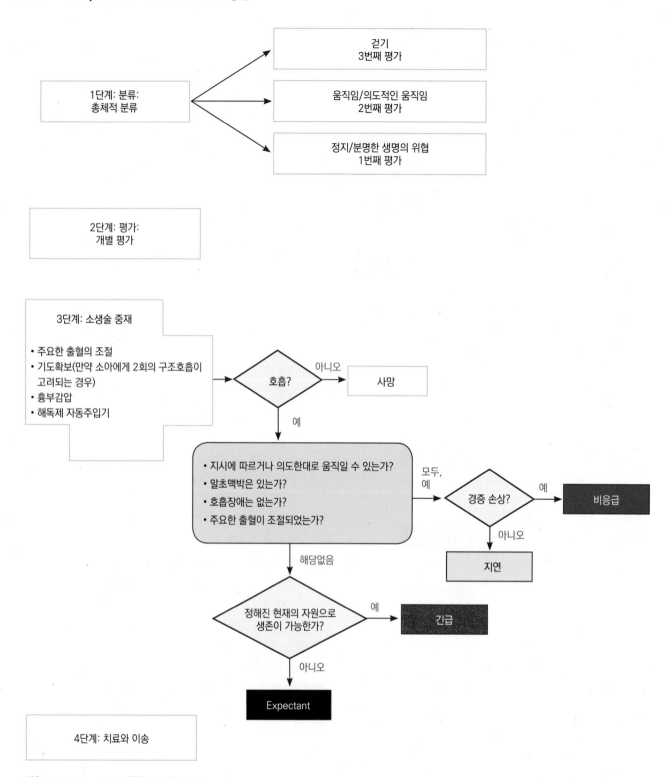

그림 14-2 The SALT 중증도 분류 체계

Chemical Hazards Emergency Medical Management, U.S. Department of Health & Human Services, http://chemm.nlm.nih.gov/chemmimages/salt.png.

오염제거는 환자, 구조대원, 장비, 그리고 물건들로부터 잠재적인 위험 성분을 제거하거나 중화시키는 물리적인 과정이다. 사람은 특정 오염원이나 이미 오염된 다른 사람으로부터 오염된 증기, 먼지, 고체 혹은 액체를 접촉함으로서 오염될 수 있다. *개인이 실제 혹은 잠재적인 유해 물질에 오염되었을 때마다 오염 제거가 수행되어야 한다.* D오염제거는

피해자의 피부를 통해 흡수 될 수 있는 유해화학 물질을 최소화하고 구조대원들의 오염도 방지되도록 설계되어야 한다. 소아의 비례적으로 큰 체표면적과 침투성이 높고 각질화가 더딘 피부 때문에, 소아들은 피부를 통한 오염원의 전신 중독의 가능성이 더 크다. 이 때문에 소아의 처치에 있어서 신속한 오염 제거의 중요성이 강조되는 것이다. 따라서 시간

은 액체 화학물질 오염원에 노출된 피부에 대한 효과적인 오염 제거의 치명적인 고려사항이다. 초기 오염에 노출된 이후 많은 양의 시간이 경과한 경우에도, 남아있는 오염원을 제거하고 다른 사람에 대한 노출의 위험을 완화하기 위해서 오염 제거를 실시한다.

가족들은 이 과정 중 함께 있게 될 가능성이 높다. 그러나 적절한 지침이나 사전 계획의 부족은 다른 성인이나 청소년에 가까운 아동들을 더 어린 아동의 오염제거에 도움을 주도록 요구할 수 있다. 함께 가족을 유지하는 것은 대응하는 의료서비스 제공자와 공공 안전요원들에게 2차적 오염의 위험을 줄일 수 있다.

소아는 성인에 비해 더 빨리 체온이 상실되기 때문에 오염제거 과정 동안 소아에 대한 특별한 치료과정이 요구된다. 이는 추운 환경에 노출되었을 때 저체온증에 대한 위험성이 더 높기 때문이다. 적절한 계획은 오염제거가 완전히 이루어진 다음 따뜻한 물, 보온 장비, 소아용 의류와 담요가 사용될 수 있도록 보장해야 한다.

이송을 위한 구급차량의 수보다 환자의 수가 더 많게 되면, 치료 지역을 지정하고 배정하여 가족들이 함께 있을 수 있도록 조치해야 한다.

환자들이 치료 지역에 도착한 후 환자의 초기 분류 상태의 변화가 있다면 2차적 중증도 분류를 시행해야 한다. 필수 의료 장비는 치료 지역의 기능적 유지를 위해 필수적이다. 각각의 다른 환자분류—빨강색, 노랑색, 녹색, 그리고 검정색—는 각각 별도의 치료 지역을 필요로 한다. 가장 경험이 많은 응급의료전문가들이 빨강색과 노랑색으로 지정된 환자를 치료하도록 해야 한다.

이송과 추적 시스템

환자 추적 기술과 함께 최초반응자에 의한 환자의 조기 발견은 모든 재난 계획과 훈련의 일부분이 되어야 한다. 사용이 가능한 여러 환자 추적 장치가 있다. 지역 자원(예를 들면, EMS 관련 기관, 병원, 응급구조사)과의 협력은 상호교류와 접근성을 보장하는 데 중요하다.

이송 관리자의 업무는 구급차에 환자를 싣고 적절한 병원의 경로를 찾는 것이며 이송 관리자는 적절한 환자가 적합한 시설로 이송될 수 있도록 융통성을 발휘하여야 한다. 병원 전 응급의료전문가들은 소아 응급상황이나 외상, 화상과 같은 특수 손상에 대비하여 소아가 적합한 병원으로 이송될 수 있도록 목표 정책과 지침을 인식하고 있어야 한다. 소아라는 이유만으로 이송을 위해 소아 환자에게 우선권을 부여해서는 안 되며, 환자의 특정한 상태에 기초하여 이송 우선순위를 결정해야 한다.

가족과의 재회

재난 반응 기간 동안 자녀와 부모의 분리가 최소화되어야 하겠지만 이러한 상황을 예상하고 준비해야 한다. 소아가 의존하는 부모나 보호자도 부상 당할 수 있으며 무력한 상태일 수 있다. 이처럼 이송이 필요한 소아 피해자와 보호자들의 경우, 재회를 보장해주기 위해 환자들의 이동 경로를 추적하는 것은 중요하다.

가족과의 재회는 진행중인 재난 발생지 또는 접근이 어려운 사건 장소에서 이루어지면 안 된다. 재난 발생지로부터 충분히 떨어진 안전한 장소가 설립되어야 한다; 종종 이 장소는 지역사회 내 또는 병원이다. 가족으로부터 분리된 소아들은 자신들의 자녀의 안전 상태에 대해 알지 못하는 부모가 그런 것처럼, 취약하고 신체적인 그리고 감정적인 외상의 위험에 처해있다. 학교 재난의 경우, 안전과 신분확인을 위한 필수적인 정보의 다수는 특정한 응급 계획에 고려된다. 그러나, 이는 설정된 국가 기준이 없기 때문에, 지역마다 다를 수 있다. 가족 재회 계획이 활성화되어야 한다면, 그리고 응급구조체계가 포함되어있다면, 다음 세 가지 별도의 장소가 설립되어야 한다:

- 재회 센터: 가족 또는 당시에 소아를 돌보고 있는 책임자들로부터 소아의 정보가 수집된다. 이는 다수의 무리가 재난의 현장이나, 접근이 어려운 사건 장소에 나타나는 것과 본인이 직접 수색을 시도하는 것을 방지하도록 도와준다. 부모들은 이곳에서 추가 지시를 기다려야 한다.
- 소아 안전 지역: 의학적으로 문제가 없는 그러나 부모 또는 보호자들과 재회하지 못한 소아들이 모이는 곳이 설립되어야 한다. 게임과 같은 활동과 간식과 같은 적절한 공급은 이 부문에 포함되어야 한다.
- 가족 재회 장소: 실제의 재회가 이루어지는 장소이다. 이곳은 소식을 기다리는 가족과 소아들의 추가적인 외상을 방지하기 위해 위 두 곳과 분리되어야 한다. 모든 장소는 심리 응급 처치 요원들을 포함해야 한다.

자연 재해

지진

북미는 복합적인 지진 발생대의 단층선상에 위치하고 있다. 단층은 지질판이 따라 이동하는 지각 간의 경계선이다. 지진은 이런 단층선을 따라 지구표면 아래의 암반이 들어 올려지고 파괴되면서 갑작스럽게 발생하는 빠른 흔들림이다.

지진에 의한 진동은 건물과 다리를 붕괴시킬 수 있으며 가스관을 파열하고 전기와 통신 서비스의 단절을 야기하며, 때때로 산사태, 눈사태, 홍수, 화재 그리고 거대한 파괴적인 해일(쓰나미)을 일으키기도 한다. 지진이 진행되는 동안 지표면의 운동은 상해나 사망의 직접적인 원인이 되는 경우는 극히 드물다. 지진과 관련된 대부분의 손상은 건물이나 축대의 붕괴, 깨어져 쏟아지는 유리창과 물건들의 낙하로 발생한다.

지진의 피해는 광범위 할 수 있으며 다양한 유형의 손상을 유발할 수 있다. 이러한 손상들 중에는 둔상과 복합적인 외상이 포함된다. 지진에 의한 사고는 특히 천식과 같은 질병을 유발하는 것으로 알려져 있다. 적절한 피난 장소의 부족은 소아들을 길 잃은 동물이나 곤충, 유해 화학 물질, 노출된 건축자재 등의 환경적 요소에 노출시킨다. 지진으로 인한 추가적인 심리적 스트레스는 가정 폭력과 아동 학대 증가에 기여할 수 있다.

> **조언**
>
> 지진과 같은 자연재해 및 환경 파괴는 종종 소아 호흡기질환 특히 천식의 주요 원인이다.

홍수

여러 가지 환경 관련 사고들은 폭우, 갑작스러운 해빙, 해안의 폭풍해일을 포함하여 홍수를 일으킬 수 있다(**그림 14-3**). 지진과는 다르게 홍수는 대게 어느 정도는 예측이 가능하며 전형적으로 점진적인 발생 과정을 가지고 있다. 따라서 가족과 헤어지게 되는 것을 예상할 수 있어 가족이 예기치 않게 이산(離散)되지 않도록 계획을 수립할 수 있다. 하지만 가족 간의 분리는 홍수가 터지는 순간 발생한다. 홍수로 인

한 추가적인 공중보건의 실질적인 양상은 식수의 오염과 질병의 확산이다. 작은 체구와 상대적으로 체액 보유량이 적기 때문에 소아들은 식수의 오염과 관련된 구토와 설사에 의한 탈수의 위험에 더 노출되어 있다.

허리케인, 토네이도 그리고 폭풍

강력한 폭풍은 지질학적 지역마다 서로 다른 양상을 보인다. 해안 지역은 허리케인이 주로 발생하는 반면 내륙 지역은 토네이도의 활동을 더 자주 경험한다(**그림 14-4**). 내륙 지역은 대부분 눈보라, 폭우, 강풍으로 인한 극심한 위험에 노출되어 종종 지역 사회에 심각한 타격을 가하기도 한다. 병원 전 응급의료전문가들은 강한 폭설 또는 폭풍우가 몰아치는 동안 추위에 의해 소아 환자들이 경험할 수 있는 잠재적인 응급상황을 인지하고 있어야 한다. 왜냐하면 영아나 소아들은 체중 대비 노출 체표면적의 비율이 높아서 피부가 젖거나 차가워지면 성인에 비해 더 빨리 열을 상실하기 때문이다. 허리케인, 토네이도 그리고 강력한 폭풍은 건물 붕괴, 전력 파괴 및 통신 중단과 함께 사람들을 고립시킬 수 있다. 또한 이 때문에 홍수가 발생할 수도 있다.

응급구조사들은 다른 지역의 요원들과 희생자들을 돕기 위한 수색 및 구조 활동을 위해 다른 지역 기관과의 협응을 위해 노력해야 한다. 이러한 사고들은 건물 피해나 환경적인 조건들을 악화시켜 소아나 노인들의 부상 위험을 높인다. 또한 가족과의 이별에 대한 정서적 위기감은 물론 천식의 악화, 호흡기계 질환 및 위장염 등의 문제를 가중시킨다.

소아들은 사고가 발생한 당일의 시간대에 따라 학교, 아동 보호기관, 또 다른 장소에 모여 있을 수 있다. 어린 소아들은 사고에 대한 이해를 하지 못하며, 주로 사랑하는 사람과의 이별에 주로 관심이 집중된다. 보호자와 헤어지고 현재의 사건들을 이해하지 못하는 것은 그들의 감정적인 요구를 관

그림 14-3 홍수는 많은 지역에서 매년 발생하는 걱정거리이다.
Courtesy of Dave Saville/FEMA.

그림 14-4 내륙지방에서의 토네이도
© Clintspencer/E+/Getty Images.

리하는 것을 어렵게 만든다. 응급의료체계는 이런 정서적 위기감을 예측 할 수 있어야 하고 가능한 빨리 가족과의 소통계획을 수립하고 가족과의 재회를 유도 할 수 있어야 한다.

> ### 조언
>
> 응급의료체계는 재난 과정 동안 가족과 헤어진 소아들의 정서적 위기감을 예측할 수 있어야 하며 가능한 빨리 가족과의 소통계획을 수립하고, 가능한 한 빠르게 가족들이 재회할 수 있게 해야 한다.

전염성 질병

매년 상당한 전염성이 있는 질병이 발생한다. 가끔, 소아들은 이러한 질병 발생의 중심에 있다. 이러한 전염병 발생은 인플루엔자, 수두, 홍역, 그리고 간염 등을 포함하고 있다. 때로는 인플루엔자와 같은 바이러스는 지역 사회를 공격하여, 병원 전 혹은 의료서비스의 수요를 증가시키기도 한다. 간헐적으로 병원 전 응급의료전문가들은 감염된 환자들을 접촉하는 과정에서 질병의 전염에 노출되는 위험에 처하기도 한다.

인위적 재난

인위적 재난은 유해물질 사고, 건축의 부실, 그리고 대량 살상이나 테러와 같은 범죄행위를 포함한다. 이러한 사고들은 직접적인 재난의 손상을 겪지 않은 소아에게도 외상 후 스트레스 장애(PTSD), 또는 불안과 같은 광범위한 영향을 미칠 수 있다.

위험물 폭발

일상생활에서 위험물질은 주변 어디에나 존재한다(**표 14-2**). 이러한 위험물질은 청소, 냉동, 수영장 관리; 연료; 농업용 제품에 사용하는 화학물질들을 포함한다. 이러한 화학물질들은 대부분 가정은 물론 학교나 다른 공공시설에서 발견된다. 게다가, 메타페타민(필로폰)의 제조와 같은 불법적인

표 14-2 일반적인 위험물질 예	
디젤 연료	살충제
가솔린	농약
모터오일	프로페인
제조제	천연가스

활동은, 높은 폭발성과 독성을 가진 물질을 사용한다. 이에 사용되는 물질은 화상을 유발하고 소아를 포함한 주변 사람들에게 심각한 손상을 초래한다.

> ### 조언
>
> 소아는 비율적으로 더 넓은 체표면적과 얇은 피부를 갖고 있어 화상, 화학물질, 흡수되는 독소에 의한 손상에 매우 취약하다.

건축물 붕괴

건물, 교량 그리고 플랫폼은 때로는 붕괴된다. 이러한 건축물의 붕괴는 전형적으로 복합적인 손상을 야기한다. 피해자들은 광란에 빠지게 되고, 혼란스러울 것이며 개인은 다른 피해자 밑에 매장될 지도 모른다. 소아들은 특히 학교나 오락시설과 같은 곳에서의 붕괴가 발생했을 때 주요 피해자가 된다.

학교와 대량 총격

범죄에 있어 골칫거리가 되는 문제는 범죄 행동이 아이들을 목표로 하고 있다는 것이다. 이러한 재난은 끔찍한 대량 사상자를 만들어 낼 수도 있다. 학교 총격 사건은 이런 형태의 재난 중 가장 잘 알려진 형태이다. 병원 전 응급의료전문가를 위한 안전문제, 의사소통의 요구, 피해자와 제공자 그리고 지역 사회의 감정적 반응; 그리고 응급 대응 자원의 중대한 수요 확장 때문에 학교 총격은 특수한 어려움을 가중시킨다. 심지어 학교 총격에서 손상을 입지 않은 소아들도 자원활용에 영향을 끼칠 수 있는 사건에 대한 감정적인 반응을 할 것이다.

학교 또는 대량 총격에 재난계획을 갖는 것은 법률 집행의 개입, 손상을 입지 않은 소아들의 안전, 그리고 이 챕터에서 미리 언급한 재회에 초점을 맞춰야 한다.

테러리즘

테러 행위는 세계 모든 지역에서 발생하는 위협이다. 때때로, 가해자에 의한 죽음과 손상에 대한 정신적인 충격과 취약한 피해자들의 부상 가능성 때문에 아이들은 자주 목표가 된다(**그림 14-5**).

> ### 조언
>
> 새로운 골칫거리의 경향은 소아를 목표로 하는 범죄이다. 종종 학우들에 의해, 학교에서의 총기 난사와 테러리즘이 발생하고 있다.

그림 14-5 학교 테러범의 공격으로부터 소아들의 대피
© Mike Stocker/South Florida Sun-Sentinel/AP Images.

표 14-3 재난에 취약한 소아의 특성

소아의 특성	재난 동안의 특별한 위험
호흡	더 높아진 미세한 양은 흡인된 작용제에 대한 노출로부터의 위험을 증가시킨다. 핵폭발로 인한 방사능 낙진과 무거운 가스가 바닥으로 가라앉기 때문에 소아에게 더욱 심각한 영향을 미칠 수 있다.
위장	오염에 노출된 후 구토와 설사에 의한 탈수의 위험에 빠질 수 있다.
피부	높은 체표면적의 비율은 피부 노출의 위험을 증가시킨다. 피부가 더 얇기 때문에 화상이나 화학물질, 그리고 흡수될 수 있는 독소로부터 부상을 당하기 쉽다. 피부가 젖었거나 차가울 때 증발하는 손실이 더 높기 때문에 특히 저체온증을 발생시킬 확률이 높다.
내분비선	방사능 노출에 의한 갑상선 암의 위험이 증가한다.
체온조절	저체온증의 높아진 위험으로 체온 조절 문제를 다루기가 어려워진다.
발육발달	환경적인 위험에서 탈출하거나 위험을 예상하는 능력이 부족하다.
심리학적	중대한 사고에 의한 장기간의 스트레스와 분리 불안에 취약하다.

취약한 소아의 재난에서의 생리학적, 심리학적 특성

소아의 해부학적, 생리학적 특성 때문에 소아는 재난에 의한 영향에 매우 취약하다. 게다가, 자신의 미숙한 행동과 심리학적인 특성들은 그들을 즉각적인 손상을 입는 것과 장기간 영향을 받기에 높은 위험에 처하게 한다. **표 14-3**은 어린이들을 재난 기간 동안 높은 위험에 처하게 하는 생리학적, 심리학적으로 취약한 특성들을 요약하고 있다.

생리학적 고려사항

소아는 성인에 비해 호흡수가 빠르기 때문에 대량의 화학적 또는 생물학적 약제의 흡입에 더욱 취약하다. 더욱이 아이들의 작은 신장은 "호흡 영역"을 낮추게 되어, 화학 물질이나 화재에 의해 발생하는 공기보다 밀도가 높은 물질의 경우에 잠재적인 흡입 손상에 더욱 취약하게 된다. 소아의 호흡수 증가는 자신도 모르게 체액 손실을 유발하여, 나아가 탈수의 위험에 노출되게 한다. 소아 환자의 기도는 적응력이 낮은 특징을 가지고 있다. 이러한 특성은 좁은 기도 직경으로 인해 쉽게 점액, 부종 또는 분비물 폐쇄를 가져온다.

소아는 성인에 비해 적은 체액 저장과 적은 순환 혈액량으로 인해 탈수에 더 취약한다. 탈수의 원인은 고온 노출, 화상, 구토, 설사 등이 있다. 증가된 대사는 성인에 비해, 종종 약물을 다르게 대사하는 원인이 된다. 이러한 특성은 응급구조사가 해독제를 투여했을 때 약물과 투여량을 조절할 필요가 있다. 특별한 건강관리가 요구되는 소아(CSHCN)는 일반적인 소아가 필요로 하는 건강 관련 서비스보다 더 많은 서비스를 요구하는, 만성적인 신체적인; 발달상의; 행동적인; 또는 정서적인 상태를 가진 소아를 포함한다. 재난 시에는 이러한 소아는 차선의 결과에 대한 위험이 증가될 수 있다. 최적의 관리와 지원에 필요한 아이들의 중요한 의료 정보를 요약한 긴급 정보 양식(EIF)은 이러한 상황에서 이용될 수 있다. CSHCN에 대한 자세한 내용은 10장을 참조한다.

소아의 감정적 반응

재난이나 대량사상자 발생사고(MCI)에 대한 반응은 소아와 그 가족의 정서적인 상태에 관한 평가를 포함시켜야 한다. 소아의 정신 건강에 대한 요구 또한 재난 대응 계획 시 사고관리 체계 내에서 반드시 인식되어야 한다. 소아과적 전문성을 가진 적합한 정신건강 담당자에 의한 적절한 스트레스 관리 및 상담 서비스의 보장은 재난의 결과에 중요한 역할을 한다. 보호자와 소아를 재회시켜 주는 것은 아동-가족 중심의 치료에 있어 핵심이다. 소아와 보호자의 정서적 반응은 두려움과 불안에서부터 우울증, 슬픔 그리고 외상 후 스트레스의 증상까지 나타난다. 소아들은 특히 외상 후 스트레스 반응에 취약하다. 만약에 소아가 그들의 부모로부터 헤어지게 될 경우 피난대피소 관리에 관한 소아적인 측면들이 고려되어야 할 필요가 있다. 각 소아들은 그들의 나이와 성숙 정도, 이전의 재난 경험, 문화적 배경에 따라 재난에 각각 다르게 반응할 것이다. 그러나 모든 연령대의 소아들은 재난으로부터 불안감을 느끼게 되며, 어린 소아들은 재난을 그들 자신과 그들이 걱정하는 사람들에 대한 개인적인 위협으로 인식을 하게 될 수도 있다.

소아에 대한 화학적, 생물학적, 방사능, 핵, 폭발 재난의 영향

화학 약품

전 세계 존재하는 수백만 종류의 화학약품은 잠재적으로 인간의 건강에 유해하다 (표 14-4). 화학약품은 트럭, 기차, 비행기를 통해 매일 같이 전국으로 운송되며, 이러한 운송과정에서 의도치 않게 혹은 의도적으로 많은 집단들이 화학약품에 노출될 가능성이 있다.

게다가, 화학무기의 경우, 손상, 사망, 그리고 질병을 유발하기 때문에, 응급구조사에게 매우 중요한 고려사항이다. 화학약품의 누출이 감지가 되면, 위험물질(HazMat) 대응에 훈련된 정부관료들이 독성에 대한 파악, 상대적 위험도, 오염제거 절차, 요구되는 구체적 치료방법의 핵심적인 역할을 수행하게 된다.

특정 화학약품의 특징 및 치료방법

신경작용제
신경작용제는 극도의 독성을 가지고 있으며, 급속한 효과를 나타낸다. 일반적인 약제에는 타분, 사린, 소만, VX, 유기인

표 14-4 인간의 건강에 해로운 일반적인 화학약품

부동액과 워셔액을 포함하는 알코올계	가구 광택제, 가솔린, 액체 가스, 도료희석제를 포함하는 탄화수소계
암모니아	세탁 세제 캡슐
석면	살충제
세탁용 표백제	쥐약
염소	황산
배관, 오븐 세척제	변기 세척제

산화학물이 있다. 가스, 연무제, 액체 형태의 신경작용제의 경우 흡입이나 피부를 통해 체내로 유입된다. 흡입이나 피부를 통해 체내 유입되는 특징은 소아에 있어 더욱 강력한 효과를 보이게 되는데, 이는 소아의 경우 상대적으로 빠른 호흡수와 질량대비 상대적으로 넓은 피부면적을 가지고 있기 때문이다. 신경가스에 의한 중독은 신경가스에 의해 노출되어 있던 액체나 음식을 섭취를 통해 발생할 수 있다.

모든 신경작용제는 인체의 분비선과 근육의 "끄기 전원(off switch)"의 역할을 하는 신경전달물질의 작용을 방해하는 방법을 통해 독성효과를 보인다. 신경작용제에 노출되어 분비선과 근육의 "끄기 전원(off switch)"의 작용이 저해되거나 없어지게 되면, 분비선과 근육은 지속적으로 자극을 받게 될 것이며, 이는 결국 호흡유지조차 할 수 없게 된다.

증상의 급격한 발현 때문에, 성인과 소아가 같은 신경작용제 노출을 겪게 될 경우, 소아 환자는 신경작용제에 상대적으로 민감하여 증상이 성인에 비해 빨리 나타나게 될 것이다.

신경작용제 노출의 최초 징후와 증상은 전두골 두통, 안구 통증, 동공축소, 콧물, 식욕부진, 구역질, 과도한 땀 분비, 가슴압박감, 가슴쓰림 등을 포함한다. 만약 환자가 과량의 신경작용제에 노출되었다면 복부 경련, 구토, 다한, 호흡곤란, 설사, 침, 눈물, 잦은 배뇨(빈뇨), 무의식적 배뇨와 배변, 또는 과도한 기관지 분비작용 등이 발생할 수 있다. 소아환자의 경우 위장액의 감소로 인한 탈수 증상에 더 취약하다. 이는 증상에 대한 관리를 더욱 어렵게 만든다. 게다가, 무호흡, 발작, 마비, 그리고 혼수상태가 나타날 수 있다. 느린맥이 일반적이다(그러나 빠른맥이 발생할 수도 있다).

신경작용제 노출 환자에 대한 치료에는 오염제거방법과 아트로핀, 프라리독심(2-PAM), 그리고 벤조디아제핀과 같은 약제 처방이 있다. 이러한 약제들은 모두 효과적인 흡수를 위해 근육내주사로 주입한다. 해독제는 앞서 언급되던 징후와 증상을 보이는 심각한 상태의 환자에게 제한적으로 사용한다. 피부 접촉을 한 경우, 탈의를 시키고 다량의 물을 이용해서 오염물질을 제거한다. 환자의 분비물이 줄어들거나, 기관지 경련이 진정될 때까지, 아트로핀 0.05-0.1 mg/kg을 IV 또는 IM (최대 5 mg)을 통해서 2분에서 5분마다 반복 투여한다. 프라리독심의 경우, 25 mg/kg을 (최대 1 g IV 또는 2 g IM) 5분에서 30분에 걸쳐서 투여한다. 지속적인 쇠약 증상을 호소하는 환자에게는 필요한 경우 30에서 60분 후에 반복 투여한다. 발작의 경우, 미다졸람을 IM으로 0.1 mg/kg 또는 비강 내로 0.2 mg/kg(최대 10 mg) 투여한다. PPE를 착용하는 개개인의 경우 응급현장의 환경이 응급구조사에게도 현장상황에 대한 주의를 요하며, 동시에 환자에 대한 구조치료를 이행하기가 쉽지 않다. 게다가 PPE를 착용시, 소아 환자가 겁을 먹기도 하므로, 이는 응급상황을 더욱 어렵게 만들기도 한다.

시안화물

시안화물은 빠르게 작용하는 특징이 있어 잠재적으로 치명적인 화학물질이다. 시안화물은 다양한 형태로 존재하는데, 무색의 가스 혹은 결정형태일 수도 있다. 때때로 "쓴 아몬드" 냄새를 가지고 있다고 알려져 있으나, 항상 냄새가 나는 것은 아니며, 모든 사람이 이 냄새를 알아차릴 수 있는 것이 아니라고 밝혀졌다. 시안화물은 몇 종류의 식품과 특정 식물

속 천연물질에서 분비되기도 한다. 플라스틱과 같은 합성물질(예를 들어 집 화재 시)의 연소물질이나 담배 연기 내에 존재한다. 시안화물이 포함되어 있는 공기, 식수, 음식을 섭취하거나, 토양을 접촉하면 시안화물에 노출될 수 있다. 노출된 시안화물의 양과 노출 경로, 노출 시간과 시안화물 중독 정도는 상관관계가 있다.

섭취 경로를 통한 시안화물 노출도 위험하지만, 시안화물 가스 흡입이 가장 유독하다. 시안화물은 체내 세포가 산소를 이용하는 것을 방해한다. 이 상황이 발생하면, 세포는 죽게 된다. 시안화물은, 심장과 뇌가 다른 기관에 비해 더 많은 양의 산소를 필요로 하므로, 이 장기들에 더욱 치명적이다. 소아가 호흡이나 피부접촉, 음식 섭취를 통해 적은양의 시안화물에 노출되게 되면 몇 분 이내에 빠른 호흡, 불안감, 현기증, 쇠약, 두통, 구역질과 구토, 그리고 빠른맥과 같은 증상 가운데 일부 혹은 모두가 나타날 수 있다. 소아가 어떤 경로에 의해 많은 양의 시안화물에 노출되게 되면 경련, 저혈압, 느린맥, 의식 소실, 폐손상, 죽음에 이르게 되는 호흡부전 등을 일으킬 수 있다. 시안화물은 매우 휘발성이 강하기 때문에, 시안화물에 오염된 환경에서 벗어나 다른 깨끗한 환경으로 환자를 옮겨 놓는 것이 충분한 시안화물 오염제거방법인 경우가 종종 있다.

만약 소아가 시안화물 누출에 의해 전신이 노출되었다면, 옷을 벗기고 따뜻한 비눗물로 씻겨준다. 시안화물이 세포의 산소사용을 방해하는 것을 알려져 있으나, 100% 산소 공급을 통한 치료요법은 시안화물 중독환자에게 효과가 있으므로, 반드시 시행하도록 한다. 대부분의 시안화물 중독 환자는 이러한 간단한 처치요법에 효과를 보이는 것으로 알려져 있다.수산화코발라민은 새로운 시안화물 해독제로서 기존의 시안화물 키트의 세가지 해독제보다 독성이 낮은 것으로 알려져 있다. 수산화코발라민은 수산화코발라민의 하이드록시기를 시안나이드로 치환하여, 시안화코발라민(비타민 B12, 콩팥에서 나오는 수용성 비타민)을 생성한다. 최초용량은 IV로, 15분 이상 동안 성인환자에게는 5 g, 소아 환자에게는 70 mg/kg을 투여한다. 두 번 째 투여용량은 최초용량과 같거나, 최초용량의 절반(환자의 독성 반응 정도에 따라)을 최초 투여 후 15분에서 2시간 동안 투여한다. 고혈압, 피부, 점막, 소변의 적색화가 수산화코발라민의 부작용으로 나타나기도 한다.

응급구조사는 현 상황이 신경작용제 노출에 의한 환자 발생 상황인지, 혹은 시안화물 노출에 의한 것인지 판별하고, 각 상황에 맞은 해독제를 즉각적으로 투여하는 중요한 역할을 해야 한다. 신경작용제 노출 환자의 경우

청색증, 동공수축에 의한 변형된 시야, 분비물 분비 증가, 기관지연축과 같은 증상이 더 잘 나타난다.

폐중독

폐중독은 폐부종을 유발한다. 가장 널리 알려진 작용제는 포스진(phosgene)과 염소(chloride)가 있다. 눈과 기도 염증, 호흡 곤란, 가슴압박이 전형적인 증상으로 알려져 있으며, 대부분의 경우 노출 몇 시간 후 폐부종이 발생하게 되고, 이로 인한 호흡곤란 증상을 겪게 된다. 오염 물질 제거 및 필요 시 기관내삽관을 통한 전문 기도 확보를 포함하는 적절한 처치가 수행되지 않는 경우, 환자는 호흡 정지에 이를 수 있다.

발포제

발포제는 화학물질로 피부수포, 발진, 눈과 기도의 염증, 그리고 구토와 설사를 유발한다. 발포제에 대한 노출은 흡입, 흡수, 혹은 섭취를 통해 이루어진다. 가장 일반적인 발포제로서는 유황 머스타드(머스타드 가스)와 루이사이트(미란성 독가스)가 있다. 피부 수포는 피부 접촉 후 수 시간 뒤에 발생한다. 머스타드 가스는 즉각적 영향을 주지 않지만, 루이사이트는 눈과 피부, 기도상부에 즉각적인 염증을 야기한다. 액체형태의 루이사이트가 피부에 접촉될 경우 수초 이내에 접촉 표면에 통증과 쓰라림을 일으킨다.

발포제에 대한 처치요법은 저압력의 따뜻한 비눗물을 다량 이용한 오염물 제거와; 눈 세척; 기도 관리; 그리고 산소 공급을 포함하고 있다. 상처부위는 건조 드레싱한다. 루이사이트에 대한 해독제로서 BAL(British anti-lewisite)을 3 mg/kg 의 투여량으로 근육내 주사로 투여가능하다. 단, BAL이 소아환자에게 투여된 경험은 적다.

생물작용제

인간생명을 위협하는 많은 종류의 생물작용제가 존재하나 (**표 14-5**). 예를 들어, 아주 흔한 독감이나 치명적인 페스트가 생물작용제에 해당한다. 테러집단에 의해 사용되는 생물학적 무기는 광범위한 질병과 죽음을 야기할 수 있다. 무기로 사용될 수 있는 전형적인 종류는 탄저균, 천연두, 보툴리누스, 흑사병이다. 이러한 작용제의 구입과 제조가 상당히 용이하기 때문에 테러범들은 이 요인들을 이용하기도 한다.

표 14-5 인간에게 위협이 되는 생물학적제제

탄저병(Anthrax)	흑사병(Plague)
보툴리누스중독	리신
콜레라	천연두(Smallpox)
에볼라	야토병/야생토끼병
인플루엔자	

더욱이, 학교나 보육시설내에 있는 어린 아이들과 같이 다수의 사람들에게 퍼질 수 있는 강한 전염성을 가지는 특성이 있기 때문에 더 이용된다.

특정한 생물작용제의 평가와 처치요법

생물학적 병원균

고의적이든, 우발적이든, 혹은 자연발생적이든 상관없이, 발생하게 된 생물학적 병원균의 유출은 질병 혹은 사망을 일으킬 수 있다. 사람은 흡입, 피부, 혹은 이미 감염된 음식이나 물 섭취를 통해서 병원균에 노출되며, 노출 후 나타나는 신체적 증상들은, 지연되어 나타날 수 있으며, 때로는 자연 발생적인 질병과 혼동이 될 수도 있다. 이러한 생물작용제들은 유출 후 환경 속에 남아 존속되면서, 향후 문제를 발생시킬 수 있다.

천연두(Smallpox)

1977년 세계적 천연두 박멸이 마지막으로 이루어진 후, 천연두 백신 접종이 진행되지 않았기 때문에, 현재 인구의 상당수가 백신 접종이 되어 있지 않은 상황이다. 이 위험 군내에는 어린이와 청소년을 포함하고 있다. 천연두는 천연두 바이러스(variola virus)에 의해 발생한다. 잠복기간은 바이러스에 노출된 후 대략 12일(7-17일 사이)이다. 초기 증상은 고열, 피로, 두통과 요통이 있다. 초기 증상이 나타난 지 2-3일 후, 주로 얼굴, 팔, 다리에 특유의 발진이 나타나기 시작한다(**그림 14-6**). 발진은 납작하고 붉은 상처와 함께 나타나기 시작해서 비슷한 속도로 진행된다. 상처는 고름으로 차고, 둘째주 초에 딱지가 생기기 시작한다. 딱지가 더 딱딱해진 다음 분리되고, 대략 3-4주 정도에 떨어진다. 대부분의 천연두 환자는 회복이 되지만, 환자의 30%까지는 사망에 이르게 된다. 천연두는 사람 사이에 감염된 침 몇 방울에 의해 전염되며, 보통 천연두 환자와 대

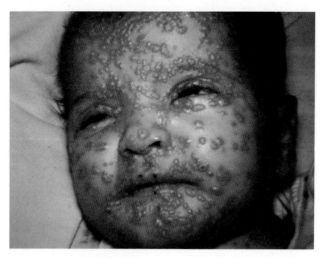

그림 14-6 천연두(Smallpox)
Courtesy of CDC/Dr. John Noble, Jr.

면 접촉을 하게 된 경우를 통해 발생하게 된다. 천연두의 전염성은 환자의 침 속에 가장 많은 양의 바이러스가 존재하는 첫 주에 가장 강력하다고 알려져 있다. 공기, 비말, 접촉에 대한 주의가 필수적이며, 가운, 장갑, N-95 마스크, 그리고 보안경의 착용은 즉각적으로 시행되어야 한다. 노출된 상처, 병변은 시트로 커버 되어야 하며, 환자는 마스크를 착용하여야 한다. 개개인이 바이러스에 노출이 된 경우, 노출 4일 이내에 백신 접종을 하게 되면 질병 발생을 막을 수 있다. 환자와 접촉한 사람의 경우, 음압시설내에 격리시켜 마지막 접촉 후 17일 동안 발열 여부를 관찰한다.

탄저병(Anthrax)

탄저병은 포자를 형성하는 세균 바실러스 안스라시스(Bacillus anthracis)에 의해 발생하는 급성 전염병이다. 탄저병은 발굽 포유류에게 일반적으로 발병되는 것으로 알려져 있으나, 인간에게도 감염될 수 있다. 탄저병의 증상은 탄저균에 노출된 형태에 따라 다양하지만, 보통 노출 후 7일 이내에 나타나기 시작한다. 흡입, 피부, 장내감염성 형태가 심각한 인간 탄저병 유형에 속한다. 흡입 탄저병 감염 시 최초 증상은 일반적인 감기와 비슷하지만, 수일 후에는 심각한 호흡 관련 문제와 쇼크로 진행될 수 있어, 흡입 탄저병은 때때로 아주 치명적인 결과를 야기할 수 있다. 장내감염 탄저병은 오염된 음식 섭취로 발병되며, 급성 장관 염증을 유발하는 것이 특징이다. 초기 증상은 구역질, 식욕 감퇴, 구토, 열이 있으며, 이후 복부 통증, 각혈, 심각한 설사가 나타난다. 흡입탄저병과 장내감염탄저병의 경우, 직접적인 사람 간의 전염은 거의 발생하지 않는다. 그러나, 피부 탄저병은 사람 간 직접적인 피부접촉에 대한 주의가 요구된다. 피부병변 접

촉 시 장갑 착용, 손 씻기, 그리고 기구의 세척과 멸균이 요구된다. 또한, 탄저균 포자에 대한 노출 위험이 있는 경우, 응급구조사는 반드시 장갑, 가운, 그리고 마스크를 착용을 하고 환자와 환자의 옷, 또는 다른 매개물의 오염제거를 하도록 한다.

> **조언**
>
> 인간 탄저병의 심각한 형태는 흡입, 피부, 장내 탄저병이다.

흑사병(Plague)

흑사병은 페스크균(예르시니아속 페스크균)(Yersinia pestis)란 세균에 의해 동물과 인간에게 발병하는 전염성 질환이다. 페스크균은 세계 곳곳의 설치류와 설치류의 벼룩에서 발견된다.

이 페스크균가 폐에 감염되면 폐흑사병이 발병하게 된다. 폐흑사병의 첫 번째 징후는 열, 두통, 쇠약감, 피나 묽은 가래 기침이며, 2-4일 후 패혈증성 쇼크가 올 수 있고, 초기 치료를 받지 못할 경우 사망에 이르기도 한다. 폐흑사병의 사람 간 전염은, 환자와 대면 접촉을 한 사람에게 호흡기 비말을 통해서 전염되므로, 호흡기 비말에 대한 주의가 요구된다.

리신(Ricin)

리신은 아주까리(Ricinus communis) 씨에서 나온 잠재적인 단백질 합성 억제제이다. 아주까리씨는 전 세계적으로 쉽게 이용 할 수 있으며, 아주까리씨의 독소인 리신도 상당히 쉽게 생산된다. 리신이 작은 에어로졸 입자로 흡입될 경우, 8시간 내에 흉부 압박감, 호흡 부족, 기침과 같은 심각한 호흡 관련 증상과 열과 근육통과 같은 병적인 변화가 나타나는 것으로 알려져 있다. 36-72시간 내에는 폐부종과 함께 청색증, 호흡 부전이 발생한다. 리신을 섭취하게 될 경우, 구토와 혈변 설사와 같은 심각한 위장관 증상을 야기하며, 궁극적으로 환각, 발작, 저혈압 증상을 보이며, 결국 혈관 허탈을 보이며 사망에 이르게 된다. 증상에 따른 치료가 이루어져야 하지만, 리신 중독 초기 진단이 실제로 매우 어려운 편이다. 응급구조사가 해야 할 리신 오염 제거는 화학물질 저항성을 지닌 옷; 장갑; 외과수술용 마스크; 눈, 얼굴 보호장비를 착용한 상태에서, 환자가 이송되기 전 환자가 발생한 장소의 온역에서 이루어져야 한다. 머리쪽으로 잡아 올린 환자의 옷은 잘라서 이중으로 담아서 폐기되어야 한다. 피부는 비누와 물로 오염을 제거하며, 환자가 콘텍트 렌즈를 착용하고 있다면,

이를 제거하고 10-15분 동안 눈을 세척한다. 리신 오염물이 제거되면, 더 이상 사람 간에 옮겨지지 않기 때문에 표준 주의를 기울여야 한다.

보톨리누스

보톨리누스 독소는 토양에서 흔히 발견되는 혐기성 박테리아 클로스트리듐보톨리눔(Clostridium botulinum)에 의해 발생된다. 보톨리누스는 이 독소에 노출이 된 결과이며, 주로 오염된 음식을 섭취나 생물학적 테러에 의해 발생한다. 보톨리누스 독소는 주로 신경과 근육 접합부에 작용하여, 아세틸콜린 분비를 저해하여, 궁극적으로는 이완성마비를 일으키게 된다. 독소의 효과가 분명하게 나타나기까지 24시간에서 수일이 걸리며, 환자에게 눈꺼풀처짐(안검하수), 동공확대(산동), 시야흐림, 불분명한 발음, 삼킴곤란(연하곤란), 구강과 점막 건조, 이완마비, 그리고 호흡부전이 나타난다. 신경가스 노출에 의해 발생하는 증상과 가장 뚜렷한 차이로는 초기 근육 연축이 나타나지 않으며, 동공확대(산동), 점막 건조가 나타나며, 독소에 노출된 후부터 증상이 나타나기까지 걸리는 시간에 있어 차이가 있다.

포자를 형성하는 보톨리누스 박테리아는 먼지나 꿀 제품에 의해 오염될 수 있다. 따라서, 1세 미만의 아이에게 꿀을 먹이지 않도록 주의한다. 보톨리누스 노출에 대한 치료는 주로 산소호흡기를 통한 보조 치료로 이루어 진다.

그러나 노출 후 잠복기에 투여하는 것이 가장 효과적인, 보톨리누스 항독소를 사용하는 것에 대한 이점이 있을 수 있다. 증상이 나타난 후에는 이러한 치료제는 증상의 진행 속도를 늦출 뿐이다. 보톨리누스 중독은 전염성이 없으며, 환자 치료에는 표준 예방 조치가 적용되어야 한다.

에볼라(ebola virus disease)

에볼라 바이러스는 필로바이러스과에 속해 있으며, 사람에게 심각한 출혈열을 일으킬 수 있다. 증상은 발열, 점막 출혈, 원인 불명의 출혈, 점상출혈, 근육통, 무기력, 설사, 그리고 구토를 포함한다. 바이러스는 피 또는 체액 그리고 체액으로 오염된 기구(주사기, 바늘)을 통한 직접적인 접촉에 의해 전염이 된다. 에볼라는 매우 전염성이 강하지만, 환자에게 증상이 발현되기 전에는 전염되지 않을 것이다. 증상은 바이러스에 노출된지 2-21일에 걸쳐서 나타난다. 그러므로 21일 이내에 발병 지역에 다녀온 열이 있는 사람은 전염되었다고 간주되어야 하며, 처치가 필요하다.

생물학적질병에 대한 구체적인 치료방법

표 14-6에는 생물학적 작용제에 의해 발생하는 질병에 대한 구체적인 처치방법이 요약되어 있다(소아 투여량 포함).

방사선

방사선 노출에 의한 사고는 드물기는 하지만, 방사선 물질이 사용, 저장, 운반되는 곳이면 어디서든 발생 가능하다. 원자력 발전소, 병원, 대학, 연구실, 산업단지, 주요 고속도로, 철로, 선적장소 등도 모두 사고 발생 가능지역이다. 특정한 방사선 물질은 인체의 세포에 악영향을 끼치기 때문에 방사선 물질은 위험하다. 방사선에 장시간 노출될수록 위험은 더 높아진다. 소아의 경우 세포의 재생 속도가 빠르므로 방사선 노출에 더욱 민감하다. 방사능 무기는 핵폭탄과 "방사능 물질이 들어있는 폭탄(더러운 폭탄: dirty bomb)"을 포함한다. 방사선은 시각, 후각을 포함한 감각기관으로 감지가 되지 않는다.

핵

방사능 물질이 들어있는 폭탄(dirty bomb)은 방사능 물질 살포 장치라고도 알려져 있으며, 다이너마이트와 같은 기존 폭탄과 이 폭탄이 터질때 방사능 물질이 함께 방출되도록 의도하여 구성되어 있다. 이 폭탄은 폭발 시 기존의 폭탄물의 폭발과 공기 중에 운반되는 방사능 오염을 통해 인명을 살상한다. 그래서 '더러운(dirty)'이란 용어를 사용한다.

핵폭탄은 핵분열과 결합의 힘을 이용하여 강력한 진동, 열 파장, 빛, 공기압, 방사선을 만들어 낸다. 핵폭탄 폭발 시, 폭발 자체로 인해 혹은 폭발로 인한 파편에 의해 사상자가 발생한다. 핵폭탄에 의한 희생자들에게서 폭발 장소로부터 그들이 위치한 거리에 따라 가벼운 혹은 심각한 화상이 발견된다. 핵폭발을 직접 육안으로 목격한 사람은 일시적 실명에서부터 심각한 망막 손실에 이르기까지 눈에 관련한 광범위한 손상을 입게 된다. 폭발장소에 근접해 있던 사람의 경우 높은 수준의 방사능에 노출되게 되고, 방사능 관련 질병의 증상이 나타난다.

핵폭발로 인한 방사능 노출에는 외적노출과 내적노출, 2가지가 있다. 외적노출은 핵폭발이나 방사능 낙진에 인체가 노출되었을 때 나타난다. 내적노출은 방사능 낙진에 의해 오염된 음식을 먹거나 공기를 마실 때 발생한다. 방사능 낙

표 14-6 생물학적 테러 감염에 의한 의학적 관리

노출 전 백신 및 약물투여	증상과 노출 후 치료	증상없이 노출 후 치료
탄저병, 흡입 Biothrax 백신 0.5 mL IM(근육) 또는 SC(피하) 최초 접종 이후 4주, 6, 12, 18개월 재접종 해야하며, 그 이후에도 매년 접종을 권장. *이 백신은 18세 미만은 사용하지 않는 것이 좋다.	Ciprofloxacin, 15 mg/kg IV(정맥주사) 하루 2회(최대 1g/day) 또는 Doxycycline 만약 8세 이상 그리고 45 kg 이상이면, 200 mg 투여한 후 60일동안 100 mg씩, 하루에 두 번 정맥투여 만약 8세 이하 또는 45 kg 이하이면, 4.4 mg/kg 투여한 후 60일동안 2.2 mg/kg씩 하루에 두 번 투여(최대용량 200 g)	Ciprofloxacin, 15-20 mg/kg(최대 1g/day) 60일 동안 하루 2회 경구 투여 또는 Doxycycline 만약 8세 이상 그리고 45 kg 이상이면, 60일동안 100 mg씩, 하루에 두 번 경구 투여 만약 8세 이하 또는 45 kg 이하이면, 60일 동안 2.2 mg/kg씩 하루에 두 번 경구 투여(최대용량 200 g)
천연두 ACAM 2000 백신 유아(12개월 이하)에 대한 백신은 없다. 18세 이하 혹은 천연두 발병 전 백신접종을 권장하지 않는다.	지지요법 이외에 현재 치료는 하지 않는다.	노출 후 96시간 이내에 백신접종
전염병, 폐렴 가능한 백신 없음	Gentamicin, 2.5 mg/kg 근육 또는 정맥주사 10일 동안, 혹은 Doxycycline(45 kg 이상), 2.2 mg/kg (최대 200 mg) 10일 동안 하루 2회 투여 혹은 Ciprofloxacin, 15 mg/kg(최대 1 gm) 10-14 일 동안 하루 2번 투여	Doxycycline(45 kg 이하), 7일 동안 하루 2회 경구 투약(최대 200 mg) Doxycycline (45 kg 이상) 7일 동안 하루 1회 경구 투약 혹은 Chloramphenicol (2세 이상), 15 mg/kg(최대 1 g/day) 10일동안 하루 4회 경구 투약(0-2세 환자는 권장하지 않는다)

IM, intramuscular; IV, intravenous; SQ, subcutaneous.

진에 의한 외적, 내적 노출은 폭발 장소로 부터 수마일 떨어진 곳에서도 발생 가능하다. 방사능 노출로부터 보호할 수 있는 방법은 차폐를 사용하며, 폭발 장소로부터 거리를 최대화시키고, 폭발 노출 시간을 최소화시키는 것이다.

방출된 방사선의 종류에 따라 다른 차폐 방식이 필요하다. 알파입자는 한장의 종이로도 차폐가 가능하며, 베타입자는 옷 두께 혹은 1인치 이하의 물질로 차폐가 가능, 감마선의 경우 6피트 이상의 시멘트를 통해 차폐가 이루어 질 수 있다.

개인보호장비(PPE)는 대부분의 방사능 폭발과 관련된 사고에서 발생하는 고에너지, 고침투 형태의 방사선에 대한 보호를 할 수 없기 때문에, 초기 대응자는 반드시 개인 방사선 선량계를 착용하고 방사선량을 모니터링 하며, 방사선 근로자에 대한 권장 용량 범위 한계 이하를 유지하도록 한다. 외부 방사능 입자의 오염제거는 입고 있던 모든 옷을 제거하고, 따뜻한 비눗물로 세척하며, 이물질 제거와 상처 절제술, 구강 세척, 눈과 귀 세척을 통해 가능하다.

방사능 측량기는 오염제거 진행을 모니터링하기 위해 사용되어야 하며, 방사능 입자 제거를 위한 세척이 불충분했을 경우 환자의 머리카락을 자를 필요도 있다. 이러한 오염제거는 방사능 기준치보다 두 배를 초과하지 않도록 오염물을 감소시키는 것이 목적이며, 현장 오염제거를 통해 차량 및 장비 오염을 방지해야 하며, 병원이 환자의 오염제거가 시행되는 장소가 되어서는 안 된다.

방사능의 내적노출 관리는 관련 방사능 요소에 따라 달라진다. 방사능 낙진이 생태계와 소비되는 음식에 들어가게 되므로, 방사성 요오드는 문제가 된다. 이런 경우, 소아는 특히나 갑상선에 대한 발암효과에 취약하므로, 요오드화칼륨을 통한 예방 치료는 방사선 형태의 요인이 갑상선에 흡수되는 것을 방지한다.

폭발물

폭발장치는 빈번하게 테러를 목적으로 사용된다. 소아는 작은 체구 때문에 폭발 사고의 부상 위험이 크고, 특히나 머리와 복부 부상을 당하기 쉽다. 폭발의 파장, 파편, 그리고 폭발로 인해 몸이 내동댕이쳐지는 상황은 심각한 결과를 초래할 수 있다.

위기상황 스트레스 관리

위기상황스트레스관리(CISM)팀은 응급의료서비스를 제공하는 과정에서 스트레스에 노출되는 응급구조사에게 지원과 상담을 제공한다. 특히나, 재난에 의해 발생된 소아환자를 치료한 응급구조사에게 지원과 상담이 필요하다. 정신건강전문의가 종종 CISM 팀에 속해 있기도 한다. 보고를 듣는 과정은 교육적인 의도이고, CISM은 정신치료가 아니다. 그러나, 재난 발생 이후 응급구조사 그리고 소아를 위한 CISM의 효용성은 알려진 바가 없다.

요약

재해는 다행히도 드물게 발생하지만, 일단 발생되면 직간접적으로 소아에게 영향을 줄 확률이 높다. 재난에 대한 사전 대비를 철저히 하는 것이, 최고의 처치를 제공하는 방법이다. 국립사고관리체계(NIMS)와 재난지휘체계(ICS)을 사용하는 것은 재난 대응팀이 적절한 자원, 인력 그리고 의사소통을 가능하게 하며, 추가적인 대응 기관의 협조를 요청할 수 있게 한다. 소아 재해 환자 발생 시 환자 분류 방법은 여러 가지 종류가 있으며, 이는 지역별로 상이하다. 점프스타트(JumpSTART) 중증도분류체계은 소아의 독특한 특성을 고려한 표준화된 방법이다. 알려진 또 다른 분류체계로는 SALT가 있다. 그러나 이러한 분류체계는 확증이 되어 있지 않았기 때문에, 소아를 위한 전국적인 권장 체계는 없다.

성인과의 생리학적, 해부학적, 심리학적 차이 때문에, 소아 환자를 만나게 되는 응급상황은 응급구조사에게는 특유의 어려움을 제시한다. 자연재해 그리고 인위적인 재난 상황 모두 응급의료서비스가 재난에 대한 반응을 사전 계획하고 변화하고 있는 이 세상에서 응급의료서비스의 역할을 예비하는 것을 필요로 한다.

사례연구 3

응급구조사는 더운 저녁에 고등학교 댄스파티의 현장인 체육관으로 출동한다. 도착하자, 응급구조사는 20명의 청소년과 4명의 성인 돌봄제공자를 발견한다. 그들은 모두 안구 과민, 호흡 장애, 가슴 긴장과 기침 증상을 호소한다. 옆 건물에 수영장이 있고, 수영장 위로 구름이 껴있다.

1. 가능한 요인은 무엇인가?
2. 이 환자들을 어떻게 처치하며, 이송할 것인가?

사례연구 답안

사례연구 1

우선적으로, 당신은 당신의 위치가 안전한지 확인하고, 다른 모든 잠재적 최초 반응자가 있는지 확인한다. 학교가 홍수피해 지역에 속해 있는지 담당 행정관에게 확인하고, 피난 명령의 필요성에 대해 고려한다. 사고통제시스템(ICS)을 확립하고, 가장 가까운 안전한 장소에서 사상자 현황을 확인한다. 구조와 대피활동을 시작한다. 재난행동계획을 수립하고 필요에 따라 상호간 구조 협조를 활성화시킨다. 대량 환자 발생 사고, 재난에 대한 지역의료시설의 급파, 긴급구조기관에 필요한 통보가 이루어졌는지 확인한다.

소아 환자를 평가하는 동안에, JumpSTART 시스템과 같은 적절한 표준화된 시스템을 바탕으로 하여 심각도를 파악하고, 그 정도에 따라 환자를 분류한다. 소아환자에 대해서 심리적 안정을 얻을 수 있도록 침착한 상태를 유지하도록 하며, 가능할 때 소아 환자가 가족과 재회할 수 있도록 한다. 소아 환자는 날씨와 관련된 응급상황에서, 체온의 균형을 유지하기 위해 추가적인 처치가 필요하다. 담요를 제공하고, 바람과 비를 막아주는 등의 방법은 이러한 환자들의 처치의 중요한 측면이다.

사례연구 2

사고현장의 안전이 가장 우선적인 고려사항이다. 법률 집행기관에게 책임이 있기 때문에 당신은 현장 안전에 대한 확인이 되기까지 학교에 출입할 수 없을 것이다. 자신을 그 다음 희생자로 만들지 말라. 현장 안전 확인을 기다리면서, 사고 현장의 최초 관리자에 의해 사고통제시스템이 확립되지 않았다면, 시스템을 확립하고, 현장상황에 대한 이송대기와 분류 장소를 결정한다. 전문소생술 그리고/또는 기본소생술을 구사하는 적절한 다른 대응팀을 요청하고, 환자 이송 또는 항공의료팀과 같은 추가적인 자원을 확보한다.

이용 가능한 소아 환자 처치 장비의 수량과 필요한 처치의 단계를 확인한다. 그 후, 필요한 추가적인 자원을 요청한다. 현장 상황이 속한 지역의 어느 병원에서 소아 외상 치료가 가능한지와, 환자 이송 방법을 결정한다. 환자와 가족과의 재회할 수 있는 가장 적절한 방법에 대해 고려하는 것을 잊어서는 안 된다.

사례연구 3

이 학생들과 보호자는 아마도 염소가스 유출에 노출되었을 확률이 높다.

가운, 장갑, 그리고 마스크를 포함한 PPE를 착용하는 것으로 시작한다. 처치는 움직일 수 있는 사람을 외부로 이동시키는 것으로 시작되어야 한다. 위험물질 대응팀에게 연락을 취하여 환자들을 오염제거 될 수 있도록 한다. 산소 공급, 기도 관리, 그리고 병원으로의 이송을 위해 추가적인 구급차를 호출한다. 지역 병원과 경찰에 연락한다.

추천 자료

Textbooks

Bledsoe B, Porter R, Cherry R. *Essentials of Paramedic Care*. Upper Saddle River, NJ: Prentice Hall; 2003.

Hogan D, Burstein J. *Disaster Medicine*. Philadelphia, PA: Lippincott Williams & Wilkins; 2002.

Shaw KN, Bachur RG, eds. *Fleisher & Ludwig's Textbook of Pediatric Emergency Medicine*. 7th ed. Philadelphia, PA: Wolters Kluwer; 2016.

Articles

American Academy of Pediatrics, Committee on Environmental Health and Committee on Infectious Diseases. Policy statement. Chemical-biological terrorism and its impact on children. *Pediatrics*. 2006;118(3):1267–1278.

American Academy of Pediatrics, Committee on Pediatric Emergency Medicine and Council on Clinical Information

Technology, American College of Emergency Physicians, Pediatric Emergency Medicine Committee. Policy statement. Emergency information forms and emergency preparedness for children with special health care needs. *Pediatrics*. 2010;125(4):829–837.

American Academy of Pediatrics Disaster Preparedness Advisory Council and Committee on Pediatric

Emergency Medicine. Ensuring the health of children in disasters. *Pediatrics.* 2015;136:e1407.

Ball J, Allen K. Consensus recommendations for responding to children's emergencies in disasters. *Natl Acad Pract Forum.* 2000;2:253–257.

Curtis T, Miller BC, Berry EH. Changes in reports and incidence of child abuse following natural disasters. *Child Abuse Negl.* 2000;24(9):1151–1162.

Freyberg C, Arquilla B, Fertel B, et al. Disaster preparedness: hospital decontamination and the pediatric patient: guidelines for hospitals and emergency planners. *Prehosp Disaster Med.* 2008;23(2):166–173.

Gausche-Hill M. Pediatric disaster preparedness: are we really prepared? *J Trauma.* 2009;67(suppl 2):S73–S76.

Ginter PM, Wingate MS, Rucks AC, et al. Creating a regional pediatric medical disaster preparedness network: imperative and issues. *Maternal Child Health J.* 2006;10(4):391–396.

Heffernan RW, Lerner EB, McKee CH, et al. Comparing the accuracy of mass casualty triage systems in a pediatric population. *Prehosp Emerg Care.* 2018;17:1–5.

Holbrook PR. Pediatric disaster medicine. *Crit Care Clin.* 1991;7:463–470.

Hoven CW, Duarte CS, Lucas CP, et al. Psychopathology among New York City public school children 6 months after September 11. *Arch Gen Psychiatry.* 2005;62(5):545–552.

Lerner EB, Cone DC, Weinstein ES, et al. Mass casualty triage: an evaluation of the science and refinement of a national guideline. *Disaster Med Public Health Prep.* 2011;5(2):129–137.

Lerner EB, Schwartz RB, Coule PL, et al. Use of SALT triage in a simulated mass-casualty incident. *Prehosp Emerg Care.* 2010;14(1):21–25.

Lerner EB, Schwartz RB, Coule PL, et al. Mass casualty triage: an evaluation of the data and development of a proposed national guideline. *Disaster Med Public Health Prep.* 2008;2(Suppl 1):S25–S34.

Lovejoy J. Disaster medicine: initial approach to patient management after large-scale disasters. *Clin Ped Emerg Med.* 2002;3(4):217–223.

Lozon MM, Bradin S. Pediatric disaster preparedness. *Pediatr Clin North Am.* 2018;65(6):1205–1220.

Markenson D, Redlener I. Executive summary. *Pediatric Preparedness for Disasters and Terrorism: National Consensus Conference.* 2006;12.

Waeckerle JF, Seamans S, Whiteside M, et al. Executive summary. Developing objectives, content, and competencies for the training of emergency medical technicians, emergency physicians, and emergency nurses to care for casualties resulting from nuclear, biological, or chemical (NBC) incidents. *Ann Emerg Med.* 2001;37:587–601.

Wallis LA, Carley S. Comparison of paediatric major incident primary triage tools. *Emerg Med J.* 2006;23(6):475–478.

Other Resources

American Academy of Pediatrics. Family Reunification following disasters: a planning tool for health care facilities. July 2018. https://www.aap.org/en-us /Documents/AAP-Reunification-Toolkit.pdf. Accessed July 15, 2019.

American Academy of Pediatrics. Children and disasters. https://www.aap.org/en-us/advocacy-and -policy/aap-health-initiatives/Children-and-Disasters /Pages/default.aspx. Accessed September 9, 2019.

Centers for Disease Control and Prevention. Anthrax. https://www.cdc.gov/anthrax/index.html. Accessed September 9, 2019.

Centers for Disease Control and Prevention. Bioterrorism. https://emergency.cdc.gov/bioterrorism/. Accessed September 9, 2019.

Centers for Disease Control and Prevention. Center for preparedness and response. https://www.cdc.gov /cpr/prepareyourhealth/index.html. Accessed September 9, 2019.

Centers for Disease Control and Prevention. Children in disasters. https://www.cdc.gov/childrenindisasters/. Accessed September 9, 2019.

Center for Disease Control and Prevention. Plague. https://www.cdc.gov/plague/healthcare/clinicians .html. Accessed October 31, 2019.

Centers for Disease Control and Prevention. Ricin. https://emergency.cdc.gov/agent/ricin/. Accessed September 9, 2019.

Centers for Disease Control and Prevention. Viral hemorrhagic fevers. https://www.cdc.gov/vhf/. Accessed September 9. 2019.

Emergency Medical Services for Children. Emergency Innovation and Improvement Center. Disaster planning. https://emscimprovement.center /education-and-resources/tooklits/pediatric -disaster-preparedness-toolbox/. Accessed September 9, 2019.

Federal Emergency Management Agency. Post disaster reunification of children: a nationwide approach. November 2013. https://www.fema.gov/media-library /assets/documents/85559. Accessed July 15, 2019.

Food and Drug Administration. Emergency preparedness, bioterrorism and drug preparedness. https://www. fda.gov/Drugs/EmergencyPreparedness. Accessed April 24, 2019.

Lindell M, Prater C, Perry R. Fundamentals of emergency management. 2006. http://em.fsu.edu/assets /outlines/Foundations_Online_Grad.pdf. Accessed September 9, 2019.

National Library of Medicine. JumpSTART pediatric MCI triage tools. Team Life Support. 2011. https:// chemm.nlm.nih.gov/startpediatric.htm. Accessed April 25, 2019.

START Adult Triage Algorithm. https://chemm.nlm .nih.gov/startadult.htm. Accessed April 25, 2019.

U.S. Department of Health and Human Services. Decontamination procedures. https://www.remm .nlm.gov/ext_contamination.htm. Accessed September 9, 2019.

U.S. Department of Health and Human Services. Emergency medical services and pediatric transport. https:// archive.ahrq.gov/prep/nccdreport/nccdrpt4 .htm. Accessed August 7, 2012.

U.S. Department of Health and Human Services. Emergency worker exposure guidelines in the early phase. https://www.remm.nlm.gov/exposureonly.htm. Accessed April 25, 2019.

U.S. Department of Health and Human Services. Managing internal radiation. http://www.remm.nlm .gov/int_contamination.htm. Accessed April 25, 2019.

U.S. Department of Health and Human Services. Protective actions and protective action guides. https:// www.remm.nlm.gov/pag.htm. Accessed September 9, 2019.

World Health Organization. *Psychosocial Consequences of Disasters—Prevention and Management*. Geneva: WHO, Division of Mental Health; 2002.

© Eddie M. Sperling.

CHAPTER 15
법의학적 ·윤리적 문제들

Andrew Bartkus, RN, MSN, JD, CEN, CCRN, CFRN, NREMT-P FP-C

Matthew R. Streger, Esq., MPA, NRP

Michael H. Stroud, MD, FAAP

학습목표

1. 병원전 소아응급처치에 있어서 독특하게 나타나는 법적, 윤리적 문제들을 확인할 수 있다.
2. 미성년자의 병원전 치료와 이송에 대한 묵시적 동의의 원칙을 논의할 수 있다.
3. 성장 후기의 아이들과 청소년 환자들을 돌보기 위한 다양한 윤리적·법적 문제들을 이해할 수 있다.
4. 보호자가 응급구조사의 미성년자에 대한 응급처치나 병원 이송을 거부 할 경우 병원전 전문가의 책임을 설명할 수 있다.
5. "소생불가지시"상태에 있는 아동을 접했을 때 법적·윤리적 문제들을 설명할 수 있다.

개요

응급구조사는 아동을 응급처치하는 동안에 자주 윤리적· 법적 문제들에 부딪힌다. 이러한 것들에는 아동을 응급처치 하기 위해 법적 보호자의 동의를 얻는 것이 불가능하거나, 부모나 청소년기 아동에 의한 동의의 거부, 비밀유지에 대한 문제, 진실을 말하는 것과 관련된 문제들, 아동 학대에 대한 가능성의 확인이 포함될 수도 있다. 이 장에서는 이러한 문제에 대해 논의하고 병원 전 응급의료 전문가들을 위해 일반적인 아동의 법적·윤리적 관계들을 다루는 정책들과 지침의 중요성을 강조한다.

동의

의학적 응급처치를 시행하기 전에 환자 또는 법적 보호자로부터 고지된 동의를 받아야 하는 것은 미국의 건강관리법과 윤리성에서 중심이 되는 특징이다. 법적으로 성숙한 개인은 본인의 동의 없이 만지거나, 처치되거나, 이송될 수 없다. 그러나 미성년자(만 18세 이하의 아동)는 대부분 상황에서 동의해 주거나 동의를 거절할 법적 권한을 가지지 못하기 때문에 특별한 문제가 된다. 대부분의 주(州)에서는, 미성년자가 의학적으로 응급처치를 받거나 이송되기 전에 부모 또는 법적 보호자의 동의를 받아야 한다(**그림 5-1**). 많은 주(州)에서는 미성년자가 특정 유형의 상태에 의료 제공을 동의하도록 규정하고 있다. 이러한 조항은 생식 건강 요구, 성병 치료 및 행동 공공 의료 서비스에 대한 접근을 포함한다. 응급구조사들은 특정 주 또는 지역의 요구 사항에 대한 현지 프로토콜 또는 기관/부서의 지침을 참조해야 한다.

주(州)에서 정한 법에서는 특정 미성년자를 "독립한" 존재로서 인정하고 치료 결정권을 포함한 의사결정권이 있는 "독립한 미성년자"로 승인한다. 법적으로 의사결정을 할 수 있는 아이들은 자신의 의학적 치료와 이송에 대해 동의해 줄 수도 있고, 거절할 수도 있고, 자신의 미성년자 자녀들에 대한 동의를 할 수 있다. 독립적인 의사결정권이 있는 미성년자의 법은 각 주마다 다르더라도 대부분의 주에서는 미성년자가 결혼, 임신을 하거나 아이를 가지고 있고, 부모의 지원을 받지 않고 경제적으로 독립, 현재 군복무를 하고 있다면 독립한 존재로 인식한다. 대부분의 지역에서, 독립한 미성년자의 실제 독립 결정은 법원 명령에 따른다.

독립되지 않은 미성년자가 생명 또는 건강에 대한 위협되는 의학적 상태에 있고, 법적 보호자의 동의를 얻지 못하는 상황들에서, 응급구조사는 소아에게 환자 평가를 할 수 있고, 필요한 의학적 응급처치를 제공할 수 있으며, 아동을 이송할 수 있다. 동의를 구할 수 없을 경우 응급상황에서 행

그림 15-1 대부분의 주(州)에서는 미성년자를 이송하기 전에 부모나 법적 보호자가 반드시 동의를 해주어야 한다.
© kali9/E+/Getty Images.

동지침을 위한 법적 근거는, 묵시적 동의로 알려져 있다. 미성년자의 경우 다음 네 가지 조건을 모두 충족되면 응급구조사가 동의로 간주할 수 있고, 적절한 응급처치와 이송을 진행할 수 있다는 것을 의미한다:

1. 아동의 생명이나 건강을 위험에 빠뜨리는 응급 상황에 놓여있다.
2. 아동의 법적 보호자가 응급처치나 이송을 위한 동의를 할 수 없거나 보호자와 연락이 닿지 않는 경우이다.
3. 응급처치나 이송이 동의가 얻어질 때까지 지체할 수 없다.
4. 응급구조사는 아동에게 즉각적인 위협을 주는 응급 상황에 대한 처치만 시행한다.

묵시적 동의는 대부분의 사람들이 살고 싶다는 것과 그렇기 때문에 그 개인의 생명을 구하기 위해서, 필수적인 응급 의료처치의 제공에 동의할 것이라는 원칙에 기반한다. 미성년자가 동의 없이 응급처치를 받을 때, 응급 처치가 필수적이었다는 것에 대한 입증 책임은 항상 응급구조사에게 있다. 응급구조사는 병원 전 응급의료의 당위성, 법적 보호자와 접촉하기 위한 시도, 미성년자가 즉각적인 응급처치 또는 이송이 필요한 이유를 병원 전 기록지에 충분하고 명확하게 기록해야 한다.

동의가 불명확하거나 불가능할 때 법적 보호를 위해 가능하다면 온라인 의료지도를 시도한다. 어쩔 수 없이 보호자로부터 동의 받지 못하거나, 연락이 닿지 않는 경우, 현장에서 가장 책임 있는 자에게(가능한 경우 문서로) 미성년자의 법적 보호자에게 정보를 건네달라는 요청과 함께 목적지가 될 응급실에 대한 정보를 제공한다. 일반적으로 응급구조사의 행동에 대한 권한이 불확실할 때는 언제나 환자에게 가장 이익이 되는 것을 시행한다.

응급처치 또는 이송에 대한 거부

보호자 거부
응급구조사가 급성 질환이나 손상이 있는 소아에게 의학적

사례연구 **1**

경미한 호흡장애를 호소하는 3세 여자아이가 있다는 전화를 받고 한 아파트로 출동한다. 아이는 대화가 가능하고 진정되었지만, 양측 폐에서 천명음이 들리고 맥박산소포화도가 94%로 나타났다. 아이는 혼자 16세의 보모와 집에 있었고, 보모는 아이의 부모가 몇 시간 동안 돌아오지 않을 것이고 그들의 목적지와 연락처를 남기지 않았다고 말한다.

1. 보모가 응급구조사에게 법적으로 아이를 응급처치하도록 동의 할 수 있는가?
2. 응급구조사는 법적으로 응급처치를 제공하고 이 아이를 이송할 수 있는가?

응급처치나 이송을 하는데 필요한 동의를 거부하는 법적 보호자와 만났을 때 특별한 상황이 발생한다. 소아의 법적 보호자의 정신이 멀쩡하면 자신의 자녀에 대한 의학적 응급처치를 거절할 권리가 있다. 그러나, 보호자는 아이에게 가장 이익이 되는 행동을 취해야 한다.

보호자가 생명이나 건강이 위협받을 수 있는 아동에 대한 응급처치나 이송 준비를 거부할 때, 중요한 법적·윤리적 문제가 발생한다. 이런 상황에서는 의료지도 의사에게 지도를 받기위해 연락을 시도한다. 의료지도 의사는 보호자가 처치와 이송을 허락할 수 있도록 설득 할 수 있다. 의료지도 의사가 아동의 상태가 심각한 손상을 예방하기 위해 즉시 응급처치가 필요하다는 데에 동의하지만 법적 보호자가 응급처치에 대한 동의를 계속해서 거부한다면, 아동의 일시적인 보호 관리를 위해 법적 집행 기관의 도움을 요청 할 수 있다. 마찬가지로 법적 보호자가 약물 중독이거나 장애가 있을 때, 또는 다른 상황에 의해 결정하는 능력이 영향을 받았을 때, 일시적인 보호 관리에 미성년자를 두기 위해 법적 집행관의 개입이 필요할 것이다. 지역의 소아응급의료서비스 지침과 프로토콜은 이런 상황에서 응급구조사가 진행해야 할 절차를 알려줘야 한다.

처치를 제공할 수 있다. 가능하다면 언제든지 응급처치를 시행하기 전에 의료지도 의사와 이런 상황들에 대해 논의한다. 때로는 중재적 해결이 가능하다. 소아의 의학적 상태, 응급처치의 필요성, 그리고 법적 보호자의 반대를 뒤엎을 수 있는 근거에 대해 충분하고 명확하게 모든 것을 기록한다.

불명확한 동의나 거부의 모든 상황은 주의 깊은 현장관리를 요구한다; 가능하다면 의료지도로의 전달; 그리고 병원 전 기록지에 정확하고 명확하게 기록을 남긴다.

어려운 상황이 현장에서 전개될 때 결코 비난, 도덕적 판단, 위협으로 보호자와 맞서지 말아야 한다. 이런 방법은 상황을 악화시고 환자에게 도움이 안 된다. 보호자가 모든 처치와 이송을 거부하는지, 특정 부분만 거부하는지 확인하기 위해 노력해야 한다. 예를 들면, 일부 보호자들은 응급구조사가 초기 처치를 하지 않고 병원으로 이송해주는 것을 선호할 수도 있다. 응급처치 없는 이송이 아동의 안전에 영향이 없다면 이러한 보호자의 요구를 존중한다. 말기 질환이나 상당한 장애를 가진 환자의 보호자가 특정한 처치를 제한하는 것이 적절할 수 있다. 이러한 난처한 상황은 의료지도 의사와 논의한다.

주의

법적 보호자가 미성년자에 대한 동의를 즉석에서 해줄 수 없을 때, 응급구조사는 소아에게 즉각적인 위협을 주는 응급상황에서만 의학적으로 필수적인 응급처치와 이송을 제공해야 한다.

조언

행동에 대한 응급구조사의 권한이 불확실할 때, 언제나 미성년자에게 가장 이익이 되는 것을 시행한다.

조언

보호자가 약물중독, 장애, 또는 다른 상황으로 인해 결정 능력에 영향을 받은 상태로, 아프거나 손상을 입은 소아 환자에 대해 치료나 이송을 거부한다면, 경찰의 도움을 받는다.

조언

보호자와 비난, 도덕적 비판, 협박으로 절대 맞서지 않도록 한다.

일시적인 보호 관리를 통하여 응급구조사에게 의학적 환자 평가의 목적을 위해 미성년자를 의료시설로 이송할 수 있도록 허용할 수 있기는 하나, 미성년자가 심각하지 않거나 생명에 위협적이지 않은 의학적 상태를 응급구조사가 처치할 권리까지는 주지 않는다. 응급구조사는 아동이 사망 또는 심각한 위해를 초래할 수 있는 의학적 상태 일때, 손상을 방지하기 위한 즉각적인 응급처치가 필수적일 때, 그리고 특정 응급처치만이 제공되어져야 할 때 동의없이 의학적 응급

아동의 거부

미성년자가 치료를 거부하고 자신의 건강관리에 관한 결정을 할 수 있는 법적 권한에는 두 가지 경우가 있다. 첫 번째는 앞에서와 같이 환자가 독립한 미성년자인 경우이다. 미성년자가 결정을 내릴 수 있는 법적 지위를 가질 수 있는 두 번째는 법정에서 이미 성숙한 미성년자라고 공표

된 경우이다. 이것은 독립한 미성년자와는 다르다. 대부분의 주(州)에서, 성숙한 미성년자들은 만 14세 이상이고 그리고 이전에 법정에서 공식적으로 성인이라고 선언된 상태를 말한다. **표 15-1**은 대부분의 주(州)에서 아동 환자가 의학적 응급처치와 이송에 대한 동의를 제공하거나 거부할 수 있는 법적 상황들을 나열하고 있다. 성숙한 미성년자 법은 자신의 건강을 관리하는데 활동적이고, 잘 알려진 역할을 하고 생명의 위협이 있는 또는 말기의 질병을 포함하는 만성적 질환 상태의 소아에게 적용된다.

이러한 법률들이 다양하기 때문에, 응급구조사는 응급처치를 제공할 때 주(州)에서 독립한 미성년자 법률과 성숙한 미성년자 법률의 세부 사항을 잘 알고 있어야 한다.

만일 아동이 독립한 미성년자가 아니거나 성숙한 미성년자가 아니라면, 의학적 응급처치에 동의하거나 거부할 법적 권한을 갖지 못한다. 아동이 동의하거나 동의를 보류할 법적 권한의 유무에 상관없이, 아동에게 응급처치나 이송에 관한 동의나 승낙을 얻는 것이 가능하다면 항상 신중해야 한다. 이러한 접근은 아동 환자의 개인적인 존엄성과 자기 결정을 존중하고 적대감을 최소화한다. 아동에게 일정 통제나

선택권을 주는 것은 응급구조사가 안전한 이송을 할 수 있게 도와주는 타협이 될 수 있다. 아동을 이송하지 않았을 경우 심각한 위험이 있는 상황을 제외하고 강제로 이송하지 않는다.

조언

치료가 필요한 경우 미성년자는 법적으로 응급처치나 이송을 거부할 수 없다.

동의하지 않는 돌봄제공자

드물지만 아프거나 손상을 입은 아동의 응급처치와 이송에 동의하지 않는 돌봄제공자를 만났을 때, 응급구조사에게 혼란스러운 상황이 발생한다. 이러한 경우에는 한 명의 돌봄제공자가 아동에 대한 법적 결정자인지 두 명 다인지 확인한다. 만일 두 명의 돌봄제공자가 법적 권한을 가진다면 응급구조사는 둘 다 수용할 수 있는 계획을 협의할 필요가 있다. 의견이 다른 부분에 대한 주의 집중을 피하면서, 아이의 요구와 아동을 지지하기 위한 공통적인 욕구에 초점을 둔다. 응급구조사가 적절한 행위를 결정하고, 법적 조치의 필요성을 결정하는데 의료지도가 필요할 수 있다.

양육권의 문제와 비전형적인 가정

법적으로 이혼을 한 부모들은 아이의 치료나 아이의 의료기록의 접근에 관해 동의하지 않을 수도 있다. 한 부모는 다른 한 부모가 아이에게 해를 가했거나 악영향을 끼쳤다고 고소할 수 있다. 의붓 부모와 친 부모 사이에는 다른 관점이 존재할 수 있다. 또 다른 경우에서는 친모가 아동의 치료나 아이의 상태에 대하여 계모의 참여를 거절하거나 소아의 상태에 대한 정보의 접근을 거절할 수도 있다. 어쩌면 한 부모는 법적인 보호자이고 다른 이는 부모의 권리를 상실한 경우도 있다. 어떤 부모는 의료비를 지불하기를 원하지 않아서 이송을 거부하기도 하는데, 이는 법적 책임을 다른 부모가 지고 있기 때문이다.

많은 소아들은 조부모, 형제 자매, 동성의 부모 또는 양부모가 돌보는 비전형적인 가정에서 살고 있다. 이러한 경우는 어떤 사람이 미성년자의 치료에 대한 동의권이 있는지 명확하지 않을 수 있다. 이러한 경우에는 돌봄제공자가 아이에 대한 법적인 책임이 없음에도 불구하고, 주로 의사를 결정

표 15-1 독립한 또는 성숙한 미성년자들의 특징
독립한 미성년자
결혼한 경우
임신한 경우
아이가 있는 경우
군복무 중인 경우
15세 이상으로, 경제적으로 독립한, 그리고 부모로부터 떨어져 사는 경우
성숙한 미성년자
14세 이상이며 주(州)의 고등법원에 의해 성숙한 미성년자로 선언된 경우
그리고 환자가 정신적인 문제를 가지고 있지 않을 경우
그리고 환자가 자신의 건강에 대한 결정권이 있다고 입증할 경우

할 수 있는 유일한 어른이 될 수 있다. 주(州)의 규정은 부모가 아닌 보호자가 미성년 소아에 대한 유효한 동의를 할 수 있도록 허용하는 다양한 메커니즘을 가지고 있다. 이러한 보호자들은 법적으로도 생물학적으로도 소아와 연관이 없을지라도, 의료 서비스에 대한 동의, 교육에 대한 결정권, 그리고 다른 부모의 기능을 수행하는 것을 인정하는 권한을 갖고 부모와 같은 책임의 입장에 설 수 있다. 일반적으로, 의료 서비스 제공자들은 소아의 보호자 역할을 한다고 주장하는 개개인의 진술을 합리적으로 믿을 수 있다. 반대로 의료 서비스 제공자들은 알려진 보호자의 주장이 의심스러운 경우 추가 조사할 의무가 있다. 일부 주(州)에서는, 변호사, 후견인 또는 돌봄제공자의 선서 진술서를 통해, 부모가 아동에 대한 관계를 끊지 않은 채 일부 특정한 권한을 다른 이에게 이양하는 것을 허용한다.

이러한 상황에서 치료와 이송에 있어서 법적인 보호자의 결정이 어려울지도 모른다. 만약에 아이가 갑자기 손상을 입거나 병에 걸렸다면 법적 문서가 존재해도 검토할 시간이 없다. 바로 조언을 위해 의료 지도와 연락을 취하고 상황이 폭력적으로 되거나 아이에게 해가 된다면 법률 집행관을 참여시켜야 한다.

주의

많은 소아들이 비전형적인 가정에서 살고 있고, 이는 미성년자를 위한 동의를 할 수 있는 책임있는 사람이 불명확할 수 있다.

동의 요약

법률은 치료를 수용하거나 거부하는 성인 환자의 권리를 엄격히 보호한다. 그러나 병원 전 환경에서 아동에 대한 이러한 법률의 해석은 특별한 문제를 초래할 수 있다. 응급구조사는 보호자가 동의 절차를 거부하거나 아동에 대한 응급처치와 이송 제공에 대한 동의를 얻을 수 없는 경우에 어려운 상황에 직면한다. 모든 경우에 주의깊은 현장관리가 요구된다. 의료 지도를 받고, 가능하다면 병원 전 기록을 정확하게 문서화 한다. 응급의료서비스체계는 응급구조사와 의료지도를 안내하기 위해, 주(州) 법률에 근거한 명확한 정책, 절차 그리고 지침을 제공해야 한다. 동의에 대한 지역 응급의료서비스는 다음의 사항을 명확하게 정의해야 한다:

- 주(州) 법률에 따라 누가 구급차 이송을 거부할 수 있는지
- 현장에서의 환자 평가, 진찰, 그리고 기록에 대한 절차
- 환자의 질병과 다른 현장의 요인들이 이러한 자원을 요구할 때, 경찰을 요청하거나 의료지도를 받는 방법

비밀(유지)

의료정보는 개인 정보이다. 대부분의 환자 처치가 공공장소에서 많이 이루어지기 때문에, 부주의하거나 과실로 인하여 개인 신상 정보를 유실하는 것은 응급구조사가 마주하는 윤리적 그리고 법적인 위험이다. *신상 정보가 민감한 사안임을 인지하는 것이 필수적이고 가능하다면 모든 상황에서 비밀을 유지하도록 노력해야 한다.* 가능하면 주변사람이 목격하지 못하고 듣지 못하는 곳에서 모든 민감한 대화를 나눈다. 현장에서는 가능한 한 이름(성씨)을 사용하는 것을 피한다(환자에 대한 법적 책임이 있는 사람을 제외)주위의 목격자들과 개인 신상 정보에 대해서 공유해서는 안 된다.

조언

응급구조사들은 반드시 환자의 건강 정보의 잠재적 민감성을 인지해야 하고 비밀을 보호하기 위해 가능한 모든 조치를 취해야 한다.

문화와 종교적 차이를 존중

문화적 차이와 종교적 신념은 매우 어려운 상황을 만들 수 있다. 환자 응급처치가 항상 일차적 관심이긴 하지만, 아동에게 제공되는 치료에 방해가 되지 않는다면, 응급구조사는 가족 또는 환자의 요구나 종교적, 문화적 신념에 따른 선택을 존중해야 한다.

응급구조사는 문화적, 종교적 신념에 따른 요청에 대해 선입견을 갖지 말고 가족에 대한 이러한 요청의 중요성

을 인정하고 가능한 이를 수용하려고 노력한다. 아동을 심각한 위험에 빠뜨릴 수 있어서 응급구조사가 문화적, 종교적 신념에 근거한 요구를 수용할 수 없을 때에는, 요구를 수용할 수 없는 이유를 정중히 설명해야 하고 기록해야 한다. 부모는 종교적인 신념에 따라 자신들에 대한 의료 결정을 할 자유가 있다. 그러나 이 권리는 자신들의 자녀를 종교적인 신념에 따라 순교자로 만드는 것을 허용하기 위해 허용되지 않는다. 아동이 위험에 처한 경우 부모가 치료를 필수 처치의 동의를 거부할 경우 의료지도와 경찰의 개입이 필요하다.

> **조언**
>
> 응급구조사는 문화적, 종교적 신념에 대해 선입견을 가지지 말고, 그것이 가족과 공동체에게 중요하다는 사실을 인정하며, 가능한 한 수용할 수 있도록 노력한다.

언어장벽은 응급구조사가 아동의 돌봄제공자와 의사소통을 하기 위해 노력할 때 문제가 될 수 있다. 응급구조사는 적절한 방법으로 통역을 제공하기 위해 활용 가능한 지역의 자원에 친숙해져야 한다. 특히 응급구조사가 아동의 근본적인 의학적 상태, 알레르기, 현재의 약 복용, 또는 현장 처치에 관련된 기타 요소에 관한 정보를 획득하기 어려운 경우, 잘못된 의사소통이 아동 치료에 중대한 영향을 미칠 수 있다는 것을 알아야 한다. 가능한 경우 가족이나 구경꾼 대신 전문 통역 서비스를 이용해야 한다. 통역 서비스를 활용할 수 없어 가족 구성원이나 이웃들에게 통역을 요청하게 되면 정보가 부정확하거나 불완전할 수 있음을 인지해야 한다. 비전문적인 통역사를 활용할 경우, 의학용어를 사용을 피하도록 주의한다.

환자 권리와 지지

아동의 경우 환자의 권리는 부모나 법적 보호자의 바람과 요구에 따라 달라질 수도 있다. 그러나 독립한 미성년자들은 그들의 결정권이 가족의 다른 구성원들이나 일반 대중들이 인정하지 않더라도, 자신들의 의학적 치료와 처치를 위한 결정할 수 있는 권리가 있다. 응급의료체계, 지도의사, 그리고 지역 사회의 치료기준이 환자의 요구와 대립할 수도 있다. 이러한 상황은 해결되어야 하는 윤리적 갈등을 일으키기도 한다.

의학적 치료를 수용하는 결정은 어려울 수 있다. 부모들과 보호자들 혹은 독립한 미성년자에게 무엇이 가장 적절한 방법인지 고려할 시간을 주어야 한다. 경우에 따라 지금 발생한 응급상황은 환자 자신의 건강 상태에 현실적으로 직면할 첫 번째 일 수 있다. 확신이 들지 않는다면 환자에게 가장 도움이 되도록 하고 의료지도를 요청한다.

삶의 끝에서

보통 주치의에 의해 진찰을 받는 중인 일부 말기 질환 아동의 보호자는, 치료와 중재 범위를 결정할 수 있다. 이러한 결정은 아동의 기저 상태와 아동의 생명을 위협받는 상태로 진행될 때, 의미 없거나 고통스러운 중재를 피하는 것에서 비롯된다. 응급구조사는 아픈 아동에게 출동 때 소생불가지시 또는 생명 유지 치료를 위한 의사 명령(POLST: Physicians Orders for Life-Sustaining Treatment)를 만날 수 있다. 소생불가지시는 의사의 서명이 있어야 유효하다(**그림 15-2**). 이러한 지시는 심폐 정지시 보건 의료제공자에게 심폐소생술(CPR) 또는 제세동과 전문기도관리와 같은 추가적인 소생술을 시작하지 않아야 한다는 것을 알려준다. 일부 지역의

사례연구 2

15세의 노숙을 하는 소년이 몸 상태가 안 좋고, 정상적으로 행동하지 못한다고 친구들이 출동 요청하였다. 응급구조사는 보도에 누워 심각한 두통을 호소하는 소년을 발견한다. 응급구조사가 그에 대한 환자 평가를 시행하려 할 때, 소년은 응급구조사에게 폭언을 하며 강력하게 밀쳐내고 혼자 있게 해달라고 요구한다. 그는 응급구조사와 말하지 않을 권리가 있다고 소리친다. 그는 의식 수준과 지남력을 평가하려고 하는 응급구조사의 질문에 전혀 대답하지 않으려고 한다.

1. 10대가 응급처치와 이송을 거부할 수 있는 권리는 무엇인가?
2. 응급구조사가 사용할 수 있는 설득 방법은?

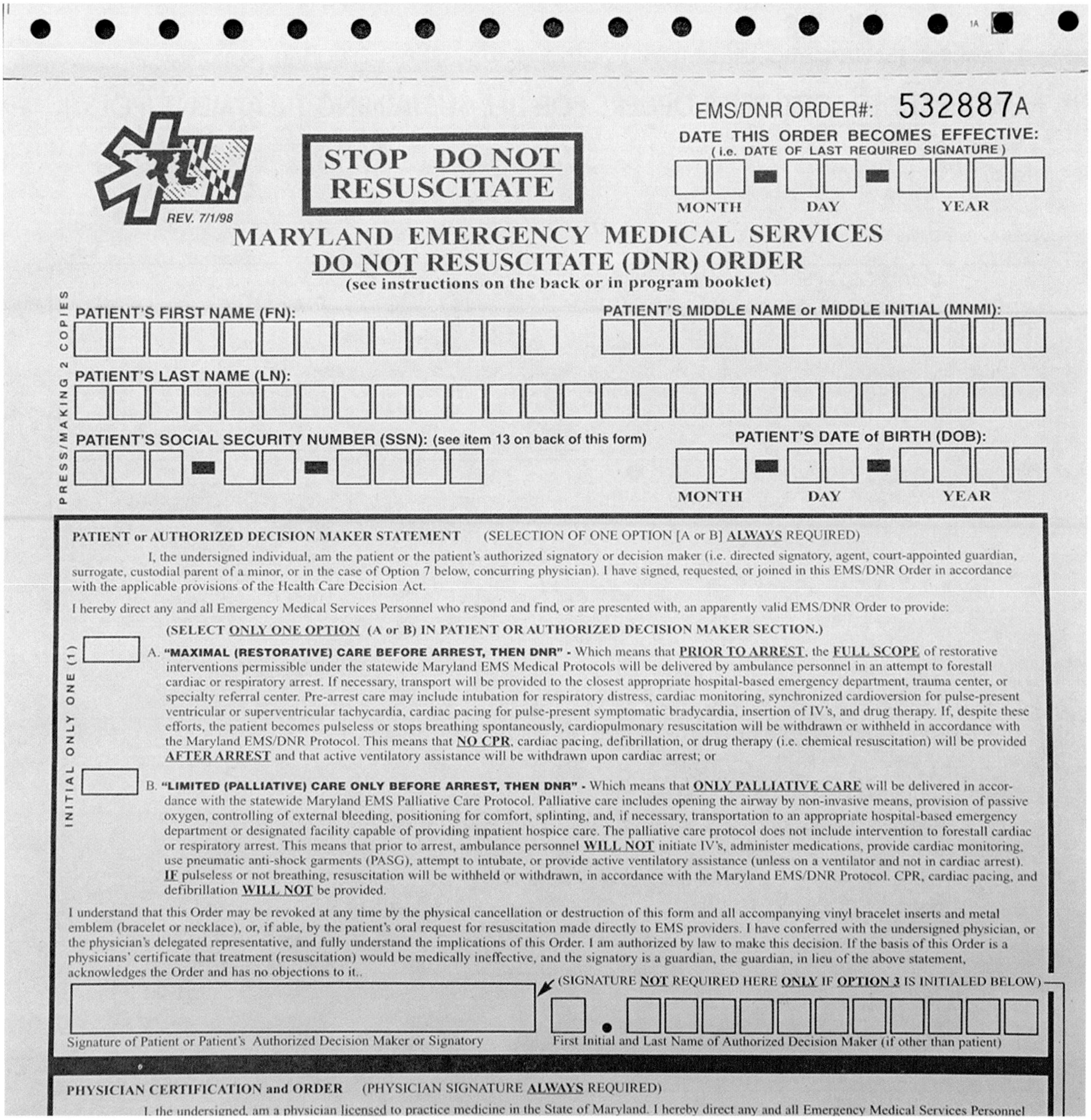

그림 15-2 소생불가지시(DNR order)

© Jones & Bartlett Learning. Courtesy of Glen Ellman.

응급의료체계는 아동의 소생불가지시를 인정하지 않고 있다. 응급구조사는 관할구역에서 소생불가지시 그리고/또는 *POLST* 지침의 세부 사항을 알아야 하고 환자를 위한 지침을 개발해야 한다.

POLST 양식은 치료의 목적, 환자가 맥박과 호흡이 있을 때 허용되는 치료, 인공적으로 투여되는 영양분,

CPR 그리고 기도 관리 허가 등의 치료 지침을 나타내는 포괄적인 문서이다(**그림 15-3**). POLST 형식에 대한 보증은 주(州)마다 다르다.

지역의 법률이나 병원 전 정책에 관계없이 법적 보호자는 작성된 소생불가지시 또는 POLST 지시서를 아동 대신 언제든지 철회할 수 있다. 유효한 소생불가지시를 확인

HIPAA PERMITS DISCLOSURE OF POLST TO OTHER HEALTHCARE PROFESSIONALS AS NECESSARY

NEW JERSEY PRACTITIONER ORDERS FOR LIFE-SUSTAINING TREATMENT (POLST)

Follow these orders, then contact physician/APN. This Medical Order Sheet is based on the current medical condition of the person referenced below and their wishes stated verbally or in a written advance directive. Any section not completed implies full treatment for that section. Everyone will be treated with dignity and respect.

PERSON NAME (LAST, FIRST, MIDDLE)   DATE OF BIRTH

A	**GOALS OF CARE** *(See reverse for instructions. This section does not constitute a medical order.)*

B	**MEDICAL INTERVENTIONS:** *Person is breathing and/or has a pulse*
	 ❑ **Full Treatment.** Use all appropriate medical and surgical interventions as indicated to support life. If in a nursing facility, transfer to hospital if indicated. See section D for resuscitation status.
	 ❑ **Limited Treatment.** Use appropriate medical treatment such as antibiotics and IV fluids as indicated. May use non-invasive positive airway pressure. Generally avoid intensive care.
	   ❑ Transfer to hospital for medical interventions.
	   ❑ Transfer to hospital only if comfort needs cannot be met in current location.
	 ❑ **Symptom Treatment Only.** Use aggressive comfort treatment to relieve pain and suffering by using any medication by any route, positioning, wound care and other measures. Use oxygen, suctioning and manual treatment of airway obstruction as needed for comfort. Use Antibiotics only to promote comfort. Transfer only if comfort needs cannot be met in current location.
	 Additional Orders:_____

C	**ARTIFICIALLY ADMINISTERED FLUIDS AND NUTRITION:** *Always offer food/fluids by mouth if feasible and desired.* ❑ No artificial nutrition. ❑ Defined trial period of artificial nutrition. ❑ Long-term artificial nutrition.

D	**CARDIOPULMONARY RESUSCITATION (CPR)** *Person has no pulse and/or is not breathing* ❑ Attempt resuscitation/CPR ❑ Do not attempt resuscitation/DNAR <u>A</u>llow <u>N</u>atural <u>D</u>eath	**AIRWAY MANAGEMENT** *Person is in respiratory distress with a pulse* ❑ Intubate/use artificial ventilation as needed ❑ Do not intubate - Use O2, manual treatment to relieve airway obstruction, medications for comfort. ❑ Additional Order (for example defined trial period of mechanical ventilation) _____

E	If I lose my decision-making capacity, I authorize my surrogate decision maker, listed below, to modify or revoke the NJ POLST orders in consultation with my treating physician/APN in keeping with my goals: ❑ Yes ❑ No ❑ Health care representative identified in an advance directive ❑ Other surrogate decision maker Print Name of Surrogate (address on reverse) Phone Number

F	**SIGNATURES:** *I have discussed this information with my physician/APN.* Print Name_____ Signature_____ ❑ Person Named Above ❑ Health Care Representative/Legal Guardian ❑ Spouse/Civil Union Partner ❑ Parent of Minor ❑ Other Surrogate	Has the person named above made an anatomical gift: ❑ Yes ❑ No ❑ Unknown *These orders are consistent with the person's medical condition, known preferences and best known information.* PRINT - Physician/APN Name Phone Number Physician/APN Signature (Mandatory) Date/Time Professional License Number

4/12/17   **SEND ORIGINAL FORM WITH PERSON WHENEVER TRANSFERRED**

그림 15-3 생명 유지 치료를 위한 의사 지시(POLST) 양식.

State of New Jersey, New Jersey Practitioner Orders for Life-Sustaining Treatment (POLST). Retrieved from https://www.state.nj.us/health/advancedirective/documents/polst_green_form_en.pdf

했으나, 법적 보호자가 아동의 소생술을 원한다면 언제나 법적 보호자의 요구를 들어줘야 한다. 유효한 소생불가지시 또는 POLST 지시에도, 법적 보호자가 어떤 종류의 중재를 허용 가능/불가능하다고 생각하는지 명백히 해야한다. 예를 들어 소생불가지시서를 지닌 일부 아동에 대한 산소 투여와 이송은 받아들여지거나 기대될 수 있다.

소생술

5장에서 언급한 것처럼 심폐가 정지된 아동을 위한 소생술 시도는 가끔 비효율적이고 상황에 따라 불필요하다. 소생술 정책은 심폐소생술을 시작해야 하는 때, 보류해야 하는 때, 중단해야 하는 때의 상황을 정의해야 한다. 시골이나 황무지와 같은 환경에 있는 환자의 경우 병원에서 적절한 처치를 받을 수 있기까지 걸리는 시간을 고려해야 한다. 소아 환자의 경우 환자 중심의 접근을 취해야 하지만 슬픔의 관리와 가족과의 상호작용에 집중하기 위해 소생술의 적절한 보류를 허용해야 한다.

지역의 소생술 정책은 응급구조사로가 특정 기준에 의해 정해진 상황(예시: 사후경직, 생존하지 못할 정도의 손상)에서 소아가 확실히 사망했을 때 소생술을 보류하거나 중단하는 것을 허용할 수 있다. 이러한 상황은 응급구조사에게 있어 감정적으로 어려울 수 있고, 모든 대원이 소생술 중단이나 보류의 판단에 동의를 해야 한다. 마찬가지로 응급구조사가 소생술을 시도하지 않으면 가족 구성원이 감정적으로 힘들어질 수 있다. 아동의 가족구성원이 소생술 보류에 대한 결정에 대해 힘들어하는 경우에 아이를 살리기 위해 최선을 다하고 있다는 노력으로서 소생술을 제공하는 것을 고려할 수 있다. 이와 같은 경우에 소아에게는 기본소생술만을 제공하며 응급실로 이송 후, 응급실 의사는 아동의 사망과 소생술 중단을 공식적으로 선고할 수 있다. 이 주제에 대한 지침을 지역 프로토콜에 통합하는 것을 고려한다.

응급의료체계는 현장에서 활동하는 응급구조사를 위한 교육및 훈련 사항으로 영유아사망증후군(SUIDS, 13장 참조)과 관련된 공식적인 프로그램을 가지고 있어야 한다.

지역 응급의료체계 정책은 사망 현장에서의 신체에 대한 처치, 검시관 또는 검시 의사와 법 집행관, 그리고 보호자와의 상호작용에 대한 응급구조사의 책임을 명확하게 설립해야 한다.

장기기증

심각한 손상을 입은 환자의 장기기증은 의료 윤리에서 주요 문제이다. 기증자의 장기는 의료체계에서 절실히 필요로 하는 부분이고, 많은 환자들이 수년간 기증을 기다리거나 기다리다가 사망한다(**표 15-2**).

장기기증만을 목적으로 아동의 생명을 유지 시킬지 아닐지는 응급구조사가 의료지도를 받거나 지역 의료기관 체계를 따라야 할 문제이다. 살릴 수 있는 장기의 변수는 각각의 응급의료체계내에 명확히 설명되어 있어야 한다. 장기기증과 관련하여 각 주(州)에서 시행되는 법에 대한 이해는 응급구조사가 결정하는데 도움을 준다.

다른 도움이 될만한 자원은 EMS 서비스 지역 내의 지역 장기 이식 프로그램이다. 이곳은 워크샵을 제공하거나 응급구조사의 생명유지와 관련된 역할의 인식을 높이고 프로토콜 개발 및 지속적인 교육을 제공한다.

어려운 상황에서 사실 말하기

응급구조사는 아동과 보호자를 가능한 솔직하게 대해야 한다. 보호자가 아동의 상태나 "생존 가능성"에 대한 정보를 요구하는 것은 흔한 일이다. 이러한 상황에서 추측성 발언은 삼가고 대신에 정직하고 안심시키는 대답을 한다. 예를 들

표 15-2 장기 기증 통계
▪ 2018년 12월 이후로, 113,000명 이상의 환자들이 생존을 위해 장기기증을 기다리는 중이며, 그 중 약 2,000명이 소아 환자이다.
▪ 장기 이식을 필요로 하는 사람은, 대기자 명단에 10분에 1명씩 추가된다.
▪ 매일, 약 20명의 환자가 장기이식을 기다리는 중에 사망한다.
▪ 2018년에는, 36,528 건의 장기 이식이 진행되었다.
▪ 미국에 있는 성인의 절반 이상이 장기 기증 희망자로 등록되어있다. 그러나 사망자의 0.3%만이 장기 기증에 적합하다.

사례연구 3

응급구조사는 자동차 교통사고의 신고에 현장에 출동했다. 그곳에는 안면부가 쓸린 상태의 10살 짜리 아이가 있었다. 긴장되고 통증있는 복부, 왼쪽 허벅지의 명확한 변형이 관찰되었다. 아이는 트럭이 운전자석 문에 충돌한 차의 뒷좌석에 앉아 안전벨트를 착용한 상태였다. 아이는 겁먹은 상태이고, 환자 평가를 시행하자 겁을 먹고 울기 시작한다. 운전하던 성인 여성은 머리 외상을 입었고, 맥박이 느껴지지 않았다. 당신이 아이를 처치하고 있는 동안 다른 팀에서는 운전자 구조를 시작한다. 아이를 이송하기 위해 고정시킬 때, 아이가 엄마는 괜찮냐고 당신에게 물어본다.

1. 아이를 안전하고 효율적으로 이송하기 위해서 엄마가 괜찮다고 아이에게 알려주는 것이 적절한가?
2. 아이의 질문에 어떻게 대답할 것인가?

면, "우리는 당신의 아이를 위해서 가능한 최선의 처치를 할 것입니다." 혹은 "당신의 아이는 잘 돌봐지고 있고, 당신의 아이를 돕기 위해 최선을 다하고 있어요"와 같이 불확실한 결과에 대한 추측성 발언을 피하고 솔직하고, 안심시키는 대답을 제공한다.

응급구조사는 또한 다수의 손상 환자들이 있는 상황을 마주할 수 있다. 이때, 부모 또는 아동이 사고에 관련된 다른 사람들에 대한 정보를 요구할 수도 있다. 심각한 손상을 입거나 사망한 환자들에 대해 묻는 질문하는 경우 관심을 돌리는 거나 무시하는 것이 적절한 방법일 수도 있다. 가장 좋은 방법은 "저는 지금 당신에게 최선의 처치를 하기 위해 집중이 필요합니다. 제 동료도 다른 환자들에게 최선의 응급처치를 하고 있습니다."와 같은 안심시키는 솔직한 말을 하는 것이다. 정직해야 할 윤리적 의무가 있지만, 환자가 안전하게 이송되고 다른 감정적인 지지가 가능한 자원들이 확보될 때까지, 특히 충격을 주는 정보를 전달하지 않는 것도 좋은 방법이다.

의사가 현장에 있는 경우

병원전 처치는 응급의료체계의 의료지도 하에 이루어진다. 응급의료서비스 기관의 의료지도 또는 의료감독에 의해 특별히 위임받지 않았다면 응급구조사는 환자의 주치의나, 다른 의사로부터의 지시를 수행할 수 없다. 이러한 상호작용은 가끔 논란이 되기도 한다. 의료지도는 현장의 의사가 응급구조사를 돕도록 하거나 하기 전에 권한을 현장의 의사에게 넘길수 있도록 한다. 현장의 의사가 치료의 책임을 맡는다면 아동이 응급실로 이송될 때까지 동행해야 한다.

조언

현장에 있는 의사가 치료를 위한 모든 권한을 위임 받았다면 그 의사는 응급실까지 환자와 동행해야 한다.

논쟁

현장 응급처치에 있어 아동 주치의의 역할은 논란의 여지가 있다. 응급구조사는 지역의 응급의료서비스 체계의 지침 을 준수해야 하지만 현장의 의사에게 도움을 받는데 있어 정확한 한계는 때때로 명확하지 않다. 정책이 혼동될 때에는 항상 아동에게 최고로 도움이 될수 있도록 행동한다.

의료기관의 선정

아동을 위한 의료기관의 선정에 관한 정책은 다음 사항을 정의해야 한다.

1. 현장의 환자 분류 기준(어떤 증상을 가진 어떤 환자가 어디로 가야 하는가)
2. 지정된 수용 병원
3. 전문 소아 센터

아프거나 다친 아동을 위한 적절한 응급실 선정은 비슷한 상태의 어른의 경우에서 적절한 응급실을 선택하는 것과 다를 수 있다. 일부 응급의료서비스 체계는 특정 소아 환자를 위한 전문소아센터(예, 소아치료 능력이 있는 일반외상센터, 소아집중치료센터, 또는 소아외상센터)를 특정 소아를 위한 1차 치료시설로 구분하고 있다. 몇몇 경우, 아동 환자의 환자 분류 기준(예, 심각한 화상 환자는 지역의 아동 병원 아니면 지역 화상센터가 있는 성인 병원으로 이송해야 하는가?)과 상충된다. 의료기관의 선정 정책은 이런 환자가 어디로 이송되어야 하는가에 대한 지침을 제공하거나 의료지도로서 모든 복합적인 환자 분류의 결정을 내릴 수 있도록 명확해야 한다. 만일 의견충돌이 계속된다면, 당신이 그 목적지를 선택한 이유를 설명하는 것을 시도한다. 성공하지 못했다면, 의료지도와 연락을 취하여 그들이 보호자와 대화할 수 있게 한다.

소아 정책과 절차

응급 의료 체계는 소아과 관련된 윤리적, 법적으로 흔히 발생 할 수 있는 문제에 대한 명확한 지침을 제공해야 한다. 더욱이, 의료지도는 동의를 얻지 못하거나, 아동이나 보호자에 의한 동의의 거부, 현장에 의사의 존재, 소생술 결정, 그리고 의심 되는 아동 학대나 성폭력과 같이 특히 어려운 상황에서는 실시간 상담을 할 수 있도록 해주어야 한다.

프로토콜, 정책, 그리고 절차

운영은 응급 의료 체계의 중추이다. 운영 목표는 응급의료 체계에 의해 확립된 기준에 따른 일상적인 현장 처치를 관리하는 것이다. 운영의 중요한 부분은 정책, 절차, 그리고 응급의료체계 내에서의 응급구조사의 의학적인 책임과 법적인 권한을 정의하는 프로토콜이다. 이러한 서면 지침은 복잡한 병원 전 상황에서 무엇을 해야하는 지에 대해 응급구조사를 보조한다. 또한 교육과 훈련과 함께 수행 기준을 설정하는 것을 도와준다.

아동의 대한 요구는 어른의 경우와 다르기 때문에 포괄적인 응급의료서비스 체계를 위해 아동에 맞는 프로토콜, 정책 및 절차가 필요하다. 프로토콜은 명백한 현장 처치나 지시 뜨는 특정 질병과 손상 상태에 대한 의료 중재의 유형을 정의한다. 이것은 약물 용량, 투약 경로, 그리고 투약 방법을 포함한 적절한 약물 선택을 제시한다. 대부분 응급의료서비스 체계는 병원 전 소아 전문소생술(ALS), 의학적 응급상황, 그리고 외상 처치 프로토콜이

있다. 병원 전 최초반응자뿐만 아니라 기본소생술 제공자를 위한 적절한 처치 프로토콜도 중요하다. **표 15-3**은 몇 가지 일반적인 EMS 소아 처치 프로토콜을 나열하고 있다.

정책과 절차는 병원 전 처치, 양질의 관리, 응급의료 체계의 책임에 대한 지역의 기대를 반영한다. 이러한 형태의 규칙은 응급구조사를 지시하기 위해 명확하게 쓰여진 서면 지침으로 구성된다. 이것은 이 장에서 논의한 것과 같이 어려운 상황에서의 결정이나 법적으로 민감한 소아 현장 상황에서의 결정을 돕기 위한 것이다. 보통 정책은 의료처치 보다는 응급구조사가 특정 상황을 어떻게 다루어야 하는지와 그 근거를 설명한다. 절차는 응급구조사가 의료지침이나 법의학적 정책을 적용하기 위한 행위의 순서를 서술한다. 소아 환자 처지에 대해, 가장 흔히 적용되는 현장 정책은 다음을 포함한다:

- 응급처치나 이송에 대한 동의
- 응급처치나 이송에 대한 동의의 거부

표 15-3 소아 응급처치 프로토콜의 예
기도폐쇄
알레르기 반응과 과민증
의신 상태 변화
느린맥
화상
심폐 정지
저관류 또는 쇼크
신생아 소생술
발작
호흡 장애
빠른맥
독성물질에 대한 노출
외상

- 현장에서의 사망
- 환자 분류 지침
- 의료기관 선정
- 아동 학대

각각의 주(州)에는 지역 응급의료서비스 시스템에 대한 기본 요건을 법으로 규정하고 있다. 양질의 관리, 책임, 집행에 대한 방침을 제공하며, 응급구조사 업무의 범위를 확립한다. 지역의 정책, 절차, 그리고 프로토콜은 응급의료 체계마다 매우 다를 수 있다. 인접 지역 간의 상호부조협정은 아동 치료를 위해 전문화된 자원, 장비, 그리고 인원이 고르게 분포하고 있지 않기 때문에 특히 유용하다. 소아를 위한 전문 외상치료와 집중치료센터는 대도시 지역의 대형 병원에서만 이용 가능하다. 일부 주(州)에는 아동을 위한 전문센터는 전혀 존재하지 않는다.

아동학대와 성폭력

아동학대를 인지하기 위한 응급구조사에 대한 교육은 소아 관련 초기교육과 지속적인 교육의 필수적인 요소이다(11장 참고). 의심되는 학대 사례를 보고 하고 환자를 적절하게 응급실로 이송하기 위한 정책과 절차는 모든 응급 의료 서비스 체계의 중요한 구성 요소이다. 응급구조사는 아동 학대 또는 성폭력 환자를 주의 깊게, 고통을 공감하며 존중하는 방식으로 환자의 초기 평가를 해야 한다. 아동 학대와 성폭력 피해 아동을 다루었던 경험이 있는 의료진이 있고 보조적인 서비스와 추후 서비스가 갖추어진 응급실로 환자를 이송한다. 비난, 도덕적 판단, 위협, 또는 의심하면서 보호자나 다른 사람들과 대면하지 않는다. 비록 이러한 상황이 감정적으로 힘들지만, 시급한 목표는 아동에게 필요한 처치를 제공하고 안전한 이송을 시행하는 것이다.

소아환자를 위한 의료 지도

의료지도, 의료지시 또는 의료 관리은 응급의료종사자이 현장을 지도하는 방법이다. 의료지도는 간접적, 직접적 방법을 포함한다.

온라인(직접) 의료지도

온라인 또는 직접의료지도는 전화나 무전기를 통해 응급구조사와 지도 의사 사이의 모든 통신을 지칭한다. 이러한 형태의 지도는 소아전문소생술처치(예, 정맥로, 투약 경로, 투약 용량), 환자 분류, 현장통제, 그리고 이송에 대한 결정이 어렵기 때문에, 18세 미만의 아동과 관련된 대다수 또는 모든 경우를 위해 일부 지역 응급의료체계에 필요로 한다(그림 15-4). 온라인 의료지도는 매우 유용할 수 있고, 이는 고위험 소아의 거절의 경우 사용되어야 한다. 온라인 의료지도는 보통 녹음되고, 부모가 의료지도와 나눈 대화도 녹음될 수 있다. 생명을 위협하는 고위험 환자의 거부는, 의료지도 의사가 직접적으로 녹음되는 방법으로 부모 또는 보호자와 대화해야 한다. **표 15-4**의 항목은 온라인 의사의 개입 또는 직접의료지도를 필요로 하는 소아 현장 응급처치에 있어서 일어나는 문제의 예시들 중 몇 가지이다.

오프라인(간접) 의료지도

오프라인 또는 간접의료지도는 전향적, 후향적 간접의료 지도를 포함한다. 전향적 간접의료지도는 응급구조사의 병원 전 단계에서 예상되는 교육적, 운영적 요건을 위한 계획으로 구성된다. 후향적 간접의료지도는 기준이 되는 치료의 수준이나 개별 및 전체 조직에 대한 성과 검토가 포함한다.

그림 15-4 직접의료 지도는 응급구조사가 소아에 대한 의학적, 법적 문제에 부딪혔을 때 가장 많은 도움을 준다.
© Jones and Bartlett Learning. Courtesy of MIEMSS.

표 15-4 직접적인 의료지도가 필요한 소아의 문제	
소아의 문제	가능한 상황
현장 처치의 종류	간질지속상태에 디아제팜의 정맥 또는 항문 투여
의료기관 선정	영아 외상 환자를 위한 적절한 응급실
특수한 현장 안전	학교에서의 위험물질 누출
이송	경미한 중독 후 응급실 치료의 요구

표 15-5 간접 의료지도
전형적인 의료지도의 예시
소아 기본소생술과 전문소생술 구급차 장비와 약물
소아 병원 전 치료 지침
술기 훈련
기도내 이물질 제거
기관내삽관
골내 주사
디아제팜 항문 투여
소아를 위한 정책
의료기관 선정
환자 분류
이송
치료의 거부
의심되는 영아돌연사
아동 학대
후향적인 의료지도의 예시
처치, 환자 분류, 그리고 이송 정책의 준수 여부의 검토
소아 환자 절차의 성공, 실패, 그리고 합병증 및 결과에 대한 검토
소아 질병과 손상의 종류에 대한 역학 자료
소아 치료를 위한 응급실 또는 병원 능력의 검토

표 15-5의 항목은 간접의료 지도가 소아를 위한 지침, 정책, 그리고 절차의 다양한 형태로 어떻게 만들어지고 감독하는지에 대한 예시를 나열한다.

지침들, 정책들 그리고 절차에 대한 근거의 요약

소아 환자의 특수한 지침(프로토콜, 정책및 절차에 정의된 것처럼)은 아동들을 위한 치료기준을 정하는데 도움이 된다. 의료지도는 법적 그리고 의학적으로 종종 문제시되는 상황이 생길 수 있기 때문에 가족과 소아들의 병원 전 의료처치에서 특별히 중요하다.

사례연구 답안

사례연구 1

비록 보모(성인 보모소자노)라노 지료에 뮤효한 농의를 세성할 수 없시만, 북시석 농의 뮤성에 따르면 호흡곤란인 이 아동을 응급처치하고 이송할 수 있다. 그녀는 자신이 위험에 처하는 급박한 상태를 겪고 있고 법적 후견인과는 닿을 수 없지만 응급처치를 늦추는 것은 안전하지 못할 것이다. 보모가 부모의 전화번호를 알고 있다면, 전화를 걸어 부모에게 상황을 알리고 필요한 응급처치와 이송을 제공하도록 허락을 구한다. 부모와 연락할 수 없다면 천명음과 호흡곤란을 해결하기 위해 산소와 기관지 확장제를 투여 하며 적절한 치료기관으로 이송해야 한다. 마지막으로, 16살 보모가 안전한지 확인하고, 아동의 보호자에게 무슨 일이 벌어졌고 아동을 이송한 곳이 어디인지를 설명하는 글을 전달하게 한다.

사례연구 2

만일 응급구조사가 아동에게 응급처치 제공을 설득할 수 없다면, 이것은 힘든 상황이 될 것이다. 집이없는 청소년기에 대부분의 주(州)에서는 이런 아동을 독립한 미성년자 상태가 아니라 주(州)의 보호대상으로 간주한다. 그렇지만 그가 응급처치와 이송을 법적으로 거부할 수 없다는 사실에도 불구하고 강제하지 않으면서 존중하는 자세로 본인이 결정하도록 모든 노력을 다해야 한다. 그가 환자 평가를 받기 거부하고 고집을 피운다면 의료 지도 의사와 연락한다. 판단력이 소실된 의학적 문제(예, 뇌수막염, 머리손상, 약물중독)의 결과로 "공격성"을 보이는 것 같으면 효과적으로 안전한 평가와 이송을 위해 그 소년을 강제하는 데 도움을 주 법 집행관에게 연락을 취한다.

실질적인 문제로 소년의 존엄성을 존중하지만, 응급실로의 이송이 필요하다는 입장을 고수한다. 판단하려 하지 말고 신뢰관계를 확립하려고 노력한다. 친구나 상담자의 도움이 가능하다면, 응급처치와 이송에 대한 소년의 동의를 얻기 위해 설득시키는 데 협조를 구한다.

사례연구 3

이 아동이 관심 있는 질문에 대답할 때 주의 깊게 생각해 본다. 솔직하지 않은 태도를 피한다. 아이의 어머니가 생존한 것인지 알 수 없으므로 당신은 이이의 엄미가 괜찮을 것이리고 이이를 안심 시커서는 안된다. 다른 한편으로는, 아이가 안전하게 이송되고 아이를 지지해 줄 수 있는(사회복지사와 같은)서비스가 제공될 때까지 엄마의 상태에 대한 관심과 염려를 보류하는 것이 적절하다. 한 가지 솔직한 답으로 "네가 엄마에 대해 걱정하는 것을 알고 있단다. 지금, 내 동료들이 응급처치를 하고 있어. 나는 너에게 응급처치를 해야 하고 나는 너를 곧 병원에 데려갈 거야. 거기에 도착하면, 우리는 네 엄마에 대해 좀 더 알아보도록 할게."가 있다.

추천 자료

Textbooks

American Academy of Orthopaedic Surgeons. *Nancy Caroline's Emergency Care in the Streets*. 8th ed. Burlington, MA: Jones & Bartlett Learning; 2018.

McWay DC. Today's Health Information Management: An Integrated Approach. Clifton Park, NY: Delmar Cengage Learning; 2008.

Wertz Evans EM. Children and youth with special health care needs. In: Thomas D, Bernardo L, eds. *Core Curriculum for Pediatric Emergency Nursing*. 2nd ed. Chicago, IL: Emergency Nurses Association; 2009.

Articles

American Academy of Pediatrics, Committee of Pediatric Emergency Medicine & Committee on Bioethics. Consent for emergency medical services for children and adolescents. *Pediatrics*. 2011;128(2):427-433.

Larkin G. Essential ethics for EMS: cardinal virtues and core principles. *Emerg Med Clin North Am*. 2002;20:887–911.

Schears R, Marco C, Iserson K. "Do not attempt resuscitation" in the out-of-hospital setting. *Ann Emerg Med*. 2004;44:68–69.

Other Resources

American Medical Association. What you need to know about the new HIPAA Breach Notification Rule. https://www.ama-assn.org/practice-management/hipaa/hipaa-breach-notification-rule. Accessed October 8, 2019.

Center for Democracy and Technology. Stronger protections for, and encouraging the use of, de-identified (and "anonymized") health data. https://www.cdt.org/insight/stronger-protections-and-encouraging-use-of-de-identified-and-anonymous-health-data. Accessed Oct 8, 2019.

Centers for Medicare and Medicaid Services. HIPAA basics. https://www.cms.gov/Outreach -and-Education/Medicare-Learning-Network -MLN/MLNProducts/MLN-Publications-Items /ICN909001.html. Accessed October 8, 2019.

Centers for Medicare and Medicaid Services. HIPAA—General information, 2010. http://www .cms.gov/HIPAAGenInfo/ 01_Overview.asp. Accessed September 12, 2012.

Donate Life America. Organ donation. https://donate life.net/statistics. Accessed October 8, 2019.

Privileged Communication. *Encyclopedia Britannica.* https://www.britannica.com/topic/privileged -communication. Accessed October 7, 2019.

United States Department of Health and Human Services. Organ Donation Statistics. https://www .organdonor.gov/statistics-stories/statistics.html. Accessed October 8, 2019.

© Steve Jolicoeur/Shutterstock.

CHAPTER 16
이송 고려사항

Michael J. Stoner, MD, FAAP

학습목표

1. 구급차에서 소아 환자를 위한 이송 고려사항을 논의할 수 있다.
2. 구급차에서 소아 환자의 이송 방식을 결정하기 위한 고려사항을 나열할 수 있다.
3. 구급차에 보호자를 동승시켰을 때 장점과 단점을 논의할 수 있다.
4. 구급차에서 소아 고정 장치 사용에 대한 현 지침을 확인하고 논의할 수 있다.
5. 소아환자 이송 결정시 이송병원 선택과 관련된 쟁점을 확인할 수 있다.
6. 다수의 소아 환자 이송에 관련된 쟁점을 개략적으로 설명할 수 있다.

소아 이송

비록 소아 환자는 EMS 호출 비율이 비교적 낮지만, 응급구조사들은 소아를 언제, 어떻게 이송할지를 결정해야 하는 상황에 직면하게 된다. 성인이 동반된 소아 환자이던 소아 환자이던, 그 이송 결정은 많은 측면을 포함한다. 소아의 이송 여부나 이송 방법을 결정을 할 때, 현재와 잠재적 상황들을 고려해야 한다는 것이다. 응급구조사는 반드시 소아의 안전한 이송을 위한 지역의 응급의료제공지침(EMS protocols), 자동차 내의 소아 탑승자와 관련된 주(州)의 자동차법, 이용

사례연구 1

현장에 노착하여, 응급구조사는 집 계난에서 굴러 떨어진 27세의 싱글맘(single mother)을 발견한다. 그녀는 짧은 시간 동안 의식을 잃었었고, 머리에 열상이 생겼다. 그녀의 발목은 부어있고, 그녀는 자신의 발목에 체중을 실을 수 없어 이송을 필요로 한다. 그녀의 6개월 된 딸은 아기 침대에 잠들어 있다. 환자는 이송에 동의하지만 그녀의 아이와 함께 이송될 것을 요구한다. 이 시점에 아이를 돌봐줄 다른 가족이나 이웃이 없다.

1. 엄마와 함께 아이를 이송하는 것은 적절한가?
2. 환자가 아닌 아이를 이송할 때 관련된 문제는 무엇인가?

가능한 지역의 자원과 장비, 그리고 이송 중 소아 치료를 규정한 응급의료서비스 규정 등을 알아야만 한다. 가장 중요한 것은 응급구조사가 이송에 수반되는 운용 문제(operational issues) 뿐만 아니라, 환자의 긴급하고 변화하는 의료적 요구를 해결할 수 있어야 한다.

소아를 동반한 성인 환자의 경우, 구급차로 함께 이송해야 하는가의 결정 과정은 현장결정에 앞서 사전 고려 및 자원 지침을 참고하여, 정책과 응급의료지침에 따라 처리되어야 한다. 구급차는 소아 탑승자를 이송하도록 설계되지 않았기에, 비 환자 소아 탑승자를 위한 안전한 선택과 관련한 구급차 고안은 고도의 숙련 응급구조사조차도 어려움에 직면함을 이해하는 것이 중요하다.

소아가 환자일 때, 또 이송이 필요할 때, 이송 중의 중재 필요 여부와, 소아 환자의 안정적인 상태에 따라 소아 환자를 고정할 위치가 달라질 수밖에 없다. 빠른 이송은 다양한 요소에 따라 달라진다. 기본소생술 체계에서, 현장 상황이 소아, 돌봄제공자, 또는 응급구조사에게 안전하지 않거나, 소아가 다음과 같은 상황이면 조기 이송이 바람직하다:

- 심각한 손상기전
- 심각한 질환이 있는 병력
- 1차 평가에서 확인된 생리적 이상 소견
- 잠재적으로 심각한 해부학적 이상 소견
- 심각한 통증

현장에서 보다 광범위한 치료를 선택해야하는 전문소생술(ALS)에서 이송판단은 종종 복잡하다. 고려해야 할 주요인자는 다음을 포함한다:

- 임상적 문제(손상 대 질병)의 유형
- 현장에서 전문소생술 처치의 기대 이점
- 지역 응급의료서비스 체계의 처치와 이송 정책
- 전문소생술 제공자의 위안(comfort) 수준

또 하나의 고려사항은 목적지 선택이다; 모든 지역에 소아 센터가 있는 것은 아니기에, 안정화(stabilization)를 위하

> **조언**
>
> 많은 응급의료체계(EMS)는 지역 또는 주(州) 단위의 소아 이송 방법을 규정하는 명확한 정책과 지침을 마련하고 있다. 그러나 모든 곳이 마련된 것은 아니다. 이러한 규정은 없지만, 구급차 내에서 소아의 안전한 이송에 관한 국가 지침이 있다.

여 지역병원에 의존할 수 있다. 이는 지역 응급의료지침 내에서 다뤄져야 한다. 많은 주(州)들이 소아를 위한 응급의료서비스프로그램(Emergency Medical Services for Children program; EMSC program)을 통해 달성된 소아 병원을 목적지로 하는 지정 계약과 기타 소아 전용 프로그램이 있다.

이송시작 방법

소아가 환자인가?

소아가 *왜* 이송돼야 하는지의 이유가 어떻게 이송할지를 결정하는 첫 번째 요소이다. 소아가 환자인가 혹은 구급차 이송을 필요로 하는 보호자(환자)와 함께 있는 소아인가? *환자가 아닌 소아를 환자와의 동행으로 인해 이송해야 하는 경우에는 구급차보다는 가능하다면, 일반차량으로 이송하는 것이 최선이다.* 적절한 소아 안전 확보를 위한 선택이 너무 적고, 구급차로 이송할 때에 소아에게 손상이 발생될 위험성이 크다. 구급차는 환자가 아닌 소아를 이송하기 위해 고안된 것이 아니다.

많은 지역사회에 소아과 연합이 있고, 이들은 환자가 아닌 소아를 대체 차량으로 이송할 수 있는 자원 역할을 할 수 있다. 지역내에서 공공안전 재난계획과 학교 자원은 파트너십(partnership) 개발을 시작하기에 좋다. 이러한 상황이 발생할 경우, 대체 이송을 선택하도록 계약으로 미리 설정할 수 있다. 파트너십이 되어 있는 병원전 전문인력들은 다양한 소아 고정장치와 안전한 차량 지원이 가능한 시스템을 제공할 수 있다. 응급구조사는 추가적인 가족 구성원의 안전 이송을 위해 일시적으로 가족을 분리해야 할 수 있다고 설명해야 한다.

> **주의**
>
> 환자가 아닌 소아를 구급차로 이송하는 것을 피하라.

아픈 소아가 환자일 때

소아가 단순한 산소공급이나 기관지 확장제 투여보다 기도, 호흡 및 순환 처치가 필요한 경우 혹은 전문소생술 감시 또는 처치가 필요한 경우, 들 것을 이용하여 바로누운자세 혹은 세미파울러자세(Semi-Fowler's position)로 이송한다. 이 자세는 응급구조사가 이송 중 지속적인 평가와 처치를 하기에 가장 좋고 안전한 방법이다.

가벼운 질병이나 손상의 경우를 제외하고, 아픈 소아는 안전하게 고정된 채로 들것으로 바로누운자세 혹은 세미파울러자세(Semi-Fowler's position)로 이송한다. 이것은 지속적인 평가, 모니터링, 그리고 처치에 가장 안전하고 효과적인 자세이다.

소아를 부모의 팔에 안겨 이송하는 것은 절대 허용해서는 안 된다.

구급차 내에 소아환자 돌봄제공자의 역할

구급차 내에 소아 환자나 돌봄제공자가 동승하는 것은 일반적으로 지역 응급의료체계의 지침이나 규정에 따라 제한된다. 특히, 친숙한 사람 없이 이송하게 될 때 심리적 상실감을 느끼는 연령대의 소아의 경우, 종종 소아 환자의 돌봄제공자가 동승하면, 소아 환자의 불안감은 감소한다. 소아 환자가 느끼는 심리적 상실감을 해결하는 것이 병원 전 단계에서 소아환자 치료의 중요한 원칙이며, 소아환자 치료의 질적인 면에서 매우 중요한 인자가 된다. 응급구조사의 치료 효과 및 위안 수준이 가족 혹은 돌봄제공자의 존재에 따라 얼마나 영향을 미치는지 알려진바 없으나. 다른 환경에서 소아환자 치료 제공에 대한 만족도가 높고, 지속되는 돌봄제공자와 소아의 불안감을 줄일 수 있다**(그림 16-1)**.

소아가 환자이지만 아프지 않을 때

종종 초기 평가로 아이가 아주 미미하거나 경미한 질병을 가지며, 심각한 손상이 없는 상태이지만, 의료시설로 이송을 해야 하는 경우도 있다. 소아의 안전을 확보하고, 적절한 평가를 시행하면서, 편안함을 제공할 수 있는 이송 방법은 여러 가지가 있다. 들것에 바로누운자세로 고정된 대부분의 소아들은 고정, 낯선 사람에 대한 불안, 공포, 그리고 통증으로 인해 고통스러워한다. 가능하다면 딱딱한 들 것의 불편함과 정서적 스트레스를 최소한으로 줄이기 위해 경미한 질병 및 손상 소아는 앉은 자세로 이송을 시도해야 한다. 응급구조사와 소아 이송 장치들을 위한 통합된 소아 고정장치는 점점 더 많아지고 있고, 이는 안전한 이송에 대한 추가적인 선택권을 제공할 수 있다.

소아가 환자일 때, 중재 효과의 최대화, 적절한 모니터링, 그리고 안전과 편안함을 제공하는 자세를 신중히 고려한다. 소아가 산소공급이나 단순한 상처 치료 이외에 긴급하거나 예견되는 중재가 필요하다면, 들 것에 소아를 바로누운자세로 고정시킨 후에 이송한다. 소아가 모니터링만 필요하다면, 환자를 관찰하고, 안전을 도모하며, 편안함을 증진시키는 바르게 앉힌 자세의 이송을 한다. *부모의 팔에 소아를 안긴 채로 이송하지 않는다.*

그림 16-1 소아 환자의 돌봄제공자가 구급차에 동승하는 것은 소아 환자의 불안감을 줄여준다. 그러나 탑승한 모든 이가 안전한지 확인해야 한다.

의식상태가 변한 18개월 된 여자 유아가 있는 현장에 도착한다. 아이는 엄마 품에서 축 늘어져 있으며 방에 도착한 구급팀에도 아무런 반응을 보이지 않는다. 아이는 창백하지만, 호흡 노력의 증가나 잡음이 들리는 호흡을 보이지 않는다. 아이는 24시간 동안 메스꺼움과 구토 증세를 보였고, 낮잠 이후 깨워도 일어나지 않았다고 한다. 아이는 통증 자극에 반응하고, 마른 기저귀를 하고 있었다. 활력징후는 맥박수 160 회/분, 호흡수 40 회/분, 촉진된 수축기 혈압은 70 mmHg 이다. 아이의 몸무게는 22파운드(약10 kg)이다.

1. 이 아이는 카시트를 이용해 이송해야 하는가?
2. 아이를 이송할 때 엄마가 동승하는 것이 좋은가?
3. 이 환자의 이송 방법과 목적지 병원에 대하여 논의하시오.

응급구조사들 중 몇몇은 소아의 돌봄제공자가 구급차에 동승하는 경우 소생술이나 기관 삽관과 같은 전문 술기 시행에 불편함을 느낄 수 있다. 응급구조사 자신이 편안해질 수 있는 한 가지 방법은 소아의 지지(advocacy)에 참여하도록 하고, 소아과적 훈련과 노출을 늘이는 것이다.

지역 응급의료체계 정책이 소아환자와 돌봄제공자 동승을 허용한다면, 이송 중 소아 환자와 돌봄제공자의 위치를 명확하게 규정해야 한다. 환자 돌봄제공자의 좌석은 일반적으로 구급차의 앞좌석(조수석)이다. 모든 구급차 탑승자와 마찬가지로 소아 돌봄제공자도 이송 중 착석하여 자신의 안전벨트를 바르게 고정해야 한다. 소아 돌봄제공자가 착석할 수 있는 또 다른 좌석은 구급차 뒷좌석으로, 구조자와 돌봄제공자 둘 다 안전한 좌석이 보장될 경우 가능하다. 이는 돌봄제공자를 소아의 시야 내에 둠으로써 어느 정도 심리적 안정감을 느끼게 해 줄 수 있다. 모든 탑승자가 안전띠를 착용했는

지, 모든 장비들이 안전하게 고정되어 있는지 확인한다; 고정되지 않은 장비들 또는 탑승자는 차량 사고 시, 구급차 내 환자의 안전을 위협하는 요소로 손꼽혀 왔다(**그림 16-2**).

구급차 내 소아 고정시스템

이송 중 아이들에게 직면하는 위험들

구급차 이송 중 아이에게 발생될 수 있는 추가적 손상 가능성을 줄이는 요인들이 있다. 이 요인들은 아이를 안전하게 고정하였는가, 구급차 상태(configuration) 및 구급대원들과 장비들의 고정 여부가 포함된다. 응급구조사협회(National Association of State EMS Officials; NASEMSO)는 안전한 이송을 기도, 호흡, 순환의 같은 선상의 기본적 처치로 간주한다. 그들은 2.2-45 Kg(5-99파운드) 범위의 최소 체중 소아 고정 장치(child restraint systems; CRS)를 구비하라고 권고한다. 이는 소아의 증상에 따라 카시트로부터 간이침대에 부착된 고정장치까지 그 종류가 다양할 수 있다.

소아 이송 방법을 결정하는 첫 단계는 환자 평가, 모니터링, 그리고 이송 중에 요구되는 치료가 무엇인지에 따른다. 응급 상황에서의 소아의 안전한 이송을 위한 실무진의 모범 권고사항은 5개의 시나리오에 대한 것으로 열거하고 있다(**표 16-1**).

만약 환자가 안정적이고, 예상되는 중재가 없다면, 미국 자동차 안전규칙 213번의 손상 기준을 충족시키는 소아 고정 장치를 이용하여 영아 또는 소아를 이송한다. 이는 구급차 내 간이침대에 적절하게 고정할 수 있는 장비를 가진 카시트로 구성된다. 소아가 지속적인 의료 처지 또는 척추 고정을 필요로 한다면, 카시트는 부적절하며, 간이침대 또는

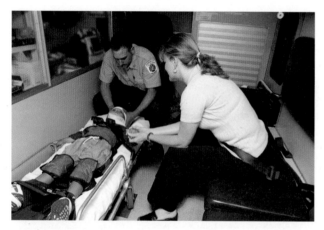

그림 16-2 보호자가 아이와 함께 구급차 동승이 허락된 경우 모든 탑승자와 장비들이 안전하게 고정되었는지 확인해야 한다.

시나리오	설명
TABLE 16-1 응급 상황의 구급차 이송이 권고된 소아의 안전한 이송을 위한 모범 실무자 그룹의 권고사항	
1	손상 및 질병이 없는 경우
2	손상 그리고/또는 질병이 있는 경우, 그리고 소아의 상태가 지속적인 그리고/또는 집중적인 의학적인 감시 그리고/또는 중재가 필요 없는 경우
3	소아의 상태가 지속적인 그리고/또는 집중적인 의학적인 감시 그리고 또는 중재가 필요한 경우
4	소아의 상태가 척추 고정 그리고/또는 바로 눕는 자세가 필요한 경우
5	다수의 환자 이송의 일부로 이송이 필요한 한 명 또는 여러 명의 소아인 경우 (신생아와 산모, 여러 명의 환아 등)

Working Group Best-Practice Recommendations for the Safe Transportation of Children in Emergency Ground Ambulances, DOT HS 811 677, September 2012.

척추고정판에 직접적으로 부착된 적절한 소아 고정장치를 필요로 한다. 만약 척추 손상이 의심된다면, 소아는 척추가 고정된 상태(SMR: spinal motion restriction)로 이송되어야 한다. 이는 구급차 내 간이침대, 진공 부목, 또는 유사한 장치의 형태일 수 있다. 척추 고정 상태는 머리가 30도 이상 올라가 있으면 얻어질 수 없고, 또는 목과 척추 가동을 차단하는 방식으로 소아를 고정하지 않고서는 불가능하다. 소아과적 근거로 다음과 같은 증상을 가진 환자의 경우 경추고정대 사용을 지지한다: 목의 통증, 목을 움직이지 못하는 경우, 신경학적 결함, 의식상태의 변화, 고위험 손상기전(고속 자동차 충돌, 물에 빠진 사고), 몸통 외상 또는 의심스러운 상태의 경우. 소아가 심각하게 손상을 입었거나, 의식이 없는 경우와 같은 상황에서 척추고정판을 사용하는 경우, 소아를 척추고정판에 고정시킨 후, 소아의 몸통(가슴, 허리, 무릎)을 가로질러 3개의 띠를 나란히 고정하고, 2개의 띠를 두 어깨에 수직이 되도록 척추고정판을 간이침대에 고정시킨다. 가능한 경우에, 급 정거시 앞으로의 쏠림을 막기 위해 척추고정판의 발 쪽 끝을 간이침대에 묶는다. 욕창이 발생할 수 있기 때문에 척추고정판은 가능한 최대한 짧은 시간 동안 사용되어야 한다.

구급차 내 소아 고정 장치를 사용할 때, 구급차 설치 위치를 결정해야 한다. 카시트는 정면 또는 후면 충돌 상황을 대비해 소아를 고정하도록 고안되어 있기 때문에 측면 충격에는 안전하다고 할 수 없다. 따라서 이는 구급차 내 측면으로 배열된 좌석에 고정될 수 없다. 이러한 이유로 구급차 내, 소아 고정 장치를 위치시킬 장소를 간이침대나 들 것 머리 쪽의 응급구조사 좌석 등으로 제한한다.

> **조언**
>
> 전환 가능한 소아 고정 장치는 들 것이나, 응급구조사 좌석을 전면 또는 후면으로 바라볼 수 있는 자리에 적용할 수 있다.

> **조언**
>
> 안정된 상태의 소아 환자들은 가능하면 구급차에 안전하게 고정된 카시트를 사용해서 이송한다.

> **주의**
>
> 카시트는 절대로 구급차 내, 측면 배열된 의자에 고정해서는 안된다.

> **주의**
>
> "후면만을 바라보는" 또는 "신생아 전용" 소아 고정 좌석은 구급차 간이침대 또는 응급구조사 좌석의 후면을 향한 좌석에 제대로 고정시킬 수 없다. 이러한 장치는 전면 또는 후면을 바라볼 수 있도록 고안되어 있지 않으며, 한 방향으로만 고정될 수 있기 때문이다.

소아 고정장치의 선택

구급차에 사용 가능한 카 안전시트와 소아 고정 장치가 많이 있지만, 미연방의 규제가 없고, 이러한 장치의 안정성 실험은 매우 제한적이다. 승합차를 위해 고안된 카시트는 미국 자동차안전 규칙 213번(Federal Motor Vehicle Safety Standard; FMVSS 213)을 충족시키도록 검사가 이뤄진다; 특정 체중(보통 18-23Kg(40-50파운드)까지)의 변환이 가능한 카시트와 두 개의 벨트 경로를 사용하는 카 베드는 검사가 이뤄졌고, FMVSS 213의 손상 기준을 충족한다. 뒤쪽을 향한 응급구조사의 시트에 영구적으로 장착하는 일부 통합된 시트와 고정장치가 있고(**그림 16-3**), 뒤쪽을 향한 들 것에 고정되도록 고안된 몇 가

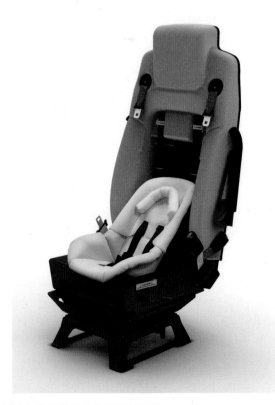

그림 16-3 통합된 소아 고정 시스템
Courtesy of Serenity Safety Products.

지 고정장치가 있다. 이것들에 대한 선택은 사용을 위한 다양한 권고가 있고, 구급차 전용으로 만들어진 기준이 별도로 없기 때문에, 일부는 FMVSS 213번의 손상 기준을 충족시키도록 검사가 이뤄졌다. 후면만 바라보는 소아 카시트(이전에는 영아용 시트라고 불린)는 제품 모델에 따라 2 Kg(4-5파운드)부터 10 Kg(22파운드)까지 또는 13.6-15.8 Kg(30-35파운드)의 영아들을 위해 고안되었다. 변환 가능한 카시트는 다양한 연령대와 18-23 Kg(40-50파운드)의 아동을 위한 것이다. 그것들은 보통 앞쪽과 뒤쪽을 향하는 두 개의 벨트 경로가 있다. 최근에 제조된 일부 카시트들은 체중의 한계를 36.2 Kg(80파운드)까지 증량했다. 하지만 어떠한 것도 18 Kg(40파운드) 이상의 소아를 위한 구급차 들 것으로 검사되지는 않았나 **(그림 16-4)**. 소아를 카시트에 고정시키는 것 외에도, 앞뒤로의 움직임을 방지하기 위해, 카시트는 두 개의 벨트

그림 16-4 5-40 파운드(약 2.3-18 kg) 소아들을 위한 변환 가능한 카시트

Thinkstock/Getty Images.

경로를 이용해서 구급차의 들것에 고정되어야 한다. 변환 가능한 카시트만이 두 개의 벨트 경로를 가지고 있으며 들 것에 안전하게 고정될 수 있는 유일한 카시트이다. 들 것의 뒤쪽은 똑바로 세워지고, 이 카시트는 앞쪽과 뒤쪽을 향한 벨트 경로를 통해 벨트로 들 것에 고정이 된다.

뒤쪽만 향하는 시트들은, 뒤쪽으로 향하는 자세로만 사용되며, 보통 13.6-15.8 Kg(30-35파운드) 이하의 영아들에게 사용하도록 제한된다. 그것들은 하나의 벨트 통로만 가지므로, 들것에 안전하게 고정할 수 없다. 반면, 측면에 기반을 둔 들것에 고정될 수 있는 영아 카 베드도 있다.

부스터 시트(booster seats, 아이 키에 맞춰 안전벨트 착용 가능)를 사용하는 경우, 무릎/어깨 벨트를 사용할 수 있는 앞쪽을 향하는 주(captain) 의자에만 사용되어야 한다. 특별한 고정 시스템은 조끼와 벨트 장치를 포함하며, 환자의 안전한 이송을 위한 설치와 고정 방법을 부가적으로 훈련받은 전문 대원이 이용 가능하다. 구급차 내 고정장치의 설치와 선택에 대한 자세한 정보는 구급차를 이용한 소아 이송 훈련을 받은 응급구조사로부터 얻을 수 있다.

조언

훈련의 일부로, 유아용 카시트를 들 것에 고정하는 연습을 하거나, 구급차 이송 훈련을 받은 공인 유아 승객 안전기사를 통해 설치과정에 익숙해지도록 한다.

소아 고정장치는 깨끗하게 유지되어야 한다. 패드는 제거 가능하고, 표면은 닦을 수 있는 것이어야 한다. 시트를 깨끗이 할 수 있는 물질이 무엇인지를 제조업체에 확인해야 한다. 구급차 전용 소아 고정장치가 있을 경우, EMS 정책 및 제조업체에 안전 리콜이 없는지 확인해야 한다.

사례연구 3

시내 교차로에서 느린 속도로 달리던 두 대의 차량이 충돌한 사고현장으로 출동하도록 요청을 받았다. 3명의 환자 중 한 사람은 다른 차량의 측면 쪽으로 충돌한 차량의 운전자로 안전띠를 착용하였다. 다른 차량에 타고 있던 두 명의 환자 중 한 명은 안전띠를 착용한 운전자고 나머지 한 명은 11개월 된 남자아이로 충돌한 반대편에 후면을 보면서 위치한 카시트에 안전하게 고정된 상태로 사고가 발생했다고 한다. 에어백이 작동하지 않을 정도의 충돌이었다. 두 명의 운전자는 경미한 상처가 있었고, 심각한 이상 소견은 관찰되지 않았다. 아이를 평가하였는데, 울고 있었고, 손상 증거는 관찰되지 않았다.

1. 아이를 구급차로 이송해야 하는가?
2. 아이를 이송해야 한다면, 아이가 착용하고 있었던 카시트 또는 구급차 내에 있는 카시트 중 어떤 것으로 이송해야 하는가?

충돌 후 카시트의 사용

구급차에 소아 고정장치가 없으면서 안정된 상태의 소아환자를 이송하는 경우, 소아가 사용하던 카시트를 사용할 수 있는 상황이라면 중요한 딜레마가 발생한다. 지역 응급의료체계 지침에서 개인 카시트 사용이 허용된다면 카시트에 파손이 있는지 확인한다. 카시트에 손상의 여지가 있다면 구급차에서 사용하지 않는다. 전미고속도로 교통안전위원회(NHTSA)는 소아 고정장치가, 소아에 대한 지속적인 충돌방지 수준을 보장하기 위해서는 보통의 또는 심각한 충돌후에 교체할 것을 권고한다(**표 16-2**).

들것에 카시트 고정시키기

의학적 관찰이 필요한 상황이 아닌 40-50파운드(약 18-22 kg) 이하의 소아는 후면을 바라보는 전환용 카시트로 이송한다. 이것은 구급차 내 들것에 쉽게 설치될 수 있다. 국가의 표준을 충족하는 전환 가능한 카시트를 사용하고, 카시트는 간이침대와 같은 높이로 배치돼야 한다. 간이침대에 카시트의 전면과 후면의 양방향의 벨트 경로를 통과하는 줄을 사용하여 카시트를 고정한다(**그림 16-5**). 카시트 띠가 아이의 어깨 즈음이나 그 아래에 오도록 연결하고, 딱 맞게 당긴 후 아이의 겨드랑이 높이에 안전띠 클립이 놓이게 한다(**그림 16-6**).

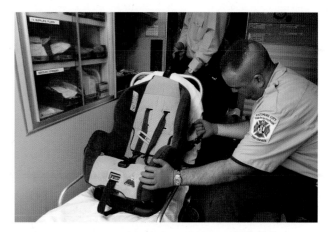

그림 16-5 들것에 카시트를 놓고, 카시트의 뒤쪽을 향하는 벨트경로를 통해 하나의 벨트를 사용하고 카시트의 앞쪽을 향한 벨트 경로를 통해 하나의 벨트를 사용한다.

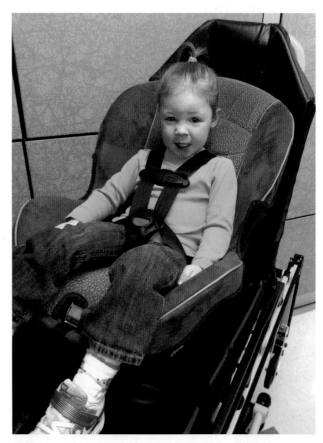

그림 16-6 아이가 겨드랑이 높이의 안전벨트(harness snug)와 가슴 클립이 있는 전환용 카시트(convertible seat)에 바르게 앉혀 있다.

TABLE 16-2 충돌 후 소아 고정장치 사용을 위한 권고
만약 다음의 상황이라면, 경미한 충돌을 입은 소아용 카시트를 재사용하는 것은 안전하다.
▪ 자동차가 충돌 장소로부터 멀리 떨어진 곳으로 운전이 가능한 경우
▪ 자동차 카시트와 가장 가까운 문이 손상 되지 않은 경우
▪ 자동차 동승자 중 아무도 다치지 않았을 경우
▪ 에어백이 있는 경우, 에어백이 작동하지 않을 정도의 충돌인 경우
▪ 카시트에 눈에 띄는 손상이 없는 경우

U.S. Department of Transportation. Car Seat Use After a Crash. Retrieved from https://www.nhtsa.gov/car-seats-and-booster-seats/car-seat-use-after-crash.

좀 더 나이 든 소아 환자를 들것에 고정하기

18 kg(40파운드) 이상의 소아 환자는 들것에 카시트를 고정하여 사용하기에는 몸집이 너무 크지만, 성인 고정장치를 사용할 만큼 아직 크지 않다. 전에 언급한 것처럼, NASEMSO의 권고사항은 2.2-45 Kg(5-99파운드)의 최소 체중에도 적절한 소아 고정장치를 보유하는 것이다. 보다 큰 소아를 위한 구급차 전용 소아 고정장치 사용이 가능할 때, 소아는 반드시 간이침대에 고정된 적절한 장치로 이송되어야 한다. 만약 소아 고정장치 이용이 어렵다면, 아이는 반드시 들 것에 고정되어야 한다. 들 것의 띠 위치는 환자의 크기에 따라 적절히 조정되어야 한다.

구급차 충돌 시, 아이들은 들 것 위로 몸이 움직일 수 있다. 어깨띠의 사용은 이러한 효과를 줄일 수 있지만, 그것들이 소아 어깨에 꼭 맞지 않거나, 차량이 충돌할 경우 소아가 위로 움직이는 것을 막지 못하기 때문에 사용하는 데 많은 어려움이 있다. 이상적으로, 띠는 카시트에 사용되는 것과 유사하게 환자의 어깨쯤이나 그 아래로 조절되어야 한다. 이렇게하기 위해서는 어깨띠가 패딩(등받이 부위)을 통해 들어가 어깨 높이에서 들것의 구조물에 고정되어야 한다. 안타깝게도, 최근 사용되고 있는 들것에서는 불가능한 일이다. 요즘엔 소아를 더 안전하게 들것에 고정시켜줄 수 있는 구급차용 소아 고정장치가 별로 없다. 이러한 장비들은 먼저 들 것에 고정되어야 하고, 그 후에 환자에게 맞도록 조정되어야 한다(**그림 16-7** 그리고 **그림 16-8**). 들 것에 적용하기 위한

소아 고정장치의 사용은 대부분 소아 환자들을 더 적절하게 고정하도록 도와준다.

소아환자 이송의 다른 위험 요인들

환자를 적절한 이송기구를 사용해서 고정하는 것이 안전하게 이송하는 데 있어 가장 중요한 방법이다. 충돌 시, 구급대원들, 부모/돌봄제공자들, 그리고 고정되지 않은 물건들이 날아가 환자에게 해를 끼칠 수 있다는 것을 인식해야 한다. 소아 이송 시 현장에서 출발하기 전, 고정되어 있지 않은 기구들을 안전하게 고정시켜야 한다. 모니터, 이동식 산소탱크, 장비 가방 등 모든 고정되지 않은 물건들은 충돌 사고 시 구급대원들과 환자에게 잠재적 위험이 되는 미사일과 같은 물건이 될 수 있다. 또한, 구급대원들, 부모/돌봄제공자들도 이송과정 내내 반드시 안전띠를 착용해야 한다. 구급차 충돌 시험에 의하면 구급차 충돌시 환자구역에 탑승한 사람이 안전띠를 착용하지 않은 경우, 환자 쪽으로 떨어지는 상황이 발생한다는 것을 보여준다.

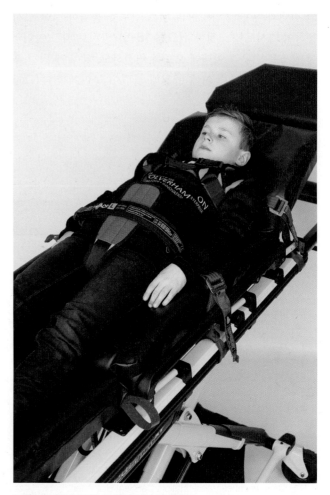

그림 16-8 구급차 전용 소아 고정장치
Courtesy of Quantum EMS LLC.

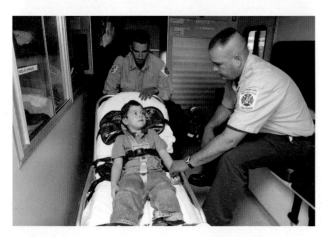

그림 16-7 구급차 전용 4.5-18Kg(10-40파운드) 체중의 소아 고정장치

소아환자 고정장치 요약

특별한 치료를 요하지 않는 안정된 상태의 소아환자를 이송할 때에는 적절한 크기의 소아 고정장치를 사용하여 소아 환자를 가능하면 앞혀서 이송하는 것이 좋다. 이는 이송 시 가장 선호되는 자세이다. 다양한 체중의 소아환자에게 카시트를 적절히 사용할 수 있는 방법과 이송 중 최대한 안전하도록 구급차에 고정시키는 방법에 대한 지침들이 있다. 지역 응급의료체계 정책이 개인이 사용하던 카시트를 구급차에서 사용하도록 허용한다면, 카시트 파손유무를 확인하고, 충돌 후 카시트가 NHTSA 기준을 모두 충족하는지가 확인되면 구급차에 안전하게 고정해서 사용할 수 있다. 또한 응급의료체계 정책이 허용되고, 소아의 보호자가 적절하게 고정된다면, 소아환자와 함께 동승하는 것이 소아에게 안정감과 위안을 주고, 소아환자의 지속적 평가에 도움이 될 것이다.

이송방식

감정은 소아과 호출로 높게 고조될 것이고, 응급구조사는 가능한 신속하게 소아 환자를 응급실로 이송하려고 할 것이다. 하지만 구급차 경광등이나 사이렌을 켜고 낮 시간에 혼잡한 도시를 질주하는 것은 구급차 탑승자나 주변 행인에게 많은 위험을 줄 수 있다. 따라서 구급차 탑승자나 행인의 위험을 최소화하는 방법은 이송하기 전에 최선의 이송 방식을 결정하는 것이다. 이송 방식은 호출 유형, 존재하는 질병 또는 손상, 환자의 생리학적인 불안정성 등을 고려해야 한다. 신속한 이송의 최우선 대상은 심각한 손상으로 수혈이나 응급수

술이 필요한 소아환자의 경우이다. 이런 소아환자는 항상 촌각을 다투는 대응이 필요하고, 경광등이나 사이렌 이송이 자주 일어난다. 심각한 질환이 있거나 또는 생리학적 이상이 있는 소아환자도 같은 방법으로 이송해야 한다.

이송 목적지

이송지를 결정하는 것은 소아 환자의 생리적 상태, 환자의 안정성, 질병 또는 손상의 원인, 지역의 EMS 정책, 날씨, 그리고 자원을 고려해야 한다. 상황에 근거하여 내린 결정에 영향을 끼칠 수 있는 모든 요소를 인지하는 것은 아주 중요하다. 어떤 환자에게는 항공 이송이 적당할 수 있지만, 모든 항공 이송에 보호자가 동승할 수 없기에, 돌봄제공자와의 분리가 잠재적인 위험을 추가시킬 수 있다는 점을 기억해야 한다. 이송지 결정에 대한 지침이 필요하다면 지역의 의료체계 지침을 참고한다.

다수의 환자 발생

다수의 소아 환자가 발생한 상황에서는 환아를 안전하게 이송하기 위한 추가적 이송 차량이 필요할 수 있다. 구급차의 환자 구역이 안전하게 카시트를 고정하거나 성인용 안전띠로 환아를 고정시키는데 한계가 있다.

이송 방식과 다수의 환자 발생 요약

아이들은 종종 응급구조사 스트레스의 가장 큰 원천이다. 이송 방식은 최적의 이송을 시작하기 전에 결정되어야 한다. 조명과 사이렌이 가장 빠른 방법임에도 불구하고, 이 방식은 더 위험하여, 가장 불안정한 외상과 질병을 가진 사례에만 사용한다. 하나 이상의 소아 환자가 현장에 있을 때, 구급차 내 다수의 소아 고정장치로 안전을 확보하기 위한 수송 문제를 피하기 위하여 추가적인 구급차 출동팀을 요청해야 한다.

사례연구 답안

사례연구 1

이 사례는 중요한 딜레마를 가지고 있다. 비록 가족 중심의 치료가 바람직하지만, 환자, 가족, 동반하는 소아, 또는 응급구조사를 더 큰 위험에 처하게 해서는 안 된다. 따라서 가급적 소아를 위한 대체 안전 조치, 그리고/또는 이송수단을 마련해서 처치자가 환자처치에 집중할 수 있게 해야 한다. 여기에는 적절한 소아 고정장치 이용이 가능하거나 사용 중임을 확인하면서, 아이를 통제할 수 있는 보호자와 함께 이송 또는 돌봄이 포함된다. 소아 이송을 위한 추가적인 잠재적 방법으로는 감독자, 보조자, 혹은 돌봄서비스의 이송 차량이 포함될 수 있다. 소아를 앞좌석에 앉히거나 경찰차나 다른 응급차량의 뒷좌석에 앉혀서 이송하는 것은 위험하다. 소아 고정장치가 앞좌석에 사용되는 차량은 에어백 활성 스위치를 꺼야 한다.

그럼에도 불구하고 부모와 소아의 분리는 경증의 부모에게 불필요한 고통을 야기할 수 있다. 그러한 경우, 시스템이 구급차 내 소아를 함께 이송하는 것을 허용한다면, 소아를 적절한 고정장치에 바른 자세로 앉힐 수 있도록 그에 따른 절차를 따라야 한다. 이 이송 방법은 소아와 환자의 요구를 충족시키기 위해 그리고 한쪽의 관찰 또는 즉각적인 요구가 다른 쪽의 요구를 방해하지 않도록 충분한 참가자가 포함돼야 한다. 이것은 공간 또는 인력 자원 한계로 종종 이용 불가능한 선택이다.

사례연구 2

이 사례는 환자가 이송 중 기도 유지 및 정맥로 확보, 관찰이 필요한 경우이다. 카시트로 "고정"하기는 요구되는 어떠한 것도 수행할 수 없기 때문에 사용되어서는 안 된다. 이 소아는 기도 유지, 정맥로 확보, 그리고 적절한 관찰을 위해, 구급차 들 것에 적절한 소아 고정장치를 사용하여 고정되어야 한다. 여기에서, 부모가 함께 구급차에 동승하는 것은 부모와 환자 모두에게 도움이 될 수 있다. 처치자는 소아 환자의 생리적 변화에 대한 처치를 수행할 수 있지만 감정적 요구에 대해서는 해소하기 어렵다. 자신의 아이를 보조하고자 하는 부모의 요구와 소아를 진정시킬 수 있는 그들의 능력에 민감해야 한다. 부모는 또한 추가적인 병력을 제공할 수 있고, 환자에 대한 재평가에 도움을 줄 수도 있다. 하지만 부모가 안전띠를 했다고 해도 소아환자를 안고 있는 것은 허용되지 않으며, 필요한 경우 소아환자와 부모를 구급차 들것에 같이 눕히고 고정하는 방법을 고려해 볼 수 있다.

지역 응급의료지침에서는 소아 환자 이송 시 환자를 어디로 그리고 어떻게 이송해야 하는지 뿐만 아니라, 부모가 아이를 동반할 수 있는지 그리고, 이 과정을 위한 특정한 요구 사항을 지시한다. 이 규정들은 이송 전 적절한 부모의 좌석 위치와 부모에 대한 안전 지침을 포함해야 한다. 구조자의 첫 번째 역할은 아픈 소아 환자를 돌보는 것이라는 점과 그렇기 때문에 다른 것에 집중할 수 없다는 것을 동승하는 부모에게 전달하는 것이다. 부모를 앞좌석에 앉히는 것은 부모님을 환경에 포함시키는 동시에 응급구조사로부터 분리시킬 수 있는 한 가지 방법이다.

부모가 동승한 경우 구조자는 이송 중 처치 술기에 대해 예민해 질 수 있는데, 부모의 입장에서는 단순한 술기보다는 소아 환자를 돌보는 전체적인 능력에 대해 평가한다고 보고되고 있다. 응급구조사는 이송 중에 부모가 그들의 술기 또는 처치 능력에 대해 비평을 하거나, 그러한 환경에 직면했을 때 응급구조사가 긴장할 것이라는 염려를 표한다. 그러나 부모들은 일반적으로 그러한 경험에 대해 매우 긍정적으로 보고하고 있으며, 대부분 응급구조사의 기술적인 능력이 아닌, 배려하는 성품에 대해서 주로 언급한다.

사례연구 3

충돌사고 직후 소아 환자에 대한 평가는 최적의 환경에서도 어려움이 많다. 따라서 심각한 손상이 발생할 수 있는 사고 후 소아환자에 대해서는 이송 중 기본적 평가를 하면서 적절한 응급실에 도착 후 의학적 평가가 이루어지는 것이 바람직하다. 그렇다면, 문제의 초점은 적절한 소아 이송 방법에 있다. 만약 소아 환자를 면밀히 평가해서 추가적인 처치 또는 중재가 필요한 해부생리학적 이상이 없는 안정된 소아 환자이고, 카시트를 이용해서 환자를 고정 시켰을 때, 처치자가 환자를 잘 관찰할 수 있다면 이 방법을 사용하기에 적절하다. 만약 변환 가능한 카시트에 대한 조사에서, 파손 또는 이상 소견이 없다면, 그것은 소아의 체중에 적합한 카시트이다. 카시트가 손상되지 않았고, NHTSA 기준을 충족시켰고, EMS 규정이 허용한다면, 그리고 구급차에 별도의 구급차용 소아 고정장치가 있지 않거나 EMS 규정이 이를 금지하지 않는다면, 이 카시트를 사용하여, 구급차 내에 후면을 향하는 자세로 고정한다. 자동차에서 사용했던 소아 카시트의 적정성과 파손여부에 의문이 든다면 더 적절한 다른 카시트를 사용한다. 후면만 향하는 또는 영아 전용 카시트는 구급차의 간이침대에 안전하게 고정되지 않을 수 있으며 앞쪽을 향하는 조수석(attendant) 좌석에만 고정될 수 있다.

추천 자료

Textbook

Bledsoe BE, Porter RS, Cherry RA. *Paramedic Care: Principles & Practice.* 5th ed. London, UK: Pearson, 2017.

Articles

Becker LR. Relative risk of injury and death in ambulances and other emergency vehicles. *Accid Anal Prev.* 2003;35(6):941–948.

Bledsoe BE. Emergency EMS Mythology, Part 4. Lights and sirens save a significant amount of travel time and save lives. *Emerg Med Serv.* 2003;32(6):72–73.

Bull MJ, Weber K, Talty J, Manary M. Crash protection for children in ambulances. *Annu Proc Assoc Adv Automot Med.* 2001;45:353–367.

Fischer PE, Perina DG, Delbridge TR, et al. Spinal motion restriction in the trauma patient – a joint position statement. *Prehosp Emerg Care.* 2018; 22(6):659–661. DOI: 10.1080/10903127.2018 .1481476

Kahn CA. Characteristics of fatal ambulance crashes in the United States: an 11 year retrospective analysis. *Prehosp Emerg Care.* 2001;5(3):261–269.

Leonard JC, Browne LR, Ahmad FA, et al. Cervical spine injury risk factors in children with blunt trauma. Pediatrics. 2019;144(1):e20183221.

Warren J. Guidelines for the inter- and intrahospital transport of critically ill patients. *Crit Care Med.* 2004;32(1):256–262.

Other Resources

Automotive Safety Program. http://www.preventinjury .pediatrics.iu.edu. Accessed June 21, 2019.

Health Resources and Services Administration and National Highway Traffic Safety Administration. The do's and don'ts of transporting children in an ambulance. https://one.nhtsa.gov/people/injury/ems /Archive/New%20Folder/childam.html. Accessed June 21, 2019.

National Association of State EMS Officials. Safe transport of children by EMS: Interim guidance. https:// nasemso.org/wp-content/uploads/Safe -Transport-of-Children-by-EMS-InterimGuidance -08Mar2017-FINAL.pdf. Accessed June 21, 2019.

National Highway Traffic Safety Administration, Office of EMS. Working Group best practice recommendations for the safe transportation of children in emergency ground ambulances. https://www.ems .gov/pdf/811677.pdf. Accessed December 23, 2019.

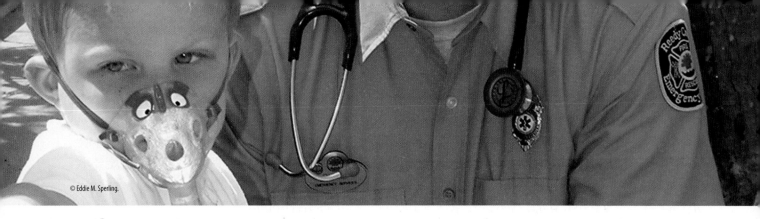
© Eddie M. Sperling.

CHAPTER 17
변화를 가져오기

Joyce Foresman-Capuzzi, MSN, APRN, CCNS, CEN, CPEN, CTRN, TCRN, CPN, EMT-P, FAEN

William Krost, MD, MBA, NRP

학습목표

1. 소아응급의료서비스에 대해 설명하고, 응급의료서비스(EMS)와 소아응급의료서비스(EMSC)와의 관계를 설명할 수 있다.
2. 응급의료서비스가 공중보건과 어떻게 관련이 있는지, 그리고 손상과 질병 예방 및 증진에서 응급의료서비스의 역할에 대해 논의할 수 있다.
3. 손상 방지와 관련된 1차 및 2차 예방 전략에 대해 설명할 수 있다.
4. 손상 사고의 3가지 요소 및 3단계를 설명할 수 있다.
5. 다른 상해 예방 기관 및 프로그램과 소아응급의료서비스의 협력에 대해 논의할 수 있다.
6. 아동 "메디컬 홈(Medical Home)"의 역할에 대해 정의하고, 응급의료서비스와 소아응급의료 서비스 케어 연결에서 그들의 중요성에 대해 논의할 수 있다.
7. 병원전(prehospital) 처치에 있어 소아의 독특한 특성 및 안전 문제에 대해 설명할 수 있다.
8. 소아응급의료서비스에서 데이터 수집 및 정보 관리의 중요성에 대해 논의할 수 있다.,

개요

소아에 대한 응급처치는 병원 내·외에서 많은 응급의료 종사자들의 노력을 필요로 한다. 안전하고 효과적인 응급처치를 하기 위해서 이러한 전문 인력들은 하나의 팀으로 함께 일해야 한다. 특히 급성 질병이나 손상이 있는 소아들을 위해 고

사례연구 1

사고 현장에 출동했을 때 승용차와 미니 밴이 충돌해 있었다. 만 3세 여아가 사고 당시, 카시트에서 안전띠를 차용하고 있지 않았는데, 사고 충격으로 미니밴에서부터 4,5 m 정도 떨어진 곳에 떨어져 있다. 환아는 의식이 없었고, 비정상적인 호흡음이나 흉부 퇴축, 비익 확장 등은 없다. 그러나 청색증이 있다. 호흡수 6회/분, 심박동수 40회/분이었고 혈압은 촉지하는 것이 어렵다. 환자를 가장 가까운 응급실로 이송하였는데, 응급실 도착 직후 사망하였다.

1. 이러한 상황이 발생한 것을 어떻게 예방할 수 있는가?
2. 이러한 유형의 비극이 발생하지 않도록 하기 위해서 어떻게 할 수 있었겠는가?

안된 기전을 감독하기 위해, 그리고 종합적인 임상 처치를 개발하고 시행하기 위함이다. 응급의료 종사자들은 또한 발병 또는 손상 후의 치료에 주로 맞추어진 응급의료서비스의 한계를 인지하고 필수적인 예방의 역할을 수용해야 한다. 지역사회에서 소아들의 건강증진을 위해 노력하는 많은 부분 중 급성 질병과 손상을 예방하고자 노력하는 것이 가장 비용 절감 효과가 있는 방법이다. 변화를 가져온다는 것은 예방을 일상적인 업무의 일부로 수행하는 것과 공동체의 리더와 건강 지지자의 역할을 하는 것을 의미한다. 변화를 가져온다는 것은 전문 인력들이 혁신적인 방법으로 손상과 질병 예방에 관여하는 것을 수반한다. 이것은 소아응급의료서비스 (EMSC)가 시행하는 예방 안전 프로그램과 지역의 응급의료서비스(EMS)의 예방 프로그램을 이해하고 지지하는 것을 포함한다. 응급의료서비스는 지지와 참여를 통해 지역사회에서 실질적인 차이를 만들 기회를 가지고 있다. 병원 전 응급의료 종사자들은 프로그램과 관련된 대상자들 사이의 연결 역할을 할 수 있어, 지원 및 교육을 필요로 하는 사람들에게 제공한다. 비록 한 제공자가 상당한 차이를 만들 수 있다 할지라도, 응급의료서비스는 지지를 통해 지역사회의 안정적인 인프라를 구축할 수 있다.

소아응급의료서비스

소아는 기존 응급의료서비스 환자와는 다른 특징을 갖는 집단이다. 성인과는 다르게 요구되는 사항이나 문제에 차별성이 있고, 신체의 해부·생리학적 차이 때문에 장비, 도구, 약물 등도 별도의 소아용이 필요하다. 또한 감정적, 성장발달 단계에 따른 요구가 다르기 때문에 평가 및 치료에 있어서도 변형된 접근을 요한다. 18세 이하 소아 환자가 전체 병원 전 이송환자 중 10% 정도를 차지하지만, 응급구조사는 이들을 평가하고, 치료하고, 중증도 분류를 하고, 이송하는데 상당한 스트레스와 여러 문제점을 유발한다.

소아응급의료서비스는 미연방 정부에서 추진하는 프로그램으로 응급의료서비스 체계 내에서 소아 환자에게 양질의 의료를 제공하고자 30여 년 전부터 시작되었다. 연방 예산 지원 하에 국가 전역에 걸쳐 협의해서 지역 수준에 맞는 소아 환자에 대한 규정이나 응급구조사들의 처치 방법, 지침 등을 개발하였다. 이러한 내용은 주(state)나 지역 "소아응급의료서비스 계획"이나 일반 응급의료서비스 체계 내에서 소아 분야로 구분되어 명시되어 있다. 예로서 대부분의 응급의료서비스에서는 현재 소아 중증도 분류, 치료, 이송 규정을 가지고 있다. 대부분의 응급의료서비스 체계에서 소아용

장비와 물품을 구비하고 있고, 골내 주입과 비강 내 약물 주입과 같이 소아 특성에 맞는 시술법도 제시하고 있다. 게다가 대부분의 응급의료서비스는 보호자를 동반하지 않은 미성년자의 치료와 동의 부분과 관련된 법적 문제를 승인하는, 소아 거부 정책과 같은 특유의 소아 법적 문제를 언급하는 특성화된 처치 규정을 가지고 있다.

소아응급의료서비스의 범위는 넓고, 이는 병원 전 치료나 종합병원, 소아전문병원에서의 치료 규정까지도 포함하고 있다. 소아전문치료센터(소아 중환자센터, 소아 외상센터) 수가 상대적으로 적기 때문에 대부분의 소아 환자가 종합병원에서 치료를 받게 된다. 따라서 도시나 시골, 종합병원이나 전문병원 등 응급의료서비스 체계 내 모든 응급실에서 부편적으로 사용할 수 있는 소아 응급처치에 대한 표준 지침 개발이 앞으로 소아응급의료서비스 개발의 중요한 항목이 된다.

응급의료서비스-소아응급의료서비스 연속선(EMS-EMSC Continuum)(**그림 17-1**)은 응급의료서비스 체계를 포함한 병원 전 응급처치 자원과 지역사회 일차 소아 건강 서비스, 병원 내 시스템 등을 통합해서 계획된 인터페이스이다. 응급의료서비스-소아응급의료서비스 연속선에는 중요한 5단계가 있는데, (1) 예방, (2) 일차 진료와 아동 "메디컬 홈(Medical Home)", (3) 병원 전 치료, (4) 병원 내 치료, (5) 재활이다. 이 단계들은 소아를 다시 예방과 아동 메디컬 홈으로 되돌려놓는, 단일 사건에 대한 치료의 순환을 대변한다. 병원 전 응급구조사는 위의 5단계 전체에서 소아 환자에 대한 응급처치를 시행해야 한다. 공중 보건 프로그램들과의 활발한 파트너십 관계, 지역과의 협력, 그리고 예방과 훈련을 통한 지속되는 지지는 응급의료서비스(EMS)로 하여금 변화를 가져오게끔 동력을 제공한다.

소아응급의료서비스 요약

소아응급의료서비스(EMSC)는 미국 지역사회 응급의료서비스 체계 내에서 병원 전 소아 환자에 대한 치료를 발전시키기 위해 미 연방 정부 지원으로 시작되었다. 지난 30여 년에 걸쳐, 지역 사회 내 다양한 의료서비스와 연계되었고, 소아 특성에 맞는 광범위한 영역으로 확대되어 결실을 맺었다. 응급의료서비스-소아응급의료서비스 연속선은 예방, 메디컬 홈(medical home), 병원 전 처치, 병원 내 치료, 그리고 재활 등의 필수적인 단계를 포함한다.

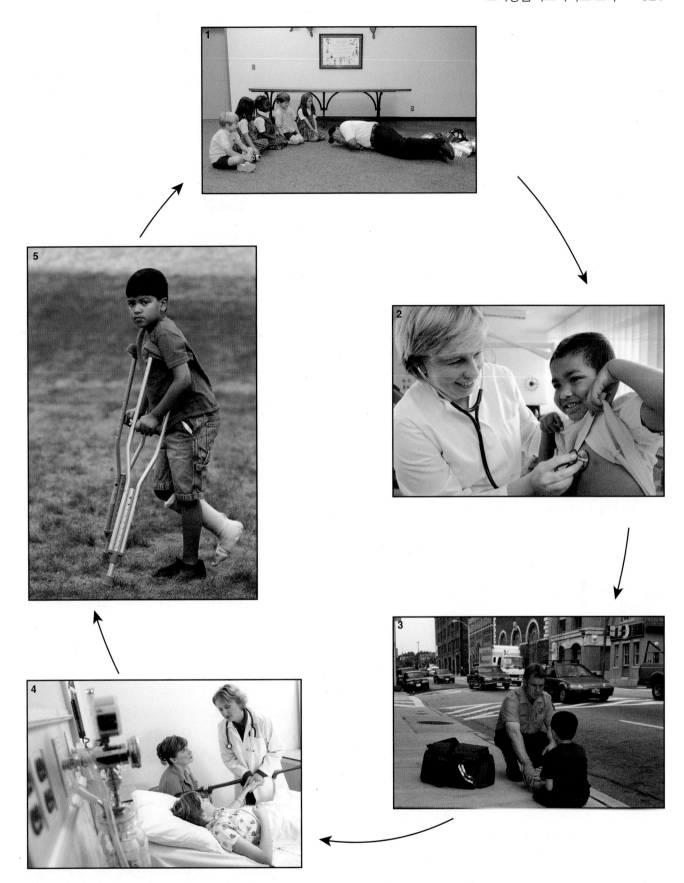

그림 17-1 응급의료서비스-소아응급의료서비스(EMS-EMSC) 연속선: **1** 예방, **2** 일차 진료와 아동 메디컬 홈(medical home), **3** 병원 전 치료, **4** 병원 내 치료, 그리고 **5** 재활.

공중보건 인터페이스

응급의료서비스 체계는 공중보건 영역에서도 중요한 일부가 되고 있다. 병원 전 응급구조사는 예방접종 및 교육을 통해 질병을 예방하고, 지속적인 스크리닝(검진)과 치료를 통해 질병 진행을 막는 것을 목표로 하여 질병 예방에 직접적인 영향을 미칠 수 있다. 병원 전 질병감시는 현재의 수단을 통해 이용 가능한 것보다 더 빨리 질병의 발생을 확인하고, 증상의 양상을 확인하도록 도와주는 질병 감시자 역할을 한다. 스크리닝(검진) 참여, 건강 박람회, 치료, 그리고 교육적인 포럼 뿐만 아니라, 적절한 기록은 병원 전 응급구조사에게 지역사회를 더 잘 대비할 수 있는 기회를 제공한다. 재난, 테러리즘 혹은 기타 중대한 대응상황에서 공중보건 부분에 종사하는 동료들과 친숙해지는 것이 중요하다.

조언

소아응급의료서비스는 종합병원과 소아전문병원 모두를 포함하는 광범위한 상위 개념이다.

조언

응급실에서의 소아 응급처치의 기준은 소아응급의료서비스(EMSC) 개발의 중요한 일부이다.

손상 및 질병 예방

공중보건과 소아응급의료서비스 연속선에서 필수적인 부분은 손상과 질병 예방이다. 최적의 치료를 받더라도, 매년 많은 소아 환자가 질병 및 손상으로 인해 사망한다. 이 수치에 영향을 끼치기 위해서는 손상과 질병 예방이 증가되어야 한다. 손상과 질병을 예방하는 것이 적절한 치료 보다 더 효과적이다.

예방은 응급의료서비스-소아응급의료서비스 연속선의 첫 번째 단계이다. 예방은 질병과 손상 모두에 적용할 수 있지만 병원 전 서비스는 손상 조절에 초점을 두어 왔다. 표 17-1은 손상 예방의 8가지 요소를 언급하는데; 이 요소들은 손상 예방을 객관적이면서 과학적인 노력으로 만든다. 응급구조사는 손상이 발생하는 방법과 이유를 이해해야 하고, 주위 환경에서의 위험 요인을 확인할 수 있어야 하며, 손상 발생을 막을 수 있도록 행동을 보여야 한다.

손상은 사고가 아니다

손상 유형들을 면밀히 연구하다 보면, 손상은 질병과 마찬가

표 17-1 손상 관리 요소

1. 손상을 질병 과정과 동일한 개념으로 인식한다.

2. 신뢰할 수 있는 데이터를 수집한다.

3. 문제가 있는 손상 유형과 고위험군을 확인한다.

4. 손상 원인에서 관련 요인을 확인한다.

5. 적절한 손상 평가를 연습한다.

6. 손상 예방 전략을 만든다.

7. 효율적이고 실천 가능한 예방 전략을 선택한다.

8. 선택한 손상 예방 전략의 기대효과를 재평가한다.

지로 계절적 변화가 있고, 유행하는 지역이 있으며, 지역적 특성이 있고 인구통계학적인 분배와 관련이 있다는 것을 알게 될 것이다. 의도하지 않았던 손상(익사 등)이나 의도적인 손상(권총 총기 공격 등) 대부분은 매우 예측이 가능하며 잠재적으로 예방이 가능하다.

웹스터 사전에서 사고(accident)는 "예상하지 못하고, 계획되지 않은 사건이나 상황"이라 정의하고 있다. 손상을 초래하는 진짜 사고는 드물다. 심지어 벼락이나 토네이도와 같이 명확하게 우연히 발생한 사건이라 해도 예상되거나 예측할 수 있는 특성이 있다. 예를 들어, 일기예보는 잠재적인 치명적인 폭풍을 예측하고, 지역 주민들에게 예상 경로를 알릴 수 있다. 손상과 관련된 전문 인력에게 있어 "손상은 사고가 아니다"는 말은 보편적인 문구가 되었다. 이 문구는 부상이 어떻게 발생하는지에 대한 현재의 과학적인 이해를 반영하고 있다. 손상 예방 전문가들은 자동차 사고가 예측이 가능하고, 예방이 가능하기 때문에 사고(accidents)라고 하지 않고, 충돌(crashes)이라고 표현한다. 예를 들어, 자동차 충돌은 운전자가 음주 상태이거나 과속할 때, 또는 소아의 제어 장치를 제대로 착용하지 않았기 때문에 흔하게 발생한다. 이와 같이 예방이 가능한 손상을 유발하는 원인이나 손상에 기여하는 요인을 확인한다면 앞으로 발생할 수 있는 손상의 환경을 제거할 수 있을 것이다

조언

손상은 사고가 아니다. 대부분의 경우 예상할 수 있고, 예방할 수 있다.

그림 17-2 손상 사고의 구성 요소: 숙주(host), 인자(agent), 환경(environment)이다. 화상이라는 손의 유형에서 소아는 숙주이고, 끓는 물의 열은 인자이고, 위험스럽게 놓여진 손잡이는 환경이 된다.

© Libortom/E+/Getty Images.

그림 17-3 응급구조사들은 소아 카시트 이용에 관한 전문훈련이나 교육프로그램에 참여하고난 후, 소아 카시트 점검사항 프로그램을 제공함으로써 사고 시 손상을 예방하는 직접적인 개입을 할 수 있다.

© Jones & Bartlett Learning. Courtesy of Glen Ellman.

그림 17-4 올바르게 착용하면, 자전거 헬멧은 폐쇄성 두부 손상 시 사망률과 부작용을 현저히 감소시킬 수 있다. 응급구조사는 손상을 최소화 시킬 수 있는 방안을 가르치는 지역사회 전문가로서 중요한 역할을 하기도 한다.

© Monkey Business Images/Shutterstock.

손상 사고의 구성 요소

손상이 어떻게 발생하는가에 대해 이해하는 것은 다음 손상 사고의 세 가지 구성 요소들의 이해를 필요로 한다.: (1) 숙주(host), (2) 인자(agent), 그리고 (3) 환경(environment)이다 **(그림 17-2)**.

　숙주(host)는 손상을 당한 사람이다. 손상은 잠재적으로 파괴적인 에너지가 숙주에 대항하기에 너무 클 때 발생한다. 인간 숙주는 서로 다른 수준의 내성을 가지고 있다. 독특한 해부학적, 생리학적 특성 때문에 아이들은 특히 높은 에너지 이동에 손상을 당하기가 쉽다. 그들의 보다 작은 신체는, 사고 시 보다 큰 비율의 신체 면적에 대해 손상을 입을 가능성이 크며, 따라서 복합적 외상의 위험이 더 크다는 것을 의미한다.

　인자(agent)는 에너지의 한 형태이다. 손상의 주요 인자는 운동(동적), 열, 화학, 전기 그리고 방사선 에너지이다. 대부분의 손상은 이러한 에너지의 유형과 관련이 있다. 운동에너지는 응급구조사를 필요로 하는 상황에서 가장 일반적인 손상 요인이다. 예를 들어, 추락, 자동차-보행자 사고, 보행자 대 자동차 그리고 자전거 대 자동차의 충돌 등은 모두 숙주로서의 인간을 그리고 인자로서 운동에너지와 관련되어 있다. 반대로, 화상은 열, 화학 또는 전기 에너지와 관련이 있다.

　환경(environment)은 인자와 숙주가 만나는 장소이다. 환경은 손상을 일으키거나 영향을 미친다. 몇 가지 예들은 울타리가 없는 수영장, 불완전하게 보수된 도로 또는 보호벽 없이 열리는 2층 유리창 등이다. 이러한 것들은 소아를 숙주로, 운동에너지를 인자로 하는 손상 사고가 발생할 수 있는 환경을 제공한다.

　손상 사고를 조사할 때, 응급구조사는 손상의 어떤 인자가 미래의 재발을 방지할 수 있는가를 고려해봐야 한다**(그림 17-3)**. 예를 들어, 익수나 두부 손상을 예방하기 위해 숙주(사람)의 행동을 수정하는 것은 수영 기술이나 운전 기술에서의 교육을 필요로 할 수 있다. 인자를 변경하는 것은 자전거 헬멧을 제공하거나**(그림 17-4)**, 손상되기 쉬운 뇌 구조에 미치는 운동에너지의 영향을 줄이기 위해 운동장에 완충벽을 설치하는 것 등이 포함될 수 있다. 환경의 변화는 수영장의 울타리 설치 또는 창살 설치 등을 포함할 수 있다.

손상의 단계

모든 손상사고에 세 가지 구성 요소가 있는 것처럼, 모든 손상 시 관리 전략을 고안할 때 고려되어야 할 세 가지 개별적 인 단계들이 있다; (1) 사고 전 단계; (2) 사고 단계; 그리고 (3) 사고 후 단계이다(**그림 17-5**).

사고 전의 요인들은 사고를 당한 숙주, 사고를 일어나도록 만든 인자, 또는 사고가 발생할 확률을 증가/감소하는 환경이다. 예를 들어, 헬멧을 쓰고 자전거를 타는 것은, 손상 가능성을 크게 감소시키는 사고 전의 요인이다. 사고 요인들은, 숙주에 미치는 요인의 영향을 증가시키거나 감소시키는 조건들이다. 차량 충돌 시 손상의 위험을 감소시키는 사고 요인은 충돌 시 안전벨트의 착용이다. 사고 후의 요인들은, 손상 사고 이후 숙주에 미치는 인자의 영향을 증가시키거나 감소시키는 조건들이다. 심하게 두부가 손상된 아동의 결과에 영향을 미치는 사고 후의 요인 중의 한 예는, 응급구조사에 의한 현장 기도 관리가 될 것이다.

전통적으로, 병원 밖에서의 처치는 거의 전적으로 사고 후의 단계에 초점을 두거나, 손상 발생 후 처치나 이송에서 이루어졌다. 응급구조사들은 사회의 교육자이자 지지자의 행동을 함으로써, 손상 사고 전과 사고 단계에 영향을 미칠 수 있는 그들의 잠재력을 인지해야 한다. 환자 관리 보고로부터 수집된 정보는 사고의 패턴을 식별하고, 예방 프로그램을 증진할 수 있는 사건을 식별하는데 도움이 된다. **표 17-2** 는 서로 다른 손상 단계에서 변화될 수 있는 요인들을 목표로 둔 손상에 대한 관리 전략의 예시이다. 응급구조사들은 이러한 모든 예방 전략에서 중요한 역할을 가지고 있다. 예방은 소아응급의료서비스(EMSC)와 다른 지역 건강 시스템과 서비스를 통해 강화된 협력을 통해 가장 잘 이루어진다.

조언

사고의 예방은 모든 응급의료서비스 체계의 필수적인 특징이다. 그리고 이는 자신들의 자녀와 그 지역사회 모든 소아들의 안녕과 건강에 대단히 영향을 끼칠 수 있는 기회를 대변한다.

논쟁

최근까지 응급구조사들은 손상이나 질병의 예방에 대해 교육받지 않았다. 이는 응급구조사들의 활동범주에 고조된 발전 가능성을 시사하고 있음에도 불구하고, 손상 예방에 대한 응급의료서비스 체계의 역할은 완전히 탐구되지 않았다.

A B
그림 17-5 손상의 첫 두 단계이다. **A.** 사고 전 단계. 문이 열린 약보관함은 호기심 많은 소아를 유인한다.
B. 사고 단계. 소아는 위험한 약물을 포함하여 아무거나 입에 넣는다.

메디컬 홈(Medical Home)

소아응급의료서비스 연속선에서 두 번째로 중요한 연계는 아동의 1차 처치 제공자 또는 메디컬 홈(Medical Home)이다. 미국소아과학회(AAP)는 메디컬 홈을 소아의 1차 내과적 처치의 주요 제원으로 정의한다. 효과적인 메디컬 홈을 창출하는 것은, 유아, 아동 그리고 십대들이 지리적으로 가까운 장소에서 접근하기 쉽고, 연속적이며, 포괄적이고, 가족 중심적이며, 조정된, 동정적이고, 문화적으로 효과적인 서비스를 받을 것을 요구한다. 아동과 가족은 1차 처치 제공자에 대해 알고 상호 책임과 신뢰를 발전시켜야 한다. 이것은 종종 전문화된 내과적 처치를 요구하는 특별한 요구를 가진 아동들에게 중요하다(chapter 10 참조). 숙련된 소아청소년과 의사와 가정의가 메디컬 홈을 구성한다. 그들은 소아청소년과의 1차 처치를 관리하고 쉽게할 뿐만 아니라, 아동이 사무실이나 클리닉에서 제공된 것 이상의 응급의료서비스를 요구하는 경우를 응급의료서비스 체계와 연계되어 있기도 하다. 몇몇 사무소에는 언제 119를 부르고, 내과적 응급 사태에서 즉각적으로 무엇을 해야 할 것인가를 설명하는 서면 지침과 절차가 있다. 메디컬 홈의 제공자들은 응급구조사와 응급의료서비스 체계의 소아처치 능력에 대한 정확한 이해를 하고, 소아 치료를 위해 가장 가까운 병원을 알며, 응급구조사에 의한 아동의 손상정도 분류, 이송 그리고 치료 등에 관한 지역 응급의료서비스 체계의 정책과 절차에 대해 알아야 한다.

TABLE 17-2 손상 단계별 변화 가능한 요인들

단계	변화 가능한 요인들의 예
사고 전 단계	• 아동의 카시트 장착 • 수영장 울타리 설치 • 가정 내 연기감지 장치의 작동 확인 • 자전거 헬멧 착용
사고 단계	• 소아 고정의자의 사용 • 전방/측방 에어백이 가동되는 자동차
사고 후 단계	• 소아 기도유지술의 수행 • 척추고정 • 손상을 입은 환아의 적절한 병원으로의 이송 결정

예방과 손상 관리에 대한 요약

손상과 질병 예방은 소아응급의료서비스의 핵심적인 특징이며, 응급의료서비스-소아응급의료서비스 연속선의 첫 단계이다. 손상은 "사고"가 아니며 대부분 예방이 가능하다. 응급구조사들은 지역사회의 손상 관리에서 특유의 역할이 있다. 그들은 현장에서 손상이나 질병 사고의 주요 요인들을 정확하게 평가할 수 있다. 이것은 지역사회에서 손상의 감소 활동을 돕기 위해 손상의 사고 전, 사고 그리고 사고 후의 단계들을 이해하고, 소아(숙주), 에너지 유형 또는 손상의 인자(요인) 그리고 환경 등의 평가를 포함한다. 국가 그리고 주의 소아응급의료서비스(EMSC) 자원은 추가적인 자원을 제공하기 위해 다른 프로그램들과의 협업을 허용한다.

조언

의사소통과 팀워크은 응급의료서비스-소아응급의료서비스 연속선의 모든 구성 요소들 사이의 연결에 있어 필수적인 특징이다.

사례연구 2

응급구조사는 지역 초등학교에서 뇌성마비와 발작의 병력이 있는 만 7세 여아를 위해서 출동한다. 현장에 도착했을 때, 간호사는 환아가 15분 째 발작하는 중이며, 그녀에게 방금 위관을 통해클로나제팜을 투약했다고 한다. 환자는 더 이상 발작 증세를 보이지 않는다: 졸린 상태이지만 목소리에 반응하며 호흡의 증가 소견이 없다. 피부는 핑크색이며, 호흡 20회/분이며, 맥박 120회/분이며, 혈압 92/64 mmHg이고, 혈당은 86 mg/dL이다. 환아의 아버지가 도착해서, 환아가 평상 시 발작 후 증세를 보이고 있다고 한다. 그는 환아를 45분 거리의 병원으로 이송할 것을 요청하며 만약 응급구조사가 동행할 수 없다고 한다면 직접 데리고 가겠다고 하며 지역 응급실까지의 구급차 이송을 거절한다. 환아는 이제 깨어났고, 여아는 정상 발달 수준에 맞게 정신이 또렷하며, 지도의사와의 논의 후 의학적으로 안정되어 보인다.

1. 이 환자를 치료하고 이송하는데 있어 응급구조사로서 어떤 선택을 하겠는가?
2. 이 환자를 어떻게 안전하게 이송할 것이며, 부모에게 어떻게 조언해야 하는가?

응급구조사와 메디컬 홈(Medical Home)

전통적으로, 응급구조사와 보건의료를 제공하는 일차 진료 의사들과는 거의 접촉이 없어 왔지만, 둘 다 소아응급의료 서비스 연속선에서 지역사회 환경의 일부이다. 아동의 메디컬 홈 의사와 제공자들 그리고 응급의료체계의 응급구조사들 사이에는 많은 협력의 기회가 있다. 어떤 조건들 하에서는, 부모나 보호자의 허락으로 1차 제공자는 응급구조사에게 중요한 병력과 정보를 제공할 수 있다. 이것은 특별한 건강관리 요구를 가진 아동의 평가와 치료에서 특히 중요할 수 있다. 이러한 정보는 서면 치료 계획의 형태나 현장에서의 전화 상담으로 전달될 수도 있다. 이것은 응급구조사가 위급한 질병이나 손상을 당한 아동의 치료나 이송을 지연시킬 필요 없이, 안정적인 환자들의 경우, 수집한 병력에 대한 응급의료서비스 체계의 선택적인 절차의 일부로서 이루어질 수 있다. 때때로 1차 응급처치 의사는 응급구조사들과 함께 현장에서 응급처치를 제공하고, 응급실까지 아동과 함께 갈 수 있다. 응급구조사의 도움으로 아동을 효과적으로 응급처치하는 것은, 1차 응급처치 의사가 지역 응급의료체계 내에서 아동에게 적용될 수 있는 의료, 약물, 장비와 소모품 등의 범위를 이해하는 것을 요구한다. 응급구조사들은 그러한 상황에서 당사자들의 상대적 역할과 책임을 정의하는 "현장 의사" 정책을 갖고 있어야 한다.

가능하다면, 특별한 요구를 가진 아동을 평가할 때, 메디컬 홈과의 의사소통이 특히 중요하며 10장에서 설명된 것과 같이 응급의료정보 서식에 포함되어야 한다(**그림 17-6**). 이 서식은 환자 처치를 요청받을 때, 병원 전 제공자에게 중요한 정보를 제공할 수 있다. 응급처치를 수행하기 전에 가족과 소통하는 것 또한 아동에게 '정상적'인 상태를 제공 받을 수 있어, 모든 관련 당사자들이 안정적인 응급처치를 수행할 수 있게 한다. 의사소통과 팀웍은 소아응급의료서비스 연속선의 모든 구성요소들 사이의 연결에 있어 필수적인 특징이다.

메디컬 홈(Medical Home)에 대한 요약

메디컬 홈은 상황에 따라, 다른 의학 전문가들과 제휴하는 아동의 1차 의료 제공자로서, 보통 소아청소년과 의사나 가정의를 말한다. 메디컬 홈은 아동에 대한 핵심 정보와 의사 결정의 근원이다. 적절할 때, 응급처치에 관한 정보 수집과 의사 결정에서 1차 처치 제공자의 전문 기술을 이용하도록 한다. 항상, 특별한 건강관리가 요구되는 아동의 보호자에게 그들이 응급의료 정보 서식을 가지고 있는지 물어본다. 그들

의 입장에서 1차 처치 의사는 소아의 가능성과 응급구조사 및 지역 병원의 담당 범위와 소아응급의료서비스 연속선의 다른 요소들의 업무에 관해 알고 있어야 한다.

소아응급의료서비스(EMSC)에서의 질과 안전

질 개선(Quality improvement, QI)은 오랫동안 기업에서 효율성 보장, 자원낭비 감소, 소비자 만족도 증진의 방안으로 인식되었다. 지난 수십 년 동안, 지속적인 질 개선의 개념은 건강관리 산업에 의해서도 채택되었다. 건강관리 기관에서 정의된 건강관리 품질의 구성 요소들은 환자 중심적인 처치, 효율, 효과, 적시성, 형평성 그리고 인진 등을 포함한다. 이들 모든 영역들은 병원 전 소아 응급처치와 관련이 있다 :

- 환자 중심적인 처치는 "개개인의 환자의 선호, 요구 그리고 가치를 존중하며 그에 반응한다."
- 효율(*Efficiency*)은 장비, 공급품, 아이디어 그리고 에너지를 포함한 낭비를 피한다.
- 효과(*Effectiveness*)는 임상 실행과 호전된 환자 결과를 연결하는 최고의 과학적 증거에 근거한 처치를 의미한다. 지금까지 아동을 위한 병원 전의 중재 효과에 대한 연구는 제한되어 있었다. 임상 연구조사에 참여하는 것은 응급의료서비스 프로그램의 중요한 인자이다.
- 적시성(*Timeliness*)은 언제나 응급의료서비스 체계의 1차 목표였다. 여기에서 처치와 이송의 지연은 심장 및 손상 환자들의 역효과와 관련이 있었다.
- 형평성(*Equity*)은 사회경제적 지위, 인종 또는 민족적 배경, 장애, 또는 언어 장벽과 관계없이 모든 환자와 가족들에게 동일한 수준의 처치를 제공한다는 것을 의미한다.

안전은 모든 건강관리 전문가 그리고 병원 전 상황의 독특한 위기에 직면한 응급구조사에게 중요한 문제이다. 병원 전 환경에서의 의학적 실수와 안전은 현재 점점 더 관심을 받고 있는 문제들이다. 약물 용량 조절과 투여, 치명적인 절차의 수행, 그리고 진단의 실패율은 성인에서보다 아동에서 더 높다. 이러한 차이는 아마 제한된 소아 응급 호출 횟수 및 그 분야에서 소아과적 지식과 기술을 강화하기에 제한된 기회와 관련이 있을 것이다. 소아청소년과 환자들의 안전을 향상시키기 위한 응급의료서비스의 노력은 역량을 기반으로 한 소아과 훈련 기준 즉, 장비 사이즈나 약물 용량 결정을 돕

Last name:

Emergency Information Form for Children With Special Needs

American College of Emergency Physicians®

American Academy of Pediatrics

| Date form completed By Whom | Revised | Initials |
| | Revised | Initials |

Name:　Birth date:　Nickname:

Home Address:　Home/Work Phone:

Parent/Guardian:　Emergency Contact Names & Relationship:

Signature/Consent*:

Primary Language:　Phone Number(s):

Physicians:

Primary care physician:　Emergency Phone:
　Fax:

Current Specialty physician:　Emergency Phone:
Specialty:　Fax:

Current Specialty physician:　Emergency Phone:
Specialty:　Fax:

Anticipated Primary ED:　Pharmacy:

Anticipated Tertiary Care Center:

Diagnoses/Past Procedures/Physical Exam:

1.　Baseline physical findings:

2.

3.　Baseline vital signs:

4.

Synopsis:　Baseline neurological status:

*Consent for release of this form to health care providers

© American College of Emergency Physicians and American Academy of Pediatrics.

Last name:

Diagnoses/Past Procedures/Physical Exam continued:

Significant baseline ancillary findings (lab, x-ray, ECG):

Medications:

1.

2.

3.

4.　Prostheses/Appliances/Advanced Technology Devices:

5.

6.

Management Data:

Allergies: Medications/Foods to be avoided　and why:

1.

2.

3.

Procedures to be avoided　and why:

1.

2.

3.

Immunizations (mm/yy)

	Dates			Dates
DPT		Hep B		
OPV		Varicella		
MMR		TB status		
HIB		Other		

Antibiotic prophylaxis:　Indication:　Medication and dose:

Common Presenting Problems/Findings With Specific Suggested Managements

Problem	Suggested Diagnostic Studies	Treatment Considerations

Comments on child, family, or other specific medical issues:

Physician/Provider Signature:　Print Name:

그림 17-6 응급의료정보 서식. 미국응급의학회(The American College of Emergency Physicians)에 의해 제공된 컴퓨터화된 응급의료 정보 서식은 https://www.acep.org/globalassets/uploads/uploaded-files/acep/clinical-and-practice-management/resources/pediatrics/medical-forms/eifspecialneeds.pdf.에서 다운 받을 수 있다.

그림 17-7 소아의 의학적 결정을 지원하는 소프트웨어 시스템은 응급구조사들을 위해서 곧바로 이송 구급차 내의 컴퓨터 또는 핸드폰으로두 가능해질 것이다.

© Jones & Bartlett Learning. Courtesy of Glen Ellman.

기 위해 키에 기초한 테이프(length-based tapes)나 의학적 소프트웨어의 사용; 일반적이거나 또는 중대한 소아과 응급 상황에 대한 처치 지침의 개발과 보급; 현장처치와 관련된 역효과에 영향을 미치는 요인들을 확인하기 위해 일상적으로 운영되는 검토 등이 있다. 응급구조사가 노트북이나 핸드폰에 의해 접속할 수 있는 컴퓨터를 기반으로 하는 결정 지원 시스템의 증가된 유용성은 소아 처치의 실수를 줄이도록 도와줄 수 있다(**그림 17-7**). 소아응급의료서비스는 오프라인 의료 관리, 소아과 병원 지정 합의, 그리고 소아 치료 정책 등에 대한 지역 병원 전 소아 응급의료서비스 체계 개발에 유용해 왔다. 이러한 자원들은 소아 응급처치 요청이 발생했을 때 병원 전 응급구조사들로 하여금 더욱 대비를 잘 할 수 있도록 하고 있다.

데이터와 정보 관리

치료 시스템을 개선하기 위해 제공자들은 그러한 시스템이 현재 어떻게 작용하고 있는가에 대한 실질적인 지식을 갖춰야 한다. 이것은 기준선에서 그리고 어떤 과정이나 절차가 도입되거나 수정된 후, 시스템 수행에 대한 데이터의 수집과 분석을 요구한다. 변화를 위한 변화가 꼭 개선을 나타내는 것은 아니다. 따라서, 어떤 품질 개선 시도가 이루어지기 전에, 다음의 세 가지 질문이 답변되어야 한다 :

1. 우리는 무엇을 성취하고자 하는가?
2. 우리는 개선을 야기할 수 있는 어떤 변화를 이룰 수 있는가?
3. 변화가 개선이라는 것을 어떻게 알 것인가?

병원 전 질 개선(QI) 사례 연구

다음의 가설적인 시나리오를 생각해보자 : 한 응급실의 의사가 지난 달에 명백한 발열에 의한 발작으로 현장에서 기관내 삽관술을 받은 이후 이송되었던 두 아이에 대한 문제에 관해 당신의 응급의료서비스의 관리자와 연락을 취한다. 두 아이는, 현장에서 정맥 주사로 디아제팜 처치를 받았고, 짧은 호흡 기능 저하를 겪었으며, 기관내 삽관술을 받았고, 응급실에 도착 직후 삽관이 제거 되었다. 당신의 데이터베이스 조사는 작년에 발작 진단을 받은 아이들이 정맥 내 디아제팜 투약 후, 현장에서 기관내 삽관술을 받은 경우가 총 10명이라는 것을 보여준다. 대부분 열에 의한 발작은 짧고 제한적이라는 것을 알기 때문에, 삽관 시 잠재적 합병증이 디아제팜 치료의 장점보다 크나는 것을 염려한다. 당신은 이에 대한 검토를 위해 이것을 질 개선(QI) 위원회로 가져간다. 그들은 다음의 질문을 한다 :

질문 #1: 우리가 얻고자 하는 것은 무엇인가?
답변 #1: 우리는 발작에 대한 벤조디아제팜 치료로 인한 호흡 기능 저하의 발병과 기관내삽관의 필요성을 감소시키고자 한다.
질문 #2: 개선을 도모 할 수 있는 변화는 어떤 것이 있는가?
답변 #2: 가능한 변화는 다음과 같다: 발작증상을 가진 소아의 벤조디아제팜 처방에 대한 전문소생술 직원의 교육; 벤조디아제팜의 정량을 투여하는 것을 촉진하기 위해 각 약물함에 컴퓨터를 이용한 결정 지원 소프트웨어나 키에 기초한(length-based) 소생 테이프 사용하기; 코를 통한 기도유지술과 백-밸브 마스크를 이용한 환기법 알려주기
질문 #3: 변화가 개선을 야기할지 어떻게 알 수 있는가?
답변 #3: 발작 증상을 가진 아동에 대한 삽관율은 응급실에 도착 했을 때 산소 포화도가 낮은 아동의 증가없이 감소할 것이다.

지도 의사와 함께 소아의 발작을 평가하고 관리하기 위한 새로운 지침을 개발하고, 응급구조사의 전문소생술 직원과 함께 현직 훈련을 제공하며, 모든 발작 환자에 대한 호출 요청 이후 작성될 데이터 시트를 개발한다. 6개월 후, 열에 의한 발작을 보인 아동에 대한 여러분의 삽관률은 75%까지 감소하였다는 것을 알게 된다. 이러한 데이터에 의한 접근법은 현재 상태의 조사와 병원 전 단계에서의 실제 개선책의 모색을 기반으로 한다.

소아응급의료서비스에서 데이터 수집과 정보 관리의 중요성

손상의 예방은 지역사회에서의 손상 문제들에 대한 이해로부터 시작된다. 정확하게 수집되고, 통합되고, 해석될 때, 데이터는 유용한 정보가 된다. 적절하게 유지되는 손상 데이터베이스는 지역사회에서 예방할 수 있는 손상의 유형을 확인하기 위해 분석될 수 있으며 핵심 예방 프로그램에 대한 재정적, 정치적 지원을 결정하기 위해 사용될 수 있다. 이들 데이터는 손상의 빈도와 심각성을 줄이는 것을 목표로 하는 프로그램의 효과에 대한 평가를 가능하게 한다.

　응급의료서비스 체계 관리에서 유용하게 될 손상 데이터베이스의 요소들은 치명적인 손상과, 그렇지 않은 손상; 지리적 위치; 년, 월, 일, 시; 그리고 알코올, 날씨 및 보호 장비의 부족과 부적절한 사용과 같은 기여 인자들의 유형, 심각성, 그리고 빈도를 포함한다. 이들 데이터의 분석은 프로그램 계획과 평가를 위한 안건을 설정하도록 도와줄 수 있다. 예를 들어, 데이터는 어떤 지역사회에서는 차량 충돌에서 제어되지 않은 아이들 사이에서 손상비율이 높음을 나타낸다. 손상 예방 노력은 손상을 입은 아이들이 왜 제어되지 않았는가를 조사해야 한다. 문제는 교육이나 접근 가능성의 문제일 수도 있다. 아마도 문제는 아이가 엄마의 팔에서 가장 안전하다는 지역의 문화적 신념일 수도 있다. 문제의 근본을 이해하는 것이 최고의 중재 전략 결정에서 중요하다.

질, 안전, 데이터 수집 그리고 정보 관리에 대한 요약

질적 개선은 이제 소아응급의료서비스의 핵심적 특징이다. 소아를 대상으로 한 임상적 상황을 평가하고, 오류=ㅠ를 줄이기 위한 시스템 개선을 이행할 수 있는 많은 기회들이 있다. 적절한 데이터 수집이 개선의 핵심이다. 소아에 관한 많은 유형의 응급의료서비스 체계 데이터가 있다. 단순히 데이터를 수집하는 것만으로는 충분하지 않다. 데이터가 유용해지기 위해서는 정확하게 수집되고 문제 방향에 따라 검토될 필요가 있다. 데이터가 효과적으로 관리될 때, 필수적인 정보는 양질의 교육과 프로그램 개발을 위해 사용될 수 있다.

예방 : 응급구조사의 역할

응급구조사는 지역사회의 질병 및 손상 예방에 영향을 끼칠 책임이 있다. 그들은 치료 그 자체보다 예방을 통한 질병과 손상을 감소시키는데 막대한 영향을 미칠 수 있다. 그러나, 이러한 새로운 역할에서 효과적이기 위해서, 응급구조사는 교육과 훈련을 필요로 한다. 손상을 어떻게 예방할 수 있는가를 인식하는 것이 지역사회 예방 활동을 개발하는 첫 단계이다

조언

데이터 즉 자료가 정확하게 수집되고 통합되고 해석된다면, 유용한 정보가 된다.

조언

병원 전 응급구조사들은 치료보다는 예방을 통해 질병과 손상의 발생 및 충돌을 감소시키는데 더 큰 영향을 미칠 수 있다.

사례연구 3

야구공으로 가슴을 맞고 쓰러진 만 8세 남아가 있는 놀이 장소로 출동한다. 현장 도착 전, 그의 코치와 팀원들이 심폐소생술을 시작했고 자동제세동기를 부착하였으며, 환자는 연속적으로 제세동 되었으나 여전히 심실세동 상태이다. 현장에 도착했을 때, 어떤 일이 발생했으며, 도착 시까지 어떤 처치가 제공되었는지에 대한 설명을 듣는다. 소생 노력을 계속하면서 키 측정 도구를 이용하여 약물 용량 및 장비의 크기를 계산한다. 환자가 이송 전에 자발적 순환이 회복되었다. 남아는 응급실에 도착하면서 깨어났고, 입원과 내부형 자동제세동기 삽입 후, 다시 운동에 참여할 수 있게 된다.

1. 이 사건에 대해 지역사회는 어떻게 대처했으며, 응급의료서비스는 어떻게 제공하였는가?
2. 지역사회에서 이용 가능한 자원들은 어떤 것인가?

신고 전

예방은 준비를 통해 신고하기 전에 시작될 수 있다. 지역의 응급의료 반응팀, 응급의료 정보 서식, 심폐소생술 그리고 응급처치 훈련, 양육자 교육, 그리고 자동차 카시트 검사와 같은 프로그램들에 대해 지역사회와 협력하는 것은 응급상황 대처에 필요한 기반 시설을 강화하도록 도와준다. 교육 프로그램과 기술 훈련 또한 소아과 호출(요청)에 대한 여러분의 반응을 연마시키는 역할을 한다. 지역사회가 어떤 사건에 대해 잘 인식하고 대응하기에 준비되어 있을수록, 예방 프로그램과 대응은 더욱 성공적일 것이다.

현장에서의 역할

응급구조사의 예방 조치는 "현장 평가"중에 시작되며 현장의 안전성 확보와 환경에 대한 평가를 수행하는 것을 포함한다. 현장의 안전성 확보는 응급구조사 자신과 다른 의학 및 법 집행 인력에 대한 손상과 질병의 예방을 의미한다. 이것은 표준주의지침을 준수하지 않을 경우 조심성 없는 현장 인력에게 감염될 수도 있는 아동의 감염병 확인을 포함한다. 현장의 안전성 확보는 또한 소아 자신과 보호자에 대한 손상을 예방할 수 있다. 환경 평가의 수행은 현장에서의 전체적인 설명에 대한 중대한 정보를 추가한다. 응급실 근무자들은 환경 평가를 할 수 없다. 응급구조사에 의한 물리적, 그리고 대인 관계 관찰과 기록은 중요한 예방 조치의 토대를 제공할 수 있다. 이러한 조치에는 가정에서의 안전 위험에 대해 보호자에게 직접적으로 정보를 제공하는 것 등이 포함될 수 있다.

또 다른 유형의 환경 평가는 보호자에 의해 가능한 학대의 어떤 증거의 관찰과 기록 그리고, 이러한 문제를 응급실 의사에게 보고하는 것 등을 포함할 수 있다. 이러한 예방 조치는 11장에서 설명된 바와 같이 어린이에게는 생명을 구하는 것이 될 수 있다

안전한 이송에서의 역할

응급구조사에 있어 아동기 손상 예방의 또 다른 중요한 측면은 안전한 차량 이송이다. 가장 심각하고 치명적인 차량 부상은 부적절하게 고정된 탑승자들에게 발생한다. 이것은 구급차 이송과 자동차 탑승에 적용된다. 응급구조사 그리고 환자의 안전을 위한 주요 조치는 가장 단순하다 : 안전벨트를 착용하고, 모든 장비를 고정하고, 소아 환자를 어린이 보호장치에 안전하게 고정하는 것이다.

척추 고정을 필요하는 아동에 대해서는 16장에서 설명된 바와 같이, 아동을 안전하게 이송하기 위해 구급차 이송용 들것에 부착된 고정 장치를 사용한다. 만일 아동이 심각한 상태라면 처치한 다음 들것에 바로누운자세 또는 반반좌위(semi-Fowler)로 이송한다. 이러한 자세는 아동의 기도, 호흡 그리고 순환에 대한 신속한 관리와 감시를 가능하게 한다. 척추 고정이나 누워 있는 자세를 필요로 하지 않는 가벼운 질병이나 손상이 있는 아동에 대해서는 16장에서 언급한 바와 같이 제어를 위해 들것에 똑바로 앉은 자세 또는 적절한 각도의 그리고 지역적으로 허용된 방법을 사용한다. 호흡기 질환이 있는 소아에 대해서는 3장에서 설명된 바와 같이, 편안하게 똑바로 앉은 자세가 중요하다. 심폐 또는 신경학적 장애를 가진 소아는 10장에서 설명된 바와 같이, 효과적으로 호흡하기 위해 특별한 아동 의자를 요구할 수도 있다.

확실히 고정되지 않은 물품들과 장비들이 구급차 뒷좌석에 안전벨트로 확실하게 고정되지 않은 사람들과 같이 이동한다. 만일 이송 시 특별한 환자 응급처치를 위해 약물 상자나 약물주입 펌프(medication pump)와 같은 추가 장비를 요구한다면 이송 전에 그러한 장비들을 고정한다. 항상 구급차 충돌이나 급정지의 가능성이 있다. 그리고 준비와 예방은 손상과 부상을 피해갈 것이다.

> ### 조언
> 안전을 위해 구급차내의 휴대용 안전장비를 고정시키고 안전벨트를 착용한다.

지역사회에서의 역할

현장에서의 자세하고 면밀한 관찰은 손상과 질병 관리를 위한 지역사회의 전략을 지원하는 역할을 할 수 있다. 예를 들어, 유럽과 호주에서 응급구조사는 영아의 잠자는 자세와 갑작스러운 영아돌연사증후군(SUID) 사이의 관계를 식별함에 있어 중요한 역할을 하였다. 현장 관찰은 잠자는 아이들에서의 영아돌연사증후군의 증가된 위험을 확증하고 영아돌연사증후군 사망률을 감소시킨 캠페인에서 도움을 주었던 과학적 연구의 일부였다. 13장은 영아돌연사증후군에 대해 더욱 자세히 논의한다.

응급구조사는 입원 전 기록지에 갑작스런 사고에 대한 기전과 현장 상황을 기록하고, 다른 지역 데이터 수집 노력을 도와줌으로써 지역사회 내에서의 손상 및 질병 유형에 대한 이해에 도움을 줄 수 있다. **표 17-3**은 응급구조사가 지역

손상	예방
자동차 손상	• 유아 및 아동 카시트 • 안전벨트와 에어백 • 보행자 안전 프로그램 • 오토바이 헬멧
자전거	• 자전거 헬멧 • 자동차 도로와 분리된 자전거 도로
레크레이션	• 적절한 패딩(충격 보호대)과 복장(의복) • 자전거/스케이트보드/롤러스케이트 탑승자에 대한 안전 교육 • 부드럽고, 충격을 흡수하는 운동장 표면
익수	• 사면이 고정된 수영장 울타리 • 수영장 경보기 • 직접적인 성인의 감시 • 보호자 심폐소생술 훈련 • 수영 강습 • 수영장/해수욕장 안전 지도 • 물에 뜨는 장비
중독과 가정물품	• 화학 약품과 약물의 적절한 보관 • 아동을 위한 안전 포장
화상	• 전기 기구 및 전기 코드의 적절한 유지와 감시 • 화재/연기 탐지 장치 • 스토브 탑 위에 조리기구의 적절한 배치
기타	• 유아 보행기구 사용의 만류 • 출입 제한 장치가 있는 계단 • 양육자에 대한 응급처치 훈련 • 보육 종사자에 대한 응급처치 훈련

표 17-3 일반적인 손상 및 예방 가능한 전략의 예

지지자, 공공 교육자, 그리고 선생님으로서의 자신의 확장된 역할에 고려할 만한 몇 가지 특정한 지역 손상 예방 활동을 보여준다.

조언

과학적 연구의 한 부분에서 엎드린 자세로 잠을 자는 영아에서의 영아돌연사증후군의 위험률이 증가됨이 확인되었다.

예방 역할에 대한 요약

응급구조사에게는 직업적으로 그리고 지역사회 구성원으로서 예방을 가르치고 실천하기 위한 많은 기회가 있다(**그림 17-8**). 현장 안전 문제에 대한 인식, 의심이 가는 가정환경에 대한 기록, 그리고 손상 기전의 기록 등은 응급의료서비스 체계에서 기본적인 정보이다. 장비의 크기 및 약물 용량의 신중한 선택을 통한 오류의 감소는 현장에서 제공된 의료적 처치 결과로서의 역효과를 예방한다. 구급차 충돌의 경우, 아동 승객의 안전을 보장하는 것과 지속적인 모니터링과 치료를 허용하는 이중 사항에 대처하는 것은 응급의료서비스 체계 전문가들에게 여전히 난관이다. 마지막으로, 지역사회 구성원으로서 그리고 소아응급의료서비스(EMSC)의 연속선의 일원으로서, 손상 관리와 질병 예방을 위해 지지할 많은 기회들이 있다.

실행 요구 : 소아응급의료서비스에 대한 지원

응급의료종사자들은 구급차에 타고 내리는 소아응급의료서

그림 17-8 응급구조사는 예방을 가르칠 기회가 있다.
© Holly Parker/The Saginaw News/AP Images.

비스를 받는 사람들을 지지할 수 있다. 소아응급의료서비스의 임상 및 운용 양상에서 응급구조사들은 많은 역할이 있으며 모든 지역사회에서 수행해야 할 끝없는 문제들이 있다. 미국의 국가 및 주의 소아응급의료서비스 프로그램들은 시스템 개선을 위한 많은 탁월한 모델을 제시하며 종종 아동에게 새로운 프로그램을 지원하기 위한 자금을 제공하기도 한다. 새로운 소아과 중점의 소프트웨어가 아동에 대해 근접한 임상 치료를 지원하기 위해 이용될 수 있다. 또한 많은 공·사적인 자금 지원기관들은 지역사회에서의 소아 응급처치에서 제공되는 서비스와 개선을 지원하기 위한 자원을 가지고 있다. 소아응급의료서비스에 대한 지지는 소아과 서비스를 돕거나 강화하기 위해 전통적인 응급의료서비스 체계 이외의 지원 자원에 대한 창의적인 모색을 포함한다.

응급의료서비스 체계 내에서의 아동 문제 제기를 위한 역할은 소아응급의료서비스 위원회 참여와 매일 매일의 훈련, 장비, 정책, 절차 그리고 아동에 관한 지침 등에 대한 일상적인 기반의 지지 등을 포함할 수 있다. 다른 역할들은 학교에서 자원 봉사 교육자의 역할, 학교 응급처치 서비스 개발, 심폐소생술 훈련자 되기, 손상 관리 및 아동의 건강 문제에 대한 지역사회 프로그램에 참여하기 등을 포함할 수 있다. 미국 소아과학회, 미국응급의학대학(American College of Emergency Physicians), 응급간호협회(Emergency Nurses Association) 그리고 지역 소방서와 병원 전 조직 등과 같은 여러 협회들이 소아 질병과, 손상 예방을 위한 프로그램을 지원하고 있지만, 이를 위해 만들어진 프로그램들은 성공하기 위해서는 참여와 지지를 필요로 한다.

당신의 지역사회 내에서 형성된 파트너쉽 관계는 오늘의 교육을 통해 내일의 세대에게 권한을 부여할 수 있다. 자신이 응급 상황에서 도움을 받을 수 있다는 사실을 이해하는 소아는 가벼운 생리학적인 손상과 함께 현장에서 강력한 협력자가 된다. 민간단체들은 준비성을 통해 삶에 영향을 끼치는데 성공적이었다. 그리고 응급의료서비스는 이러한 노력을 더 기하급수적으로 더 나아갈 기회가 있다. 훈련과 교육을 통해서 우리는 변화를 가져올 수 있다. 생명을 구하고, 통증과 고통 감소, 손상과 질병 예방 그리고 병원 밖에서의 소아 처치와 지역사회 및 병원 내 서비스의 복잡한 공유 영역을 조성하는 것에서부터 전례 없는 활발한 개선의 가능성이 있다. 응급의료서비스 체계에서 질적인 소아과 서비스를 유지하고 소아응급의료서비스 미래의 진화를 지속시키기 위해서는 아동의 건강과 안전을 보전하는 것은 모든 응급구조사들로부터의 일정한 지지와 경계가 필요하다.

사례연구 답안

사례연구 **1**

손상을 예방하거나 줄이도록 도와줄 수 있는 인자들은 다음과 같다: 학교와 지역 사회에서 차량 안전 교육, 특히 안전벨트와 아동 카시트의 사용, 감소된 차량 속도 그리고 운전자들을 위한 보다 나은 교통 신호이다.

응급구조사의 핵심 예방 조치는 현장평가, 중요한 현장 상태의 기록, 적절한 현장 처치 제공, 소아를 적절한 의료기관으로의 신속한 이송 등이다. 손상(제어 좌석에 앉혀지지 않은 아동)의 예방 가능한 특성에 대해 병원 전문가들에게 알리고 그러한 기전을 기록하는 것은 많은 장점을 가지고 있다. 어떤 유형의 내과적 처치가 이러한 아동의 결과를 변경시킬 가능성은 많지 않다. 따라서, 손상 사고 후 응급구조사의 중재가 사고결과를 바꿀 수 있는 건 거의 없고, 효과도 없지만, 사고 전에는 많은 유용한 예방 중재가 있다.

손상 상황에 대한 신중한 기록 역시 중요한 데이터 수집에 기여하고, 지역사회 내에서 손상의 양상을 규정하도록 도와준다. 응급구조사는 손상 예방을 위한 지역사회 내 지지자가 되어, 알려진 위험에 관해 부모와 정책 입안자들을 교육시키는 데 도움을 주며, 아동기 손상의 중요한 보건학적 문제들에 대한 해법을 확인하고 장려할 수 있다. 응급의료서비스 상황으로 돌아가기 전에 먼저 생리학적인 응급처치 보고를 위해 치명적인 사고 대응팀의 사용을 고려한다. 병원 직원은 또한 이것에 착수할 수 있고 응급의료서비스가 참여하도록 요청할 수 있다.

사례연구 2

이 아동의 1차 응급처치 의사는 그의 만성적인 질병 관리에서 적극적인 역할을 하며, 치료에 대한 결정을 할 수 있는 최선의 자격을 갖추고 있다. 응급처치 후 아동이 내과적으로 안정된 상태에 이르면, 이송 목적지가 적절한가를 의논하기 위해 지도의사에게 연락을 취한다. 효과적인 병원 전 응급처치는 응급의료서비스-소아응급의료서비스 연속선의 한 단계이며 병원 전 응급구조사에게 적절한 장비와 교육뿐만 아니라 팀웍, 지역사회 자원에 대한 지식 그리고 전문가적 의사소통 기술 등을 요구한다. 지역 응급의료서비스 정책에 의해 허용된 경우, 이러한 아동을 그의 "메디컬 홈"으로 이송하는 것은 생리학적 절충의 잠재적 위험을 평가할 수 있는 장점을 가져야 한다. 지역 프로토콜이 일반적인 이송 원칙과 다를 때, 다른 안전수단이 모색되어야 한다. 만일 환자의 응급의료에 관한 정보를 가지고 있다면, 그것이 환자의 일정한 상태 및 반응에 대해 도움이 되며, 환자의 도착 이전에 정보를 제공할 수 있다.

사례연구 3

응급의료서비스 도착 이전에 신속한 대응, 현장 효율성, 지역사회가 제공한 구명(구조) 기술 등이 환자와 목격자들에게 도움이 된다. 교육, 훈련, 장비 조달 그리고 응급처치 준비 등을 통해, 지역사회가 최선의 결과를 가져다주는 응급처치를 할 수 있는 가능성이 허용된다. 적절히 대응하고 반응할 수 있는 능력은 연속적인 처치가 제공되도록 보장한다. 심폐소생술 훈련, 자동제세동기 배치, 지역사회 대응팀, 소아 처치 훈련 그리고 도구 등이 지역사회가 변화를 만들 수 있게 한다. 컴퓨터를 이용한 결정 지원 소프트 프로그램이나 키에 기초를 둔(length-based) 도구의 이용 등이 적절한 장비의 크기와 정확한 약물 용량을 선택함에 있어 병원 전 응급구조사들을 도와줄 수 있다. 잘 구성되고 쉽게 이용할 수 있는 소아과 장비를 갖추는 것은 정확한 장비 규모를 찾을 수 있도록 도와주고 아동 처치를 도와준다. 컴퓨터 소프트웨어 도구나 키에 기초를 둔 소생 테이프를 사용하는 것은 비판적 사고를 강화하고, 인지 부하를 줄이고, 병원 전 응급구조사가 평가, 우선순위 결정, 의학적 중재 및 이송에 집중할 수 있게 한다.

훈련과 교육은 지역사회가 환자의 처치와 그에 따른 결과에서 중요한 역할을 할 수 있도록 한다. 병원 전 응급구조사들은 소아 응급의료서비스 지원과 지역사회 협력을 통해 지역사회를 준비시키고 권한을 부여하도록 도울 수 있는 능력을 가지고 있다

추천 자료

Textbooks

Aehlert B. *Paramedic Practice Today: Above and Beyond.* St. Louis: Elsevier-Mosby-JEMS; 2010.

Barss P, Smith G, Baker S, Mohan D. *Injury Prevention: An International Perspective.* New York: Oxford University Press; 1998.

Seidel J, Knapp J. *Childhood Emergencies in the Office, Hospital, and Community: Organizing Systems of Care.* 2nd ed. Chicago: American Academy of Pediatrics Committee on Pediatric Emergency Medicine; 2000.

Articles

American Academy of Pediatrics. Medical Home Initiatives for Children with Special Needs Project Advisory Committee: the medical home. *Pediatrics.* 2002;110(1):184–186.

American Academy of Pediatrics, Committee on Pediatric Emergency Medicine. The role of the pediatrician in rural emergency medical services for children. *Pediatrics.* 2012;130:978–982.

Gausche M. Out-of-hospital care of pediatric patients. *Pediatr Clin North Am.* 1999;46(6): 1305–1327.

Horowitz L. Mental health aspects of emergency medical services for children: summary of a consensus conference. *J Pediatr Psychol.* 2001;26(8): 491–502.

Other Resources

EMSC Improvement and Innovation Center. https://emscimprovement.center.

Emergency Information Form. https://www.pediatrics.aappublications.org/content/125/4/829 and https://www.acep.org/globalassets/uploads/uploaded files /acep/clinical-and-practice-management/resources /pediatrics/medical-forms/eifspecialneeds.pdf. Accessed January 10, 2020.

Sia C. The medical home: closing the circle of care. In: Seidel JS, Henderson DP, eds. *Emergency Medical Services for Children: A Report to the Nation.* Washington, DC: National Center for Education in Maternal and Child Health; 1991.

절차

절차 1: 현장 보고

S. Heath Ackley, MD, MPH, FAAP

Jennifer L. Stafford, BSN, CEN, CFRN

개요

소아과 환자에 대한 관련 정보를 수집하고 정리하여 다른 응급구조사, 의료감독기관 및 응급의료센터에 보고하는 것은 연속된 치료과정의 중요한 일부이다. 의료감독기관의 담당자에게 아동과 그들의 임상적 문제를 설명할 때, 이송 환자에 대한 정보를 응급실에 알릴 때, 환자 치료를 인계할 때에는 명확하고 간결한 의사소통이 필수적이다. 현장보고는 명확하고 간결하며 체계적이어야 하고 적절해야 한다. 그리고 환자의 사생활을 보호하는 방식으로 되어져야 한다. 보고는 주로 보안 무전기, 전화기, 또는 다른

형태의 보완된 실시간 통신을 통해서 이루어진다. 각각의 응급의료서비스 지역에서는 응급의료감독기관과 응급실에 대해 현장보고를 할 때 요구 사항이 있다.

현장 구두보고 뿐 아니라 소아용 선분 기록지는 추우 업무 검토와 분석을 위해 필수적이다. 각 응급의료체계기관은 일반적으로 응급구조사가 임상적 사실을 기록해야 하는 자체보고 양식 뿐만 아니라 비용청구 및 상세한 사건 기록 또는 시스템 분석에 필요한 정보를 가지고 있다.

적용

현장 또는 이송중인 응급 소아환자를 고려하여 무선 통신, 전화, 팩스를 통하거나 또는 응급의료감독기관, 환자를 받을 응급실, 또 다른 응급구조사와의 직접적인 소통 등을 할 때 적절한 현장 보고 절차를 이용한다.

금기

적절한 현장 보고에 대한 유일한 상대적 금기 상황은 즉각적 응급처치를 필요로 하는 생리적 기능장애가 있는 소아의 경우일 때이다. 이러한 경우는 환자 이송 중 환자를 받을 응급실이나 의료감독기관과 적절한 소통을 하는 것을 어렵게 만들 수 있다. 대부분의 경우, 함께 출동한 동료가 보조하여 해당 기관에게 응급 소아가 이송 중임을 보고할 수 있다. 그러나 환자 평가, 응급처치, 응급처치 후 반응 등에 관한 완전한 보고는 가능하지 않을지도 모른다. 서면 문서상의 정밀한 보고에 대한 금기증은 없다.

장비

응급의료체계에 따라 필요한 장비는 다양하다. 장비에는 무선통신 장비, 컴퓨터를 이용한 실시간 현장 보고 자료 전송 장비 또는 비디오 촬영 장비 등이 포함될 수 있다. 일부 응급 기관에서의 다른 평가 기록지와 마찬가지로, 환자 관리 기록지은 필수적이다.

이론적 근거

내과적 문제나 외과적 문제를 가진 소아환자에 대한 주요 정보를 표시하기 위해 논리적이고 체계적인 기록지는 현장 업무에 필수적이다. 그것은 의사소통 장비와 개인적인 시간을 비용대비 효과적으로 사용하게 해준다. 또한 적절한 현장 보고는 모든 응급의료 관련 전문가(응급구조사, 간호사, 의사)의 노력을 통합해 주고 중요한 자료가 정확하게 전달되는 것을 보장한다. 소아 전문 보고 기법에는 평가, 치료, 환자분류 및 이송을 위한 연령별 적용을 포함한다.

준비

1. 응급구조사는 소아환자에 대한 현장 보고를 준비하고 연습해야 한다.
2. 응급의료체계 유관기관, 의료감독기관과 구급차 운영 기관에 의해 합의된 현장보고서를 사용하는 것이 유용하다. 요구되는 양식은 문서 또는 체크리스트 형태일 수도 있다;
   이것은 응급구조사가 다양한 직무를 수행해야 할 때나, 환경이나 장비들에 의해서 원활하게 의사소통되지 않을 때 환자 정보의 이해와 수집을 용이하게 하는데 도움이 될 수 있다.

가능한 문제

부정확하고 불분명하고 애매한 용어를 사용하거나, 빈번하게 작성되는 성인 환자의 보고서와 소아 환자 보고서를 다르게 작성하지 않는 경우에는 의료지도와 환자를 받을 응급실의 준비를 지연시킬 수도 있다.

조언

1. 현장 보고는 대략 30초 정도로 해야 하며, 환자에 대한 적절한 치료를 결정하기 위해 그에 대한 충분한 정보를 응급실 또는 의료감독기관에게 전달해야 한다.
2. 평가 보고할 때, 소아평가삼각구도(PAT)를 활용해라.

응급 현장 보고의 구성요소

1. 대상의 신원확인 및 치료수준(응급 또는 기본 소생술)
2. 환자의 나이, 성별 그리고 대략적 몸무게
3. 주호소 증상
4. 간결하고 적절한 현재의 질병 또는 부상의 병력
5. 관계있는 과거 병력 유무
6. 적절한 소아평가삼각구도 상 검사 소견
7. 기도, 호흡, 순환, 의식수준(AVPU 또는 소아 GCS)
8. 진단 소견
9. 치료와 치료 후 반응
10. 도착 예정 시간(ETA)
11. 의료감독기관의 지시사항　또는 질의 요청
12. 의료감독기관의 지시가 있을 경우, 이해한 것의 확인을 위한 지시사항 복창

절차 1-1

현장 보고서

1. 소아의 연령, 성별 그리고 추측되는 몸무게를 기록한다. 단계별 설명은 **절차 2. 신장에 기초한 소아 소생테이프를 참조한다.**
2. 환아의 주호소를 기록한다.
3. 상해나 질병 관련 병력을 한 문장에 쓰고 관련있는 적절한 과거병력, 약물 및 알레르기(보통 없거나 간결하게)를 기록한다.
4. 환자 평가 자료를 요약하고 소아평가삼각구도(Pediatric Assessment Triangle(PAT))를 사용하여 치료의 심각성과 시급성의 수준을 결정한다. **표 P1-1**에 나열된 세부적인 단어와 용어를 적절하게 사용하여 소아평가삼각구도의 세 가지 요소들을 모두 설명한다.

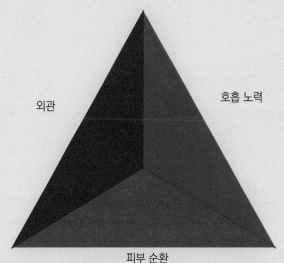
외관　호흡 노력　피부 순환

5. 기도, 호흡, 순환, 의식수준에 이상에 있으면 보고한다. 활력 징후에 집중하지 않도록 한다. 의식 수준 확인을 위해 AVPU 또는 소아응급 GCS를 사용한다.

6. 평가 결과를 기록한다.

7. 치료와 반응을 명시한다.

8. 도착예정시간을 추정한다.

9. 의료지도를 요청하고 현지 지역 응급의료체계 지침에 따라 추가적인 지시를 받는다.

10. 의료정보센터의 지시를 복창하여 이해 여부를 확인한다. **표 P1-2**는 간단한 소아 보고 기록 견본이다.

표 P1-1 소아전문 소아평가삼각구도 전용 용어		
외관(개개인 외관의 평가를 위해 TICLS 사용)	**호흡 노력**	**피부 순환**
근 긴장도(Tone) – 능동적이고 활발함, 적절한 근 긴장 – 절뚝거림, 생기 없음, 움직임 없는, 앉기 또는 걷기 거부	무호흡	선홍색, 정상 색
상호작용(Interactiveness) – 의식 명료, 상호작용하는 상태, 주변을 주의하는 상태, 활발한 상태 – 안절부절 못함, 불안초조해 함, 소리 지름	비정상적 자세(재채기 자세, 삼각 자세)	반점, 탁하고 어두운 색
안정성(Consolability) – 보호자에 의해 진정 또는 주의 환기 가능, 안정됨 – 진정이 되지 않음	비정상 호흡음(코고는 소리, 협착음, 천식음, 그르렁거림)	창백
시선/응시(Look/Gaze) –시선 고정, 적절한 눈 맞춤 유지 –눈 맞춤을 하지 못함	호흡근 퇴축(쇄골상부, 늑간, 검상돌기 하부)	청색
언어/울음(Speech/Cry) –힘찬 울음, 정상 대화 –약한 울음, 말하지 못함	비익 확장	

표 P1-2 소아보고 템플릿(Template) 사례

XXX연령[며칠, 몇 달, 몇 세 등 으로], 성별[남성 또는 여성], XXX체중[kg으로 표시]인 소아 환자가 발생하여 현장 출동 또는 이송 중.

주호소(CC)	환자의 주 호소사항은 [한 두 단어로 주호소 증상을 진술한다.]
현병력(HPI)	간략한 현재의 질병/손상에 관해 간결하게 작성한다.
과거병력(PMH)	간결하고, 적절하게 과거 의학적 병력 유무를 기록한다. (주의: 보통 없음)
소아평가삼각구도(PAT)	외관: 환자의 외관을 설명적 용어를 사용하여 환자의 외관을 기술한다. 호흡 상태: 설명적 용어를 사용하여 호흡 상태를 기술한다. 피부 혈액순환: 설명적 용어를 사용하여 피부 혈액순환 상태를 기술한다.
초기 ABCDEs 평가 (Initial ABCDEs assessment)	ABCDEs에 관한 주요 평가 사항을 요약한다.(AVPU 등급에 대한 더 많은 정보를 위해서 Chapter 1을, 소아 응급 GCS에 대한 더 많은 정보를 위해서는 chapter7을 확인하라.)
진단 소견(Diagnostic findings)	진단 소견은 요약하여 작성한다.
처치(TX)	환자의 처치와 처치 후 반응을 기록한다. 이 기록들은 지속적인 평가의 기초로 활용해라: 소아 평가삼각구도, ABCDEs, 활력 징후 반복 확인, 그리고 집중 평가와 상세한 평가를 받은 상태가 좋지않은 소아환자의 해부학적 소견 재평가.
도착 예정 시간(ETA)	우리의 [환자를 받을 응급실]까지의 도착예정시간은 _____ 분이다. 추가 질문이나 지시사항이 있나요? [이 시점에 응급구조 지침을 따르는 추가적인 지시사항을 요청한다.]

* 표 P1-1 소아전용 설명적 용어 참조

절차 2: 신장에 기초한 소생테이프

S. Heath Ackley, MD, MPH, FAAP

Jennifer L. Stafford, BSN, CEN, CFRN

소개

소아소생을 위해 적절한 크기의 기구나 용량을 선택하는 일은 어려운 일이다. 병원 전 환경에서의 신장에 기초한 소아 소생 테이프의 사용은 약물 투약 오류를 현저히 감소시킨다. 정확한 장비크기와 약물 용량을 결정하기에 요용

한 다양한 종류의 신장에 기초한 소생테이프가 있다. 소아 신장에 기초한 소생테이프는 신체 길이를 측정하고 대략적인 체중을 결정하는 간단하고 효과적인 도구이다.

적용

체중 3~36kg인 소아는 적절한 크기의 장비 뿐만 아니라 체중에 따른 정확한 약물 투여가 필요하다.

장비

신장에 기초한 소아 소생테이프
컴퓨터나 핸드폰의 신장에 기초한 소생테이프를 기반으로 하는 소아 약물 용량

이론적 근거

병원 전 환경에서 영유아를 치료하는 것은 어렵다. 연령별 소아는 체중을 기준으로 장비크기, 소생술 및 약물투여량을 결정한다. 정확한 체중을 알지 못할 경우, 소아 중환자를 위한 적절한 장비와 약물 선택 시 실수가 흔하다. 소아의 체중 또는 신장으로 계산하는 소생술 장비/방법은 크기 별 장비 및 약물 사용의 유효한 기준으로 삼는다. 이 장비는 휴대가 가능하고, 사용이 쉬우며 모든 병원 전 장비와 약물에 적용할 수 있다. 컴퓨터나 휴대폰 기반의 응용프로그램을 사용하여 밀리미터(밀리그램 대비) 단위의 정확한 약물용량을 결정하는 것이 유익하지만, 특정 약물 농도를 확인하여 당신의 기관에서 사용하는 것과 일치하는지를 확인하는 것이 중요하다.

가능한 문제

- 부정확한 측정
- 부정확한 약물 농도

조언

신장에 기초한 소생 테이프를 소아 장비함과 같이 접근성이 용이한 곳에 보관한다.

절차 2-1

신장에 기초한 소생테이프(length-based resuscitation tape)

1. 환자를 반듯한 자세로 눕혀준다.

2. 소아의 다리를 펴 준다.

3. 소생테이프로 머리에서 발뒤꿈치까지 소아의 신장을 측정한다 (붉은색 위치점을 머리 시작점과 일치시킨다). 아이의 발뒤꿈치에서 측정된 신장에 해당하는 체중(kg)을 말한 후 기록한다. 테이프 길이 보다 소아의 키가 크면 성인용 장비와 약물용량을 사용한다. 테이프에서 적절한 장비크기와 적절한 약물 용량과 수액량을 확인한다.

논쟁

평균 신장을 기반으로 하는 다양한 브랜드의 신장 기준 소아 소생테이프가 있다. 연구에 따르면 이 소생테이프들이 비만 아동의 체중을 과소평가한다고 보여주고 있다. 그러나 신장에 따른 장비 크기는 정확하다.

주의

소아의 발꿈치 대신 발가락 끝을 측정하면 예상 체중이 늘어나게 되고 장비 크기가 크거나 약물 용량이 과다하게 측정될 수 있다.

논쟁

신장에 기초한 소아 소생테이프는 이상적인 체중에 기반을 둔다. 소아 비만의 증가로 소생테이프의 정확성에 대한 문제가 제기되고 있다. 그러나 대부분의 응급 약물은 환자의 이상적인 체중을 기반으로 하여 결정된다. 따라서, 비만 소아의 경우 소생 약물 용량을 늘려야 하는 경우는 거의 없다.

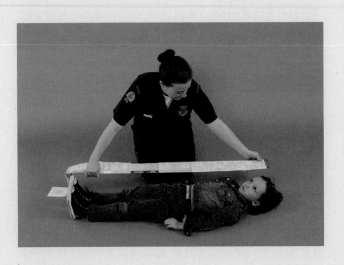

절차 2-2

소아 소생술 소프트웨어

1. 신장에 기초한 소생테이프를 기반으로 하는 소아외 약물 용량 계산기는 이제 컴퓨터나 휴대폰용으로도 존재한다. 소아의 체중을 측정하기 위해 신장에 기초한 소생테이프를 이용하는 것은 필수적이다. 체중을 측정하기 위해 소프트웨어를 사용하지 말라. 소생테이프를 이용한 후, 소프트웨어는 약물 용량을 결정하기 위해 사용할 수 있다; 일반적으로 밀리그램 보다는 밀리미터로 되어있지만, 반드시 단위를 확인해라. 또한 특정 약

물의 농도가 단신의 기관에서 사용하는 농도와 일치하는지를 확인하는 것은 매우 중요하다(예, 아트로핀, 날록손은 다양한 농도로 구비됨).

2. 소아의 체중을 소프트웨어에 입력하고, 임상 상태 또는 소생술 유형을 선택한다. 소프트웨어는 소아 체중에 따라 약물용량을 계산해 준다.

절차 3: 산소공급

Michael H. Stroud, MD, FAAP

Sam Vance, MHA, LP

소개

영아나 소아의 저산소증은 심폐기능장애와 장기 손상을 유발하게 된다. 소아의 심폐기능 상태에 대한 신중한 평가는 표준 신체검진 술기, 맥박산소측정법, 호기말 이산화탄소(EtCO2)를 포함한다. 보통 산소 부여 없이 맥박산소측정값은 94% 이상이어야 한다. 94%이하라면 산소 투여가 필요하다. 맥박산소측정값이 90%이하의 소아에게는 100% 농도의 산소를 투여한다. SpO2 94%을 목표로 기도유지와 산소투여를 한다. 몇몇 호흡계 문제들은 간단한 조치로도 개선된다. 신속한 중재술은 심폐장애나 기능부전을 지연시키며 추가적인 환기 보조의 필요성도 감소시킬 것이다. 소아의 호흡장애가 호흡부전으로 진행하는 것을 방지하는 것이 목표이다. 이것은 영아나 소아에게 빠르게 발생할 수 있다. 호흡계질환이 소아 저산소증의 주원인이지만, 저혈량성 쇼크나 심각한 중독, 경련 등도 허혈성 저산소증을 일으킬 수 있다.

소아에게 공급하는 산소의 양에 따라 다양한 산소공급 절차가 있다. 소아의 건강상태, 나이, 그리고 산소의 필요성 등을 고려하여 산소 공급 술기를 적용해야 한다. 필요한 경우, 산소 공급을 유지하기 위한 추가적인 방법을 고려한다. 예를 들어 호흡장애가 없거나 경미한 경우 기도가 개방되어 있다면 비강 캐뉼라나 단순안면마스크를 사용한다. 중등도나 중증의 호흡장애가 있는 경우 비재호흡 마스크나 백-밸브 마스크를 사용한다. 간혹 심각한 호흡장애가 있거나 호흡부전이 일어나는 경우, 지속양압호흡법(CPAP), 상하양압호흡법(BIPAP), 간헐양압호흡법(IIPB), 가습 고속 비강 캐뉼라, 그리고/또는 양단 비강 CPAP와 같은 방법들을 사용해야 한다. 소아환자에게 양압환기를 할 때 기관지연축에 주의한다. 공기가슴증이나 공기 누출을 유발할 수 있다. 드물게, 소아는 양압호흡과 산소 공급을 위해 기관내 삽관을 요구한다. 공급된 산소가 소아의 상태를 호전시키지 않는다면, 선천적 청색증심질환과 같은 심장질환; 저혈량쇼크와 같은 순환기 장애; 또는 드물게 메트헤모글로빈혈증과 같은 독소장애 등의 다른 가능성을 고려해야 한다.

상황에 따라 산소 투여가 아이들의 흥분이나, 긴장감을 줄일 수 있다. 신생아는 산소 공급 시 유의해야 하는데, 신생아가 활력이 있고 혈색이 좋고, 산소 농도가 높다면, 추가적인 산소의 제공은 아직 성숙하지 않은 뇌에 손상을 끼칠 수 있다.

적용

- 심장 정지
- 호흡곤란
- 실내공기에서 맥박산소측정치 94% 이하
- 호흡부전
- 부분적 상부기도 폐쇄
- 부분적 하부기도 폐쇄
- 만성 폐질환의 악화
- 간질지속증
- 과다복용
- 다양한 원인의 쇼크
- 다발성 외상
- 조직 내 산소 공급을 감소시키는 장애
- 연기 흡입
- 일산화탄소 중독

금기

저산소증 소아에게 절대적으로 금해야 할 사항은 거의 없다. 상대적 금기는 청색증 심질환의 소아이다. 소아의 부모 또는 아이를 돌보고 있는 사람에게 아이의 평상시 맥박산소측정 값을 물어 봐야 한다. 그런 다음 이 산소 포화도에 맞추어 산소를 공급할 수 있다. 산소는 최대 효과, 최소 독성, 최적의 실행 가능성 및 합리적인 비용을 위해 적절한 용량과 투여 경로를 가지고 있다.

이론적 근거

소아의 미성숙한 해부학적 구조와 생리적 기능으로 인한 소아의 호흡장애와 부전은 일반적이다. 무호흡 또는 호흡저하 상태가 되면 저산소증이 즉각적으로 나타난다. 따라서 심폐 기능 장애나 부전의 임상증상이 있거나 가스 교환에 병력이 있는 소아라면 산소를 공급해야 한다. 소아에서 과다한 산소 투여로 인한 호흡 저하는 거의 없기 때문에 과소 투여 보다는 과다투여를 해주는 것이 낫다.

조언

적절한 산소 공급 술기는 소아의 상태, 연령, 산소의 필요성에 따라 고려해야 한다.

준비

1. 압력계와 산소 유속계기를 산소탱크에 연결한 후 탱크를 연다.
2. 소아의 상태, 연령, 산소의 필요 정도에 따라 적절한 산소 공급 장비를 선택한다(**표 P3-1**).

장비

- 영아와 소아용 비강 캐뉼라
- 크기별 소아용 마스크
- 소아용 비재호흡 마스크
- 산소 연결 튜브
- 산소 공급원
- 맥박산소측정기와 탐색기

가능한 문제

- 손상, 고압 탱크가 천공되거나 밸브가 파손된 경우
- 산소가 기폭제가 되므로, 화재 가능성
- 조산아의 경우, 불필요한 고농도의 산소 공급은 뇌 손상을 일으킬 가능성이 있다.

주의

저산소 상태가 아닌 신생아에게 산소를 공급하지 말아야 한다. 생후 10분이후, 일반적인 SpO2는 85~95%라는 것을 인식하는 것이 중요하다.

조언

산소 마스크는 아이를 겁먹게 할 수 있다.

주의

아이의 긴장과 불안을 증가시킬 수 있으므로 강제로 눕히지 않는다.

조언

비강 캐뉼라를 통해 산소 공급 시 가습을 해주면 비강 자극과 코피를 방지하고 분비물 생성에 도움을 준다.

조언

비강 캐뉼라: 전달되는 신소 농도는 호흡수, 일회 호흡량, 구강호흡 범위에 영향을 받는다. 영아는 그 보다 나이가 많은 환자들보다 흡입산소 농도가 더 높다(분당 1L당 산소농도 30~35%, 분당 0.5L당 산소농도 26~32%).

표 P3-1 산소 공급 술기 및 환자 평가			
장비	유속(L/min)	전달되는 농도	고려사항
비강 캐뉼라	1-6 L/min	21%-44%	■ 느린 유속 ■ 작은 제한점 ■ 캐뉼라가 고정된 후 산소 유속을 천천히 공급하기 시작하여 아이가 놀라지 않도록 한다. ■ 뺨에 캐뉼라를 테이프로 고정시키는 것이 도움이 될 수 있다. ■ 코로 호흡을 해야 하는 영아나 적절한 크기의 마스크가 없는 경우 사용한다.
단순안면 마스크	6-10 L/min	35%-60%	■ 느린 유속 ■ 영아, 소아, 성인용 크기 확보 가능 ■ 호기의 이산화탄소의 재호흡을 방지하기 위해 최소 6L/min의 사수 유속이 필요하다.
비재호흡 마스크	10-15 L/min	60%-95%	■ 빠른 유속 ■ 단순안면 마스크와 저장백으로 구성되며 마스크 입구에 밸브가 있어 흡기 시 실내 공기가 섞이지 않도록 하며, 저장백과 마스크 사이의 밸브는 저장백 내로 호기시 공기가 들어가지 않도록 함 ■ 고농도 산소가 필요한 자발호흡이 있는 환자에게 사용(호흡 장애나 쇼크 상태의 소아) ■ 저장백에 산소가 충분히 채워진 상태가 되도록 유속을 유지 ■ 적절한 고정은 고농도의 산소가 마스크를 통해 제공하도록 한다. ■ 소아용, 성인용 마스크로 사용 가능 ■ 부분 재호흡방지 마스크는 밸브 저항을 이겨내지 못하는 신생아, 영아 등에게 사용
불어주기 (Blow-by)	10 L/min	대략 30%-40%; 얼굴에 가까운 정도에 따라	■ 얼굴에 산소 마스크 씌우는 것을 견디지 못하는 영아나 소아 ■ 종이컵을 사용하여 바닥에 구멍을 뚫고 주름진 튜브나 산소 튜브를 구멍에 집어 넣어 단순 안면 마스크로 산소를 공급한다. ■ 소아의 입과 코에 가능한 한 가까이 공급 장비를 댄다.

미국심장협회에서 수정됨. *ACLS Provider Manual Supplementary Material*. 2016.

절차 3-1

산소 공급

1. 소아 환자와 가족에게 산소 공급이 필요한 이유와 방법을 설명한다. 소아의 연령에 맞는 언어를 사용한다. 표 P3-2는 산소 공급에 협조적이지 않은 소아에게 불안을 경감시키는 방법에 관한 내용이다. 산소를 불어 넣기 위해 종이컵을 사용할 시, 바닥에 구멍을 뚫고 튜브를 집어 넣는다. 컵에 웃는 얼굴을 그리거나 스티커를 붙이면 소아의 불안을 감소시킬 수 있다. 또한, 산소 튜브에 좋아하는 장난감을 부착하여 소아가 장난감을 얼굴 근처에 들고 있도록 독려하는 방법도 고려해본다.

2. 소아가 보호자의 무릎에 앉을 수 있도록 편안한 자세를 취해준다. 구급차 내에서의 소아는 안전벨트를 채워야 한다.

3a. 마스크 착용을 위해, 적절한 크기의 마스크를 선택한다. 마스크는 콧날에서 턱 끝까지 덮을 정도여야 한다. 소아의 눈을 누르지 않도록 한다.

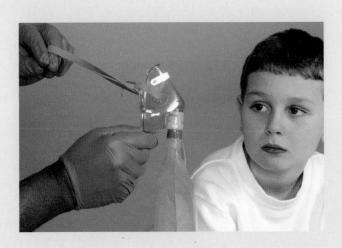

3b. 마스크를 머리 위쪽에 위치시키고 코 부위부터 덮어 씌운다. 코 부위의 클립을 코에 맞춰주고, 머리 뒤쪽의 끈을 맞게 조정한다.

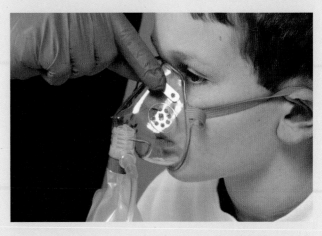

4. 비강 캐뉼라를 사용하기 위해 플라스틱 팁을 비강쪽 으로 구부린다. 귀 뒤로 튜브를 감는다.

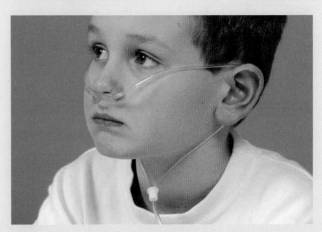

5. 불어주기법을 사용할 경우, 보호자에게 튜브나 종이컵 또는 장난감을 소아 얼굴 가까이 대주어 산소를 최대한 공급하게 한다.

표 P3-2 산소 공급을 위해 소아의 협조를 얻는 방법

소아의 얼굴에 마스크를 착용시키기 전에, 소아에게 잡아 보게 한다.

소아의 얼굴에 마스크를 착용시키기 전에, 소아에게 산소의 흐름을 느껴보도록 한다.

마스크를 우주인 마스크나 슈퍼히어로 마스크 등, 소아에게 흥미로운 용어로 설명한다.

소아가 마스크 착용하기를 싫어하면, 불어넣기 방법으로 하여 소아의 긴장과 산소요구량의 증가를 피한다. 컵에 웃는 얼굴을 그리거나 스티커를 붙이는 것은 소아의 긴장을 경감시킬 수 있다. 또한, 산소 튜브에 좋아하는 장난감에 부착하여 소아가 장난감을 얼굴 근처에 위치 할 수 있도록 방법을 고려한다.

논쟁

만성 폐질환이 있는 소아에게 제공되어야 할 산소 유량은 알려져 있지 않으며, 각 개인에 따라 다르다. 일부 소아의 경우 산소 공급이 저산소증을 유발하는 예상치 못한 효과를 가져온다. 그렇지만, 이산화탄소를 기준으로 하는 만성 폐질환 환자에서의 산소 공급은 호흡저하를 거의 야기하지 않는다. 소아에게 병력과 평가상 급성 저산소증이나 호흡 노력이 증가되었다면 산소를 제공하며 백-밸브 마스크로 보조할 준비를 한다.

참고 문헌

American Heart Association. *Web-based Integrated Guidelines for Cardiopulmonary Resuscitation and Emergency Cardiovascular Care – Part 12: Pediatric Advanced Life Support.* Dallas, TX: American Heart Association, Inc; 2015.

National Association of State EMS Officials. *National Model EMS Clinical Guidelines Version 2.0.* Falls Church, VA: NASEMSO; 2017.

절차 4: 흡인

S. Heath Ackley, MD, MPH, FAAP

Victoria Barnes, RN, BSN, EMT

소개

모든 연령층의 소아들은 분비물, 구토, 농, 혈액, 부종, 이물질로 인해 기도폐쇄가 되기 쉽다. 신생아의 경우 양수, 태변, 혈액 등의 기도폐쇄는 흡인만으로 처치할 수 있는 흔하고 잠재적으로 중요한 문제이다. 영아기 및 소아기에, 폐쇄성 머리 손상, 간질 지속증이 있는 경우, 기도 방어 기전을 소실시키며 흡인과 기도폐쇄로 기도 개방성 상실의 위험에 처하게 된다. 기관내 삽관이 필요한 소아는 기관내관, 기도, 허파꽈리의 체액과 관련된 질환이나 손상을 겪는다. 적절한 산소화와 환기를 위해서는 이 체액을 제거해야 한다. 기관절개술을 한 소아는 튜브 안에 액체나 이물이 고이기도 하는데 이것들을 반드시 배출시켜야 한다.

적용

- 일부의 신생아
- 코인두나 입인두에 체액이나 이물이 있는 영아나 소아
- 삽관 튜브 안에 체액이나 이물이 있는 환자
- 기관절개술 튜브에 분비물나 점액이 있는 환자

금기

- 후두경으로 관찰하기 이전의 완전 기도폐쇄 또는 기도 이물이 의심되는 소아
- 삽관을 한 소아로 뇌압이 상승하거나 뇌탈출(herniation)이 있는 경우 흡인을 최소화한다.

장비

- 일체형, 분리형 구형 흡인기
- 기관내 흡입 카테터 8-14 French(1 mm = 3 French)
- 작은 영아를 위한 5 또는 7번 위관영양 튜브
- 큰 구경의 경성 흡인 카테터

이론적 근거

흡인은 기도 개방을 유지하기 위한 기본 술기이다. 소아의 기도는 매우 좁아 막히기 쉽다. 흡인장비의 유형과 절차는 소아의 연령과 임상적 문제에 따른다(**표 P4-1**). 망울형 흡인기(Bulb syringes)는 신생아 또는 영아의 이물 제거에 용이하나 깊은 부위의 흡입은 어렵다. 신생아 흡입 시 과격하거나 깊게 흡인되지 않게 한다. 깊게 흡입 시 신생아에서 특히, 자궁에서 나온 후 첫 몇 시간에서 미주신경 자극, 느린맥, 후두연축을 야기할 수 있다. 망울형 흡인기로 짧고 부드럽게 흡인(입, 그리고 코)하는 것이 일반적으로 분비물 제거에 적합하다. 흡인 카테터는 입, 코 혹은 목에서 얇은 분비물 제거하고, 모든 연령대에서 유용하다. 흡인 카테터는 또한 기관내관 흡인에서도 필요하다. 큰 구경 경성 흡인카테터는 영아와 소아(신생아는 아님)에서 입에 있는 굵은 분비물, 구토, 고름, 혈액 혹은 미세먼지(particulate matter)를 제거하는데 용이하다.

표 P4-1 연령과 기도 폐쇄물 유형에 따른 흡인 술기	
신생아	망울형 흡인기 또는 흡인 카테터
엷은 분비물이 있는 영아, 소아	망울형 흡인기 또는 흡인 카테터
신생아, 영아 그리고 기관내삽관한 소아	흡인 카테터
굵은 분비물이나 미세먼지가 있는 영아, 소아	큰 구경 흡인 카테터

준비

1. 개인용 보호 장구를 착용하라.
2. 임상적 상황이나 폐쇄 유형과 연령에 따라 적절한 장비를 선택한다. 음압 기능이 있는 장비(벽면에 설치된 진공흡인장치, 충전식 또는 전기 이동식 흡인기, 수동 휴

대용 흡인기)가 없다면 망울형 흡인기를 사용하여 엷은 분비물을 제거한다.
3. 흡인 장치가 작동되는지 확인한다.
4. 소아 소생술 테이프(pediatric length-based resuscitation tape)를 사용하여 적절한 카테터 크기를 선택한다. 흡인 카테터는 코 안 크기보다 작아야 한다.
5. 카테터가 들어 있는 포장지를 연다.
6. 연결 튜브나 흡인 장비 끝에 흡인 튜브나 경성 흡인 카테터를 연결한다.
7. 민감한 조직 손상이 일어나지 않도록 흡인 진공을(최대 120 mmHg) 조절한다.

가능한 문제

- 구강, 코, 기도, 허파 손상
- 구역, 구토
- 위 내용물 흡인
- 계속적 흡인으로 인한 저산소증
- 흡인 장비에서 기도로 이물질이 밀려들어가는 경우
- 뇌압 상승

절차 4-1

구형 흡인기를 이용한 입인두/코인두 흡인

1. 먼저 흡인기내 공기를 제거한다. 입을 흡인한 후 코를 흡인한다.

2. 입을 열고 주사기 끝을 입 한쪽으로 넣고 밀어 넣어 엷은 분비물을 제거한다. 입 안에 너무 깊숙이 넣어 연부조직이 닿지 않도록 한다. 분리되는(two-piece) 구형 흡인기는 분리될 수 있기에 입에 사용하지 않는다.

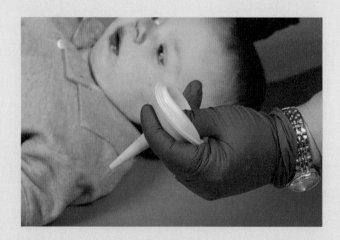

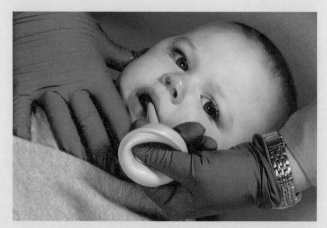

3. 코 구멍을 살짝 들어 올린 후 코를 흡인한다. 주사기 끝을 코 구멍 안쪽으로 넣거나 또는 얼굴과 직각이 되도록 하여 넣는다.

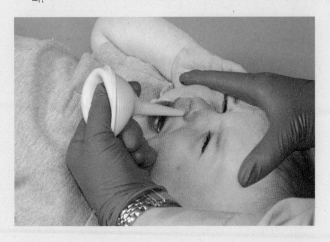

절차 4-2

흡인 카테터를 이용한 입인두/코인두 흡입

1. 입을 흡인한 후에 코를 흡인한다. 입을 열고 카테터 끝이 분비물에 닿을 때까지 밀어 넣는다.

2. 측면 포트(port)를 막고, 흡인을 시작한다. 시야를 벗어난 너무 깊은 곳까지 흡인하지 않는다. 카테터를 비틀면서 제거한다.

3. 콧구멍에 카테터를 넣는다.

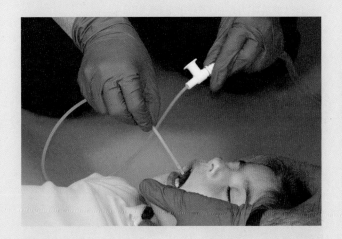
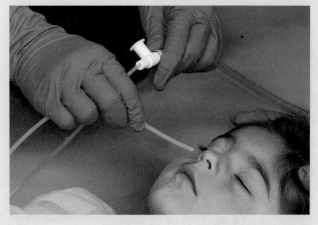

4. 측면 포트를 막고 팁이 분비물에 닿으면 흡인을 시작한다. 카테터를 비틀면서 제거한다. 5초 이상 흡인하지 않는다.

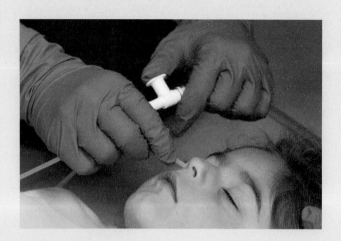

조언

의심되는 이물질 흡입 시, 흡인 전 기도를 관찰한다.

조언

5초 이내에 흡인하되 분비물을 제거하기 위해 충분한 시간을 사용한다.

절차 4-3

흡인 카테터를 사용한 기관튜브흡인

1. 동료에게 100% 산소를 이용한 백-밸브 마스크 장치에서 5-6회의 호흡으로 환자에게 전산소 공급(preoxygenate)이 되도록 요청한다.

2. 측면 포트에서 엄지손가락을 떼고, 기관내관을 통해 저항이 느껴질 때까지 기관 아래로 카테터를 밀어 넣는다.

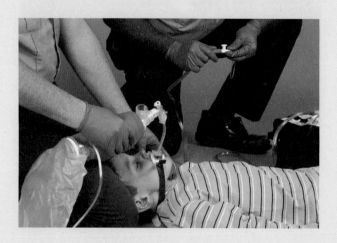

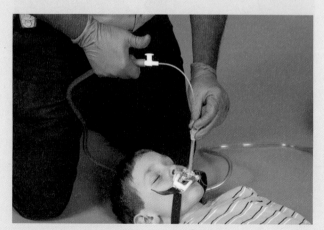

3. 카테터를 약간 비틀고 빼내면서, 측면 포트를 엄지손가락으로 닫고 열어 흡인을 시도한다(최대 5초).

5. 동료에게 5-6회 산소화를 요청한다. 필요한 경우 반복한다.

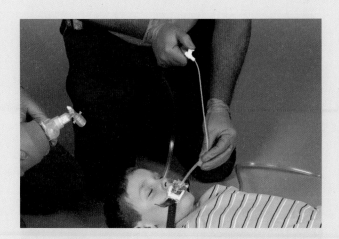

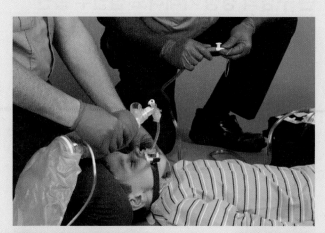

4. 생리식염수로 카테터를 세척한다.

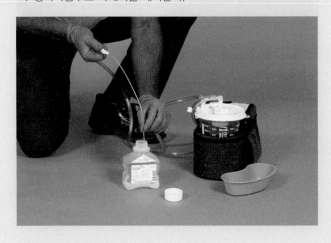

절차 4-4

큰 구경의 경성 카테터로 입인두 흡인

1. 입을 열고 카테터 끝이 분비물에 닿을 때 까지 넣는다.

2. 카테터 측면 포트를 닫거나 흡인기를 켜서 흡인을 시작한다. 카테터를 좌우로 약간씩 비틀면서 뺀다. 5초 이상 흡인하지 않는다.

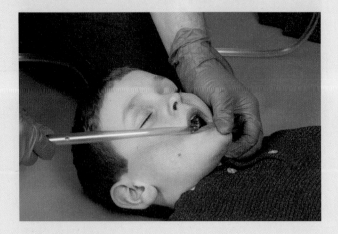 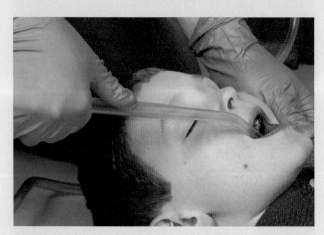

참고 문헌

American Academy of Pediatrics, American Heart Association. *Textbook of Neonatal Resuscitation.*
7th ed. Elk Grove, IL: AAP; 2016.

절차 5: 기도장비

Victoria Barnes, RN, BSN, EMT

Toni M. Petrillo, MD, FAAP

소개

입인두기도기 또는 코인두기도기는 종종 최적의 환기를 위하여 기도개방을 유지하는데 도움이 된다. 부적절한 크기의 입인두기도기 또는 코인두기도기는 오히려 폐쇄를 야기할 수 있으므로, 크기의 결정이 중요하다. 응급구조사 는 입인두기도기 또는 코인두기도기의 사용 시기, 적절한 크기를 결정하는 방법 및 안전하고 효과적으로 보조기구를 삽입하는 방법을 반드시 숙지해야 한다.

적용

- 호흡 부전
- 기도 폐쇄
- 발작

금기

입인두기도기:
- 구토 반사가 있음
- 부식성 혹은 석유 산물 섭취

코인두기도기:
- 완전 코안 폐쇄
- 머리뼈 바닥부 골절 의심 시
- 주요 코 얼굴부 외상

장비

- 입인두기도기
- 코인두기도기

이론적 근거

영아나 소아에게 머리기울림-턱올리기법 또는 하악견인법과 같은 자세 변환만으로 기도개방을 한다면, 혀가 기도를 막는 것을 억제할 수 없다. 적절한 환기를 위해서는 종종 기도장비가 필요하다. 이러한 기도장비는 삽입이 쉽고 기도의 개방성을 현저하게 향상시키며, 소아의 자발환기를 즉시 개선할 수 있다. 또한 더 효과적인 백-밸브 마스크 환기, 위팽만 감소, 기관내삽관의 요구를 피할 수 있기에 효과적이다.

준비

1. 환자의 기도유지 자세:
   내과환자
   - 머리기울림-턱올리기법으로 기도를 개방한다. 기도폐쇄를 야기할 수 있기에 목의 과신전은 피한다.
   - 영아나 소아(small child)는 어깨 아래에 수건을 접어 넣어 중립자세를 취할 수 있게 한다.
   외과환자
   - 기도 개방을 위해 척추 안정화를 유지하면서 변형된 하악견인법을 이용한다.
2. 적절한 크기의 장비 선택:
   입인두기도기
   - 소아소생테이프(절차 2 참조)를 이용한다. 또는
   - 장비로 환자 측정:
     - 입인두기도기의 플랜지(flange)는 앞니에 위치하고, 물림틀(bite block) 부분은 단단입천장과 평행하게 놓는다.
     - 적절한 크기의 입인두기도기 끝은 아래턱 각에 닿아야 한다.
   코인두기도기
   - 소아소생테이프(절차 2 참조)를 사용한다. 또는

- 장비로 환자 측정:
  - 코인두기도기 직경은 콧구멍 직경보다 작아야 한다.
  - 코인두기도기를 환자의 얼굴 옆에 두고 환자의 코끝에서 귀 구슬(tragus)까지를 측정한다.
  - 이동식 플랜지가 있다면 위 혹은 아래로 조정하여 적절한 길이를 찾는다.

절차 5-1

입인두기도기 삽입

1. (가능하다면) 설압자로 혀를 누른다. 다음, 입천장이 손상되지 않도록 기도기 팁이 아래로 향하도록 플랜지(flange)가 입술에 닿을 때까지 입안으로 넣는다.

2. 설압자를 사용할 수 없다면 입인두기도기 끝을 측면으로 향하게 하여 옆으로 삽입한다. 그 다음에 혀의 바닥에서 아래로 돌린다.

3. 입인두기도기의 플랜지가 입술에 닿을 때까지 삽입한다.

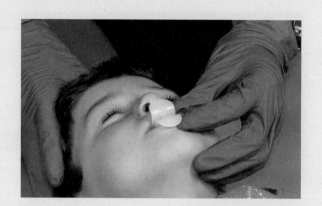

절차 5-2

코인두기도기 삽입

1. 코인두기도기에 윤활제를 바른다.

2. 사면 즉 끝이 비스듬한 단면(bevel)이 코중격을 향하도록 삽입한다.

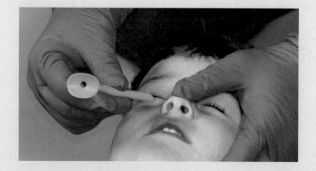

3, 코 안을 따라 코인두기도기 끝부분을 삽입한다.

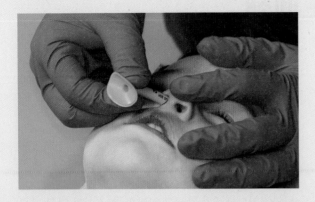

4, 오른쪽 콧구멍을 이용한다면, 플랜지가 콧구멍에 올 때까지 삽입한다. 코인두기도기 끝 부분이 코인두에 있어야 한다.

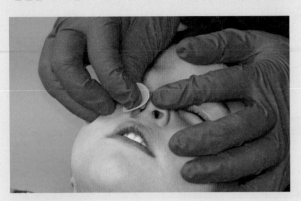

5, 왼쪽 콧구멍을 이용한다면, 저항감이 느껴질 때까지(약 2㎝) 코인두기도기의 만곡부분을 위로 향하게 하여 삽입하다가, 기도기를 180도 돌린 후 플랜지가 콧구멍 외부에 올 때까지 삽입한다.

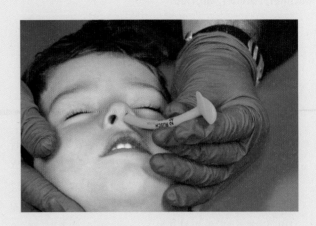

가능한 문제

입인두기도기

- 입인두기도기가 너무 작은 경우, 혀가 인두로 다시 밀려 들어가 기도를 막을 수 있다.
- 입인두기도기가 너무 큰 경우, 후두를 막을 수 있다.
- 인두부 출혈
- 후두연축
- 구토

코인두기도기

- 아데노이드조직 열상
- 인두부 출혈
- 연부 조직 또는 분비물이 튜브를 막아 기도폐쇄를 일으킬 수 있다.
- 코인두기도기가 너무 긴 경우, 미주신경 자극 또는 식도 안으로 들어가 위팽만을 일으킬 수 있다.
- 후두연축
- 구토

논쟁

안면손상환자에게 기도장비를 사용하는 것은 논란의 여지가 있다. 만약 소아가 머리 얼굴부 개방성 골절일 때, 기구 이용 시 뇌를 관통하여 추가적인 뇌손상이나 출혈을 유발할 수 있다. 따라서 이 장비는 얼굴골절이 의심되는 상황에서 사용해서는 안 된다.

주의

의식이 있는 소아에게 입인두기도기를 삽입해서는 절대 안 된다.

주의

너무 작은 입인두기도기는 삽입하지 말 것. 이는 혀를 뒤로 밀어 기도를 폐쇄시킬 수 있기 때문이다.

절차 6: 이물질에 의한 기도폐쇄

Michael J. Stoner, MD, FAAP

소개

이물질에 의한 기도폐쇄는 보통 탐구 활동의 일환으로 물체를 입 속에 넣는 유아기와 학령전기 소아들에게 흔히 발생하는 사고이다.다행히도, 이는 저산소성 뇌손상과 사망으로 쉽게 진행되지 않는다. 영아들에게는 액체 섭취가 질식의 가장 흔한 발생 사유인 반면에, 풍선, 작은 물체, 그리고 음식(핫도그, 알사탕, 견과류 그리고 포도 등)이 소아에게 발생하는 이물질에 의한 기도폐쇄의 가장 흔한 원인이다. 완전기도폐쇄가 발생한 영아 또는 소아가 가장 다루기 힘든 유형인데, 이는 한순간의 지연이 영구적인 장애를 야기시키거나 사망에 이르게 할 수 있기 때문이다. 이물질에 의한 기도폐쇄 응급처치를 할 때는 기도개방을 위한 가장 기본적인 방법부터 시작하는 것이 중요하지만, 어떤 때는 더 전문적인 기술이 요구되기도한다.

적용

완전기도폐쇄

중증 부분기도폐쇄와 호흡부전

금기

기도가 유지된 부분기도폐쇄

장비

직선형 날의 후두경(Miller형의 크기 1번과 2번)
소아용 마질겸자

백-밸브 마스크(영아와 소아용)

이론적 근거

완전기도폐쇄 상황에서 응급구조사는 환자의 생사의 갈림길을 결정지을 수 있다. 기도에 있는 이물질은 흔히 기본소생술을 이용하여 즉각적으로 제거할 수 있지만, 이러한 기본적인 제거술을 이행하지 않아서 매년 많은 어린이들이 심각한 손상을 입거나 사망하고 있다. 가끔 이물질이 기도에 더 깊이 들어가 있거나 조직에 깊숙이 박혀 이러한 술기를 했을 때 실패하기도 한다. 이러한 경우에는 마질겸자와 후두경을 이용하여 제거하는게 가장 적절하다.

주의

잘 보이지 않는데 손가락을 이용하여 이물질을 제거하는 행위는 하지 말아야 하는데, 이는 이물질을 기도 안으로 더 깊숙히 밀어 넣을 수 있기 때문이다.

준비

1. 가장 먼저 기본소생술을 시도한다(절차 6-1 참조).
2. 만약 기본소생술을 실패했다면 전문소생술을 실시한다.
3. 적절한 크기의 직선형 날과 후두경 손잡이를 장착한다.
4. 후두경 날에 있는 램프에 불이 들어오는지 점등을 확인한다.

가능한 문제

- 저산소증
- 이물질을 기도 안으로 더 깊숙히 밀어 넣음
- 후두와 기관 손상
- 치아와 입 손상

절차 6-1

기본소생술(BLS Maneuvers)

1. 이물질에 의한 기도폐쇄가 경미할 때는 간섭하지 않는다. 환자가 기침을 하여 기도를 개방하게 하는 동안 심각한 이물질에 의한 기도폐쇄 징후가 있는지 관찰한다.

2. 심각한 이물질에 의한 기도폐쇄일 경우(환자가 소리를 낼 수 없는 등의) 반드시 폐색을 제거하는 행동을 취해야 한다.

3. 소아에게는 이물질이 나오거나 의식이 없어지기 전까지 복부 밀쳐올리기(하임리히법)를 실시한다. 한 연구에 따르면 소아 기도폐쇄에 의한 엎드려 등두드리기는 성공의 기회를 높인다고 알려져 있다.

4. 영아에게는 이물질이 나오거나 의식이 없어지기 전까지 엎드린자세를 취한 후 등두드리기를 5번, 가슴압박을 5번 실시한다. 영아에게 복부밀쳐올리기는 권장하지 않는데, 이유는 영아의 간이 상대적으로 크고 보호되지 않아 손상을 입을 수 있기 때문이다.

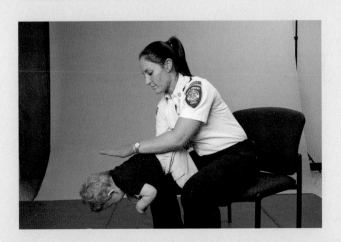

5. 의식이 없어지면 가슴압박이 포함된 심폐소생술을 시작한다(맥박 촉지는 안해도 된다).

6. 30번 가슴압박 후 기도를 개방한다. 이물질이 보인다면 제거하고 안보이는데 억지로 손가락을 이용하여 제거해서는 안되는데 이유는 인두 안으로 더 깊게 이물질이 들어 갈 수 있고 인두중앙부를 손상시킬 수 있기 때문이다. 2번의 인공호흡을 하고 이물질이 나올 때까지 가슴압박과 인공호흡을 번갈아 계속 시행한다.

절차 6-2

후두경과 마질겸자(ALS Procedure)

1. 왼손으로 후두경 손잡이를 잡는다. 오른손 검지 손가락 술기 (trigger-finger technique)를 이용한다.

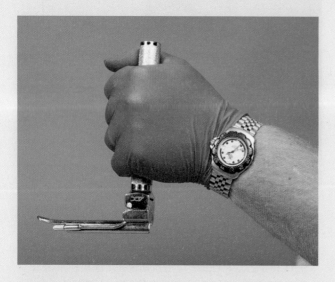

2. 아래턱을 엄지손가락으로 밀어 입을 연다. 입속으로 소아용 직선형 후두경을 삽입한다.

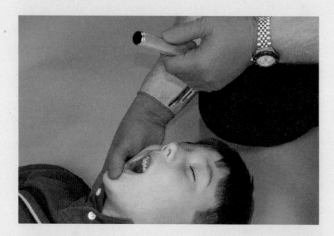

3. 혀를 설압자로 들어 올린다. 45° 각도로 후두경 손잡이를 조심스럽게 들어 올린다. 치아나 잇몸을 지침목으로 사용해서는 안된다. 이물질이 보일 때까지 팁을 관찰한다. 성대 안으로 들어가서는 안된다. 기도를 유지하고 시야를 확보하기 위하여 흡인 술기를 사용한다.

주의

흡인은 이물질을 기도 안으로 더 깊숙히 밀어 넣을 수 있기에, 흡인 전에 기도를 확인한다.

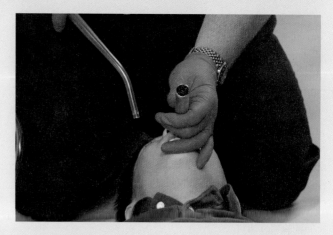

4. 오른손으로 마질겸자를 잡고 손바닥을 아래로 향하게 한다. 입속으로 마질겸자를 닫힌 채로 삽입한다. 겸자를 열고 이물질 주변에 끝을 댄다. 직접 이물질을 보면서 이물질을 집어 제거한다. 이물질이나 잔해가 확실히 제거되었는지 기도를 확인한다. 후두경 날을 제거한다. 이물질을 제거한 후 호흡양상을 재평가한다. 필요하다면 흡인을 한다. 소아가 자발호흡이 없다면 환기를 시도한다. 후두경으로 보아 이물질이 보이지 않는다면 기본소생술로 전환한다.

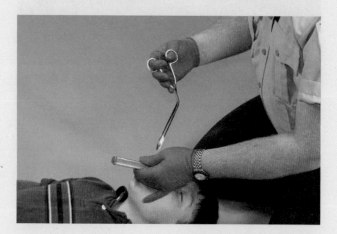

조언

후두경으로 보아 이물질이 보이지 않는다면 기본소생술을 반복한다.

조언

마질겸자를 사용하기 전에 기본소생술을 시도한다.

참고 문헌

Berg MD, Schexnayder SM, Chameides L, et al. Part 13: Pediatric basic life support: 2010 American Heart Association Guidelines for Cardiopulmonary Resuscitation and Emergency Cardiovascular Care. *Circulation.* 2010;122(suppl 3):S862–S875.

Ichikawa M, Oishi S, Mochizuki K, Nitta K, Okamoto K, Imamura H. Influence of body position during Heimlich maneuver to relieve supralaryngeal obstruction: a manikin study. *Acute Med Surg.* 2017;4:418–425.

절차 7: 기관지 확장 요법

S. Heath Ackley, MD, MPH, FAAP

Thomas Herron Jr., AAS, NRP

소개

기관지경련에 의한 천명음은 병원 전 환경의 소아 문제 중 가장 흔한 것 중 하나이다. 보통 급성 호흡곤란증으로 천명음이 있는 소아는 불안하고, 초조해하며, 비협조적이다. 응급구조사는 일반적인, 비침습적인 호흡요법을 적용하고 항콜린작용약물을 포함하거나 포함하지 않은 베타작용제를 사용할 경우 환아와 보호자에게 발달 단계에 따른 적절한 접근법을 사용해야 한다. 보호자는 겁먹은 환아를 붙잡고, 달래고, 그리고 지지함으로써 도와줄 수 있다.

에어로졸 베타작용제와 항콜린작용약물을 투여하는 방법 중 한 가지는 산소분무기를 사용하는 것이다. 다른 방법으로는 간격자가 있는 정량식 흡입기(MDI)를 사용할 수 있으나 이 방법은 병원 전 환경에서 충분히 연구되지 못한 흡입요법이다. 만일 소아가 비협조적이거나 흡입용 베타작용제가 불가능하다면 다른 가능한 방법으로 근육주사를 들 수 있다.

적용

천명음

금기

기관지 확장제에 민감성이 있는 자

장비

- 흡입요법(nebulizer)
  - 액체용 기관지확장제의 작은 입자가 폐포까지 전달될 수 있는 에어로졸 산소분무기
  - 최소 6 L/min가 가능한 산소원
  - 액체를 저장할 수 있는 마스크 또는 마우스피스 (mouthpiece)
  - 베타작용제
    * 알부테롤 용액(흡입용 1.25 mg/3 mL, 2.5 mg/3 mL, 분무를 위하여 미리 희석된; 5mg/mL 분무 용액(희석 필요)
  - 항콜린약물
    * 0.02% 이프라트라피움(Ipratropium) 용액(500 mcg/2.5 mL)

- 정량식 흡입기(MDI)
  - MDI, 마스크, 스페이서(spacer)
  - Beta agonist 약물
    * 알부테롤 MDI(90 μg/puff)
  - 항콜린약물
    * 이프라트라피움 MDI(17 mcg/puff)
- IM 요법
  - 튜버큘린(Tuberculin; TB) 또는 3-mL 주사기
  - 22~27 게이지 주사바늘
  - 기관지확장제
    * 에피네프린(Epinephrine) 1 mg/mL 농도

이론적 근거

천식의 경우, 현장에서의 또는 응급실로 가는 도중의 초기 기관지확장제요법은 즉시 기도를 개방하고, 호흡장애를 완화시키고, 그리고 산소 공급을 개선하는 것을 도와준다. 초기 기관지확장제요법은 더 심각한 병원 치료 필요성을 줄이고, ED와 병원 내 체류 시간을 줄이고, 합병증 또는 사망의 가능성을 감소시킬 수 있다. 항콜린약물의 추가는 도움이 될 수도 있다. *심각한 천명음과 호흡장애를 가진 환아의 경우, 베타 작용제의 분무 흡입요법은 최선의 초기접근이다.*

준비

흡입요법

1. 보호자가 소아를 그 또는 그녀의 무릎에 앉게 한다. 나이가 많은 소아는 혼자 앉아도 된다.
2. 소아가 편안한 반듯한 자세로 앉아있게 한다.
3. 무엇이 일어나고 있는지 설명해 준다. 대부분의 아이들은 단지, 산소분무기 또는 간격자가 있는 정량식 흡입기(MDI)를 통한 흡입 기관지확장제만 필요한 경우가 많다.

근육주사 요법(에피네프린)

1. 소아를 보호자의 무릎에 앉히거나 다리에 걸치도록 앉힌다.
2. 허벅지 또는 삼각근을 노출시킨다. (절차 14 근육주사 참조).

가능한 문제

불안	오심
가슴통증	코막힘
기침	두근거림
현기증	안절부절
구강건조	빈맥
부정맥	떨림
두통	구토
저혈압	

절차 7-1

흡입요법

1. 소아가 협조적이라면, 마스크나 마우스피스를 통하여 항콜린 약물을 포함하거나 포함하지 않은 베타작용제를 분무한다. 필요 시 보호자가 마스크를 소아의 얼굴에 잡아줄 수 있다.

2. 정량식 흡입기(MDI)를 사용할 경우, 소아가 너무 어리거나 에어로졸을 효과적으로 작동시키지 못할 때 마스크와 스페이서(spacer)를 부착한다.

3. 흡입요법을 수행하는 동안에 호흡률, 심박동수, 그리고 맥박산소계측기를 관찰한다.

© Jones & Bartlett Learning.

© Jones & Bartlett Learning.

논쟁

병원 전 베타 작용제의 투여방법인 정량식 흡입기(MDI)의 역할에 대하여 알려진 바는 없다. 응급실 연구를 살펴보면 대부분의 소아에서 MDI는 흡입제만큼 효과적이었다고 하지만, 병원 전 환경에서는 충분히 연구되지 않았다. 그러나, 마스크와 스페이서(spacer)가 부착된 MDI는 만 2세 이상의 대부분의 소아에게 적절한 베타작용제 전달이 가능하다.

조언

베타작용제는 천식으로 인한 천명음이 있는 소아에게 사용한다.

분무요법에 협조할 수 없는 소아의 경우 그리고/또는 MDI를 제대로 적용할 수 없는 환아의 경우에는 응급구조사는 비재호흡마스크의 백을 제거하고 약물을 개방된 구멍을 통해 주입할 수 있다. 이는 마스크를 통해 분무용 약물의 수동적인 투약을 가능하게 한다. 산소는 일반적은 분무요법을 사용할 때와 동일하게 유지한다.

분무기는 또한 천명음이 있고 환기 보조를 필요로 하는 환아에게 환기를 할 경우, 백-밸브 마스크에 직렬로 배치하여 사용될 수 있다.

절차 7-2

근육주사 요법

1. 소아가 심각한 호흡장애 증상을 보이거나, 흡입요법을 하는데 비협조적이라면, 근육주사로 에피네프린을 투여한다. 둘 중 하나의 해부학적 위치를 이용한다: 위팔의 삼각근 외측(큰 소아의 경우) 또는 허벅지 전면,

2. 근육내에 약물을 주입한다,

조언

천명음이 있는 환자가 협조적이라면 약물주사를 피한다. 이러한 절차는 통증이 수반되며, 흡입용 베타작용제 보다 더 효과적이지도 않다.

절차 8: 백-밸브 마스크 환기

J. Joelle Donofrio-Odmann, DO, FAAP, FACEP, FAEMS

John A. Erbayri, MS, NRP, CHSE

소개

백-밸브 마스크 환기는 호흡부전 상태의 소아에게 환기를 제공할 수 있는 매우 효과적인 방법이다. 적절한 크기의 마스크로 안전하게 제공할 수 있는 산소농도는 60-95%이며, 산소유량을 15+ L/분으로 제공할 경우 산소 저장주머니를 연결하고, 압력안전판(pop-off valve)은 제거한 상태에서 나이에 맞는 비율로 환기시킨다.

적응증

- 무호흡 또는 호흡정지
- 호흡부전
- 산소공급에도 불구하고 나타나는 청색증
- 비재호흡마스크로 100% 산소를 제공함에도 불구하고 산소포화도(SaO_2)가 90% 이하일 때

장비

- 신생아용에서 성인용 크기까지 테두리가 부드러운 투명마스크
- 최소한 450 mL 용량의 자가팽창형 인공호흡기

*N.B. Children with uncorrected cyanotic heart disease may have low oxygen saturations at baseline.

이론적 근거

환기보조는 소아환자 스스로 적절한 호흡이 불가능할 때 산소를 공급하고 환기시키는 방법이다. 기도관리에 결정적으로 필요한 기관내 삽관을 시행하지 못하는 경우, 소생술을 시행하거나 이송하는 동안 가장 좋은 환기보조 방법이 백-밸브 마스크 환기이다. 효과적인 백-밸브 마스크 환기는 병원전 소아응급처치에서 응급구조사가 가장 많이 사용하는 술기 중 하나이다.

준비

1. 환자에게 적당한 마스크를 선택한다. 눈을 압박하지 않도록 조심하면서 콧날에서부터 아래턱의 갈라진 틈까지 마스크를 위치시킨다. 적절한 크기의 마스크는 적은 산소유량으로도 사강을 최소화시키고 호기 시 이산화탄소의 재흡입을 방지할 수 있다. 투명한 마스크는 구조자가 소아 입술의 청색증과 구토를 관찰할 수 있게 해준다.

2. 적절한 소생기 백을 선택한다. 작은 소아에게 성인용 백을 적용해도 안전하고 효과적으로 산소를 공급할 수 있지만, 작은 백을 큰 소아, 청소년, 또는 성인에게 적용해서는 안 된다. 소아의 1회 호흡량은 약 8 mL/kg이다. 그러므로 소아용 백은 450-750 mL 정도의 용량을 확보해야 한다. 성인용 백(1,200 mL)은 큰 소아나 청소년에게 적용할 수 있다.

3. 압력안전판(pop-off valve)이 있다면, 높은 흡기압과 흉부 상승을 유지해야 할 경우에는 제거할 필요가 있다.

4. 소생기 백에 산소튜브의 한쪽 끝을 연결하고, 다른 쪽 끝은 15L/분으로 설정된 유량계에 연결한다.

가능한 문제

- 저산소증
- 압력손상
- 위 팽만
- 구토와 흡인

절차 8-1

백-밸브 마스크 환기

1. 기도를 개방한다. 내과환자: 머리기울임/턱들어올리기를 실시한다. 외상환자: 신체 척추선열을 유지하며 턱밀어올리기(하악견인법)을 실시한다.

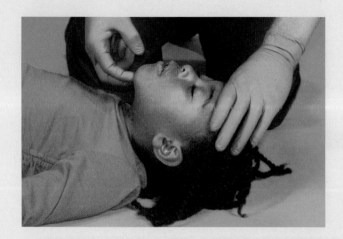

2. 중립자세를 유지한다(sniffing position). 영아와 유아는 머리가 크기 때문에 어깨 아래에 접은 수건을 대서 재채기자세(sniffing position)로 만든다. 기도폐쇄나 척추손상을 야기 시킬 수 있으므로 목을 과신전 시키면 안 된다.

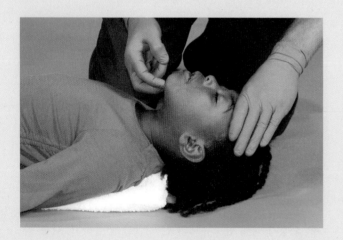

3. 만약 머리기울임/턱들어올리기나 턱밀어올리기로 기도개방을 유지하기 어렵다면 적절한 기도 보조기구를 삽입한다(절차 5, 기도 보조기구 참조). 환자가 구토반사가 없다면 입인두기도기를 사용하고, 구토반사가 있는 환자라면 코인두기도기를 사용한다.

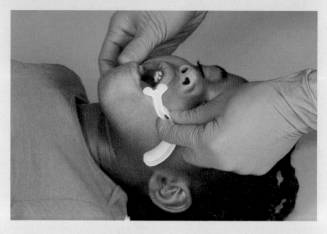

4. 환기를 시작한다. 마스크 주변으로 공기가 새지 않도록 확인한다. 일반적인 문제를 일으키는 부분은 눈과 턱 주변이다.

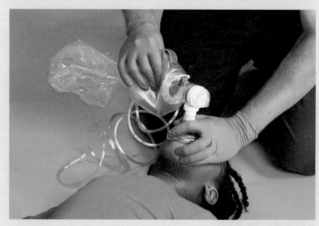

주의

기도 폐쇄나 척추손상을 야기할 수 있으므로 목을 과신전 시키면 안된다.

조언

천식 발작과 같은 폐쇄성 호흡부전의 아이들은 날숨의 끝을 잘 살핌으로써 압력으로의 손상을 최소화 시킬 수 있다.

조언

만일 머리기울임/턱들어올리기나 턱밀어올리기로 기도 개방 상태를 유지하기 어려우면 백-밸브 마스크 장비와 함께 입인두기도기 또는 코인두기도기를 사용한다.

절차 8-2

1인 구조자 백-밸브 마스크 환기

1. 마스크를 얼굴 위에 놓은 다음, 마스크 위에 엄지와 검지를 놓고 충분히 밀착시킨다. 그리고 아래턱의 뼈 부분(아래턱뼈, 하악골)에 셋째, 넷째, 다섯째 손가락을 위치시킨다. 이것을 E-C 술기라고 한다.

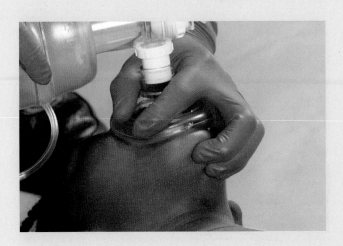

2. 마스크를 얼굴 쪽으로 누르는 것보단 소아의 턱을 마스크 쪽으로 끌어당기면서 밀착시킨다. 잘 밀착되지 않으면 산소농도가 낮게 전달되거나 산소량이 부족해질 수 있다.
   기도를 압박할 수 있기 때문에 아래턱 밑의 연부조직에 압력을 가하지 않도록 한다. 주로 사용하는 손으로 백을 짜면서 가슴이 올라오는지 관찰한다. 가슴이 올라오는게 보일 때까지 백을 짠 다음 이완시킨다. 정확한 흡기량을 주고 호기가 이루어질 수 있도록 환기하는 동안, "짜고, 이완, 이완"하고 말한다.
   소아와 영아 : 12-20 회/분
   성인: 12-16 회/분

3. 환기가 효과적인지 평가한다. 가슴이 적절하게 대칭적으로 올라가고 내려가는지 관찰한다. 중앙겨드랑이선 양측에서 폐음을 청진한다. 산소포화도를 모니터한다. 호흡중 이산화탄소를 모니터하는 것을 고려한다.

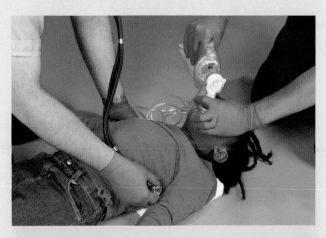

조언

마스크를 얼굴 쪽으로 누르는 것 대신에 턱을 마스크 쪽으로 끌어 당기면서 밀착시킨다.

조언

적절한 1회 호흡량을 측정하기 위해 가장 좋은 방법은 가슴이 올라가는지 관찰하는 것이다.

논쟁

호흡부전 시 백-밸브 마스크 환기 대 기관내삽관의 상대적인 가치는 아직 알려져 있지 않다. 소아가 급성질환이 있거나 손상이 있을 시 병원 전 환경에서 백-밸브 마스크 환기는 기관내삽관 만큼 좋은 방법일 수도 있다.

절차 8-3

2인 구조자 백–밸브 마스크 환기

2인 구조자 방법은 한 명의 구조자로는 효과적으로 마스크를 밀착할 수 없거나 외상환자인 경우에 더 효과적이다.

1. 구조자는 얼굴에 마스크를 적용하여 밀착시킨다. 내과환자: 양손의 엄지와 검지로 얼굴에 놓인 마스크를 잡고, 나머지 손가락으로 턱을 들어올린다(양손 E-C 술기), 외상환자: 손으로 척추정렬을 유지한 상태에서 양손으로 턱을 마스크 쪽으로 들어올리면서 턱밀어올리기(하악견인법)를 시행한다.

3. 두 번째 구조자는 환기를 시킨다. 위 팽만이 되지 않도록 한다. 환기시키는 동안 배가 확장되는 징후가 보이는지 관찰한다. 이러한 징후가 보이면 기도를 재개방하고, 가슴이 올라가는지 주의 깊게 관찰하면서 가슴이 올라가려고 할 때까지만 백을 짜준다. 이송하는 동안 백–밸브 마스크 환기를 해야 한다면, 위팽만을 감소시키기 위하여 코위관 튜브나 입위관 튜브를 삽입하는 것을 고려해본다.

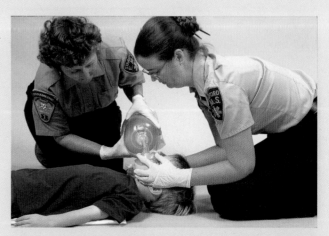

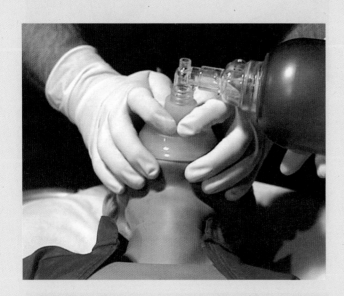

2. 마스크를 얼굴 쪽으로 누르는 대신에 소아의 턱을 마스크 쪽으로 끌어당기면서 밀착이 되도록 한다. 기도를 압박할 수 있기 때문에 아래턱 밑의 연부조직에는 압력을 가하지 않도록 한다.

조언

2인 구조자 방법은 1인 구조자 방법으로 효과적인 마스크 밀착이 어렵거나 외상환자일 경우 더 바람직하다.

주의

450 mL 보다 작은 백은 큰 소아, 청소년 또는 성인을 환기시키기에 충분한 흡기압을 발생시킬 수 없다.

절차 9: 맥박산소포화도 측정

S. Heath Ackley, MD, MPH, FAAP

Thomas Herron Jr., AAS, NRP

소개

맥박산소포화도측정은 산소화 상태와 맥박수를 측정하는 방법으로 질병 또는 손상을 입은 소아를 관리하는데 있어서 유용한 보조수단이 될 수 있다. 맥박산소측정기를 사용하는 것으로 소아에 대한 임상평가를 대신할 수는 없다.

맥박산소 측정치의 변화를 모니터링 함으로써 응급구조사들로 하여금 중재에 대한 환자의 반응을 확인하고 추가적인 중재의 지표로 삼을 수 있을 뿐이다. 그러나 몇 가지 제한점이 있다. 만일 소아가 쇼크 상태일 경우에는 적혈구의 부적절한 순환으로 인해 낮은 혈류 흐름 상태가 되어, 맥박산소포화도측정기는 혈류의 흐름을 파악하지 못해서 결과적으로 아무런 수치나 파형을 감지해내지 못하게 된다. 일산화탄소(CO) 중독이 의심될 경우 맥박산소포화도측정에 의존해서는 안 된다. 측정기가 혈중 일산화탄소를 측정하도록 고안된 것이 아니라면, 보통 헤모글로빈 분자 내의 가스 포화도를 탐지하되, 산소와 일산화탄소를 구분하지는 못한다. 일산화탄소에 중독된 소아는 비록 맥박산소포화도 측정치가 100%로 나타나더라도 저산소증일 수 있다.

적용

- 저산소증
- 산소요법이 필요한 경우
- 호흡곤란
- 심각한 외상이나 기타 잠재적인 저산소증을 보이는 임상 조건

장비

- 신생아, 유아, 소아용 맥박산소측정기
- 모니터링 케이블과 맥박산소 모니터링 기구

준비

1. 소아에게 맥박산소포화도측정기를 적용할 수 있도록 준비한다. 이것은 반창고를 붙이는 것과 비슷하다고 설명할 수 있다.

주의

일산화탄소 중독의 경우 맥박산소포화도에 의존하지 않도록 한다.

가능한 문제

측정기의 부정확한 위치 설정
불량한 관류에 의한 불명확한 파형
SpO2 결과 판독 불능

파형 또는 맥박산소측정 판독이 안 되는 원인

측정기의 부정확한 위치
환자의 관류의 저하로 인한 부정확한 파형 또는 측정

절차 9-1

맥박산소포화도 측정

1. 적절한 규격의 장비를 선택한다. 감지기를 제작사의 사용지침에 따라 손가락 끝, 발가락, 귓불 또는 팔목에 부착한다.

2. 감지기를 모니터링 케이블에 연결한다. 일부 휴대용 모니터 기구는 손가락끝이나 발가락에만 사용할 수 있는 재사용이 가능한 스프링이 달린 집게 형태로 되어있다. 산소포화도(SpO2)와 수치를 기록한다. 만약 모니터링 기구가 파형을 나타내는 것이라면 심장박동과의 연관성을 관찰한다.

조언

모든 급성질환이나 손상을 입은 소아의 초기 평가에 맥박산소포화도측정을 이용한다

주의

맥박산소측정이 정상이라고 하더라도 만약 호흡이 곤란하거나 호흡수가 눈에 띄게 증가한다면, 소아에게 추가적인 처치가 필요할 수도 있다.

주의

맥박산소측정기는 산소포화도를 측정하기에 유용한 도구이다. 그러나 이것은 분당 호흡수, 폐음의 청진 그리고 맥박 촉진과 같은 철저한 평가를 대체해서는 안된다.

절차 10: 입위관 및 코위관 삽입

S. Heath Ackley, MD, MPH, FAAP

Keith Widmeier, BA, NRP, FP-C

소개

위관 삽입은 여러 가지 목적을 가지는데, 위 세척, 위장 출혈에 대한 평가 및 치료, 장 폐색이나 보조 환기, 심각한 호흡 장애로 인한 위팽만 시 위 감압술을 시행하는 경우이다. 병원 전 환경에서 위관 삽입은 보조 환기 또는 팽만이 호흡장애가 있는 영아 또는 소아에게 적절한 환기를 지연시킬 경우 위팽만의 감압 용도로 사용된다. 튜브는 코(코위관 삽입)나 입(입위관 삽입)을 통해 위에 삽입한다.

적용

- 환기지연으로 발생한 위 팽만
- 심각한 호흡장애로 인한 복부 팽만

금기

- 코위관 및 입위관 삽입
- 구토 반사가 약하거나 없고 기도가 확보되지 않은 무의식 상태의 소아: 이 경우에는 구토와 흡인의 위험을 줄이기 위해 기관내 삽관을 우선 실시한다. 또는 제조사의 권고사항에 따라 삽입된 위관과 함께 성문외기도기(extraglottic airway)를 사용한다.
- 부식성 물질 섭취: 소아가 부식성 물질을 섭취했을 경우, 튜브가 통과할 때 식도에 손상을 줄 위험이 있다.

- 코위관 삽입

  소아가 다음과 같은 경우에는 코위관이 두개내로 들어가는 것을 피하기 위해 입위관 삽입을 실시한다: 심한 머리 또는 얼굴 외상, 특히 얼굴 중간부의 외상, 코피나 맑은 콧물이 나올 때.

  콧구멍이 너무 작아 튜브를 삽입할 수 없는 영아의 경우: 6개월 이하의 영아에게는 입위관 삽입이 바람직하다.

장비

- 위관
- 튜브를 통해 위 내용물을 수동으로 제거 할 경우 깔때기 모양의 어댑터가 달린 30-60ml 주사기

- 흡인기
- 반창고
- 비석유 윤활제

이론적 근거

보조 환기 중에 또는 상당한 호흡 장애를 가진 소아의 경우, 폐와 마찬가지로 위도 공기로 부풀려지는 경우가 흔히 발생한다. 위가 공기에 의해 팽만되면 가로막의 하강 움직임이 느려지고, 일회호흡량이 감소하여 환기가 더 어려워지고 더 높은 흡기 압력을 필요로 하게 된다. 자발 호흡을 하는 소아의 경우, 위팽만은 일회호흡량을 감소시키고, 호흡을 위해 많은 노력이 필요해진다. 게다가 공기가 들어간 위팽만은 환아가 구토와 흡인할 위험을 증가시킨다. 코위관이나 입위관을 통한 위관의 삽입은 위팽만을 감소시켜서 보조 환기와 자발적 호흡을 더 쉽게 해준다.

준비

1. 적절한 크기의 튜브를 선택한다. 적절한 크기의 튜브를 고르는 방법은 **표 P10-1**에 나와 있다.

2. 환자에게 튜브 길이를 대본다. 튜브의 삽입 길이는 환자의 입술 또는 코끝(입위관을 사용할 것인지, 코위관을 사용할 것인지에 따라)에서 왼쪽 귀까지의 길이에 다시 왼쪽 귀로부터 좌상 복부, 늑골모서리 바로 아래까지의 길이를 더한 길이 이어야 한다(**그림 P10-1**).

3. 이 길이를 튜브위에 테이프로 표시한다. 튜브의 끝이 위에 닿았을 때 그 테이프는 입이나 콧구멍에 있어야 한다.

4. 환자를 바로누운자세(앙와위)로 눕힌다.

5. 구토 반사가 있는지 평가한다. 환자가 무의식 상태이고 구토 반사가 약하거나 없으면 위관 삽입에 앞서 기관내 삽관을 먼저 실시한다.

6. 외상환자의 경우 :
   - 목 부위의 손상이 의심되는 경우 경추를 일직선으로 안정되게 유지한다.
   - 환자가 머리나 얼굴에 심한 외상을 입었거나 얼굴 중간부에 심각한 손상을 입었으면 입위관을 선택한다.

7. 튜브 끝에 윤활제를 바른다.

가능한 문제

- 튜브를 기관내로 삽입할 경우 발생하는 저산소증
- 구토와 위 내용물의 흡인
- 기도 출혈이나 폐쇄
- 두부/안면 외상이 있는 경우 튜브의 뇌 관통

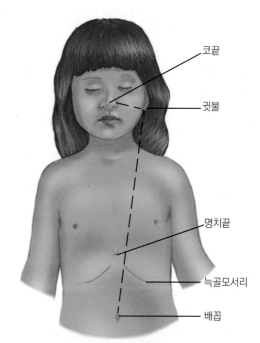

그림 P10-1 코위관 또는 입위관 삽입을 위한 길이 측정 방법

코끝
귓불
명치끝
늑골모서리
배꼽

논쟁

코위관이나 입위관 삽입의 효과는 입증되지 않았다. 비록 이러한 절차가 응급실에서는 일상적으로 시행되지만 기관 내로 삽관되거나 위내용물의 흡인으로 오는 저산소증의 잠재적 문제점에 반하여 환기를 용이하게 한다는 것이 장점이라는 검증된 연구결과는 없다.

주의

코위관을 삽입할 때 절대로 힘을 가하지 말아야 한다. 튜브가 잘 들어가지 않는다면 반대쪽 콧구멍에 시도한다.

주의

환자가 흡인할 위험이 있으므로 의식이 있는 환자에게 입위관 삽입을 시행하지 않는다.

표 P10-1 코위관/입위관 튜브 크기 결정 방법

1. 길이 측정 방법이 나오는 소생 테이프나 소프트웨어를 참고한다(절차 2 참조).

2. 저항이 거의 없이 통과시킬 수 있도록 환자의 콧구멍과 비슷한 굵기의 튜브를 선택한다.

3. 기관내관(ET) 튜브의 2배 정도 굵기의 튜브를 사용한다.(5.0 mm의 ET 튜브를 사용하는 소아의 경우 10.0 French의 코위관/입위관 튜브가 필요하다).

절차 10-1

코위관 삽입

1. 콧구멍으로 튜브를 부드럽게 통과시키되 튜브는 뒤쪽으로 똑바로 향하게 한다. 강제로 튜브를 구부리지 않는다.

2. 튜브가 쉽게 통과되지 않으면 반대편 콧구멍에 시도하거나 더 작은 튜브를 이용한다. 절대 튜브를 강제적으로 삽입하지 않는다. 코위관 삽입에 실패했다면 입위관 삽입을 시도힌다.

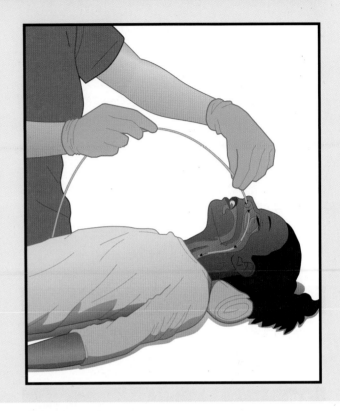

절차 10-2

입위관 삽입

1. 혀 위로 튜브를 삽입하되 필요시 삽입을 돕기 위해 설압자를 사용한다.

2. 후두인두(하인두)로 튜브를 넣은 다음 빠르게 위로 삽입한다. 기침을 하거나 숨이 막히거나 목소리가 변하면 재빨리 튜브를 제거한다. 튜브가 기도로 들어갔을 수도 있다.

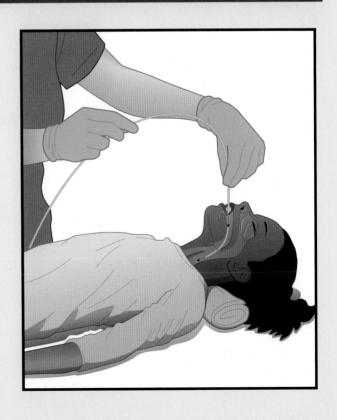

절차 10-3

코위관, 입위관의 위치 확인

1. 위 내용물을 흡인함으로써 튜브의 위치를 확인한다. 적절한 어댑터가 달린 주사기로 튜브를 통해 10-20 mL의 공기를 빠르게 주입하면서 좌상복부를 청진한다. 위장 부위에서 공기의 흐름이 들린다면 정확한 위치에 삽입된 것이다. 만약 삽입 위치가 바르다고 확신할 수 없으면 튜브를 제거한다.

2. 반창고를 이용하여 튜브를 콧마루나 뺨에 고정시킨다. 카테터가 끝에 달린 30-60 mL 용량의 주사기를 이용하여 위장으로부터 공기를 흡인해내거나 약한 상태의 흡입기(석션)을 지속적으로 또는 간헐적으로 설정하여 연결한다.

조언

생후 6개월 이전의 영아에게는 입위관 삽입을 실시한다.

조언

절차가 진행되는 동안 말을 하거나 우는 것은 위관이 기관으로 들어가지 않았다는 좋은 증거이다.

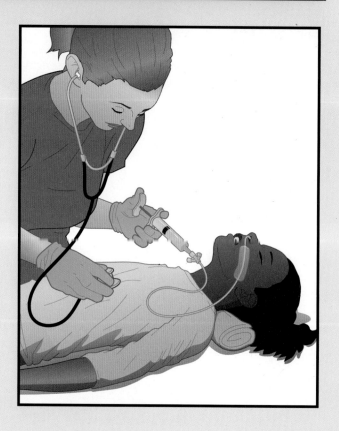

절차 11: 기관내삽관

Sylvia Owusu-Ansah, MD, MPH, FAAP

Sam Vance, MHA, LP

소개

신생아, 영아, 또는 소아의 기도는 가능한한 비침습적인 방법으로 다루어져야 한다. 성문외 장비 또는 기관내삽관은 백-밸브 마스크가 실패할 경우에만 사용되어져야 한다. 이 절차를 현장에서 빠르고 안전하게 수행하는 것은 쉽지 않은 일이다. 기관내삽관 튜브를 잘못된 위치에 삽입하거나 또는 흡인은 성인에 비해 소아에게서 거의 3배나 더 높게 발생한다. 부적절한 또는 성공하지 못한 삽관 시도는 저산소증, 흡인, 구강 외상 또는 소아의 기도에 손상을 야기할 수 있다. 이는 경추 손상, 또는 기관내삽관 튜브의 이상위치(우측 주기관지 삽관, 식도 삽관)를 악화시킨다. 기관내삽관은 이 연령대에 빈번하게 수행되는 술기가 아니고, 결과를 개선해 준다고 입증되지 않았기 때문에, 소아의 경우 이는 특히 중요하다. 소아의 기도는 성인의 기도와 달라서 여러 해부학적 고려 사항들이 있다:

- 소아의 성대는 성인에 비해 더 앞쪽에 있고 더 높다.
- 혀가 비율적으로 더 크다.
- 아래턱뼈(하악골)와 입안(구강)이 더 작다.
- 기관의 직경과 길이가 작다.
- 연부조직이 더 연약하다.
- 만 5세 이하의 소아의 경우, 기도의 가장 좁은 부위는 반지연골이다.
- 기도는 더 유연하고 과신전 또는 과다 굽힘은 기도폐쇄 야기시킬 수 있다.
- 후두개는 더 크고 오메가 형태(U형태)이며, 기관내삽관을 위치시키는게 더 어려울 수 있다.
- 해부학: 더 큰 머리와 짧은 목은 과신장/과다 굽힘을 피하고 기도 축을 정렬하기 위해 기도의 위치를 잡는데 중요하다.
  - 만 8세 이상의 환아의 경우: 수건을 접어서 머리 아래에 위치시킨다.
  - 만 8세 미만의 환아의 경우: 수건을 접어서 어깨 아래에 위치시킨다.

적용

- 비침습적인 방법(백-밸브 마스크, 성문 기도의 배치, 양압(CPAP, BIPAP)이 효과적이지 않을 때
- 잠재적인 기도 폐쇄
- 심각한 화상
- 다수의 외상 손상
- 의식변화
- 호흡 또는 심폐 정지
- 호흡 부전
- 지속적인 기도유지 곤란(의식저하)
- 보호적 기도 반사 소실
- 외상에 의한 뇌손상 등으로 환기조절이 필요할 때
- 심각한 쇼크 상태(심근 산소요구량 감소시키는)

금기

- 백-밸브 마스크 환기에 대한 반응이 좋고 이송 시간이 짧은 경우(상대적)
- 영아와 소아에게 성공적인 삽관을 실시하지 못한 응급구조사
- 만성 환기 환자
- 신생아 환아
- 영구적 기관절개술(상대적)
- 성공적인 삽관을 방해할 수 있는 해부학적 기형(대형 혀, 혈종, 심한 안면부 손상)(상대적)

- 신장에 기초한 소생테이프 또는 키/나이에 기초한 장비 크기에 대한 안내를 제공하는 참고자료
- 여분의 배터리와 라이트가 있는 소아용 후두경 손잡이
- 소아용 후두경 날: 곡선형(2-4 크기) 그리고 직선형(0-4 크기)
- 비디오 후두경(가능하다면)
- 2.5-5.5 mm의 커프가 있는 그리고/또는 커프가 없는 기관내삽관 튜브, 그리고 6.0-8.0 mm 커프가 있는
- 10 mL 비 루어락 주사기
- 기관내삽관 튜브를 위한 탐침, 소아용과 성인용
- 기관내삽관 튜브를 위한 탄력부지, 소아용과 성인용
- 마질 겸자, 소아용과 성인용
- 호기말이산화탄소($ETCO_2$) 탐지기, 소아용과 성인용
- 파형의 호기말이산화탄소분압측정기(선호됨)
- 맥박산소분압측정기: 소아용과 성인용 탐침이 있는

- 성문외 기도기 또는 후두 마스크 기도기 구조 기도 장비
- 휴대용의 그리고 조절기가 있는 고정된 흡인 장치, 연방의 사양에 따라
- 큰구경 경성 인두기 곡선형의 흡인 팁; 편도선 그리고 유연한 흡인 카테터, 6F-16F
- 수용성 윤활제
- 0-5 크기의 입인두기도기: 영아, 소아, 그리고 성인용
- 백-밸브 마스크 장비: 수동으로 작동하는 것, 자가팽창 백: 성인용(1,000 mL 초과) 그리고 소아용(450-750 mL), 산소통, 산소축압기, 벨브가 있는 것, 그리고 성인, 소아, 영아, 신생아 크기의 안면마스크가 있는 것
- 반창고
- 시판되는 기관내관 고정 장치
- 피부용 접착제
- 적절한 튜브를 통해 양을 조절할 수 있는 산소통

약물 보조 삽관(DAI) / 빠른 연속 기관 삽관(RSI)

약물 보조 삽관(이전에 빠른 연속 기관 삽관으로 알려진)은 삽관을 준비할 때 소아의 근육과 중추신경계를 안정시키는 술기이다. 이용가능한 약물은 신경근육차단제(석시닐콜린, 로쿠로늄) 그리고 진통제/진정제/안정제(미다졸람, 디아제팜, 펜타닐, 케타민)로 나뉘어질 수 있다. 표 P11-1을 참고하라. 지역 의료체계는 사용되는 약물을 정의한다. 각각의 약물 또는 약물배합의 효과와 부작용을 가지고 있다는 것을 아는 것이 중요하다. 느린맥을 방지하기 위한 사전 약물로서의 아트로핀은 영아에게 사용 되어질 수 있다(심박수가 100회 미만인 경우에만 사용한다). 인위적으로 유발된 근육마비는 병원전 응급구조사가 저항없이 기관내삽관 튜브를 삽입하도록 허용한다. 그리고 이와 같은 이유로 성공율을 향상시키고, 합병증을 감소시킨다. 그러나 어느 정도의 진정 효과와 무의식을 제공하는 추가 약물없이 마비를 유도하는 것은 적절하지 않다(의식이 있는 상태에서 기관내삽관). 응급구조사는 또한 근육마비의 유도가 환자를 무호흡 상태로 만든다는 것을 깨달아야 한다. 따라서, 만약 *DAI/RSI가 실패한다면, 소아가 생존하기 위해 백 밸브 마스크 환기는 필수적이다.* 약물 투여량은 소아의 몸무게에 따라 다양하다. 약물 투여량은 오류의 중요한 원인이다.

적용

- 기관내삽관의 실패
- 과한기가 필요한 심한 두부 외상 환자

금기

- 기도의 비정상적인 해부학적 구조
- 상기도 폐쇄
- 후두 결절

장비

- 기관내삽관 장비
- RSI 약물

준비

1. 소아를 기관내삽관을 위해 준비한다.
2. 흡인, 산소통, 산소 튜브, 기관내삽관의 위치를 확인하는 장치, 그리고 모니터를 두 번 확인한다.
3. IV 또는 IO선을 확인한다. (가능하다면)
4. 신장을 기준으로 하는 소생테이프를 통해 kg당 투여량을 두 번 확인한다. (절차 2)

표 P11-1 물 보조 삽관 약물

약물	유형	투여량
미다졸람	안정제/진정제	0.1 mg/kg IV/IO/IM 0.2 mg/kg 비강 내
디아제팜	안정제/진정제	0.1 mg/kg IV/IO
로라제팜	안정제/진정제	0.1 mg/kg IV/IO/IM
펜타닐	진통제	1 mcg/kg IV/IO 1–2 mcg/kg 비강 내
케타민	진통제/마취제	1–2 mg/kg IV/IO 3–4 mg/kg IM
석시닐콜린	마비제/신경근육차단제	1–2 mg/kg IV/IO/IM
로쿠로늄	마비제/신경근육차단제	1 mg/kg IV/IO
아트로핀(영아)	항콜린작용제	0.02 mg/kg IV/IO HR <100의 경우에만 사용

IM, intramuscular; IO, intraosseous; IV, intravenous.

절차 11-1

RSI/DAI 단계

1. 장비와 약물을 준비한다.
2. 사전 산소투여를 한다.
3. (필요하다면)사전투약으로 아트로핀을 투여할 수 있다.
4. 진정제/진통제/안정제를 투약한다.
5. 신경근육차단제를 투약한다.
6. 삽관한다. (시야를 확보할 필요가 있다면, 반지연골에 압력을 가한다)
7. 기관내삽관 튜브의 위치를 확인한다(가슴 상승, 호흡 소리, 호기말이산화탄소분압).
8. 기관내삽관 튜브를 테이프로 고정한다(또는 이용 가능하다면 시판되는 고정 장치를 사용한다).

조언

RSI로 인위적으로 유발한 근육 마비는 병원 전 응급구조사가 저항 없이 기관내삽관 튜브를 삽입하는 것을 허용한다. 그리고 이런 이유로 삽관을 성공하고 강제적인 삽관 시도에 따른 합병증을 감소시킨다.

주의

RSI가 실패하면, 소아가 생존하기 위해 백-밸브 마스크를 통한 환기는 필수적이다.

조언

선호되는 소생약물의 투여는 골내(IO) 주입이나 정맥주사(IV)이며, 오직 LEAN(리도카인, 에피네프린, 아트로핀, 날록손) 약물은 기관내삽관 튜브를 통해서 주입할 수 있다(투약 량은 리도카인, 아트로핀, 날록손은 2-3배, 에피네프린은 10배 증량되어야 한다).

이론적 근거

기관내관(ETT)이 성공적으로 삽입되면 최적의 산소화와 환기가 이루어지며, 튜브를 통해 약물을 투여할 수 있고, 흡인의 위험이나 기도관리의 위험을 줄일 수 있다. 적절한 위치에 삽입되어 안정적인 기관내삽관 튜브는 중증의 환자를 관리하는데 좋은 도구가 될 수 있으나, 그 절차는 시간이 오래 걸릴 수 있고 흔히 심각한 합병증을 일으키며, 소아의 경우 결과를 개선시킨다고 입증되지 않았다.

준비

1. 산소 공급 장치가 산소통에 연결 되었는지 확인한다.
2. 구강 기관내 삽관을 위해 적절한 크기의 기관내삽관 튜브(ETT)을 선택한다(**표 P11-2과 P11-3**).
3. 커프가 달리지 않은 기관내삽관 튜브인 경우:
   - 약간의 공기 누출을 허용한다. 공기가 누출되지 않는 경우 반지연골(윤상연골)에 과도한 압력이 가해지고 있음을 나타내는 것일 수 있다.
   - 기관관류압은 35-40 cmH$_2$O 사이이므로, 커프 압력은 25 cmH$_2$O 이어야 한다.

표 P11-2 권장 기관내삽관 튜브와 흡인 카테터 크기

나이	기관내삽관 튜브 크기(mm) 커프가 없는	기관내삽관 튜브 크기(mm) 커프가 있는	흡인 카테터 크기 (French)
Premature newborn	2.0 - 2.5		5
Newborn to 3 months	3.0		6 - 8
6 months	3.5	3.0	8
12 - 18 months	4.0	3.0	8
3 years	4.5	4.0	8
5 years	5.0	4.5	10
6 years	5.5	5.0	10
8 years		6.0	10
12 years		6.5	12
16 years		7.0 - 8.0	14

4. 커프가 달린 튜브의 경우: 커프의 결함이 없는지 확인한다. 무균법을 유지하면서 다음과 같이 실시한다:
   - 적절한 공기량으로 커프를 부풀린다.
   - 주사기를 제거한다.
   - 커프에 결함이 없음을 확인한다.
   - 삽입하기 전에 커프의 바람을 뺀다.
5. 후두경 핸들에 후두경 날을 장착하고 라이트가 작동하는지 확인한다.
6. 큰구경 경성 흡인 카테터를 점검한다.
7. 기관내삽관 튜브에 탐침을 삽입하여 기관내삽관 튜브의 끝에서 최소 1cm 이전에서 멈춘다.
8. 기관내관을 위쪽으로 부드럽게 구부린다. 경우에 따라 튜브를 하키용 스틱처럼 구부려놓는다.
9. 수용성 윤활제를 튜브에 바른다(선택적).
10. 기관내삽관 튜브의 위치를 확인할 수 있는 장비를 준비한다.
11. 잇몸선에 정확한 기관내삽관 튜브의 위치를 예측하기 위해서:
    - 소생테이프를 확인하거나 컴퓨터 소프트웨어를 참고한다.
    - 공식을 통해 기관내삽관 튜브의 위치를 계산한다: 잇몸선의 위치(cm) = -3 × 튜브 크기
12. 동료의 준비사항:
    - 계속적인 환자 평가
    - 환기율에 따른 시간 측정
    - 모니터 확인(심박수, 맥박산소포화도측정)
    - 흡인기 작동
    - 기관내삽관 조작술 보조
    - 반지연골(윤상연골)을 부드럽게 압박
    - 만약 소아가 척추 외상 가능성이 있으면 목을 고정시킴
13. 환자를 정위치 시킨다(목이 과신전이나 과굴곡 되지 않도록 한다).
    - 내과환자: 소아를 재채기(sniffing) 자세로 유지시킨다.
    - 척추 손상 가능성이 있다면 손으로 척추를 일직선으로 고정하면서 중립자세를 취하도록 한다.

조언

삽관을 시도하기 전에 적절한 장비가 이용가능하며 작동하는지 확인한다.

논쟁

병원 전 환경에서 소아에게 기관내 삽관을 실시할 만한 가치가 있느냐에 대한 논쟁이 있다. 신생아, 영아 또는 소아의 기도는 가능한 한 외과적인 처치를 최소한으로 하여야 한다. 성문위 장치들과 기관내삽관은 백-밸브 마스크 환기가 실패한 경우에만 활용되어야 한다. 현장에서 절차를 빠르고 안전하게 시행하는 것은 어려울 수 있다. 기관내삽관 튜브의 잘못된 위치 또는 흡인은 성인에 비교했을 때 소아에게 거의 3배까지 더 흔하다. 부적절한 또는 실패한 삽관 시도는 저산소증, 흡인, 구강 외상 또는 소아의 기도에 손상을 유발할 수 있고, 목뼈 손상의 악화, 기관내삽관 튜브의 잘못된 위치(우측 주 기관 삽관, 식도 삽관)등을 야기할 수 있다. 이는 기관내삽관이 소아에게 빈번하게 수행되지 않는 술기이고, 효용성이 입증되지 않았기 때문에 이 연령대의 소아에게 수행하는 경우 특히 주의가 필요하다.

표 P11-3 기관내삽관 튜브 크기의 선택

커프가 없는 튜브	커프가 있는 튜브
신장을 기초로 하는 소생테이프는 35 kg까지의 소아를 위한 기관내삽관 튜브 크기의 추정하기 위해 나이를 기초로 하는 공식보다 더 정확하다. 신생아 및 유아: 조산아 : 2.0 또는 2.5 mm 정상분만아 또는 작은 영아 : 3.0 또는 3.5 mm 튜브 6-12 개월 영아 : 3.5 mm 12-18 개월 영아 : 4.0 mm 1세 이상의 소아 또는 기관 튜브의 직경은 소아의 다섯 번째 손가락 손톱의 너비와 대략 같다. 2세 이상의 소아: 크기 $= \dfrac{(\text{나 이})}{4} + 4$	신장을 기초로 하는 소생테이프는 35 kg까지의 소아를 위한 기관내삽관 튜브 크기의 추정하기 위해 나이를 기초로 하는 공식보다 더 정확하다. 다음을 예측하는 것은 적절하다: 1세 이하의 소아 : 3.0 또는 3.5 mm 1-2세 소아 : 3.5 또는 4.0 mm 2-10세 소아 : $\dfrac{(\text{나 이})}{4} + 3.5$ mm 또는 커프가 없는 튜브 크기를 계산하여 그 값보다 0.5 mm 더 작은 것을 사용한다.

절차 11-2

기관내삽관 튜브 삽입

1. 환자에게 백-밸브 마스크에 100% 산소를 연결하여 1-2분 동안 환기를 시키되, 매 3-5초에 1회의 속도로 실시한다. 적절한 속도를 유지하기 위해 "압박, 이완, 이완(squeeze,release, release)"이라고 말한다.

2. 왼손으로 후두경을 잡는다. 환기를 멈추고 20-30초의 시간이 주어진다.

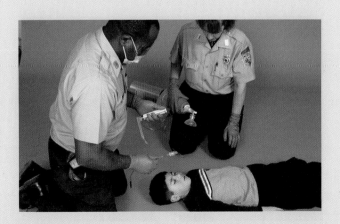

3. 엄지손가락으로 턱을 눌러서 입을 벌린다; 입안에 이물질이나 빠진 이가 있는지 확인한다; 이물질이 있는 경우 입인두기도기를 제거한다.

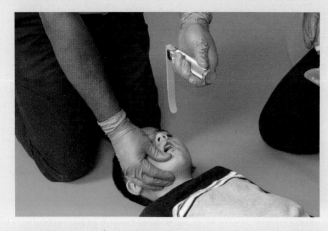

4. 소아의 기관내삽관이 진행하는 동안 흡인을 방지하기 위해 반지연골에 주기적인 압력을 가하는 것을 추천하는 것에 대한 충분한 증거는 없다.

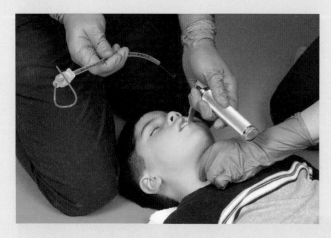

5. 후두경을 방아쇠를 잡는 자세로 잡는다.

6. 후두경 날을 입 우측으로 삽입한다.

7. 후두경 날로 혀를 들어 올려서 왼쪽으로 치운다.

8. 후두경 손잡이 축을 따라 45° 각도로 부드럽게 위로 들어 올린다. 치아나 잇몸을 지렛대로 사용하지 않도록 한다.

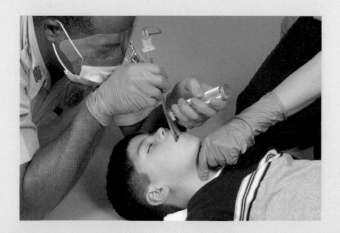

9. 후두경 날을 혀를 따라 진행 시킨다. 후두경 날 끝이 후두개 바로 뒤에 위치할 때까지 날의 끝을 계속 지켜본다. 성대가 보이는 지점부터 성대에서 눈을 떼지 않도록 한다. 당신이 성대가 가시화된 상태를 유지하는 동안 동료가 당신에게 기관내삽관 튜브를 건네주어야 한다.

10. 만약 성대를 관찰하기 어렵다면 파트너가 반지연골에 압력을 가하게 한다. 그래도 성대를 관찰하기 어렵다면 다음의 4가지 방법을 고려한다: (1) 후두경의 날을 전진시키거나 후진시킨다; (2) 구토물, 혈액, 다른 액체나 기타 물질을 경성 큰구경 흡인기로 제거한다; (3) 보조자가 후두에 BURP(backward-up-ward-rightward pressure)를 가하게 한다; 또는 (4) 머리를 재위치시키거나 신전 정도를 조절한다.

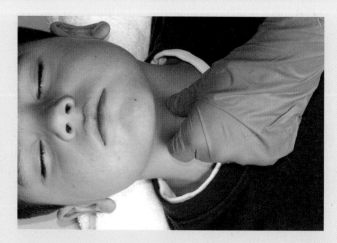

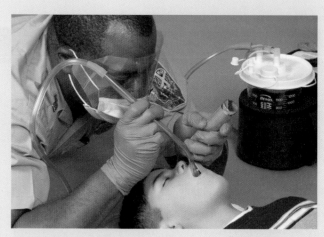

11. 성대를 관찰하는 것을 지속하며, 흡인을 계속한다.

12. 필요한 경우, 커다란 고형물질은 소아용 마질겸자(Magill forcep)로 제거한다.

13.기관내관을 삽입한다. 튜브를 오른손으로 다트를 쥐듯이 잡고, 튜브의 끝이 입의 오른쪽 구석에서 성대 사이의 아래쪽으로 향하게 삽입한다. 튜브를 후두경 날의 홈으로 삽입하지 않도록 해야 하는데, 왜냐하면 그럴 경우 성대를 가려버리기 때문이다. 기관내삽관 튜브가 성대를 통과하는지 관찰한다. 기관내삽관 튜브에 표시된 부분이 성대를 지날 때까지 튜브를 밀어 넣는다. 기관내삽관 튜브의 cm표시가 잇몸선과 일치하는지 확인한다.

17.파형의 호기말이산화탄소분압측정기, 양쪽 가슴의 호흡 소리, 그리고 위 소리의 부재로 기관내삽관 튜브의 바른 위치를 확인한다.

18.기관내 바른 위치를 평가한다. 일반적인 환자 평가(외관, 심박수, 맥박산소포화도측정)를 한다. 양쪽 가슴이 다 상승되는지 관찰한다. 상복부에서 거품이 이는 소리나 물과 공기가 접촉하면서 거품 소리가 나지 않는지 확인한다(2회 정도 호흡하는 동안 검사), 중간겨드랑선(액와중간선)과 세 번째 갈비사이공간(늑간강)에서 양쪽 폐음을 청진한다(오른쪽, 왼쪽 폐에서 각각 2회씩 호흡하는 동안 검사), 기관내삽관 튜브의 위치를 확인할 수 있는 장비를 사용한다. 만일 호흡음이 한쪽 폐에서만 들린다면(흔히 오른쪽), 기관내관을 양쪽 폐에서 호흡음이 들릴 때까지 살짝 뒤로 잡아당긴다.

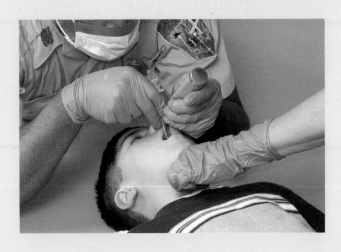

14. 기관내삽관을 제 위치에 잡고 있는 상태에서 후두경 날을 제거한다.

15.기관내삽관 튜브로부터 탐침을 제거한다.

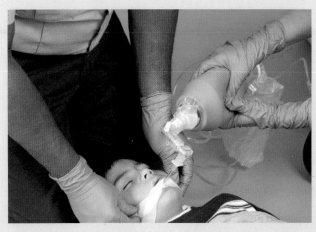

19.튜브 위치를 기록지에 기록한다. 치아나 잇몸선에 cm표시를 사용하거나 지워지지 않는 펜으로 기관내관에 표시하고 튜브의 움직임/이탈 여부를 수시로 모니터한다.

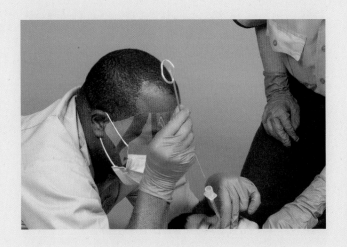

16.커프가 끝에 달린 기관내삽관 튜브를 사용하는 경우, 길잡이풍선(pilot ballon)과 함께 커프를 부풀린다. 기관내삽관 튜브를 윗입술에 대고 튜브의 위치를 유지한다. 만약 기관내삽관 튜브에 분비물이 많으면, 흡인 카테터를 사용해서 기도를 청결하게 한다. 동료에게 기관내삽관 튜브의 위치를 유지하게 하고, 백밸브 마스크로 환자를 환기시키도록 한다.

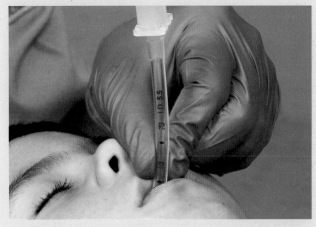

20. 테이프나 상용화된 튜브고정기를 이용하여 튜브를 고정시킨다. 튜브의 위치가 적절한지 재평가하고 환자가 안정 되었는지 확인한다.

21. 목보호대 그리고/또는 목 고정 장치는 목의 움직임, 그리고 튜브 이탈의 위험을 줄이는 데 도움이 될 수 있다.

22. 가슴이 상승하는지 보기 위해 최소량(이상적인 몸무게의 약 6-7 mL/kg)으로 환기한다. 과잉팽창은 유해할 수 있다.

23. 성인: 10-12 호흡/분; 소아: 20 호흡/분; 여아: 30 호흡/분.

24. 35-40 mmHg의 $ETCO_2$을 유지하기 위해 지속적으로 $ETCO_2$를 모니터한다.

25. 불안해하는 경우, 진정제 또는 아편유사제 약물 투여를 고려한다.

26. 위감압은 산소처리와 환기를 개선시킬 수 있다. 따라서 명백한 위 팽창이 보일 때 이 방법이 고려되어야 한다.

27. 호흡 부전이 성공적으로 교정되지 않으면, 기도 안정을 위해 가장 가까운 적절한 병원으로의 이송한다.

튜브를 제거해야 하는 경우

즉각적인 튜브 제거

- 환기 시에도 가슴이 상승되지 않을 때
- 상복부에서 거품 이는 소리가 날 때
- 탐지장치로 기관 내에 위치했는지 확인할 수 없을 때

주의

외상 환자에게 삽관을 시도할때, 부적절한 척추 고정을 주의한다.

주의

튜브가 성대를 통과하는 것을 보지 않고는, 기관내삽관 튜브가 기관에 위치했다고 추청하지 않는다.

주의

RSI를 위한 약물을 주기적으로 사용하지 않는 응급구조사들은 RSI를 소아에게 사용하지 않아야 하고, 지속적인 훈련과 질을 보장하는 조치를 포함하는 종합적인 프로그램을 받은 응급구조사에게 위임해야 한다.

주의

$ETCO_2$를 감지하기 위해 지속적인 파형의 호기말이산화탄소분압측정기를 사용한다.왜냐하면 이 방법이 성문외 기도와 기관내삽관 튜브의 위치를 확인할 수 있는 표준이기 때문이다.

주의

마취전 산소투여 뿐 아니라, 무호흡 산소섭취(비강 캐눌라를 통한 고유량의 O_2)도 삽관을 시도하는 동안에 저산소증 이전의 기간을 연장시킬 수 있다.

주의

튜브 내에 김서림이 튜브의 위치를 확인하는 좋은 방법은 아니다.

주의

비디오후두경은 삽관의 성공률을 향상시킬 수 있고, 이용 가능할 때는 사용되어야 있다.

주의

많은 응급구조사들에게 소아의 삽관은 빈번하게 사용되지 않는 술기이므로, 지속적인 교육과 실습은 필수적이다.

주의

호흡상태의 갑작스러운 악화 또는 저산소혈증의 증상은 기도 장비의 위치 이탈 또는 폐쇄, 공기가슴증, 또는 장비 고장의 부차적인 증상일 수 있다.

절차 11-3

기관내삽관 튜브의 고정

1. 테이프, 능직 테이프 또는 상업적인 튜브 고정기로 튜브를 고
   정하기 전까지, 손으로 튜브를 잡고 고정한다.

조언

환자가 움직이거나 환자의 상태에 변화가 있는 경우, 튜브의 위
치를 항상 재평가 한다.

절차 11-4

기관내삽관 튜브의 위치 재확인

1. 2회 호흡하는 동안 상복부에서 거품 이는 소리나 가글거리는
   소리가 나지 않는지 재확인한다(물과 공기가 접촉하는 소리).

2. 중간겨드랑선(액와중간선)과 세 번째 갈비사이공간(늑간강)에
   서 양쪽 호흡음을 재평가한다(오른쪽, 왼쪽 폐에서 각각 2회씩
   호흡하는 동안 검사). 소아 환자의 경우 튜브가 제 위치에서 이
   탈하기 쉬우므로 기관내삽관 튜브를 다룰 때 특별히 주의한다.
   환자를 구급차에 탑승 시킨 후 다시 확인한다(환자의 상태나

자세가 변화된 후에도 재평가한다). 처치 결과를 보고하고 기
록한다.Report and record findings.

주의

기도 장치가 제 자리에 위치되면, 지속적인 평가는 필수적이다.

가능한 문제

- 위 내용물의 흡인
- 기관에서 기관내관의 위치 이탈
- 식도삽관
- 기관튜브의 잘못된 위치
- 저산소혈증
- 튜브 폐쇄
- 압력 손상
- 약물에 의한 역효과
- 저산소증
- 뇌압 상승
- 후두부, 기관, 인두 또는 식도 손상
- 치아와 입의 손상
- 성대 손상

절차 11-5

관 제거법(발관, Extubation)

1. 소생 후 관 제거법은 현장에서는 거의 실시하지 않는다. 세 가지 상황이 모두 충족되었을 때 실시할 수 있다: (1) 일회 호흡량과 호흡 속도가 적절한 자발적 호흡 (2) 의식이 있는 환자 (3) 산소투여와 환기를 유지할 수 없을 정도의 기침과 구역질이 있을 때. 큰구경의 경성 흡인장비가 작동하는지 확인한다.

2. 입인두 흡인 실시한다.

3. 환자를 왼쪽으로 돌려 눕힌다.

4. 커프에서 공기를 완전히 제거한다(커프가 부풀려 있는 경우).

5. 흡인을 실시하면서 흡기가 끝나는 시점에 신속히 기관내삽관 튜브를 제거한다.

추천 자료

Articles

American Academy of Pediatrics, American College of Emergency Physicians, American College of Surgeons Committee on Trauma, Emergency Medical Services for Children, Emergency Nurses Association, National Association of EMS Physicians, National Association of State EMS Officials. Joint policy statement – equipment for ground ambulances. *Prehosp Emerg Care.* 2014;18(1):92–97. doi:10.3109/10903127.2013.851312.

Other Resources

DeCaen, AR, Macononochie IK, Aickin R, et al. *Pediatric Advanced Life Support.* Part 12 American Heart Association Guidelines Update for Cardiopulmonary Resuscitation and Emergency Cardiovascular Care. *Circulation.* 2015;(18Suppl2) 3 November 2015, pp. S521–S542.

National Association of State EMS Officials. *National Model EMS Clinical Guidelines Version 2.2.* NASEMSO; 2019. https://nasemso.org/projects/model-ems-clinical-guidelines/. Accessed September 18, 2019.

절차 12: 기관내관 위치 확인 및 호기말 이산화탄소분압 측정

S. Heath Ackley, MD, MPH, FAAP

Keith Widmeier, BA, NRP, FP-C

소개

병원 전 환경에서 소아 기관내삽관을 시행하는 것은 아마도 경험이 있는 응급구조사들에게 조차 매우 어렵거나 불가능한 일인지도 모른다. 기관 내에 기관내삽관의 위치를 확인하는 것은 매우 어렵다. 식도삽관이 흔히 발생되는데 이는 잠재적으로 매우 위험한 합병증이기 때문이다. 종종 백-밸브 마스크 환기로 가슴을 적절하게 상승시키는 효과를 얻을 수 있다면 현장에서 기관삽관을 실시할 필요가 없다. 더구나 지속적인 파형 호기말이산화탄소 분압 측정기 뿐만 아니라 휴대용 양적 호기말이산화탄소 분압 측정 정도 삽관을 필요로 하지 않는다. 대신에 환자 얼굴에 마스크를 잘 밀착한 상태라면 백-밸브 마스크와 라인에 연결하여 사용될 수 있다. 최근에 기관내삽관 튜브의 위치를 확인하는 방법은 4가지가 있다.:

1. 파형 호기말이산화탄소 분압 측정기 사용 (gold standard)
2. 호기 이산화탄소 탐지 장치
3. 디지털 호기말이산화탄소 분압 측정기 사용(양적 호기말 이산화탄소 분압)
4. 임상적 평가

적용

- 기관내 삽관
- 성문외 기도기 장비의 삽입
- 백-밸브 마스크로의 환기

금기

- 성인용 이산화탄소 탐지장치는 15kg 미만의 소아에게 적용 할 수 없음

장비

- 청진기
- 색깔로 구분하는 호기말이산화탄소 검출장치 또는 양적 호기말이산화탄소 분압 측정기
- 파형 호기말이산화탄소 분압 측정기

이론적 근거

적절하게 위치한 기관내삽관 튜브와 성문외 장치는 위험한 질환이나 손상을 입은 소아에게 효과적으로 산소를 공급하고 환기가 이루어질 수 있도록 해준다. 그러나 기관내삽관의 튜브가 식도나 입인두에 위치한다면, 아주 해롭거나 치명적인 결과를 초래하게 된다. 게다가 소아가 움직일 경우, 정확하게 위치해 있던 기관내삽관 튜브가 기관으로부터 식도나 입인두로 이동할 수도 있다. 탐지가 늦어진다면 저산소증이 초래될 수도 있다. 특히 영아와 작은 어린이의 경우에는 기관내삽관 튜브의 위치를 임상적으로 평가하는 것이 정확하지 않다. 종종 주변에 큰 소음이 많이 있는 경우(가족들이 만드는 소음, 교통 소음 등) 호흡음을 듣기가 매우 어렵게 된다. 또한 식도나 위에서 전달되는 호흡음을 응급구조사가 소아의 가슴에서 나는 호흡음으로 잘못 들을 때도 있다. 다행히 여러 가지 기계적인 보조장치가 개발되어 기관내에 기관

내삽관 튜브가 적절하게 자리 잡고 있는지 확인하는 것과 응급구조사가 지속적으로 바른 기도 위치를 확인하는 것을 도와준다.

준비

1. 환아의 체중을 측정한다.
2. 영아 또는 소아에게 적절한 크기의 기관내삽관 튜브로 삽관을 하거나(절차 11 기관내삽관 참조), 또는 적절한 크기의 성문외 기도기 장비를 삽입한다.(절차13 전문기도술기 참조)
3. 기관내삽관 튜브를 통해 액체를 흡인한다.

호기말이산화탄소분압측정

1. 장비를 기관내삽관 튜브의 끝에 연결한다.
2. 파형과 수치값을 관찰한다.
3. 직선 형태의 파형 또는 0의 수치값은 기관내삽관 튜브가 식도에 있다는 것을 의미한다.

색깔로 구분할 수 있는 호기말 이산화탄소 탐지기

1. 적절한 이산화탄소 탐지기의 크기를 결정한다.
   - 15 kg 미만의 소아는 소아용 탐지기를 사용한다.
   - 15 kg 이상의 소아는 성인용 탐지기를 사용한다.
   - 만일 성인용 탐지기를 작은 어린이에게 적용한다면, 6회 정도 호흡을 실시한 후 제거해야 함(기관튜브의 위치를 처음 확인할 때)
2. 이산화탄소 탐지기의 유효기간을 확인한다.
3. 이산화탄소 탐지기를 포장지에서 꺼낸다.
4. 이산화탄소 탐지기를 사용하기 전에 밝은 보라색이고 건조한지 확인한다.

디지털 이산화탄소 분압측정술법

1. 제조회사에서 지시한 대로 감지기(sensor)를 준비한다.
2. 감지기 단자를 모니터 케이블에 연결한다.
3. 기관내관이 정확히 위치했을 때 나오는 구형파동(square waveform)이 나오는지 관찰한다.
4. 수치값이 없으면 기관내관 위치가 부적절하다는 것을 나타낸다.

절차 12-1

임상적 평가

1. 양쪽 가슴이 오르내리는 것을 관찰한다. 위 부근에서 호흡음을 들어본다. 만일 보글거리는 소리(빨대로 우유를 빨아들일 때와 같은)가 들리면 기관내관이 식도로 들어간 것이다. 만일 호기말 이산화탄소의 파형 혹은 수치값이 없거나, 포화도의 저하, 또는 서맥이 있는 경우, 기관내관을 제거한다. 그러나 위에서 호흡음이 들리지 않고, 환자가 혈역학적으로 안정상태(혈압, 심박동수, 산소포화도가 적절함)를 보인다면 6회 정도 호흡을 제공하고 피부색의 변화를 모니터한다.

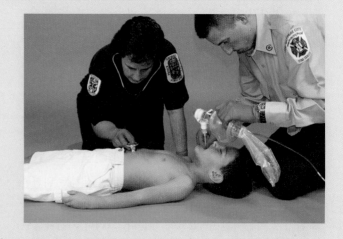

2. 호흡음은 먼저 오른쪽 중앙겨드랑이선에서 들은 다음, 왼쪽 중앙겨드랑이선에서 듣는다. 만일 양 쪽이 동일하게 들리면 튜브는 안전하게 고정한다. 만일 왼쪽보다 오른쪽에서 더 크게 들린다면 오른쪽 주기관지로 삽입된 것이다. 이때는 호흡음이 양쪽에서 동일하게 들릴 때까지 기관내관을 천천히 뒤로 당겨준다.

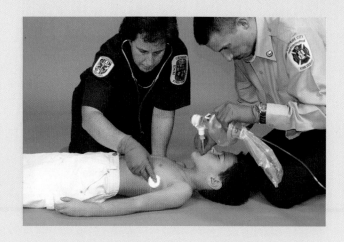

주의

위에서 호흡음이 들린다고 해서 곧바로 기관내관을 제거하지 말아야 한다. 왜냐하면 폐로부터 전달된 호흡음일 수도 있기 때문이다. 만일 환자가 포화도 저하나 느린맥이 계속된다면 기관내관이 성문을 통해 삽입되었는지 확인하기 위해 직접 후두경 검사를 시행한다. 만약 그렇지 않다거나 확신이 없다면, 그리고 날숨끝양압(호기말양압)으로 효과적인 호흡을 제공했음에도 환자가 포화도 저하 반응을 계속 보인다면, 기관내관을 제거하고 백-밸브 마스크로 산소를 공급한다.

절차 12-2

파형 호기말이산화탄소 분압 측정기

파형 호기말 이산화탄소 분압 측정기은 파형과 수치 둘 다를 보여준다는 점에 있어서, 호기말 이산화탄소를 확인하기에 최고의 진단적인 검사이다. 이는 독립된 장치로 사용 되어지거나, 응급구조사가 사용하는 심장 모니터에 내장되어 사용될 수도 있다. 카프노그래피(capnography)는 얼마나 많은 이산화탄소가 호흡 주기의 각 단계에 존재하는지를 파형으로 보여주며, 보통 직사각형의 모양이다. 측정기는 또한 호흡률을 측정하고 보여준다. 보조환기가 필요한 환아의 경우, 다른 연결기가 백-밸브 마스크에 부착되어 전문 기도 장치 또는 마스크와 함께 사용 되어질 수 있다.

    수치는 호기말에 탐지되는 이산화탄소의 분압 즉, 호기말이산화탄소분압(capnometry)이다. 호기말이산화 탄소 분압은 정상적으로 35 – 45 mm Hg이다. 파형의 형태(파동의 진폭과 너비)인 카프노그래피(capnography)는 호흡 노력에 대한 단서와 호흡 장애의 원인을 제공할 수 있으며, 관리가 어떻게 작동하고 있는지 실시간 피드백을 준다(**그림 P12-1**). 예를 들어, 상어 지느러미 형태의 파형은 수축을 의미할 수 있다(**그림 P12-2**). 호기말이산화탄소 분압 측정기는 또한 쇼크를 탐지할 수 있고, CPR 효과를 확인하는 것을 돕는다.(**그림 P12-3**) 파형 호기말이산화탄소 분압 측정기가 연결되면, 파형과 수치가 모니터에 나타나

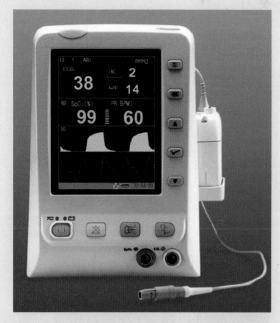

그림 P12-1 호기말이산화탄소 분압 측정 모니터

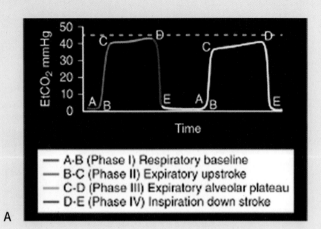

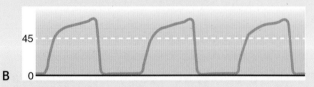

는지 확인하는 것은 중요하다. 직선형태의 파형은 기관내관이 기도에 있지 않고 아마도 식도에 있다는 것을 나타낸다. 초기에 파형이 있다가 직선형으로 바뀐다면, 이는 기관내관이 이탈되었음을 나타낸다.

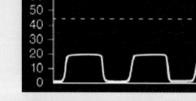

그림 P12-3 호기말이산화탄소 분압측정 또한 CPR의 효과성을 확인하는데 사용될 수 있다.

그림 P12-2 A. 정상적인 파형. **B.** 상어 지느러미 형태의 파형은 기관지 수축을 의미할 수 있다.

조언

지속적인 호기말이산화탄소의 관찰은 몇 초안에 실시간 변화를 보여줄 것이다.

절차 12-3

색깔로 구분할 수 있는 이산화탄소 측정기

1. 기관내관 끝에 기구를 연결하고, 기구의 다른 쪽 끝에는 백밸브 마스크를 연결한다.

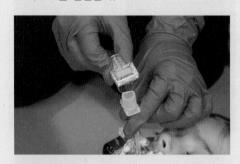

2. 환기를 시작한다.

3. 호기할 때 이산화탄소 탐지기가 색깔이 변하는지 관찰한다. 총 6회 정도 호흡한 후 결과를 확인한다. 색깔을 확인하고 그에 따라 조치한다(**표 P12-1**). 기관내관이 기관에 있는지 여부와 상관없이 100% 산소가 백-밸브 마스크와 기관내관을 통해 폐로 들어갈 때 이산화탄소 탐색기의 색깔은 보라색으로 바뀔 것이다. 호기과정에서 노란색은 이산화탄소 생성을 의미하기 때문에 호기 시의 색깔 변화를 주의 깊게 살펴야 한다. 그러나, 15 kg 이하의 환자의 경우, 초기에 튜브 위치를 확인한 다음에는 성인용 이산화탄소 탐지기를 그대로 두지 말아야 한다. 성인용 장치는 사강이 너무 크고 영아에게 계속 적용하게 되면 이산화탄소를 재호흡할 수 있기 때문이다. 관찰 및 중재 내용을 기록한다.

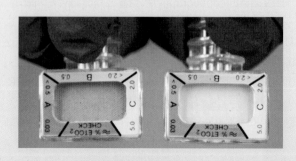

표 P12-1 색깔로 구별할 수 있는 호기말 이산화탄소 측정기 사용

색상	맥박이 있는 환자	맥박이 없는 환자
노란색	튜브가 바르게 삽입되었다. 튜브를 제 위치에 두고 안전하게 고정한다.	튜브가 바르게 삽입되었다. 튜브를 제 위치에 두고 안전하게 고정한다.
황갈색	문제를 생각한다. 6회 이상 환기시킨다(튜브 위치를 재평가하는 동안)	문제를 생각한다. 6회 이상 환기시킨다(튜브 위치를 재평가하는 동안)
	색깔 변화가 있는지 탐지기를 재평가한다. 여전히 황갈색을 유지하면 튜브를 제 위치에 두고 안전하게 고정한다.	색깔 변화가 있는지 탐지기를 재평가한다. 여전히 황갈색을 유지하면 튜브를 제 위치에 두고 안전하게 고정한다.
	저관류 또는 저탄산의 원인을 교정하기 위해 가능한 방법을 시도한다.	저관류 또는 저탄산의 원인을 교정하기 위해 가능한 방법을 시도한다.
보라색	문제 있음. 튜브가 잘못 삽입되었거나 소아가 심장 정지 상태여서, 측정 가능한 양의 이산화탄소를 생성하지 못하고 있거나 폐로 이동시키지 못하고 있는 상태 튜브를 제거한다. 백밸브 마스크로 환기시킨다. 재삽관한다.	문제 있음. 튜브가 잘못 삽입되었거나 소아가 사망해서 측정 가능한 양의 이산화탄소를 생성하지 못하는 상태

		후두경으로 성대를 확인한다.
		만일 튜브가 잘못 위치해 있는 경우 :
		  튜브를 제거한다.
		  백밸브 마스크로 환기시킨다.
		  재삽관한다.

		만일 튜브가 성대 사이에 있고 성대 표시가 성대 아래쪽에 있는 경우 :
		  튜브를 제 위치에 둔다.
		  심폐소생술이 필요한지 확인하고
		  전문소생술 절차를 진행한다.

ALS, advanced life support; CPR, cardiopulmonary resuscitation.

조언

기관내로 약물을 투여할 경우에는 기관내삽관으로부터 이산화탄소 측정기를 제거한다. 왜냐하면 젖은 탐지기는 보라색에서 노란색으로 바뀌는 색깔 변화를 나타내지 못할 수 있기 때문이다.

조언

소아에게 심정지가 발생했고, 흉부압박을 받지 않고 있다면 튜브가 제대로 삽입되었다 하더라도, 이산화탄소가 폐로 이동되지 않기 때문에 색깔 변화는 일어나지 않을 것이다.

조언

소아의 체중이 15 kg 미만이라면, 소아용 색깔로 구분할 수 있는 호기말 이산화탄소 측정기를 사용한다.

절차 12-4

양적 호기말 이산화탄소 측정

1. 양적 호기말 이산화탄소 측정기를 사용한다면 수치는 빠르게 나타나야 한다. 호기말 이산화탄소 수치의 정확도는 환자에게 삽관되지 않았다면 확실한 마스크 밀착에 달려있거나 기관내관이나 성문위 기도기가 정확하게 자리잡고 있다면 최소한의 누출에 달려있다

2. 심정지일 경우에는 수치가 낮을 수 있고 고품질의 심폐소생술과 자발순환회복이 있으면 증가할 것이다.

3. 양적 평가를 위해서는 파동형 호기말 이산화탄소 탐색기를 사용한다

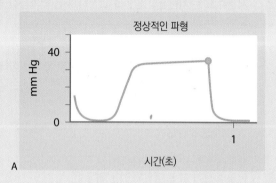

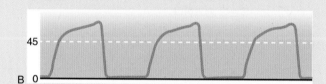

조언

폐부종이나 폐출혈이 있다면 호기말 이산화탄소 수치가 기록되지 않을 수도 있다.

조언

맥박산소포화도 측정기는 맥박이 있어야 하고 심장정지 상태의 경우 측정이 되지 않는다. 그리고 쇼크 상태에 빠져서 모세혈관 재충혈이 지연될 경우 측정이 어려울 수 있다.

조언

만일 소아가 맥박이 없고 가슴압박이 시행되지 않고 있다면, 양적 평가에서의 수치는 매우 낮게(또는 0으로) 나타날 것이다. 심폐소생술의 질(깊이, 비율, 반동)을 평가한다.

절차 13: 전문 기도 술기

J. Joelle Donofrio-Odmann, DO, FAAP, FACEP, FAEMS

소개

드물기는 하지만 표준 백-밸브 마스크 환기가 실패할 수 있고 기관내삽관(ETI)은 어렵거나 불가능할 수가 있다. 예를 들어, 심각한 머리손상과 기도부종 또는 입안이나 상부기도의 혈종, 다발성 손상을 입은 어린이, 장시간 이송, 그리고, 심각한 선천적 또는 후천적 기도 이상이 있는 영아와 같은 환자의 경우는 환기가 이루어지지 않을 수 있다. 이와 같은 끔직한 상황에서 대부분의 응급의료체계에서는 응급구조사에게 전문기도술기를 수행하도록 허용한다. 이러한 술기에는 후두마스크기도기(LMA, i-gel)와 같은 성문위 기도기 또는 킹 기도기, 콤비튜브와 같은 후두관, 탄력부지(gum elastic bougie), 그리고 약물 보조 삽관 등이 있다(DAI). 필요 시 또 다른 방법으로는 바늘 반지방패막절개술이 있는데 이 절차에 대해서도 자세히 설명할 것이다. 그러나 이러한 술기들에 대해서 병원 전 환경에서 소아를 대상으로 제대로 평가된 것은 없으며, 각 각의 절차마다 중요한 장점, 제한점, 그리고 금기증을 가지고 있다.

어린이의 특성 상 다음과 같은 병력이 있거나 신체검진 시 기도관리에 따른 문제를 가진 경우에는 매우 주의 깊게 다뤄야 한다.

병력
1. 과거에 기관삽관이 어려웠거나 또는 환기에 문제가 있었던 경우
2. 얼굴뼈(안면골)에 영향을 주거나 혀를 포함한 입인두 구조에 선천적인 기형이 있는 어린이
3. 반복성 협착음 또는 상기도 폐쇄 병력이 있는 경우

신체검진:
1. 입을 크게 벌리지 못하는 경우
2. 목을 완전히 펴는 데 어려움 있는 경우
3. 지나치게 큰 혀 또는 얼굴 형태가 기형인 경우
4. 혀누르게(설압자)로 혀를 눌렀을 때 완전히 목젖이 보이시 않는 경우
5. 얼굴, 입, 혀 또는 목에 외상이 있는 경우

어려운 기도를 예측하기 유용한 연상기호는 LEMON 이다.

- L: LOOK(보다) 외부적으로 어려운 기도의 징후는 외상과 큰 혀 이다.
- E: EVALUATE(평가) 환자의 손가락 크기를 사용하여 3-3-2 평가한다. 환자의 앞니 사이의 거리는 손가락 3개 이상, 목뿔뼈와 턱의 거리감은 최소 손가락 3개 이상 그리고 갑상선과 입바닥의 거리는 최소한 손가락 2개 이상이다.
- M: MALLAMPATI(구인두) 구인두 평가는 적어도 3 이상 나와야 한다(**그림 13-1**).
- O: OBSTRUCTION(폐쇄, 폐색) 기도폐쇄의 원인과 상태를 확인한다. 예를 들어 후두개염, 편도농양, 그리고 혹은 외상 등을 확인한다.
- N: NECK MOBILITY.(목의 운동성) 머리와 목을 위치시키는 능력을 본다.

  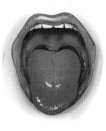 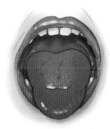

Class I
후인두 전체가 완전히 노출되어 있는 경우

Class II
후인두의 일부가 노출되어 있는 경우

Class III
후인두가 보이지 않는 경우: 목젖의 기반이 노출되어 있는 경우

Class IV
후인두의 구조가 전혀 보이지 않는 경우

그림 P13-1 구인두 평가(분류)

성문외 기도유지기

후두 마스크 기도기(LMA)

후두 마스크 기도기(LMA)는 병원에서나 응급실에서 환기가 필요한 어린이에게 흔히 사용되는 기구이다. 입으로 삽입하는 것으로 말단부를 부풀릴 수 있는 튜브로 구성되어 있다. 마스크가 부풀려지면 공기가 기관으로 들어가게 되어 있다. 구조호흡을 제공할 수 있도록 튜브에 백-밸브 마스크를 연결할 수 있게 되어 있다. 소아에게 이용 가능한 후두 마스크 기도기는 여러 종류가 있다. 일부는 후두 마스크 기도기를 통한 삽관 그리고/또는 위액분비를 감소시키기 위한 기능을 가지고 있다. 후두 마스크 기도기는 고전적으로 병원 내 기도 연산이 어려운 환아를 위한 대안책이었다. 병원 전

단계에서 후두 마스크 기도기를 사용하는 경우는 드물고, 성인에게 시도한 경우는 일부 보고되고 있다. 따라서 병원 전 환경에서 어린이에게 이러한 절차를 시행하는 것에 대한 안정성과 효율성은 잘 알려져 있지 않다. 하지만 절차는 매우 간단하고 신속하게 시행할 수 있으며, 병원에서는 성공률이 매우 높고 위험성도 낮다. 응급의료체계에서 소아 구조호흡을 위한 후두 마스크 기도기가 도입되어 왔다. 이 방법은 백-밸브 마스크에 의해 효과적인 환기를 시킬 수 없는 어린이에게 기관내삽관을 실시하는 것보다 더 쉽게 적용할 수 있을 것이다. 이 술기는 특별한 기구와 훈련이 필요하다. 또한 후두개를 살짝 뒤집혀서 후두 마스크 기도기가 정확한 위치에 놓이는 것을 방해할 수도 있다.

적용

- 환기가 필요한 소아
- 백-밸브 마스크 환기에 실패한 경우
- 기관내삽관에 실패한 경우

금기

- 상부기도 폐쇄
- 구토반사가 있고 의식이 있는 환자
- 높은 압력으로 환기가 필요한 환자(천식, 세기관지염)
- 상대적 금기증은 복부팽만(LMA가 흡인을 완전하게 방지해 줄 수 없기 때문)

장비

- 크기별로 8개의 LMA : 1, 1.5, 2, 2.5, 3, 4, 5, 6
- 수용성 윤활제
- 주사기
- 산소 공급원
- 흡인기
- 백-밸브 마스크
- 모니터(맥박산소포화도측정기, 호기말이산화탄소 측정기)

준비

1. 환아에게 적당한 크기의 마스크를 선택한다(표 P13-1 참조).
2. 적절한 소생백을 선택한다: 비록 성인용 백을 작은 소아에게 사용해서 안전하고 효과적으로 환기시킬 수 있지만, 큰 소아에게 작은 소아용 백을 사용하는 것은 효율적이지 않다. 소아의 일회 호흡량은 약 6~8 ml/kg이다. 백의 용량은 450~750 ml 정도이다. 성인용 백(1,200 ml)은

큰 어린이나 청소년에게 적당하다.
3. 산소 튜브를 연결한다.
4. 후두 마스크 기도기를 삽입한 다음 후두 마스크 기도기의 끝에 백-밸브 마스크를 연결한다.

조언

후두 마스크 기도기는 신속하고 간편한 장치로 병원이나 응급실에서 소아에게 널리 사용된다.

논쟁

병원전 환경에서 어린이에게 후두 마스크 기도기를 사용하는 것에 대해서는 연구된 것이 없으며, 장단점에 대해서도 알려진 것이 없다.

표 P13-1 체중에 따른 후두 마스크 기도기(LMA) 크기/ 커프의량

LMA 크기	커프의 양	환자의 체중
1	4 mL	<5 kg
1.5	7 mL	5~10 kg
2	10 mL	10~20 kg
2.5	14 mL	20~30 kg
3	20 mL	30~50 kg
4	30 mL	50~70 kg
5	40 mL	>70 kg
6	50 mL	>100 kg

절차 13-1

LMA 삽입 방법 – 고전적 (Classic)

1. 마스크 커프의 바람을 제거한다.

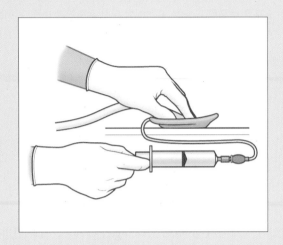

2. 주로 사용하는 손으로 마스크와 튜브의 접합부에 대고 검지로 펜을 잡는 것처럼 LMA를 잡는다.

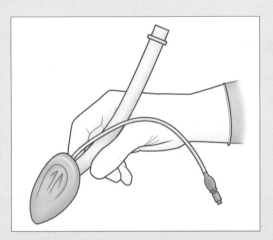

3. 단단입천장(경구개)을 따라 LMA를 밀어 넣어서 입천장에 닿으면 후두인두(하인두)까지 진행시킨다. 이 방법은 LMA가 접히지 않도록 해주고 혀로 인해 방해받는 것을 줄여준다.

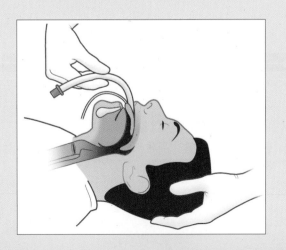

4. 저항이 느껴질 때까지 부드럽게 누르면서 밀어 넣는다.

5. 필요하다면 튜브가 충분히 적당한 위치에 도달하도록 다른쪽 손으로 튜브를 눌러주는 것을 계속한다.

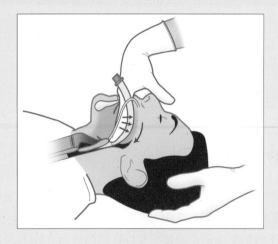

6. 튜브가 제대로 자리를 잡으면 튜브를 놓고, 튜브가 자연스러운 위치에 놓이도록 하면서 커프를 부풀린다.

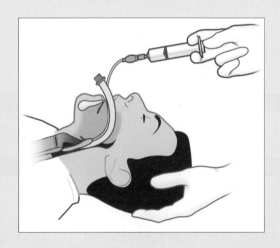

7. 백–밸브 마스크를 연결 후 환기시킨다.

절차 13-2

LMA 삽입 방법 – 180도 회전

1. 공기를 뺀 마스크를 안팎으로 뒤집는다.

2. 마스크의 구멍이 입천장을 향하도록 180도로 회전시킨 상태로 LMA를 입 속으로 삽입한다. 고전적 방법과는 대조적으로, 삽입 시 검지 손가락을 이용하지 않는다.

3. 인두에 닿을 때까지 후두인두(하인두)를 향해서 밀어 넣는다 (저항이 갑자기 줄어드는 것으로 확인). LMA 고전 과는 달리 검지를 지침으로 사용하지 않는다.

4. 그런 다음 정상 위치로 오도록 LMA를 180도 돌린다.

5. 커프를 부풀린다. 뒤쪽 표면에 수용성 윤활제를 바른다. 전방 경구개 위에 윤활제를 바른다.

6. 백-밸브 마스크를 부착한다.

i-gel 성문위 기도기

i-gel은 후두 입구에 맞도록 고안된, 부드럽고 젤과 같으며 부풀지 않는 커프를 가진 성문외 기도기이다. 이 기구는 별도의 커프를 부풀릴 필요가 없다는 점에서 독특하다. 다른 성문위 기도기가 그런 것처럼, i-gel 성문외 기도기는 양압환기와 자발 호흡을 하는 환아에게 사용되어질 수 있다. 또한 모든 성문위 기도기와 마찬가지로 i-gel은 흡인과 역류를 완전히 방지하지 못할 수도 있다. i-gel은 빠른 삽입과 편리성, 외상의 감소, 위로의 접근, 교합저지기, 우수한 밀폐 압력, 그리고 부풀지 않는 커프를 위해 고안되었다.

주의

환기하는 도중 최고 기도내압이 40cm H$_2$O를 넘지 않도록 한다.

적용

- 기관내관 삽관이 실패한 경우
- 백-밸브 마스크 환기가 실패한 경우

금기

- 구토반사가 있고 반응이 있는 환자
- 식도질환이 있는 환자
- 부식성 물질을 섭취한 환자
- 입벌림 장애; 인두나 후두 주변의 농양, 외상, 종괴

준비

1. 환자의 키에 맞춰 적절한 크기를 선택한다(표 P13-2 참조)

2. 포장지에 손상이 없는지 확인한다.

3. 장비에 내장된 교합저지기의 뒷면, 측면 그리고 앞면에 수용성 윤활제를 바른다.

4. 기도기가 개방되어있고 이물질이나 윤활제가 기도기의 입구 또는 위구를 막고 있는지 장비를 확인하다.

5. 15mm 커텍터가 환아의 결합에 맞는지 확인한다.

6. 환아의 기도를 열기 위해 머리를 뒤로 젖히고 턱을 들어주는 자세를 취하게 한다.

i-gel	신생아	영아	작은 소아	큰 소아	작은 성인	보통 성인	큰 성인
크기	1	1.5	2	2.5	3	4	5
색상	핑크	파랑	회색	투명	노랑	초록	주황
환자의 체중	2-5 kg	5-12 kg	10-25 kg	25-35 kg	30-60 kg	60-90 kg	90+ kg

표 P13-2 i-gel 크기와 정보

Source: https://www.intersurgical.com/info/igel

절차 13-3

i-gel 삽입

1. 윤활제를 바른 i-gel의 내재된 교합 저지기를 잡고, i-gel 커프 배출구가 턱을 향하도록(부드러운 젤이 혀를 향하고 딱딱한 팁이 입 천장을 향하도록) 기구를 위치시킨다.

2. 환아의 기도를 열기 위해 고개를 젖히고 턱을 들어주는 자세를 잡아주고 턱을 아래로 누르면서 입을 연다.

3. 단단입천장(경구개)를 향하도록 장비의 윗부분을 입속으로 삽입한다.

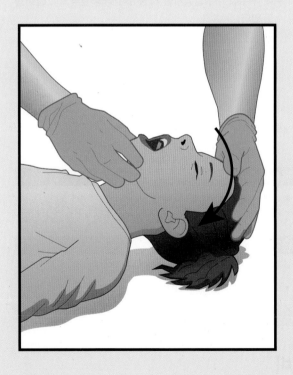

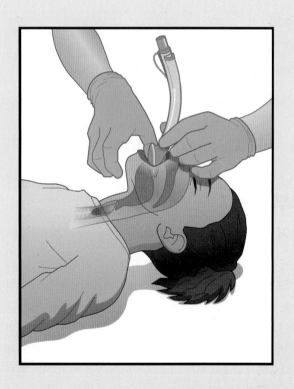

4. 단단입천장(경구개)를 따라 아래로 그리고 뒤쪽으로 부드럽고 지속적인 힘을 주어 저항을 느낄 때까지 기구를 밀어 넣는다.

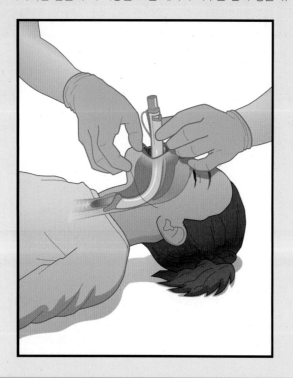

주의

i-gel이 인두후두덮개주름을 통과할 때, i-gel의 볼의 통로 때문에 저항을 느끼기 전에 쑥 들어가는 느낌이 느껴지기도 한다.

5. 백-밸브 마스크를 고정시키는 동안 i-gel을 바른 자세로 들고 있는다.

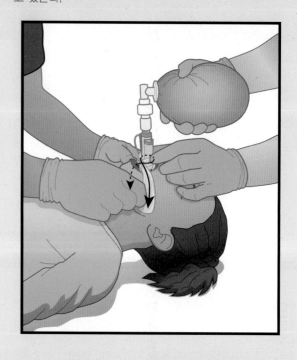

조언

턱을 들어 올리는 방법 대신에 튜브를 쉽게 삽입할 수 있도록 하기 위해 후두경이나 설압자를 사용하여 혀를 앞쪽으로 들어올릴 수도 있다.

후부튜브

킹 기도기

이 기구는 자발호흡이 있는 환자뿐만 아니라 양압환기를 위해서도 사용할 수 있다. 이것은 식도삽관용으로 만들어진 것이다. 두 부분이 부풀려진다는 점에서 LMA와는 다르다: 근위부의 커프는 혀의 기저부 근처에서 부풀려져서 입인두와 코인두로부터 후두인두를 분리시킨다: 그리고 원위부 커프는 식도에서 부풀려져서 위로 흡입되는 것을 방지한다. 밸브하나로 근위부와 원위부 커프를 모두 부풀린다. 앞쪽 표면에 두 개의 주 환기 구멍이 있고, 튜브 옆쪽에 환기보조를 위한 세 개의 작은 양측성 "눈"이 달려 있다.

적용
- 기관내관 삽관이 실패한 경우
- 백-밸브 마스크 환기가 실패한 경우

금기
- 손상이 없으며 구토반사가 있고 반응이 있는 환자
- 식도질환이 있는 환자
- 부식성 물질을 섭취한 환자

준비

1. 환자의 키에 맞춰 적절한 크기를 선택한다(표 P13-3 참조)
2. 공기가 새는지 커프의 부풀림 상태를 검사한다.
3. 원위부 끝에 수용성 윤활제를 바른다.

주의

킹 기도기는 역류와 흡인을 완전히 방지해주지 못할 수 있다.

표 P13-3 King LT-D 크기와 정보

King LT-D 크기	0	1	2	2.5	3	4	5
연결기 색상	투명	흰색	초록	주황	노랑	빨강	보라
환자의 키(체중)	(< 5 kg)	(5 – 12 kg)	35 – 45 inches (12 – 25 kg)	41 – 51 inches (25 – 35 kg)	4 – 5 feet	5 – 6 feet	>6 feet
커프 용량	10 mL	20 mL	25 – 35 mL	30 – 45 mL	40 – 60 mL	50 – 70 mL	60 – 90 mL

Source: http://www.scdhec.gov/health/ems/ResourcesKingLT.pdf

절차 13-4

킹 기도기 삽입

1. 커프의 공기를 뺀 상태로 원위부 끝에 수용성 윤활제를 바른다.

2. 자주 쓰는 손으로 킹 기도기를 잡는다. 자주 쓰지 않는 손으로 입을 벌리고 턱을 들어올린다.

3. 측면 접근법을 사용하여 킹 기도기를 45-90도를 만든채로 입안으로 삽입한다.

4. 중간선에 오도록 튜브 뒷면을 돌리면서 혀의 기저부 뒤쪽으로 튜브를 밀어 넣은 다음 환자의 턱에 파란색 선을 맞춘다.

5. 과도하게 힘을 가하지 않으면서 연결부의 끝부분이 이나 잇몸선에 일치되도록 튜브를 밀어 넣는다.

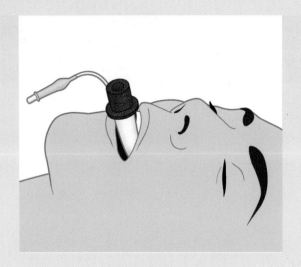

9. 필요하다면, 최고의 환기압력에서도 기도기가 고정될 수 있도록 커프의 공기량을 조절한다.

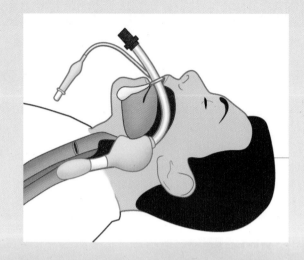

6. 적절한 용량으로 커프를 부풀린다(표 13-3 참조).

7. 연결기에 백을 부착한다.

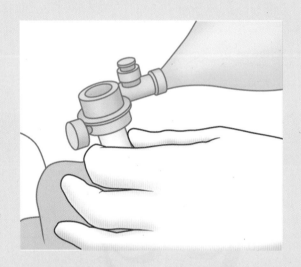

8. 환자에게 백을 짜는 동안 환기가 쉽게 이루어질 때까지 튜브를 부드럽게 뒤로 빼준다.

조언

턱을 들어 올리는 방법 대신에 튜브를 쉽게 삽입할 수 있도록 하기 위해 후두경이나 설압자를 사용하여 혀를 앞쪽으로 들어올릴 수도 있다.

조언

삽입방법으로 턱 들어올리기를 적용하여 중간선에 맞추고 입천장을 따라 원위부 끝을 밀어 넣어서 식도 근위부에 위치하도록 할 수도 있다. 머리를 신전시키는 것이 도움이 되기도 한다.

논쟁

처음에 튜브가 깊게 들어간 상태로 커프를 부풀렸다면 그리고 나서 쉽고 자연스럽게 환기가 이루어질 때까지 튜브를 빼준다. 튜브가 덜 삽입된 경우에는 튜브를 깊게 삽입하기 위해 커프의 공기를 빼주어야 한다.

탄력부지(Gum Elastic Bougie)

간혹 기관내삽관을 할 때 성대가 잘 보이지 않을 수 있다. 특히 소아가 근육 긴장이 있으면 해부학적으로 잘 안 보이게 되는 여러 이유가 생긴다. 탄력부지 또는 기관내 튜브(ETT)의 유도기는 기관내 튜브가 쉽게 삽입될 수 있도록 길고 유연한 탐침으로 되어 있다. 이런 장치들은 쉽게 삽관할 수 있고 삽관을 이용하는데 있어서의 유용성이 입증된 다양한 종류들이 있다. 고전적인 탄력부지는 5 mm의 직경을 가지고 있고, 5.0 이상의 크기를 가진 기관내튜브와 함께 이용된다. 만약 소아가 충분이 나이가 있다면(보통 >8세), 탄력부지가 정확한 위치에 놓여 졌는지 시술자가 확인할 수 있게 해주는 기관의 연골성 링 구조가 형성되어있을 것이다. 반경성(semi-rigid tube) 튜브 또는 막대는 기관으로 잘 들어갈 수 있도록 각이 져 있으며, 기구가 기관연골고리를 가볍게 지나가게 하여 막대가 바르게 자리를 잡을 수 있게 한다. 일단 위치를 잡았다면, 기구는 기관내 삽관튜브의 위치를 유도하는데 도움을 준다. 기관내관 튜브가 5.0이거나 더 작은 경우, 작게는 3.5튜브까지 사용할 수 있는 10 French(3.3 mm)가 있다. 소아용으로는 38도 원위부가 없다. 기도 손상은 위험 요소이다. 최근의 문헌은 응급실에서 탄력부지를 가지고 기관내삽관하는 경우의 개선된 일차통과 성공을 보여주었다.

적용

분비물이나 혈액에 의해 시야가 가려져서 성대를 직접 확인하기가 불가능한 경우와 같은 어려운 기도에서 보조적인 방법으로 사용

금기

- 심한 안면 손상
- 후두 골절
- 심각한 상부기도 폐쇄
- 탄력부지 위로 통과하기에 기도내삽관이 너무 작을 경우

장비

- 소아용과 성인용 크기의 탄력부지
- 기관내삽관(ETT)에 필요한 모든 장비

준비

1. 소아에게 기관내삽관을 준비한다(절차 11).
2. 탄력 부지의 J자 방향이 위쪽으로 향하는지 확인한다.

조언

탄력부지는 특히 후두가 너무 앞쪽에 위치하고 있어서 성대가 잘 보이지 않을 때 유용하다.

절차 13-5

탄력부지 (Gum Elastic Bougie Device)

1. 탄력부지의 일자형의 끝부분 위에 윤활제를 바른 기관내삽관을 놓는다.

2. 후두경으로 성대를 확인한다.

3. 탄력부지의 J자 형태의 끝을 성대를 통과하여 삽입한다. 기관 연골고리의 존재가 느껴질 때까지 장치를 진입시킨다. (소아가 >8세 인 경우)

4. 탄력부지를 기관내관 위에 오게 하여 기관내로 밀어 넣는다.

5. 후두경을 제거하고 나서 탄력부지도 제거한다.

6. 호기말 이산탄소 검색 장치 또는 식도 검색장치를 이용하여 기관내에 기관내삽관이 제대로 있는지 확인하고 나서 튜브가 입술 부분에 정확하게 위치하는지 확인한다.

7. 백-밸브 마스크에 연결한다.

8. 기관내삽관을 고정한다.

절차 14: 근육주사

Claudia L. Phillips, MSN-Ed, RN, CEN, CPEN

Michael H. Stroud, MD, FAAP

소개

근육주사 방법은 소아에게 여러 중요한 약을 투여하는 것을 허용한다. 이러한 약에는 에피네프린과 모르핀 황산염을 포함한다. 근육주사 방법은 한계가 있지만 흡인, 정맥, 골내 주사가 불가능 할 경우 근육 주사를 통해 생명을 구할 수가 있다.

적용

혈관으로의 약물투여가 불가능하거나 현장에서 약물투여가 필요한 경우

금기

- 관류가 불량한 경우
- 효과적인 대체 경로를 선택할 수 있는 경우 : 구강, 흡입, 정맥, 비강 내 또는 골내

장비

- 튜베르쿨린(tuberculine)주사기 또는 3 mL 주사기
- 22 또는 25 게이지 주사바늘(근육주사용으로 5/8~1 inch)

이론적 근거

근육주사는 약물의 흡수가 느리지만 지속적으로 흡수되는 것을 허용 한다. 근육주사 약물의 효력이 나타나기까지 10~20분 정도 소요될 수 있다. 근육주사의 장점은 쉽게 놓을 수 있다는 것과 상당히 안전하다는 것이다. 단점은 환자가 수용하기 어려워하고 효과가 더디다는 것이다. 관류 상태가 저하된 환자에게는 근육주사를 피하는 게 좋은데, 그 이유는 흡수율을 예측하기 어렵기 때문이다. 간혹 아나필락시스와 같은 낮은 정맥압을 가진 소아에게 혈관 주사를 해야하는 경우 혈관 접근을 시도할 때, 우선 선택할 수 있는 주사 방법이 근육주사이다.

근육주사 경로로 특히 영아나 작은 소아의 엉덩이에 주사를 할 경우 신경손상을 초래할 수도 있다.

준비

1. 소아가 스트레스와 긴장을 낮출 수 있도록 준비시켜준다. 연령별 발달 단계에 맞는 적절한 용어를 사용하여 절차를 설명한다. 소아가 총으로 쏘거나 막대기로 찔리는 것을 연상할 수 있는 "쏘다" "찔리다" 같은 단어를 사용하지 않도록 한다. 정직하게 설명하고 아프긴 하지만 금방 끝날 거라고 설명해준다. 주사침을 꼬집거나 벌에 쏘이는 것으로 묘사한다.

2. 약물을 선택할 때 소아가 가지고 있는 약물 알레르기가 있는지 확인한다.

3. 적절한 주사기와 주사바늘을 선택한다. 바늘은 소아의 시야에 닿지 않게 둔다.

근육주사를 위한 바늘길이

- 복둔근이나 둔부 배면에 주사할 경우 주사부위의 피부를 잡아 엄지와 손가락의 거리의 절반보다 약간 긴 바늘을 사용한다.

- 삼각근 또는 대퇴부 외측광근 부위에 주사할 경우에는 피부가 잡힌다면 1 인치 크기의 바늘을 사용하고, 근육만 있어서 잡히지 않으면 5/8 인치 크기의 바늘을 선택한다.

4. 알코올 솜으로 약물이 든 바이알 뚜껑 부분을 닦던지, 앰플을 딴다.

5. 어린이의 체중 당 용량(mg/kg) 계산에 근거하여 약물의 용량을 적절하게 뽑아낸다. 신장을 근거로한 소생 테이프나 소생술 소프트웨어에서 제공된 정보를 활용하여 용량을 계산한다 (절차 2).

- 연령에 따른 근육주사의 최대용량은 다음과 같다.
  - 큰 어린이는 2.0 mL
  - 작은 어린이와 큰 영아는 1.0 mL
  - 작은 영아는 0.5 mL

6. 적절한 주사 부위를 선택한다(표 P14-1). 다음 사항들을 고려해야 한다:

- 약물의 용량
- 근육의 상태
- 근육의 발달 정도
- 약물의 종류
- 적당한 자세를 취할 수 있는지의 소아의 능력

7. 소아가 자세를 취하도록 하고 움직이지 않게 한다. 보호자가 소아를 잘 잡고 있도록 할 때는 다음과 같은 방법을 사용한다.

- 소아를 보호자 무릎 위에 앉히되, 옆으로 앉게 한다. 보호자의 허리에 소아의 팔을 두르게 하고, 보호자는 소아를 가슴에 밀착시켜 붙잡도록 한다. 보호자가 어린이의 팔과 다리를 붙잡고 있어도 된다.
- 소아를 보호지의 무릎에 걸터앉아 가슴과 가슴을 서로 맞대고 앉아있게 한다. 보호자에게 소아를 끌어안는 자세를 취하게 한다. 보호자가 팔이나 다리를 잡는 것을 도와줄 수도 있다.

가능한 문제

- 농양
- 봉와직염
- 혈관, 신경, 힘줄(건)의 손상
- 주사 부위의 발적 또는 부종
- 약물의 부작용
- 주사 부위의 통증
- 관절 공간으로의 주사

표 P14-1　근육주사의 적절한 부위				
부위	적응증	부위 측정법	참조	단점
외측광근 : 3세 이하 어린이에서 가장 큰근육	영아와 작은 어린이에 사용 모든 연령에서 우선 선택 부위	큰돌기(대전자)와 무릎 관절을 촉지 : 거리를 3으로 나눔 중간 1/3지점을 주사부위로 사용	소아들에게 근육주사로 사용 가능	대퇴동맥에 혈전증 가능 삼각근이나 볼기 (엉덩이) 근육보다 좀 더 아픔
복부엉덩이근육 (복둔근): 신경과 혈관이 거의 없는 큰 근육 (허벅지 윗부분의 측면/엉덩이)	3세 이상 어린이에 사용	소아를 옆으로 누이고 윗다리를 아랫다리 전면에서 앞쪽으로 굽힘. 큰돌기(대전자)와 전후 장골극을 촉지. 손바닥을 대전자 위에 놓고 손가락을 V자 모양으로 장골극까지 벌림. V 모양의 중심부에 주사	주사 부위를 확인 하는 대표적인 방법	없음

(Continues)

부위	적응증	부위 측정법	참조	단점
등쪽 엉덩이 부위(둔부 배면)	3세 이상 어린이에 사용	어린이를 엎드린 자세로 하고, 다리를 돌려서 엄지발 가락을 안쪽으로 모으는 자세를 취하게 한다. 대전자와 후면부 장골극 척추를 촉지 : 두 지점 사이에 가상의 두 선을 그음. 가상의 선 위에 외측에 주사	큰 어린이의 경우 근육 덩어리가 크기 때문에 많은 양(2 mL)의 약물을 주사할 수 있음	만 3세 이하 어린이와 최소 1년 이상 걷지 않았던 어린이에게는 금기 큰 체지방을 가진 큰 소아의 경우 부주의로 지방내로 약물을 주사할 수 있음. 하부요추에서 둔부근육 아래로 이어지는 좌골 신경에 손상을 줄 수 있음
삼각근(팔 윗부분)	적은양의 약물 투여의 경우를 위함. 1 mL의 투약량을 초과하지 않도록 한다. 이 부위는 3~18세의 소아에게 적용한다.	어깨에서 두 손가락 두께넓이 아래 부분을 촉지(3 – 5 cm) 근육의 상부 1/3에 주사	엉덩이 부위보다 더 빠른 흡수율. 덜 아프고 주사로 인한 부작용이 더 적음.	작은 어린이 경우 요골신경에 손상을 줄 수 있음. 제한된 근육량으로 인해 소량의 약물 주사만 가능

IM, intramuscular.

절차 14-1

근육주사

1. 대퇴부 외측광근을 선택하는 것이 좋다. 만일 3세 이상 어린이에서 넙다리 근육에 적용하기 어려우면 복부쪽 볼기 또는 등쪽 볼기 부위를 선택한다.

2. 피부를 확장시킨 다음 90도 각도로 주사바늘을 삽입한다.

3. 환자의 근육량이 작다면 엄지와 집게손가락으로 근육을 잡는다.

4. 주사 부위를 거즈로 가볍게 눌러준다. 주사 부위를 문지르지 않는다.

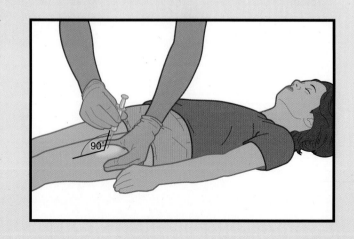

조언

주사 부위는 연령, 해부학적 고려사항, 근육의 발달 정도, 주어진 약물의 용량에 따라서 선택한다.

주의

주요한 신경 가까이 주사하는 것은 신경 손상을 초래할 수 있기 때문에 피한다.

절차 14-2

주사 후

1. 가능하다면 안전하게 주사바늘을 제거한다.

2. 의료용 폐기물 상자에 주사기를 버린다.

3. 소아를 칭찬해준다. 주사 부위에 일회용 반창고를 붙여준다.

4. 약물의 이름, 용량, 경로, 시간, 주사 부위, 그리고 나타나는 증상을 기록한다.

조언

일부 전문가들은 소아가 걷기를 한지 적어도 1년이 되었을 때까지는 볼기뒷면(배둔근)을 주사 부위로 이용하지 않은 것이 좋다고 조언한다.

참고 문헌

Rishovd A. Pediatric intramuscular injections. *Am J Maternal/Child Nurs.* 2014;39(2):107–112.

절차 15: 비강 내 투약

David LaCovey, BS, EMT-P

Michael J. Stoner, MD, FAAP

소개

비강 내의 투약 방법은 병원전 환경에서 특정 약물을 투여하기 위한 대중적인 방법으로 시작되어 왔다. 특히 긴급 투약이 필요하고 IV 접근이 실패하였을 때 중요하다. 진통, 항불안, 발작, 그리고 아편유사제의 반전을 위한 투약 시 필요하다. 혈관이 매우 많이 분포된 코의 점막은 특정 약물을 빠르게 치료적 약물 농도에 도달하게 해준다. 비강 내의 투약방법은 또한 상대적으로 통증이 없고 쉬우며 비말이나 세분화된 방법을 통해 투약이 가능하다.

적용

진통	발작조절
진정제	아편유사제의 반전
진정	

금기

정맥(IV)/골내 접근(상대적)	얼굴 외상
심장정지	코의 변형, 막힘, 또는 최근에 수술 받은 경우
의식의 변화가 있는 머리 외상 소아	코피

장비

1-mL Luer Lock 주사기	점막 분사 장비(Mucosal Atomization Device; MAD)
무딘 바늘 (약이 유리병에 있는 경우)	장갑

이론적 근거

비강의 풍부한 혈관 망상조직은 작고 단순한 지방 분자 약물이 점막을 쉽게 통과하여 혈류로 직접 들어가는 경로를 제공한다. 많은 비강내 투약의 혈류로의 직접 흡수는 장내 투약의 처음통과대사를 우회하고 IV 투약과 비교하여 혈장농도가 정맥주사와 비슷하게 되며 이는 보통 피하주사나 근육주사 통로보다 효과적이다. 비강 내의 투약은 근본적으로 고통이 없고, 정맥 로가 아직 확보되지 않았다면, 정맥주사보다 특정한 약물을 투여하기에 훨씬 더 쉬운 방법이다.

한계

제한된 몇 개의 약물만이 비강 내 통로를 통한 투약을 뒷받침하기 위한 자료를 볼 수 있다.

다음이 몇 가지 예시이다: 미다졸람, 펜타닐, 케타민, 하이드로모르폰, 할로페리돌, 날록손, 그리고 클루카곤.

연구는 1개의 콧구멍 당 이상적인 투약량은 0.2~0.3mL라고 제안한다. 현장에서 소아의 경우, 1개의 콧구멍에 1회당 최대 투약량은 0.5mL이고 신생아의 경우 0.1mL이다. 더 많은 투약량은 양쪽 콧구멍에(한쪽 콧구멍에 절반량 등) 이등분되어 투약되어야 한다. 이를 고려하면, 약물의 농도는 한계를 설정할 수도 있다.

약물의 분자 크기와 구성은 또한 고려해야 한다. 친유성이고 작은 분자 크기를 가진 약물은 가장 좋은 흡수율을 갖는다. 코 점막의 생리학적인 pH는 5.0~7.0이다. 이 범위를 벗어난 약물은 발진을 유발할 수 있고 흡수에 영향을 끼칠 수 있다.

이 투약로는 흡수를 방해하는 무언가가 있을 때, 덜 효과적일 것이다. 이는 비강 내 이물질 또는 알러지나 상기도 감염의 경우 보이는 충혈·울혈·점액에 의한 막힘이 포함된다.

준비

1. 손을 세정하고 장갑을 착용한다.
2. 약물이 비강 내 통로를 통하여 투약될 수 있는지 확인한다.

3. 투여량을 결정한다. 만약 투여량이 0.5 mL 이상이라면, 각각의 콧구멍에 투여할 수 있도록 이등분한다. 만약 한쪽 콧구멍에 0.5 mL를 초과한다면 5~10분의 간격을 두고 두 번에 나누어서 투약해야 한다. 시간의 간격을 두면 처음 투약한 약물부터 흡수되게 한다.
4. 정량의 약물을 1 mL 루어락 주사기로 뽑는다. 만약 점막 분사 장비(MAD)를 사용할 경우, 주사기와 MAD의 사강을 고려하여 추가로 0.1 mL를 더 뽑는다.
5. 주사기의 끝에서 바늘을 제거하고, 폐기한다.
6. 콧구멍에 약물을 투약한다.

절차 15-1

점막 분사 장비(MAD)를 통한 비강 내의 투약

1. 점막 분사 장비(MAD)를 돌리면서 주사기에 연결한다.

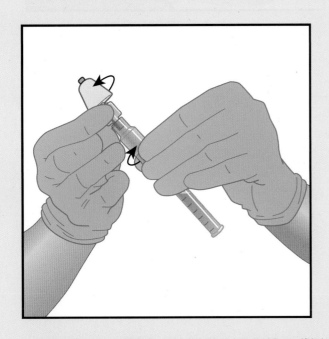

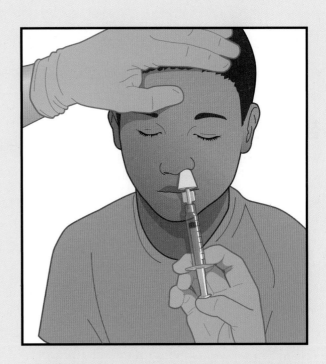

2. 약물의 흡수를 방해할만한 무언가가 있는지 콧구멍을 조사한다.
3. 환자를 바로누운자세를 취하게 한 상태에서, 한 손을 이용하여 정수리를 고정되게 잡는다.
4. MAD의 끝을 위쪽과 바깥쪽을 향하게(귀의 윗부분을 향하게) 하여 콧구멍 안에 위치시킨다.

5. 약물을 투약하기 위하여 힘차게 주사기의 피스톤을 누른다.
6. 주사기를 환아의 콧구멍으로부터 제거한다.

절차 15-2

점적주입법을 이용한 비강내의 투약

1. 투약 흡수를 방해할 만한 이물질이 있는지 비강을 확인한다.

2. 환자를 반듯이 눕힌 채로, 한 손을 이용하여 머리 정수리를 고정되게 잡고 냄새맡는 자세 자세를 취한다.

3. 주사기를 통해 약을 환자의 비강으로 천천히 주사 한다. 한 번에 몇 방울씩 주입한다.

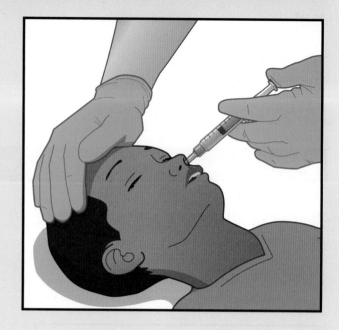

참고 문헌

Wolfe T. Therapeutic intranasal drug delivery. http://www.intranasal.net. Accessed September 18, 2019.

절차 16 : 정맥주사(IV)

J. Hudson Garrett Jr., PhD, MSN, MPH, MBA, FNP-BC, PLNC, IP-BC, AS-BC, NREMT, VA-BC, FACDONA, FAAPM, FNAP

Mary Otting, RN, BSN, CEN

소개

정맥로의 확보는 수액과 약물을 투여하는 전통적인 방법이다. 그러나 성인의 경우와는 달리 병원 전 환경에서 소아환자에게 안전하게 정맥주사를 실시하는 것은 많은 경우 어렵거나 불가능하다. 다행히 대부분의 소아환자들은 응급실에 도착하기 전 상황에서 정맥주사가 필요하지 않으며, 대부분의 병원 전 약물들은 투약 경로로 정맥을 필요로 하지 않는다.

적용

- 심폐정지
- 쇼크
- 외상
- 심장 부정맥
- 즉각적인 정맥투여 약물 또는 수액 투여가 요구되는 질병 또는 손상
- 응급실로 향하는 도중에는 다음과 같은 상황에서 혈관 통로를 고려한다. : 다발성 손상

금기

- 신뢰할 수 있는 다른 투여경로를 이용할 수 있는 경우
- 이송시간이 짧은 경우
- 이용가능한 혈관 구조가 제한적인 경우

장비

- IV 카테터, 14-24 게이지
- IV 수액세트(macrodrip, microdrip)
- 확장 커넥터
- IV 수액
- 고무밴드 또는 탄력밴드 토니켓
- 자가접착식 테이프 또는 자가접착식 투명 폐쇄드레싱
- 거즈패드
- 소아용 팔 고정대

이론적 근거

정맥주사는 혈액이나 수액 손실이 발생하는 질병이나 손상에서 약물투여와 수액요법을 위한 경로를 쉽게 제공할 수 있게 해준다. 정맥주사는 대부분의 중요 약물의 전달 시점을 예측하고 더 빨리 작용할 수 있도록 하기 때문에 약물투여를 위한 가장 좋은 방법이다. 정맥로 확보시에는 흔히 발생하는 합병증과 위험 등에 대해 주의를 기울여야 한다. 여기에는 소아의 기도와 호흡관리, 응급실 처치까지의 지연 가능성, 그리고 통증 관리 등이 포함된다. 또한 응급구조사들이 혈액전파 병원체에 노출될 위험성도 있다. 그러나 쇼크 상태의 심각한 소아처럼 어떤 소아에 있어서는 현장에서의 정맥주사 치료가 생명을 구할 수도 있다.

준비

1. 장비를 모으고, 적절한 IV 수액과 수액세트를 선택한다.
   - 수액의 혼탁여부, 유효기간, 누출 또는 오염 등을 확인한다. 수액의 이름을 확인한다.
   - 약 투여를 위해 소용량 점적기(microdrip)세트 또는 셀라인 락(saline lock)을 사용하고 수액을 위해서는 대용량 점적기(macrodrip)세트를 사용한다.
   - 약물투여에서는 셀라인 락(saline lock)의 사용을 고려한다 : 주사용 포트와 생리식염수 주입용으로 되어 있는 메일 루어락(male Luer lock)
   - 수액 튜브를 수액백에 삽입하고, 튜브를 잠근 다음, 점적통을 꼭 눌러 수액을 반쯤 채운다. 조절기(clamp)를 열고 튜브로 수액을 흘려보낸다.
   - 필요한 수액량에 따라 적절한 카테터를 선택한다. 약물 투여만을 하려고 할 때는 더 작은 카테터를 사용한다.
2. 주사 절차를 수행하기 위해서 소아와 가족에게 준비하도록 한다. 소아가 이해할 수 있는 적절한 언어로 절차를 설명해준다.
3. 주사부위를 선택한다.
   - 신생아에서는 두피(scalp)를 선택할 수 있다.
   - 영아에서의 가장 좋은 부위는 양손, 팔오금(전주와), 발목 또는 발의 대복재정맥이다. 통통한 영아에서는 손등이 좋은 부위이다. 그러한 영아의 주사 부위를 찾기 위해, 소아의 손가락을 구부려 주먹을 쥐게 하고 손목을 아래로 접는다.
   - 유아나 큰 소아에서 가능한 부위는 양 손과 팔오금(전주와) 부위이다. 가능하다면 소아의 잘 쓰지 않는 사지부위를 선택한다.
   - 관절부위로 카테터를 삽입하는 것은 피하는 것이 좋다.
   - 수액 주입을 하고자 할 때는 팔오금 부위를 고려하는데 이는 아래팔 또는 손의 원위부에 있는 혈관이 대부분 작기 때문이다.
   - 손에 있는 정맥은 피부 밑에서 자주 움직이며 카테터와 의 접촉으로도 움직일 수 있다.
4. 학령전기의 소아는 바로누운 자세(앙와위)를 취하거나 보호자의 무릎에 위치하도록 한다. 소아가 발로 차는 것을 방지하도록 다리를 고정한다. 보호자는 소아를 붙잡아서 주사 부위가 움직이지 않도록 도와줄 수 있다.
5. 고무밴드나 토니켓을 주사 부위의 상부에 맨다. 너무 단단하게 묶지 않도록 한다. 지혈대가 동맥혈의 흐름을 차단하지 않도록 한다. 만약 정맥이 더 잘 보이도록 할 필요가 있으면, 다음과 같이 한다 :
   - 사지를 낮게 위치한다.
   - 주사부위를 가볍게 두드리거나 마사지한다.
   - 큰 소아에게는 주먹을 오므렸다 폈다 하도록 말한다.

   환아의 고통을 줄이기 위해 허용된다면 마취 스프레이를 사용하는 것을 고려한다.
6. 클로로헥시딘 글루코네이트가 섞인 알코올, 이소프로필 알코올, 또는 포비돈 요오드와 같은 소독용액으로 주사부위를 소독 한다.

조언

만약 정맥주사가 단지 약물투여를 위한 거라면, 소용량 점적(microdrip) 수액세트 또는 셀라인 락(saline lock)을 사용한다. 수액을 공급할 때는 대용량점적(macrodrip) 수액세트를 사용한다.

주의

중증 손상이 있는 영아나 소아의 이송이 지연되면 절대 안 된다. IV는 병원으로 이송하는 도중에 시도하는 것을 고려해 본다.

조언

주사 절차를 끝낸 뒤에 소아를 칭찬해주고 편안하게 해준다.

절차 16-1

정맥 주사

1. 바늘을 삽입한다. 삽입 부위에서 원위부로 피부를 당겨서 정맥을 고정시킨다. 바늘사면이 위쪽으로 향하게 하고 30도 정도를 유지하면서 카테터를 피부로 삽입한다. 카테터는 천천히 삽입한다 ; 혈액 역류는 몇 초 동안 지연될 수 있다. 혈액 역류가 보이면 주사바늘과 카테터를 정맥내로 밀어 넣은 다음 바늘을 제거한다. 절대로 바늘을 덮고 있는 카테터를 뒤로 잡아당기지 않아야 한다. 이럴 경우 카테터의 끝이 손상될 수 있다. 토니켓을 제거한다. 수액튜브와 연결하는 동안 카테터를 통한 혈액손실을 막기 위해 주사부위의 근위부 정맥을 누른다. 이때 카테터 밑에 거즈 패드를 대주는 것도 도움이 된다. 수액 튜브 또는 메일 루어락(male Luer lock)을 카테터와 연결한다. 만약 셀라인 락(약물 주입 포트가 달린 메일 루어락)을 사용했다면, 2~5 mL 식염수를 주입하여 카테터의 개방상태를 유지해 주어야 한다.

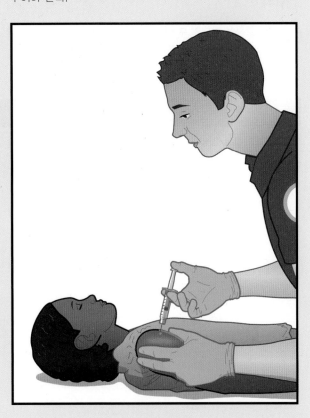

2. 반창고 또는 투명한 폐쇄 드레싱으로 카테터를 고정한다. 주사 부위 위에 너무 많은 반창고나 거즈를 대지 않도록 해야 하는데, 이는 주사 부위의 관찰을 방해할 수 있기 때문이다. 깨끗한 투약컵이나 다른 보호 기구를 사용해서 평가나 관찰하는 동안에도 주사부위를 보호하도록 한다.

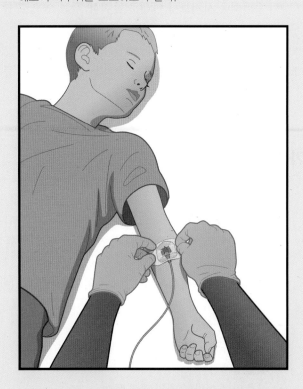

3. 사지를 고정한다. 혈액의 흐름을 방해할 수 있기 때문에 반창고를 너무 단단하게 붙이지 않도록 주의한다.

4. 수액이 너무 많거나 적게 주입되지 않도록 수액의 점적 속도를 관찰한다.

5. 바늘을 폐기한다.

문제해결

1. 만약 수액이 적절하게 떨어지지 않는다면, 다음 사항을 확인한다:
   - 지혈대가 풀렸는지 확인한다.
   - 소아의 팔이 구부러져 있지 않은지 확인한다.
   - 반창고를 너무 단단하게 붙이지 않았는지 확인한다.
   - 수액튜브가 꼬여있지 않은지 확인한다.
   - 조절기가 열려있는지 확인한다.
   - 수액백을 사지보다 아래로 낮춰서, 튜브 안으로 혈액의 역류가 있는지 확인한다.
   - 가능하다면 수액백을 더 높인다.
2. 만약 위의 사항들을 조정해도 효과가 없다면, IV를 중단 하고 다른 부위에 재삽입한다.

가능한 문제

- 통증
- 침윤(주사부위에 통증 또는 부종, 수액 주입이 불가능하거나 혈액 역류의 부재 등이 관찰된다면 IV를 중단하고 다른 부위에 재시도한다.)
- 실내온도의 수액을 너무 많이 주입할 때 발생하는 저체온증
- 피부 또는 혈관 감염
- 혈관외유출(주변 조직으로의 발포제 유출)
- 혈전정맥염
- 부주의로 인한 수액의 과량 투여
- 카테터 찢어짐
- 부주의한 동맥 천자

논쟁

현장 또는 응급실로 이송 중에 정맥주사를 필요로 하는 소아는 거의 없다. 손상을 입은 소아는 정맥주사를 시도하기 전에 먼저 이송되어야 한다. 특히 이송시간이 짧은 경우, 병원으로 이송하는 도중에 어떤 소아에게 현장에서 정맥로 확보를 시도할지, 그것이 환아에게 유익한지, 또는 환아에게 과도한 불안감과 스트레스를 야기할지는 논란의 여지가 있다. 병원 전 환경의 환아에게 정맥를 확보하기 전에, 이점과 위험을 신중하게 저울질 하는 것은 중요하다.

주의

소아에게 주사 절차를 설명할 때 "찌른다"거나 "바늘" 같은 단어는 사용하지 말아야 한다. 대신에 "나는 너의 정맥에 물을 주기 위해 팔에 부드러운 관을 넣을 거야" 같은 설명을 사용한다.

주의

혈액의 흐름을 방해할 수 있기 때문에 사지를 움직이지 못할 정도로 너무 단단하게 반창고를 고정하지 않도록 주의한다.

조언

주사 절차를 시작하기 전에 소아의 자세를 잡고 주사 부위를 고정한다.

절차 17: 골내 바늘 삽입법

Michael S. Riley, NRP, EMS-I

Michael J. Stoner, MD, FAAP

소개

어린 소아가 생명의 위협을 받는 응급상황에서 정맥로 확보는 보통 어렵거나 불가능 할 수 있다. 소생을 위한 수액과 약물을 주입하기 위한 골내 경로는 소아와 성인에게 1900년대 초·중순부터 사용되어 왔다. 그리고 많은 연구들이 소아나 성인이나, 골내 공간이 약물과 수액을 위한 훌륭한 경로임을 확인해 주고 있다. 주된 기술적인 문제는 나이든 소아의 뼈의 바깥층을 성공적으로 뚫는 것이다. 신생아와 영아의 뼈는 대개 부드러우며, 골내 공간은 비교적 넓어서 바늘의 삽입은 이런 연령대의 아이들에게 더 쉽다. 좋은 장비, 준비과정 그리고 효과적인 기술은 성공을 위해서 특히 중요하다.

적용

- IV 삽입이 불가능하거나 성공적이지 않을 때, 심한 질병 또는 손상으로 즉각적인 약물 또는 수액 공급이 요구되는 경우

금기

- 안전한 정맥로 확보가 가능한 경우
- 주사 부위와 동일한 뼈의 말단 기형 또는 골절
- 이전에 시도한 뼈와 같은 곳
- 주사 부위의 피부 또는 연조직 감염
- 불완전골형성

장비

- 골내 주사 바늘/삽입 장치
- 피부 소독 용액
- 생리식염수, 수액세트
- 10 ml 주사기
- 필요시 : 연장 커넥터, 삼방향벨브(3-way stopcock)

이론적 근거

심각한 질병 또는 손상 받은 소아에게 약물 또는 수액을 투입하기 위해 골내 주사를 사용하는 것은 말초정맥 삽관에 대한 훌륭한 대안이다. 골내 공간은 혈관이 많고, 일시적으로, 붕괴되지 않는 주사 가능 부위로서의 기능을 한다. 이 공간으로의 바늘삽입은 빠르고, 간단하며, 효과적이고 보통 매우 안전하다. 가능한 여러 부위가 있지만 가장 쉬운 부위는 정강뼈(tibia) 근위부이다. 골내 공간은 거의 모든 비경구 약물, 수액들 또는 혈액 재제등의 투여에 적합하며, 이들은 뼈의 작은 혈관으로부터 빠르게 중심순환으로 흡수된다. 합병증은 대개 경미하고 드물다.

준비

정강뼈와 넙다리뼈(femur) 부위

1. 바로누운자세로 환자를 눕힌다.
2. 무릎 밑에 작은 수건을 말아서 둔다.
3. 삽입 부위 주위의 피부에 투여 준비를 한다.

가능한 문제

- 구획증후군
- 주입 실패
- 성장판 손상

- 뼈 감염
- 피부 감염
- 골절

절차 17-1

전통적인 골내 주사 바늘 삽입법

1. 힘을 주어 돌리는 동작으로 뼈의 바깥층(bony cortex)을 관통시킨다. 골수 공간으로 들어가게 하기 위해 뒤-앞으로 돌리면서 사용한다. 바늘은 너무 힘을 주어 누르지 말아야 한다. 바늘이 뼈의 바깥층을 통해서 골수 공간으로 들어가면"뻥"하는 느낌을 느낄 수 있다.

2. 탐침을 제거하고 골수의 내용물들을 흡인한다. 흡인된 골수는 응급실에서 혈당검사 또는 다른 검사를 위해 흡인한 골수는 보관한다. 때때로 골수가 흡인되지 않을 수 있다. 생리식염수 10 ml를 저항 없이 주입함으로써 올바른 위치에 있는지 확인한다.

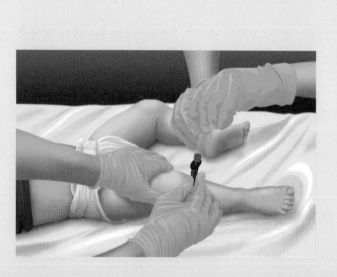

3. 정맥로에 허브(hub), 또는 연장 커넥터 그리고 조절판을 연결하고, 바로 수액 또는 약물을 골내 공간으로 직접 주입한다.

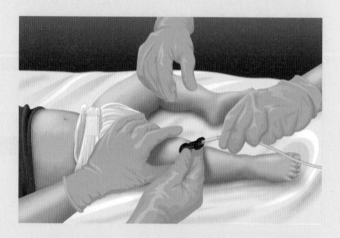

4. 바늘은 반창고로 피부에 고정하면 안전하다. 수액의 누출을 나타내는 부종이 없는지 확인하기 위해 둘러싸고 있는 연조직을 관찰한다.

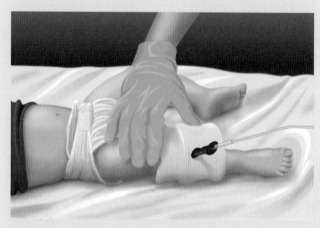

5. 골내로의 개방을 유지하기 위해서 수액을 지속적으로 주입한다.

6. 수액을 주입하기 위해 주입펌프를 사용하면 안 된다. 세 방향 콕마개(3-way stopcock) 또는 압력 주머니를 통해 "밀고-당기기"방법을 사용해라.

절차 17-2

EZ-IO 주사 삽입법

전통적인 IO 방법의 대안책은 EZ-IO이다**(그림 P17-1)**. 이 장치는 소아의 근위 상완골, 원위 대퇴골, 근위 경골(정강뼈), 그리고 경골(정강뼈) 원위부 골내 주사에 적합하다.

그림 P17-1 EZ-IO.

1. 주사 부위를 촉진한 후에, 환자의 체중, 해부학적 구조, 그리고 임상적 판단에 맞는 적절한 주사 바늘을 선택한다. EZ-IO 45 mm 바늘 세트(노란색)는 40 kg 이상의 환자들의 근위 상완골에 삽입할 경우와 주사 부위에 과도한 조직을 가진 환자들을 위해 고려되어야 한다, EZ-IO 25 mm 주사 세트(파란색)는 3 kg 이상의 환자들을 위해 고려되어야 한다,

2. EZ-IO 드릴에 주사 바늘을 연결한다.

3. 근위 상완골(앞쪽과 뒤 안쪽과 45도가 되게 한다)을 제외한 다른 부위에서는 뼈와 주사 바늘과 EZ-IO 드릴이 90도 각도가 되게 위치시킨다. 바늘 끝이 뼈에 닿게 세팅했을 때, 드릴하기 전에 바늘이 적절한 길이임을 확인하기 위해 5 mm 표시 선은 피부 위로 보여야 한다, 드릴 손잡이의 방아쇠를 누르고 드릴이 진행되는 동안, 부드럽게 압력을 가한다. "뻑"하는 느낌을 받을 때, 바늘이 삽입된 것이다. 반동이 발생하지 않도록 하

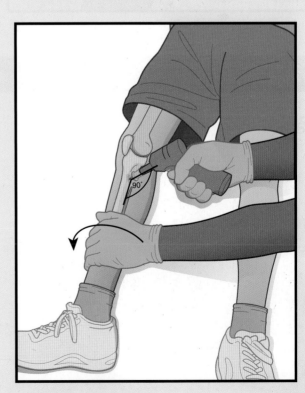

며 즉시 방아쇠를 놓는다. 방아쇠를 놓을 때 장치를 뒤로 당기지 않는다. 전통적인 IO 주사의 경우, 과한 압력으로 손바닥이 관통되는 것을 막기 위해 반대 손을 주사 부위 뒤편에 두지 않도록 한다.

4. 골수공간으로부터 벗어나지 않도록 주의하면서 삽입 지점에 바늘을 남겨둔 채로 EZ-IO 드릴과 분리시킨다.

5. 바늘의 탐침을 빼고 주사기로 혈액을 흡인하여 위치를 확인한다. 그러나 혈액이 흡인되지 않는 것이 반드시 부적절한 위치를 나타내는 것은 아니다. 생리식염수 10 ml를 저항 없이 주입함으로써 올바른 위치에 있는지 확인한다.

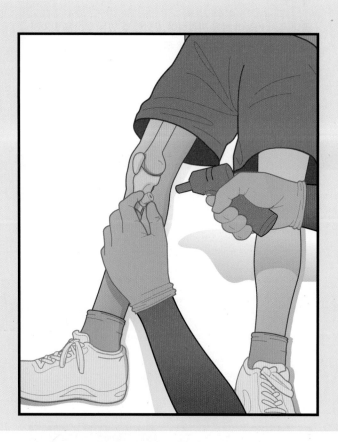

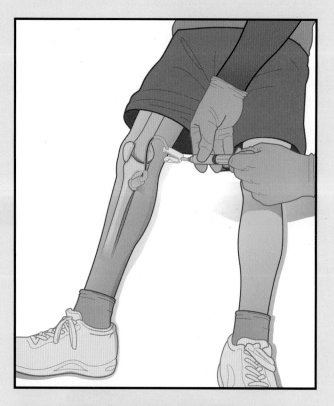

주의

만약 드릴이 멈췄다면, 너무 세게 누른 것이다.

절차 17-3

정강뼈 몸쪽 부위

1. 뼈의 편평한 면이 있는 정강뼈 융기의 아래 그리고 중안인, 정강뼈 몸쪽 중앙의 편평한 부위를 사용한다.

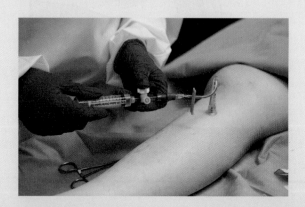

2. 피부에 골내 주사 바늘을 삽입하는데, 성장판으로부터 멀리 떨어지도록 또는 발 쪽으로 바늘을 향하도록 하여 뼈에 닿을 때까지 삽입한다. EZ-IO는 90도 각도로 삽입이 된다. 하지만 성장판을 피하고 골수 내 공간에 진입하기 위한 이전의 단계들을 따라야 한다.

절차 17-4

정강뼈 먼 쪽 부위

1. 안쪽 복사뼈 위의 정강뼈 안쪽 중앙에 편평한 표면을 사용한다.

2. 피부에 전통적인 골내 주사바늘을 삽입하는데, 성장판으로부터 멀리 떨어지도록 또는 무릎 쪽으로 바늘을 향하도록 하여 바늘 끝이 뼈에 닿을 때까지 삽입한다. EZ-IO는 90도 각도로 삽입이 되지만 성장판을 피해야 한다. 골수 내 공간으로의 진입을 위해 이전의 단계를 따라야 한다.

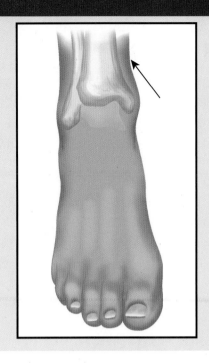

절차 17-5

넙다리뼈 먼 쪽 부위

1. 넙다리뼈의 먼쪽 1/3 지점을 사용한다. 연조직을 통해서 넙다리뼈의 표면에 도달하기까지의 거리를 예측하고, 골내 주사 바늘이 뼈를 관통할 수 있는 길이이거나 그 길이로 조정되어 있는지 확인해야 한다.

2. 피부에 골내 주사바늘을 삽입하는데, 성장판으로부터 멀리 떨어지도록 또는 몸통 쪽으로 바늘을 향하도록 하여 바늘이 뼈에 닿을 때까지 삽입한다. EZ-IO는 90도 각도로 삽입해야 하지만 마찬가지로 성장판을 피해야 한다. 골수 내 공간에 진입하기 위해 이전의 단계를 따른다.

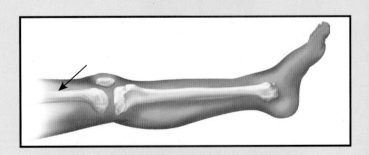

절차 17-6

위팔뼈 몸쪽 부위

1. 소아의 손을 배 위에 두고 팔꿈치를 구부려 몸에 붙이고, 당신의 손바닥을 소아의 어깨에 올린다. 이 부분이 "공"과 같이 느껴질 것인데 이 부위가 바로 위팔뼈 몸쪽 부위이다. 그 다음, 한 손을 수직으로 세워 다섯 번째 손가락이 피부에 닿도록 겨드랑이와 수직으로 둔다. 그 다음 다른 손을 수직으로 세워 다섯 번째 손가락이 피부에 닿도록 위팔의 정중선에 수직으로 위치시킨다. 위팔뼈를 잘 받쳐서, 엄지손가락이 중앙에서 만나게 한다. 이것이 삽입 수직선이다. 그 다음 엄지 손가락을 이용하여 패임(notch) 또는 고랑(groove)이 느껴질 때까지 위팔뼈를 따라 올라간다. 이 고랑은 위팔뼈의 외과목에 해당한다.

2. 골내 주사바늘의 삽입 지점은 외과목의 약 1 cm 위에 위치에서 바늘이 뼈에 닿을 때까지이다. 골수 내 공간으로의 진입을 위해 이전의 단계를 따른다.

3. IO 카테터의 의도하지 않은 이탈을 방지하기 위해 팔을 제 위치에 고정한다.

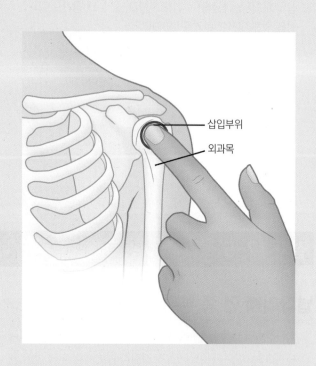

삽입부위

외과목

팔꿈치는 몸에 붙이고, 뒤로 위치시킨 상태로 유지되어야 한다.

위팔뼈의 위치와 안전을 위해 손은 배꼽 위에 둔다.

주의

몸쪽 위팔뼈는 오직 적절한 해부학적 표식을 확인할 수 있는 소아들에게만 이용할 수 있다.

절차 18: 심폐소생술(CPR)

John A. Erbayri, MS, NRP, CHSE

Michael H. Stroud, MD, FAAP

소개

심폐정지(cardiopulmonary arrest; CPA)는 환자의 심장과 폐의 기능이 멈추었을 때 발생한다. 소아에 있어서 심폐정지는 보통 일차적으로 호흡정지로 시작된다. 성인의 심폐정지 또는 "돌연사"는 거의 일차적으로 심장문제로 야기되는데, 심실세동과 심장의 전기적 활동의 갑작스런 변화 등으로 인해 발생되는 점에서 소아의 심폐정지와 다르다 호흡정지는 대부분 소아환자의 심폐정지를 촉진시키는 요소이기 때문에 성인환자에서 심폐정지시 제세동

이 필요한 것과 달리, 소아에서는 기도관리와 환기가 필요하다. 심폐소생술(CPR)은 심장, 뇌, 허파 등 주요 기관으로의 산소공급과 순환을 위한 기도관리, 인공 환기, 가슴압박 등이 포함된다. 심폐소생술은 익사의 경우 생존율 향상을 보여주고 있으며, 다른 원인으로부터의 심폐정지 상태의 환자들에게도 도움을 줄 수 있을 것이다. 영아와 소아에서 질식성 심정지는 심실세동으로 인한 심정지보다 더 흔하기 때문에 환기는 소아의 소생술에서 매우 중요하다.

적용

- 갓 태어난 아이, 신생아, 영아 또는 모든 연령의 소아가 무호흡, 무맥박인 경우
- 갓 태어난 아이의 심박수가 60회/분 이하이며 양압

- 환기 후에 호전되지 않는 경우
- 신생아, 영아, 소아의 심박수가 60회/분 이하이며 관류가 부적절한 경우

금기

신생아, 영아, 소아의 관류상태가 효과적인 경우
(중심 또는 말초맥박의 촉진이 가능한 경우)

장비

- 구강대 마스크 인공호흡 장비(mouth-to-mask device)
- 백-밸브 마스크 장비(back-mask device) : 영아용, 소아용

- 기도유지 부속품
- 적절한 크기의 마스크

이론적 근거

심폐소생술은 미국심장협회에서 권고하는 부족한 산소, 환기, 그리고 관류를 유지하기 위한 기본술기를 포함한다. 소아심폐소생술기는 알려진 모든 연령 사이에의 차이점이 반영되기 위해 성인술기로부터 약간 변형되었다. 더우기 영아와 소아 사이에는, 구조자의 수, 손바닥과 손가락의 위치, 환기 횟수, 그리고 가슴압박의 수와 깊이 등 명확한 차이점이 있다.

준비

1. 단단하고 편평한 바닥에 소아를 눕힌다.

소아평가

1. 만약 환자가 깨어 있고 움직인다면 ABC를 평가한다.
2. 만약 환자가 반응이 없고 호흡이 없다면(헐떡임은 무호흡으로 간주한다.), CAB로 평가한다 - 맥박을 확인하는 것으로 시작한다.

표 P18-1 가슴압박과 환기의 비율

나이	압박(분)/비율	깊이 (inch)	손의 위치
신생아	가슴압박 : 환기 = 3:1 (분당 90회의 압박과 30회의 환기)	가슴 앞뒤 직경의 약 1/3 압박	두 엄지손가락으로 가슴을 둘러싸고 등을 지지한다(두 개 손가락 술기보다 더 높은 관상동맥관류압이 더 용이할 수 있다).
영아	분당 100~120회 ; 1인 구조자시 30:2, 만약 2인 구조자라면, 15:2	가슴 깊이의 약 1/3 또는 약 4 cm (1.5인치) 압박	1인구조자(일반인이거나 응급의료종사자든 상관없이)는 젖꼭지선과 복장뼈가 만나는 바로 아래에 두 손가락을 위치하여 압박한다. 칼돌기 또는 갈비뼈를 압박하지 않는다.
소아	분당 100~120회 ; 1인 구조자시 30:2, 만약 2인 구조자라면, 15:2	가슴 앞뒤직경의 약 1/3 또는 약 5 cm (2인치) 압박	1인구조자(일반인이거나 응급의료종사자든 상관없이)는 한 손 또는 두 손의 손꿈치로 복장뼈의 중앙 아래 부분을 압박한다
청소년	분당 100~120회, 가슴압박 : 환기 = 30 : 2	가슴 앞뒤 직경의 약 1/3 또는 약 5 cm (2인치) 압박	가슴의 중앙에 한 손의 손꿈치를 위치한다 (복장뼈의 중앙 아래 부분). 당신의 다른 손으로 먼저의 손 위로 포갠다.

AP, anteroposterior.

3. 만약 10초 안에 맥박이 촉진되지 않거나 심박수가 분당 60회 미만이라면 가슴압박을 시작한다**(표 18-1 참고)**.
4. 만약 맥박이 60회/분 이상이라면, 매 3-5초마다 한번씩 구조 호흡을 시행한다.
   - 영아 기본소생술(BLS) 지침은 1세보다 어린 영아에 적용한다.
   - 소아 기본소생술(BLS) 지침은 1세부터 사춘기까지의 소아에게 적용한다. 교육시, 사춘기는 남성의 경우 겨드랑이 털의 발현과 여성의 경우 가슴의 발달로 정의된다.
   - 성인 기본소생술 지침은 사춘기와 사춘기 이후의 환자에게 적용한다.

고품질의 심폐소생술

고품질의 심폐소생술(High-Quality CPR)은 다음과 같이 정의된다. :
1. 적절한 속도와 깊이의 가슴압박이 필요하다.
2. 빠르게 압박한다. 최소 분당 100~120회의 속도로 압박한다.
3. 세게 압박한다. 가슴 앞뒤 직경의 최소 1/3 또는 영아에서는 약 1.5인치(4 cm)와 소아에서는 2인치(5 cm)를 누를 정도의 충분한 힘으로 압박한다.

조언

중립적인 자세에서 기도유지를 위해 머리를 조작하는 것은 효과적인 환기에 필수적이다 또한 소아의 어깨 밑에 수건을 말아두는 것은 중립적인 머리 자세를 유지하는데 도움을 줄 것이다.

4. 심장에 혈액이 다시 충만될 수 있도록 각각의 압박 후에 가슴을 완전히 이완시킨다. 심폐소생술 동안 불완전한 이완은 높은 흉강내압과 상당히 감소된 정맥혈 환류, 관상동맥 관류와 혈류 그리고 뇌관류와 연관이 있다.
5. 가슴압박이 최대한 중단되지 않도록 한다.
6. 과도한 환기는 피한다.
7. 가슴압박과 환기의 비율은 표 P18-1을 참고한다.
8. 구조자들은 피로도를 줄이기 위해 매 2분마다 가슴압박 역할을 교대한다.
9. 만약 환자가 기관내 삽관을 했다면, 이 비율을 적용하면 안된다. 지속적인 흉부압박을 하고 분당 10회 환기를 실시한다 (약 6초에 한 번 환기).
10. 만약 환자의 조직관류와 리듬, 맥박과 함께 자발순환(ROSC)이 회복되었다면, 환기는 분당 20회의 속도로 실시한다(약 3~5초마다 환기 한번).

절차 18-1

영아 CPR 수행

1. 영아를 단단한 바닥에 눕힌다. 두 손가락을 젖꼭지선 아래의 복장뼈 중앙에 위치시킨다. 두 손가락을 사용해서 최소 분당 100회의 속도로 가슴 앞뒤 직경 1/3 또는 약 4 cm(1.5인치) 정도 압박한다. 각 압박 사이에 복장뼈가 정상적 위치로 돌아오도록 한다

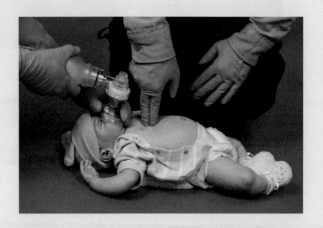

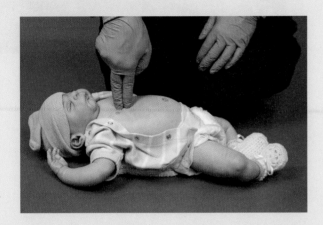

2. 가슴압박과 환기의 비율을 30:2(1인 구조 시) 또는 15:2(2인 구조 시)로 구성하고, 각 주기가 끝나면 두번의 환기를 위해 멈춘다. 가슴압박과 환기의 주기는 자동제세동기를 이용할 수 있거나 영아가 자발적 호흡의 징후가 있을 때까지 지속한다.

3. 만약 2인 구조자가 수행한다면, 두 손으로 환자의 가슴을 감싼 후 양손의 엄지손가락으로 영아를 압박하는 방식으로 구성될 수도 있다.(two thumb-encircling-hands technique),

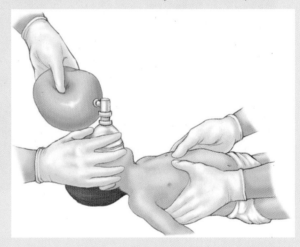

절차 18-2

소아의 CPR 수행

1. 소아를 단단한 표면에 눕힌다. 칼돌기는 피하고 양 젖꼭지 사이 즉, 가슴의 중앙에 한손 또는 두 손의 손꿈치를 위치시킨다.

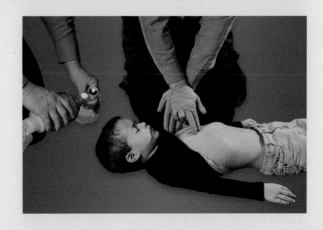

2. 가슴 앞뒤 직경의 1/3 또는 5 cm(2인치)를 분당 최소
   100~120회의 속도로 압박한다.

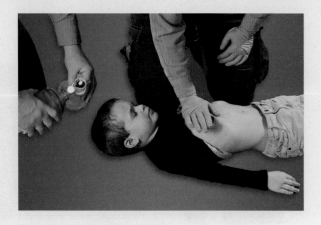

3. 가슴압박과 환기의 비율을 30:2(1인 구조시) 또는 15:2(2인
   구조시)로 수행한다. 각 주기가 끝나면 두번의 환기를 위해 멈
   춘다. 100% 산소를 사용한 구강-대-마스크 환기를 수행한다.
   두 번의 환기를 각각 1초에 걸쳐서 실시한다

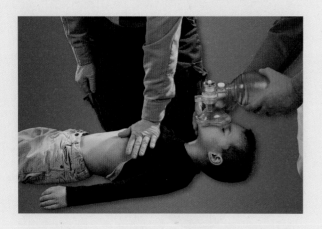

4. 가슴압박과 환기의 주기는 자동제세동기를 이용할 수 있거나
   환자가 자발적 호흡의 징후가 있을 때까지 지속한다. 만약 소
   아가 효과적인 호흡을 다시 시작한다면, 이송하는 동안 기도와
   활력징후를 자주 재평가 할 수 있는 자세로 위치하게 한다.

주의

1인 구조자에서 2인 구조자로 전환할 때 흔한 문제점은 환기와
압박 사이의 조화가 부족한 것이다.

가능한 문제

- 관상동맥 혈관 손상
- 가로막 손상
- 혈액심장막
- 혈흉증
- 환기 방해
- 간 손상
- 심장근육 손상
- 공기가슴증
- 갈비뼈 골절
- 지라 손상

적절한 압박을 위한 호기말 이산화탄소($ETCO_2$)의 활용

1. 심정지 동안에, 배출된 이산화탄소는 심박출량을 반영
   한다. 왜냐하면 폐혈류는 호기말 이산화탄소분압이 나
   타나면 존재하기 때문이다. 이는 삽관된 환아에게 추천
   된다.

2. 양적인 호기말 이산화탄소분압($ETCO_2$)은 CPR의 질
   을 감시하는데 사용되기도 한다. 마스크 밀착이 완벽하

거나 또는 환자가 기관내삽관을 했다면 정상적인 호기말 이산화탄소분압($ETCO_2$)은 대략 약 35-45 mmHg 이다. 심정지 동안에, 호기말 이산화탄소분압($ETCO_2$)은 환자가 맥박이 없고 가슴압박이 제대로 시행되지 않는다면 훨씬 낮아지며 이론상으로는 제로(0)에 도달한다.

3. 10 mmHg이하의 호기말 이산화탄소분압($ETCO_2$)은 압박의 질이 개선되어야 한다는 것을 보여준다. 20 mmHg이상의 호기말 이산화탄소분압($ETCO_2$)은 고품질의 가슴 압박을 보여준다.

4. 만약 자발순환회복(ROSC)이 되었다면, 호기말 이산화탄소분압($ETCO_2$)은 빠르게 상승할 것인데, 이는 심장박출량의 증가를 의미한다.

5. 순환이 회복된 후에(ROSC), 조직산소포화도를 감시한다. 적절한 장비의 사용이 가능하다면, 적절한 산소를 투여하여 산소헤모글로빈포화도를 94-97%로 유지한다. 심폐정지 이후에 고산소증을 피해야한다. 이는 자유기 형성을 유발하며 결과를 악화시킬 수 있기 때문이다.

절차 19: 자동제세동기와 제세동

John A. Erbayri, MS, NRP, CHSE

Michael H. Stroud, MD, FAAP

소개

빠른맥성 부정맥에 대한 동시성 심장율동전환은 오랫동안 성인 응급처치의 한 부분이었다. 그러나 소아 특히, 영아에서 심실성 부정맥은 거의 없으며 소아의 심실상성 빠른맥(SVT)은 대개 약물 요법으로 치료가 가능하다. 모든 응급의료제공자들은 적절한 상황에서 동시성 심장율동전환 또는 제세동을 하기 위해 준비되어 있어야 한다. 심실세동(VF)은 소아와 청소년 심정지의 5~15%에서 관찰된다. 그러나 소아에서 심실세동(VF) 또는 무맥성 심실빠른맥으로 진행될 때, 제세동(비동시성 심장율동전환)은 생명을 구할 수 있다. 동시성 심장율동전환은 심실상성 빠른맥(SVT)을 동반한 쇼크에 빠진 소아를 소생시킬 수 있다. 동시성 심장율동전환은 쇼크로 심실세동(VF)을 만들어낼 때, 심장 주기의 불응기 동안에 충격을 가하는 것을 피하면서, QRS군에 맞추어, 때에 알맞은(동시적) 충격을 제공한다. 심실상성 빠른맥(SVT)이나 맥박이 있는 심실 빠른맥일 때는 동시성 모드를 사용하고, 심실세동(VF)이나 맥박이 없는 심실빠른맥일 때는 비동시성(제세동) 모드를 사용한다.

적용

- 심실세동
- 무맥성 심실 빠른맥
- 빠른 정맥요법이 불가능하고 쇼크를 동반한 심실성 빠른맥(동시 발생 시)
- 맥박이 있고 반응이 없으며 쇼크를 동반한 심실성 빠른맥
- 쇼크를 동반한 심방세동 또는 심방조동

금기

관류가 적절한 의식이 있는 환자

장비

- 연령에 따라 적절한 패드를 가진 자동제세동기
- 연령에 따라 적절한 패드 또는 패들을 가진 표준제세동기

이론적 근거

소아의 심박동이 심실빠른맥이나 심실세동으로 악화될 때, 심한 저산소증, 허혈, 전해질 이상, 감전 또는 심근염과 같은 심한 전신적 손상이 있다. 치료가 지연된다면, 사망할 수도 있다. 반대로, 심실상성 빠른맥은 보다 안정적인 심박동을 갖는다. 소아가 맥박이 없고 심실세동 또는 심실빠른맥을 보이면 적절한 방법으로 가능한 빨리 제세동을 시행한다. 만약 소아가 맥박이 있는 상태의 심실성 빠른맥이 있거나 또는 부적절한 관류와 심실 빠른맥이 있다면, 동시성 심장율동전환을 사용한다. 관류가 적절한 심실상성 빠른맥을 가진 소아에게 동시성 심장율동전환을 시도 해서는 안된다.

준비

1. 심장율동전환이나 제세동에 필요한 장비를 준비하는 동안, 기도를 개방하고 계기에 표시된다면 100% 산소를 연결한 백-밸브 마스크 장비로 환기시킨다.
2. 소아가 맥박이 없다면, 자동제세동기나 수동 제세동기가 준비될 때까지 가슴 압박을 시작한다.

쇼크에 빠지고 약물요법을 위한 IV나 IO의 확보가 어려운 상황이 아니라면, 심실성 빠른맥이나 심실 빠른맥이 있으나 의식이 있는 소아에게 동시성 심장율동전환을 시도하지 말아야 한다.

조언

심실 세동이나 무맥성 심실 빠른맥을 가진 소아에게 비동시성 (제세동) 모드를 이용한다.

준비

수동 제세동기 사용법

1. 적절한 패들이나 패드의 크기를 선택한다. 흉벽에 맞을 것 같다면 8 cm의 성인용 패들을 사용하고, 그렇지 않다면, 4.5 cm의 소아용 패들을 사용한다(**표 P19-1**).
2. 전극용 젤리를 바른 피부 전극, 생리식염수를 묻힌 거즈 패드, 또는 자체 접착력이 있는 제세동기 패드를 사용한다. 젤리나 연고가 다른 곳에 옮겨 묻게 되면 두 곳 사이에 "전기적 다리"가 형성되어, 효과적이지 않는 제세동이나 피부 화상을 일으킬 수 있으므로 사용시 주의해야 한다.

3. 적절한 전기 충격을 설정한다(**표 P19-2**).
4. 동시성 또는 비동시성 모드를 선택한다.
5. 적절하게 충전하고 가슴압박을 멈춘다.

조언

당신이 리듬을 분석하거나 또는 AED 모드를 사용하고자 할 때, 제세동기가 충전될 때까지 고품질의 가슴압박을 유지한다. 리듬을 분석하고, 전기 충격이 필요하지 않다고 하거나 전기 충격을 준 직후에는 즉시 가슴압박을 시작한다.

주의

흉벽에 패들을 정확하게 적용시키지 않으면 전기 충격의 효과가 감소한다.

표 P19-1 패들 크기

- 8 cm 성인용 패들(연령 12개월 이상이거나 몸무게 10 kg 이상인 소아에게 사용할 경우)은 가슴 앞벽이나 앞-뒤 벽 사용

- 4.5 cm 소아용 패들(연령 12개월 미만이거나 몸무게 10 kg 미만인 영아에게 사용할 경우)은 가슴앞벽에 사용

표 P19-2 역충격을 위한 적절한 전기 충전

부정맥	모드	충전
심실세동 무맥성 심실빠른맥	제세동(비동시적)	2 J/kg, 그후 4 J/kg 연속적인 충격. CPR과 약물을 투여할 때마다 4 J/kg. 10 J/kg 이상 또는 성인의용량만큼 주어서는 안됨
맥박이 있는 심실 빠른맥 심실 빠른맥	동시성 심장율동전환	0.5~1.0 J/kg. 필요시 2J/kg로 사용 심방세동
쇼크를 동반한 심방세동 그리고 심방조동	동시성 심장율동전환	0.5-1.0 J/kg로 결과가 없다면, 2 J/kg까지 사용 가능

절차 19-1

재래식 제세동기 사용

1. 패들이나 패드를 피부에 직접 붙인다. 하나의 패들이나 패드를 복장뼈의 오른쪽, 빗장뼈 아래 가슴에 붙이고, 다른 하나는 좌측 중앙 빗장뼈 선에서 칼돌기의 위치에 붙여라. 패드는 서로 접촉해서는 안된다. 이것이 발생한다면 앞-뒤쪽 위치를 이용한다.

2. 다른 사람에게 쇼크가 전달되는 것을 방지하기 위해 주위를 물러나게 한다. "셋에 전기 충격을 주겠습니다. 하나, 저도 물러납니다. 둘, 당신도 물러나십시오. 셋, 모두 물러나십시오."라고 알린다.

3. 리듬 기록을 시작한다. 패들을 사용할 경우 견고한 압력으로 전기적 역충격을 전달한다.

4. 환자에게 충격을 주기 이전에 심폐소생술이 시행되었다면, 2분 동안 재개한다. 그 다음, 리듬과 맥박의 변화가 있는지 모니터를 통해 확인한다.

5. 첫 번째 전기 충격이 실패했다면, CPR을 다시 시작하고 2분 후(5주기 후)에 리듬을 다시 분석한다. 특정한 부정맥에는 각 응급의료체계 지침에 따라 에피네프린이나 다른 약물을 투여한다. 느린맥 또는 다른 부정맥을 치료한다.

논쟁

소아에서 정확한 패들의 위치는 논쟁거리이며, 두 가지 방법을 비교한 연구도 없다. 가슴 벽앞(전벽) 배치는 바로누운 자세로 누운 소아에게 적당하고, 기도 확보가 쉬운 장점이 있다. 앞뒤의 위치는 더 큰 패들을 사용할 수 있고, 더 효과적인 충격의 전달이 가능하다.

조언

환자가 의식이 있다면 심장율동전환 전에 벤조디아제핀을 투여하는 것을 고려한다.

절차 19-2

자동제세동기를 가진 1인 구조자

8세 이하의 소아를 위해, 가능하다면 소아용 패드 케이블 시스템을 사용하라.

1. 무반응을 확인한다.

2. 호흡이 없거나 가쁜호흡을 하는지 확인하고 맥박을 확인한다.

3. 호흡이 없으나 맥박이 있다면, 백-밸브 마스크로 환기를 시작한다.

4. 맥박이 없다면, 30번의 압박과 2번의 호흡으로 CPR을 시작한다.

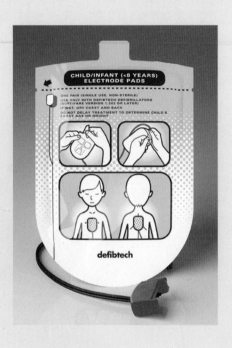

5. 적용 가능하다면 자동제세동기(AED)를 사용한다.

6. 자동제세동기 전원을 켜고 음성 지시에 따른다. 어떤 기기는 자동제세동기 뚜껑이나 이동 케이스를 열 때 전원이 켜질 것이다.

7. 자동제세동기를 붙인다. 환자의 크기와 연령(성인 VS 소아)에 맞는 패드를 선택한다. 패드의 뒷면을 벗겨낸 다, 패드에 그려져 있는대로 환자에게 접착성 패드를 붙인다(성인용 패드만 사용 가능하여 가슴에 부착할 때 서로 겹쳐진다면, 앞-뒤면 배치를 이용한다). 자동제세동기에 전극 케이블을 연결한다(미리 연결되어 있지 않는 다면).

8. 자동제세동기가 환자의 리듬을 분석하게 한다(분석하는 동안 환자에게서 "물러난다"). 만약 필요하다면 전기 충격을 준다(전기 충격을 주기 전에 환자주위의 모든 사람들을 "물러나게 한다"). 이 과정에서 근거 있는 변동사항은 수용될 수 있다.

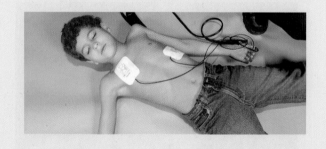

9. CPR을 다시 시작한다.

가능한 문제

- 충전 실패, 패들의 부적절한 위치, 부적절한 패들 크기, 또는 부적절한 전도 매개체로 인한 쇼크의 비효율적 전달
- 가슴 벽 화상

- 전압을 방출하기 전에 환자에게 접촉하고 있는지 확인하지 않아, 팀원이나 주변 인물에게 전기 충격을 가할 수 있음
- 빠른맥성 부정맥
- 느린맥
- 심장근육 손상이나 괴사
- 심장성 쇼크
- 색전 현상

절차 19-3

자동제세동기를 이용한 2인 구조

1. 무반응을 확인한다. 동료가 자동제세동기(AED)를 준비하도록 요청한다.

2. 무호흡 또는 가쁜호흡이 있는지 확인하고, 맥박을 확인한다.

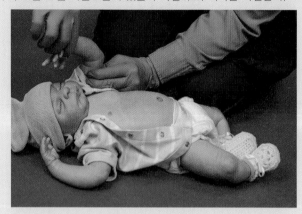

3. 맥박이 없다면, CPR을 시작한다. 맥박이 있지만 호흡이 없다면, 백-밸브 마스크로 환기를 시작한다.

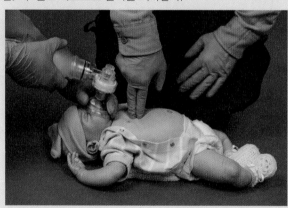

4. 사용이 가능한 순간 바로 자동제세동기(AED)를 사용한다.

5. 순환의 징후가 보이지 않는다면, 자동제세동기로 제세동을 실시한다. 자동제세동기는 사용할 구조자 근처에 위치시킨다. 자동제세동기는 보통 CPR을 수행하는 구조자 반대편에 환자의 옆쪽에 놓는다. CPR을 시행하던 구조자가 자동제세동기를 준비하도록 하고, 다른 구조자가 CPR을 시행한다(역할을 교대할 수 있다).

6. 자동제세동기 사용자는 다음의 술기를 따른다. 먼저 자동제세동기 전원을 켠다(어떤 기기는 자동제세동기 뚜껑이나 이동 케이스를 열 때 자동적으로 켜질 것이다).

7. 패드의 뒷면을 벗겨 낸다. CPR을 시행하는 구조자에게 가슴압박을 멈추도록 요청한다. 패드에 표시된 대로 환자에게 접착성 패드를 붙인다(성인용 패드만 사용 가능하여 가슴에 부착할 때 패드가 서로 겹친다면, 앞-뒤면 배치를 이용한다). 자동제세동

기 연결케이블을 자동제세동기에 연결한다(미리 연결되어 있지 않았다면). 리듬을 분석한다. 분석 전과 분석하는 동안에 사람들이 환자에게서 떨어져 있게 한다. 환자와 접촉하고 있는 사람이 없도록 확인하라. 분석 버튼을 눌러 리듬 분석을 시작한다(어떤 자동제세동기 제품은 이 단계가 필요 없다).

"쇼크가 필요합니다."라는 음성 메시지가 나오면, 자동제세동기가 충전되어 전기 충격을 줄 준비가 될 때까지 가슴압박을 다시 시작한다. 쇼크버튼을 누르기 전에 모두를 환자로부터 떨어지게 한다("나는 물러납니다, 당신도 물러나십시오, 모두 물러나십시오"). 환자와 접촉하고 있는 사람이 없는지 확인한다. 쇼크버튼을 누른다(환자는 근육 수축을 보일 수 있다).

"쇼크가 필요하지 않습니다."라는 음성 메시지가 나오면, CPR을 재개한다.

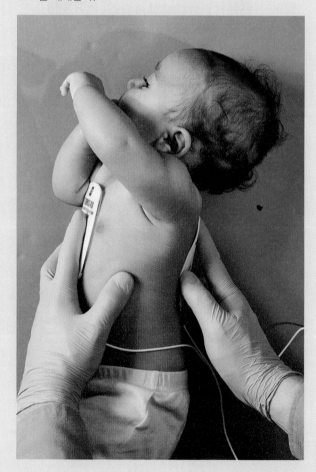

8. 2분 간의 CPR(또는 제세동기의 지시가 있을 경우) 후에 리듬을 분석한다. 그리고 나서 "쇼크가 필요합니다," 또는 "쇼크가 필요하지 않습니다"의 단계를 따라 적절한 조치를 시행한다.

절차 20: 기관내 약물 점적 주입

Michael R. Aguilar, AA, EMT-P

소개

약물을 흡수하는 폐와 기도의 능력은 한 세기를 걸쳐 알려져 왔다. 기관내 튜브를 통한 약물 투여는 심폐소생술 동안 필요할 때 정맥내(IV) 또는 골내(IO) 약물 투여의 하나의 대안이다. 기도는 혈관이 많이 분포되어 있고 특정 응급 약물을 확실히 흡수할 수 있다. 기관내 투여에서 약물의 용량과 희석은 IV 또는 IO의 투여와는 다르다. 기관내 약물 투여는 강조되지 않아왔다; 약물을 투여하지 않는 것보다 이 방법이 더 좋은 반면에, IV 또는 IO 보다는 덜 효과적이다. 일단 혈관 확보에 성공하면, 기관내 약물 투여가 효과가 없었을 경우 반복적으로 약물 투여를 지속할지 고려해봐야 한다.

적용

- 심폐소생술
- IV 또는 IO의 접근이 확보가 어려울 때

금기

IV 또는 IO의 접근이 확보가 되어 기능할때

장비

- 기관내관 튜브
- 긴 카테터(영양관, 흡입관흡인 카테터, 비위관(NG), 또는 탯줄도관)
- 카테터 크기(프렌치 단위): 기관내튜브관(mm)의 약 두 배(**표 P20-1**참고)
- 필요한 약/ 희석 혼합액
- 생리식염수
- 자가 팽창 환기 장비
- 영아에게는 1~3 mL의 희석액을, 소아에게는 최대 5~10 mL의 희석액을 사용

표 P20-1 기관 튜브에 따른 카테터 크기	
기관내튜브 사이즈(mm)	카테터 사이즈크기(Fr)
2.5	5
3.0	6
3.5 – 4.5	8
5.0 – 6.5	10
7.0	12

이론적 근거

심폐소생술 시 약물 투여를 위한 IV 또는 IO의 확보가 불가능한 경우, 기관내 경로는 소아 약물(리도카인, 에피네프린, 아트로핀, 그리고 날록손 [LEAN]) 투여를 위한 좋은 대안 대체 경로가 된다. 각 약물마다 흡수, 혈액 수준, 발현, 지속 시간이 다르다. 기관내 용량은 각 약제마다 다르고, 흡수가 좋지 않기 때문에 IV 또는 IO 용량보다 많이 투여해야 한다. 기관내 투여가 IV 또는 IO 투여보다 덜 효과적이라고 할지라도 IV 또는 IO가 확보될 때 까지 소생술의 성공 기회를 높여준다.

준비

1. 환자에게 삽관한다.
2. 기관내튜브를 관을 안정시켜 고정시킨다
3. 전산소화 및 환기시킨다.

조언
기관내 약물 투여는 소생술의 초기 단계에서 약물 투여가 가능한 잠재적 경로이다.

조언
IV 또는 IO는 기관내 경로보다 약물 투여에 더 좋은 경로이다.

가능한 문제

- 저산소증
- 고탄산혈증
- 폐렴
- 기관 손상
- 약물 자체의 유해한 부작용

절차 20-1

기관내 약물 투여

1. 주사기로 계산한 약물 용량을 뽑는다 (용량은 리도카인, 아트로핀, 날록손의 경우 2~3배량을, 에피네프린은 10배로 증량하여 투약한다).
2. 생리식염수로 약물을 희석시킨다.
3. 작은 feeding 튜브나 feeding 카테터의 영양관이나 카테터의 끝을 기관내튜브관의 끝(원위부)까지 삽입한다.

4. 기관에 용액을 바로 점적 주입한다.
5. 양압호흡을 시킨다.
6. 폐 전체로 용액을 퍼트리기 위해 자가 팽창 환기 장비로 3번 환기한다. 필요시 약물 투여를 반복한다.

주의
중탄산나트륨은 기관내튜브관으로 절대 투여해서는 안된다.

조언
기관내 경로를 통한 투약량은 리도카인, 아트로핀, 그리고 날록손의 경우 2~3배, 에피네프린의 경우 10배 증량되어야 한다.

조언
기관내 튜브로 점적 주입이 가능한 약물 : 리도카인, 에피네프린, 아트로핀, 그리고 날록손

절차 21: 벤조디아제핀의 곧창자 투여

Wm. Travis Engel, DO, MSc

Claudia L. Phillips, MSN-Ed, RN, CEN, CPEN

소개

곧창자 약물 투여는 소아에 있어 잘 알려진 투약법이고 해열제와 항경련제를 포함한 많은 약들을 투여하는데 유용하다. 대부분의 응급의료서비스 체계에서 유일하게 승인된 곧창자 투약의 경우는 소아의 간질지속증에 디아제팜을 투약하는 경우이다. 간질 지속증은 빠른 처치를 요하는 주요한 소아의 응급상황이다. 우선순위가 기도와 호흡에 있기는 하지만, 추가 요법으로 발작을 멈추게 하기 위한 약물 치료가 필요하다. 안전성과 효과성에 대해서 곧창자 약물 투여에 대한 논쟁이 여전히 있다. 다른 약물 경로를 즉시 이용할 수 없을 때, 약간의 부작용이 있기는 하지만 디아제팜의 곧창자 투여는 효과적인 경로이다. 응급의료서비스가 도착하기 전에 보호자에게 환아의 곧창자에 젤 형태의 디아제팜을 투여했는지 문의하는 것은 중요하다.

조언

발작 장애가 있는 많은 환아는 응급상황의 경우 디아제팜을 곧창자로 투약하도록 처방받았을 것이다. 현장에 응급의료서비스가 도착하기 전에, 소아에게 어떤 종류라도 약물 투여가 있었는지, 소아의 보호자에게 질문하는 것은 중요하다.

적용

간질 지속증

금기

- 신생아(한달 또는 그 미만)(상대적 금기증)
- 최근 곧창자 수술(히르슈스프룽병(Hirschsprung disease).
- 항문폐쇄(상대적 금기증)

장비

- 윤활제
- 투베르쿨린 주사기, 또는 3~5 mL 주사기가 달린 14~20 게이지 이상의 카테터
- IV용 디아제팜 용액
- 테이프(선택)

이론적 근거

특히 영아나 유아에서, IV 또는 IO를 확보하는 것은 종종 시간 소모적이고, 필수적인 전문소생술의 약물 투여를 지연시킨다. 곧창자는 응급약물 투여를 위한 효과적인 대체 경로이다. 곧창자는 혈관이 많이 분포되어 있고 내막이나 점막을 통한 약물의 흡수가 빠르다. 디아제팜은 지용성 벤조디아제핀인데, 이것은 곧창자를 통해서 확실하게 흡수되며, 더 이상의 처치 없이 대부분의 발작을 멈추게 한다. 디아제팜을 IV로 투여했을 때와 비교해 보면, 디아제팜의 곧창자 투여는 발작을 멈추게 하는데 단지 몇 분이 더 소요된다. 때때로, 디아제팜을 IV로 투여하기 위해 준비하는 동안에 곧창자로 디아제팜을 1번 이상 투여할 필요가 있기도 하다. 한 가지 이유는 약의 짧은 지속 시간과 경련의 재발이다.

또한 로라제팜 직장 투여는 간질 지속증(status epilepticus) 치료에서 사용되었다. 로라제팜은 제조사 권

고사항에 따라 냉장 보관을 해야 하기 때문에 병원 전 환경에서는 덜 사용되었다. 로라제팜은 냉장 보관을 하지 않을 경우 상온에서 30일까지 보관할 수 있다.

준비

1. 소아의 몸무게를 결정하기 위해 소생 테이프나 소생 소프트웨어를 이용한다(절차2 참고). 또는, 보호자가 제공해준 정보를 통해 환자의 몸무게를 결정한다. **참고**: 주어진 몸무게를 파운드(pound)에서 킬로그램(kg)으로 전환해야할지도 모른다.

2. 계산한 양만큼의 IV 약물을 일회용 투베르쿨린 주사기나 3~5 mL 주사기에 뽑아낸다.

3. 주사기나 카테터에 윤활제를 바른다:
   - 투여기구로 투베르쿨린 주사기를 이용할 때는, 주사바늘을 제거하고 주사기 끝에 윤활제를 바른다.
   - 3~5 mL 주사기를 사용한다면(또는 약물을 뽑아낼 용도 로만 투베르쿨린 주사기를 사용한 경우), 바늘을 제거하고, over-the-needle 카테터(플라스틱 부분만)를 붙이고, 카테터에 윤활제를 바른다.

가능한 문제

- 호흡 억제
- 곧창자 외상

절차 21-1

벤조디아제핀의 곧창자 투여

1. 환자를 옆으로 누운자세, 무릎가슴자세, 또는 다른 병원전 전문가나 보호자에게 다리를 벌려 잡게 하고 바로누운자세를 취해준다.

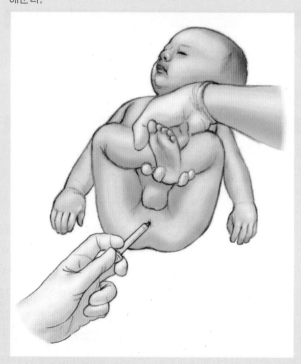

2. 곧창자 안으로 윤활제를 바른 주사기나 over-the-needle 카테터 약 5cm(2인치)를 조심스럽게 삽입한다. 곧창자 안으로 약물을 주입한다. 주사기를 제거한다. 10초간 항문을 막는다. 항문이 닫히도록 테이프를 붙인다(선택).

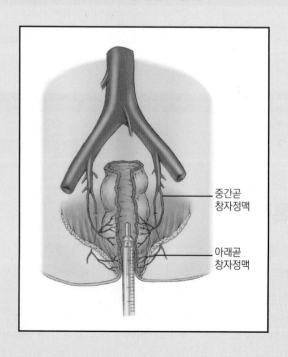

중간곧창자정맥

아래곧창자정맥

조언

영아, 소아 그리고 청소년에 대한 디아제팜의 곧창자 투여용량은 0.5 mg/kg이며, 최대용량은 20 mg이다. 디아제팜의 곧창자 투여의 발현 시간은 디아제팜의 IV 투여보다 느리다.

주의

곧창자로 너무 많은 디아제팜이 투여되면 항경련 효과가 감소될 수 있다. 왜냐하면 약물이 다르게 흡수되고, 간에서 더 빠르게 분해되기 때문이다.

절차 22: 척추 움직임 제한 조치

Jennifer L. Stafford, BSN, CEN, CFRN

소개

척추손상은 의식정신상태의 변화, 복잡하고 의심스런 손상이나 명백한 징후의 부족으로 알아차리기 힘들거나 감지 하기 힘들 수 있다. 영아나 작은 소아의 경우, 구두로 목 또는 등의 통증에 대한 증상을 호소할 수 없기 때문에 더 그러하다. 잠재적인 척추 손상을 알아채지 못하면 사망하거나 영구적인 장애를 가져올 수 있다. 척추 움직임 제한 조치(Spinal Motion restriction)는 고위험 손상기전 (머리, 목, 또는 척추를 포함하는 위치의), 척추에 통증과 압통, 또는 감각의 쇠약이나 감각상실의 증상 및 징후를 포함하여 경추손상의 임상적 의심정황이 있는 경우 시행되어야 한다

적용

- 머리, 목, 얼굴, 또는 척추의 축을 체축 척추를 포함한 빗장뼈 위쪽의 모든 주요 손상기전
- 손상 후 급성 쇠약 또는 감각 상실
- 목이나 척추에 통증이나 압통
- 목이나 척추의 변형
- 손상 후 의식정신상태의 변화

금기

- 고정된 목에 변형이 있을 경우
- 경추 부분에 심한 부종으로 목 보호대가 기도에 악영향을 끼치는 경우
- 반지방패연골절개술을 시행해야 하는 경우
- 목 보호대 적용 시도가 신경계 증상 또는 목 통증을 악화시키는 경우

공격적인 소아는 상대적 금기증이다. 척추 손상이나 머리 손상이 있는 공격적인 소아는 강제적으로 억제하는 것은 손상을 악화시킬 수 있기 때문이다.

만약 척추 움직임 제한 조치로 인해 척추의 움직임이 더 증가하고 흥분(불안)으로 인한 위험이 척추 고정으로 인한 이점보다 크다면, 덜 확실한 척추 고정법이라도 수용가능한 방법으로 할 것을 고려하고, 이러한 상황을 명확하게 기록한다.

장비

- 긴 척추 고정판, 정형외과용 들것(scoop stretcher), 진공 부목 또는 공인된 응급의료체계용 들것
- 패딩 물품(담요, 수건)
- 소아용 단단한 목 보호대
- 잠금 장치가 있는 띠(strap)
- 넓은 테이프(2~3inch)
- 선택적인 장비들
- 목뼈 고정 장비(CID)에 있는 머리 쿠션

이론적 근거

척추는 33개로 연결된 뼈로 구성되어 있고, 소아의 성장기 동안에 이 구조는 크게 변한다. 소아의 나이와 척추 성장의 신체 상태는 소아 척추 손상의 발생률과 유형에 있어 중요한 요소이다. 성인과 비교했을 때, 8세 이하의 소아들은 상대적으로 큰 머리, 약한 목근육, 그리고 짧은 목을 가지고 있다. 이러한 요소들은 특히 축을 이루는 목의 부상에 취약하다. 척추는 보통 16세가 되면 완전히 성숙해지고 성인과 같

은 손상의 유형이 나타난다. 손상기전, 증상이나 징후가 척추 손상의 가능성을 나타내면, 척추 전체를 고정해야한다. 목은 목 보호대에 위치시키고, 환아의 몸은 중립적인 일직선으로 눕힌다. 환자를 단단한 척추 고정판에 바른 자세로 눕히고 중립적이며, 일직선으로 자로 눕힌다. 이러한 고정법이 불가능한 현장에서는 가능한 조심스럽게 척추 전체를 해부학적 자세로 유지시키고 소아에게 접근해서 척추의 움직임을 최소화하기 위해 연령별 고려할 사항들을 적용한다.

절차 22-1

척추 움직임 제한 조치

1. 절차에 대해 아이와 보호자에게 설명해주어 준비시킨다.

2. 조심스럽게 머리와 목을 일직선으로 정렬하여, "기도를 열기 위해 고개를 젖히고 턱을 들어주는 자세"와 비슷한 중립자세로 만든다. 움직임에 저항감이 있거나, 마찰음 또는 척추 통증이 증가한다면 강제로 중립자세를 만들지 않는다.

3. 움직임을 줄이기 위해 필요하다면 다른 구조자에게 다른 신체 부위를 붙잡고 있게 한다.

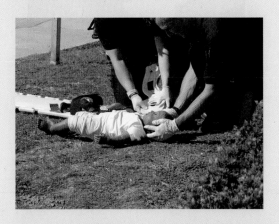

4. 두 번째 구조자에게 적절한 크기의 단단한 목 보호대를 착용시키게 한다. 목 보호대로 덮혀질 목부위를 평가한다. 제조사의 권고사항에 따라서 적절한 크기를 결정한다. 적당한 크기의 목 보호대를 사용할 수 없다면, 다음 단계로 넘어간다.

5. 손을 이용해 목이 움직이지 않게 잡아(도수고정) 척추 고정 장비에 반듯하게 눕히고 목의 굴곡이나 신전 또는 손상을 입었을지 모르는 척추의 회전을 최소화하기 위해 통나무 굴리기법을 이용한다. 통나무 굴리기법 절차를 진행하는 동안 환아의 등 그리고 엉덩이의 임상 평가를 한다. 그리고 손상에 대한 처치를 준비한다. 작은 소아의 경우, 과도한 목뼈 굴곡의 만곡을 방지하기 위해 어깨 아래에 추가적인 패딩이 종종 필요하다.

가능한 문제

기도 폐쇄
환기 장애
출혈이나 다른 손상을 가릴 수 있음
부적절한 기술로 인한 척추 손상
등의 통증(Back pain)

절차 22-2

환자를 척추 고정 장비에 단단히 고정하기

1. 손으로 머리와 목의 중립선을 유지시키는 동안에 환자의 몸을 고정판에 단단히 고정시킨다. 옆으로 움직임이 없도록 단단히 고정시키기 위해서 환자의 옆쪽 고정판의 가장자리를 따라, 특히 골반과 다리를 따라 패드를 넣어 준다.

2. 머리의 옆쪽 운동과 회전 운동을 억제하고 어깨가 위쪽으로 움직이지 않게 하도록 담요를 말거나, CID의 받침대를 사용해서 목을 고정시킨다. 고정판을 기울일 필요가 있다면(계단을 내려가거나, 작은 엘리베이터를 탈 경우, 또는 머리 손상의 경우 머리 높이를 높이기 위해서), 축 이동을 대비해 단단히 고정시킨다.

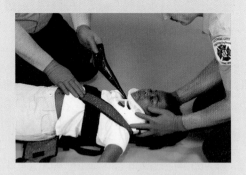

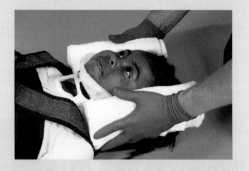

3. 환자의 겨드랑이, 골반과 다리 높이에 고정끈으로 묶는다. 배 위를 고정끈으로 묶지 않으며, 가로막의 움직임을 저하시키는 부위에 고정끈을 사용하지 않는다.

4. 환자의 눈썹 바로 위쪽에 직접 테이프로 머리를 더 단단히 고정한다. 기도 유지를 방해할 수 있으므로 턱에 끈을 두르는 것은 피한다.

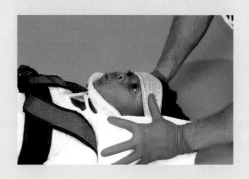

주의

움직일 경우 손상을 입을 위험이 있으므로, 모래주머니나 무게가 나가는 물건을 사용하지 않는다.

주의

흉부 또는 복부의 관통상의 경우 척추 고정의 역할은 필요 없다.

조언

테이프를 사용할 경우, 접착면을 최대로 하고 안전성을 확보하기 위해 가장 긴 고정끈을 사용한다.

절차 22-3

척추 고정 해제와 감독

1. 척추 전체가 확실하게 고정될 때까지 머리와 목의 도수 고정은 해제해서는 안된다.

2. 척추 고정법으로 인해 발생했을지도 모르는 손상을 찾기 위해 기도, 호흡, 그리고 순환을 재평가하라.

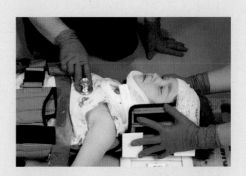

3. 척추 고정 전후에 환자의 원위부 신경학적 상태를 평가한다.

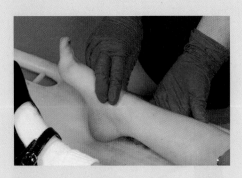

주의

척추 전체가 정확하게 고정될 때까지는 절대로 목의 도수 목 고정을 풀지 않는다.

조언

통증과 압박성 궤양의 위험이 있으므로 딱딱한 척추고정판 위에서 보내는 시간은 최소화되어야 한다. 병원은 환자를 척추고정판으로부터 빠르고 조심스럽게 옮길 준비가 되어 있어야 한다.

절차 23: 바늘가슴감압술

Toni M. Petrillo, MD, FAAP

소개

정상 호흡에서 실제로 빈공간인 허파의 두 가슴막 사이에 공기가 있을 때 공기가슴증(기흉)이 발생한다. 가슴막 공간의 공기가 가슴 공간 내용물을 이동시킬 만큼의 충분한 공기가 있을 때, 긴장성공기가슴증(긴장성기흉)이 발생하며, 허파, 심장, 대혈관의 기능을 손상시킨다. 심장으로 가는 혈액환류 감소, 심장허파기능 감소는 긴장성공기가슴증을 치료하지 않으면, 쇼크와 심장허파 정지를 일으킨다. 긴장성공기가슴증을 가진 소아는 현장에서 대개 양압환기를 받게 되며, 호흡노력 증가와 저산소증으로 인해 평가할 때 생리학적 비정상 소견을 갖는다. 천식이나 낭성섬유증과 같은 질환에서 공기가슴증이 잘 발생할 수 있고, 이런 경우 긴장성공기가슴증은 거의 발생하지 않는다. 전위된 기관(shifted trachea)이나 침범된 부위의 호흡음 감소와 같은 전형적인 성인 신체 검진 소견은 영아나 소아에서 나타나지 않을 수 있다. 심장 박출량이 긴장성공기가슴증에 의해 심각하게 손상된다면, 소아 또한 쇼크를 보인다.

적용

- 호흡부전과 저산소증이 동반된 불량한 관류 상태를 보이는 가슴벽 관통상을 입은 소아.
- 보조 환기를 악화시키는 호흡부전과 저산소증이 있는 가슴벽의 둔상을 입은 소아.

금기

- 혈우병과 같은 심각한 혈액 장애의 병력이 있을 때.

장비

- 14-16 게이지 카테터, 30 mL 주사기, 피부 소독 용액.

이론적 근거

손상 기전, 징후, 증상이 소아에서 긴장성공기가슴증을 암시할 때, 증가된 가슴막 안 압력을 즉시 감소시키기 위해 가슴막 공간과 외부 사이에 구멍을 만든다. 이 방법은 허파를 재팽창시켜 주고, 정맥 환류를 개선시켜, 심장과 허파 기능을 회복시킨다. 가슴막 공간과 외부 사이가 통하게 하는 가장 쉬운 방법은 개방된 공기가슴증을 만드는 것이다. 가슴막 공간에 커다란 크기의 바늘을 삽입하여 대기 중으로 공기가 빠져나가도록 하는 술기이다.

준비

1. 소아를 바로 눕게 한다.
2. 공기가슴증이 있는 쪽의 머리 위로 팔을 들게 하고, 보호자에게 팔을 잡게 한다.
3. 위치를 선택한다:
   - 빗장뼈중간선에서 두 번째 갈비뼈 사이 공간 또는
   - 앞겨드랑선에서 네 번째 갈비뼈 사이 공간
4. 위치를 선정하기 전에 적절한 위치 선정을 위해 갈비뼈를 두 번 확인하여 세어본다. 젖꼭지는 네 번째 갈비뼈 사이 공간에 있다.
5. 피부 소독 용액으로 부위를 닦는다.

가능한 문제

- 개방성 공기가슴증
- 혈흉
- 가로막 천공 손상
- 창자 천공 손상
- 혈액심장막(hemopericardium)
- 갈비사이신경, 갈비사이혈관, 기타 가슴안 혈관 손상

주의

쉽게 손상되는 혈관과 신경이 있기 때문에, 갈비뼈 모서리 바로 아래에 바늘을 삽입하지 않는다. 갈비뼈 위로 바늘을 삽입한다.

절차 23-1

바늘가슴감압술

1. 카테터, 바늘, 주사기를 연결한다.

2. 90도 각도로 피부에 바늘을 삽입하고 바늘 끝이 갈비뼈와 닿을 때까지 넣는다.

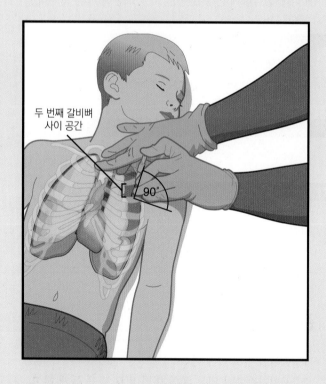

두 번째 갈비뼈 사이 공간

90°

3. 갈비뼈 모서리 위로 바늘을 넣는다.

4. 가슴막 공간 안으로 바늘을 밀어 넣는다. 바깥 가슴막 또는 벽쪽 가슴막을 바늘이 들어가면, "픽"소리가 들린다.

5. 공기를 빨아내기 위해 주사기 내관(plunger)를 뒤로 잡아당긴다.

6. 주사기와 바늘을 제거하고, 카테터가 가슴막 공간에 두고 가슴벽에 위치하게 한다.

7. 호흡노력, 피부순환, 호흡수, 혈압을 관찰한다. 소아 상태가 좋아지지 않는다면, 반대쪽의 바늘 개흉술을 고려한다.

논쟁

가슴벽 둔상 후 긴장성공기가슴증의 빈도는 알려지지 않았으며, 병원전 상황에서 바늘개흉술의 적응증은 논란이 있다.

주의

전위된 기관이나 호흡음 감소는 긴장성공기가슴증이 있는 영아나 소아에서 감지되지 않을 수 있다.

조언

가슴벽 손상을 가진 소아가 보조 환기에도 상태가 나빠진다면, 긴장성공기가슴증을 의심한다.

절차 24: 기관절개술 튜브의 제거와 교체
(Removing and Replacing a Tracheostomy Tube)

Wm. Travis Engel, DO, MSc

Mary Otting, RN, BSN, CEN

소개

병원전 환경에서 기관절개술을 받은 소아가 증가하고 있다. 이런 소아의 대부분은 집에 훈련받은 보호자가 있다.

드물게, 기관절개술 튜브의 문제가 기술적 보조를 받는 소아에게 발생해 119로 신고되기도 한다.

적용

삽관제거, 폐쇄

금기

- 새로운 기관절개관을 삽입하기에 아주 작은 기도나 절개 구멍(이런 경우, 기관내관을 삽입한다)

- 대체할 기관절개관이나 적절한 크기의 기관내관이 없는 경우
- 새로운 관이 있거나 충분한 호흡이 있을 때

장비

- 흡인 장비
- 무균적 흡인 도관(카테터)
- 환자에 적절한 크기를 가진 마스크에 부착된 백마스크 장비
- 가능하다면, 환자에 잘 맞거나 한 치수 작은 기관절개관
- 기관내관, 소아 표준 크기와 성인용 크기
- 날이 있는 후두경

- 테이프, 기관절개관 고정기
- 거즈 패드
- 5 mL 또는 10 mL 주사기
- 수용성 윤활제
- 가위
- 무균 식염수
- 청진기

조언

기관절개술 튜브가 제거되면, 입구 크기가 급격하게 줄어든다. 기관절개관을 다시 넣을 때, 어려움이 있다면, 작은 크기의 관을 고려한다.

이론적 근거

응급의료체계 종사자들이 가장 흔히 겪는 기관절개 합병증은 점액으로 막히는 폐쇄와 전위(displacement)이다. 흡인으로 폐쇄 부위를 제거할 때, 심한 경우, 점액이 관에 들러붙어 흡인이 효과가 없을 수 있다. 기관절개관이 움직일 때 절개 입구가 닫혀져서 심각한 호흡 부전이 발생할 수 있다. 소아 생명을 위해 병원전 인력에 의해 이런 상황들은 새로운 기관절개관 교체 또는 대체기도 관리를 필요로 한다.

준비

1. 소아 기관절개술을 포함하여 소아의 기관이나 특별한 요구와 관련된 문제가 있는지 보호자에게 물어본다.
2. 기관절개관의 교체가 필요한지 보호자에게 물어본다.

3. 소아가 무엇을 원하고 기대하는지 직접 말한다.

4. 맥박산소측정기를 소아에게 적용한다.

가능한 문제

- 가짜 개구부 생성
- 피부밑 공기
- 세로칸공기증
- 공기가슴증
- 삽입 부위의 출혈
- 관을 통한 출혈
- 기관내관의 주기관 삽관(주로 오른쪽 기관지)

절차 24-1

장시간 설치한 기관절개관 제거

1. 기관절개 부위가 노출되도록 소아의 머리와 목을 과신전하도록 위치한다.

2. 입과 코에 산소를 공급한다.

3. 관에 커프가 있다면, 공기를 뺀다. 5 mL또는 10 mL 주사기에 공기를 넣어 점검한다. 풍선이 쭈글어 들 때까지 공기를 제거한다. 풍선을 제거하면 관의 커프가 줄어들지 않는다.

4. 기관절개관이 제 위치에 있도록 고정기를 자르거나 풀어 놓는다.

5. 천천히 바깥쪽, 아래쪽으로 움직여 기관절개관을 제거한다.

6. 제대로 기도가 확보되어 충분한 환기가 있는지 평가한다.

7. 필요하다면, 절개 구멍을 통해 산소와 환기를 공급한다.

절차 24-2

기관절개관 교체

1. 가능하다면, 같은 크기와 같은 크기의 기관절개관을 삽입한다. 만약 이렇게 하기 어려우면, 작은 관이나 기관절개관과 같은 내부 지름을 가진 기관내관을 사용한다.

2. 만약 삽입할 때 폐쇄공(insertion obturator)을 사용하는 튜브라면, 튜브에 폐쇄공을 넣는다. 만약 튜브가 내부와 외부 캐뉼라를 가지고 있다면, 삽입을 위해 바깥쪽 캐뉼라와 폐쇄공을 사용한다.

3. 관(폐쇄기)의 끝을 물, 무균 식염수, 수용성 윤활제를 축축하게 하여 윤활하게 한다.

4. 양쪽 날개로 관을 붙잡고, 연필 잡듯이 관을 잡는다.

5. 머리를 중립자세 또는 약간 신전한 자세로 둔다.

6. 관이 굴곡 되도록 아치 모양으로 관을 부드럽게 뒤로 아래쪽으로 넣는다. 입구 위아래로 피부를 약간 당기면 관 삽입에 도움이 된다.

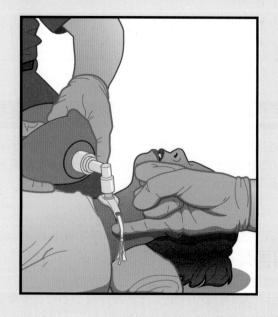

7. 관이 들어가면, 폐쇄기를 제거하고, 백마스크 장비를 부착하고 환기를 시도한다. 관에 작은 내부관이 있다면, 백마스크 장비로 기계 호흡을 하도록 삽입한다.

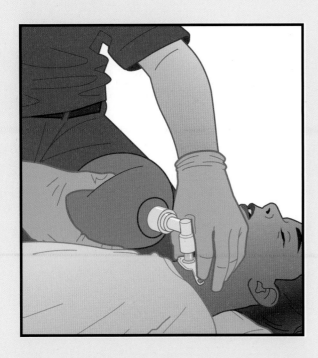

8. 양쪽 허파의 음을 들으면서, 양쪽 가슴의 상승, 맥박산소측정기의 산소포화도 증가, 환자 상태를 확인한다. 부적절한 삽관의 징후는 가슴상승이 없고, 보조 호흡에 대한 부적절한 저항, 주변 조직으로 공기가 차거나, 맥박산소기의 산소포화도 증가가 없고, 환자 상태 호전이 없는 것이다.

9. 관리 삽관될 수 없거나 관에서 빠지면, 필요 시 산소를 공급하거나 환기를 한다.

10. 두 번째 시도를 위해 작은 크기의 기관절개관을 사용한다. 작은 크기의 관으로도 성공하지 못한다면, 구멍을 통해 커프가 없는 기관내관을 삽입한다. 기관절개관의 길이를 확인하고, 기관내관의 크기를 보면서, 같은 깊이로 관을 넣는다. 기관내관의 삽입 부분은 입으로 삽입하는 길이의 반 정도가 될 것이다. 관을 너무 깊게 넣지 않는다. 너무 깊게 넣으면 오른쪽 기관지로 들어갈 수 있다.

11. 계속 실패한다면, 흡인카테터를 가이드로 사용한다. 기관절개관을 통해 작은 흡인 카테터를 넣는다. 흡인하지 않고, 구멍으로 흡인 카테터를 넣는다. 흡인 카테터를 따라서 적절한 위치에 들어갈 때까지 흡인 카테터를 구멍으로 넣는다. 흡인 카테터를 제거한다. 기관절개관을 통해 환기를 평가한다.

12. 여전히 성공하지 못한다면, 입기관 삽관 또는 루(stoma mask)를 통해 마스크나 신생아 마스크로 환기를 시키거나 무균 거즈로 루를 덮은 채 코와 입 위에 백-밸브 마스크 장비를 통해 환기를 하며 이송을 고려해야 한다.

13. 적절한 교체 후, 기관절개술 튜브 끈이나 테이프의 끝 부분을 비스듬하게 잘라(쉽게 삽입되는 것을 가능하게 함), 플랜지의 구멍을 통해 집어넣은 다음, 환자의 목 주위를 작은 손가락 하나가 통과할 수 있을 정도로 감아 끈으로 묶는다.

조언

기관절개관의 크기와 모양, 구멍 또는 관의 알려진 문제점들을 보호자에게 말한다.

조언

환자가 호흡부전이 있다면, 구멍이 막혀 있지 않다면, 입과 코 위로 표준 백마스크 장비를 사용해 환기 보조를 할 수 있다.

조언

기관절개관을 다시 삽입할 수 없다면, 비슷한 크기 또는 작은 크기의 기관내관을 사용한다.

조언

흡인 카테터를 사용하기 가까운 곳에 둔다.

주의

새로운 기관절개 구멍을 통해 기관절개관을 강제로 넣지 않는다. 작은 크기의 기관절개관이나 기관내관 삽입을 고려한다.

주의

기관절개 구멍을 통해 기관내관을 너무 깊게 넣지 않는다.

절차 25: 지혈대적용(tourniquet application)

Wm. Travis Engel, DO, MSc

Mary Otting, RN, BSN, CEN

소개

외상과 예상하지 목한 손상은 미국 소아의 사망률과 이환율의 첫 번째 원인이 되어 왔다. 조절되지 않는 출혈에 따른 저혈량증은 소아 외상 환자들의 쇼크의 첫 번째 원인이고, 쇼크가 교정될 때까지 사망과 장애 가능성이 급격히 증가한다. 외상 관리의 발전으로, 병원전 환경의 출혈 관리가 가능해졌으며, 이런 목적을 충족시키는 지혈대 사용은 안전하고 효과적이다. 조절되지 않는 출혈이 있는 소아 환자들을 만나는 오늘날의 응급의료체계 종사자들이 증가하고 있고, 병원전 의료종사자들에게 필수적인 술기로서 출혈관리의 중요성은 매우 강조될 수 있다.

조절되지 않는 출혈로 인한 저혈량증은 소아 외상 환자들의 쇼크의 첫 번째 원인이다. 실혈과 그에 따른 쇼크를 예방하기 위해 가능한 한 빨리 하는 것은 외상 환자 관리에서 가장 높은 우선 순위이다. 직접 압박으로 출혈 관리가 안 될 때 지혈대의 빠른 적용은 병원전 의료종사자들이 환자의 생존가능성을 높일 수 있는 가장 유일한 중요한 방법이다.

적용

- 직접 압박에 반응하지 않는 조절되지 않는 출혈

금기

- 적용하고자 하는 부위에 이물질이 박힌 경우
- 적용하고자 하는 부위의 골절

장비

- 지혈대(상업적인 장비 또는 즉석에서 만든 것)

이론적 근거

지혈대적용에 대한 절대적 금기증은 별로 없으며, 있더라도 극복될 수 있다. 만약 지혈대를 적용하고자 하는 부위에 물체가 박혀 있거나 또는 찔린 경우, 병원 전 응급구조사는 지혈대를 가능한 한 더 몸통 쪽의 위치에 적용하는 것을 시도해야 한다. 지혈대를 더 몸쪽으로 가까이 위치시키는 것이 불가능하다면, 응급구조사는 압력을 통해 출혈을 통제하는 등의 적절한 절차를 고려해 보아야 한다.

접합부 출혈은 사지가 몸통과 연결되는 부위와 그 주변에 출혈이 있는 경우를 말한다. 접합부 출혈은 해부학적인 구조 때문에, 지혈대의 적용을 통한 처치가 불가능하다. 지혈대의 적용이 이런 부위엔 적합하지 않지만, 접합부 출혈은 지혈이 가능하며, 일반적으로 상처 근위의 깊은 혈관이 상당한 힘으로 압박이 되면 잦아들 것이다. 이는 목의 기저 부위, 서혜부(샅고랑 인대 근위), 둔부, 회음부, 그리고 겨드랑이를 포함한다.

조언

여러 종류의 상업적인 지혈장비들이 있다. 병원전 인력이 사용하는 지혈대 종류는 특정 기관이 서비스에 사용하기 위해 선택하는 유형이 다르다. 이런 이유로, 응급의료체계 전문가들은 장비에 익숙하기 위해 응급에서 사용하게 될 장비들을 연습해야 한다.

논쟁

병원전 상황에서 지혈대 사용은 허혈 손상을 일으켜 높은 빈도로 사지를 잃을 수 있는 우려로 선호도가 줄어들었다. 이런 주장을 반박하는 증거가 현재 많다. 지혈대 사용은 다량의 출혈을 막기 위해 사용할 때 허혈 손상이나 사지 손실을 증가시키지 않는다는 많은 연구가 있다. 출혈 관리와 생존기회 증가의 장점은 가능한 사지 허혈과 손실의 무시할 수 있는 위험을 보충하고도 남는다. 출혈 관리를 위한 병원전 지혈대 사용은 생명을 구하고 통제되지 않는 출혈 환자에게 가능한 한 빨리 적용해야 한다는 우세한 합의가 있다.

조언

상업적으로 유통가능한 지혈대를 구입할 수 없거나 장비를 적절히 적용하기에 환아의 몸이 너무 작다면, 즉석에서 사용하는 지혈대는 만족스러운 대안책이다. 즉석에서 만들어진 지혈대는 충분한 압력을 가하기 위해 너비가 2인치 이상의 윈치 형태의 옷과 같은 일상적인 물품들로 만들어질 수 있다. 꽉 부풀려진 혈압측정띠는, EMS 종사자가 적절한 크기를 가지고 있다면, 즉석에서 만든 지혈대로 사용할 수 있다. 띠는 공기유출이 없는지 그리고 부풀려진 채로 유지되고 있는지 주기적으로 확인되어야 한다.

준비

1. 가능하다면(바로 누운 자세, 옆으로 누운 자세) 환자에게 기도를 보호하는 자세로 하게 한다.
2. 가능하다면, 다친 부위를 노출시킨다(이런 이유로 치료를 늦추지 않는다).
3. 적절한 지혈장비를 구할 수 없다면, 지혈장비 또는 즉석에서 사용하는 지혈대를 선택하여 준비한다.

조언

상업적으로 이용가능한 지혈대는 둘 중에 한 가지 방법으로 조이기 위해 고안되었다.: 윈치 형태(windlass-style) 또는 ratcheting(한쪽 방향으로만 회전하게 되어 있는 톱니바퀴가 있는) 메커니즘의 장비. 윈치는 피부와 지혈대 사이에 삽입되거나, 또는 상업적으로 이용가능한 장비의 일부로 설치된 뻑뻑한 막대기이다. 그것은 느슨한 부분을 줄이고 상처 부위가 있는 사지에 압력을 가하기 위해 비틀어진다. 윈치형태 메커니즘은 즉석에서 만들어진 지혈대와 함께 사용되어질 수 있다.

ratcheting장비는 이랑이 만들어져있는 벨트를 점차적으로 당길 때마다 한 단계씩 고정되도록 레버 형태의 메커니즘을 사용한다. 한 단계 당길수록, 그것은 지혈대의 느슨한 부분을 조이며 더 큰 압력을 가한다. 이 형태의 메커니즘은 즉석에서 만들어질 수 없으며 오직 상업적인 장비에서 이용가능하다.

조언

출판할 당시, 환아를 위해 고안된, 유일한 상업적으로 이용 가능한 장비는 Child/Pediatric Ratcheting Medical Tourniquet®이다. 소아용 사양은 55 kg 또는 120 lb 미만의 환아를 위해 고안되었다. 이는 2.5인치까지의 사지 둘레(대략 4개월 이하의 영아)에 효과적이다. The combat application tourniquet (CAT 윈치가 없는 유형)은 5인치의 사지 둘레까지 조여질 수 있고 4개월 이상의 영아들에게 적용될 수 있다. 환아에게 다른 장비들이 금기되지 않는 반면, 몇몇의 경우 소아에게 너무 클 수 있다. 적절한 크기의 상업적으로 이용 가능한 지혈대가 없다면, 사용할 수 있는 다른 대안적인 장비를 만든다.

가능한 문제

■ 사지 허혈(원위부)

절차 25-1

지혈대 적용

1. 가능하다면, 환자의 출혈 부위에 직접 압박을 가한다.

2. 출혈 부위에서 2-3인치(5-7,6 cm) 위쪽으로 지혈대를 놓는다, 지혈대를 관절에 놓지 않는다; 관절 위로 놓는다, 제조사의 설명서에 따라 사지 주위를 지혈대로 싼다.

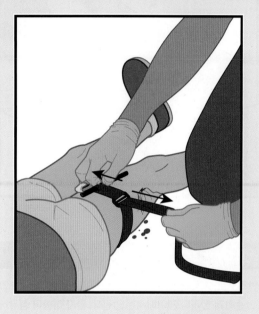

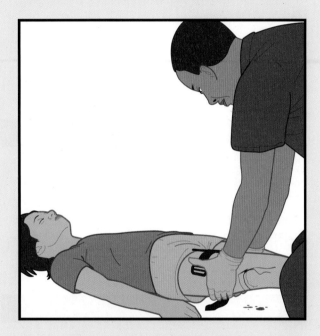

4. 출혈이 멈출 때까지 윈치 막대를 돌리거나 래칫을 당긴다.

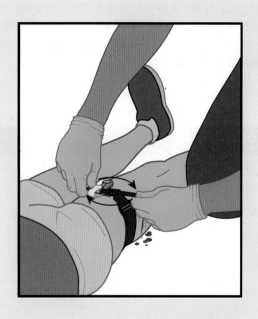

3. 지혈하기 위한 래칫(ratchet) 또는 윈치(windlass)를 사용하기 전에 스트랩 띠를 버클에 통과시킨 후 지혈대를 가능한 당긴다, 만약 지혈대와 사지 사이에 2-3개의 손가락이 삽입될 수 있다면, 지혈하기 전에 훨씬 더 조여져야 한다.

5, 윈치 막대 또는 래칫 장치를 고정시킨다. 출혈이 멈추었는지 한 번 더 확인한다.

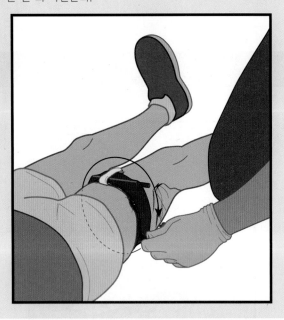

6, 지혈대 밴드가 잘 설치되었는지 확인하고 환자를 옮길 때 걸리지 않게 한다.

7, 장비가 고정된 직후 지혈대가 적용된 시간을 그 위에 기록한다.

조언

일반적으로, 지혈대가 환자에게 적용되면, 의료진의 지시 없이는 느슨하게 풀거나 제거해서는 안된다. 환자 이송이 심각하게 지연될 수 있는 상황에서, 상처의 몸쪽 부위에서 2-3인치(5-7.6 cm)에서 지혈대를 다시 옮기거나 또는 상처의 몸쪽 부위에서 2-3인치(5-7.6 cm) 되는 곳에 두 번째 지혈대를 놓고 기존의 부위를 풀어주라고 의사가 요청할 수 있다. 이렇게 하면, 출혈 부위를 통제하면서, 가능한 한 손상된 사지에 최대의 혈류를 흐르게 할 것이다.

조언

지혈대는 빠른 적용을 하기 쉽게 손상된 사지의 몸쪽에 빠르게 적용해야 하며, 출혈 관리에서 불필요한 지연이 없도록 해야 한다.

조언

일반 응급의료체계에서 지혈대와 지혈제를 같이 사용하거나 지혈대를 사용할 수 없어 지혈제를 사용하는 일이 더 흔하다. 이용 가능하다면, 지혈대가 없거나 출혈 부위에 사용이 불가할 경우 지혈용 거즈와 상처 치료가 적절하다. 지혈할 때는 현장의 지침과 의료진의 조언을 따른다.

조언

출혈이 잘 조절되는지 계속 확인한다. 사지의 말단 부위 맥박을 계속 평가하고, 지혈대가 충분히 조여져 있는지 확인한다.

조언

사용할 수 있다면, 상처를 치료하고 직접 압박하는 것이 소아 출혈을 관리하고 멈추게 하는 가장 좋은 방법이다.

참고문헌

Ross EM, Bolleter S, Simon E, et al. Pediatric extremity hemorrhage and tournquet use. *J Emerg Med.* 2018. https://www.jems.com/2018/11/01 /pediatric-extremity-hemorrhage-and-tournquet-use. Accessed October 15, 2019.

약물 처방

Ali Paplaskas, PharmD, BCCCP

Michael J. Stoner, MD, FAAP

주의: 다음의 약물들은 병원 전 소아처치에 사용되는 약물들이다. 해당 지역의 법률에 따라 어느 약물들은 그 지역 응급의료 체계에서는 사용되지 않을 수 있다.

초록색 표에 있는 약물은 응급의료체계에서 일반적으로 사용되는 약물이다.

노란색 표에 있는 약물은 응급의료체계에서 때때로 소아에게 사용되는 선택적 약물이다.

Acetaminophen, APAP (아세트아미노펜)

용도: 진통제, 해열제

권장량
15 mg/kg (경구/G-tube)
15 - 20 mg/kg (좌약)

최대 용량
1 g

주의: 적정 농도를 확인한다. 간질환이 있는 환자에게 사용 시 주의한다.

부작용: 메스꺼움, 구토

Activated Charcoal (활성탄)

용도: 위 오염 제거

권장량
초기용량: 만 12세 미만:
1 g/kg (경구)

최대 용량
100 g

주의: 그 지역의 응급의료체계 정책을 참고하여 응급구조사는 의료감독 기관이나 중독센터에 의뢰하는 것이 좋다 (1-800-222-1222). 철, 리튬, 알코올, 에틸렌글리콜, 알칼리, 불소, 무기산, 칼륨 등은 활성탄과 결합하지 않는다.

가능한 한 섭취 직후 투여한다. 흡인을 피한다. 기도반사가 감소되었다면, 활성탄 투여시 효과보다는 위험이 더 클 수 있다. 상품화되어 만들어진 활성탄은 종종 하제성분인 sorbitol이 함유되어 있어 활성탄의 반복 투여 후 치명적인 고나트륨혈성 탈수증이 보고된다.

신생아에게 나타나는 발작, 젖산 산증, 그리고 호흡 장애 등과 같이 잠재적으로 치명적인 독성은 프로필렌글리콜을 포함하는 물질에서 발견된다.

부작용: 구토, 변비, 폐색, 장내 결석, 설사, 탈수, 폐흡인, 구강 변색

Adenosine(아데노신)

용도: 심실위빠른맥 (SVT), 규칙적인 단일형의 광복합 빠른맥

권장량

0.1 mg/kg씩 빠르게 IV 또는 IO로

1 - 2초에 걸쳐서 회당 0.2 mg/kg씩 반복 투여

최대 용량

1차: 6 mg

2차: 12 mg

주의: 지속적인 심전도 감시가 필요하다.

2, 3도 방실차단 또는 동기능부전증후군 시 사용을 피함.

환자의 심장에 가장 가까운 IV 주사 부위에 주입한 후 신속한 식염수로 증수한다(5-10ml).

부작용: 메스꺼움, 저혈압, 호흡곤란, 기관지 경련, 흉통 / 누르는 느낌, 얼얼한 느낌, 심차단, 부정맥, 안면홍조, 금속맛.

천식 환자에게 기관지 수축이 일어날 수 있다.

Albuterol(알부테롤)

용도: 기관지 경련의 완화 및 예방, 운동으로 유발된 기관지 수축예방

권장량

- 분무액(1.25 mg/3 mL, 2.5 mg/3 mL, 5 mg/mL)

- 1회 투여량: 2.5 mg 매 15 - 20분마다 총 3회. 필요한 경우 최대 10 mg까지 매 1~4 시간마다 투여

- 적절한 분무를 위해 필요한 경우 최소 2 - 3 mL를 식염수에 희석한다.

- 천식지속상태에서는 지속적으로 사용 가능

- MDI(정량분무식흡입기): 4 - 8회씩 흡입 (90 mcg/1회 분무) 매 15~20분마다 3회 투여. 필요한 경우 1~4시간마다 반복

최대 용량

천식지속상태에서는 확정되지 않음.

주의: 떨림과 빠른맥은 일반적이다.

부작용: 메스꺼움, 심계항진, 두통, 현기증, 떨림, 빠른맥

Aminodarone(아미오다론)

용도: 치명적인 심실부정맥: 심실세동 또는 빠른맥

권장량

심실세동이나 무맥성 심실 빠른맥의 경우 5 mg/kg IV 또는 IO로 빠른 속도로 투여

광복합적인 빠른맥의 경우 20 - 60분에 걸쳐 5 mg/kg IV 또는 IO로 투여

신속한 치료를 위해 최초 용량을 2회 반복 투여할 수 있음

최대 용량

300 mg / 1회

15 mg/kg / 1일

주의: 혈전성 정맥염 저혈압을 피하기 위해 투여 전 5% 덱스트로즈 20mL에 희석해야 한다.

맥박이 없는 VF의 VT의 경우 희석되지 않은 채로 투여 가능하다. 저혈압과 연장되는 QT 간격의 심전도 리듬을 유발할 수 있다; 저혈압 또는 빠른맥이 발생할 경우 천천히 주입한다.

프로케이나마이드와 혼용하면 안된다. 심각한 동방결절의 기능장애, 현저한 동서맥, 2도와 3도 방실차단 때는 금기

부작용: 저혈압, 빠른맥, 부정맥, 구토

Aspirin (아스피린)

용도: 진통제, 해열제

권장량

10 - 15 mg/kg

최대 용량

1 g

주의: 라이 증후군과 관련되어 있는 수두 또는 인플루엔자 질환을 가진 만 18세 미만의 소아에게 사용하는 것을 피한다. 일반적으로 소아환자에게 사용되지 않음

부작용: 메스꺼움, 구토, 복통, 궤양, 발진, 두드러기, 기관지 경련

Atropine (아트로핀)

용도: 동서맥, 화학신경 가스와 유기인산염 살충제 중독

권장량

- 0.02 mg/kg씩 IV 또는 IO
- 기관내삽관 튜브를 통해 투여할 시 0.04 - 0.06 mg/kg/1회
- 소아는 최대 1mg, 청소년은 최대 2mg, 5분마다 반복 투여 가능
- 유기인산염/카르바메이트/ 신경물질중독: IM, IV, 또는 IO를 통해 0.05 - 0.1 mg/kg씩; 필요한 경우 폐의 상태에 적정한 2 배의 양을 5 - 10분마다 투여한다.

최대 용량

1회 용량: 소아는 0.5 mg, 청소년은 1 mg

주의: Atropine sulfatesulfate는 농도가 다양하여 적절히 용량을 계산해야 한다. 빈맥성 부정맥에는 사용하지 않는다. 뇌손상이나 경련성 마비가 있는 소아에게의 사용은 주의한다.

항콜린에스테라제 중독시 많은 용량의 아트로핀이 필요하기 때문에 위의 용량은 적용되지 않는다. (pralidoxime도 필요할 것이다).

느린 IV 주사는 모순적인 느린맥을 유발할 수도 있다.

부작용: 구강 건조, 흐린 시야, 빠른맥, 변비, 소변 정체

Calcium Chloride (염화칼슘)

용도: 이온화된 저칼슘혈증, 고칼륨혈증, 고마그네슘혈증, 칼슘 채널 차단제 독성.

기록된 고칼륨증, 저칼슘혈증이나 칼슘 채널 차단제 독성의 경우 심장 소생술 시에만 권장

권장량

20 mg/kg를 IV 또는 IO를 통해 천천히 투여 (만약 10%의 염화칼슘을 투여 시 0.2 mL/kg를 투여)

심박동수를 모니터하면서 천천히 투여하고 바람직한 임상적 효과를 위해 필요 시 10분 후에 반복 투여

최대 용량

고칼륨혈증, 저칼슘혈증, 또는 칼슘 채널 차단제 독성이 현존하거나 의심되는 상황에서의 심장 정지의 경우 2,000 mg

그 외의 경우에는 1,000 mg

주의: 증상이 있는 느린맥이 발생한다면, 투여를 멈춘다. CaCl 을 사용할 경우 칼슘 글루코네트보다 이온화된 칼슘농도를 더 빠르게 증가시키고 상태가 심각한 소아에게 선호된다.

최대 50~100 mg/분의 속도로 주입한다. 심정지의 경우, 20초에 걸쳐서 주입할 수 있다.

정맥외 유출은 심한 피부손상을 초래한다. 조직에 심한 자극 초래. 두피정맥, 손이나 발의 작은 정맥에 주사를 피한다.

부작용: 조직유출과 괴사; 대사성 산증 악화, 저혈압, 느린맥, 부정맥, 심실세동

Calcium Gluconate (preferred in neonates) (칼슘 글루코네트: 신생아에게 선호됨)

용도: 이온화된 저칼슘혈증, 고칼륨혈증, 고마그네슘혈증, 칼슘 채널 차단제 독성.

기록된 고칼륨증, 저칼슘혈증이나 칼슘 채널 차단제 독성의 경우 심장 소생술 시에만 권장

권장량

60 mg/kg IV 또는 IO로 천천히 투여한다. (만약 10%의 칼슘 글루코네트 투여 시, 0.6 mL/kg를 투여).

심박동수를 모니터하면서 천천히 투여하고 바람직한 임상적 효과를 위해 필요 시 10분 후에 반복 투여

최대 용량

심장 정지의 경우 3,000 mg

주의: 상이 있는 느린맥이 발생한다면, 투여를 멈춘다. CaCl을 사용할 경우 칼슘 글루코네트보다 이온화된 칼슘농도를 더 빠르게 증가시키고 상태가 심각한 소아에게 선호된다.

최대 100 mg/분의 속도로 주입한다.

정맥외 유출은 심한 피부손상을 초래한다. 조직에 심한 자극 초래. 두피정맥, 손이나 발의 작은 정맥에 주사를 피한다.

부작용: 조직유출과 괴사, 저혈압, 느린맥, 부정맥, 심실세동

Dexamethasone (덱사메타손)

용도: 크룹, 천식

권장량

크룹:
IV, IM, 또는 PO를 통해 0.15 - 0.6 mg/kg 투여

천식:
IV, IM, 또는 PO를 통해 0.6 - 1.0 mg/kg 투여

최대 용량

16 mg/1일

주의: 작용 시간이 긴 글루코코티코이드
비경구용 덱사메타손은 맛이 나는 용액과 혼합되어 경구로 복용할 수 있다.

빠른 IV 주사는 회음부의 화끈거림과 얼얼함과 관련이 있다; 회음부의 불편을 감소시키기 위해 1~4분에 걸쳐 주입한다. 경구 액체 제품들은 알코올을 포함할 수 있다.

부작용: 나트륨과 체액의 축적, 고혈당증

Diazepam (디아제팜)

용도: 발작, 초조

권장량

IV: 5~10분마다 0.1mg/kg. 정맥 내 주사 부위의 통증을 피하기 위해 약 2분에 걸쳐서 투여한다.

PR: 0.5mg/kg에서 20mg까지

최대 용량

IV: 10 mg/ 1회

PR: 20 mg

주의: 다른 진정제와 함께 혼용하거나 빠르게 투여하였을 때 무호흡의 위험이 증가한다. 호흡보조를 하기 위해 환기를 준비한다. 산소포화도를 감시한다.
정맥혈전증과 정맥염을 방지하기 위해 혈관밖 유출을 피한다.
비경구용 디아제팜이 40%의 프로필렌글리콜 희석액을 포함하고 있기 때문에, 이것의 장기적인 사용을 피한다.

저혈압이나 호흡정지를 막기 위해 1~2 mg/분을 초과하는 빠른 투여를 피해야한다.

부작용: 호흡억제, 기면, 느린맥, 저혈압, 무호흡, 주사부위 통증

Diphenhydramine(디펜하이드라민)

용도: 아나필락시스, 항히스타민

권장량

1 mg/kg IV 또는 IO를 통해 천천이 투여, 또는 PO

최대 용량

IV: 50 mg

주의: 만약 다른 진정제를 사용하고 있으면 특히 진정이나 호흡억제가 나타나는지를 살펴야 한다. 저혈압도 나타날 수 있다. 과량 투여시 환각과 발작을 유발할 수 있다.

빠른 IV주입 시 발작을 촉발할 수 있다.

희석되지 않은 채 25mg/분 이하의 속도로 주입한다.

모든 투여용량에서 기이성 흥분이나 초조를 유발할 수 있다.

부작용: 기면, 구강 건조, 변비, 소변 정체

Dopamine(도파민)

용도: 저혈압, 쇼크

권장량

- 신생아: IV 또는 IO를 통해 2 - 20 mcg/kg/분 주입
- 소아: IV 또는 IO를 통해 2 - 20 mcg/kg/분 주입

적절한 효과가 나타날 때까지 점적

　　5mcg/kg/분 = 적은 용량(콩팥 혈류량과 요배설량)

　　10mcg/kg/분 = 중간 용량(베타활동 심박수 증가, 수축성, 그리고 혈압을 증가시킨다.)

　　20mcg/kg/분 = 많은 용량 (알파활동-혈관 수축과 혈압 증가)

최대 용량

20 mcg/kg/분

주의: 주입속도가 20mcg/kg/분보다 빠르면 심한 혈관수축과 허혈이 일어날 수 있다. 혼합 시 많은 주의가 필요하다. 혈관 밖 투여 시 중증 피부손상이 나타난다. 작은 혈관은 피한다. 중추 혈관들이 선호된다. 도파민은 알칼리 용액에서 비활성화된다. 투여 전에 혈량저하증을 교정하여야 한다.

부작용: 이소성박동, 느린맥, 심계항진, 혈관수축, 호흡곤란, 구토

Epinephrine(에피네프린)

용도: 크룹, 아나필락시스, 급성 천식, 심정지, 쇼크

권장량

- 아나필락시스: IM으로 0.01 mg/kg/회 = 0.01 mL/kg/회 of 1 mg/mL 농도 (최대 0.3 mg = 0.3 mL). 매 5~15분마다 반복 투여.
- 아나필락시스성 쇼크: IV로 0.1 mg/mL 농도 (최대 0.5 mg)의 0.01 mg/kg

심정지:

- 신생아: IV/IO/ET 0.1 mg/mL 농도의 0.01-0.03 mg/kg
- 영아와 소아: IV/IO 0.1 mg/mL 농도의 0.01 mg/kg, ET 1mg/mL 농도의 0.1mg/kg
- 크룹: 1 mg/mL 농도의 0.25 - 0.5 mg/kg 를 3 mL의 생리식염수에 섞어 흡이르 통해 주입(최대 5 mL/회)
- 쇼크: 0.1 mg/mL 농도의 0.1 - 1 mcg/kg/분
- 크룹 시 라세믹 에피네프린(2.25%) 투여: 0.1 mL/kg (최대 0.5 mL)을 생리식염수 3 mL 에 섞어 호흡을 통해 주입, 매 20분마다 반복 투여 가능

주의: 신장을 기준으로 하는 소생테이프 또는 컴퓨터 소프트웨어를 사용해서 정확한 투약량을 확인한다. 라벨의 농도를 주의해서 읽는다. 알카리 용액과는 혼합해서는 안된다. 혈관 외 투여로 중증의 피부손상이 나타날 수 있다.

아나필락시스: 선호되는 위치는 허벅지 1/3지점의 중심부 앞가쪽 IM이다. 어떤 아나필락시스 반응은 IV로 많은 양의 에피네프린의 투여가 요구된다

심정지: 만약 기관내삽관 튜브를 통해 투여할 경우 이어서 환자의 키/ 몸무게에 근거하여 등장성 식염수(1~5ml)에 희석한 것 또는 식염수와 함께 투여한다.

부작용: 빠른맥, 심계항진, 심부정맥, 발한, 구토, 두통, 어지러움

Fentanyl(펜타닐)

용도: 기관내 삽관이나 유지 시 진통제, 마취제

권장량

IV: 1 mcg/kg/회를 매 30 - 60분마다

비강 내: 1 - 2 mcg/kg

최대 용량

100 mcg

효과가 나타날 때까지 점적

주의: 다른 진정제와 특히 벤조디아제핀과 혼합하였을 때 무호흡의 발생을 증가시킨다. 빠른 정맥 주입을 피해야한다. ; 3~5분에 걸쳐 천천히 투여한다. 만약 빠르게 주입될 경우 흉벽이나 성문 경직을 유발할 수 있는데, 이는 근육 이완제로 역전시킬 수 있다. 비강 내 주입: 분무기를 사용해서 각각의 콧구멍에 절반의 투여량을 주입하거나 주사기를 사용해서 콧구멍에 주입한다. 최대 용량은 1mL/콧구멍이다.

부작용: 무호흡, 빠른맥, 메스꺼움, 구토

Flumazenil(플루마지닐)

용도: 벤조디아제핀의 역진정 효과

발작 때문에 벤조디아제핀을 투약하는 환자 제외

권장량

IV: 0.01 - 0.02 mg/kg를 15초에 걸쳐서; 필요한 경우 1분에 1번씩 반복 투여.

IV 투여가 불가능한 경우, IM으로 주입 가능

최대 용량

0.2 mg/회

그리고 누적량이 0.05 mg/kg 또는 1 mg

주의: 의존성 환자에서 급성 금단증상이 일어날 수 있다. 과량복용시 만성 벤조디아제핀, 진정제나 수면제, 또는 다른 co-ingestants에 대한 고위험 환자에서 발작을 예견할 수 있다.

재진정 상태를 관찰하고 단 한번의 빠른 투여는 피한다.

부작용: 짧은 작용시간 때문에 진정상태나 호흡억제가 다시 나타난다.; 진정상태의 재발은 특히 1~5세의 소아에게 흔하게 나타난다; 홍조, 메스꺼움, 흐린 시야, 불안, 혈전성 정맥염, 발작

발작 때문에 벤조디아제핀을 투약하는 환자에게 투여하지 않는다.

Fosphenytoin (포스페니토인)

용도: 발작, 천식 지속상태

권장량

천식 지속상태:

15 - 20 mg phenytoin equivalents (PE)/kg IV, IM, 또는 IO.

2 mg PE/kg/분 이상의 속도 또는 총량이 150 mg PE/분 이상이 되지 않도록 주입한다.

최대 용량

1,500 mg PE

주의: 주입속도는 150 mg PE/분 또는 2 mg PE/kg/분을 초과하지 않는다. 심박수가 10bpm만큼 감소하거나 저혈압이 발생한다면 주입속도를 줄인다.
용량과 농도는 phenytoin sodium equivalents로 표기된다. 빠른 정맥내 투여는 저혈압을 야기할 수 있다, NS 또는 D5W에 희석시킬 수 있다.

IM주사는 선호되지 않지만, 필요한 경우 넙다리네갈래근 부위에 사용 가능하다.

부작용: 저혈압, 느린맥, 중추신경계저하, 운동실조증, 어지러움, 두통, 감각 이상, 소양증; 가려움은 흔히 나타나는데 이는 수액 주입 속도를 감소시켜 조절할 수 있다.

Furosemide (푸로세마이드)

용도: 체액 과부하, 울혈성 심부전, 이뇨, 부종, 폐부종, 고혈압

권장량

소아: 1 - 2 mg/kg IV, IO, 또는 IM

최대 용량

40 mg

주의: 저혈량증이 있는 소아에게는 투여하지 말아야 한다. 무뇨증 시 금기.

부작용: 저혈압, 전해질소모, 알칼리증, 이명, 내이신경독성

Glucagon (글루카곤)

용도: 베타차단제 혹은 칼슘채널차단제 과량투여, 저혈당

권장량

인슐린 과다로 인한 저혈당증:

소아:
(20kg 미만) 0.02 - 0.03 mg/kg (20kg 이상) 1 mg IV, IO, 또는 IM을 통해; 임상적 효과를 위해 필요한 경우, 20 분마다 총 3회 반복투여한다.

베타 차단 혹은 칼슘 채널 차단제의 과복용 시: IV: 0.05 - 0.15 mg/kg 를 투여한 후 0.07 mg/kg/시간 (최대 5 mg/시간)로 주입

최대 용량

소아: 1 mg

주의: 혼합한 후에 즉시 사용. 크롬친화성세포종 환자에게 사용 시 주의
보충 탄수화물(IV 덱스트로즈)은 가능한 한 빨리 투여해야 한다.

부작용: N메스꺼움, 구토, 저혈압, 빠른맥.
메스꺼움/구토는 빠른 주입과 더 높은 용량의 경우에 발생.

Glucose(Dextrose) (글루코즈: 덱스트로즈)

용도: 저혈당증

권장량

- 갓 태어난 아이: 2 mL/kg 10% 덱스트로즈를 IV 또는 IO

- 신생아: 5 mL/kg 10% 덱스트로즈를 IV 또는 IO

- 만 2세 미만: 5 mL/kg 10% 덱스트로즈를 IV 또는 IO

- 만 2세 이상: 1 mL/kg 50% 덱스트로즈를 IV 또는 IO로 주입 또는 2 mL/kg 25% 덱스트로즈를 IV 또는 IO로 주입 또는 5 mL/kg of 10% 덱스트로즈를 IV 또는 IO로 주입

최대 용량

반복된 혈청 내 포도당 수준 측정에 의해 용량 결정

주의: 상황에 따라 저혈당증이 재발할 수 있다. 다수의 농도의 경우 주의한다.

상황에서, 영아들에게 25%, 그리고 청소년들에게는 50%의 덱스트로즈를 말초적으로 사용될 수 있다.

부작용: 고혈당증, 혈전성 정맥염, 혈관밖유출, 저나트륨혈증

Hydrocortisone(하이드로코티존)

용도: 급성 부신기능부전, 부신급성발증, 패혈성 쇼크

권장량

1 - 2 mg/kg IV, IO, 또는 IM

최대 용량

100 mg

주의: 두부손상에 사용금지, 고혈압, 심부전, 콩팥이나 간기능 감소 환자에게 투여시 주의 필요.

IM으로 주입할 시, 연조직 위축이 발생할 확률이 높기 때문에 삼각근 부위를 피한다.

부작용: 부정맥, 고혈압, 부신기능억제

Ibuprofen(이부프로펜)

용도: 진통제, 해열제

권장량

10 mg/kg/회 PO

최대 용량

만 12세 미만의 소아 400 mg

주의: 아스피린 알레르기와의 교차 반응, 위장관출혈이 나타난다. 액상 제품들은 알코올을 포함할 수 있다. 콩팥 질환환자에게 사용하지 않는다.

생후 6개월 미만의 영아들에게 사용하지 않는다.

액상제품의 농도를 확인한다.

부작용: 구토, 위염, 궤양형성, 발진

Ipratropium(이프라트로피움)

용도: 천식

권장량

분무 용액 (0.5 mg/2.5 mL):

12세 미만의 소아: 0.25mg를 20분마다 총 3회 분무

12세 이상의 소아: 0.5 mg 20분마다 총 3회 분무

최대 용량

0.5 mg

주의: 알부테롤과 함께 매 20 분마다 3번 투여.

추가적인 희석을 하거나 안 한 채로 투약 가능

부작용: 빠른맥, 구강 건조, 두통, 기침, 쉰소리, 흐릿한 시야

Ketamine(케타민)

용도: 기관내삽관 시 마취제, 진통, 그리고 불안

권장량

IV: 삽관과 진통을 위해 1 - 2 mg/kg

IM: 삽관과 진통을 위해 4 - 5 mg/kg, 불안을 위해 4 mg/kg

비강 내: 5 mg/kg

최대 용량

100 mg

주의: 1분 이상의 시간에 걸쳐 천천히 주입한다. 응급 반응은, 수술 후 24시간까지 발생할 수 있다: 섬망, 환각, 생생한 꿈. 뇌압상승, 안구내압 상승이나 장폐색 환자에게 투여하지 않는다.

소아에게 흔한 과다침분비와 눈물분비는 발병률을 감소시키기 위해 항콜린제와 혼합하여 사용되어질 수 있다.

American College of Emergency Physicians은 기도 부작용의 고위험 때문에 생후 3개월 미만의 영아에게 케타민의 사용을 완전히 금기하고 있다.

여러 농도의 제품이 이용가능하다. 만약 비강 내로 주입할 경우, 50 mg/mL 또는 100 mg/mL를 20 mg/mL로 희석시킨 후 각각의 콧구멍에 분무장치 또는 바늘을 제거한 주사기를 이용해서 절반씩 주입한다.

부작용: 환각, 긴장성 간대성 움직임, 메스꺼움, 구토, 기침반사감소, 안구진탕, 빠른맥, 기관지 연축, 고혈압, 느린맥, 저혈압, 무호흡. 무의미한 움직임

Lidocaine(리도카인)

용도: 심실빈맥, 심실세동, QRS군이 확장된 심실상성 빈맥

권장량

쇼크-난치의 VF 또는 맥박이 없는 VT: IV/IO 부하량 = 1 mg/kg; 필요한 경우 10~15분마다 총 2회 반복 투여; 1회 분량씩 주사기로 뽑아서 IV로 지속적인 주입: 20 - 50 mcg/kg/분

ET: IV 투여량의 2~2.5배

최대 용량

IV: 3 mg/kg

주의: 부전도로로 인한 완전 방실차단과 복합적인 빠른맥에 금기. 초과용량 투여는 심근 저하, 저혈압, 흥분이나 발작을 초래할 수 있다. 아미드기(Amide) 마취제에 대한 과민반응 기관내 삽관튜브를 통해 투여 시 환자 크기에 따라 등장성 식염수(1~5ml)로 희석하여 투여하거나 리도카인 투여 후 식염수를 투여한다.

부작용: 부정맥, 발작, 호흡억제 또는 호흡정지

Lorazepam(로라제팜)

용도: 항경련제, 불안, 진정

권장량

간질지속상태:

0.05 - 0.1 mg/kg를 IV 또는 IO로 2~5분에 걸쳐 투여; 필요한 경우 두 번째에는 0.05 mg/kg를 5~15분 후에 반복 투여

불안/진정:

0.05 mg/kg를 IV 또는 IO로 2~5분에 걸쳐서 투여; 필요한 경우 두 번째에는 0.05 mg/kg를 5~15분 후에 반복 투여

최대 용량

4 mg/회

주의: 호흡이 억제되는지 주의한다. 다른 진정제와 혼합 시 무호흡 발생 가능성이 증가한다. 산소포화도를 감시하고 호흡지지를 제공하기 위해 준비되어야 한다. 발작이 있는 환자를 역전시키지 않는다.

같은 양의 D5W 또는 NS와 희석시킨다.

IV 조제용 물질은 알코올을 포함한다.

부작용: 느린맥, 저혈압, 무호흡, 혼돈, 환각, 조산아의 경우 간대성 근경련

Mannitol(만니톨)

용도: 이뇨, 두개내압감소

권장량

IV: 0.25 - 1 g/kg

최대 용량

2 g/kg 체중

주의: 결정체를 확인하기 위해 바이알을 검사한다; 있다면 따뜻하게 해서 다시 녹인다. 20%용액이나 그 이상의 용액을 투여하기 위해 5 micron필터를 사용한다. 이뇨로 과도한 수액이 손실되지 않도록 해서 탈수와 전해질 불균형을 막는다.

20~60분에 걸쳐서 투여한다.

부작용: 탈수, 체액과 전해질 불균형, 두통, 저혈량증, 발작, 수분중독

Methylprednisolone(메칠프레드니솔론)

용도: 천식, 크룹

권장량

IV 또는 IO를 통해 1 - 2 mg/kg/회

최대 용량

60 mg/일

주의: 20분 이내에 고용량의 정맥 내 주입(250mg 이상)은 저혈압, 부정맥과 급사를 일으킬 수 있다. 다수의 투여 형태에 주의한다.

메틸프레드니솔론 호박산 나트륨을 IV 주사한다.

알코올을 포함할 수 있다.

부작용: 부종, 뇌하수체-부신억제, 저칼륨증, 소화궤양, 메스꺼움, 구토,

Midazolam

용도: 불안, 발작

권장량

간질지속상태:

IV 또는 IO: 0.1 mg/kg;

IM 또는 비강 내: 0.2 mg/kg
필요한 경우 5~15분 후에 반복 투여 가능

진정:

IV, IO, 또는 IM: 0.05 - 0.1 mg/kg
비강 내: 0.2 mg/kg

최대 용량

생후 6개월 ~ 만 5세: 6 mg

만 6세 이상: 10 mg

주의: 호흡정지와 발작을 유발할 수 있으므로 빠른 정맥내 투여는 피한다. 다른 진정제 특히 벤조디아제핀과 혼합사용 시 무호흡 발생률이 증가한다. 투여 경로와 상관없이 호흡보조를 준비해야 하고 산소포화도를 감시한다. Flumazenil로 역전되어질 수 있다. 간대성 근경련이 미숙아에서 발생할 수 있다. 발작성 흥분이 소아에서 나타날 수 있고 Flumazenil로 역전시킬 수도 있다.

다수의 농도의 비경구용 제품들이 이용 가능하다.

비강 내 주입을 위해 5 mg/mL를 사용한다. 분무기 또는 바늘이 제거된 주사기를 이용해서 각각의 콧구멍에 절반의 양을 투여한다(각 콧구멍에 최대 1mL).

희석시키지 않은 채로 IM 주사를 대근에 한다. 소아 환자의 경우 허벅지의 앞면-측면이 선호된다.

부작용: 느린맥, 저혈압, 심정지, 무호흡, 호흡억제

Morphine(모르핀)

용도: 중증 급·만성 통증

권장량

신생아: 0.05 mg/kg IM, IV, IO

영아와 소아: 0.05 - 0.1 mg/kg IM, IV, IO

청소년: 3 - 4 mg IV 또는 IO, 필요한 경우 5분 후에 반복 투여

최대 용량

신생아: 0.1 mg/kg

영아, 소아 그리고 청소년: 10 mg

주의: 소아 환자들은 아편제제 효과에 더 민감하다. 유사한 아편제제에 과민반응함. 어떤 제품들은 아황산염을 포함하기도 한다. 다른 진정제 특히 벤조디아제핀과 혼합 사용 시 무호흡 발생률이 증가한다. 투여 경로와 상관없이 호흡보조를 준비해야하고 산소포화도를 감시한다. 날록손이 역전시킬 수 있다.

주사 부위 조직 발진, 통증, 가변성 흡수 그리고 최대효과까지 지체되는 시간 때문에 IM은 선호되는 주입로가 아니다.

부작용: 호흡억제, 저혈압, 발진, 변비

Naloxone(날록손)

용도: 아편중독

권장량

-소아: 0.1 mg/kg/회 IV, IO, IM, ET, 또는 비강 내로 투여
  필요한 경우 2~3분마다 반복 투여

-ET 튜브를 통해 투여하는 경우 IV 투약량의 2~3배로 주입

최대 용량

-전에 2 mg 였으나, 합성 아편유사제의 과복용을 한 경우 더 주입해야 한다.

주의: 기관내 삽관 시 생리식염수 1~2mL로 희석해 사용한다.

아편제제 의존성시 급성 금단현상을 일으킬 수 있다. 날록손을 투여한 환자는 최소한 2시간동안 다시 마약중독상태가 되지 않는지 계속 관찰해야한다. 아편제제 해독을 유지하기 위해 필요한 만큼 반복 투여할 수 있다. 근육내 주사 흡수는 일정하지 않을 수 있다. 최근 약물 남용이 의심되는 산모의 신생아에게는 아기에게 나타나는 급성 금단현상의 위험 때문에 날록손을 투여하지 않는다.

비강 내 주입할 경우, 반복되는 투여 시 각각의 콧구멍에 번갈아 투여한다.

Nitrous Oxide, Dinitrogen Oxide, N₂O, Laughing Gas(아산화질소)

용도: 진통, 진정

권장량

25% - 50%의 아산화질소를 산소와 50:50 비율로

최대 용량

70%

주의: 질식이 나타날 수 있다.

부작용: 악성 고열, 심부정맥, 메스꺼움, 구토, 정신착란

Norepinephrine(노르에피네프린)

용도: 분포성 쇼크

권장량

0.05 - 0.1 mcg/kg/분을 IV로 투여, 원하는 반응이 나타날 때까지 점적

최대 용량

2 mcg/kg/분

주의: 농도와 주입속도를 두 번 확인한다. 두피정맥은 피한다.

시작하기 전에 적절한 양의 대체물을 확인한다.

중추혈관이 선호된다. 유출은 심각한 조직 괴사를 유발할 수 있다.

부작용: 느린맥, 고혈압, 부정맥, 심계항진, 창백, 허혈성 괴사, 기관허혈

Phenobarbital(페노바비탈)

용도: 간질지속상태, 진정

권장량

20 mg/kg IV 또는 IO로 20분에 걸쳐서(1 mg/kg/분);
30 mg/minute를 초과하지 않는다.

필요한 경우, 15분 후에, 최대 총량 40 mg/kg까지, 1회 반복 투여 가능

최대 용량

1,000 mg

주의: 다른 진정제와 혼합사용 시 무호흡 발생률이 증가한다. 호흡보조를 준비해야하고 산소포화도를 감시한다. 용액이 매우 알카리 성분이 강하므로 정맥외 유출을 피해야 한다.

비경구용 용액들은 알코올을 포함할 수도 있다.

부작용: 기면, 저혈압, 무호흡, 기이성 흥분, 호흡 억제, 혈전성 정맥염

Phenytoin(페니토인)

용도: 간질지속상태

권장량

신생아: 10 mg/kg

소아: 20 mg/kg IV 또는 IO로 20분에 걸쳐서 투여 (1 mg/kg/분); 50 mg/분을 초과하지 않는다.

최대 용량

1,000 mg

주의: 포도당 용액과 혼합할 수 없다. 심박수를 감시하고 만약 심박수가 분당 10회로 감소하면 주입속도를 줄여야한다. 빠른 정맥 투여는 심실세동과 심정지를 유발할 수 있다.

정맥외 유출을 피한다. 주사는 propylene glycol과 benzyl alcohol을 포함할 수 있다.

0.22-에서 0.55-미크론 인라인 필터는 IV piggyback 용액에 선호된다.

부작용: 느린맥, 저혈압, 부정맥, 심혈관 허탈, 안구진탕, 기면, purple glove 증후군

Pralidoxime Chloride, 2-PAM, 2-Pyridine Aldoxime Methochloride(프라리독심 클로라이드)

용도: 유기인산염중독, 니코틴증상이 동반된 카르밤산염 살충제 중독, 항콜린에스테라제 중독

권장량

25 - 50 mg/kg를 IV로 5 - 30분에 걸쳐서 투여, 그리고 나서 10 mg/kg/시간 또는 1시간 후에 같은 용량 반복 투여

IM: 15 mg/kg (최대 600 mg), 필요한 경우, 매 15 분마다 최대 45 mg/kg까지 반복 투여

최대 용량

2 g/회

중증 중독일때 최대 용량이 요구될 수도 있다.

주의: 빠른 정맥 투여는 빈맥, 후두 경련, 근경직과 일시적 신경근육 차단을 일으킬 수 있다. IV 투약량을 15~30분에 걸쳐서 주입한다. 200 mg/분을 초과하지 않는다.

정맥투여가 선호되지만 정맥로가 즉시 확보되지 않으면 IM으로 투여할 수 있다.

아트로핀과 혼합해서 사용할 수 있다.

부작용: 메스꺼움, 두통, 어지러움, 복시, 과환기

Rocuronium Bromide(로큐로니움 브로마이드)

용도: 기관내 삽관을 촉진 시키고 기계적 환기 동안 골격근 이완을 하기 위한 일반적 마취의 보조제

권장량

IV: 1 mg/kg

최대 용량

1.2 mg/kg

주의: 환기보조가 필수적이다. 기도유지방법을 준비한다. 알카리 용액과 혼합하지 않는다. 신경근육차단작용(예:aminoglycosides)을 하는 항생제와 상호작용을 하거나 신경근육차단을 강화할 수 있다. 폐질환 환자에서 독성이 증가할 수 있다.

부작용: 근허약, 저혈압 혹은 고혈압, 부정맥, 빠른맥, 기관지 연축, 딸꾹질

Sodium Bicarbonate(중탄산염)

용도: 주기적인 항우울제 과다 복용, 고칼륨혈증

권장량

소아: IV 또는 IO를 통해 1 mEq/kg를 천천히 투여

최대 용량

50 mEq/회

주의: 칼슘, 도파민, 에피네프린과 혼합하지 말아야 한다. 정맥외 침윤은 조직괴사를 유발 할 수 있다. 신기능감소를 주의한다. 신생아에게는 0.5mEq/mL이상을 투여하지 않는다.

부작용: 뇌출혈, 부종, 고나트륨혈증, 저칼륨혈증, 저칼슘혈증, 대사성 알카리증

Succinylcholine, Suxamethonium(석시닐콜린)

용도: 기관내 삽관, 기계적 환기, 일반적 마취의 보조제

권장량

IV, IO, 또는 IM을 통해: 1 - 2 mg/kg/회

주의: 두개내압상승, 심한 화상, 척수손상, 신경근 질환, 근병이나 악성 고열 시 금기. 이런 금기시 rocuronium과 같은 비분극성 근육이완제를 사용한다. 환기보조가 필요하다. 만약 succinylcholine 투여 후 바로 심정지가 발생하였다면 고칼륨혈증을 의심해야 한다(특히 만 9세 이하의 남아). 독성은 근육손상, 근병, 횡문근변성이나 낮은 가콜린에스테라제 수준인 환자에서 증가한다. 소아는 느린맥, 심정지, 그리고 마이오글로빈혈증이 더 되기 쉽다. 소아의 경우 석시닐콜린 투여 전에 아트로핀 투여가 권장된다.

부작용: 느린맥, 저혈압, 부정맥, 무호흡, 심정지, 고칼륨증, 악성고열

Abbreviations: AV, atrioventricular; bpm, beats per minute; ET, endotracheal; HR, heart rate; ICP, intracranial pressure; IM, intramuscular; IO, intraosseous; IV, intravenous; MDI, metered-dose inhaler; NS, normal saline; PO, per os; PR, per rectum; SQ, subcutaneous; VF, ventricular fibrillation; VT, ventricular tachycardia.

Glossary

A

"alert, verbal, painful, unresponsive" (AVPU) scale(명료, 언어, 통증, 무반응) 척도 모든 환자에 있어서 의식의 수준을 평가하는 표준화된 방법; 자극에 대한 반응을 기반으로 운동 반응을 분류.

abdomen(복부) 해부학적으로 늑골아래와 골반 위 사이의 몸통 앞부분; 위, 식도 하부, 작은창자, 큰창자, 간, 쓸개(담낭), 지라(비장), 이자(췌장), 방광을 포함.

abdominal excursions(복부운동) 영아의 호흡주기 동안 일어나는 복부근육의 움직임.

abrasion(찰과상) 피부 혹은 점막의 부분이 손상되어 긁혀서 벗겨진 것.

absorbed(흡수) 받아들이거나 빨아들이는 것.

abusive head trauma(폭력적인 두부손상) 영아와 아동학대 참조. 폭력에 노출된 환자에게 나타나는 채찍질 흔들림 손상(whiplash type shaking injury). 혼수, 경련, 뇌정맥이 찢어져 뇌 속에서 발생하는 출혈 때문에 뇌내압 상승의 원인이 됨.(구용어: 흔들린 소아/영아 증후군)

acceleration-deceleration injury(가속-감속 손상) 신체의 일부분과 다른 물체가 움직이면서 발생한 충돌로 인한 상해로 머리와 같은 신체의 일부분이 앞으로 움직이다 갑자기 멈추게 되는 것으로 인해 생기는 손상유형.

acid(산) 낮은 pH를 갖는 부식을 일으키는 물질.

acidosis(산증) 산의 축적(당뇨성 산증 혹은 신질환과 같은) 혹은 중탄산염의 과도한 상실(신질환과 같은) 때문에 체액이 과도하게 산성화된 상태.

acrocyanosis(말단청색증) 사지의 청색증; 출생 후 첫 1시간 이내의 영아에게서 손과 발의 말단청색증은 정상일 수 있음.

activation phase(활동기) 재해대응의 3단계 중 1단계. 재해지휘체계 조직의 확립과 현장 평가를 포함하는 첫 대응기.

acute(급성) 급하고 심각하며 갑자기 발생하고 급격하게 증가하며 짧은 과정을 거치는 것이 특징임.

adenoidal(아데노이드의, 선양조직의) 입과 입 인두의 뒤에 있는 림프조직(인두편도).

adrenaline(아드레날린) 에피네프린과 동의어. 이 호르몬은 심박수와 혈압을 증가시키며, 신체가 스트레스 하에 있을 때 교감신경계의 '투쟁-도피 반응(fight-or-flight)'을 조절.

adrenergic agents(아드레날린성 약물) 에피네프린(아드레날린)과 노르에피네프린의 효과를 본뜬 약물.

adsorb(흡착하다) 흡착하여 계속 가지고 있음.

afebrile seizures(무열성 발작) 열을 동반하지 않는 발작.

agent(약제, 인자) 효과를 일으키는 것; 예로써, 질병을 일으키는 박테리아는 특별한 질병의 인자로 부른다. 손상인자는 화상의 열에너지와 같은 손상을 일으키는 에너지이다. 약물은 주로 약리학 제제임.

agonist(작용제) 세포에 대한 특별한 수용체를 자극하거나 활성화 시키는 물질.

airway adjunct(기도장비) 기도개방을 유지하기 위한 인공장비.

aldosterone(알도스테론) 부신에 있는 부신 피질의 사구층에서 생산되는 스테로이드 호르몬

alkali(알칼리) 높은 pH를 갖는 강한 염기로 보통 조직을 부식시킴.

alveoli(폐포) 산소와 이산화탄소의 교환 장소인 폐의 공기주머니.

amniotic fluid(양수) 자궁 안에 있는 양막에 싸인 액체. 이것은 무균이고 투명하며 거의 무색. 양수는 태아를 둘러싸서 손상으로부터 보호하며 체온을 유지하는데 도움을 준다.

analgesia, analgesic(진통제) 통증을 경감시키는 약물.

anaphylactic reaction(아나필락시스반응) 쇼크와 호흡부전을 포함하는 전신의 알레르기반응으로 극도로 생명을 위협한다.

anaphylaxis(아나필락시스) 항원-항체 면역 반응이 원인이 되어 발생하는 급격한 전신 반응.

anatomic(해부학적) 해부학 또는 유기체의 구조에 관련된.

androgens(안드로겐/남성호르몬) 남성의 성징 발현과 생식 활동의 역할을 하는 호르몬의 한 그룹.

antecubital fossa(전주오목, 앞팔꿉오목, 전(前)팔오금) 팔꿈치를 따라 앞쪽의 삼각형 함몰부위로 원엎침근(원

형회내근)의 중앙과 위팔노근(상완요골근)의 측면에 걸쳐있다.

anthrax(탄저병) 포자(보호 껍질) 안에서 휴면하고 있는 치명적인 박테리아(탄저균); 세균은 최적의 온도와 습도에 노출되었을 때 포자로부터 방출된다. 침입구는 흡입, 피부, 위장관(포자를 포함하고 있는 식품 섭취로부터)이다.

antibiotic(항생제) 박테리아를 파괴하거나 성장을 방해해 감염성 질환에 효과가 있는 자연적 혹은 합성된 다양한 물질.

anticonvulsant(항경련제) 경련을 멈추게 하거나 예방하는 약제.

antigen(항원) 알레르기반응을 일으키며 면역체계에 의해 감작되는 단백질.

antipyretic(해열제) 열을 낮추는 약제.

antivenin(항뱀독소) 동물이나 곤충으로부터 독소의 효과를 중화하는 혈청.

anxiolysis(항불안-) 불안, 흥분, 긴장의 감소.

apnea(무호흡) 호흡의 일시적인 중지.

apneic(무호흡-) 호흡이 없는 것이 특징인.

asphyxia(질식) 불충분한 산소가 원인인 상태.

assessment(평가) 평가(evaluation).

assisted ventilation(보조 환기) 기계적으로 환기를 제공하는 것.

asthma(천식) 여러 가지 자극에 대한 기관기관지 가지의 반응이 증가되어 생기는 질병. 결과적으로 기관지 기도의 발작성 수축이 일어나고 임상적으로 쌕쌕거림(천명음)이 동반되는 심각한 호흡곤란이 있다.

asymmetric(비대칭) 대칭적이지 않은.

asystole(무수축) 심장의 정지, 심장이 수축하지 않는 상태.

ataxia(실조) 비정상적인 걸음.

atrioventricular heart block(심방심실(방실) 심장차단) 심방으로부터의 전기적자극이 심실로 내려가지 못하여 생기는 전도장애.

atrium(심방) 심장의 상부에 있는 2개의 좌우심방. 우심방은 정맥으로부터 피를 받아 우심실로 운반하고 폐로 혈액을 내보낸다. 좌심방은 폐정맥에서 혈액을 받아들인 다음 좌심실로 운반하고 온 몸으로 혈액을 내보낸다.

auscultated(청진하다) 청진기로 소리를 듣는 것.

auscultation(청진) 청진기를 통해 몸 안에서 발생하는 소리를 듣는 과정.

AVPU(alert, verbal, painful, unresponsive) AVPU 척도의 구성요소는 의식수준을 평가하는데 사용된다; 의식 명료, 언어적 지시, 통증자극, 무반응.

avulsion(벗겨진상처, 찢김) 신체의 일부분이나 구조물이 찢기는 것.

axial loading(축부하, 축하중) 척추에 가해지는 수직압박.

axillary temperature(겨드랑체온, 액와체온) 겨드랑이에서 잰 체온.

axonal shearing(축삭 전단) 심각한 뇌손상을 일으키는 갑작스런 움직임에 의해 일어나는 축삭 혹은 신경초(껍질)의 찢김.

B

baseline(기저선) 관찰한 결과를 비교할 수 있는 알고 있거나 초기 상태의 값.

basilar skull fracture(머리바닥골절) 머리바닥 골절로 종종 뇌출혈이나 뇌손상과 관련된다.

Battle sign(배틀징후) 귀 뒤에 멍이 드는것; 머리바닥골절의 지표가 되는 징후.

benzodiazepines(벤조디아제핀) 발작 또는 흥분의 치료로 사용되는 진정-최면 약물 계열.

bezoar(위석, 위창자돌) 가끔 위나 소장에서 발견되는 뒤얽혀 있는 물질의 딱딱한 덩어리.

bilateral(양쪽-, 양측-) 양쪽(양측)에 속하는, 영향을 주는, 관계되는.

biological agents(생물학적 인자) 바이러스, 박테리아, 독소를 포함하는 질병을 일으키는 유기체들.

biological pathogens(생물학적 병원체) 숙주에서 질병을 일으킬 수 있는 미생물.

blood pressure(혈압) 혈액의 관류 압력.

brachial(위팔-) 팔의 주동맥과 정맥에 속하는.

bradycardia(느린맥, 서맥) 느린 심박수.

brain death(뇌사) 뇌기능의 정지.

brain perfusion(뇌관류) 뇌의 혈액순환.

brainstem(뇌간, 뇌줄기) 척수와 대뇌반구를 연결하는 뇌의 줄기 같은 부분(연수, 뇌교, 중뇌 포함).

brainstem functions(뇌간기능) 호흡처럼 삶에 필수적인 뇌간에 의해 조절되는 신체 기능들.

brainstem herniation(뇌간이탈) 뇌조직이 압박되거나 부풀어 오름; 호흡정지나 사망의 원인이다.

bronchiolitis(세기관지염) 바이러스에 의한 세기관지의 염증.

bronchodilator(기관지확장제) 공기의 움직임을 증진시키고 쌕쌕거림(천명음)을 감소시키기 위해 기도개방을 돕는 약물.

bronchopulmonary   dysplasia(BPD)(기관지폐형성이상) 산소요법기간 후에 오는 미숙아에서 생긴 의원성 만성 폐질환.

bronchovesicular(기관지폐포의) 폐 통로의 가지에 속하는.

buccal(볼의-) 치아와 입의 점막 사이의.

buckle fracture(죔쇠골절, 팽창골절) 뼈의 한쪽 끝이 솟아오르는 부분적인 작은 골절로 작은 각을 형성하거나 혹은 표면이"뒤틀려"압축된다.

bulging fontanelle(팽창된 숫구멍) 두개골의 이마뼈가 미숙한 개구부를 통해 돌출된 상태로 이 징후는 두개내압이 증가되었음을 암시한다.

C

calcium channel blockers(칼슘통로차단제) 심장을 통한 전도속도와 심장의 전체 작용의 감소를 돕는 약물 계열.

cannulating(삽관술) 정맥이나 체내의 통로를 통해 카테터를 삽입하는 것.

capillary refill time(CRT)(모세혈관재충혈시간) 원위부의 순환 기능을 평가하는 검사로 손톱 같은 부위를 눌렀다 뗀 후에 핑크빛으로 다시 돌아오는데 걸리는 시간을 초로 잰다.

capnometry(호기말이산화탄소분압측정기) 배출되는 이산화탄소의 양을 측정하여 호기말이산화탄소분압을 측정하는 장비.

cardiac arrest(심정지) 중심맥박 없음, 무반응, 무호흡에 의해 결정되는 심장의 기계적 활동 정지.

cardiac dysrhythmia(심부정맥, 심율동장애) 비정상적인 심장 리듬.

cardiac medication(심장 약물) 심장질환과 심맥관계 상태의 치료를 위해 사용하는 다양한 약물.

cardiogenic shock(심장성쇼크) 심장이 비정상적으로 기능하여 점차적으로 심박출량이 감소하는 상태.

cardiomyopathy(심장근육병증, 심근병증) 특히 심장근육의 일차적 질병 때문에 생기는 심근의 질병.

cartilage(연골) 조밀한 결합조직의 특수한 형태로 뼈보다 더 부드럽고 일반적으로 소아의 골격이 해당된다.

cartilaginous growth plates(연골성장판) 인체 발달을 성장시키는 뼈의 수평 부분.

cathartic(설사제) 장의 배변을 유발시키는 약제.

caustic(부식성의) 부식성과 연소되는; 살아있는 조직을 파괴한다.

central cyanosis(중심청색증) 저산소증 때문에 피부(체간과 얼굴)가 약간 푸르스름하거나 회색이 도는 또는 어두운 자주빛으로 변색됨.

central nervous system(CNS)(중추신경계) 중추신경계는 뇌와 척수로 되어있으며 생명 유지에 필수적인 신체의 기능을 통제한다.

central venous catheter(중심정맥 카테터) 중심정맥압을 간헐적 혹은 지속적으로 감시하고 화학분석을 위해 혈액 검사물을 얻을 수 있도록 대정맥 속으로 삽입된 카테터.

cerebral cortex(대뇌겉질, 대뇌피질) 고차원의 정신기능을 담당; 감각, 사고, 인지, 자발적인 행동의 근원.

cerebral edema(뇌부종) 뇌의 부종

cerebral palsy(뇌성마비) 태아 발육 시 또는 출생 시, 뇌 손상의 결과로서의 움직임과 근육 긴장도의 장애

cerebral spinal fluid(CSF) shunt(뇌척수액 우회로(단락)) 인체의 복막과 같은 뇌의 해부학적 구조 밖의 다른 부분에서 액체를 배출하기 위해 거미막(지주막) 하강으로부터 뇌실 안에 형성된 액체를 흡인하는 튜브. 이것은 뇌압을 낮춰준다.

chest wall(흉벽) 흉부 근골격계의 틀.

child maltreatment(아동 학대) 아동 학대와 아동방임의 모든 유형에 적용되는 일반적 용어.

child neglect(아동방임) 어린이의 영양섭취, 정서적, 신체적 요구를 제공하는데 있어서 책임감 있게 돌보지 못한 것.

child protective services(CPS)(아동보호소) 이 기관은 아동을 보호하고 재활시키고 아동 학대와 아동방임의 예방을 위한 책임감있는 지역사회의 법적조직이다. CPS는 일시적으로 상해 혹은 방치의 위험으로부터 어린이를 집에서 안전하게 돌볼 수 있는 장소로 옮기는 법적 권한을 가지고 있다.

child restraint systems (CRS) (소아 고정 장치) 자동차 또는 비행기 내에서, 영아 또는 소아를 고정하기 위해 고안된 소아 안전 장치.

children with special health care needs(CSHCN)(특별한 건강관리가 요구되는 아동) 만성적이고 신체적, 발달적, 행동적, 혹은 정서적 상태의 위험이 증가되어 있으며, 그리고 또한 일반적인 소아에게 필요로 하는 양과 유형 이상의 건강과 그와 관련된 서비스가 요구되는 아동

choanal atresia(뒤콧구멍폐쇄, 후비공폐쇄) 막이나 뼈조직에 의해 콧구멍이 좁아지거나 막히게 되는 것; 선천적인 요인(출생 시 발생).

cholinergic crisis(콜린작동성위기) 콜린성 약물, 살충제 또는 화학전쟁을 위해 고안된 "신경가스"와 관련된 위기. 콜린성 약품은 부교감신경에 의해 조절되는 정상적 신체 기능들을 과도하게 자극한다.

cholinergic impulses(콜린작동성충동) 신경전달 물질인 아세틸콜린을 분비하는 뉴런에 대한 기술.

circadian rhythm(생체 리듬) 약물과 자극에 대한 민감성, 호르몬 분비, 수면, 식이 등과 같은 생리학적인 과정이나 활동이 약 24시간을 주기로 규칙적으로 반복되는 것. 이 리듬은 생리학적 시계처럼 낮과 밤이 반복되어 순환하는 것처럼 보인다.

clavicles(빗장뼈, 쇄골) 빗장뼈; 이 뼈는 f자 모양으로 구부러지고 흉골과 견갑골의 관절을 잇는다.

coin rubbing(동전 마사지) 뜨거운 코인 마사지에 의해 병을 치료하기 위해 행하는 문화의식. 종종 등에 둥글거나 붉은 타원형의 불규칙한 반점, 평평한 피부 병변을 만든다.

colostomy(잘록창자누공술(창냄술)) 대변을배출하기 위한 목적으로 대장과 신체의 표면사이에 개구부를 수술적으로 만들어 주는 것.

commotio cordis(심장진탕) 흉부에 치명타를 입어 관통되지 않은 둔상으로부터 생긴 갑작스런 심정지. 심정지의 이유는 흉벽이 심장의 해부학적 위치 위쪽에 바로 충격을 줌으로 인해 유발된 심실세동(무질서하고 비정상적인 심장리듬) 때문이다.

compensated shock(보상성쇼크) 부적절한 조직 관류의 임상징후가 나타나는 상태로 환자의 혈압은 정상범위 안에 있다.

compensatory mechanisms(보상기전) 호흡, 관류, 대사기능의 심한 손상 후에 신체 활력기능이 정상적으로 돌아오도록 돕기 시작하는 생리학적 반응.

complex febrile seizures(복합열발작) 15분보다 더 오래 지속되고 초점운동 활동을 하며 체온의 빠른 증가와 관련되는 생후 6개월에서 6세 사이의 비교적 건강한 소아에서 발생하는 특이한 자기-제한적인 발작.

complex partial seizure(복합부분발작) 복합적인 초점 운동 활동이 있든 없든 의식의 변화에 의해 특징 지워짐.

compression(압박) 함께 짜고 있는; 함께 압박되고 있는 상태.

concussion(진탕) 의식상태의 변화를 일으키는 유형의 뇌 손상.

congenital(선천-) 태어날 때부터 생긴.

congenital anomalies(선천성기형) 출생시 특이하고 다른 해부학적 구조를 가지고 태어남.

congenital diaphragmatic hernia(선천성 가로막탈장, 선천성 횡격막탈장) 가로막의 발달 결함으로 복부의 장기들이 흉부 속으로 탈출됨.

congenital heart disease(선천심장병) 태어날 때부터 생긴 심장 질환.

congestive heart failure(울혈심장기능상실, 울혈심부전) 심근 손상과 보통 폐 속으로 체액이 정체되어 생긴 결과로 심장이 효과적으로 혈액을 박출하는 능력을 부분적으로 상실한 심질환.

consent for care(치료적 동의) 치료를 제공하도록 허락하는 것.

constipation(변비) 과도하게 단단하고 건조한 분변물질이 드물게 배출되는 상태.

contact burns(접촉 화상) 뜨거운 물체, 용액 혹은 가스로부터 직접 접촉하여 생긴 열화상.

contraindications(금기증) 치료가 부적절함을 알려주는 것.

core perfusion(핵심 관류) 신체 핵심부분에서 일어나는 혈액 순환.

corrosive(부식-) 조직의 부식 또는 파괴를 일으키는 것.

cortical(겉질-, 피질-) 대뇌피질에 속하거나 뇌의 바깥층에 관련된 것.

crackles(거품소리, 수포음) 나음(rale); 폐포에 액체가 있음을 암시하는 폐음.

cranium (phyesal plates)(머리뼈, 두개골) 귀와 눈 위의 머리 부분; 머리뼈는 뇌를 담고 있다.

crepitus(비빔소리, 마찰음) 부드러운 조직 안에 가스가 채워진 느낌 혹은 소음.

critical incident stress management(CISM)(위기상황 스트레스관리) 치명적인 사건에 대한 반응에 직면하는 응급의료서비스 요원들을 신체적, 정서적으로 평형을 유지할 수 있도록 긴장을 완화시키는 과정.

crowning(머리출현, 배림) 분만의 단계로서 질 개구부에 태아의 머리가 보임.

cupping(부항) 신체의 질병을 치료하기 위한 문화적 치료 행위로 피부에 따뜻한 컵을 놓은 것 같은 모양의 흔적. 이것은 종종 가장자리가 더 심한 빨간 피부 병변을 보이며 납작하고 둥글고 붉게 보인다.

Cushing triad(쿠싱삼징후) 머릿속압력(두개내압)이 증가된 결과로 고혈압, 느린맥과 불규칙적인 호흡이 전체적으로 나타나는 상태.

cyanide(시안화물) 아몬드와 비슷한 냄새가 나는 무색 가스이며 많은 산업공정에서 사용되는 화학 질식제이다; 노출은 구조물에 화재가 났을 때 연소의 부산물로 발생 될 수 있다.

cyanosis(청색증) 저산소증의 발현으로 피부색이 약간 푸르스름하거나 회색이 돌거나 석판색 또는 어두운 자색으로 변색되는 것.

cyanotic heart disease(청색증 심질환) 체순환에서 부분적으로 산소화된 혈액이 왼쪽에서 오른쪽으로 흘러 생기는 선천성 심질환의 유형.

cyclic antidepressant(고리형 항우울제) 과다복용 시 혼수, 발작, 그리고 전도장애를 일으키는 항우울제의 유형.

cystic fibrosis(낭성섬유증) 점액 생산 또는 외분비선의 부적절한 기능으로 인한, 폐 그리고 소화계 장애를 야기하는 선청성 장애. 환자들은 빈번한 폐 감염, 공기가슴증, 손상된 소화 기능과 영양분의 흡수, 그리고 더딘 성장을 경험한다.

D

decerebrate(대뇌제거-, 제뇌-) 팔과 다리의 경직된 신전을 특징으로 하는 자세; 다리뇌(교뇌) 수준의 뇌줄기(뇌간)에 압박을 받고 있는 지표이며 심한 뇌부종환자에게 나타난다.

decompensated shock(비보상성쇼크) 빠른 교정을 하지 않으면 심정지가 빠르게 진행되고 저혈압이 특징인 쇼크 상태.

decontamination(오염제거) 독을 제거하는 과정.

decorticate(대뇌피질제거-) 팔의 굴곡과 다리의 신전으로 특징되는 자세 ; 뇌줄기 기능을 유지하는 대뇌겉질과 겉질밑 백(색)질에 압력을 받고있는 지표이며 심각한 뇌손상을 가진 환자에게서 나타난다.

defibrillator(제세동기, 잔떨림제거기) 심장에 충격을 주어 제세동을 만드는 전기 장치; 외장형으로 사용하거나 혹은 체내 삽입형 자동세동제거기의 형태로 사용된다.

demarcated(경계가 표시된) 경계부분이 정해진 지역.

dendrite(가지돌기, 수상돌기) 인접세포와 연결된 신경세포로부터 뻗어 나온 가느다란 돌기.

dextrose(포도당) 동물과 식물조직에서 자연적으로 만들어지는 포도당(설탕)의 형태이며 전분으로부터 합성된다.

diabetes mellitus(당뇨병) 대개 인슐린의 결핍 때문에 당대사 능력이 저하되어 발생하는 대사장애.

diabetic ketoacidosis(당뇨병케톤산증) 세포내 포도당 공급의 결핍으로 인한 지방 대사로 발생된 케톤산이 축적된 당뇨병의 산증 형태.

diaphoretic(땀남-, 발한-) 높은 생리적 스트레스 때문에 일어나는 과도한 발한상태.

diaphragm(가로막, 횡격막) 호흡을 도와주며 복강으로부터 흉강을 분리시키는 근육.

diaphysis(뼈몸통, 골간) 긴뼈의 기둥.

diastolic pressure(이완기압) 좌심실의 휴식 때 심장 순환주기의 이완기 동안에 동맥에 남아있는 압력.

diffuse axonal injury(미만성축삭손상) 광범위한 뇌부종의 결과로 뇌에 손상이 생김.

dilated(확장된) 넓혀진, 팽창된.

direct medical control(직접의료지도, 직접의료통제) 의시의 지시기 전화 혹은 무선으로 직접 부어되는 것.

dirty bomb(더러운 폭탄) 방사능 분산 장치로 사용되는 폭탄에 붙여진 이름.

disaster(재난) 공공의 안전, 시민의 생명과 재산을 위협하는 광범위한 사건으로 지역사회 자원과 기능을 방해하는 광범위한 사건.

distal(먼쪽-, 원위-, 말단-) 중심에서 가장 먼.

distal extremities(원위부 사지) 몸통으로 부터 더 멀리 있거나 사지의 말단에 더 가까운 구조물.

distention(팽만, 팽창) 팽창, 비대, 확장, 팽대.

distributive(분포) 혈액량과 혈관긴장도의 분포장애에 의해 특정되어지는 임상적 상태

diving reflex(잠수반사) 미주신경의 반응을 보기 위해 물속에 코와 얼굴을 담그는 것; 심실상성빈맥을 보인 아이들의 결정적인 부정맥을 치료하기 위해 사용된다.

Do Not Resuscitate order(DNR, 소생불가지시) 심정지의 경우 의료인이 소생술을 시도하지 않도록 허락하는 기록된 문서.

Down syndrome(다운증후군) 21번 염색체가 3개로 태어난 선천적 질환. 임상적 특징은 심각한 정신지체, 치켜 올라간 눈, 넓은 이마, 큰 손과 짧은 손가락이다. 다른 선천적 기형은 심장결손과 식도 폐쇄증을 포함한다.

dressings(드레싱) 질병이나 상처 부위를 보호하기 위해 덮어 주는 것.

drug-assisted intubation (DAI) (약물 보조 삽관술) 기관내삽관술을 가능하게 하는 약물요인을 사용하는 일종의 기도 관리 방법.

dysphagia(삼킴곤란, 연하곤란) 삼키기가 어렵거나 불가능 한 것.

dysrhythmias(부정맥) 비정상적, 무질서한 리듬.

E

edema(부종) 조직액이 국소적으로 또는 전신적으로 모이는 것.

effortless tachypnea(무노력성 빠른호흡) 호흡을 위한 노력의 증가 징후가 없는 빠른호흡; 이것은 어린이에서 부족한 관류에 의해 생긴 산증을 교정하기 위해서 여분의 이산화탄소를 분출시키기 위한 시도이다.

electrocardiogram(ECG)(심전도) 심장과 심장리듬을 평가하는데 사용하는 12유도의 심전도 기록.

emancipated minor(독립한 미성년자) 법적인 나이는 어리지만 스스로(보통 14세 이상) 결정(동의) 할 수 있는 법적 자격이 있는 상태로 인식된 미성년자.

emergency information form (EIF) (응급 정보 양식) 의료인에게 환자의 정보를 제공하는 양식.

emergency protective custody (응급 보호 구호) 법적 보호자가 생명 구조활동에 대한 동의를 거절하는 것을 지속할 때, 법 집행관에 의해 보호 구호된 소아

emesis(구토) 구토.

emotional abuse(정서적 학대) 어린이에게 의도적으로 정서적 위해를 가하는 것.

emotional neglect(정서적 방임) 소아에게 의도적으로 정서적 지지를 소홀히 하는 것.

empathy(공감, 감정이입) 다른 사람의 느낌, 감정, 행위를 이해하고 인식할 수 있는 능력.

EMS-EMSC Continuum(응급의료서비스-소아응급의료서비스 연속선) 소아 응급상태를 예방하고 처치하기 위해 마련된 지역의 서비스 연결체계. 이 연속선은 예방, 1차 의사진료, 병원 전의 처치, 응급실처치, 병원처치, 그리고 재활을 포함한다.

encephalitis(뇌염) 뇌의 염증.

endotracheal intubation(기관내 삽관) 삽관 방법은 기관내튜브(ETT)가 환자의 구강을 통해 직접 후두를 지나 성문을 통해 기관으로 들어가 기도개방을 유지한다.

enterovirus(엔테로바이러스) 어린이의 위장관 또는 호흡기 질환을 일으키는 바이러스의 일종.

envenomation(유독동물독소중독(증)) 뱀이나 곤충 독이 인체로 들어가는 것.

environment(환경) 유기체 또는 상처에 영향을 끼치는 주변 환경, 조건, 영향력.

environmental assessment(환경평가) 잘못된 것에 대한 실마리를 찾고 처리를 돕는 최선의 방법을 유도하기 위한 현장의 평가. 자동차 손상정도 혹은 환자의 집에서 투약병과 같은 관찰된 것들의 정보를 모으는 것이다.

epiglottis(후두덮개) 음식과 분비물이 기관으로 들어가는 것을 막아주는 혀뿌리의 바로 앞에 위치한 얇은 잎 모양의 연골성 구조물.

epiglottitis(후두덮개염) 후두덮개의 염증.

epilepsy(간질) 되풀이되는 발작 상태.

epinephrine(에피네프린) 교감신경계의 기능에서 중요한 역할을 하며 신체(주로 아드레날린으로 부름)에서 생산되는 물질; 혈압을 상승시키고 기관지를 확장시키는 약물 ; 아나필락시스 반응에 선택되는 약물.

epiphysis(뼈끝, 골단) 보조 골화 센터인 뼈의 끝부분.

esophagus(식도) 인두에서 위로 음식을 나르는 근육성 관.

etiology(병인론) 질병의 원인과 기원.

evaporation(증발) 액체에서 기체로의 변화.

exhalation(날숨, 호기) 숨을 내쉬는 과정.

extensor posturing(신전자세) 대뇌제거자세 참조.

extraocular(눈바깥-) 다양한 방향의 눈 움직임.

F

feeding tube(식이튜브) 입, 코 또는 피부를 통해서 위속으로 연결되는 튜브.

fetus(태아) 인간이나 동물이 아직 자궁 내에서 발달하고 있는 형태.

flaccidity(나약함) 무기력, 연약함, 부드러움.

flail chest(동요가슴, 연가양 흉부) 각각의 늑골이 두 번 내지 여러 번의 골절 때문에 효과적으로 호흡하지 못하여 흉벽이 불안정하게 오르내리는 상태.

flexion(굽힘, 굴곡) 구부리는 행동.

flexural creases(굴곡 주름) 무릎 뒤나 팔꿈치 앞의 주름.

focal(국소-) 제한된 신체의 부분.

fontanelle(숫구멍, 천문) 태아나 영아의 머리 뼈 사이에 있는 덜 발달된 뼈의 부드러운 부위.

fulminant pneumonia(전격성 폐렴) 감염이 있는 폐의 급작스럽고 강력한 염증.

G

gag reflex (구역반사) 음식, 체액 또는 분비물이 기관으로 들어가는 것을 보호하려는 반사.

gastric decompression (위감압) 위로부터 공기와 다른 물질을 제거하는 것.

gastric feeding tube (위식이 튜브) 환자의 위속으로 관을 직접 삽입하여 가스, 혈액, 독소를 제거하거나 약물과 음식물을 공급하기 위해 삽입된 튜브.

gastroenteritis (위창자염) 위와 장관의 염증.

gastrointestinal (GI) decontamination (위장관 오염제거) 위로부터 독을 제거하는 것.

gastrostomy tube (G-tube) (위루 튜브) 액체나 고체 음식을 섭취할 수 없는 환자에게 복벽을 통해 삽입된 관으로 음식을 주는 튜브.

generalized seizure (전신발작) 두 대뇌반구의 관련성을 나타내는 특징적인 움직임(강직성-간대).

gestation (임신) 태아가 수정에서 출산 되기까지의 기간.

glial cells (신경아교세포) 뉴런사이에서 기계적 그리고 신체적 지지와 전기적 차단을 제공하는 뉴런 주위의 특이 세포.

glottis (성대문) 두 개의 성대 주름으로 구성되어 후두의 소리를 내는 기관

glucagon (글루카곤) 혈액내 당의 농도가 집중적으로 증가하여 생기는 호르몬.

greenstick fracture (생나무골절, 약목골절) 뼈의 바깥층이나 피질의 일부분에 골절이 생기는 것.

grunting (그렁거림) 중간에서 심한정도의 저산소증을 조절하기 위해 어린이에게서 나타나는 호기 말의 짧고, 낮은 음의 소리; 기도하부와 폐포에 있는 분비액 때문에 생기는 불충분한 가스교환에 의한 반응.

H

hazardous materials (HazMat) (유해물(질)) 독성, 유해성, 방사성, 가연성, 폭발성이 있는 물질이며 노출됨으로써 부상 또는 사망을 초래한다.

head bobbing (헤드보빙) 흡기하는 동안은 머리를 들어 올리고 뒤로 젖히며 호기하는 동안 머리는 앞쪽으로 이동한다; 증가된 호흡작용의 징후.

health information exchanges (HIEs) (의료정보교환) 지역, 사회, 혹은 병원시스템 안에서 조직화하여 컴퓨터로 의료정보를 공유하는 것.

hematoma (혈종) 혈액의 부종이나 덩어리로 기관, 조직 공간을 제한하여 좁히며 혈관의 손상에 의해 발생한다.

hemodialysis (혈액투석) 카테터 혹은 누공을 통해 환자로부터 여러 가지 독소, 전해질, 그리고 노폐물을 함유한 혈액을 제거하고 다른 바늘을 통해 신체로 되돌리는 투석의 형태.

hemodynamically stable (혈역학적안정) 혈액순환 기전에 관하여 변화하거나 동요가 없는 상태.

hemopericardium (혈액심장막, 혈심낭) 심낭에 있는 심근 주변에 혈액이 축적된 것.

hemophilia (혈우병) 혈액의 정상적인 응고인자의 하나 또는 그 이상이 결여된 환자에서 나타나는 선천적인 상태.

hemostat (지혈겸자) 결찰 기구; 닫힌 상태에서 조직이나 혈관을 결찰, 혈액의 흐름을 막는다.

hepatomegaly (간비대) 간이 커진 상태.

hives (두드러기) 물질이나 음식을 접촉 또는 섭취해서 생기는 가려운 발진상태.

homeostasis (항상성) 비교적 안정된 체내의 생리학적 환경의 유지 상태.

host (주체/숙주) 손상 또는 질병 과정에서 영향을 받는 유기체.

hydrocarbon (탄화수소) 수소와 탄소를 함유한 기본적인 유기화합물.

hydrocephalus (물뇌증, 수두증) 뇌의 뇌실안에 뇌척수액이 증가되어 축적된 상태.

hydrochloric acid (염산) 염화수소(HCl)의 강하고 부식성 있는 수용액.

hyperalimentation (과섭취, 과영양) 정맥영양공급을 통해 영양소를 투여하는 것.

hyperoxia (고산소혈증) 혈액 속에 산소가 증가된 상태.

hyperthermia (고열, 고체온) 체온이 비정상적으로 올라간 상태.

hypertrophic cardiomyopathy (HCM) (비대심장근육병(증)) 심장의 근육이 비정상적으로 두꺼워져 혈액을 박출하기 위해 더 열심히 펌프하고 있는 상태.

hypnotic drug (수면제) 수면이나 진정 작용을 하는 약물.

hypocarbia (저탄산혈증) 혈액 속에 탄산의 양이 감소된 상태로 보통 환기율이 증가되어 생김.

hypoglycemia (저혈당(증)) 혈당이 낮은 상태.

hypoperfusion (관류저하) 불충분한 순환.

hypotension (저혈압) 보상부전 쇼크를 보이며 정상 연령보다 수축기 혈압과 이완기혈압이 감소됨.

hypotensive shock(저혈압성 쇼크) 신속하게 교정되지 않으면 심폐정지로 발전하는, 저혈압의 특징을 보이는 쇼크 상태

hypothermia(체온저하, 저체온증) 정상 범위 이하의 체온.

hypotonia(근(육)긴장저하) 근육의 긴장이 감소됨.

hypovolemia(혈량저하(증)) 혈액양이 감소됨.

hypovolemic shock(저혈량쇼크) 혈관 내 용적이 감소된 임상적 상태.

hypoxemia(저산소혈증) 혈액 속의 산소 포화도가 감소된 상태로 맥박 산소계측기로 확인하거나 동맥혈가스분석을 위한 혈액채취로 직접 산소포화도를 측정할 수 있음.

hypoxia(저산소증) 신체의 전체적(일반적인 저산소증) 또는 국소적(조직의 저산소증)인 병리학적 상태로 충분한 산소 공급이 저하되어 발생함.

hypoxic stress(저산소 스트레스) 보통이하의 산소농도 상태.

I

ileostomy(돌창자창냄(술)) 창자의 배액을 목적으로 작은 창자와 신체 표면 사이에 개구부를 수술적으로 만들어 주는 것.

impending brainstem herniation(임박한 뇌간 이탈) 뇌 조직, 뇌 척수액 그리고 혈관이 이동되거나 밀려 그들의 두개 골 내의 본래의 위치에서 이탈하는 경우

impending herniation syndrome(임박한 헤르니아 증후군) 조직이탈과 뇌조직의 압박 바로 직전에 있는 비정상적인 심함 뇌의 압력이 있는 임상적 상태.

implementation phase(수행기) 대량재해반응의 세 가지 단계 중 두 번째 단계. 이 단계 동안의 활동은 탐색과 구조, 부상자분류, 초기안정과 이송, 그리고 현장 위험과 부상자의 최종관리를 포함한다.

implied consent(묵시적 동의) 처치를 받는 것에 동의하는 것이 불가능한 환자가 법적인 가정 하에 정상적 상태에 있어서 처치를 원한다고 동의하는 한 유형.

in utero(자궁내) 자궁 내부의.

indirect medical control(간접의료지도) 정규처방, 기록된 방침, 절차, 그리고 프로토콜.

indwelling central venous catheter(중심정맥 유치 카테터) 혈액흐름의 관찰을 통해 심장 위의 대정맥, 보통 쇄골하정맥으로 작고, 유연한 플라스틱 튜브가 삽입된다. 이 카테터는 왼쪽에 위치하고 약물과 혈액공급을 허용하며 혈액샘플을 고통 없이 뽑아낸다.

infusion(주입) 치료적 또는 진단적 목적으로 체내에 삽입된 액체 물질.

inspiratory(들숨) 폐로 공기가 이동하는 과정.

insulin(인슐린) 랑게르한스섬(이자의 외분비샘)에서 분비되는 호르몬으로 혈액 속의 포도당이 신체의 세포 속으로 들어가 당뇨병을 치료하거나 조절하기 위한 합성 형태로 사용됨.

intercostal(갈비사이-, 늑간-) 갈비뼈 사이에.

intercurrent(개입) 중재.

intra-abdominal(복강내) 복부 안 쪽에.

intracranial(머리뼈안-, 두개내-) 두개골 또는 두개골 내.

intracranial hypertension/increased intracranial pressure(두개내압상승) 뇌기능을 손상시키는 뇌척수액의 압력이 증가된 상태.

intramuscular medications(근육내투약) 근육 속에 주사 하는 것; 약물 전달 경로.

intranasally(코안) 비강 내; 약물 전달 경로.

intraosseous(뼈속-, 골내-) 뼈의 골수강 내; 척수내(골수내) ; 약물 전달 경로.

intravascular volume(혈관내 용적) 혈액 세포를 둘러싸고 있는 순환계의 체액부분.

ipecac(토근) 구토를 유발하기 위해 구강으로 투여하는 약물; 응급구조사들이 사용하였던 것으로 더 이상 추천하지 않는다.

ischemia(허혈) 혈액 공급의 부족 상태.

J

jaundice(황달) 혈액 내 빌리루빈이 과도하게 축적(과빌리루빈혈증)되기 때문에 피부, 눈의 흰자위, 점막 그리고 체액이 노란색으로 되는 특징이 있음.

jugular venous distension(목정맥 팽만) 혈액의 충만함으로 인한 목정맥의 팽만 상태; 만약 환자가 바로누운 자세가 아니라면 우심안쪽으로 혈액이 어렵게 흘러들어갈 것이다. 이것은 심장눌림증, 긴장성 공기가슴증 기흉 또는 오른심실 기능상실로 인해 나타난다.

K

ketogenic diet(케톤체생성 식사) 포도당을 포함하는 음식을 배제하는 식단; 심각한, 통제되지 않는 간질이 있는 소아의 발작을 통제하는 것을 돕기 위해 소아를 케토시스 상태로 유지하는 데 활용될 수 있다.

L

lactic acidosis(젖산 산증) 혐기성세포의 대사작용 후에 젖산의 축적으로부터 생긴 대사성 산중 상태.

laryngoscope(후두경) 후두를 검사하기 위한 기구.

laryngoscopy(후두경검사(법)) 후두 내부의 검사.

larynx(후두) 기관의 확대된 상부 끝, 혀의 뿌리 아래 부분으로 성대를 포함한다.

lateral(가쪽-, 외측-) 옆에 속하는.

lateral decubitus position(옆누운자세) 환자가 한쪽 옆으로 누운 자세.

legal authority(법적 권한) 법률 하에서 의료결정을 내리는 능력.

lethargy(기면) 졸리고 노곤함; 무기력하고 허약함.

leukemia(백혈병) 특정한 세포선이 비정상적으로 빠르게 성장하고 다른 조직을 침범하기 시작하는 암성 상태.

leukocyte (white blood cell) count (백혈구 계수) 감염 과정이 현존하는지를 결정하기 위한 측정.

localizing(국소-) 환자가 특정의 유해하거나 고통스러운 자극을 받았을 때 반응을 보이는 어느 일정한 부위 (예; 환자에게 신경학적 검사 동안 손을 뻗치고 자극부위를 꼬집으면 손을 밀어제침).

long QT sydrome(QT연장증후군) 대략 450ms를 초과하는 QT간격이 특징임.

lordosis(척주앞굽음(증), 척주전만(증)) 요추의 앞쪽 굽음.

lye(가성소오다, 잿물) 부식성의, 알칼리성의 세척제.

M

malaise(권태, 병감) 불쾌, 불안, 또는 일반적으로 아픈 느낌, 종종 감염의 지표이다.

malposition(위치 이상) 어떤 것이 부정확하거나 비정상적인 위치에 있을 때.

mandible(아래턱뼈, 하악골) 아래턱을 형성하는 말굽모양의 뼈.

mass-casualty incident(MCI) (대량재난사고) 한 명 이상의 환자가 발생한 응급상황으로 응급의료시스템에서 장비와 응급구조사들이 다수가 요구되어 배치되며 상황에 따라 제한되거나 또는 범위를 넘어 확장된다.

mature minor(성숙한 미성년자) 공식적인 법적신분 없이 부모로부터 자유로운 미성년자로 혼인, 임신, 군복무중인 현 역상태, 또는 15세 그 이상 나이로 보호자로부터 독립하여 떨어져 살고 있는 것과 같은 비슷한 특징을 갖고 있다. 이런 사람은 처치에 대한 동의 뿐만아니라 거부에 대한 법적 권리를 갖는다.

meconium(배내똥, 태변) 태아의 장 내용물. 양수에 있는 태변은 태아가 저산소증과 같은 스트레스 상태에서 고통 받고 있다는 것을 의미하며 태아는 쇠약해지며 소생술이 필요하다.

mediastinum(가슴세로칸, 종격) 가슴 중앙에 있는 폐 사이의 공간으로 심장, 기관, 주기관지, 식도의 일부분, 큰 혈관을 포함한다.

medical control(의료 지도, 의료통제) 의사가 통신(온라인 또는 직접)을 하거나 또는 간접적으로 프로토콜이나 지침들(오프라인 혹인 간접)로 제공하는 지시로 서비스 프로그램에서 인정받은 지도의사에 의해 처방된다.

medical home(메디컬홈) 양질의 건강관리서비스를 효과적인 비용과 고품질을 제공하기 위한 접근. 보건의료소에 있는 어린이나 그들의 가족들은 그들이 알고 신뢰하는 소아과의사 혹은 내과의사로부터 필요한 처치를 받는다. 소아건강관리 전문가와 부모들은 어린이와 그 가족들이 최대한 그들의 잠재력을 성취하기 위해 필요로 하는 모든 의학적 그리고 비의학적 서비스를 평가하고 확인하기 위해 메디컬홈에서 파트너로 활동한다.

medical responsibility(의료책임) 응급상황에서 의학적인 처치를 제공하기 위한 윤리적이고 법률적인 의무.

meninges(뇌막, 수막) 뇌 전체와 척수를 둘러싸고 있는 경(질)막, 거미막, 연(질)막으로 된 3층의 막.

meningitis(수막염) 척수 또는 뇌의 막에 생긴 염증.

meningococcal sepsis(수막알균패혈증) 박테리아성 Neisseria menigitidis를 갖는 선천적 혈액 감염으로 패혈증(고열 혹은 저체온, 쇼크, 저혈압)을 일으킨다.

meningococcemia(수막알균혈증) 박테리아성 Neisseria menigitidis 에 의한 혈류의 감염. 이것은 대개 수막염이 있거나 혹은 없는 상태에서 열, 쇼크와 독특한 자반병(피부의 타박상)의 발진을 특징으로 하는 심각한 감염이다.

metabolic acidosis(대사산증) 수소 혹은 다른 양이온의 정체로 인한 산증의 대사성 상태로 호흡기 보상작용과는 관계없다.

midaxillary lines(중간겨드랑선) 겨드랑이 밑 중앙을 지나서 중앙선에 평행이 되도록 그려진 상상의 수직선.

minor(미성년자) 법적 나이가 안 되었거나 의학적 혹은 수술적 처치를 위해 법적 대리인으로부터 동의가 필요한 사람.

minute ventilation(분당환기량) 분당 교환되는 공기의 양(분당 환기량 = 일회호흡용적 x 호흡수).

miosis(축동) 동공의 비정상적인 수축.

Mongolian spots(몽고반) 외상 혹은 타박상에 의한 것이 아닌 비정상적인 착색에 의해 생긴 피부의 푸르고 회색으로 변색된 부분.

mortality(사망, 치사성, 사망률) 죽음.

motor activity(운동 활동) 근육 사용.

mottling(반점형성) 혈관수축 혹은 부적절한 순환으로 인해 생긴 비정상적인 피부순환 상태.

multisystem trauma(다발성 손상) 가슴, 복부, 그리고 뇌의 복합적인 손상과 같이 하나의 장기보다 더 많은 장기를 포함하는 손상.

Munchausen syndrome by proxy(문하우젠 증후군) 보호자가 보호하는 대상들에게 관심을 구하는 행동을 보이는 것으로 특징 되어지는 심리학적인 장애.

muscular dystrophy(근 위축증) 근력저하와 근력 소모를 야기한 유전적인 근육 장애; 이러한 환자들은 흡인과 폐렴의 위험에 처한다.

myocardial depression(심근쇠약) 심근이 적절하게 일하지 못하는 상태.

myocardial function(심근기능) 심장이 얼마나 잘 작동하고 있는지를 측정하는 것.

myocardial infarction(심근경색) 하나 또는 그 이상의 관상동맥이 부분적으로나 완전히 폐쇄되어 생긴 심근의 부분적 괴사.

myocarditis(심근염) 심근의 염증.

N

narcotic(마약-) 기분전환의 목적을 위해 사용했을 때 행복감뿐만 아니라 진통제와 진정작용을 하는 아편약물.

nasal cannula(코삽입관) 환자의 콧구멍 속으로 두 개의 작은 관 모양의 갈퀴를 통해 산소가 들어가게 하는 산소공급 장치.

nasal flaring(코벌렁임) 콧구멍이 밖으로 확장되는 것은 저산소증과 호흡의 작용이 증가되는 지표이다.

nasopharyngeal airway(NPA, 코인두기도기) 자연적으로 기도를 유지할 수 없는 의식이 있는 환자의 콧구멍에 삽입된 기도유지 장치.

needle decompression(바늘감압) 가슴막과 같은 폐쇄된 공간으로부터 공기를 제거하는 것.

neonatal seizures(신생아발작) 신생아 때에 발생하는 발작.

nerve agents(신경물질) 유기인산을 포함하는 화학물질의 종류; 신경계에서 필수적인 효소를 차단하고 신체기관들을 과도하게 자극하는 작용을 한다.

neurogenic shock(신경쇼크) 혈관의 크기를 조절하는 신경의 마비로 초래되는 쇼크로 말초혈관이 확장되고 충만되어 적절한 관류를 유지할 수 없다; 척수손상 환자에서 볼 수 있다.

neurovascular(신경혈관의) 신경과 혈관계에 관계되는.

nonpulsatile fontanelle(무박동 숫구멍) 영아의 머리에 숫구멍 또는 "부드러운 지점" 으로 볼록하며, 대개 긴장되어 있으며 심장의 각 박동에 따라 맥박이 뛰는 것처럼 보이지는 않는다.

nuclear bomb(핵폭탄) 폭발적 힘의 원천에 의한 원자력의 에너지 사용 때문에 극도로 강력해진 폭탄. 폭탄의 실제 폭발력뿐만 아니라 손상은 폭발에 의해 방출된 방사선에 의해 광범위한 지역에서 발생된다.

O

obstetric(산과, 산과학) 임신, 출산에 관련된.

obstructive shock(폐쇄성 쇼크) 심장으로 부터 박출되는 제한된 혈류의 흐름에 의해 야기된 부적절한 조직의 관류 또는 쇼크(예; 대동맥이 심각하게 좁아지거나 치명적으로 협착된 경우, 긴장성기흉, 혹은 심장눌림증이 원인으로 생긴 쇼크)

obturator(닫개, 폐쇄기) 폐쇄된 부분을 깨끗이 하거나 그 안에 삽입할 수 있도록 속이 빈튜브에 단단함을 준 내부의 안정된 구조물.

occlusion(폐쇄) 통로의 폐쇄.

occlusive dressing(폐쇄드레싱) 완전히 덮는 드레싱.

occult illness(잠복 질병) 바로 명확하게 알지 못하는 "숨은" 질병. 명확한 증상을 가지고 있지 않은 질병.

operations(운영) 행정처리, 관리상(경영상)의 과정.

opiates(아편제) 마약으로 보이는.

oral glucose(경구포도당) 입으로 먹는 포도당제제를 투입하여 손쉽게 혈류로 흡수되는 단당류; 응급의료체계에서 사용한다.

organophosphate insecticide(유기인계 살충제) 살충제로 사용되는 콜린계의 특성을 가진 독유형.

oropharyngeal airway(OPA)(입인두기도기) 혀가 상부기도를 막게 하거나 기도를 더 쉽게 흡인할 수 있도록 입속으로 삽입하는 기도유지 장치.

oropharynx(입인두) 연구개와 후두개의 상부 사이에 놓여진 인두의 부분.

ossification(뼈형성, 골화) 뼈의 형성. 골화센터는 연골이 뼈의 새로운 부분으로 석회화

를 통해 변형된 부분이다.

osteogenesis imperfecta(불완전뼈형성, 불완전골형성) 뼈가 부서지기 쉬운 유전질환으로 결과적으로 골절이 된다.

ostomies(창냄술, 누공술) 신체에서 버려지는 몸 안의 찌꺼기들을 배출하기 위해 피부에 만든 수술개구부.

otorrhea(귓물, 이루) 귀에서 분비물이 흘러나오는 것.

P

pallor(창백) 색소의 부족; 창백한.

palpation(촉진) 정보를 얻기 위한 목적으로 신체를 만지는 것.

paradoxical irritability(역설과민성) 어린이의 고통을 덜어주기 위해 시도한 특정 유형의 과민성으로 구성된 심각한 소아질병의 가능한 표시자.

pathology(병리학) 질병의 연구와 진단.

pathophysiology(병태생리학) 질병 혹은 손상이 신체에 어떻게 영향을 미치는지 연구하는 학문.

pedal(발-) 발에 관련된(예, 페달맥박은 발에서 뛰는 맥박이다).

pediatric assessment triangle(PAT) (소아평가삼각구도) 영아나 아동을 촉진하지 않고 질병과 손상의 유형과 정도에 대한 전반적 인상을 빠르게 형성하도록 고안된 평가도구로 외관, 호흡과 피부순환 평가로 구성된다.

pediatric critical care center(소아중환자치료센터) 건강이 위태로운 소아를 치료하기 위해 전문 시설을 갖춘 전문 센터 유형.

pediatric trauma center(소아외상센터) 심한 손상을 입은 소아들의 치료를 위해 전문 시설을 갖춘 전문 센터 유형.

pelvic fractures(골반골절) 하나 또는 그 이상의 골반 뼈(볼기뼈(관골)와 엉치뼈(천골)와 꼬리뼈(미골)또는 척추의 아래 부분)가 부러짐.

percutaneous endoscopic gastrostomy(피부경유내시경위창냄(술)) 위 속으로 복벽을 통해 튜브를 넣는 절차.

perfusion(관류) 혈액순환.

pericardial tamponade(심장눌림증) 심낭내의 혈액 또는 다른 액체의 축적으로 인한 심장의 압박 상태.

periosteum(뼈막, 골막) 관절의 표면을 제외한 모든 뼈를 덮는 이중층의 결합조직으로 만들어진 막.

peripheral cyanosis(말초청색증) 피부가 약간 푸르스름하거나 또는 어두운 보라색으로 (주로 손과 발) 변색됨.

peripheral vasoconstriction(말초혈관수축) 사지(특히 손과 발)에 있는 혈관이 수축할 때(혈관벽의 평활근 수축을 통해 크기가 작아지는) 그로 인해 혈류의 감소를 가져온다. 이것은 말단청색증(손과 발의 푸르스름한 변색)이 생기고 모세혈관재충혈 시간이 연장된다.

peripherally inserted central catheter(PICC) (말초에 삽입된 중심카테터) 부분적으로 피부아래 이식되어 피부 위에 살짝 드러난 내재된 카테터.

peritoneal dialysis(복막투석) 복막을 통해 신체로부터 독소, 전해질 그리고 다른 체액 들을 끌어당기고 특수용액이 환자복부의 카테터를 통해 흘러들어가는 투석의 형태.

peritoneum(복막, 배막) 복강의 내층 막(벽측 복막)과 복부장기를 덮고 있는 막(장측 복막).

peritonsillar abscess(편도주위고름집) 편도선에 인접한 고름의 모음

petechiae(점 출혈) 피부 위의 작고, 자줏빛을 띤, 창백하지 않은 반점으로 심한 열이 생기고 패혈증의 가능성을 나타낸다.

petechial rash(점상출혈의 발진) 압력을 받았을 때 창백해지지 않는 피부 내 출혈의 작은 부위인 점출혈을 포함하는 발진.

pharynx(인두) 비강에서부터 후두까지의 공기 통로와 입에서 식도까지의 음식 통로.

phencyclidine(PCP) (펜시클리딘) PCP 또는 천사의 먼지라는 이름으로 불리는 환각제. 적당한 복용량은 혈압 상승, 빠른 맥박, 골격근의 긴장도를 증가시키며 때때로 간대성근경련을 야기한다.

physeal plate(성장판) 성장에 속하거나 성장과 관련된 뼈의 끝부분.

physical abuse(신체학대) 아동 학대 참조.

physical neglect(신체적 방임) 아동 방임 참조.

Physician Orders for Life-Sustaining Treatment(POLST) (생명 유지 치료에 대한 의사의 지시) 환자가 여전히 맥박과 호흡이 있을 때, 허용되는 치료를 개략적으로 설명하는 서류.

physiologic(생리학의) 신체 기능에 관계되는.

Pierre Robin syndrome(피에르 로빈 증후군) 작은 아래턱(소하악증)이 특징이며 출생시 보임. 혀는 뒤와 아래쪽(혀처짐)으로 떨어지는 경향이 있고 연구개열이 있다.

placenta(태반) 탯줄을 지나 태아에게 영양을 공급하는 자궁벽에 부착되어있는 조직.

plague(흑사병) 예르시니아 페스트(Yersinia pestis)균에 감염되어 발병하는 질병. 이 질병은 일시적 정신착란과 두통, 폐렴을 동반한 심한 질병에 뒤이어 오한과 열이 나는 특성을 나타낸다. 이것은 감염된 설치류동물의 벼룩에게 물린 사람에 의해 전염되고 높은 사망률을 나타내며 생물학적 테러행위의 무기로 사용 가능했던 물질이다.

pleura(가슴막, 늑막) 양쪽 폐를 싸는 장측늑막과 가슴과 가로막을 싸는 벽측늑막이 있다.

pleural space(늑막강) 가슴막의 장측늑막과 벽측늑막 사이의 공간.

pneumomediastinum(세로칸기종, 종격동기종) 세로칸 조직에 있는 공기 혹은 가스.

pneumonia(폐렴) 박테리아, 바이러스, 화학적 자극제에 의해 일차적으로 발생된 폐의 염증.

pneumothorax(공기가슴증, 기흉) 흉막강내에 공기가 축적되는 것으로 폐의 낮은 압력은 불충분한 정맥귀환과 부적절한 심박출량과 함께 심각한 신체적 변화를 일으킨다.

policies(정책, 방침) 의사결정을 내리기 어렵거나 혹은 법적으로 민감한 현장상황을 돕기 위해 계획된 응급구조사를 지도하는 법의학적 운영 표준들.

polydipsia(다음증) 환자가 극도의 갈증을 느끼는 상태

polyphagia(다식증) 과도한 또는 극도의 배고픔에 대한 의학적 용어

polyuria(다뇨증) 과도한 또는 비정상적으로 많은 생성 또는 배뇨.

positive-pressure ventilation(양압환기) 환기를 돕는.

posteriorly(후방의, 뒤로) 뒤로부터, 뒤쪽으로부터 또는 아래에서부터.

postictal state(발작후상태) 발작을 일으킨 후 환자의 혼란스러운 상태.

postpartum(산후-) 출산 이후의.

posturing(자세) 뇌손상 이후 비정상적인 몸 자세; 이것은 고통스러운 자극에 대한 반응이다.

preterm labor(조기분만) 임신 37주 이전에 시작된 산통.

primary brain injury(일차성 뇌손상) 뇌의 직접적인 충격 혹은 갑작스런 움직임으로 인해 생기는 뇌의 강한 충격에 대한 직접적이고 생물역학적인 효과로부터 생긴 손상.

procedure(절차) 신체적 중재.

prone(엎드림, 복와위) 얼굴을 아래쪽으로 하여 수평하게 누워있는.

propylene glycol(프로필렌 글리콜) 약물제제의 용매.

protocol(프로토콜) 처치를 위한 단계적 과정.

proximal(몸쪽-, 근위-) 신체의 중앙 또는 관련된 지점, 부착점에 가장 가까운; 먼쪽- (원위)의 반대.

pulmonary contusion(폐 타박상) 폐의 타박상(멍).

pulmonary edema(폐부종) 폐 내에 액체가 형성되는 것.

pulmonary intoxicants(폐중독) 호흡기 (예; 흡입)를 통해 흡입되거나 혹은 호흡기계에 문제를 일으키는 독소 또는 독.

pulseless electrical activity(PEA) (무맥성전기활동) 촉지를 통해서는 맥박이 뛰지 않고 심장모니터에 심장리듬이 나타나는 것.

purpura(자색반) 보통 심한 감염(패혈증)으로 보이거나 혹은 환자가 혈관의 염증(혈관염)이 있을 때 피부에 나타난 푸르스름하게 보이는 발진.

purpuric(자색반-) 피부의 푸르스름한 것을 포함하는.

pus(고름, 농) 일반적으로 노란 색깔로, 감염에 의해 생성된 액체.

Q

QRS complex(QRS 복합) 심실의 전기적 활동을 나타내는 심전도상 주요 부분의 전기적 파형.

quadriplegia(팔다리마비, 사지마비) 보통 척수의 경추 위부분의 손상으로 인해 생긴 사지(양쪽 팔과 다리)의 마비 상태.

quality improvement(QI) (질향상) 모든 시스템의 양상을 내부적으로나 외부적으로 검토하고 감시하는 체계.

R

racemic(라세미의) 에피네프린과 같은 약물의 모든 이성체를 포함하는.

radial(노쪽-, 요골쪽) 아래팔(전박)에 있는 두개의 뼈 중 더 크고 더 측면에 있는 노뼈(요골)와 관련된.

reactivity(반응성) 자극에 대해 반응하는 능력.

recovery phase(복구단계) 재해 반응의 3단계 중 마지막 단계. 현장 철수, 정상적 운영이 시작되고 디브리핑하는 활동들을 포함한다.

renal dialysis(신장투석) 혈액에 있는 독성찌꺼기를 여과하고 과도한 체액을 제거하여 전해질의 정상적인 균형을 회복시키기 위한 방법.

respiratory arrest(호흡정지) 심장이 활동하고 있다는 것을 확인할 수 있는 호흡(예; 무호흡)의 부재.

respiratory depression(호흡억제) 보통 뇌의 연수에 있는 호흡중추의 어떤 영향 때문에 호흡률이 느려지고 호흡노력이 감소되는 상태. 이것은 외상, 질병 혹은 약물의 효과(예; 모르핀 혹은 디아제팜) 혹은 독성물질(예; 에탄올)의 영향으로 생길 수 있다.

respiratory distress(호흡장애) 호흡률과 호흡을 위한 노력과 호흡작용이 증가되는 것이 특징인 임상 상태.

respiratory failure(호흡부전) 부적절한 산소화와 환기, 혹은 둘 다로 인한 임상 상태.

respiratory syncytial virus(RSV)(호흡기 세포융합바이러스) 일반적으로 기관지염을 일으키는 바이러스.

retractions(뒷당김, 견축) 가슴뼈 사이에 있는 흉벽의 신체적 당김 상태로 호흡을 하기위한 노력의 증가로 발생된다.

retropharyngeal abscess(인후 농양) 목뼈와 식도 사이에 위치하고 있는 후인두절의 부종; 후두덮개염처럼 보일 수 있다.

rhinorrhea(콧물, 비루) 코로부터 흐르는 묽은 액체.

ricin(리신) 아주까리 열매로부터 추출된 신경독소. 인체에 노출될 때 리신은 폐부종과 호흡부전, 순환부전, 죽음에 이를 수 있다.

Robin sequence 피에르 로빈 증후군 참조.

S

salivation(침분비) 침을 분비하는 것.

saphenous veins(두렁정맥, 복재정맥) 다리를 지나는 크고 작은 2개의 표피정맥.

scald(열탕화상) 스팀과 같은 습한 열과 뜨거운 김에 의해 생긴 피부의 화상.

scaphoid(손배뼈, 주상골) 노뼈의 가장 먼쪽 부분을 지나서 발견되는 손목 뼈.

scoliosis(척주옆굽음증, 척주측만증) 척주가 옆으로 굽음.

scopolamine(스코폴라민) 아트로핀과 비슷한 작용을 하는 항콜린성 약물.

secondary assessment(이차평가) 환자에게 시행되는 체계적인 신체검진의 환자 평가 과정의 단계. 검진은 체계적으로 전신을 평가하거나 신체의 어떤 부분이나 부위에 초점을 맞추거나 종종 주호소를 통해 평가하기도 한다.

secondary brain injury(이차성 뇌손상) 일차 뇌손상의 초기 생체 역학적 효과(저산소증과 저혈압과 같은) 후에 발생하는 요인들로부터 생기는 뇌손상.

secretion(분비) 혈액 혹은 신체 강 속에서 액체물질이 생기는 과정.

sedative(진정-, 진정제) 이완시키는 물질.

semi-Fowler's position(반좌위) 환자가 침대에 반듯하게 누워 침대의 머리를 약 30도 정도 올린 자세.

sepsis(패혈증) 보통 열이 있는 환자에서 혈류내로 미생물 혹은 독성이 있는 물질이 침범하여 생기는 병리학적 상태.

septic shock(패혈성 쇼크) 저혈압과 장기의 부적절한 관류 징후를 포함하는 감염성 쇼크.

serial examinations(연속검사) 진단을 내리기 위해 증상과 징후의 진행을 조심스럽게 보고 기록하고(예; 만약 복부 외상이 있는 사람이 장파열을 가질지도 모른다는 결정을 하기위해 복부를 연속적으로 검사) 그들의 상태변화(머리손상이 있는 어린이에게 신경학적 상태와 두개내압의 증가 징후를 관찰하기 위한 연속검사)를 관찰하기 위해 환자를 반복적으로 조사하는 행위.

serum glocose(혈청 글루코스) 혈당의 수준.

sexual abuse(성폭행, 성학대) 강간, 성폭행, 성적 학대.

shock(쇼크) 장기가 정상적으로 기능하는데 필요한 혈액의 흐름과 산소의 전달이 부적절하여 생기는 임상적 증후군.

sickle cell disease(낫(겸상)적혈구병) 변형된 적혈구들이 비정상적으로 함께 응집되는 것이 특징인 유전질환. 환자는 통증 위기, 빈혈, 감염위험, 뇌졸중 그리고 다른 심각한 합병증을 갖는다.

simple febrile seizure(단순열성발작) 6개월에서 6세 사이의 본래 건강했던 어린이에게서 짧은(15분 이하)기간 동안 한정된 과정을 겪는 전신 경련으로 갑작스럽게 열이 오르는 것과 관계된다. 단순열성발작을 하는 어린이는 비교적 짧은 기간 동안 발작을 일으키며 그 후에는 전반적인 신경학적 검사상 원래대로 되돌아온다.

simple partial seizures(단순부분발작) 의식이 남아있는 환자에서 운동 혹은 감각의 이상(예; 한손을 떨거나 혹은 시력장애)을 포함하는 국소적인 발작. 어린이에서의 부분발작은 보통 운동 발작이며 빈번하게 전신발작으로 진행된다.

Simple triage and Rapid Treatment(START 대량재해 중증도분류) 분류 체계.

Sims position(심스자세) 환자가 옆으로 반복위로 누워 반대편 무릎과 다리를 위로 끌어당긴 체위로 분만을 촉진시킬 수 있는 체위이다.

sinus arrhythmia(굴부정맥, 동성부정맥) 종종 어린이나 청소년에서 보여지는 심박동의 휴식기에서의 변화. 어린이가 숨을 들이쉴때 심박수는 약간 증가하고 내쉴 때는 감소한다. 이것은 어린이에서는 정상적 변화이고 실제 부정맥은 아니다. 심전도에서 QRS 복합파는 P파에 선행하고 놓치거나 건너뛰는 박동은 아니다.

sinus tachycardia(굴빠른맥, 동성빈맥) 정상적인 전도를 갖는 어린이에서는 빠른 심장 박동이 나타남.

slurry(슬러리) 얇고 물 같은 혼합물.

smallpox(천연두) 드물고 높은 감염력을 지닌 바이러스성 질환; 수포가 모양을 이루며 생길 때 대부분 감염력이 있다.

sniffing position(냄새맡는 자세) 환자의 머리와 턱이 기도개방을 유지하기 위하여 약간 앞으로 견인된 직립 자세; 어린이는 냄새를맡는 것처럼 보여 진다.

soft-tissue injuries(연조직 손상) 피부, 지방, 근육, 인대, 건들의 손상.

Sort, Assess, Lifesaving interventions, and Treatment and/or Transport (SALT) 분류, 평가, 인명구조 중재, 그리고 치료 그리고/또는 이송; 중증도 분류체계

spasticity(강직, 경직) 경직되고 불편한 운동을 일으키는 근육의 증가된 긴장도 혹은 수축.

spina bifida(척추갈림증, 이분척추) 척추의 후방요소들이 함께 융합하는 데 실패한 선천적 기형. 척수와 척수를 싸고 있는 수막은 이 융기(돌출)부의 정도와 수준에 따라 하지에서 신경학적 결손 범위를 결정하며 척추에서 이 결손 부위를 통해 불쑥 나오게 된다. 이 결합이 척수 혹은 수막의 탈장성 돌출 없이 뼈의 구조에서 분리된 결합일 때 잠재성 이분척추라고 부른다.

spine(가시, 척추) 척주, 등골뼈.

spleen(지라, 비장) 적혈구와 면역세포의 생성 및 파괴와 관련되는 주요 복부 장기. 혈액으로 꽉 차있고 손상 후에 출혈이 생길수 있다.

splinting(부목고정) 부목으로 고정하는 것.

status epilepticus(간질지속상태, 간질지속증) 의식의 회복없이 지속적이고 복합적인 발작을 하는 상태.

sterile gauze(멸균 거즈) 상처를 깨끗하게 유지하고 지혈을 하기 위해 사용되는 기본적인 도구

stress(스트레스) 평형유지를 방해하고 긴장을 일으키는 힘.

stridor(그렁거림, 협착음) 부분적인 상기도폐쇄 때문에 생긴 흡기동안에 들리는 높은음조의 거친 소리.

subcostal(갈비밑-, 늑골하-) 갈비뼈 바로아래.

subdural hemorrhage(경(질)막밑출혈) 경(질)막 바로 아래의 출혈.

subglottic(성문밑-, 성문하-) 성문아래.

substernal(복장밑-, 흉골하-) 복장뼈 아래 놓여진.

sucking chest wound(흡인성흉부상처) 흡기와 호기동안 공기가 통과 될 수 있도록 개방되거나 혹은 관통된 가슴벽의 상처.

sudden unexpected infant death (SUID) (영아돌연사) 면밀한 조사가 수행되지 않고 사망 원인이 밝혀지지 않았기 때문에, 원인불명의 만 1세 미만의 영아의 갑작스러운 사망

superior vena cava (위대정맥, 상대정맥) 위팔, 머리, 목 그리고 가슴으로부터 심장으로 혈액을 운반하는 신체에서 2개의 가장 큰정맥중 하나.

supine(바로누운-, 앙와위-) 등을 대고 얼굴을 위로 향해 누운 자세.

supraclavicular(빗장위-, 쇄골상-) 빗장뼈 위에 위치한.

supraglottic(성대위) 성대나 성문의 윗부분.

suprasternal(복장위-, 흉골상-) 복장뼈 위의.

suprasternal retractions(복장뼈위견축) 복장뼈 위에 있는 근육과 피부가 환자가 호흡을 시도할 때 흉골병 위에서 함몰 되는 것.

supraventricular tachycardia(SVT) (심실위빠른맥, 심실상빈맥) 빠르고 좁은 QRS 복합파를 갖는 비정상적인 심장리듬.

symmetry(대칭) 모양과 크기 그리고 신체의 반대편 부분의 관련부위가 일치하는 것.

sympathomimetic agents(교감신경흥분약) 아드레날린성 약물; 에피네프린의 주사에 따른 효과와 같은 교감신경계의 자극으로부터 발생한 것과 같은 효과를 일으킴.

symphysis pubis(치골결합) 복부의 아래부위 중앙선에 있는 치골의 연접부위.

symptomatic ventricular dysrhythmias(증상있는 심실부정맥) 환자의 증상과 관련된 비정상적인 심실의 전기적 충동(예; 심실빈맥).

synaptic connections(시냅스연결, 연접연결) 두개 혹은 그 이상의 신경사이의 연결(예; 시냅스들)

systemic inflammatory response syndrome (SIRS) (전신염증반응증후군) 전신에 영향을 끼치는 염증 상태

T

tachycardia(빠른맥, 빈맥) 빠른 심박수.

tachypnea(빠른호흡, 빈호흡) 빠른 호흡.

tamponade(눌림증) 조직의 압박.

tension pneumothorax(긴장공기가슴증, 긴장기흉) 가슴강에 공기 혹은 가스가 축적되는 것으로 점진적으로 증가하며 심각한 혈역학적인 변화를 일으킨다.

terrorism(테러리즘) 인간의 생명에 위험을 주는 폭력적인 행위로 미국이나 또 다른 주에서도 형법에 위반되며 정치적이거나 사회적인 목표의 발전에 있어서 정부나 민간인을 위협하거나 강요하는 행위이다.

thermoregulation(온도조절, 체온조절) 열 조절.

thoracic(가슴-, 흉-) 가슴 혹은 흉부에 속하는.

thoracic excursions(가슴운동) 호흡과 관련된 흉벽(흉곽과 근육)의 움직임.

thoracostomy(가슴관삽입(술), 흉강삽관(술)) 흉강의 배액을 위한 흉벽의 절개술.

tidal volume(일회호흡량) 각 호흡 시 교환되는 공기의 양.

titratable(적정-) 필요한 시간이 지남에 따라 투여비율을 덜함과 더함으로 변화시키면서 적절한 효과를 조정하는 능력. 예) 환자가 정맥 내 투여를 통해 충분히 효과적으로 진정이 될 때까지 마취제 혹은 진정제의 용량을 더 늘려가며 천천히 주입하는 것.

tonic-clonic(긴장-간대) 사지의 율동적인 앞-뒤 움직임과 신체의 경직상태를 보이는 발작.

totally implanted device(완전이식장치) 완전하게 이식된 카테터로 눈으로 볼 수 없다

(mediport).

trachea(기관) 후두에서부터 기관지까지 원통모양의 연골성 튜브. 6번째 경추에서 5번째 흉추에까지 이르고 2개의 기관지로 나뉘며 각 폐로 이어진다.

tracheitis(기관염) 기관의 염증.

tracheostomy(기관절개(술)) 기관위의 피부를 절개하는 방법으로 기관폐쇄 동안 기도를 개방하기 위해 기관에 외과적 상처를 만드는 것.

tracheostomy tube(기관절개술 튜브) 숨을 쉴 수 없거나 혹은 스스로 기도를 깨끗이 유지할 수 없는 어린이에게 기관 속으로 삽입된 튜브.

transdermal(피부경유-, 경피-) 피부를 통한.

transient(일과성-) 오래가지 않는; 짧은 기간 동안의.

transmucosal(점막경유-) 점막을 지나 통과하는(예; 구강의 점막을 지나 독성물질 혹은 약제의 흡수).

traumatic brain injury(TBI)(외상성 뇌손상) 머리손상에 대해 선호되는 용어.

tripoding(트리파드 자세) 호흡을 쉽게 하기 위해 두 팔을 앞으로 지지하고 기댄 삼각 자세.

trismus(입벌림장애) 저작 근육의 긴장성 수축상태.

tympanic temperature(고막체온) 고막으로부터 적외선 불빛의 반사율을 측정하는 장비를 사용한 체온 측정법(고막).

U

umbilical cord(탯줄, 제대) 태아와 태반을 연결하는 부착물.

umbilical vein catheterization(배꼽정맥 카테터삽관) 캐눌라를 배꼽 동맥 또는 정맥 내에 위치시키는 것

universal precautions(표준예방지침) 대상자, 혈액, 체액, 혹은 감염질환의 잠재적 노출 위험성을 다루는데 사용하기 위한 질병통제예방센터(Centers for Disease Control and Prevention, CDC)에 의해 전통적으로 발달되어 온 보호적 표준 지침.

universal standards for pediatric emergency care(소아응급처치를 위한 보편적 기준) 소아응급처치에서 전문가들에 의해 동의되고 장려되는 처치의 표준들과 응급의료체계를 통해 계속 어린이를 관리하기 위해 제시되는 체제.

urostomy(요루) 소변 배출을 허용하기 위해 수술을 통해 만든 구멍

V

vagal(미주신경-) 미주신경에 속하는.

vagal nerve stimulator(VNS)(미주신경자극기) 간질을 위한 치료로서 빗장뼈 근처의 피부 밑에 이식된 작은 장치.

vaginal introitus(질구) 질 개구부.

vagus nerve(미주신경) 10번째 뇌신경으로 연구개, 인두, 후두 등에 운동기능을 제공하고 혀에서 미각봉오리섬유를 운반하는 하두인두, 후두, 흉부, 복부 등에서 나오는 감각섬유, 부교감섬유를 흉강과 복강장기로 운반한다.

varicella(chicken pox)(수두) 다수의 발진이 나타나고 수포, 구진, 반점이 특징인 경미한 체질상의 증상(두통, 열, 권태감)을 갖는 급성 바이러스성 질환.

vascular tone(혈관긴장도) 혈관수축의 양 혹은 좀 더 일반적으로 신체의 혈관에서 수축되는 전체 양으로 이것은 환자들의 급성 심맥관계의 건강상태를 반영한다. 쇼크가 있는 환자들은 종종 혈관긴장도와 생명유지기관들의 관류를 최대화하기 위해 혈압을 증가시키기 위한 시도로 혈관수축이 일

어난다. 혈관긴장도의 상실은(예, 패혈증 혹은 척수 쇼크) 종종 혈관이완 그리고 심각한 저혈압을 일으킨다.

vasculitis(혈관염) 혈관의 염증으로 보통 통증, 부종, 그리고 종종 혈관에서 다른 장기까지 체액이나 혈액의 유출과 관계된다. 이것은 피부에서 발생하여 종종 자반성 발진으로 발전된다.

vasoconstriction(혈관수축) 혈관 직경의 감소.

vasodilatation(혈관확장) 혈관의 확장.

vasomotor(혈관운동신경-) 혈관 벽의 근육 조절을 하는 신경에 속하는.

vasopressor agent(혈관수축제) 혈관의 긴장도를 증가시키고 혈압을 증가시키는 약물.

ventilation-perfusion mismatch(환기관류 불균형) 폐 속으로 가는 산소의 병리적 상태는 폐를 통해 순환되는 혈액을 적절하게 혼합하지 못한다.

ventilator(환기기, 인공호흡기) 폐의 인공적 환기를 위한 기계적 장치.

ventricle(심실) 심장의 2개(좌, 우)의 하부방중 하나. 좌심실은 좌심방(상부강)으로부터 혈액을 받고 대동맥으로 혈액을 전달한다. 우심실은 우심방으로부터 혈액을 받고 폐동맥으로 혈액을 보낸다.

ventricular fibrillation(VF)(심실세동) 심실의 비조직적이고 비효과적인 경련상태로 혈액이 흐르지 않거나 심장이 정지된 상태이다.

ventricular tachycardia(VT)(심실빈맥) 심실(심방 대신에)에서 시작하는 전기적 충격으로 빠른 심장리듬과 부적절한 혈액흐름의 결과로 결국에는 심정지에 빠질 수 있다.

vertebral bodies(척추체) 척추를 이루는 33개의 뼈.

vesicants(수포-, 수포제) 수포작용제; 수포의 첫 입구는 피부를 통해서이다.

viral myocarditis(바이러스성 심근염) 부정맥 특히 심실부정맥과 울혈성 심부전을 일으키는 불충분한 심근기능을 빈번하게 일으키는 심장의 바이러스감염.

visual analogue scores(VAS)(시각통증척도) 환자에게 질문하면서 혹은 감각(보통은 통증)을 일직선에 표시함으로써 그들이 통증에 대해 느끼는 감각의 양을 수량화하도록 설명된 척도. 환자가 일직선을 따라 얼마나 먼 곳에 한점을 표시하는지 측정함으로써 통증감각의 양을 측정하는 방법이다. 연구논문에서 통증을 측정하는 방법으로 빈번하게 사용된다.

vital signs(활력징후) 환자의 전반적인 상태를 평가하기 위해 사용되는 중요한 징후로 호흡, 맥박, 혈압, 의식수준, 그리고 피부특성을 포함한다.

vocal cords(성대) 소리를 만들어 내기 위해 성문을 가로질러 공기가 움직이면서 떨리는 후두 조직의 2개의 작은 주름.

volume resuscitation(용적소생(술)) 혈액양을 계속 보충하는 것.

W

wheezing(쌕쌕거림, 천명) 천식과 기관지염에서 발생하는 것과 같이 호기동안 휘파람부는 소리가 나는 것.

work of breathing(호흡 노력) 산소화와 환기의 지표이다. 호흡 노력은 어린이에게서 저산소증에 대한 보상 시도로 나타난다.

Index

영문 찾아보기